VIE ET DESTIN

VASSILI GROSSMAN

VIE ET DESTIN

Roman

traduit du russe par
Alexis BERELOWITCH
avec la collaboration de
Anne COLDEFY-FAUCARD

préfacé par
Efim ETKIND

FRANCE LOISIRS
123, boulevard de Grenelle, Paris

Édition du Club France Loisirs, Paris,
avec l'autorisation des éditions Julliard/L'Age d'Homme
© Éditions L'Age d'Homme, 1980
© Éditions Julliard/L'Age d'Homme, 1983
ISBN 2-7242-2019-6

AVERTISSEMENT DE L'ÉDITEUR

Le roman de Vassili Grossman que nous publions représentait, dans l'esprit de son auteur, la seconde partie d'une grande fresque sur la bataille de Stalingrad.

La première partie, dont le titre était Pour une juste cause, *parut dans la revue soviétique* le Nouveau Monde (Novy Mir) *en 1952, dans les numéros 7 à 10.* Vie et destin *est lié à cette première partie par un certain nombre de personnages et par une certaine continuité du récit. Écrites l'une à la suite de l'autre, les deux parties sont néanmoins séparées par une profonde crise morale et philosophique qui affecta leur auteur. Il en résulte que* Vie et destin *est une œuvre indépendante qui peut être lue sans avoir connaissance de sa première partie. Il suffira de savoir que l'action de* Pour une juste cause *se déroule de juin à septembre 1942, durant l'offensive allemande, qu'on y suit les destinées de plusieurs membres de la famille Chapochnikov et en particulier d'Alexandra Vladimirovna, le chef de la famille, et de son petit-fils Sérioja. Les filles et les gendres d'Alexandra Chapochnikov tissent les lignes principales de cet enchevêtrement de destinées. On y voit en particulier le physicien Strum se rendre chez son vieux maître, l'académicien Tchepyjine, et mener avec lui une discussion philosophique qui fut le principal chef d'accusation lorsque, de février à mai 1953, la critique se déchaîna contre Grossman.*

La lettre que la mère de Strum écrit du ghetto à son fils était remise fortuitement à son destinataire dans Pour une juste cause *mais le texte — si poignant — n'en est révélé que dans* Vie et destin.

Un grand nombre d'autres fils relient ces deux panneaux du « diptyque » de Vassili Grossman ; mais il serait inutile de les mentionner tous ici. Les deux ouvrages sont certes liés par la continuation de la fable mais l'homme qui les écrivit n'était pas le même.

Pour une meilleure compréhension des événements militaires, le lecteur trouvera en fin de volume deux cartes, du front russe au cours de l'année 1942 et de la bataille de Stalingrad.

7

INTRODUCTION

Ils ne sont pas coupables. Des forces de plomb, obscures, les poussaient, des millions de tonnes pesaient sur eux. Il n'y a pas d'innocents parmi les vivants. Tous sont coupables, toi le prévenu, toi le procureur, et moi qui pense au prévenu, au procureur et au juge.
Mais pourquoi avons-nous si mal et si honte de notre abjection ?

Vassili Grossman
Tout passe...

Il y a plus de vingt ans — en 1960 — Vassili Grossman achevait son roman *Vie et destin*. Le livre parut en 1980, mais pas dans le pays de l'auteur, en Occident.

Vingt ans... Un long délai. En vingt ans, un homme peut changer du tout au tout, la planète peut se métamorphoser, les goûts esthétiques se transformer. Mais le « vrai », « l'essentiel », le « fondamental » ne changent pas. Le pain reste le pain, l'eau est toujours l'eau. Au cours des deux dernières décennies, les goûts ont évolué, les idées aussi. Pourtant, le roman *Vie et destin* a su garder une importance vitale. Il n'a rien perdu de sa force explosive.

Le destin de ce livre est unique ; le voici dans ses grandes lignes. En 1962, Grossman vient de terminer son épopée (dont la première partie s'intitule : *Pour une juste cause*) et remet le manuscrit sous le titre de *Vie et destin*, à la revue *Znamia*. Vadim Kojevnikov, le rédacteur en chef, le lit et le transmet à la Loubianka, au KGB. Ainsi est-il plus tranquille ; car ce qu'il a lu est terrible !

Faut-il lui jeter la pierre ? Et pourquoi seulement à lui ? Vassili Grossman a démonté, mieux que personne, le mécanisme de la délation. Dans ce cas précis, les choses, de toute évidence, se sont passées ainsi : plusieurs membres du comité de rédaction ont lu le roman, chacun a eu peur de lui-même et des autres, et cela s'est terminé par une dénonciation rédigée par trois personnes : Vadim Kojevnikov, le plus important, et deux autres, moins haut placés, Lioudmila Skorino et Alexandre Krivitski. Il faut retenir ces noms, car c'est grâce à ces amateurs des belles-lettres que Vassili Grossman a vu, un beau jour, arriver deux hommes en civil, respectivement major et capitaine du KGB. Ils lui présentèrent un mandat de perquisition et de saisie du roman. Ils déclarèrent à l'auteur qu'ils avaient ordre de « s'emparer du manuscrit » et proposèrent de lui épargner une fouille, s'il consentait à leur remettre tous les exemplaires de son nouveau livre. Ils ne prirent pas seulement les exemplaires tapés à la machine, mais aussi un sac plein de brouillons et jusqu'aux rubans de machine (chez les dactylos) et aux papiers carbone, sous prétexte qu'on pouvait lire « par transparence ». Bref, ce fut un travail consciencieux. Le livre *Vie et destin* était sous les verrous et semblait en passe d'être à jamais détruit. L'auteur ne fut pas arrêté, mais il ne survécut que peu de temps : un an et demi plus tard, un cancer l'emportait. V. Grossman n'avait que cinquante-neuf ans ; c'était un esprit indomptable, il aurait pu faire encore tant de choses, s'il n'avait été brisé le jour où on lui prit l'œuvre de sa vie. Il devait dire à un ami, à propos de ce jour : « Je suis tombé dans un coupe-gorge. »

Il avait cependant fait beaucoup ; il occupera, dans l'histoire de la littérature et de la pensée libératrice de notre siècle, l'une des premières places. La réalité soviétique est fantastique ; ne croyez pas que le nom de Vassili Grossman ait disparu des manuels et des encyclopédies comme les noms de tant d'autres, classés « ennemis du peuple » : Babel, Pilniak, Artem Vessioly, Boris Kornilov. On a préféré ne rien remarquer, on a voulu oublier *Vie et destin*. Les biographes de Vassili Grossman nous font voir un citoyen soviétique exemplaire : étudiant de chimie à l'université de Moscou (1929-1933), ingénieur dans une usine de Donbass, puis dans une fabrique de crayons à Moscou, il arriva à écrire sa première nouvelle *Glückauf* — sur la vie des mineurs du Donbass — en 1934 et put devenir un écrivain professionnel grâce à la bénédiction de Maxime Gorki, le pape des lettres soviétiques. L'œuvre majeure de Vassili Grossman fut le roman *Stepan Koltchougine* (1936-1941), l'histoire de la formation d'un ouvrier-révolutionnaire, d'un bolchevik ; Vassili Grossman, l'auteur de ce gros livre, est dans la ligne du réalisme socialiste, c'est un écrivain soviétique comme tant d'autres. Ce n'est que pendant la guerre qu'il devient un des meilleurs journalistes militaires ; néanmoins *Vie et destin* semble tomber du ciel : un écrivain ordinaire devient du jour au lendemain un des plus grands romanciers du siècle.

On comprend que V. Kojevnikov ait eu peur. Il savait pertinemment que Grossman le menaçait personnellement. N'était-ce pas de Kojevnikov et de ses écrits que parlait Grossman, quand il écrivait dans son dernier roman *Tout passe...* : « Ignorant la liberté, l'État a créé un moulage de parlement, d'élections, de syndicats professionnels, un moulage de société et de vie sociale... » Le roman *Vie et destin* fait la preuve que tout oppose le moulage et la vie. V. Kojevnikov ne pouvait pas ne pas sentir que toute sa gloire d'écrivain, les milliers d'exemplaires de son livre *le Glaive et le Bouclier,* sa revue *Znamia* (qui, en 1947, s'était fait attaquer par la *Pravda* pour avoir publié une pièce remarquable de Grossman, intitulée : *A en croire les Pythagoriciens)* et sa fonction de secrétaire à la direction de l'Union des Écrivains relevaient de la pseudo-réalité du moulage.

Car si Vassili Grossman existe, V. Kojevnikov appartient au néant. Les responsables du KGB comprirent, eux aussi, que malgré les XXe et XXIIe congrès du parti, malgré le « dégel » de l'époque Khrouchtchev, on ne pouvait se permettre d'aller aussi loin que Grossman. Le tableau qu'il brosse de la société soviétique est trop terrible et, surtout, trop fidèle à la réalité.

Quelle pouvait être la raison de leur terreur ? Car pour décider la mise sous les verrous du manuscrit d'un écrivain connu, il faut le redouter comme la peste, au point de ne pouvoir se contenter de l'arme habituelle de la censure : l'interdiction. Qu'un auteur donne deux-trois exemplaires de son ouvrage à lire à ses amis, la belle affaire ! L'État ne s'écroulera pas pour autant... Après tout, la police n'avait pas confisqué le roman de B. Pasternak, *le Docteur Jivago,* refusé par la rédaction de *Novy Mir* (avec Constantin Simonov en tête), parce que contre-révolutionnaire ; ni le roman d'Alexandre Bek, *Nouvelle affec-*

tation, interdit par la censure (et bientôt publié en Occident) ; ni le manuscrit du poème de A. Tvardovski, *Tiorkine dans l'autre monde,* qui ne devait être publié que bien plus tard dans les *Izvestia* (sur ordre spécial de Khrouchtchev). Douze ans après le livre de Grossman, seul *l'Archipel du Goulag* d'Alexandre Soljénitsyne devait, lui aussi, faire l'objet d'une confiscation en 1973. Il fut plus difficile de le saisir. Il fallut, par des tortures (ou des piqûres ?), faire parler la collaboratrice de l'auteur, pour découvrir la cachette du manuscrit séditieux. Mais on comprend que *l'Archipel* ait pu faire peur aux autorités et, avant tout, au KGB : « l'investigation littéraire » de Soljénitsyne déborde de faits, d'allusions à des destins réels, de noms de victimes et de bourreaux. Le livre de Vassili Grossman, lui, est le fruit de l'imagination de l'auteur : c'est un roman. Parmi les dizaines de personnages que contient le livre, quelques-uns ont existé (les généraux Rodimtsev, Tchouïkov par exemple), mais tous les autres ont été inventés. On comprend le danger que représentent les témoignages critiques, accusateurs. Mais depuis quand la littérature est-elle dangereuse ? Il est arrivé que la publication de documents entraîne la chute d'hommes d'État, de gouvernements et même de régimes. Il suffit de se rappeler l'affaire du Watergate et le destin de Richard Nixon ou, un siècle plus tôt environ, le rôle qu'ont joué l'Affaire Dreyfus et le *J'accuse* de Zola dans l'histoire de la Troisième République. Mais jamais une œuvre de fiction n'a causé la perte d'un régime politique ou d'un parti. Le poème « documentaire » de Dante ne put venir à bout des Gibelins et des Guelfes noirs. Zola, dont le pamphlet publié dans *l'Aurore* avait secoué la France entière, ne renversa pas la papauté avec ses romans *Rome* et *Paris* ; il fut jugé pour son *J'accuse,* non pour les *Rougon-Macquart* ou les *Trois Villes.*

La mise sous les verrous d'un roman est la plus haute distinction que le pouvoir d'État puisse décerner à une œuvre littéraire : l'imagination de l'auteur se trouve placée au niveau de la réalité ; les réflexions de l'écrivain deviennent divulgation de secrets d'État. Le pouvoir prend peur devant ces personnages inventés, il redoute les pensées de l'auteur, même si elles n'ont aucune chance de se transformer en livres à gros tirages, même si elles doivent rester dans le tiroir du bureau de l'auteur. Qu'il semblait fort, pourtant, ce pouvoir aux nerfs si fragiles, avec ses chars, son aviation, ses imprimeries, sa radio, sa télévision, ses missiles et son énergie nucléaire ! Et voilà qu'il a peur d'un roman ! Du manuscrit d'un roman ! De feuilles de carbone, même, dans la mesure où on peut lire « par transparence ».

C'est ainsi qu'un membre important du Comité central reçoit Vassili Grossman et lui explique « qu'il ne saurait être question de publier son roman ni de lui rendre son manuscrit, et que le livre ne risque guère de voir le jour avant deux ou trois cents ans ». Boris Iampolski, un ami de Grossman, auteur de Mémoires (jamais publiés en URSS), fait de cette phrase un commentaire éloquent : « La morgue monstrueuse du favori, c'est du même tabac que le Reich millénaire, les dix mille ans de Mao, l'amitié éternelle, la réhabilitation à titre posthume, la réintégration au sein du parti d'un individu tué par ce même parti. Et tout cela est vrai. Cependant, plus les chiffres irresponsables avancés par le favori du moment sont énormes, plus la peur qui l'habite se fait nette, plus nette aussi l'importance qu'il accorde au roman qu'il ne saurait être question de publier. »

*

* *

Le roman de Vassili Grossman explore la réalité soviétique à un moment crucial de son histoire : Stalingrad, c'est à la fois la plus sévère défaite subie par l'Armée Rouge contrainte de reculer jusqu'à la Volga, et la victoire la plus convaincante de l'État soviétique, qui réussit à tenir tête aux Allemands, au moment même où ils remportent les victoires les plus éblouissantes. Stalingrad, c'est un moment décisif de l'histoire nouvelle, un tournant déterminant pour le destin du monde et de l'humanité. Stalingrad, c'est un immense espoir pour tous — et avant tout, pour la Russie — car c'est la fin du nazisme et le triomphe de la démocratie. Vassili Grossman nous permet d'assister à ce moment-charnière, par l'intermédiaire des multiples acteurs de ce moment historique : un physicien, de simples soldats, russes ou allemands, un colonel des blindés dans l'armée soviétique, un important SS, bâtisseur d'Auschwitz, des fonctionnaires du parti, de vieux bolcheviks-léninistes, les chefs des deux camps : Hitler et Staline. Et voilà que le lecteur commence par découvrir que tous les espoirs de justice et de démocratie sont sans fondement. On s'aperçoit, en effet, qu'il n'y a pas de différence de principe entre le nazisme de Hitler et le bolchévisme de Staline. Fanatisme de classe ou fanatisme de race se rejoignent.

Dans les deux cas, il s'agit seulement de trouver un vague et illusoire fondement théorique à la contrainte imposée au peuple pour assurer son pouvoir. Avec une franchise inouïe, inimaginable dans la littérature soviétique officielle — et pas seulement officielle —, Vassili Grossman relève cette similitude. Il n'hésite pas, lorsqu'il parle de la réalité nazie, à user de termes qui désignent habituellement des réalités soviétiques. Ainsi ce dialogue dans un hôpital militaire :

« Moi, à vrai dire, j'avais des doutes sur B. J'ai pensé : « Celui-là, il est au parti ».
— Non, je ne suis pas au parti » (II, 9).

Une phraséologie parfaitement soviétique. Or, les interlocuteurs ne sont autres que Gerne et Fresser. Ils parlent du lieutenant Bach qui, quelques pages plus loin, dans le même hôpital, se livre aux réflexions suivantes :

« ... Quand il entendait les paroles éhontées de ces professeurs chenus qui déclaraient que Faraday, Darwin et Edison n'étaient qu'une bande de filous qui avaient pillé la science allemande et que Hitler était le plus grand savant de tous les temps et de tous les peuples, il pensait avec une joie mauvaise : « Toutes ces inepties finiront bien par être balayées un jour ». Il avait le même sentiment à la lecture de ces romans qui décrivaient, à grand renfort de mensonges effarants, des hommes sans défauts, le bonheur des ouvriers et des paysans bien dans la ligne, le beau travail d'éducation des masses accompli par le parti. Mon Dieu, quels misérables poèmes paraissaient dans les revues... » (II, 10). Remplacez « allemande » par « russe » et « Hitler » par « Staline », tout le reste concorde. Quand le SS Liss tente de convaincre le vieux léniniste Mostovskoï que les deux systèmes sont identiques, il ne fait qu'exprimer la conviction profonde de l'auteur. Quand le même Liss évoque le rôle de la police au sein de l'État, il ne parle pas seulement de l'Allemagne, mais aussi de la Russie : « La SD respirait et vivait partout, que ce soit à l'Université, dans la signature du directeur d'un aérium d'enfants, dans les auditions des futurs chanteurs d'opéra, dans les décisions du jury chargé de choisir les tableaux de l'exposition de printemps, comme dans la liste des candidats aux élections du Reichstag.

« Toute la vie tournait autour d'elle. C'était grâce au travail de la police politique secrète que le parti avait toujours raison, que sa logique ou son illogisme triomphait de toute autre logique et sa philosophie de toute autre philosophie. Elle était la baguette magique ! Il suffisait de la laisser tomber pour que toute magie disparaisse, pour que le grand orateur se transforme en simple bavard et que les sommités de la science ne soient plus que les vulgarisateurs des idées des autres. Il ne fallait la laisser échapper à aucun prix. » Ou prenons l'exemple de Chalbe, membre important du parti nazi, qui explique à l'officier Lehnard qu'il n'y aura pas de révolte dans l'armée allemande : « C'est maintenant qu'apparaît pleinement la sagesse du parti, dit-il. Nous n'avons pas hésité à extirper du corps du peuple non seulement les parties contaminées, mais même certaines parties saines d'apparence, mais qui risquaient de pourrir dans les moments difficiles. Nous avons purgé les villes, les armées, les campagnes et l'Église des esprits forts et des idéologues hostiles. La médisance, les injures et les lettres anonymes fleuriront, mais il n'y aura pas de rébellion, même si ce n'est pas simplement sur la Volga que l'ennemi nous encercle, mais jusque dans Berlin ! Nous pouvons tous en être reconnaissants à Hitler... » (III, 33).

De quel espoir peut-on parler, si nous sommes placés devant deux camps qui, tels des miroirs, se renvoient une image identique ? On peut, bien sûr, répliquer qu'il y a tout de même une différence : les nazis ont fondé leur totalitarisme sur l'idée nationale, les communistes sur la notion de classe. Mais très logiquement, Vassili Grossman nous montre que l'internationalisme des communistes dégénère en un nationalisme étatique que rien ne distingue plus de l'idéologie nazie. Cette dégénérescence, amorcée il y a bien longtemps, trouve sa justification, reçoit la sanction suprême après la victoire de Stalingrad. Pour Grossman, Stalingrad a aidé « la population et l'armée à se forger une nouvelle conscience d'elles-mêmes... » L'histoire de la Russie « devenait l'histoire de la gloire russe, au lieu d'être l'histoire des souffrances et des humiliations des ouvriers et des paysans russes. Le national changeait de nature, il n'appartenait plus au domaine de la forme, mais au contenu, il était devenu un nouveau fondement de la compréhension du monde (...). Ainsi, la logique des événements a fait que, au moment où la guerre populaire atteignit son plus haut point pendant la défense de Stalingrad, cette guerre permit à Staline de proclamer ouvertement l'idéologie du nationalisme étatique » (III, 19).

Curieux paradoxe : c'est à Stalingrad que ces deux régimes, apparemment antagonistes, finissent par se rejoindre. D'où l'ambiguïté de Stalingrad, maintes fois soulignée par Vassili Grossman : le triomphe des armes soviétiques dissimule à la fois la grandeur et l'horreur. La grandeur, car la victoire de Stalingrad est le triomphe d'un peuple ; l'horreur, car la victoire du peuple s'avéra être le triomphe de Staline et de son régime impérial. « Le triomphe de Stalingrad joua un rôle déterminant dans l'issue de la guerre, dit Vassili Grossman. Et il ajoute : mais la dispute silencieuse qui oppose le peuple et l'État tous deux vainqueurs, se poursuit. De cette dispute dépendent le destin de l'homme et sa liberté » (III, 15). Sur la Volga, c'est le destin de notre siècle, le destin de tous les États, des alliances avec ou contre l'Allemagne, de tous les partis politiques d'Europe ou d'Amérique, de tous les rescapés du nazisme, qui se joue. C'est vrai. Mais déjà, autre chose se profile : la catastrophe, pour les vaincus, bien sûr, mais aussi pour les vainqueurs.

« Ce qui se jouait, c'était le sort des Kalmouks, des Tatars de Crimée, des Tchétchènes et des Balkares exilés sur ordre de Staline en Sibérie et au Kazakhstan, ayant perdu le droit de se souvenir de leur histoire, d'enseigner à leurs enfants dans leur langue maternelle. Ce qui se jouait, c'était le sort de Mikhoels et de son ami, l'acteur Zouskine, des écrivains Bergelson, Markish, Féfer, Kvitko, Noussinov, dont les exécutions devaient précéder le sinistre procès des médecins juifs, avec en tête le professeur Vovsi. Ce qui se jouait, c'était le sort des Juifs que l'Armée Rouge avait sauvés et sur la tête desquels Staline s'apprêtait à abattre le glaive qu'il avait repris des mains de Hitler, commémorant ainsi le dixième anniversaire de la victoire du peuple à Stalingrad » (III, 10).

A l'instant même où l'un des adversaires écrase l'autre, l'on s'aperçoit qu'ils sont jumeaux. Leur connivence ne date pas d'hier, même s'ils cachaient soigneusement leurs points communs. Le totalitarisme allemand jouait la comédie de l'antibolchévisme ; mais il baptisait son régime « socialiste et ouvrier », donnait à Hitler le titre de « guide très sage », prenait le drapeau rouge comme emblème et fixait ses grandes fêtes le 1er mai et le 6 novembre. Le totalitarisme soviétique, lui, vouait aux gémonies la phraséologie nazie, la doctrine raciste et jusqu'aux fascistes antisémites ; mais après Stalingrad, tout en conservant son discours hypocrite de propagande, il se lance irrévocablement dans le racisme et l'antisémitisme qui deviennent la grande caractéristique du régime. Notons que, persua-

16

dés de la force invincible et de l'attrait magique de la théorie lumineuse du marxisme-léninisme, les communistes soviétiques ne se donnèrent même pas la peine de mettre en accord ces deux idées contraires : le socialisme avec l'antisémitisme (ou, tout simplement, avec le délire nationaliste).

D'ou vient une ressemblance aussi stupéfiante ? Comment, au vingtième siècle, deux formes, si différentes et si semblables, de totalitarisme exterminateur ont-elles pu naître ? Qui en porte la responsabilité ? Cette question préoccupe nombre d'individus. Elle est effectivement d'une importance capitale pour notre temps. Les réponses apportées sont multiples. Pour les uns, les responsables sont les politiciens de gauche qui pensaient transformer l'homme en changeant la société alors que l'homme ne peut être changé. Pour les autres, la responsabilité incombe aux matérialistes occidentaux qui ont rejeté la profonde spiritualité caractérisant la religion au Moyen Age ; pour les troisièmes, aux Juifs qui se sont vengés du christianisme en inventant le marxisme qui, né en Allemagne, s'implanta en Russie et provoqua en Allemagne la victoire des nazis ; pour les quatrièmes aux réalisations scientifiques et techniques, au progrès qui privent les hommes de toute spiritualité, les transforment en robots-consommateurs ; pour les cinquièmes, aux philosophes, partisans de systèmes théoriques achevés et qui sont prêts à sacrifier l'humanité à leurs idées abstraites ; pour les sixièmes, à des aventuriers avides de pouvoir, qui peuvent parvenir à leurs fins grâce à des techniques de propagande inconnues jusqu'ici qui provoquent des psychoses collectives et permettent l'extermination de millions de personnes.

La réponse de Vassili Grossman est tout autre. Dans son épopée *Vie et destin,* elle n'est qu'esquissée et sera définitivement formulée dans le roman *Tout passe...,* commencé en 1955 et achevé en 1963, après la confiscation du manuscrit de *Vie et destin.* Grossman estime que la Russie a suivi une évolution contraire à celle de l'Occident. L'histoire de l'Occident, c'est un accroissement constant et progressif de la liberté ; l'histoire de la Russie est marquée par un accroissement tout aussi systématique de l'esclavage. « ... Pendant mille ans, le progrès et l'esclavage russes se sont trouvés enchaînés l'un à l'autre. Toute percée vers la lumière creusait encore plus profond la fosse noire du servage. » Au vingtième siècle, Lénine renforce ce lien, « favorisant un nouvel asservissement des paysans et des ouvriers, transformant les hommes de culture en larbins de l'État... » C'est alors que se produisit ce qui devait placer la Russie au centre de toutes les préoccupations : « la synthèse du socialisme et de l'absence de liberté » ; elle stupéfia le monde et permit de créer un État extrêmement puissant. Il apparut qu'on pouvait « bâtir une nation et un État au nom de la force, au mépris de la liberté ». « Les apôtres européens des révolutions nationales entrevirent la flamme qui venait d'Orient. Les Italiens, puis les Allemands, développèrent, à leur façon, l'idée du national-socialisme. » Car tout vint de là, « la loi russe millénaire devint la loi du monde entier ».

Les particularités de l'évolution russe — une progression constante en faveur d'un esclavage toujours plus grand — furent adoptées par d'autres nations. La « synthèse du socialisme et de l'absence de liberté » s'avère être une forme d'État si pratique et si puissante qu'elle évince toutes les autres : la démocratie faiblit, la société démocratique cède le pas au régime totalitaire, elle n'est pas en mesure de rivaliser avec la dictature du parti et de ses guides. Pour Vassili Grossman, cette explication concilie perspective historique et nécessité sociale, elle est plus vraisemblable que toute théorie abstraite sur le Mal éternel et l'impuissance du Bien. Pour l'auteur, les écrits d'Ikonnikov ne sont pas une absurdité ; ils affirment que « les hommes qui veulent le bien de l'humanité sont impuissants à réduire le Mal sur terre », que l'enseignement chrétien lui-même a coûté plus de victimes que « les crimes des brigands et des criminels, faisant le mal pour le mal » et que la seule issue pour les hommes est la « bonté privée d'un individu à l'égard d'un autre individu, une bonté sans témoins, une petite bonté sans idéologie. On pourrait la qualifier de bonté sans pensée. La bonté des hommes hors du Bien religieux ou social ».

Est-ce vraiment la seule solution ? Vassili Grossman n'en connaît pas d'autre, même s'il en perçoit toute la naïveté. Toute tentative d'imposer à l'humanité un Bien général, obligatoire, absolu, se termine par une catastrophe sanglante, semblable à celles qui ont accompagné toute l'histoire du christianisme, les mouvements socialistes ou la religion musulmane.

*　*
*

Vassili Grossman élabore une théorie philosophique et sociale cohérente des multiples facettes du fascisme mondial, à l'origine duquel il place la Révolution d'Octobre. Les guides du communisme russe voulaient peut-être faire le bien de l'humanité, ils n'ont apporté que le Mal, un mal sans précédent, inouï, apocalyptique, à l'échelle de l'univers. Par sa cohérence, cette théorie suffisait à effrayer mortellement les dirigeants soviétiques. Personne, jusqu'alors, n'avait osé en URSS élaborer de théorie historique ou philosophique contraire au monopole du marxisme-léninisme en vigueur. Mais l'épopée de Grossman les terrifiait encore plus par son côté « authentique ».

Le livre se déroule sur plusieurs plans à la fois. L'action, très ramifiée, se situe à divers niveaux de la réalité. Au centre, on trouve les deux sœurs Evguénia et Lioudmila Chapochnikov, leurs destins terribles et si dissemblables. Evguénia quitte son mari, Krymov, un vieux bolchevik, pour le colonel Novikov. Mais elle reviendra à Krymov quand celui-ci sera arrêté. Lioudmila, elle, est mariée au physicien Strum. Autour des deux sœurs, ce ne sont que destins tragiques, et pourtant si habituels, de Soviétiques, tous, à leur manière, fidèles au régime ou, au moins, au pays ! Il y a d'abord Krymov, communiste et intellectuel, qui n'a jamais douté un seul instant du bien-fondé du socialisme soviétique. Mais voilà qu'il se retrouve dans les geôles de la Tchéka, où il commence à comprendre ce grand mystère de notre temps : le mécanisme psychologique des procès de Moscou. Il y a Strum, physicien, théoricien de talent qui, au moment même où il fait une découverte d'une importance capitale ouvrant à la science des perspectives insoupçonnées, voit s'abattre sur lui le fléau d'un antisémitisme que jamais il n'aurait imaginé (tant il paraît absurde dans une société qui se dit « socialiste »). Il y a l'histoire de Krymov, capitulant devant la logique satanique des juges d'instruction de la Tchéka qui, à force de coups, d'humiliations, de tortures, de démagogie font de ce commissaire aux armées, si fier de sa pureté idéologique, une véritable loque... Il y a l'histoire de Strum, qui résiste malgré les quolibets, la trahison de ses amis et proches collaborateurs, le danger d'être anéanti physiquement et qui, au meilleur moment de sa vie et de sa carrière, alors que, par la vertu d'un coup de téléphone de Staline, il se retrouve au sommet de la gloire, « craque » soudain... Il y a l'histoire du colonel Novikov, commandant glorieux d'une division blindée, héros de la bataille de Stalingrad, qui, pour sauver des hommes et du matériel, retarde l'attaque de huit minutes, ce qui lui vaudra d'être sanctionné et de frôler la mort de près... Il y a l'histoire de traîtres resplendissants, de conformistes, de délateurs, de larbins, tels que le professeur Sokolov, d'académiciens tremblant devant la loi, ou les généraux Néoudobnov et Guetmanov... Tout cela s'organise en un tableau précis de la société soviétique, où les vivants se cassent la tête contre le mur de la bureaucratie et de la police, tandis que règnent sans partage les hommes du « monde-moulage ».

L'épopée de Grossman allie le vivant et l'inerte ; or, dans les conditions du socialisme soviétique, l'inerte l'emporte toujours, en bonne logique, sur le vivant.

L'un des thèmes principaux de Vassili Grossman est celui de l'homme opposé à l'État. L'homme est petit, démuni, désemparé, pitoyable, fragile, mortel. L'État, lui, est tout-puissant, gigantesque, éternel, invulnérable. Il prend tour à tour l'aspect de la machine bureaucratique, de la Loubianka, d'Auschwitz, du parti, d'un guide demi-dieu. La pression exercée sur l'homme par l'État est incommensurable. Grossman n'hésite pas à recourir à l'hyperbole : « ... les champs de forces créés par notre État, sa masse de trillions de tonnes, l'extrême terreur et l'extrême soumission qu'il engendre chez les hommes qui ne pèsent guère plus que des plumes... » *(Tout passe...)* Nous comprenons alors le sens de l'épopée de Grossman : la petite plume humaine est la plus forte ! On ne peut s'empêcher d'évoquer Blaise Pascal qui écrivait, trois cents ans plus tôt, en 1670 : « L'homme n'est qu'un roseau, le plus faible de la nature (...). Il ne faut pas que l'univers entier s'arme pour l'écraser. Une vapeur, une goutte d'eau suffit pour le tuer. Mais quand l'univers l'écraserait, l'homme serait encore plus noble que ce qui le tue, parce qu'il sait qu'il meurt ; et l'avantage que l'univers a sur lui, l'univers n'en sait rien. »

L'espoir demeure, car en dépit des dictateurs impitoyables et de la toute-puissance bureaucratique des forces anti-humaines, le vivant peut être préservé dans la plus petite, la plus imperceptible cellule de la moralité sociale : la simple bonté humaine.

* *
*

Nous avions à notre disposition deux exemplaires du roman, parvenus, Dieu sait comment, à s'échapper de leur prison de béton de la Loubianka. Une étude attentive a montré que chacun d'eux était défectueux : il y manquait des pages, quelques lignes, un paragraphe, voire des chapitres entiers. Par bonheur, la comparaison des deux textes nous a permis de remplir presque tous les « blancs » et de corriger bon nombre de fautes. Les deux variantes nous ont permis de reconstituer un seul texte, synthétique.

Avec le roman de V. Grossman, nous nous sommes trouvés confrontés à un travail textologique d'un type particulier : reconstituer le texte définitif d'un roman confisqué par la police. Un problème que les manuels de textologie n'avaient pas prévu. La textologie recommande, le plus souvent, de se laisser guider par les dernières volontés de l'auteur (« Nous prenons comme texte de base celui où la volonté créatrice de l'auteur est la plus manifeste »). Mais de quelle volonté créatrice, de quel choix de l'auteur peut-il être question, puisque Grossman, malgré le « dégel », n'avait aucune liberté et que son manuscrit s'est retrouvé sous les verrous ? Que souhaitait l'auteur ? Pensait-il vraiment que son ouvrage verrait le jour en Union soviétique ? Car Grossman écrivit son livre avant, pendant, et surtout, après « l'affaire Pasternak ». Or, *le Docteur Jivago*, qui avait paru en Italie et provoqué un scandale, était moins dangereux pour le Comité central et la Tchéka que le livre de Grossman. Ce dernier soulève tous — ou presque tous — les problèmes du stalinisme et l'auteur ne pouvait l'ignorer. Pourtant, il continua d'écrire, sans se cacher, et remit son manuscrit à la rédaction d'une revue soviétique parfaitement orthodoxe. Il croyait au miracle.

Mais le miracle, alors, ne se produisit pas. Il vint plus tard : après vingt ans de réclusion, le manuscrit échappa à sa prison et trouva un éditeur. Durant ces vingt années, quelque chose avait bougé dans la littérature russe. On avait vu naître la prose des années soixante, liée à *Novy Mir*, les récits et romans de I. Trifonov, F. Abramov, S. Zalyguine, V. Voïnovitch, G. Vladimov ; il y avait V. Choukchine et V. Raspoutine ; on avait publié dans la presse officielle et non officielle les œuvres de A. Soljénitsyne ; le Samizdat était né, et avec lui, des auteurs tels que E. Guinzbourg et A. Galitch. Il y avait la littérature russe de l'émigration ; les auteurs en exil (A. Zinoviev, I. Brodski, V. Nekrassov), les livres transfuges (ceux de I. Dombrovski, A. Bitov, F. Iskander, L. Tchoukovskaïa). Et voici qu'après ce grand moment d'évolution des lettres russes vers la liberté, le vieux livre de Vassili Grossman émerge du néant. Malgré son retard, il reste vivant. Il aura sa place dans la littérature russe et mondiale. Pas en tant que monument historique, mais comme une œuvre d'art, participant au mouvement de la vie. Je citerai, en conclusion, le témoignage d'un écrivain qui a bien connu Grossman et nous en a laissé de beaux souvenirs, Boris Iampolski :

« Je le voyais souvent dans les années où il créait son œuvre majeure. Ses mains d'ouvrier, grandes et fortes, semblaient manier un marteau, un burin, plutôt qu'une plume fragile, mouillée d'encre. On eût dit qu'il bâtissait une cathédrale grandiose, et son livre, qui ne devait pas voir le jour, était bien une cathédrale, majestueuse, moderne, austère et porteuse de lumière, la sainte cathédrale de notre temps. »

E. Etkind.

PREMIÈRE PARTIE

1

Le brouillard recouvrait la terre. Les phares de la voiture se reflétaient dans les lignes à haute tension qui s'étiraient le long de la route.

Il n'avait pas plu mais, à l'aube, l'humidité s'abattit sur la terre et les feux dessinaient des taches rougeâtres sur l'asphalte mouillé. On sentait la respiration du camp à de nombreux kilomètres : les fils électriques, les routes, les voies de chemin de fer se dirigeaient tous vers lui, toujours plus denses. C'était un espace rempli de lignes droites, un espace de rectangles et de parallélogrammes qui fendaient la terre, le ciel automnal, le brouillard.

Des sirènes lointaines poussèrent un hurlement doux et plaintif.

La route venait se serrer contre la voie, et la colonne de camions chargés de sacs de ciment roula un certain temps à la hauteur du train de marchandises interminable. Les chauffeurs en uniforme ne regardaient pas les wagons, les taches pâles des visages.

La clôture du camp sortit du brouillard : des rangs de barbelés tendus sur des poteaux en béton. Les alignements de baraques formaient des rues larges et rectilignes. Leur uniformité exprimait le caractère inhumain du camp.

Parmi les millions d'isbas russes, il n'y a et il ne peut y avoir deux isbas parfaitement semblables. Toute vie est inimitable. L'identité de deux êtres humains, de deux buissons d'églantines est impensable... La vie devient impossible quand on efface par la force les différences et les particularités.

L'œil rapide mais attentif du vieux machiniste suivait le défilement des poteaux de béton, des grands mâts surmontés de projecteurs pivotants, des miradors au sommet desquels on voyait, derrière les vitres, les sentinelles auprès des mitrailleuses. Le mécanicien fit un signe à son aide et la locomotive lança un coup de sifflet d'avertissement. Ils entrevirent une guérite brillamment éclairée, une file de camions arrêtés par la barrière baissée du passage à niveau, l'œil rouge du feu clignotant.

Ils entendirent les sifflets d'un convoi qui venait à leur rencontre. Le mécanicien se tourna vers son aide :

— C'est Zucker, je le reconnais à sa voix délurée, il a livré la marchandise et file à vide vers Munich.

Le convoi vide croisa dans un bruit assourdissant celui qui, chargé, allait vers le camp, l'air déchiré criait, les lumières grises entre les wagons se succédaient, et soudain l'espace et la lumière grise de l'automne déchiqueté en lambeaux se réunirent à nouveau en une voie qui filait régulièrement.

L'aide-mécanicien sortit une petite glace de poche et examina sa joue salie. Le mécanicien la lui demanda d'un mouvement de la main.

Son aide dit d'une voix tendue :

— Ah ! *Genosse Apfel*, croyez-moi, nous aurions pu rentrer pour le dîner au lieu de rentrer à 4 heures du matin, en y laissant nos dernières forces, s'il n'y avait pas cette maudite désinfection des wagons. Comme s'il n'était pas possible de l'effectuer chez nous, au dépôt.

Le vieux en avait plus qu'assez de ces éternelles discussions à propos de la désinfection.

— Donne un coup de sifflet, dit-il, on nous aiguille directement vers la plate-forme de déchargement principale.

2

Dans le camp de concentration allemand, Mikhaïl Sidorovitch Mostovskoï eut l'occasion, pour la première fois depuis le Deuxième Congrès du Komintern, d'utiliser sa connaissance des langues étrangères. Avant-guerre, à Leningrad, les occasions de parler à des étrangers étaient rares. Il se souvenait maintenant de ses années d'émigration à Londres et à Genève, où, dans les milieux révolutionnaires, on parlait, discutait, chantait dans presque toutes les langues d'Europe.

Son voisin de châlit, un prêtre italien du nom de Guardi, avait annoncé à Mostovskoï que la population du camp comptait cinquante-six nationalités.

Le sort, le teint du visage, la tenue, la démarche traînante, la soupe à base de rutabaga et de sagou artificiel que les détenus russes avaient surnommée œil de poisson, tout cela était commun aux dizaines de milliers de personnes qui habitaient les baraquements du camp.

Pour le commandement du camp, les détenus se distinguaient par leur numéro et par la couleur de la bande de tissu cousue à leur veste : rouge pour les politiques, noire pour les saboteurs, verte pour les voleurs et les assassins.

La différence de langues empêchait ces hommes de se comprendre, mais ils étaient liés par une destinée commune. Des spécialistes de physique moléculaire ou de manuscrits anciens partageaient leur couche avec des paysans italiens ou des bergers croates incapables d'écrire leur nom. Celui qui, naguère, commandait ses repas à son cuisinier et inquiétait son majordome par son manque d'appétit, allait au travail dans le même rang que le mangeur de morue et tous les deux frappaient le sol de leurs semelles de bois, tous les deux guettaient avec angoisse la venue des *Kostträger*, les porteurs de baquets.

Les destinées des hommes du camp trouvaient leur ressemblance dans leur diversité. Le souvenir du passé pouvait être lié à un jardinet au bord d'une route italienne poussiéreuse, au mugissement lugubre de la mer du Nord ou à l'abat-jour de papier orange au-dessus de la table dans la maison d'un responsable dans les faubourgs de Bobrouïsk, mais pour tous les détenus sans exception ce passé était merveilleux.

Et plus ce passé d'avant le camp avait été difficile et plus le détenu mentait avec ferveur.

Ces mensonges ne poursuivaient pas de but pratique, ils servaient à glorifier la liberté : un homme hors du camp ne saurait être malheureux...

Avant la guerre ce camp s'appelait camp pour criminels politiques.

Le national-socialisme avait créé un nouveau type de détenus politiques : les criminels qui n'avaient pas commis de crime.

De nombreux détenus s'étaient retrouvés dans le camp pour avoir exprimé, entre amis, une critique du régime hitlérien, ou pour avoir lancé une blague à contenu politique. Ils n'avaient pas diffusé de tracts ni participé à l'activité de partis clandestins. Ils étaient accusés d'avoir été susceptibles de le faire.

L'internement de prisonniers de guerre dans les camps pour politiques était une autre innovation du fascisme. On trouvait là des pilotes anglais et américains abattus au-dessus de l'Allemagne ainsi que les officiers et commissaires politiques de l'Armée Rouge qui présentaient de l'intérêt pour la Gestapo. On exigeait d'eux qu'ils livrent des renseignements, qu'ils donnent des conseils, qu'ils collaborent, qu'ils signent toutes sortes de proclamations.

Il y avait dans le camp des saboteurs : des hommes en absence irrégulière parce qu'ils avaient cherché à quitter sans autorisation les usines et chantiers militaires. L'internement dans les camps d'ouvriers pour cause de mauvais travail était également une découverte du national-socialisme.

Il y avait dans le camp des hommes avec des bandes de tissu couleur lilas, c'étaient des émigrés allemands qui avaient fui l'Allemagne fasciste. Encore une nouveauté qu'avait introduite le fascisme : toute personne ayant quitté l'Allemagne, même si son attitude était restée parfaitement loyale à son égard, devenait un ennemi politique.

Les hommes portant une bande de couleur verte, les voleurs et les bandits, faisaient partie des privilégiés du camp ; la *Kommandantur* se servait d'eux pour surveiller les politiques.

Le pouvoir qu'exerçaient les droit commun sur les politiques était une manifestation de plus de l'esprit novateur du national-socialisme.

Il y avait dans le camp des hommes aux destinées si particulières qu'on n'avait pas trouvé de couleurs qui y correspondent. Mais l'Indien, charmeur de serpents, mais le Perse, venu de Téhéran afin d'étudier la peinture allemande, mais le Chinois, étudiant en physique, tous avaient reçu du national-socialisme une place sur les châlits, une gamelle de soupe et douze heures de travail aux fouilles.

Nuit et jour les convois arrivaient aux camps de concentration, aux camps de la mort. L'air était rempli du bruit des roues, des sifflets de locomotives, du piétinement sourd des centaines de milliers de détenus, un nombre de cinq chiffres cousu à leurs vestes, qui allaient au travail. Les camps étaient devenus les villes de la Nouvelle Europe. Ils croissaient et s'étendaient, ils avaient leurs plans, leurs rues et leurs places, leurs hôpitaux, leurs marchés de troc, leurs crématoires et leurs stades.

Comme elles semblaient naïves et même attendrissantes, les vieilles prisons blotties dans les faubourgs, en comparaison de ces villes, en comparaison du halo rouge et noir, du halo de terreur, au-dessus des fours crématoires.

On aurait pu croire qu'il fallait pour contrôler cette énorme masse de prisonniers une armée de surveillants, des millions de gardiens, mais il n'en était rien. Les uniformes S.S. ne se montraient pas dans les baraquements pendant des semaines entières. Les détenus eux-mêmes avaient pris sur eux la tâche d'assurer la surveillance policière à l'intérieur des camps. Les détenus eux-mêmes veillaient au respect du règlement intérieur dans les baraques, veillaient à ce que seules des pommes de terre pourries et gelées aillent dans leurs chaudrons, tandis que les bonnes, soigneusement triées, allaient approvisionner l'armée.

Les détenus étaient médecins dans les hôpitaux, bactériologues dans les laboratoires des camps ; ils balayaient les trottoirs des camps, ils étaient les ingénieurs qui donnaient la lumière et la chaleur aux camps et fournissaient les pièces détachées aux machines des camps.

Les kapos, la féroce police des camps, reconnaissables à leur large brassard sur la manche gauche, les *Lagerälteste*, *Blockälteste*, *Stubenälteste* tenaient sous leur contrôle toute la vie du camp du haut jusqu'en bas. Cela allait d'affaires concernant tout le camp aux affaires privées qui se déroulaient la nuit sur les châlits. Les détenus avaient accès aux affaires les plus secrètes de l'État carcéral : ils prenaient part à l'établissement des listes de « sélection », au travail sur les détenus dans les *Dunkelkammer*, les boîtes noires en béton. On avait l'impression que les chefs pouvaient disparaître, les détenus auraient maintenu le courant à haute tension dans les fils pour ne pas se sauver et continuer à travailler.

Tous ces kapos et *Blockälteste* servaient leurs chefs, mais ils soupiraient ou versaient même quelques larmes sur ceux qu'ils menaient aux fours crématoires... Mais, malgré tout, ce dédoublement n'était jamais total ; ils n'incluaient pas leurs noms dans les listes de sélection. Le pire, aux yeux de Mostovskoï, était que le national-socialisme ne portait pas monocle, qu'il n'avait pas l'air hautain d'un acteur de second ordre, qu'il n'était pas étranger au peuple. Le national-socialisme, dans les camps, ne vivait pas à l'écart du petit peuple, il aimait les mêmes plaisanteries et ses plaisanteries faisaient rire, il était plébéien et il ne faisait pas de manières ; il connaissait parfaitement la langue, l'âme et les pensées de ceux qu'il avait privés de liberté.

3

Les soldats allemands qui, par une nuit du mois d'août 1942, arrêtèrent Mostovskoï, Agrippina Petrovna, le médecin militaire Sofia Levintone et le chauffeur Semionov dans les faubourgs de Stalingrad, les emmenèrent au Q.G. d'une division d'infanterie.

Après un bref interrogatoire, Agrippina Petrovna fut relâchée et, sur l'indication d'un collaborateur de la *Feldgendarmerie*, elle reçut une miche de pain et un peu d'argent ; Semionov partit avec une colonne de prisonniers pour un *stalag* des environs. Mostovskoï et Sofia Ossipovna Levintone furent envoyés à l'état-major du groupement d'armées.

C'est là que Mostovskoï vit pour la dernière fois Sofia Ossipovna. Elle était debout au milieu de la cour poussiéreuse, on lui avait pris son calot, arraché les insignes de son grade ; l'expression sombre et haineuse de ses yeux, de tout son visage remplit Mostovskoï d'admiration.

Après le troisième interrogatoire, on mena Mostovskoï à pied jusqu'à la gare où un convoi de blé attendait le départ. Une dizaine de wagons, dans le train, étaient réservés à des jeunes gars et filles envoyés en Allemagne pour le travail obligatoire : Mostovskoï entendit les cris d'adieu au moment du départ. On enferma Mostovskoï dans le compartiment de service : le soldat qui l'escortait n'était pas grossier avec lui mais, chaque fois que Mostovskoï lui posait une question, une expression de sourd-muet gagnait son visage. De plus, Mostovskoï sentait que le soldat ne pensait qu'à une chose : surveiller son détenu. Il était comme un gardien de zoo expérimenté qui surveille dans un silence tendu la caisse qu'il est chargé de convoyer et où s'agite un fauve. Alors que le train roulait déjà en Pologne, un nouveau passager vint les rejoindre ; c'était un évêque polonais aux cheveux blancs, aux yeux tragiques et à la bouche enfantine. Il raconta aussitôt à Mostovskoï les persécutions de Hitler contre le clergé polonais. Il parlait russe avec un fort accent. Mais quand Mostovskoï traita de tous les noms le catholicisme en général et le pape en particulier, l'évêque se tut et ne répondit plus qu'en polonais à ses questions. Quelques heures plus tard, à Poznan, on le fit descendre.

On emmena Mostovskoï jusqu'au camp sans passer par Berlin... Il avait l'impression qu'il se trouvait déjà depuis des années dans le bloc spécial où l'on avait placé les détenus qui intéressaient particulièrement la Gestapo. On y mangeait mieux que dans le camp de travail, mais c'était la vie facile de cobayes de laboratoire. L'homme de jour appelle un détenu vers la porte : un copain veut faire un échange avantageux de son tabac contre une ration de pain, et le détenu regagne sa place avec un sourire satisfait. Un autre, de la même manière, interrompt sa conversation pour suivre l'homme de jour, mais son interlocuteur attendra en vain la fin du récit. Et quelque temps après, le kapo ordonne à l'homme de jour de débarrasser la place vacante des loques qui y traînent ; et quelqu'un demande au *Stubenälteste* Käse s'il peut occuper la place qui vient de se libérer. Les discussions, dans leur mélange incroyable, n'étonnaient plus Mostovskoï : on discutait de la « sélection », des fours crématoires, de la valeur des équipes de football du camp, la plus forte, c'est celle du *Plantage-Moorsoldaten*, celle du *Revier* n'est pas mauvaise non plus, les cuisines ont une bonne attaque, l'équipe polonaise est nulle en défense... Il s'était habitué aux dizaines, aux centaines de bruits qui couraient dans le camp : sur l'invention d'une nouvelle arme, sur les dissensions entre les leaders nationaux-socialistes. Tous les bruits étaient toujours aussi beaux que mensongers. Les bruits, opium du peuple des camps.

4

La neige tomba au petit matin et tint jusqu'à midi. Les Russes éprouvèrent joie et tristesse. La Russie avait regardé de leur côté, avait jeté à leurs pieds misérables et meurtris son fichu de mère, elle avait blanchi les toits des baraques et celles-ci avaient, de loin, un petit air familier de maison paysanne.

Mais cette joie qui avait brillé un instant s'était mêlée à la tristesse et noyée dans la tristesse.

L'homme de jour, un soldat espagnol du nom d'Andrea, s'approcha de Mostovskoï et lui dit en mauvais français que son ami, employé à l'administration du camp, avait vu un papier concernant un vieillard de nationalité russe, mais il n'avait pas eu le temps de le lire, son chef l'avait emporté.

« Ma vie est suspendue à ce petit bout de papier », pensa-t-il et il se réjouit de se sentir aussi calme.

— Mais ça ne fait rien, chuchota Andrea, on peut encore savoir ce qu'il y a dedans.

— Chez le commandant du camp ? demanda Guardi, et ses immenses yeux noirs brillèrent dans la pénombre ; ou bien chez le représentant du S.D., chez Liss en personne ?

Mostovskoï avait été surpris par la différence entre le Guardi de jour et le Guardi de nuit. Durant la journée, le prêtre parlait de soupe, des nouveaux venus, négociait avec ses voisins des échanges de rations, évoquait les plats italiens au goût relevé et riches en ail.

Les prisonniers de guerre russes connaissaient son expression préférée et, quand ils le rencontraient sur la place, ils lui criaient de loin : « Tonton Padre, tutti kaputi », et souriaient comme si ces mots donnaient courage. Ils l'appelaient tonton Padre, persuadés que Padre était son nom.

Un soir, les officiers et les commissaires soviétiques, qui se trouvaient dans un bloc à part, se mirent à plaisanter Guardi, doutant de sa capacité à observer ses vœux de chasteté.

Guardi écouta sans sourire les bribes de phrases où se mêlaient les mots français, allemands et russes.

Puis il parla et Mostovskoï traduisit ses paroles. Au nom de leurs idéaux, les révolutionnaires russes sont allés au bagne et montés sur l'échafaud. Pourquoi donc ses interlocuteurs mettaient-ils en doute qu'un homme puisse, par idéal religieux, renoncer aux femmes ? C'est pourtant beaucoup plus facile que de sacrifier sa vie.

— Je n'en suis pas si sûr, remarqua le commissaire de brigade [1] Ossipov.

La nuit, quand tout le monde dormait, Guardi devenait tout autre. Il s'agenouillait sur le châlit et priait. On aurait dit que toutes les souffrances de ce bagne pouvaient se noyer dans ses yeux extatiques, dans leur velours noir et profond. Les tendons de son cou brun s'étiraient comme s'il était en train de travailler, son visage long et apathique acquérait une expression faite de bonheur sombre et d'entêtement. Il priait longuement et Mikhaïl Sidorovitch s'endormait au son du murmure doux et rapide de l'Italien. Habituellement, Mostovskoï se réveillait une ou deux heures plus tard et, à ce moment-là, Guardi dormait déjà. Le sommeil de l'Italien était agité comme si ses deux hypostases, la diurne et la nocturne, se réunissaient en lui en cet instant ; il ronflait, claquait des lèvres, grinçait des dents, lâchait ses gaz à grand bruit et prononçait soudain d'une voix chantante les paroles splendides de la prière sur la Miséricorde de Dieu et de la Sainte Vierge.

Il ne reprochait jamais au vieux communiste russe son athéisme et il le questionnait souvent sur la Russie soviétique.

Tandis qu'il écoutait Mostovskoï, le prêtre hochait la tête comme s'il approuvait les fermetures des églises et des monastères, les nationalisations des terres appartenant au Saint-Synode.

Ses yeux noirs fixaient avec tristesse le vieux communiste et Mikhaïl Sidorovitch demandait, irrité :

— *Vous me comprenez [2] ?*

Guardi souriait de son sourire quotidien, celui qui accompagnait les recettes de sauce tomate et d'osso buco.

— Je comprends tout ce que vous dites, je ne comprends pas seulement pourquoi vous dites cela.

Les détenus russes qui se trouvaient dans le bloc spécial n'étaient pas exemptés des travaux, aussi Mostovskoï ne les voyait-il et ne discutait-il avec eux que tard le soir ou la nuit. Seuls n'allaient pas travailler le général Goudz et le commissaire de brigade Ossipov.

Mostovskoï discutait souvent avec un être étrange à l'âge incer-

---

1. Chaque unité avait, à côté de son commandant, un responsable politique, du *politruk* au « membre du Conseil d'armée ou groupe d'armées » en passant par le commissaire de bataillon, de régiment, etc. (*N. d. T.*)
2. En français dans le texte. (*N. d. T.*)

tain, Ikonnikov-le-Morse. Il avait la plus mauvaise place dans le baraquement : près de la porte d'entrée, où soufflait un courant d'air glacé et où pendant un temps se trouvait un énorme baquet, la tinette.

Les détenus russes avaient surnommé Ikonnikov « l'ancêtre parachutiste », voyaient en lui un simple d'esprit et le traitaient avec pitié et dégoût. Il était doué d'une résistance extraordinaire, une résistance que possèdent seuls les fous et les innocents. Il ne prenait jamais froid, bien qu'en se couchant il n'ôtât jamais ses vêtements trempés par la pluie d'automne. Il semblait que, de fait, seul un fou pouvait parler d'une voix aussi claire et sonore.

Mostovskoï avait fait sa connaissance de la façon suivante. Ikonnikov s'approcha un jour de lui et se mit à le détailler en silence.

— Quelle bonne nouvelle va nous annoncer le camarade ? demanda Mostovskoï et il eut un sourire moqueur quand Ikonnikov, d'une voix chantante, proféra :

— Annoncer une bonne nouvelle ? Mais qu'est-ce qui est bon ?

Ces mots reportèrent Mostovskoï au temps où, enfant, il écoutait son frère aîné, de retour du séminaire, discuter avec son père de problèmes théologiques.

— C'est un problème qui a depuis longtemps une barbe blanche, dit Mostovskoï. Les bouddhistes déjà et les premiers chrétiens se l'étaient posé. Les marxistes aussi ont pas mal réfléchi à sa solution.

— Et ils l'ont trouvée ? demanda Ikonnikov sur un ton qui égaya Mostovskoï.

— L'Armée Rouge est justement en train de le résoudre, répondit Mostovskoï. Mais, pardonnez-moi, il me semble entendre dans votre voix une certaine componction, des intonations de pope ou de tolstoïen.

— Il ne peut en être autrement, fit Ikonnikov, j'ai été tolstoïen.

— Pas possible ! dit Mostovskoï.

L'homme commençait à l'intéresser.

— Voyez-vous, dit Ikonnikov, je suis persuadé que les persécutions de l'Église par les bolcheviks après la révolution ont été bénéfiques à l'idée chrétienne. L'Église, à la veille de la révolution, était dans un état pitoyable.

Mikhaïl Sidorovitch plaisanta gentiment :

— Vous êtes un véritable dialecticien. Et voilà que moi aussi, sur mes vieux jours, j'ai la chance d'assister à un miracle.

— Non, répondit sombrement Ikonnikov. Vous, vous pensez que votre fin justifie les moyens, et vos moyens sont impitoyables. Je ne suis pas un miracle, je ne suis pas dialecticien.

— Bien, fit Mostovskoï soudain irrité. Mais en quoi puis-je vous être utile ?

Ikonnikov, debout dans la position d'un soldat au garde-à-vous, dit :

— Ne vous moquez pas de moi. (Sa voix sonna tragiquement.) Je ne suis pas venu vers vous pour plaisanter. Le 15 septembre de l'année dernière, j'ai vu l'exécution de vingt mille Juifs, de femmes, d'enfants, de vieillards. Ce jour-là, j'ai compris que Dieu n'aurait pas permis une telle chose et il m'apparut évident que Dieu n'existait pas. Dans les ténèbres actuelles, je vois votre force qui lutte avec un mal terrible...

— Soit, dit Mikhaïl Sidorovitch, discutons.

Ikonnikov était aux travaux de terrassement dans les marécages proches du camp où l'on plaçait une énorme canalisation en béton pour détourner une rivière et des ruisseaux et assécher ainsi tout le creux. On avait surnommé ceux qui travaillaient là les *Moorsoldaten* ; généralement on y envoyait ceux qui étaient mal vus du commandement.

Les mains de Ikonnikov étaient petites, aux doigts fins, aux ongles d'enfant. Il revenait du travail couvert d'argile, trempé, il s'approchait du châlit de Mostovskoï et demandait :

— Me permettez-vous de rester un moment à côté de vous ?

Il s'asseyait, souriait sans regarder son interlocuteur, se passant la main sur le front. Son front avait quelque chose d'étonnant ; il n'était pas très grand, très bombé, très clair, si clair qu'on aurait pu croire qu'il existait indépendamment des oreilles sales, du cou d'un brun foncé et des mains aux ongles cassés.

Les détenus soviétiques, hommes aux biographies limpides, voyaient en lui un être obscur et trouble.

Depuis l'époque de Pierre le Grand, tous les ancêtres d'Ikonnikov etaient prêtres de père en fils. Seule la dernière génération des Ikonnikov avait choisi une autre voie : tous les fils Ikonnikov avaient reçu, selon les vœux de leur père, une instruction laïque.

Ikonnikov était entré à l'Institut de technologie de Saint-Pétersbourg, mais, séduit par la doctrine de Tolstoï, il avait abandonné ses études en dernière année pour devenir maître d'école dans un village du gouvernement de Perm. Il y vécut près de huit ans, puis deménagea dans le Sud, à Odessa, embarqua sur un cargo comme mecanicien, séjourna en Inde et au Japon, vécut à Sydney. Après la révolution, il revint en Russie et entra dans une commune agricole. C'était un rêve très ancien ; il croyait que le travail communiste de la terre instaurerait le règne de Dieu sur terre.

Pendant la collectivisation générale, il vit les convois où étaient entassées des familles de *dékoulakisés*. Il vit des hommes épuisés tomber dans la neige pour ne plus se relever. Il vit les villages « fermés » sans âme qui vive, aux portes et aux fenêtres condamnées. Il vit une paysanne en guenilles qui avait été arrêtée, une femme aux mains noires de travailleuse, au cou décharné ; ceux qui l'escortaient la regardaient avec horreur ; elle avait mangé, rendue folle par la faim, ses deux enfants.

A cette époque, sans quitter la commune, il se mit à prêcher l'Évangile, à prier Dieu de prendre les victimes en pitié. Il finit par se faire arrêter, mais il apparut que les souffrances des années trente lui avaient troublé la raison. Après une année de détention dans un hôpital psychiatrique, il fut relâché et s'installa en Biélorussie, chez son frère aîné, professeur en biologie, qui lui trouva une place dans une bibliothèque technique. Mais ces événements sinistres l'avaient irrémédiablement marqué.

Quand commença la guerre et quand les Allemands envahirent la Biélorussie, Ikonnikov vit les souffrances des prisonniers de guerre, les exécutions des Juifs dans les villes et dans les *shtetl* [1]. Il retomba à nouveau dans un état proche de l'hystérie, suppliant des connaissances et des inconnus de cacher les Juifs, lui-même tentant de sauver des femmes et des enfants juifs. Il fut rapidement dénoncé et, ayant échappé par miracle à la potence, il se retrouva dans un camp.

Dans la tête du « parachutiste » régnait le chaos, il professait une morale grotesque et ridicule, au-dessus de la lutte des classes.

— Quand s'exerce la violence, expliquait Ikonnikov, le malheur règne et le sang coule. J'ai assisté aux grandes souffrances de la paysannerie et pourtant le but de la collectivisation était le bien. Je ne crois pas au bien, je crois à la bonté.

— A vous suivre, nous devrions être horrifiés quand, au nom du bien, on pendra haut et court Hitler et Himmler. Moi, je ne le serai pas, répondit Mostovskoï.

— Interrogez Hitler, dit Ikonnikov, et il vous expliquera que les camps, eux aussi, ont le bien pour but.

Mostovskoï avait l'impression que durant ses discussions avec Ikonnikov, ses raisonnements logiques avaient la même efficacité que des coups de couteau que l'on porterait vainement à une méduse.

— Le monde n'a pas dépassé la vérité qu'a formulée un chrétien de Syrie vivant au VIᵉ siècle : « Condamne le péché et pardonne au pécheur », répéta Ikonnikov.

Il y avait dans le baraquement un autre vieillard russe : Tchernetsov. Il était borgne. Un gardien avait brisé son œil de verre et son orbite vide faisait une tache rouge, étrange dans ce visage blanc.

---

1. Les Juifs de l'Empire tsariste, qui étaient astreints à habiter dans les zones de résidence obligatoire, vivaient dans de petites bourgades, les *shtetl*, où ils étaient majoritaires. (*N.d.T.*)

Quand il s'adressait à quelqu'un, il masquait de la main le trou béant.

C'était un menchevik qui avait fui l'Union soviétique en 1921. Il avait passé vingt ans à Paris, comptable dans une banque. Il avait échoué dans le camp pour avoir appelé les employés de la banque à saboter les directives de la nouvelle administration. Mostovskoï s'efforçait de ne pas avoir affaire à lui.

La popularité de Mostovskoï semblait inquiéter le menchevik. Tous, que ce soit un soldat espagnol, un propriétaire de papeterie norvégien ou un avocat belge, étaient attirés par le vieux bolchevik, tous l'interrogeaient.

Un jour, le chef de file des prisonniers de guerre soviétiques, le major [1] Erchov, vint s'asseoir à côté de Mostovskoï. Le major s'était légèrement laissé aller contre lui, lui avait posé la main sur l'épaule et parlait avec chaleur.

Soudain, Mostovskoï leva les yeux, il vit à l'autre bout du baraquement Tchernetsov qui les regardait. Mostovskoï pensa que la tristesse qui se lisait dans l'œil vivant était plus effrayante encore que le trou rouge qui béait à la place de son œil perdu.

« Ouais, mon vieux, ce n'est pas gai pour toi », pensa Mostovskoï sans éprouver de joie mauvaise à cette idée.

Ce n'était pas le hasard, bien sûr, qui voulait que tous aient besoin de Erchov. « Où est Erchov ? Vous n'avez pas vu Erchov ? Camarade Erchov ! Major Erchov ! Erchov a dit... Demande à Erchov... » On venait le voir des autres baraquements, il y avait toujours du mouvement autour de sa place.

Mostovskoï avait qualifié Erchov de maître à penser. Dans les années 1860, les maîtres à penser étaient les révolutionnaires démocrates, puis ce furent les populistes, il y eut ensuite Mikhaïlovski, puis il disparut à son tour. Le camp hitlérien avait son maître à penser. La solitude du borgne ressemblait, dans ce camp, à un symbole tragique.

Des dizaines d'années s'étaient écoulées depuis le premier séjour de Mostovskoï dans une prison tsariste. C'était même en un autre siècle, au XIXᵉ.

Il se souvenait maintenant comme il avait été vexé, ces dernières années, parce que les dirigeants du parti mettaient en doute sa capacité à mener un travail pratique. Maintenant, il se sentait fort, il voyait le poids qu'avaient ses paroles pour le général Goudz, pour le commissaire Ossipov et pour le major Kirillov, toujours triste et abattu.

---

1. Chef de bataillon dans l'armée soviétique (équivalent de commandant). (*N.d.T.*)

Avant la guerre, il se consolait d'être éloigné de l'action pratique, en se disant qu'ainsi, au moins, il ne participait que dans une moindre mesure à tout ce qui provoquait en lui protestation et refus : le pouvoir absolu de Staline dans le parti, les procès sanglants contre l'opposition, le manque de respect pour la vieille garde bolchevique. L'exécution de Boukharine, qu'il avait connu et aimé, l'avait longtemps fait souffrir. Mais il savait que, s'il s'opposait au parti au sujet d'une de ces questions, il s'opposerait par là même, indépendamment de sa volonté, à l'entreprise de Lénine, alors qu'il lui avait consacré sa vie. Parfois les doutes le torturaient. Et si c'était par faiblesse, par peur, qu'il se taisait et ne manifestait pas son désaccord ? Il y avait eu tant de choses horribles avant la guerre ! Il pensait souvent à Lounatcharski, mort maintenant ; comme il aurait aimé le revoir, c'était si agréable de discuter avec lui, ils se comprenaient à demi-mot.

Maintenant, dans l'horreur du camp, il se sentait assuré et fort. Mais une inquiétude diffuse ne le lâchait pas. Même dans le camp, il ne pouvait retrouver le sentiment simple, jeune, achevé d'être sien parmi les siens et étranger parmi les étrangers.

Ce n'était pas parce qu'un officier anglais lui avait demandé si l'interdiction en Russie d'exprimer un point de vue antimarxiste ne l'avait pas gêné pour s'occuper de philosophie.

— Cela en gêne peut-être certains. Mais moi, marxiste, cela ne me gênait pas, répondit Mostovskoï.

— Je vous ai posé cette question justement parce que vous êtes un vieux marxiste, dit l'Anglais.

Et bien que cette phrase le fît grimacer de douleur, il sut y répondre.

Non, le problème était que des hommes comme Ossipov, Erchov, Goudz lui pesaient parfois, bien qu'ils lui fussent très proches. Son malheur était que bien des choses en lui-même lui étaient devenues étrangères. Plus d'une fois, retrouvant un vieil ami, il s'était aperçu malgré sa joie qu'ils étaient devenus étrangers l'un à l'autre.

Mais comment faire quand une part de vous-même est étrangère au temps présent... On ne peut pas rompre avec soi-même.

Au cours de ses discussions avec Ikonnikov, il s'irritait, devenait grossier, se moquait de lui, le traitait de chiffe molle, de nouille, de moule. Mais, dans le même temps, il lui manquait quand il ne le voyait pas.

C'était en cela principalement que sa situation actuelle différait de ses années de prison dans sa jeunesse.

Quand il était jeune, tout, chez ses amis et camarades de parti, lui était proche, compréhensible. Toute pensée, toute opinion chez ses ennemis lui semblait étrangère, monstrueuse.

Maintenant, il retrouvait dans les pensées d'un étranger ce qui lui avait été proche dans les temps anciens, et à l'inverse il découvrait soudain des choses qui lui étaient étrangères dans les pensées de ses amis.

« C'est parce que je vis depuis trop longtemps », se disait Mostovskoï.

5

Dans le baraquement spécial vivait un colonel américain. Il avait droit à un box individuel, à un dîner particulier, il pouvait sortir librement du baraquement après dîner. On disait que la Suède s'était enquise à son sujet sur la requête du président Roosevelt.

Un jour, le colonel avait apporté une tablette de chocolat à Nikonov, un major russe qui était alors malade. Les prisonniers russes l'intéressaient beaucoup. Il essayait d'entamer la conversation avec eux à propos de la tactique des Allemands et des causes des revers soviétiques en 1941.

Il aimait parler avec Erchov, et quand il regardait les yeux pleins d'intelligence, rieurs et sérieux à la fois du major, il oubliait qu'Erchov ne comprenait pas l'anglais.

Il lui semblait étrange qu'un homme au visage si intelligent pût ne pas le comprendre, d'autant plus qu'il s'agissait de choses qui les passionnaient tous deux.

— C'est pas possible, s'étonnait-il attristé, c'est vrai que vous ne me comprenez pas ?

Erchov lui répondait en russe :

— Notre estimable sergent parlait toutes les langues, sauf les étrangères.

Mais malgré tout, en un langage fait de sourires, de regards, de tapotements sur l'épaule et d'une dizaine ou deux de mots russes, allemands, anglais et français affreusement écorchés, les Russes du camp parvenaient à discuter de camaraderie, de solidarité, d'aide, d'amour du foyer, des femmes, des enfants avec des hommes appartenant à des dizaines de nationalités différentes.

Kamerad, Gut, Brot, Suppe, Kinder, Zigarette, Arbeit et une douzaine de mots engendrés par les camps, *Revier, Blockälteste, Kapo, Vernichtungslager, Appell, Appellplatz, Waschraum, Flügpunkt, Lagerschütze,* suffisaient à exprimer l'essentiel dans la vie simple et complexe des hommes des camps.

Certains détenus utilisaient également des mots russes comme *rebiata, tabatchok, tovaritch.* Quant au mot russe *dokhodiaga,* qui servait à définir le détenu sur le point de mourir, il avait gagné les cinquante-six nationalités qui composaient le camp.

[.. [1]]

De la même façon, il était impossible aux prisonniers de guerre soviétiques de se mettre d'accord ; les uns étaient prêts à mourir pour ne pas trahir, les autres pensaient déjà à s'enrôler dans les troupes de Vlassov. Plus ils parlaient, plus ils débattaient et moins ils se comprenaient. Puis ils se taisaient, pleins de haine et de mépris mutuels.

Dans ce silence de muets et ces discours d'aveugles, dans ce mélange épais d'êtres unis par la terreur, l'espoir et le malheur, dans cette incompréhension et cette haine d'hommes parlant la même langue, s'exprimait tragiquement une des plaies du XXe siècle.

6

Les discussions du soir des prisonniers russes furent particulièrement tristes le jour où la neige était tombée.

Même le colonel Zlatokrylets et le commissaire Ossipov, pourtant d'habitude pleins d'énergie et de vie, étaient ce soir-là sombres et silencieux. La nostalgie avait eu raison de tous.

Le major d'artillerie Kirillov était assis sur le châlit de Mostovskoï ; les épaules basses, il dodelinait de la tête. Ses yeux sombres et même tout son grand corps n'étaient que tristesse.

Des cancéreux condamnés ont ce regard et en le voyant même les êtres les plus proches pensent, apitoyés, « vivement que tu meures ! ».

Kotikov, l'omniprésent Kotikov, montrant Kirillov d'un signe de tête, murmura à l'oreille d'Ossipov :

— Ou bien il va se pendre, ou bien il ira chez Vlassov.

Mostovskoï frotta ses joues hérissées d'une barbe blanche :

---

1. **Passage manquant dans l'édition originale.** *(N.d.T.)*

— Dites voir, les Cosaques, c'est vrai que ça va bien. Vous ne comprenez donc pas ? Chaque jour qui passe et qui voit vivre l'État fondé par Lénine est insupportable pour le fascisme. Il n'a pas le choix : ou bien il doit nous dévorer, nous détruire, ou bien il périra. La haine que nous voue le fascisme est la preuve que l'œuvre de Lénine est juste. Une preuve de plus et non des moindres. Comprenez donc que plus le fascisme nous hait, et plus nous devons être sûrs d'avoir raison. Et nous vaincrons.

Il se tourna brusquement vers Kirillov :

— Ne vous laissez pas aller ! Vous vous rappelez, chez Gorki, pendant la promenade dans la cour de prison, un Géorgien lui cria : « Pourquoi toi marcher comme une poule ? Marche tête haute ! »

Tous éclatèrent de rire.

— Il avait raison. Allons, tête haute, dit Mostovskoï. Pensez-y : le gigantesque, le grand État soviétique défend l'idéal communiste. Hitler peut toujours essayer de venir à bout de l'un et de l'autre. Stalingrad tient bon. Parfois, on se demandait avant la guerre si nous n'avions pas un peu trop serré les vis, si nous n'avions pas été trop durs. Mais, maintenant, même un aveugle peut voir que la fin justifie les moyens.

— Oui, vous les avez bien serrées, les vis. Ça, c'est vrai, prononça Erchov.

— On ne les a pas assez serrées, dit le général Goudz. On aurait dû y aller encore plus fort et ils ne seraient pas arrivés jusqu'à la Volga.

— Ce n'est pas à nous de donner des leçons à Staline, dit Ossipov.

— Et voilà, dit Mostovskoï. Et si nous devons « périr dans les prisons ou les mines humides », c'est que telle était notre destinée. Ce n'est pas à cela que nous devons penser.

— Et à quoi donc ? demanda Erchov d'une voix forte.

Les présents se regardèrent, regardèrent autour d'eux et restèrent silencieux.

— Ah ! Kirillov, cher Kirillov ! dit soudain Erchov. Il a raison notre père, la haine des fascistes doit nous réjouir. Nous les haïssons et eux nous haïssent. Tu comprends ? Et maintenant pense ce que ça représente de se retrouver dans un camp tenu par les siens. Prisonnier des tiens. Ça, c'est un malheur. Tandis qu'ici, ce n'est rien. Nous sommes des gars solides, on leur en fera encore voir, aux Allemands !

7

Le commandement de la 62ᵉ armée avait perdu la liaison avec la troupe. Les radios de l'état-major ne marchaient plus ; les fils téléphoniques étaient constamment coupés.

Par moments, la surface ridée de la Volga paraissait immobile aux hommes qui la contemplaient, et la terre, blottie tout contre elle, palpitait. Des centaines de pièces de l'artillerie lourde soviétique faisaient feu de la rive orientale. La terre se cabrait au pied des dispositifs allemands, sur le flanc gauche du Mamaev Kourgan.

Les nuages de terre laissaient retomber une pluie de mottes tandis qu'une poussière impalpable montait dans le ciel.

Les combattants, assourdis, les yeux rougis, faisaient face plusieurs fois par jour aux attaques de l'infanterie et des blindés allemands.

La journée semblait interminable au commandement coupé de ses troupes.

Tchouïkov, Krylov et Gourov avaient tout essayé pour emplir la journée, se donner l'illusion d'une activité quelconque, ils avaient fait leur courrier, discuté des déplacements possibles de l'ennemi, plaisanté, bu de la vodka, écouté les bombardements. Une pluie de fer fauchait autour du Q.G. toute vie, tout ce qui dépassait la surface du sol. L'état-major était paralysé.

— Si on se faisait une partie de cartes ? suggéra Tchouïkov en écartant un vaste cendrier rempli de cigarettes.

Même Krylov, le chef d'état-major, avait perdu son calme. Il pianota des doigts sur la table et dit :

— Il n'y a rien de pire que de rester comme ça à attendre de se faire bouffer par les Allemands.

Tchouïkov distribua les cartes, annonça « atout cœur », puis, brusquement, mélangea les cartes :

— Non, je ne peux pas ; on est là à taper le carton...

Il restait assis, silencieux. Son visage exprimait une telle haine, un tel tourment qu'il en était horrible.

Gourov, comme s'il avait deviné sa fin, murmura :

— Encore une journée comme ça et je mourrai d'un arrêt du cœur.

Puis il raconta en riant :

— Aller faire ses besoins au P. C. de la division est une entreprise folle. On m'a rapporté que le chef d'état-major de Lioudnikov s'est laissé tomber dans l'abri en exultant : « Hourra, les gars, j'ai chié ! » Il se retourne et il voit la doctoresse dont il est amoureux.

A la tombée de la nuit, les attaques de l'aviation allemande cessèrent. Il est probable qu'un homme qui se serait retrouvé la nuit à Stalingrad aurait cru, écrasé par le bruit, que la malchance l'avait amené à Stalingrad au moment précis où devait se déclencher l'attaque décisive ; mais pour les anciens de Stalingrad, c'était l'heure où l'on pouvait se raser, faire sa lessive, écrire des lettres, c'était l'heure où les tourneurs, les chaudronniers, les soudeurs fabriquaient, à partir de douilles d'obus, des briquets, des fume-cigarettes, ou des « calots » qu'ils équipaient d'une mèche faite de lambeaux de capote.

Les éclairs intermittents des explosions éclairaient la berge, les ruines de la ville, les réservoirs d'hydrocarbures, les cheminées d'usines, et en ces brefs éclairs la ville et la rive étaient sinistres.

A la tombée de la nuit, le centre de transmissions de l'armée s'éveilla. Les machines à écrire cliquetaient, multipliant les rapports, les groupes autogènes ronronnaient, le morse crépitait et les téléphonistes s'interpellaient en branchant sur le réseau les P. C. de divisions, de régiments, de batteries, de bataillons... Les officiers de liaison toussotaient gravement, en attendant de faire leurs rapports à l'officier de jour.

En première ligne, on remettait au facteur les lettres pliées en triangle : « Vite, vole vers l'orient, dire bonjour à ma maman... Porte vers elle mon amour, et qu'elle réponde à son tour... Bonjour ou peut-être bonsoir. » En première ligne, on enterrait les tués, et les morts passaient la première nuit de leur sommeil éternel à côté des abris et des tranchées où leurs camarades écrivaient des lettres, se rasaient, mangeaient du pain, buvaient du thé, faisaient leur toilette dans des bains improvisés.

8

Commencèrent, pour les défenseurs de Stalingrad, les jours les plus durs.

Dans la confusion des combats de rues, des attaques et des contre-attaques, dans la lutte pour le contrôle de la « Maison du Spécialiste », du moulin, du bâtiment de la banque, dans la lutte dans les caves, les cours et les places, la supériorité des Allemands se faisait manifeste.

Le coin que les Allemands avaient enfoncé dans la partie sud de Stalingrad, près du jardin des Lapchine et de la Elchanka, s'élargissait et les mitrailleuses allemandes camouflées à la limite de l'eau tenaient sous leur feu la rive gauche de la Volga au sud de la Krasnaïa Sloboda. Les officiers de l'état-major qui reportaient sur la carte la ligne du front voyaient progresser inexorablement les lignes bleues et fondre la bande comprise entre la ligne rouge de la défense soviétique et le bleu de la Volga.

L'initiative, l'âme de la guerre, était ces jours-là entre les mains des Allemands. Ils rampaient de l'avant et toute la fureur des contre-attaques soviétiques ne pouvait arrêter leur mouvement, un mouvement lent mais inexorable.

Et dans le ciel, du matin au soir, hurlaient les attaques en piqué des avions allemands qui pilonnaient la terre douloureuse. Et des centaines de têtes étaient vrillées par une seule pensée : qu'adviendra-t-il demain, dans une semaine, quand l'étroite bande de la défense soviétique sera réduite à un fil et se rompra, rongée par les dents de fer de l'offensive allemande ?

9

La nuit était avancée quand, dans son abri, le général Krylov s'allongea sur son lit de camp. Après les dizaines de cigarettes fumées dans la journée, il avait mal au cœur et il lui semblait que sa tête allait se fendre. Krylov se passa la langue sur son palais desséché et se tourna vers le mur. Au seuil du sommeil, il mêlait dans son souvenir les combats d'Odessa et de Sébastopol, les cris de l'infanterie roumaine se lançant à l'attaque, les cours pavées entourées de lierre d'Odessa et la beauté marine de Sébastopol.

Il se croyait à nouveau dans son P. C. à Sébastopol, et dans la brume du sommeil il voyait briller le pince-nez du général Petrov ; le pince-nez se brisa en mille éclats et il voyait déjà la mer ; la poussière grise, que levaient les obus allemands dans les falaises, passa au-dessus des têtes des soldats et des marins pour s'immobiliser au-dessus de la montagne Sapoun.

Il entendit le clapotis indifférent des vagues soulevées par la vedette et la voix abrupte du sous-marinier : « Saute ! » Il croyait avoir sauté dans l'eau mais son pied toucha aussitôt la coque du sous-marin... Un dernier regard pour Sébastopol, pour le ciel étoilé, pour les incendies sur le rivage...

Krylov s'assoupit. Mais la guerre le gardait en son pouvoir. Le sous-marin l'emportait de Sébastopol pour Novorossisk. Il avait replié ses jambes engourdies, il avait le dos et la poitrine couverts de sueur, le bruit du moteur battait dans ses tempes. Et soudain le moteur se tut, le sous-marin se coucha doucement sur le fond. La touffeur devint insupportable, la voûte métallique, coupée en carrés par le pointillé des rivets, l'oppressait...

Il entendit hurler des voix, puis l'explosion d'une bombe sous-marine, puis une vague le frappa et le jeta à bas de sa couchette. Krylov ouvrit les yeux, tout était en flammes, devant la porte ouverte de l'abri un flot de feu coulait vers la Volga ; on entendait des cris, le crépitement des pistolets-mitrailleurs.

— Couvre-toi la tête de la capote, cria un soldat inconnu à Krylov en lui tendant une capote. Mais Krylov l'écarta, cria :

— Où est Tchouïkov [1]?

Soudain il comprit : les Allemands avaient mis le feu aux réservoirs et le pétrole enflammé allait se jeter dans la Volga.

Il semblait impossible d'échapper à ce feu liquide. Le feu s'arrachait en mugissant du pétrole qui emplissait les creux et les trous d'obus, qui s'engouffrait dans les tranchées de communications. La terre, l'argile, la pierre s'imbibaient de pétrole et se mettaient à fumer. Le pétrole se déversait en gros bouillons hors des réservoirs transpercés par les balles incendiaires ; c'était comme si l'on déroulait d'énormes rouleaux de feu et de fumée comprimés jusqu'alors dans les citernes.

Le feu montait à des centaines de mètres, entraînant des nuages de gaz enflammés qui explosaient haut dans le ciel. Une voûte noire, épaisse et mouvante séparait les étoiles d'automne de la terre en feu. Vue d'en bas, cette masse fluctuante, noire et grasse, inspirait l'épouvante.

Les colonnes de fumée et de feu prenaient par instants les formes d'êtres en proie au désespoir et à la fureur, ou de peupliers frissonnants, de trembles frémissants. Le noir et le rouge tournoyaient dans les lambeaux de feu comme des filles brunes et rousses enlacées dans une danse folle.

Le pétrole en feu s'étalait sur l'eau en une mince pellicule qui, emportée par le courant, chuintait, fumait, se tordait.

---

1. Le général commandant l'armée sur la rive droite de la Volga, c'est-à-dire à Stalingrad même. (N.d.T.)

L'extraordinaire était que, dès les premières minutes, les soldats avaient compris comment atteindre la rive. Ils criaient : « Par ici, cours par ici, par ce sentier ! » Certains avaient déjà eu le temps de faire plusieurs aller et retour jusqu'aux abris en flammes afin d'aider les officiers d'état-major à atteindre un promontoire où, entre les rivières de feu se jetant dans la Volga, s'était retrouvé un petit groupe de rescapés.

Ils avaient aidé à descendre jusqu'au bord le général commandant l'armée et les officiers de l'état-major. Ils sortirent dans leurs bras le général Krylov que l'on croyait déjà perdu et de nouveau, battant des paupières aux cils calcinés, se frayèrent un chemin à travers les broussailles rougeoyantes vers les abris.

Le personnel de l'état-major resta jusqu'au matin sur le minuscule promontoire. Se protégeant le visage de l'air brûlant, secouant de leurs vêtements les étincelles qui tombaient dessus, ils observaient le commandant de l'armée. Il portait une capote jetée sur les épaules, des mèches lui collaient au front. Il était sombre, renfrogné, mais semblait calme.

Gourov regarda les hommes qui l'entouraient :

— Ainsi, même le feu ne nous brûle pas... et il tâta les boutons brûlants de sa capote.

— Eh ! le soldat avec la pelle, cria le responsable des sapeurs, le général Tkatchenko, creuse donc en vitesse une petite tranchée ici, le feu pourrait bien nous couler dessus de cette colline.

Et il ajouta, se tournant vers Krylov :

— C'est le monde à l'envers : le feu coule comme de l'eau, et la Volga vous brûle. Encore heureux qu'il n'y ait pas de vent, on se serait tous fait rôtir.

Quand une brise se levait sur la Volga, le lourd voile de l'incendie oscillait, se penchait et les hommes se jetaient en arrière, hors d'atteinte des flammes.

Certains s'approchaient de l'eau, mouillaient leurs bottes et l'eau s'évaporait au contact du cuir brûlant. D'autres se taisaient, fixant la terre à leurs pieds, d'autres encore, surmontant leur angoisse, plaisantaient : « Même pas besoin d'allumettes, on peut allumer sa cigarette avec la Volga ou le vent. »

On entendit des explosions, c'étaient les grenades dans l'abri de la section de défense rapprochée de l'état-major. Puis claquèrent les balles dans les bandes de mitrailleuses. On devinait, à travers la fumée, des silhouettes lointaines ; on essayait probablement de détourner le feu du Q. G., mais tout disparaissait à nouveau dans la fumée et le feu.

Krylov, suivant du regard le feu qui coulait autour de lui, n'évoquait pas des souvenirs et ne se livrait pas à des comparaisons ; il se demandait si les Allemands n'avaient pas eu l'idée de profiter de l'incendie pour lancer une attaque. Les Allemands ne savaient pas dans quelle situation se trouvait le commandement de l'armée, le prisonnier d'hier n'arrivait pas à croire que l'état-major de l'armée était disposé sur la rive droite... De toute évidence c'était une offensive locale, il y avait donc une chance de vivre jusqu'au matin... si le vent ne se levait pas.

Il jeta un coup d'œil à Tchouïkov qui se tenait à ses côtés ; Tchouïkov observait l'incendie, son visage couvert de suie semblait de cuivre incandescent.

Krylov se dit que le commandant de l'armée devait réfléchir intensément aux mêmes problèmes que lui : Est-ce que les Allemands allaient déclencher une offensive importante... Où pourrait-on trouver une place pour le Q. G. au cas où ils auraient la chance de survivre jusqu'au matin...

Tchouïkov sentit sur lui le regard de son chef d'état-major, lui sourit et dit avec un large geste de la main au-dessus de sa tête :

— Drôlement beau, hein ?

L'incendie était parfaitement visible du Krasni Sad, de l'autre côté de la Volga, où se trouvait le Q. G. du front de Stalingrad. Le chef d'état-major, le général Zakharov, avait été le premier informé et avait transmis l'information à Eremenko ; le général en chef demanda à Zakharov de se rendre personnellement au centre de transmission et de joindre Tchouïkov. Zakharov, le souffle court, marchait d'un pas rapide. L'aide de camp éclairait le chemin avec une lampe de poche, prévenait de temps en temps Zakharov d'un « Attention, camarade général » et écartait les branches basses des pommiers au-dessus du sentier.

Tout baignait dans une couleur rosâtre, la lueur lointaine de l'incendie éclairait les troncs d'arbres. Cette lumière incertaine emplissait le cœur d'inquiétude. Le silence, que seuls rompaient les appels étouffés des sentinelles, rendait plus angoissant encore le feu pâle et muet.

La téléphoniste de permanence, le regard fixé sur Zakharov hors d'haleine, dit qu'il n'y avait aucune liaison avec Tchouïkov ni par téléphone, ni par télégraphe, ni par radio.

— Et avec les divisions ? demanda Zakharov d'une voix brève.

— On vient d'avoir Batiouk, camarade général.

— Passez-le-moi, en vitesse !

La jeune fille n'osait pas regarder Zakharov, craignant une explosion de colère, son caractère difficile et emporté était connu de tous. Mais soudain elle s'écria, joyeuse :

— Le voilà. je vous en prie, camarade général ; et elle lui tendit l'écouteur.

Au bout du fil se trouvait le chef d'état-major de la division. Tout comme la jeune fille, il prit peur en entendant la respiration haletante et la voix impérieuse du chef d'état-major du groupe d'armées.

— Alors, qu'est-ce qui se passe ? Rendez compte. Avez-vous une liaison avec Tchouïkov ?

Dans son rapport, le chef de l'état-major de la division relata l'incendie des réservoirs, le torrent de feu qui s'était jeté sur le Q. G. de l'armée ; il informa que la division n'avait aucune liaison avec Tchouïkov, que selon toute apparence il y avait des survivants, car on devinait, à travers les flammes et la fumée, la présence d'hommes sur un monticule au bord du fleuve ; mais on ne pouvait les approcher ni par la rive ni en barque, car la Volga était en feu. Batiouk était parti avec la section de défense rapprochée en direction de l'incendie, pour tenter de détourner le pétrole en flammes et d'aider les hommes sur la rive à se sortir du feu.

A la fin du rapport, Zakharov prononça :

— Transmettez à Tchouïkov... Si vous le trouvez en vie, transmettez à Tchouïkov...

Zakharov se tut.

La jeune fille, étonnée par le long silence du général et s'attendant à des éclats de voix, jeta un regard craintif dans sa direction ; il essuyait ses larmes avec un mouchoir.

Cette nuit-là, quarante officiers de l'état-major périrent par le feu dans leurs abris effondrés.

10

Krymov arriva à Stalingrad peu de temps après l'incendie des réservoirs.

Tchouïkov avait installé son Q. G. au pied du coteau, parmi les dispositifs du régiment d'infanterie qui faisait partie de la division de Batiouk. Tchouïkov inspecta l'abri de l'officier commandant le régiment, le capitaine Mikhaïlov ; il examina le vaste abri recouvert par plusieurs couches de rondins et en fut satisfait. A la vue de l'expression chagrine que prenait le visage parsemé de taches de son du capitaine, il lui jeta gaiement :

— Tu t'es fait construire un abri trop luxueux pour ton grade, capitaine.

L'état-major du régiment ramassa ses impedimenta et descendit de quelques dizaines de mètres le cours de la Volga pour déloger à son tour le P. C. du bataillon.

Le commandant du bataillon, resté sans logis, ne toucha pas ses chefs de compagnies (ils étaient déjà suffisamment à l'étroit) et ordonna de se faire creuser un abri sur les hauts.

Quand Krymov arriva au Q. G. de la 62e armée, les travaux y battaient leur plein, les sapeurs creusaient des tranchées pour relier les divers bureaux de l'état-major, l'opérationnel, le politique, les artilleurs, tout un réseau de rues et de ruelles.

A deux reprises Krymov vit Tchouïkov qui sortait constater l'avancement des travaux.

Nulle part au monde peut-être, la construction des abris n'avait droit à autant de considération qu'à Stalingrad. On ne les construisait pas pour avoir chaud ou pour servir d'exemple à la postérité. La possibilité de rencontrer un nouveau jour, de dîner une fois de plus dépendait très strictement de l'épaisseur de terre au-dessus des têtes, de la profondeur des voies de communication, de la proximité des feuillées, de l'art du camouflage antiaérien.

En parlant de quelqu'un, on parlait en même temps de son abri.

— Il a bien travaillé aujourd'hui, Batiouk, avec ses mortiers sur le Mamaev Kourgan... et d'ailleurs, il a un de ces abris, je ne vous dis que ça : la porte est en chêne, épaisse, une vraie porte de sénat, il en a là-dedans...

Et parfois on disait :

— Eh oui, il a été refoulé cette nuit, il a perdu une position clef, il était coupé des sections. Sa cagna se voit d'en haut, en guise de porte il a une toile de tente, contre les mouches peut-être ; un rien du tout, j'ai entendu dire que sa femme l'a quitté avant la guerre.

Il courait beaucoup d'histoires sur les abris de Stalingrad. Comment l'eau fit irruption dans l'égout où était installé l'état-major de Rodimtsev, rejetant sur la rive toute sa paperasserie, et comment des plaisantins portèrent sur la carte l'endroit où l'état-major de Rodimtsev se jetait dans la Volga. Comment fut soufflée la célèbre porte de Batiouk. Comment Jolioudev et tout son état-major furent ensevelis à l'usine de tracteurs.

Le coteau au-dessus de la Volga, truffé d'abris, évoquait, aux yeux de Krymov, un gigantesque navire de guerre : la Volga à bâbord et la muraille du feu ennemi à tribord.

La Direction politique du groupe d'armées avait chargé Krymov de tirer au clair la brouille qui opposait l'officier commandant le régiment d'infanterie et son commissaire dans la division de Rodimtsev.

En allant chez Rodimtsev, Krymov avait l'intention de faire un exposé aux officiers de l'état-major, puis de s'occuper de cette affaire.

L'agent de liaison de la section politique de l'armée le conduisit jusqu'à l'embouchure d'un vaste égout en pierre où était installé le Q. G. de Rodimtsev. La sentinelle annonça l'arrivée d'un commissaire envoyé par l'état-major du groupe d'armées et une voix épaisse fit :

— Fais-le entrer, il n'est pas habitué, il a dû faire dans sa culotte.

Krymov pénétra sous la voûte et, sentant les regards dirigés sur lui, il se présenta au commissaire de division, un homme bien en chair installé sur une caisse de boîtes de conserve.

— C'est très bien, c'est une bonne chose d'écouter un exposé, dit le commissaire. Parce que je me suis laissé dire que Manouilski en personne et quelques autres avec lui sont arrivés sur la rive gauche, mais ils ne trouvent pas le temps de venir chez nous.

— D'autre part, dit Krymov, j'ai été chargé par le chef de la section politique de régler le différend entre le commandant du régiment d'infanterie et son commissaire.

— Il y avait en effet un problème, répondit le commissaire. Il a été réglé hier : une bombe d'une tonne est tombée sur le P.C. du régiment, tuant dix-huit personnes dont le commandant et le commissaire.

Il ajouta avec une simplicité confiante :

— Tout était à l'envers chez eux, même l'apparence : le commandant était un homme simple, un fils de paysans, alors que le commissaire portait des gants, une alliance. Maintenant, ils sont couchés côte à côte.

En homme habitué à commander son humeur et celle des autres il changea brusquement de ton et, d'une voix joyeuse, se mit à raconter :

— Quand notre division se trouvait près de Kotliouban, j'ai dû conduire vers le front dans ma voiture un conférencier de Moscou, c'était Pavel Fédorovitch Ioudine. Le membre du Conseil du groupe d'armées[1] me dit : « S'il perd un seul de ses cheveux, toi tu perdras la tête. » Je m'en suis vu avec lui. Dès qu'on voyait un avion, hop ! on plongeait sur les bas-côtés de la route. Ça ne me disait rien, de perdre la tête. Faut dire que le camarade Ioudine prenait soin de sa personne, il faisait preuve d'un esprit de décision remarquable.

Les hommes qui écoutaient leur conversation riaient et Krymov sentit monter en lui derechef une irritation contre ce ton de moquerie condescendante.

Généralement, Krymov établissait de bonnes relations avec les

___

1. Grade le plus élevé des commissaires politiques. *(N.d.T.)*

officiers de troupe, de fort correctes avec les officiers d'état-major et des relations difficiles, pas toujours sincères, avec ses confrères, les politiques. C'était de nouveau le cas maintenant, le commissaire de la division l'irritait : encore un bleu qui jouait au vétéran, et ça devait être pareil dans le parti ; sûr qu'il avait adhéré juste avant la guerre, mais que Engels ne lui convenait pas.

Mais, de toute évidence, Krymov aussi irritait le commissaire de division.

Cette impression ne quittait pas Krymov tandis que l'ordonnance préparait son coucher, puis, plus tard, quand il buvait son thé.

Chaque unité a son style, distinct des autres. A l'état-major de la division de Rodimtsev, chacun s'enorgueillissait d'avoir un général aussi jeune.

A la fin de l'exposé, on posa des questions à Krymov.

Belski, le chef d'état-major, assis à côté de Rodimtsev, demanda :

— Quand donc, camarade conférencier, les Alliés vont-ils ouvrir le second front ?

Le commissaire, à moitié allongé sur son étroit châlit, s'assit, écarta des deux mains le foin et dit :

— Pas besoin de se presser. Moi, ce qui m'intéresse avant tout, c'est de savoir quand notre commandement a l'intention de se mettre à agir.

Krymov se tourna, agacé, vers le commissaire :

— Si votre commissaire voit les choses ainsi, la réponse appartient au général.

Tous regardèrent Rodimtsev.

— On ne peut pas se déplier ici. En un mot comme en mille, on est dans un tuyau d'égout. Il n'y a pas grand mérite à être sur la défensive. Mais on ne peut pas mener une offensive à partir d'un tuyau. On le voudrait bien, mais ce n'est pas dans un tuyau qu'on peut concentrer des réserves.

Le téléphone sonna ; Rodimtsev décrocha.

Tous le fixaient.

Ayant raccroché, Rodimtsev se pencha vers Belski et lui dit quelques mots à voix basse. Celui-ci tendit la main vers le téléphone mais Rodimtsev l'arrêta :

— Pour quoi faire, vous n'entendez pas ?

On entendait, au-dessus, les rafales d'armes automatiques, les explosions des grenades. Tous les sons s'amplifiaient à l'intérieur de l'égout.

Rodimtsev croisa le regard de Krymov et lui sourit :

— La Volga s'agite, camarade conférencier.

Le téléphone sonnait maintenant sans discontinuer. En écoutant Rodimtsev, Krymov arriva à se faire une idée de ce qui se passait.

L'adjoint du général, le colonel Borissov, se pencha au-dessus de la caisse où était étalée la carte de Stalingrad et, d'un geste spectaculaire, traça un trait bleu bien gras qui coupait à la perpendiculaire le pointillé rouge de la défense soviétique pour s'arrêter à la Volga. Borissov jeta un regard significatif à Rodimtsev. Celui-ci se leva brusquement à la rencontre d'un homme surgi de l'obscurité.

Sa démarche, l'expression de son visage disaient clairement d'où il venait.

— Camarade général, se plaignit-il, ils m'ont bousculé, les salauds, ils ont atteint le ravin et foncent vers la Volga. Il faut me renforcer.

— Stoppez l'ennemi vous-même à n'importe quel prix. Je n'ai pas de réserves.

— Stopper à tout prix, reprit l'officier et tous comprirent, quand il se dirigea vers la sortie, qu'il savait le prix qu'il allait payer.

— C'est là ? demanda Krymov, en indiquant sur la carte la ligne tortueuse de la rive.

Mais Rodimtsev n'eut pas le temps de répondre. Des coups de pistolet retentirent à l'entrée de la canalisation, des grenades éclatèrent.

Le chef d'état-major se précipita vers Rodimtsev :

— Camarade général, l'ennemi a atteint votre Q.G. !...

Et soudain le général au calme légèrement ostentatoire qui portait sur la carte les mouvements avec un bout de crayon, ce général disparut ; et avec lui disparut le sentiment que la guerre dans les ruines et les ravins se mène à l'aide d'acier chromé et de lampes cathodiques. D'une voix pleine d'entrain, l'homme aux lèvres minces s'écria :

— Allez, l'état-major ! Vérifiez vos armes, prenez des grenades et suivez-moi ! On va repousser l'ennemi !

Sa voix, ses yeux, qui glissèrent sur Krymov, avaient le froid brûlant de l'alcool. On aurait pu croire que la force de cet homme n'était pas dans son expérience, dans son art de lire les cartes mais dans son âme impétueuse pleine de gaieté et de fureur.

Quelques instants plus tard, officiers, secrétaires, agents de liaison, téléphonistes, se gênant et se bousculant, se déversaient hors de l'égout et, avec Rodimtsev à leur tête, couraient en direction du ravin d'où parvenaient explosions, détonations, cris, injures.

Quand Krymov, hors d'haleine, parvint un des premiers jusqu'au ravin et jeta un regard dedans, son cœur frémit de dégoût, de peur et de haine à la fois. On voyait, au fond de la fente, s'agiter des ombres indécises, s'allumer les éclairs des coups de feu, briller des lumières vertes ou rouges ; des sifflements métalliques fendaient l'air tout autour.

Et, avec un sentiment de répulsion, de fureur, de crainte, il se mit à tirer sur les ombres qui rampaient sur les versants du ravin.

Des Allemands se découpèrent au bord du ravin, à quelques dizaines de mètres de lui. Les explosions rapprochées des grenades ébranlaient la terre et l'air. Le groupe d'assaut allemand cherchait à atteindre coûte que coûte l'embouchure de l'égout.

Krymov plongea dans ce chaudron bouillonnant et il lui fut dorénavant impossible de penser, de sentir comme avant. Par moments, il avait l'impression de diriger les mouvements du tourbillon qui s'était emparé de lui, mais à d'autres l'angoisse de la mort l'envahissait, et une poix noire lui rentrait par les yeux et le nez et il n'y avait plus d'air pour respirer, il n'y avait plus de ciel étoilé au-dessus de lui, il n'y avait plus que l'obscurité, le ravin et des créatures étranges qui bruissaient dans les herbes sèches.

Et pourtant, malgré l'impression de confusion totale, se renforçait en lui un sentiment clair, diurne, de solidarité avec les hommes qui rampaient sur la pente, le sentiment de sa force liée à la force de ceux qui tiraient à ses côtés, un sentiment de joie à l'idée que non loin de lui se trouvait Rodimtsev.

Ce sentiment étonnant, issu du combat nocturne où on ne pouvait distinguer à trois pas qui se trouvait à vos côtés, un ami ou un ennemi prêt à tuer, ce sentiment se mêlait à un autre, tout aussi étonnant et inexplicable, le sens du déroulement général du combat, ce sens qui permet aux soldats de juger du rapport de forces, de deviner l'issue du combat.

11

C'était le matin. Les corps des tués étaient là, parmi les herbes brûlées. Une eau sombre et sans joie respirait lourdement auprès de la rive. Les cœurs se serraient d'angoisse à la vue de la terre retournée, des carcasses des maisons incendiées.

Une nouvelle journée commençait et la guerre s'apprêtait à l'emplir jusqu'aux bords de fumée, de fer, de pansements ensanglantés. Et toutes les journées précédentes avaient été semblables. Et plus rien n'existait que cette terre labourée par le fer et ce ciel en feu.

Krymov, assis sur une caisse, la tête appuyée contre la paroi de l'égout, sommeillait.

Il entendait des voix indistinctes, un tintement de tasses : le commissaire et le chef de l'état-major buvaient le thé en échangeant des phrases ensommeillées. L'Allemand qu'on avait fait prisonnier était un sapeur ; son bataillon avait été amené par avion de Magdebourg à

Stalingrad quelques jours auparavant. Une image de manuel surgit dans l'esprit de Krymov. Deux lourds chevaux, poussés par des palefreniers coiffés de bonnets pointus, s'efforcent de détacher l'une de l'autre deux demi-sphères. Et l'ennui qu'éveillait en lui cette image dans son enfance l'effleura de nouveau.

— C'est bon signe, dit Belski, cela veut dire qu'ils utilisent leurs réserves.

— Et comment que c'est bien, acquiesça Vavilov, l'état-major de division est obligé de participer à des contre-attaques.

Krymov entendit la voix mesurée de Rodimtsev :

— Ce n'est qu'un avant-goût, attendez la suite.

Pour voir Rodimtsev, il aurait suffi à Krymov de tourner la tête, mais Krymov ne tourna pas la tête.

On aurait dit qu'il avait dépensé toutes les forces de son âme au cours de ce combat nocturne. Il s'assoupit à nouveau, les voix et les détonations se fondirent en un grondement monocorde.

Mais une nouvelle impression entra dans l'esprit de Krymov ; il est couché dans une chambre aux volets fermés et suit du regard une tache de lumière sur les papiers peints. La tache se déplace jusqu'à l'arête du miroir et s'épanouit en arc-en-ciel. Le cœur du garçon frémit et l'homme aux tempes grisonnantes, un lourd pistolet accroché à la ceinture, s'éveilla.

Au milieu de l'égout se tenait un soldat, vêtu d'une vareuse usée, un calot délavé sur sa tête penchée ; il jouait du violon.

Vavilov vit que Krymov avait ouvert les yeux, se pencha vers lui :

— C'est notre coiffeur, Roubintchik, un trè-è-ès grand spécialiste !

Parfois quelqu'un interrompait son jeu d'une grossièreté, sans se gêner parfois quelqu'un coupait le musicien d'un « Mon colonel » et faisait son rapport au chef d'état-major, une cuiller tintait contre un quart de fer-blanc, quelqu'un bâilla bruyamment, « A-a-a-a », et rassembla du foin pour se coucher.

Le coiffeur veillait à ce que son violon ne dérangeât pas les officiers, prêt à s'interrompre à chaque instant.

Mais pourquoi Kubelik, auquel venait de penser Krymov, Kubelik à la chevelure argentée, en habit, recula-t-il et s'inclina-t-il devant le coiffeur de l'état-major ? Pourquoi la chanson sans malice que jouait ce violon de quatre sous semblait-elle, en cet instant, exprimer mieux et plus fort que Bach ou Mozart toute la profondeur de l'âme humaine ?

Pour la millième fois Krymov ressentit la douleur de la solitude. Génia [1] l'avait quitté.

---

1. Diminutif d'Evguénia. *(N.d.T.)*

Il se dit une fois de plus que le départ de Génia avait mis à nu le mécanisme de sa vie. Il était là mais il n'était plus. Et elle était partie.

Il se dit une fois de plus qu'il lui fallait s'avouer bien des choses terribles, cruelles, impitoyables... il ne pouvait pas continuer à fermer les yeux, à avoir peur...

On aurait dit que la musique lui avait fait comprendre le temps.

Le temps est le milieu transparent où les hommes naissent, se meuvent et disparaissent sans laisser de traces. Dans le temps naissent puis disparaissent les cités. Le temps les apporte et les emporte.

Mais une tout autre compréhension du temps venait de naître en Krymov. Cette vision particulière qui fait dire : « De mon temps... ce n'est pas notre temps... »

Le temps se coule dans l'homme, dans l'État, il s'y niche et puis le temps s'en va, disparaît, alors que l'homme, l'État restent... l'État-royaume est resté, mais son temps est parti... L'homme est là mais son temps s'est envolé... Où est-il ? Voici un homme, il respire, il pense, il pleure mais ce temps unique, particulier, qui lui est propre et qui n'appartient qu'à lui, est parti, envolé, ce temps a disparu. Mais l'homme reste.

Rien n'est plus dur que d'être orphelin du temps. Rien n'est plus dur que le sort du mal-aimé qui n'est pas de son temps. Les mal-aimés du temps se reconnaissent sur-le-champ, dans les services du personnel, dans les comités du parti, dans les sections politiques de l'armée, dans les rédactions des journaux, dans la rue... Le temps n'aime que ceux qu'il a enfantés, ses enfants, ses héros, ses travailleurs. Jamais, jamais, il n'aimera les enfants du temps passé, et les femmes n'aiment pas les héros du temps passé, et les mères n'aiment pas les enfants des autres.

Tel est le temps ; tout passe et il reste. Tout reste, seul le temps s'en va. Comme le temps passe facilement et sans bruit. Hier encore tu étais sûr de toi, gai, plein de forces, fils de ton temps. Mais aujourd'hui un autre temps est là et toi, tu ne t'en es pas rendu compte.

Le temps, que le combat avait déchiqueté, sortait du violon en contre-plaqué du coiffeur. Le violon disait aux uns que leur temps était venu, aux autres que leur temps était fini.

« Fini, fini... », se dit Krymov.

Il regardait le visage calme et bon enfant du commissaire Vavilov. Vavilov buvait son thé à petites gorgées, mâchait lentement et soigneusement un morceau de pain avec du saucisson, ses yeux impénétrables étaient tournés vers la lumière qui provenait de l'ouverture de l'égout.

Rodimtsev, la tête rentrée dans les épaules, le visage clair et attentif, fixait le musicien devant lui.

Un colonel, le commandant de l'artillerie de la division, regardait une carte étalée devant lui ; son front plissé rendait son visage méchant et seuls ses yeux doux et tristes révélaient qu'il ne regardait pas la carte mais écoutait. Belski écrivait rapidement son rapport pour l'état-major de l'armée ; il semblait plongé dans son travail mais il écrivait la tête penchée et l'oreille tendue vers le violoniste. Les autres, les téléphonistes, les secrétaires, les agents de liaison étaient assis un peu plus loin et sur leurs visages tirés, dans leurs yeux, on lisait le même sérieux que celui d'un paysan en train de manger du pain.

Peu de temps après, le violoniste faisait la barbe de Krymov et, avec le sérieux exagéré et comique des coiffeurs, il demandait à Krymov si le rasoir ne l'irritait pas, passait la main pour vérifier si les joues de son client étaient bien rasées. Dans le sombre royaume de terre et de fer s'insinua une odeur grotesque et triste, une odeur étrange et saisissante d'eau de Cologne et de poudre de riz.

Rodimtsev examina d'un œil critique le visage poudré et aspergé d'eau de Cologne de Krymov et resta satisfait :

— Tu as bien travaillé. A mon tour maintenant.

Les grands yeux sombres du violoniste s'emplirent de joie. Il jeta un coup d'œil sur la tête de Rodimtsev, secoua sa serviette blanche et suggéra :

— Peut-être qu'on pourrait vous rafraîchir les pattes, camarade général de la Garde ?

12

Le général Éremenko décida, après l'incendie des réservoirs, d'aller à Stalingrad, chez Tchouïkov.

Cette dangereuse visite n'avait aucune utilité pratique.

Mais sa nécessité humaine était grande et Éremenko perdit trois jours à attendre la traversée.

Les murs clairs de son Q.G. à Krasni Sad avaient un air paisible, les ombres des pommiers étaient bien plaisantes pendant les promenades matinales du commandant du front.

Le fracas lointain et le feu de Stalingrad se fondaient dans le bruit du feuillage et le bruissement des roseaux et il y avait quelque chose d'indiciblement pénible dans cette union ; au cours de ses promenades matinales, Éremenko grognait et jurait.

Un matin, il annonça à Zakharov sa décision d'aller à Stalingrad et lui ordonna de prendre le commandement durant son absence.

Il plaisanta avec la serveuse qui dressait la table pour le petit déjeuner, autorisa le sous-chef d'état-major à partir pour deux jours à Saratov, accéda à la prière du général Troufanov, le commandant d'une des armées de la steppe, et lui promit de faire bombarder une forte concentration d'artillerie roumaine. « D'accord, d'accord, je te les donnerai, tes bombardiers. »

Les officiers d'ordonnance essayaient de deviner les raisons de cette bonne humeur. Étaient-ce de bonnes nouvelles de Tchouïkov ? Une conversation favorable par radio avec Moscou ? Une lettre de chez lui ?

Mais d'habitude, des nouvelles de ce type ne restaient pas ignorées, or Moscou n'avait pas téléphoné au général et les nouvelles en provenance de Tchouïkov n'étaient pas réjouissantes.

Après son petit déjeuner, Éremenko enfila sa veste molletonnée et sortit faire sa promenade. A dix pas derrière marchait son officier d'ordonnance, Parkhomenko. Le général, selon son habitude, avançait lentement ; il se gratta à plusieurs reprises la cuisse et regarda en direction de la Volga.

Éremenko s'approcha d'un bataillon de travailleurs en train de creuser un fossé. C'étaient des hommes âgés aux cous noirs de soleil, aux visages sombres et tristes. Ils travaillaient en silence et jetaient des regards irrités à cet homme bien en chair qui se tenait, oisif, au bord du fossé.

— Dites voir, les gars, demanda Éremenko, qui travaille le moins bien ici ?

La question sembla opportune aux terrassiers, ils en avaient assez d'agiter leurs pelles. Tous regardèrent du côté d'un homme qui avait retourné sa poche et en extrayait de la poussière de tabac et des miettes de pain.

— Probable que c'est lui, dirent deux des soldats en interrogeant les autres du regard.

— C'est donc lui, dit Éremenko. C'est donc lui le plus tire-au-flanc.

Le soldat poussa un soupir plein de dignité et regarda de bas en haut Éremenko de ses yeux doux et tristes ; s'étant convaincu que toutes ces questions n'avaient pas de but pratique, qu'elles étaient posées comme ça, pour rien, il décida de ne pas se mêler à la conversation.

— Et qui parmi vous travaille le mieux ? demanda Éremenko.

Et tous montrèrent un homme âgé aux cheveux blancs et au crâne dégarni.

— Trochnikov, c'est lui, là, il y met beaucoup de zèle, dit quelqu'un.

— Il a l'habitude de travailler, il n'y peut rien, confirmèrent les autres comme s'ils cherchaient à le justifier.

Éremenko mit la main dans sa poche, en sortit une montre en or et, se penchant à grand-peine, la tendit à Trochnikov.

Celui-ci, sans rien comprendre, fixait Éremenko.

— Prends, dit Éremenko, c'est une récompense.

Et il ajouta : ·

— Parkhomenko, tu lui rédiges son « témoignage de satisfaction ».

Il poursuivit son chemin ; derrière lui les terrassiers s'exclamaient et riaient, s'étonnant de la chance incroyable de Trochnikov, celui qui ne savait pas ne pas travailler.

Le commandant du groupe d'armées attendit la traversée pendant deux jours. Durant ces deux jours, la liaison avec la rive droite fut pratiquement interrompue. Les vedettes qui parvenaient à forcer le passage atteignaient la rive, après les quelques minutes que durait la traversée, le pont couvert de sang et la coque percée en cinquante ou soixante endroits.

Éremenko ne décolérait pas.

Les responsables de la traversée, en entendant le tir des Allemands, ne craignaient pas les bombes et les obus allemands mais la colère du général. Éremenko semblait croire que des majors inactifs et des capitaines incompétents étaient responsables de l'insolence de l'aviation, des mortiers et des canons allemands.

La nuit, Éremenko sortit de son abri et resta longtemps à regarder l'eau du haut d'une petite dune.

La carte de la guerre, qui était étalée devant le commandant du front à son Q.G. de Krasni Sad, ici grondait et fumait, respirait la vie et la mort.

Il croyait reconnaître le pointillé de feu de la première ligne, qu'il avait tracé de sa main ; il croyait reconnaître les flèches des avancées de Paulus vers la Volga, les concentrations des pièces d'artillerie, les centres de la défense qu'il avait entourés de crayons de couleur. Mais quand, dans son Q.G., il regardait la carte étalée sur la table, il se sentait capable d'infléchir, de déplacer la ligne du front, il pouvait obliger l'artillerie lourde sur la rive gauche à se mettre en action. Il s'y sentait le maître.

Mais ici un tout autre sentiment s'empara de lui... Le halo de feu au-dessus de Stalingrad, le grondement incessant, tout cela frappait par sa force et sa passion, tout cela était en dehors du pouvoir du commandant.

Un son à peine perceptible, couvert par le bruit des détonations et des explosions, parvint du quartier des usines : « a-a-a-a-a... »

Ce long cri que poussaient les fantassins de Stalingrad en montant à l'attaque n'était pas seulement terrible, il éveillait un sentiment de tristesse et d'angoisse.

« A-a-a-a... » Le cri flottait au-dessus de la Volga... Le « hourra » perdait, en traversant les eaux froides du fleuve sous les froides étoiles du ciel automnal, sa passion et son ardeur pour exprimer tout autre chose, non plus la bravoure ou la fougue mais la tristesse de l'âme ; c'était comme si quelqu'un disait adieu à ses proches, les appelait à s'éveiller pour entendre une dernière fois leur père, leur mari, leur fils, leur frère...

La tristesse du soldat étreignit le cœur du général.

La guerre, que d'ordinaire il commandait, l'avait aspiré ; il restait immobile, debout sur le monticule de sable, il était un soldat frappé de stupeur par le feu et le bruit, il était là comme étaient là, sur la rive, des milliers, des centaines de milliers de soldats, il sentait que la guerre de tout un peuple était plus grande que son art, sa volonté, son pouvoir. Le général Éremenko n'avait peut-être jamais mieux compris la guerre qu'en cet instant.

Au petit matin, Éremenko passa sur la rive droite. Averti par téléphone, Tchouïkov s'était approché de l'eau et suivait la course rapide de la vedette blindée.

Éremenko, faisant plier la passerelle sous son poids, descendit lentement à terre, fit quelques pas maladroits sur les galets et s'approcha de Tchouïkov.

— Bonjour, camarade Tchouïkov.

— Bonjour, camarade général, répondit Tchouïkov.

— Je suis venu voir comment vous vivez ici. On dirait que tu n'as pas trop grillé pendant l'incendie. Toujours aussi chevelu. Tu n'as même pas maigri. Nous te nourrissons quand même pas trop mal.

— Je ne peux guère maigrir, je passe nuit et jour à mon Q.G., répondit Tchouïkov.

Et comme la remarque à propos de la bonne nourriture lui sembla offensante, il ajouta :

— Mais cela ne se fait pas de recevoir un invité sur la rive.

Et, en effet, la qualité d'invité à Stalingrad que lui attribuait Tchouïkov mit Éremenko en colère. Aussi quand Tchouïkov proposa d'entrer, Éremenko répondit : « Je suis bien ici, à l'air libre. »

Au même instant leur parvint l'énorme voix des haut-parleurs du *Zavolgié* [1].

Leur rive était éclairée par les incendies, les fusées éclairantes, les explosions et elle paraissait déserte. Éremenko scrutait la rive

_____

1. L'outre-Volga. La rive gauche de la Volga. *(N.d.T.)*

abrupte que creusaient les tranchées et les abris, les amas de pierres qui s'amoncelaient le long de l'eau et que les lueurs des explosions faisaient sortir de l'obscurité pour y replonger aussitôt.

La voix chantait :

> Par un noble courroux nos cœurs sont embrasés ;
> Allons guerre du peuple, notre guerre sacrée...

Et comme l'on ne voyait personne et que tout, la terre, la Volga, le ciel, était éclairé par les flammes, on aurait cru que c'était la guerre qui chantait, que par-dessus les têtes des hommes elle roulait ces mots pesants.

Éremenko se sentait mal à l'aise de découvrir ainsi, en curieux, Stalingrad, comme si, de fait, il était un invité reçu par le maître des lieux. Il était irrité à l'idée que, visiblement, Tchouïkov avait compris l'angoisse qui l'avait obligé à traverser la Volga, que Tchouïkov connaissait ses promenades inquiètes à Krasni Sad.

Éremenko interrogea le patron de tout ce malheur sur l'utilisation des réserves, sur l'action conjointe de l'infanterie et de l'artillerie, sur la concentration de troupes allemandes dans le quartier des usines. Il posait ses questions et Tchouïkov y répondait comme il convient de répondre aux questions de son supérieur.

Ils restèrent un moment silencieux et Tchouïkov fut sur le point de poser la seule question :

« C'est la plus grande défensive que l'Histoire ait connue, mais qu'en est-il de l'offensive ? »

Mais il n'osa pas, de peur qu'Éremenko ne soupçonne les défenseurs de Stalingrad d'être à bout de patience, de chercher à se débarrasser du fardeau qui pesait sur eux.

Soudain Éremenko demanda :

— Ton père et ta mère sont bien de la région de Toula, ils sont de la campagne ?

— Oui, camarade général.

— Le vieux t'écrit ?

— Oui, camarade général. Il travaille encore.

Ils se regardèrent. Les lunettes d'Éremenko étaient colorées en rose par la lueur de l'incendie.

On aurait pu croire qu'une seconde encore et ils entameraient la discussion qui leur était à tous deux nécessaire, une discussion toute simple sur le sens de Stalingrad.

— Tu veux sûrement poser la question, dit Éremenko, que l'on pose toujours à un supérieur : où en sont les renforts en hommes et en munitions ?

Et la discussion qui seule aurait eu un sens ce jour-là n'eut pas lieu.

La sentinelle qui se tenait sur la crête leur jetait des regards et Tchouïkov, suivant des yeux un obus qui passait, le remarqua et plaisanta :

— Il doit se demander quels sont ces deux gaziers qui bavardent au bord de l'eau.

Éremenko grogna, se cura le nez.

Le moment de se quitter approchait. Selon une règle non écrite du code de conduite, un chef qui se tient sous le feu de l'ennemi ne s'en va que lorsque ses subordonnés le lui demandent. Mais l'indifférence d'Éremenko au danger était si totale et naturelle que ces règles ne le concernaient pas.

Il tourna distraitement la tête en direction du sifflement de l'obus.

— Eh bien, Tchouïkov, il est temps que je m'en aille.

Tchouïkov resta quelques instants sur le rivage à regarder la vedette qui s'éloignait.

Éremenko, debout sur le pont, fixait la rive devant lui, elle palpitait dans la lueur incertaine de Stalingrad alors que le fleuve s'était figé en une dalle de pierre.

Éremenko, mécontent de lui, passa d'un bord à l'autre ; les dizaines de soucis habituels l'emplissaient à nouveau. L'essentiel était maintenant de concentrer des forces blindées pour lancer l'offensive sur le flanc gauche que lui avait confiée la *Stavka* [1]. Mais il n'en avait pas dit un mot à Tchouïkov.

Tchouïkov, lui, retourna dans son Q.G. et tous, le soldat en sentinelle devant la porte, l'officier d'ordonnance dans l'entrée, le chef d'état-major de la division de Gouriev qu'il avait fait appeler, tous virent que leur général était de méchante humeur. Et il y avait de quoi.

Car les divisions fondaient, car les attaques et contre-attaques allemandes rognaient de précieux mètres de la terre de Stalingrad. Car deux divisions d'infanterie au grand complet venaient d'arriver des arrières au quartier de l'usine de tracteurs et restaient dans une réserve inquiétante.

Non, Tchouïkov n'avait pas révélé au commandant du groupe d'armées toutes ses inquiétudes, ses craintes, ses idées noires.

Mais ni l'un ni l'autre ne savaient la cause de leur mécontentement. L'essentiel dans cette rencontre était au-dessus des affaires courantes, c'était quelque chose qu'ils n'avaient su, ni l'un ni l'autre, exprimer à haute voix.

---

1. La « *Stavka* du Commandement suprême » : grand quartier général institué le 23 juin et composé de Staline, Molotov, Vorochilov, Boudienny, Chapochnikov et Joukov. *(N.d.T.)*

13

A son réveil, par une froide matinée d'octobre, le major Beriozkine pensa à sa femme et à sa fille, aux mitrailleuses lourdes et tendit l'oreille, à l'écoute du fracas, devenu en un mois familier, de Stalingrad ; puis il appela Glouchkov, un soldat qui lui servait d'ordonnance, et lui ordonna d'apporter de l'eau pour la toilette.

— Elle est bien froide comme vous l'aimez, annonça Glouchkov, souriant à la pensée du plaisir qu'apporterait cette toilette matinale à Beriozkine.

— Dans l'Oural, où sont ma femme et ma fille, la première neige est sûrement déjà tombée ; c'est que... elles ne m'écrivent pas, tu comprends.

— Elles vont le faire, camarade major, répondit Glouchkov.

Tandis que Beriozkine s'essuyait puis enfilait sa vareuse, Glouchkov lui racontait les nouvelles de la matinée.

— Un obus est tombé sur les cuisines, le magasinier a été tué ; le chef d'état-major du deuxième bataillon est sorti pour ses besoins et a été blessé à l'épaule par un éclat d'obus ; des soldats du génie ont pêché un sandre d'une dizaine de livres qui avait été assommé par une bombe, et ils l'ont apporté en cadeau à leur capitaine, le camarade Movchovitch. Le commissaire est passé, il veut que vous lui téléphoniez à votre réveil.

— Bien, dit Beriozkine.

Il but une tasse de thé, mangea du pied de veau en gelée, téléphona au commissaire et au chef de son état-major, avertit qu'il allait faire le tour des bataillons, enfila sa veste ouatinée et se dirigea vers la porte.

Glouchkov secoua la serviette, l'accrocha à un clou, vérifia les grenades à sa ceinture, tâta la poche où se trouvait la blague à tabac et, prenant au passage sa mitraillette, sortit à la suite du major.

Après l'obscurité de l'abri, la lumière éclatante éblouit Beriozkine. Il examina d'un œil attentif ses trois cents mètres de terrain, la ligne de défense de son régiment qui passait entre les pavillons d'une cité ouvrière. Un sixième sens lui permettait de deviner les maisonnettes où ses soldats faisaient cuire leur *kacha* et celles où les soldats allemands mangeaient du lard et buvaient du schnaps.

Beriozkine rentra la tête et poussa un juron, un obus passa dans un bruissement. Sur le versant opposé du ravin, une fumée monta, cachant l'entrée d'un abri, puis une détonation claqua sèchement. La porte de l'abri s'ouvrit et le commandant du bataillon de transmission de la division voisine se montra. A peine eut-il fait un pas qu'un nouveau sifflement traversa l'air et l'officier se retira rapidement et referma la porte, l'obus explosa à une dizaine de mètres devant.

L'entreprise de Beriozkine était, en fait, d'un risque mortel : les Allemands, après avoir bien dormi et pris leur petit déjeuner, observaient avec vigilance le sentier qu'il devait emprunter ; ils tiraient sans ménager les munitions sur tout ce qui bougeait. A un tournant, Beriozkine s'arrêta à l'abri d'un tas de gravats et mesura du regard l'espace, tapi dans une attente sournoise.

— Vas-y, Glouchkov, passe le premier.

— Mais non, voyons, ils ont un tireur d'élite posté ici, répondit Glouchkov.

Traverser en premier un espace considéré comme dangereux était un privilège réservé aux chefs : généralement, l'ennemi ne réagissait pas à temps pour ouvrir le feu sur celui qui passait en tête.

Beriozkine lorgna du côté des maisons allemandes, fit un clin d'œil à Glouchkov et s'élança. Quand il parvint jusqu'au remblai qui le protégeait des maisons allemandes, il entendit claquer derrière lui une balle explosive.

Beriozkine alluma une cigarette. Glouchkov partit d'une longue foulée. Une rafale souleva la terre à ses pieds, on aurait dit un envol de moineaux. Glouchkov sauta de côté, trébucha, tomba, se releva d'un bond et rejoignit Beriozkine.

— J'ai failli y passer, dit-il.

Et après avoir repris son souffle il expliqua :

— Je pensais qu'il allait s'allumer une cigarette pour se consoler de vous avoir loupé, mais ça doit être un non-fumeur, le salaud.

Glouchkov palpa le pan déchiqueté de sa capote en injuriant l'Allemand.

Quand ils approchèrent du P.C. du bataillon, Beriozkine demanda :

— Il t'a touché ?

— Il m'a rogné le talon, répondit Glouchkov, il m'a déshabillé, le cochon.

Le P.C. du bataillon était installé dans la cave d'un magasin d'alimentation *Gastronome* et dans l'atmosphère humide régnait une odeur de chou et de pommes marinés. Sur la table brûlaient deux « calots » faits dans des douilles d'obus. Une pancarte clouée au-dessus de la porte proclamait : « Vendeur et client, soyez mutuellement courtois. »

62

La cave abritait les états-majors du bataillon d'infanterie et du bataillon de génie. Les deux capitaines, Podchoufarov et Movchovitch, étaient à table et déjeunaient.

En ouvrant la porte, Beriozkine entendit la voix animée de Podchoufarov :

— Moi, je n'aime pas délayer l'alcool, je préfère ne rien boire.

Les deux capitaines se levèrent, se mirent au garde-à-vous ; le chef d'état-major cacha une bouteille de vodka sous un tas de grenades et le cuisinier se mit devant le poisson pour le dissimuler. L'ordonnance de Podchoufarov qui, accroupi devant le gramophone, s'apprêtait à mettre sur indication de son commandant *Sérénade de Chine*, se releva si vite qu'il n'eut que le temps d'enlever le disque et le moteur du gramophone continua à ronronner à vide ; l'ordonnance, le regard franc et ouvert, comme il sied à un bon soldat, voyait du coin de l'œil les regards furieux que lui lançait Podchoufarov quand le gramophone se mettait à grincer avec une ardeur particulière.

Tous les convives connaissaient bien les préjugés des supérieurs : les hommes, dans un bataillon, doivent soit combattre, soit observer l'ennemi à la jumelle, soit encore réfléchir, penchés au-dessus de la carte. Mais un homme ne peut pas, vingt-quatre heures sur vingt-quatre, tirer, téléphoner à ses subordonnés et ses supérieurs ; il lui faut aussi manger.

Beriozkine loucha en direction du phonographe et sourit :

— Bien, camarades, rasseyez-vous, poursuivez.

Ces paroles pouvaient, aussi bien, dire le contraire de ce qu'elles semblaient dire et Podchoufarov exprima sur son visage une tristesse teintée de remords, alors que Movchovitch, qui, en tant que chef d'un bataillon du génie, ne dépendait pas directement de Beriozkine, se contenta d'exprimer de la tristesse sans remords.

— Et où donc est votre sandre de dix livres, camarade Movchovitch ? poursuivit Beriozkine sur un ton particulièrement désagréable ; toute la division est au courant.

Le visage toujours empreint de tristesse, Movchovitch ordonna :

— Cuistot, montrez, s'il vous plaît, le poisson.

Le cuisinier, qui était le seul à remplir ses obligations, expliqua sans malice :

— Le camarade capitaine m'a ordonné de le farcir à la juive ; j'ai le poivre, j'ai aussi du laurier, mais je n'ai pas de pain blanc, et il n'y aura pas non plus de raifort.

— Je vois, fit Beriozkine. J'ai eu l'occasion d'en manger une fois, à la juive, c'était à Bobrouïsk [1], chez une certaine Sarah Aronovitch, on ne peut pas dire que cela m'a beaucoup plu.

---

1. Ville à forte population juive, située dans l'actuelle Biélorussie. *(N.d.T.)*

Et soudain, les hommes dans la cave s'aperçurent que leur major n'avait pas du tout l'intention de se mettre en colère.

Comme s'il savait que Podchoufarov avait repoussé une attaque nocturne, qu'il avait été enseveli et que son ordonnance, celui-là même qui mettait *Sérénade de Chine*, l'avait déterré en criant : « Ne vous en faites pas, camarade capitaine, je vous sortirai de là. »

Comme s'il savait que Movchovitch avait rampé avec ses sapeurs dans une rue propice à une attaque de blindés pour y camoufler les mines antichars sous de la terre et de la poussière de briques.

Leur jeunesse se réjouissait de vivre un matin de plus, de pouvoir, une fois encore, lever son quart et dire « à ta santé », de mâcher du chou mariné et de se griller une cigarette...

Finalement rien ne s'était passé, les habitants de la cave étaient restés un moment debout devant leur supérieur, puis ils l'avaient invité à déjeuner avec eux.

Beriozkine comparait souvent la bataille de Stalingrad et l'année de guerre qui venait de s'écouler. Il comprenait qu'il était capable de supporter cette tension dans la mesure seulement où il sentait en lui-même calme et repos. Et les combattants étaient capables de manger leur soupe, raccommoder leurs chaussures, parler de leurs femmes, des bons et des mauvais chefs dans des conditions où l'on pouvait croire que seuls étaient possibles la rage, l'effroi ou l'épuisement. Il constatait que les hommes qui ne possédaient pas cette profondeur et cette paix de l'âme ne tenaient pas le coup, quels que soient par ailleurs leur courage ou leur témérité dans le combat. Pour Beriozkine, la peur était un état passager, une sorte de rhume que l'on pouvait guérir.

Ce qu'étaient le courage et la peur, il ne le savait pas au juste. Un jour, au début de la guerre, il avait reçu un blâme de ses supérieurs pour s'être montré timoré, il avait pris sur lui de faire reculer son régiment hors de portée du feu ennemi. Juste avant Stalingrad, il avait ordonné à un capitaine de faire reculer son bataillon sur le versant non exposé d'une colline pour mettre ses hommes à l'abri de ces voyous de mortiers allemands.

— Eh bien, camarade Beriozkine, lui dit avec reproche le commandant de la division, on m'avait pourtant dit que vous étiez un homme courageux, qui ne s'affole pas facilement.

Beriozkine n'avait rien répondu et s'était contenté de soupirer : on l'avait mal jugé, sûrement.

Movchovitch répondait d'une voix enrouée aux questions du major. Il sortit un carnet et dessina un nouveau schéma de minage des secteurs où pouvaient passer des chars.

— Passez-moi ce croquis pour mémoire, dit Beriozkine et, se penchant sur la table, il ajouta à mi-voix :

« Le commandant de la division m'a fait appeler ; selon les indices recueillis par le service de renseignements de l'armée, les Allemands retirent des unités de la ville pour les concentrer contre nous. Il y a beaucoup de chars. Vous comprenez ?

Une explosion ébranla les murs de la cave, Beriozkine sourit :

— C'est calme ici, chez vous. Chez moi, dans mon ravin, j'aurais déjà eu la visite de plusieurs bonshommes de l'état-major de l'armée, j'ai tout le temps des commissions sur le dos.

Une nouvelle secousse ébranla les murs, et des morceaux de plâtre tombèrent du plafond.

— C'est bien vrai, ce que vous dites, fit Podchoufarov, c'est calme, personne ne nous dérange spécialement.

— C'est bien ce que je dis, fit Beriozkine.

Il parlait sur un ton de confidence, oubliant en toute bonne foi qu'il était ici le supérieur, peut-être par habitude d'être le subordonné.

— Vous savez bien comment ils sont, les chefs. Pourquoi vous n'attaquez pas ? Pourquoi y a-t-il des pertes ? Pourquoi n'y a-t-il pas de pertes ? Pourquoi tu n'as pas fait ton rapport ? Pourquoi tu dors ? Pourquoi...

Beriozkine se leva :

— Allons-y, camarade Podchoufarov, je voudrais voir votre ligne de défense.

Une tristesse poignante se dégageait de la petite rue aux maisons éventrées qui révélaient des papiers peints à fleurs, aux jardins et potagers labourés par les chars, aux dahlias qui fleurissaient sans raison.

Soudain Beriozkine se tourna vers Podchoufarov :

— C'est que... je n'ai pas de lettres de ma femme. Je l'avais trouvée en chemin et maintenant il n'y a pas de lettres, tout ce que je sais, c'est qu'elle est partie pour l'Oural avec notre fille.

— Sûr qu'elles vous écriront, camarade major, dit Podchoufarov.

Dans le sous-sol d'une maison basse, les blessés, allongés sous les fenêtres murées, attendaient l'évacuation de nuit. Il y avait, au milieu de la pièce, un seau d'eau et un quart.

— Ce sont les arrières, expliqua Podchoufarov, le front est plus loin.

— Son tour viendra, répondit Beriozkine.

Ils traversèrent une entrée au plafond défoncé, et l'impression que l'on a lorsqu'on quitte les bureaux de l'usine pour entrer dans les ateliers s'empara d'eux. Une odeur alarmante de poudre flottait dans l'air, des douilles traînaient sur le sol, une voiture d'enfant blanche contenait des mines antichars.

— La ruine, là-bas, les Allemands me l'ont prise cette nuit, dit Podchoufarov en s'approchant de la fenêtre. Qu'est-ce que je la regrette. Une maison magnifique, ses fenêtres étaient orientées sud-ouest. Maintenant j'ai toute mon aile gauche sous leur feu.

Devant l'étroite fente ménagée dans une fenêtre murée, une mitrailleuse était en batterie ; le servant, la tête entourée d'un pansement gris de poussière et de suie, engageait une nouvelle bande, tandis que le tireur mâchait une rondelle de saucisson et s'apprêtait à reprendre son tir.

Un lieutenant, le commandant de la compagnie, s'approcha. Il avait mis une marguerite à sa boutonnière.

— Bravo, approuva Beriozkine.

— Heureusement que je vous vois, camarade capitaine, dit le lieutenant. C'est comme je vous l'ai dit cette nuit, ils attaquent la maison « 6 bis ». Ils ont commencé pile à 9 heures.

— Le major est devant vous, c'est à lui que vous devez faire votre rapport.

— Pardonnez, je n'ai pas vu, s'excusa le lieutenant en saluant.

Cela faisait six jours que l'ennemi avait isolé quelques maisons dans leur zone et depuis il les digérait lentement et systématiquement, à l'allemande. La défense soviétique s'éteignait comme s'éteignaient les vies des soldats. Mais dans une des maisons, aux caves particulièrement profondes, la défense continuait à tenir. Les murs, bien que percés par les obus et rongés par les roquettes, résistaient encore. Les Allemands avaient attaqué la maison par air, des avions l'avaient bombardée à trois reprises ; tout un angle s'était effondré mais, sous les ruines, la cave était restée intacte ; les occupants déblayèrent les décombres, installèrent les mitrailleuses, des mortiers et un canon de petit calibre et continuèrent à maintenir les Allemands à distance. La maison était heureusement disposée, on ne pouvait l'approcher à couvert.

Le lieutenant faisait son rapport :

— Nous avons essayé de les joindre cette nuit, ça n'a pas marché. On a eu un tué et deux sont rentrés blessés.

— Couchés ! cria le soldat chargé de surveiller les lignes ennemies ; quelques hommes se laissèrent tomber à plat ventre, le lieutenant s'interrompit, leva les bras comme pour plonger et se jeta sur le sol.

Le hurlement devint intolérable et se changea soudain en un tonnerre d'explosions puantes et suffocantes qui secouaient la terre et les âmes. Un gros rondin noir tomba sur le sol, rebondit et roula jusqu'aux pieds de Beriozkine ; il crut qu'une bûche, soulevée par l'explosion, avait failli l'atteindre.

Soudain il vit que c'était un obus. Mais l'obus n'explosa pas et l'ombre noire qui avait englouti le ciel et la terre, recouvert le passé et supprimé l'avenir, disparut.

Le lieutenant se releva.

— Un joli morceau, fit une voix.

Une autre s'exclama en riant :

— Je croyais que ça y était...

Beriozkine essuya la sueur sur son front, ramassa la marguerite et la refixa sur la vareuse du lieutenant.

— Sûrement un cadeau...

Puis il reprit son explication :

— Pourquoi peut-on dire, quand même, que c'est calme chez vous : parce que les chefs ne viennent pas ici. Il leur faut toujours quelque chose : tu as un bon cuisinier ? Je te prends le cuisinier. Tu as un coiffeur ou bien, je ne sais pas, moi, un tailleur qui connaît son métier ? Donne-le-moi. Tu t'es fait faire un bon abri ? Cède-le. Ton chou mariné est bon ? Envoie-le-moi.

— Vous avez de la chance, dit Podchoufarov alors qu'ils gagnaient les potagers où, parmi les fanes jaunies des pommes de terre, étaient creusées les cagnas et les tranchées de la deuxième compagnie.

— Qui sait si j'ai de la chance, répondit Beriozkine, et il sauta au fond de la tranchée.

— Comme en campagne, dit-il, comme on aurait dit : « Comme en vacances. »

— La terre est ce qu'il y a de mieux adapté à la guerre, elle a l'habitude.

Revenant à la discussion commencée par Beriozkine, Podchoufarov poursuivit :

— Les cuisiniers, ce n'est rien, on les a vus vous prendre les nanas.

La tranchée retentissait de cris, d'appels, du tir des fusils et des armes automatiques.

— Le lieutenant a été tué et c'est Sochkine, le commissaire de la compagnie, qui a pris le commandement, dit Podchoufarov. Voilà son abri.

— Bien, fit Beriozkine en jetant un coup d'œil à l'intérieur par la porte entrouverte.

Sochkine, le teint rougeaud, les sourcils noirs et fournis, les rattrapa du côté des mitrailleuses. Il annonça d'une voix trop forte que la compagnie cherchait à entraver la concentration des Allemands qui s'apprêtaient à attaquer la maison « 6 bis ».

Beriozkine lui prit ses jumelles, observa les brèves lueurs des fusils, les longues flammes lancées par les tubes des mortiers.

— Là, la deuxième fenêtre du second étage, il y a un fusil à lunette, je crois.

A peine eut-il terminé sa phrase qu'un éclair brilla dans la fenêtre qu'il venait d'indiquer et une balle vint s'écraser contre la paroi de la tranchée, juste entre les têtes de Beriozkine et de Sochkine.

— Vous avez de la chance, dit Podchoufarov.

— Qui sait si j'ai de la chance, répondit Beriozkine.

Ils suivirent la tranchée jusqu'à une invention du cru : un fusil antichar fixé sur une roue de charrette.

— C'est notre D.C.A., dit un sergent aux yeux inquiets.

— Un char à cent mètres, à côté de la maison au toit vert ! cria Beriozkine comme à l'exercice.

Le sergent fit rapidement tourner la roue et le canon allongé du fusil antichar s'abaissa.

— Il y a un soldat chez Dyrkine, dit Beriozkine, il a, lui, fixé une lunette sur son fusil antichar, et en une journée il a anéanti trois mitrailleuses ennemies.

Le sergent haussa les épaules :

— Il n'a pas de problèmes, Dyrkine, il est dans l'usine.

Ils continuèrent leur chemin et Beriozkine reprit leur discussion du début :

— Je leur ai envoyé un joli colis. Et voilà, voyez-vous, ma femme ne m'écrit pas. Pas de réponse, un point c'est tout. Je ne sais même pas si elles ont reçu mon colis. Peut-être qu'elles sont tombées malades, un malheur est si vite arrivé quand on est évacué.

Podchoufarov se souvint tout à coup, comment, dans les anciens temps, des charpentiers qui partaient travailler l'hiver à Moscou revenaient au village et rapportaient des cadeaux à leurs vieux, leurs femmes, leurs enfants. Pour eux, la vie à la campagne, la chaleur du foyer avaient toujours été plus importantes que les bruits et les feux de la capitale.

Au bout d'une demi-heure ils revinrent au P.C. du bataillon mais Beriozkine ne descendit pas dans la cave et quitta Podchoufarov dehors.

— Fournissez à la maison « 6 bis » toute l'aide dont vous êtes capables, dit-il. N'essayez plus de les atteindre, nous le ferons avec les forces du régiment. Maintenant… Un, votre attitude à l'égard des blessés ne me plaît pas : à votre P.C., vous avez des canapés et vous laissez les blessés couchés par terre ; deux, vous n'avez pas envoyé chercher du pain et les soldats n'ont que du pain dur ; trois, le commissaire Sochkine est plein comme un œuf ; quatre…

Podchoufarov écoutait et ne parvenait pas à comprendre comment le major avait trouvé le moyen, au cours de sa tournée, de tout remarquer… l'adjudant porte un pantalon allemand, le lieutenant du premier bataillon a deux montres à son poignet.

— L'Allemand va lancer une offensive, dit Beriozkine d'un ton sentencieux. C'est clair ?

Il partit en direction de l'usine ; Glouchkov, qui avait déjà eu le temps de réparer son talon et ravauder sa veste, demanda :

— On va à la maison ?

Beriozkine ne répondit pas et se retourna vers Podchoufarov ·

— Téléphonez au commissaire du régiment ; vous lui direz que je suis chez Dyrkine, dans les ateliers n° 3.

Il ajouta avec un signe de connivence :

— Et envoyez-moi donc un peu de votre chou mariné, il n'est pas mauvais. Après tout, moi aussi, je suis un chef.

14

Tolia n'écrivait pas... Le matin, la mère et le mari de Lioudmila Nikolaïevna partaient au travail et sa fille, Nadia, à l'école. Sa mère partait la première, elle travaillait comme chimiste à la célèbre savonnerie de Kazan. Quand elle passait devant la chambre de son gendre, Alexandra Vladimirovna aimait à répéter une plaisanterie qu'elle avait entendue à l'usine : « Les patrons de l'usine embauchent à 6 heures et leurs employés à 9 heures. »

Puis c'était le tour de Nadia de s'en aller ; ou plutôt de se précipiter dehors au grand galop ; il était impossible de la lever à l'heure, elle sautait hors du lit à la dernière minute, attrapait ses bas, ses livres, ses cahiers, se brûlait en avalant un peu de thé et dégringolait l'escalier tout en enfilant son manteau et en enroulant son écharpe.

Quand Victor Pavlovitch, le mari, se mettait à table, la bouilloire avait déjà eu le temps de refroidir et il fallait la remettre sur le feu.

Alexandra Vladimirovna s'irritait quand Nadia disait : « Vivement qu'on me sorte de ce trou perdu. » Ne savait-elle donc pas que Derjavine avait vécu à Kazan, ainsi qu'Aksakov, Tolstoï, Lénine, Zinine [1], Lobatchevski, que Maxime Gorki y avait travaillé dans une boulangerie.

— Quelle indifférence sénile ! disait Alexandra Vladimirovna.

Et ce reproche semblait étrange dans la bouche d'une vieille femme qui s'adressait à une adolescente.

Lioudmila voyait que sa mère continuait à s'intéresser aux gens, à son nouveau travail. Si la force morale de sa mère provoquait l'admiration de Lioudmila, un tout autre sentiment vivait également en elle : comment pouvait-on, au milieu de tels malheurs, s'intéresser à l'hydrogénisation des graisses, aux rues et aux musées de Kazan ?

---

1. Derjavine, Aksakov : écrivains célèbres. Zinine : chimiste du XIX⁺ siècle. *(N.d.T.)*

Aussi, quand, un jour, Strum dit quelque chose à sa femme à propos de la jeunesse de caractère de sa belle-mère, Lioudmila ne put se retenir et lui répondit :

— Chez maman, ce n'est pas de la jeunesse mais un égoïsme de vieux.

— Grand-mère n'est pas une égoïste, c'est une populiste, dit Nadia et elle ajouta : les populistes étaient des gens très bien mais pas très intelligents.

Nadia exprimait toujours des opinions sans appel et, sûrement par manque de temps, sous une forme lapidaire. « De la merde », disait-elle avec des « r » plein la bouche. Elle ne laissait pas passer un seul bulletin du *Sovinformburo* [1], était au courant des opérations militaires et intervenait dans les discussions politiques. Après un séjour, l'été précédent, dans un kolkhoze, Nadia expliqua à sa mère les causes de la faible productivité du travail kolkhozien.

Elle ne montrait pas ses notes à sa mère ; un jour seulement, elle lui annonça, étonnée :

— Tu sais, on m'a collé un quatre [2] en conduite. Tu imagines, la prof de maths m'a dit de prendre la porte et moi, en sortant, j'ai lancé « good bye », tout le monde se tordait.

Comme beaucoup d'enfants de familles aisées, qui n'avaient jamais connu avant la guerre de difficultés matérielles, Nadia, après leur évacuation à Kazan, parlait constamment de ration, des qualités et des défauts des divers « économats »[3] ; elle savait pourquoi l'huile était préférable au beurre et le sucre en morceaux au sucre en poudre, elle pouvait expliquer les avantages et les inconvénients des céréales concassées.

— Tu sais, disait-elle à sa mère, j'ai décidé qu'à partir d'aujourd'hui je boirai le thé avec du miel plutôt qu'avec du lait concentré, toi, ça t'est égal et moi, je crois que j'y gagne.

Parfois Nadia était sombre, disait des grossièretés aux adultes, les regardait avec un sourire méprisant. Un jour, en présence de sa mère, elle lança à son père :

— Tu es idiot.

Elle le dit avec une telle violence que Strum ne sut que répondre.

Parfois sa mère remarquait qu'elle pleurait en lisant un livre. Elle se voyait comme un être attardé, malchanceux, condamné à mener une vie terne et pénible.

---

1. Bureau soviétique d'information. *(N.d.T.)*
2. « Quatre » est l'équivalent de « bien », « cinq » de « très bien ». *(N.d.T.)*
3. Magasins spéciaux réservés à des catégories précises de la population. *(N.d.T.)*

— Je n'ai pas d'ami, je suis bête, je n'intéresse personne, dit-elle un jour à table. Personne ne voudra se marier avec moi. Je vais suivre des cours de pharmacie et je partirai à la campagne.

— Il n'y a pas de pharmacie dans les villages, dit Alexandra Vladimirovna.

— Pour ce qui est du mariage, tes prévisions me semblent exagérément pessimistes, dit Strum. Tu as embelli ces derniers temps.

— Rien à fiche, lança Nadia avec un regard méchant à l'adresse de son père.

Et la même nuit, Lioudmila vit sa fille lire un livre de vers qu'elle tenait d'une main, ayant sorti son bras nu et maigre de dessous la couverture.

Un jour, ayant rapporté de l'économat qui desservait l'Académie des Sciences deux kilos de beurre et un grand paquet de riz, Nadia dit :

— Les gens, moi y compris, sont des salauds et des crapules, ils profitent de tout ça. Comme si les malades peu instruits et les enfants chétifs ne devaient pas manger à leur faim parce qu'ils ne connaissent pas la physique ou parce qu'ils ne peuvent pas remplir un plan à 100 %... Seuls les élus ont le droit de bouffer du beurre.

Au dîner, elle dit avec défi :

— Maman, donne-moi une double ration de beurre et de miel, je n'y ai pas eu droit ce matin, je dormais.

Nadia ressemblait beaucoup à son père. Lioudmila Nikolaïevna remarquait que son mari était particulièrement irrité par les traits de caractère qui, chez sa fille, ressemblaient aux siens.

Un jour, Nadia dit en reprenant exactement l'intonation de son père :

— Ce Postoïev, c'est un inculte, un arriviste, un escroc.

— Comment peux-tu, toi, une écolière, parler ainsi d'un académicien ? s'indigna Strum.

Mais Lioudmila se souvenait parfaitement comment Victor, encore étudiant, traitait les plus grandes sommités de la science de minables, d'incultes, de carriéristes.

Lioudmila comprenait que sa fille souffrait, qu'elle avait une nature compliquée, secrète, difficile.

Victor Pavlovitch buvait le thé après le départ de Nadia. Il louchait sur un livre posé à côté de lui, avalait sans mâcher, prenait un air étonné et obtus, cherchait sa tasse à tâtons, sans quitter le livre des yeux, disait : « Verse-m'en, bien chaud, si possible. » Elle connaissait tous ses gestes. Il se grattait la tête, faisait la moue ou bien, faisant la grimace, se curait les dents, et elle lui disait :

— Quand donc iras-tu chez le dentiste ?

Elle savait que s'il se grattait la tête ou faisait la moue, ce n'était pas parce que sa tête le grattait ou que son nez le chatouillait mais parce qu'il pensait à son travail. Elle savait que si elle lui disait : « Vitia, tu n'écoutes même pas ce que je te dis », il répondrait, sans lever les yeux de son livre : « J'entends parfaitement tout ce que tu me dis, si tu veux, je peux répéter : « Quand donc iras-tu chez le dentiste ? », puis avalerait une gorgée de thé, prendrait de nouveau un air étonné, se renfrognerait et tout cela signifierait que, parcourant un ouvrage d'un physicien ami, il était sur certains points d'accord avec lui, mais en désaccord sur d'autres. Puis Victor Pavlovitch resterait un long moment immobile, dodelinant de la tête d'un air résigné et sénile (c'est cette expression du visage qu'ont sûrement les malades atteints d'une tumeur au cerveau). Et Lioudmila Nikolaïevna comprendrait que Strum pense à sa mère.

Et quand il buvait le thé, pensait à son travail, soupirait, plein de désespoir, Lioudmila Nikolaïevna regardait les yeux qu'elle embrassaient, les cheveux frisés qu'elle caressait, les lèvres qui l'embrassaient, les mains aux doigts petits et faibles dont elle coupait les ongles, en disant : « Quel sans-soin tu fais ! »

Elle savait tout de lui. Elle savait qu'il lisait des livres pour enfants avant de s'endormir. Elle connaissait l'expression de son visage quand il allait se laver les dents, elle se souvenait de sa voix sonore et vibrante quand il commença, dans son costume des grands jours, son exposé sur l'irradiation par neutrons. Elle savait qu'il aimait le bortsch ukrainien avec des haricots, qu'il gémissait doucement quand il changeait de côté dans son sommeil. Elle savait qu'il déformait rapidement sa chaussure gauche et qu'il salissait les poignets de ses chemises ; elle savait qu'il aimait dormir avec deux oreillers ; elle connaissait sa peur secrète de traverser les grandes places ; elle connaissait l'odeur de sa peau, la forme de ses trous de chaussettes. Elle savait quel air il chantonnait quand il avait faim et qu'il attendait le dîner, elle savait quelle était la forme de l'ongle de son grand orteil, elle connaissait le petit nom tendre que lui donnait sa mère quand il avait deux ans ; elle connaissait sa démarche traînante ; elle connaissait les noms des gamins qui se battaient avec lui quand il était au cours préparatoire. Elle connaissait son esprit moqueur, son habitude de taquiner Tolia, Nadia, ses camarades. Même maintenant, alors qu'il était presque continuellement de mauvaise humeur, Strum aimait à la taquiner, en se moquant de sa meilleure amie, Maria Ivanovna Sokolov, qui lisait peu et qui avait, un jour, au cours d'une conversation, confondu Balzac et Flaubert.

Il connaissait à la perfection l'art de taquiner Lioudmila, elle perdait patience chaque fois. Et là aussi, elle prenait la défense de son amie et répondait sans sourire, sur un ton irrité :

— Tu te moques toujours des gens que j'aime. Macha [1] a un goût parfait, elle n'a pas besoin de lire beaucoup, elle sait sentir un livre.

— Bien sûr, bien sûr, répondait-il. Elle est persuadée que *Félix Potin* est un roman d'Anatole France.

Elle connaissait son amour pour la musique, ses opinions politiques. Elle l'avait vu un jour en larmes, elle l'avait vu, furieux, déchirer sa chemise et, s'empêtrant dans ses caleçons, se précipiter vers elle le poing levé, prêt à frapper. Elle connaissait sa droiture sans faiblesse, ses instants d'inspiration ; elle l'avait vu prenant du laxatif.

Elle sentait que son mari était, en ce moment, fâché contre elle bien que, en apparence, rien n'eût changé dans leurs relations. Et pourtant il y avait eu un changement : il ne lui parlait plus de son travail. Il lui parlait des lettres qu'il recevait et des rationnements ; il lui parlait parfois de ses affaires à l'Institut, du laboratoire, de l'élaboration du plan de travail, il racontait des histoires sur ses collaborateurs : Savostianov s'était enivré la nuit et s'était endormi le lendemain matin à son travail, les laborantines avaient fait cuire des pommes de terre sous la hotte d'aération, Markov préparait une nouvelle série d'expériences.

Mais il ne lui parlait plus de son travail, de ce travail interne dont elle était l'unique confidente.

Il avait un jour avoué à Lioudmila qu'il lui suffisait de lire ses notes, de livrer ses réflexions à un ami, même très proche, pour que, le lendemain, son travail lui semblât éventé, pour qu'il lui fût difficile de s'y remettre.

Lioudmila Nikolaïevna était la seule personne à qui il pouvait confier ses doutes, ses notes fragmentaires, ses hypothèses folles sans qu'il lui en reste un arrière-goût désagréable.

Maintenant il avait cessé d'en parler avec elle.

Maintenant, plongé dans sa tristesse, il cherchait un soulagement en trouvant des griefs contre Lioudmila. Il pensait sans cesse à sa mère. Alors que jamais cela ne l'avait effleuré auparavant, le fascisme l'avait contraint de se rappeler que sa mère était juive et de se poser le problème de sa propre judéité.

En son for intérieur il reprochait à Lioudmila sa froideur à l'égard d'Anna Semionovna. Un jour il lui dit :

— Si tu avais su t'entendre avec ma mère, elle aurait vécu avec nous, à Moscou.

---

1. Macha : diminutif de Maria. *(N.d.T.)*

Lioudmila, elle, pensait à toutes les injustices qu'avait commises Victor Pavlovitch à l'égard de Tolia [1], et bien sûr, il y en avait plus qu'assez. Elle lui en voulait de l'attitude injuste et grossière qu'il avait à l'égard de son beau-fils ; il ne voyait en lui que ses défauts, il ne savait rien lui pardonner. Par contre, il pardonnait tout à leur fille, et sa grossièreté, et sa paresse, et son allure négligée, et sa mauvaise volonté à aider sa mère.

Elle pensait à la mère de Victor Pavlovitch. Certes, son sort était affreux. Mais de quel droit exigeait-il de sa femme de l'amitié pour Anna Semionovna, alors qu'Anna Semionovna n'avait qu'inimitié pour Tolia ? C'est pour cette raison que les lettres de sa belle-mère, ses venues à Moscou, lui étaient insupportables. Nadia, Nadia, Nadia... Nadia a les yeux de Victor... Nadia est distraite, Nadia est spirituelle, Nadia est réfléchie. La tendresse, l'amour d'Anna Semionovna pour son fils se reportait sur sa petite-fille. Alors que Tolia... il ne tenait pas sa fourchette comme Victor.

Chose étrange, elle pensait de plus en plus souvent au père de Tolia. Elle avait envie de retrouver la famille de son premier mari, sa sœur aînée ; la sœur d'Abartchouk aurait reconnu dans les yeux de Tolia, dans la déformation de son pouce, dans son nez épais, les yeux, les mains, le nez de son frère.

Et de même qu'elle ne voulait pas se rappeler tout ce que Victor Pavlovitch avait fait pour Tolia, de même elle pardonnait à Abartchouk tout ce qu'il avait fait de mal, même de l'avoir abandonnée avec son nouveau-né, même d'avoir interdit de donner à Tolia le nom des Abartchouk.

Le matin, Lioudmila Nikolaïevna restait seule chez elle. Elle attendait ce moment, ses proches la gênaient. Tout au monde, la guerre, le sort de ses sœurs, le travail de son mari, le caractère de Nadia, la santé de sa mère, sa pitié pour les blessés, sa douleur à la pensée des morts dans les camps allemands, tout devenait inquiétude pour son fils, souffrance.

Elle voyait que les sentiments de sa mère, de son mari, de sa fille étaient d'une autre nature. Leur attachement et leur amour pour Tolia lui semblaient peu profonds. Pour elle, le monde se résumait à Tolia, pour eux, Tolia n'était qu'une partie du monde.

Passaient les jours, passaient les semaines, Tolia n'écrivait pas.

Chaque jour, la radio transmettait les bulletins du *Sovinformburo* ; chaque jour, la guerre emplissait les journaux. Les troupes soviétiques reculaient. Dans les bulletins et les journaux il était question d'artillerie. Tolia était dans l'artillerie. Tolia n'écrivait pas.

---

1. Tolia (Anatoli) est le fils de Lioudmila Nikolaïevna et de son premier mari, Abartchouk. (*N.d.T.*)

Il lui semblait qu'un seul être comprenait son angoisse : Maria Ivanovna, la femme de Sokolov.

Lioudmila Nikolaïevna n'aimait pas fréquenter les femmes des collègues de son mari. Les conversations sur les succès scientifiques des époux, les robes et les bonnes l'irritaient. Mais, probablement parce que le caractère doux et timide de Maria Ivanovna était à l'opposé du sien et parce que l'intérêt de Maria Ivanovna pour Tolia la touchait, elle s'était attachée à Maria Ivanovna.

Lioudmila lui parlait plus librement de Tolia qu'à sa mère ou son mari et chaque fois elle se sentait mieux, plus calme. Et, bien que Maria Ivanovna passât presque quotidiennement chez les Strum, Lioudmila Nikolaïevna s'impatientait de ne pas la voir venir et guettait par la fenêtre sa mince silhouette.

Tolia n'écrivait pas.

15

Alexandra Vladimirovna, Lioudmila et Nadia étaient à la cuisine. Nadia rajoutait de temps en temps des feuilles de cahier en boule dans le poêle, le feu reprenait, le poêle s'emplissait d'une flamme vive mais fugace.

— Hier, je suis passée chez une laborantine, dit Alexandra Vladimirovna en regardant sa fille. Mon Dieu ! la promiscuité, la misère, la faim... en comparaison nous vivons comme des rois ici ; des voisins s'étaient réunis, la conversation était tombée sur ce qu'on aimait avant-guerre ; la première dit : « Des paupiettes », et la seconde : « De la blanquette. » Et la fille de cette laborantine dit : « Moi, c'est la fin de l'alerte. »

Lioudmila Nicolaïevna ne répondit pas mais Nadia s'étonna :

— Grand-mère, vous avez déjà trouvé le temps de vous faire des millions d'amis.

— Et toi aucun.

— Et c'est très bien comme ça, dit Lioudmila Nikolaïevna. Victor va souvent chez les Sokolov ces derniers temps. Il s'y rassemble toutes sortes de gens et je n'arrive pas à comprendre comment Vitia et Sokolov peuvent passer des heures entières à bavarder avec des hommes pareils... Comment n'en ont-ils pas assez de causer pour ne rien dire ? Ils pourraient avoir pitié de Maria Ivanovna, elle a besoin de repos, et quand ils sont là elle ne peut pas se coucher ni même s'asseoir, ne serait-ce qu'un moment, et puis ils fument comme des sapeurs.

— Karimov, le Tatare, me plaît bien, dit Alexandra Vladimirovna.

— Un sale type.

— Maman me ressemble, dit Nadia. Personne ne lui plaît si ce n'est, là, Maria Ivanovna.

— Vous êtes de drôles de gens, poursuivit Alexandra Vladimirovna. Vous avez votre milieu que vous avez amené avec vous ici de Moscou. Les gens que vous rencontrez dans les trains, au théâtre, tout ça, ce n'est pas votre monde, vos gens, ce sont ceux qui ont fait construire leur datcha au même endroit que vous ; j'ai déjà remarqué la même chose chez Génia[1]... il y a d'infimes indices qui vous permettent de reconnaître les gens de votre monde : « Oh, c'est une rien du tout, elle n'aime pas Blok, et lui un bouseux, il ne comprend pas Picasso... Oh, elle lui a offert un vase de cristal ; quel mauvais goût ! » Victor, lui, c'est un démocrate, il s'en fiche de tous ces raffinements.

— Ce n'est pas ça du tout. Que viennent faire les datchas dans l'histoire ? Il existe des bourgeois avec ou sans datchas et il faut les éviter, ils sont répugnants.

Alexandra Vladimirovna avait remarqué que sa fille s'irritait de plus en plus souvent contre elle.

Lioudmila Nikolaïevna donnait des conseils à son mari, faisait des remarques à sa fille, la grondait ou lui pardonnait, la gâtait ou refusait de la gâter mais elle sentait constamment que sa mère jugeait ses actes. Alexandra Vladimirovna n'exprimait pas son avis mais il existait. Parfois Strum échangeait un regard de connivence avec sa belle-mère et une lumière ironique s'allumait dans ses yeux comme s'ils avaient débattu entre eux des étrangetés du caractère de Lioudmila. En avaient-ils réellement débattu ou non, cela n'avait pas d'importance ; ce qui importait, c'était l'apparition d'une nouvelle force dans la famille, qui, par sa seule présence, avait modifié les relations habituelles.

Victor Pavlovitch dit un jour à Lioudmila qu'à sa place il céderait à Anna Semionovna la conduite de la maison : qu'elle se sente la maîtresse de maison et non une invitée. Lioudmila ne crut pas à la sincérité de Victor Pavlovitch, il lui sembla même qu'il voulait étaler ses sentiments chaleureux à l'égard de sa belle-mère et souligner ainsi, involontairement peut-être, la froideur de Lioudmila à l'égard de sa mère.

Jamais elle n'aurait osé le lui avouer et pourtant l'amour que por-

_____

1. Génia (Evguénia). La fille benjamine d'Alexandra Vladimirovna ; l'aînée étant Lioudmila et la deuxième Maroussia. *(N.d.T.)*

tait Victor Pavlovitch aux enfants, tout particulièrement à Nadia, la rendait jalouse. Mais maintenant, il ne s'agissait pas de jalousie. Comment aurait-elle pu s'avouer que sa mère, qui avait trouvé refuge chez elle, l'irritait et que sa présence lui pesait ? C'était d'ailleurs une irritation étrange, car dans le même temps, Lioudmila était prête, en cas de besoin, à donner sa dernière robe, à partager avec elle son dernier morceau de pain.

De son côté, Alexandra Vladimirovna était parfois prête à éclater en sanglots sans raison apparente ; ou bien, par moments, elle aspirait à mourir ; certains soirs elle n'avait pas envie de rentrer à la maison et s'apprêtait à passer la nuit par terre chez une collègue ; parfois l'idée lui venait de partir soudain pour Stalingrad à la recherche de ses proches, de Serioja, de Vera, de Stépan Fiodorovitch.

Alexandra Vladimirovna approuvait presque toujours les actes et les opinions de son gendre alors que Lioudmila était la plupart du temps en désaccord avec son mari. Nadia l'avait remarqué et disait à son père :

— Va te plaindre à grand-mère que maman n'est pas gentille avec toi.

Cette fois-là encore, Alexandra Vladimirovna dit :

— Vous vivez comme des chouettes. Victor est un homme normal, lui.

— Tout ça, c'est des mots, dit Lioudmila. Quand viendra le jour de rentrer à Moscou, Victor et toi serez heureux comme les autres.

— Tu sais, ma jolie, répondit soudain Alexandra Vladimirovna, quand viendra le jour de rentrer à Moscou, je ne partirai pas avec vous ; je resterai ici, il n'y a pas de place pour moi chez toi, à Moscou. C'est clair ? J'arriverai à convaincre Génia de déménager ici ou bien j'irai moi-même chez elle, à Kouïbychev.

Ce fut un instant difficile dans les relations de la mère et de la fille. Tout ce qu'Alexandra Vladimirovna gardait sur le cœur fut exprimé dans son refus d'aller à Moscou. Tout ce que Lioudmila gardait de non dit sur le cœur devint explicite. Mais Lioudmila Nikolaïevna se vexa, comme si elle n'était pas coupable devant sa mère. Alexandra Vladimirovna vit le visage douloureux de sa fille et se sentit en faute. Et bien qu'elles fussent toutes deux directes jusqu'à la cruauté, elles prirent peur de leur rectitude et reculèrent.

— « Aimons la vérité mais préférons l'amour », nouveau proverbe, proféra Nadia et Alexandra Vladimirovna regarda avec mécontentement et même avec une sorte d'effroi cette petite fille, cette écolière qui voyait clair dans ce qui restait encore obscur à ses propres yeux.

Peu de temps après, Victor Pavlovitch entra. Il avait ouvert la porte avec sa clef et apparut soudain dans la cuisine.

— Quelle agréable surprise, dit Nadia en l'accueillant. Nous pensions que tu resterais toute la soirée chez les Sokolov.

— Hé... Tout le monde est là, autour du poêle, très bien, très bien, c'est parfait, dit-il en tendant ses mains vers le feu.

— Tu as le nez qui coule, mouche-toi, dit Lioudmila. Qu'est-ce qui est parfait ? Je ne comprends pas.

Nadia s'étrangla de rire et singea l'intonation de sa mère :

— Mouche-toi, tu ne comprends pas ce qu'on te dit.

— Nadia... Nadia.., fit Lioudmila Nikolaïevna sur un ton d'avertissement : elle ne permettait à personne de partager avec elle son droit à éduquer son mari.

— Oui, oui, le vent est très froid, dit Victor Pavlovitch.

Il passa dans la pièce et ils le virent, par la porte ouverte, s'asseoir à la table.

— Papa écrit de nouveau sur le dos d'un livre, remarqua Nadia.

— Ça ne te regarde pas, dit Lioudmila Nikolaïevna.

Elle se tourna vers sa mère :

— Pourquoi ça le réjouit tellement de nous voir tous à la maison ? Parce qu'il a une lubie, si quelqu'un n'est pas là, il est inquiet. Alors, aujourd'hui, il doit encore être en train de réfléchir à ses problèmes et il est content parce qu'il ne sera pas distrait par une inquiétude inutile.

— Plus bas, on le gêne réellement, dit Alexandra Vladimirovna.

— C'est tout le contraire, rétorqua Nadia, quand on parle fort, il ne fait pas attention mais il suffit de baisser la voix pour qu'il arrive et demande : « Qu'est-ce que c'est que ces messes basses ? »

— Nadia, tu parles de ton père comme un guide qui explique les instincts des animaux.

Elles se regardèrent et éclatèrent de rire.

— Maman, comment avez-vous pu m'offenser ainsi ? dit Lioudmila.

Sans répondre, sa mère lui caressa la tête.

Puis ils dînèrent à la cuisine. Il semblait à Victor Pavlovitch que la chaleur de la cuisine avait une douceur particulière ce soir-là. Une idée qui donnerait une explication inattendue aux expériences contradictoires accumulées par le laboratoire l'occupait sans cesse ces derniers temps.

Une impatience heureuse le torturait alors qu'il était assis à la cuisine, ses doigts tremblaient du désir contenu de reprendre le crayon.

— La bouillie est extraordinaire ce soir, dit-il en tapotant l'assiette de sa cuiller.

— C'est une allusion ? demanda Lioudmila Nikolaïevna.

Tout en passant l'assiette vers sa femme, il ajouta :

— Tu te souviens, bien sûr, de l'hypothèse de Prout ?

Lioudmila, interdite, resta la cuiller en l'air.

— C'est sur l'origine des éléments, dit Alexandra Vladimirovna.

— Ah, oui, bien sûr ! dit Lioudmila. Tous les éléments proviennent de l'hydrogène. Mais quel rapport avec la bouillie ?

— La bouillie ? s'étonna Victor Pavlovitch... Voici ce qui est arrivé à Prout : il a émis une hypothèse exacte principalement parce que de son temps on commettait des erreurs grossières dans la définition des masses atomiques. Si l'on avait été capable, à l'époque, de déterminer les masses atomiques avec la précision atteinte par Dumas et Stass il n'aurait jamais osé supposer que les masses atomiques des éléments sont des multiples de l'hydrogène. Ainsi, il a vu juste parce qu'il se trompait.

— Mais, quand même, quel rapport avec la bouillie ? redemanda Nadia.

— La bouillie ? s'étonna à nouveau Victor Pavlovitch et, se rappelant ce qu'il avait dit, il reprit :

— La bouillie n'a aucun rapport... Il n'est pas facile de s'y retrouver dans cette bouillie, il a fallu cent ans pour s'y retrouver.

— Votre conférence d'aujourd'hui portait là-dessus ? demanda Alexandra Vladimirovna.

— Non, c'est comme ça, pour rien, d'ailleurs je ne fais pas de conférences...

Il croisa le regard de sa femme et il sentit qu'elle avait compris : il était de nouveau pris par le travail.

— Comment va la vie ? demanda-t-il. Maria Ivanovna est passée ? Elle t'a sûrement lu des extraits de *Madame Bovary*, le roman de Balzac ?

— Arrête, dit Lioudmila.

La nuit, Lioudmila s'attendait à ce que son mari lui parlât de son travail. Mais il ne lui dit rien et elle ne lui posa pas de questions.

16

Pour Strum, il n'y avait pas au monde d'hommes plus heureux que les savants... Parfois, le matin en allant vers l'Institut ou le soir en se promenant ou la nuit en pensant à son travail, il était pris par un sentiment de bonheur, d'humilité et d'exaltation.

Les forces qui emplissaient l'univers de la douce clarté des étoiles étaient libérées par la transformation de l'hydrogène en hélium...

Deux jeunes chercheurs allemands avaient, deux ans avant le début de la guerre, provoqué la fission du noyau d'un atome lourd à l'aide de neutrons ; les physiciens soviétiques, qui étaient parvenus à des résultats similaires par d'autres voies, avaient soudain ressenti ce qu'avait éprouvé des centaines de milliers d'années auparavant l'homme des cavernes en allumant son premier feu...

Il était évident que, au XXe siècle, la physique était déterminante... De même qu'en 1942, Stalingrad était devenu déterminant pour tous les fronts de la guerre mondiale.

Mais Strum était poursuivi, pas à pas, par le doute, la souffrance, le désespoir.

17

« Je suis sûr, Vitia, que cette lettre te parviendra, bien que je sois derrière la ligne du front et derrière les barbelés du ghetto juif. Je ne recevrai pas ta réponse car je ne serai plus de ce monde. Je veux que tu saches ce qu'ont été mes derniers jours, il me sera plus facile de quitter la vie à cette idée.

« Il est difficile, Vitia, de comprendre réellement les hommes... Les Allemands sont entrés dans la ville le 7 juillet. La radio, dans le parc de la ville, transmettait les dernières informations, je rentrais de la polyclinique après les consultations et je me suis arrêtée pour les écouter, la speakerine lisait en ukrainien un article sur les derniers combats. J'ai entendu des détonations éloignées, puis des hommes traversèrent en courant le parc, je repris le chemin de la maison en me demandant comment j'avais fait pour ne pas entendre les sirènes de l'alerte aérienne. Soudain, je vis un tank et une voix cria : « Les Allemands sont passés ! »

« J'ai dit : « Ne créez pas de panique ! » ; la veille, j'étais passée chez le secrétaire du soviet de la ville et je lui avais posé le problème de l'évacuation, il s'était mis en colère : « Il est trop tôt pour en parler, nous n'avons même pas établi de listes. » Bref, c'étaient les Allemands. Toute la nuit les gens allaient les uns chez les autres, ne sont restés calmes que les petits enfants et moi. J'avais décidé : qu'il m'arrive ce qui arrivera aux autres. Au début, je fus prise de terreur, j'avais compris que je ne te reverrais jamais plus et j'ai eu un désir fou de te regarder une fois encore, baiser ton front, tes yeux ; mais ensuite je me suis dit que c'était un grand bonheur, que tu étais en sécurité.

« Je me suis endormie au petit matin et, quand je me suis éveillée, j'ai senti une affreuse tristesse. J'étais dans ma chambre, dans mon lit, et pourtant je me sentais en terre étrangère, oubliée, solitaire.

« Ce même matin on m'a rappelé ce que j'avais eu le temps d'oublier pendant les années de pouvoir soviétique : j'étais une Juive. Des Allemands passaient dans des camions en criant : « *Juden kaputt !* »

« Et puis des voisins me l'ont rappelé eux aussi. La femme du gardien, qui se trouvait sous ma fenêtre, disait à une voisine : « Dieu merci, on va être débarrassé de tous ces youpins. » D'où cela peut-il venir ? Son fils est marié à une Juive et la vieille séjournait chez son fils, elle me parlait ensuite de ses petits-enfants.

« Ma voisine d'appartement, une veuve, elle, a une fille de six ans, Alionouchka, de splendides yeux bleus, je t'en ai parlé dans une de mes lettres, cette voisine est entrée dans ma chambre et m'a dit : « Anna Semionovna, je vous prie de retirer vos affaires de votre chambre avant ce soir, je vais m'y installer.

« — Entendu, dans ce cas, je m'installerai dans la vôtre, lui répondis-je.

« — Non, vous, vous passerez dans l'arrière-cuisine. »

« J'ai refusé, il n'y avait ni fenêtre ni poêle. Je suis partie pour la polyclinique et quand je suis rentrée, on avait forcé ma porte, mes affaires avaient été jetées dans le cagibi. La voisine m'a dit : « J'ai gardé votre canapé, de toute façon, il n'entre pas dans votre nouvelle chambre. »

« Etonnant, c'est une femme qui a fait des études, son défunt mari était un homme charmant et doux qui travaillait comme comptable. « Vous êtes hors la loi », m'a-t-elle dit comme si cela lui était d'un grand profit. Son Alionouchka est restée chez moi toute la soirée, je lui ai raconté des contes. Elle ne voulait pas aller se coucher et sa mère l'a emportée dans ses bras. Ce fut mon premier soir dans ma nouvelle chambre. Puis, on a rouvert notre polyclinique et j'ai été licenciée ainsi qu'un autre médecin juif. J'ai été demander l'argent qu'on me devait pour le mois écoulé mais le nouveau responsable m'a dit : « Vous n'avez qu'à vous faire payer par Staline le travail que vous avez fait sous le pouvoir soviétique ; écrivez-lui donc à Moscou. » Une femme de salle, Maroussia, m'a embrassée et s'est mise à pleurer tout bas : « Mais qu'allez-vous donc devenir ; mon Dieu, qu'allez-vous donc devenir ! » Et le docteur Tkatchev m'a serré en silence la main. Je ne sais pas ce qui est le plus pénible, la joie mauvaise des uns ou les regards apitoyés des autres, comme s'ils voyaient un chien galeux en train de crever. Je n'aurais jamais pensé que j'aurais à vivre cela.

« Bien des personnes m'ont stupéfaite. Et pas seulement des êtres incultes, aigris et bornés. Par exemple, un enseignant à la retraite, il a soixante-quinze ans, il me demande toujours de tes nouvelles, il disait de toi : « C'est notre fierté. » Et en ces jours maudits il s'est détourné de moi dans la rue, il ne m'a pas saluée. Ensuite on m'a transmis qu'il avait déclaré lors d'une réunion à la *Kommandantur* : « L'air s'est purifié, ça ne sent plus l'ail. » Pourquoi a-t-il fait cela ? Ces paroles le salissent. Et à cette même réunion, que de calomnies contre les Juifs... Mais, bien sûr, tous ne sont pas allés à la réunion. Beaucoup ont refusé. Et, tu sais, j'avais toujours cru que l'antisémitisme allait de pair avec le nationalisme obtus comme, avant la Révolution, chez les hommes de l'*Union de l'Archange saint Michel*[1]. Mais maintenant, j'ai constaté que les hommes qui appellent à libérer la Russie des Juifs, sont aussi ceux qui s'humilient devant les Allemands, serviles et pitoyables, ces hommes sont prêts à vendre la Russie pour trente deniers allemands. Et pendant ce temps les êtres frustes venus des faubourgs s'emparent des appartements, des couvertures, des robes ; ce sont leurs semblables, sûrement, qui tuaient les médecins pendant les révoltes du choléra. Il y a aussi des êtres à la morale atrophiée, ils sont prêts à approuver tous les crimes pourvu qu'on ne les soupçonne pas de désaccord avec les autorités.

« Des amis et des relations accourent à tout instant pour m'apporter des nouvelles, les gens ont les yeux hagards, ils sont en délire. Nous avons un nouveau jeu : les gens passent leur temps à chercher de nouvelles cachettes pour leurs affaires, la cachette du voisin paraît plus sûre.

« Peu de temps après on a annoncé la création d'un ghetto, chaque personne avait le droit de prendre avec elle quinze kilos d'affaires personnelles. On avait collé sur les murs des maisons de petites affiches jaunes : « Tous les habitants juifs sont invités à déménager dans le quartier de la Ville Vieille avant le 15 juillet à 6 heures. » La peine de mort pour ceux qui n'obéiraient pas.

« Et voilà, mon petit Vitia, moi aussi, j'ai préparé mes affaires. J'ai pris un oreiller, un peu de linge, la tasse que tu m'as un jour offerte, une cuiller, un couteau, deux assiettes. Que faut-il de plus ? J'ai pris ma trousse de médecin ; j'ai pris tes lettres, les photos de maman et de l'oncle David, la photo où l'on te voit avec papa, le

---

1. Une des organisations ultra-réactionnaires, chauvines et antisémites qui sévissent en Russie au début du siècle et qui sont à l'origine des pogromes. Elles portent aussi le nom de « Cent-noirs » ou « Centuries noires » *(N.d.T.)*.

petit recueil de Pouchkine, *les Lettres de mon moulin* et le Maupassant en français, là où il y a *une Vie,* un petit dictionnaire, j'ai pris le Tchekhov, celui où il y a *une Banale Histoire* et *l'Evêque* et mon panier était plein. Que de lettres je t'ai écrites sous ce toit, que de larmes j'y ai versées, je peux te le dire maintenant, sur ma solitude.

« J'ai dit adieu à la maison, au jardin, je suis restée quelques minutes assise sous l'arbre, j'ai dit adieu aux voisins. Certaines personnes sont bizarrement faites, quand même. Deux de mes voisines se sont mises à se disputer mes affaires en ma présence, qui prendrait les chaises, qui prendrait mon petit bureau ; mais quand est venu le moment de se dire adieu, elles ont pleuré. J'ai demandé à des voisins, les Bassanko, de tout te raconter en détail si tu viens ici aux nouvelles, après la guerre, et ils me l'ont promis. J'ai été émue par Toby, le chien de la maison, il a été spécialement affectueux le dernier soir. Si tu viens, donne-lui à manger en souvenir d'une vieille Juive.

« Alors que je m'apprêtais à partir et me demandais comment faire pour traîner mon lourd panier jusqu'à la Ville Vieille, un de mes anciens patients, un certain Choukine, un homme sombre et, pensais-je, au cœur sec, vint me voir. Il me proposa de porter mon panier, me donna trois cents roubles et me dit qu'il m'apporterait du pain une fois par semaine. Il travaille dans une imprimerie, on ne l'a pas mobilisé à cause d'une maladie des yeux. Je l'avais soigné avant-guerre, et si l'on m'avait proposé de nommer des gens purs et sensibles j'aurais donné des dizaines de noms mais pas le sien. Tu sais, Vitia, après sa venue, je me suis sentie de nouveau un être humain, ainsi, les chiens des rues n'étaient pas les seuls à avoir une attitude humaine.

« Il m'a raconté qu'à l'imprimerie officielle de la ville on était en train d'imprimer un arrêté : il est interdit aux Juifs de marcher sur les trottoirs, ils doivent porter une étoile jaune à six branches cousue sur la poitrine, ils n'ont pas le droit d'utiliser les transports en commun, de fréquenter les bains publics, d'aller aux consultations dans les hôpitaux, d'aller au cinéma, il leur est interdit d'acheter de la viande, des œufs, du lait, du beurre, du pain blanc, tous les légumes à l'exception des pommes de terre, les achats au marché ne sont autorisés qu'après 6 heures (quand les paysans sont déjà partis). La Ville Vieille sera entourée de barbelés et toute sortie sera interdite sauf sous escorte pour des travaux obligatoires. Tout Russe qui abritera chez lui un Juif sera fusillé, comme s'il avait caché un partisan.

« Le beau-père de Choukine, un vieux paysan, était venu de Tchoudnov, un *shtetl* proche de la ville, il avait vu de ses propres yeux les Allemands chasser dans la forêt tous les Juifs avec leurs baluchons et leurs valises ; pendant toute la journée on avait entendu des coups de feu et des cris, pas un n'est revenu. Les Allemands qui étaient cantonnés chez son beau-père revinrent tard le soir, ils étaient déjà ivres et ils burent et chantèrent toute la nuit ; le vieux les vit partager des broches, des bagues, des bracelets. Je ne sais pas si c'était un acte isolé ou l'annonce de ce qui nous attend tous.

« Qu'il était triste, mon fils, mon chemin vers le ghetto moyenâgeux. Je traversais la ville où j'avais travaillé pendant vingt ans. Au début nous sommes passés par la rue Svetchnaïa qui était déserte. Mais quand nous arrivâmes à la rue Nikolskaïa, j'ai vu des centaines de gens en marche pour ce maudit ghetto. La rue était blanche d'oreillers, de baluchons. On soutenait les malades. On portait le père paralytique du docteur Margoulis dans une couverture. Un jeune homme tenait une vieille dans ses bras, sa femme et ses enfants le suivaient, avec des baluchons. Gordon, le gérant de l'épicerie, un homme gros, au souffle court, avait enfilé un manteau à col de fourrure et la sueur ruisselait sur son visage. J'ai été frappée par un jeune homme : il ne portait rien, il marchait la tête haute, le visage calme et hautain, il lisait un livre qu'il tenait ouvert devant lui. Mais, à côté de cela, que de personnes affolées, terrifiées !

« Nous marchions dans la rue, sur les trottoirs se tenaient les habitants de la ville qui nous regardaient passer.

« J'ai marché un temps non loin des Margoulis et j'entendais les soupirs de compassion des femmes. Mais on se moquait de Gordon et de son manteau, bien que, crois-moi, il fût plus effrayant que drôle. J'ai vu beaucoup de visages connus. Certains me faisaient un léger signe, d'autres se détournaient. Il me semble qu'il n'y avait pas, dans cette foule, de regards indifférents ; il y avait des yeux curieux, des yeux impitoyables et, plusieurs fois, j'ai vu des yeux pleins de larmes.

« Je voyais deux foules ; les Juifs en manteau et chapeau, les femmes coiffées de fichus, et, sur les trottoirs, une autre foule, en vêtements d'été. Des corsages aux couleurs gaies, les hommes en bras de chemise, souvent brodée à l'ukrainienne. J'avais l'impression que même le soleil était refusé aux Juifs, qu'ils marchaient dans le froid d'une nuit de décembre.

« A l'entrée du ghetto, je dis adieu à mon compagnon et il me montra l'endroit, dans la clôture de barbelés, où il m'apporterait du pain.

« Sais-tu, Vitia, ce que j'ai ressenti derrière les barbelés ? Je pensais que je serais horrifiée. Mais, en fait, une fois dans cet enclos pour bétail, je me suis sentie plus à l'aise. N'imagine pas que c'est parce que j'ai une âme d'esclave. Non. Mais j'étais entourée par des hommes qui partageaient mon destin. Je n'étais pas obligée, dans le ghetto, de marcher, comme un cheval, au milieu de la rue ; les gens ne m'y regardaient pas avec haine et ceux que je connaissais ne détournaient pas les yeux et ne m'évitaient pas. Dans cet enclos tous portent le sceau dont nous ont marqués les fascistes, aussi est-il moins brûlant sur ma poitrine. Je me suis sentie ici non plus du bétail mais une femme malheureuse. Et je me suis sentie mieux.

« J'ai trouvé à me loger avec un collègue, le docteur Sperling, dans une maisonnette en pisé, deux pièces en tout. Il a deux filles, déjà adultes, et un fils d'une douzaine d'années. Je regarde longuement son visage maigre, ses grands yeux tristes ; il s'appelle Iouri, deux fois je l'ai appelé Vitia, et il me corrige : « Non, je ne suis pas Vitia, je suis Iouri. »

« Que les hommes sont différents les uns des autres ! Sperling est, à cinquante-huit ans, débordant d'énergie. Il s'est procuré des matelas, du pétrole, une charretée de bois de chauffage. Ils ont apporté de nuit un sac de farine et un demi-sac de haricots. Il se réjouit de ses succès comme un jeune marié. Hier, il accrochait aux murs des tapis. « Ce n'est rien, ce n'est rien, nous survivrons, répétait-il. L'essentiel, c'est de faire des réserves de bois et de nourriture. »

« Il m'a dit qu'il faudrait organiser une école dans le ghetto. Il m'a même proposé de donner des leçons de français à Iouri et de me payer une assiette de soupe la leçon. J'ai accepté.

« La femme de Sperling, la grosse Fania Borissovna, soupire : « Nous sommes perdus, tout est perdu », mais cela ne l'empêche pas de surveiller sa fille aînée, Liouba, un être bon et doux, pour qu'elle ne donne pas à quelqu'un une poignée de haricots ou un morceau de pain. La cadette, Alia, la préférée de sa mère, est une créature infernale : impérieuse, avare, soupçonneuse ; elle s'en prend continuellement à son père et à sa sœur. Elle était venue avant la guerre leur rendre visite et elle est restée coincée ici.

« Mon Dieu, quelle misère partout ! Que ceux qui parlent toujours de la richesse des Juifs, qui affirment qu'ils ont toujours de l'argent de côté pour les mauvais jours, que ces gens viennent voir notre Ville Vieille ! Les voilà, les mauvais jours, il n'en est pas de plus mauvais. Dans la Ville Vieille il n'y a pas que les nouveaux venus avec leurs quinze kilos de bagages, des artisans, des ouvriers, des femmes de salle y vivent depuis toujours... Si tu voyais cette promiscuité ! Si tu voyais ce qu'ils mangent, dans quelles masures aux trois quarts en ruine ils vivent !

« J'ai vu ici, mon petit Vitia, beaucoup de mauvaises gens, des avides, des malins, et même des traîtres. Il y a là un homme affreux, un certain Epstein, qui est arrivé ici d'une ville polonaise, je ne sais pas laquelle au juste ; il porte un brassard et accompagne les Allemands pendant les perquisitions, participe aux interrogatoires, s'enivre avec les *politsaï* [1] ukrainiens et ils l'envoient chez les gens extorquer de la vodka, de l'argent, de la nourriture. Je l'ai vu une ou deux fois, c'est

_____

1. Auxiliaires ukrainiens de la police allemande. *(N.d.T)*

un homme de haute taille, assez beau, élégant dans son costume de couleur crème, et même l'étoile cousue à son veston prend des allures de camélia jaune.

« Mais je voudrais te parler aussi d'autre chose. Je ne me suis jamais sentie juive ; depuis l'enfance je vivais parmi des amies russes, mes poètes préférés étaient Pouchkine et Nekrassov et la pièce où j'ai pleuré avec toute la salle, au congrès des médecins de campagne, est *Oncle Vania*, avec Stanislavski dans le rôle principal. Et il y a bien longtemps, j'avais quatorze ans, ma famille avait décidé de partir pour l'Amérique du Sud. Et j'ai dit à papa : « Je ne quitterai jamais la Russie, je me pendrai plutôt. » Et je ne suis pas partie.

« Et pourtant, en ces jours terribles, mon cœur s'est empli d'une tendresse maternelle pour le peuple juif. Je ne me connaissais pas cet amour auparavant. Il me rappelle l'amour que j'ai pour toi, mon fils bien-aimé.

« Je fais des visites aux malades. Des dizaines de personnes, vieillards presque aveugles, bébés, femmes enceintes, vivent entassées dans une pièce minuscule.

« J'ai l'habitude de lire dans les yeux les symptômes des maladies, les glaucomes, les cataractes. Je ne peux plus regarder ainsi les yeux, je vois dans les yeux le reflet de l'âme. D'une âme bonne, Vitia ! D'une âme bonne et triste, moqueuse et condamnée, vaincue par la force mais, en même temps, triomphant de la force. Une âme forte, Vitia !

« Si tu voyais avec quelle gentillesse de vieilles personnes m'interrogent à ton sujet ; avec quelle chaleur me consolent des gens auxquels je ne me suis pas plainte et qui se trouvent dans une situation bien plus horrible que la mienne. Avec quelle délicatesse touchante on me donne pour mes soins un morceau de pain, un oignon, une poignée de haricots.

« Crois-moi, ce ne sont pas des honoraires pour une visite. Quand un vieil ouvrier me serre la main, glisse dans mon filet quelques pommes de terre et me dit : « Allons, allons, docteur, je vous en prie », des larmes me montent aux yeux. Il y a dans tout cela quelque chose de pur, de paternel, de bon, je ne sais comment l'exprimer à l'aide de mots.

« Je ne veux pas te consoler en te disant que ma vie a été facile ici, tu dois t'étonner que mon cœur n'ait pas éclaté de douleur. Mais ne te tourmente pas en te disant que j'ai souffert de faim, pendant tout ce temps je n'ai pas eu faim une seule fois. Et aussi, je ne me suis jamais sentie seule.

« Que te dire des hommes ? Ils m'étonnent en bien et en mal. Ils sont extraordinairement divers, bien que tous connaissent le même destin. Mais si, pendant l'orage, tous s'efforcent de s'abriter de la pluie, cela ne veut pas encore dire que tous les hommes sont semblables. Et d'ailleurs ils s'abritent chacun à sa façon.

« Le docteur Sperling est convaincu que les persécutions contre les Juifs ne sont que temporaires et cesseront avec la guerre. Il y en a beaucoup comme lui et j'ai constaté que plus les hommes sont optimistes et plus ils sont mesquins, égoïstes. Si quelqu'un entre chez eux pendant le dîner, Alia et Fania Borissovna cachent aussitôt la nourriture.

« Les Sperling m'aiment bien, d'autant plus que je mange peu et que j'apporte plus de nourriture que je n'en consomme. Mais j'ai décidé de les quitter, ils me dégoûtent. Je me trouverai un coin. Plus il y a de tristesse en l'homme, moins il espère survivre et meilleur il est.

« Les pauvres, les étameurs, les tailleurs, qui se savent condamnés, sont bien plus nobles, plus larges, plus intelligents que ceux qui se sont débrouillés pour faire des réserves de nourriture. De jeunes institutrices, un original, le vieux professeur et joueur d'échecs Spielberg, de douces bibliothécaires, l'ingénieur Reivitch qui est plus désarmé qu'un enfant mais qui rêve de fournir le ghetto en grenades artisanales... Quels gens merveilleux, inadaptés, charmants, tristes et bons.

« J'ai pu voir ici que l'espoir n'est presque jamais lié à la raison, il est insensé, il est, je pense, engendré par l'instinct.

« Les gens vivent comme s'ils avaient de longues années devant eux. Il est difficile de savoir si c'est bête ou au contraire intelligent, c'est ainsi, voilà tout. Et je me suis soumise à cette loi. Deux femmes venant d'un *shtetl* racontent la même chose que mon ami. Les Allemands dans toute la région exterminent tous les Juifs sans épargner les enfants et les vieillards. Des Allemands et des *politsaï* arrivent en camions, réquisitionnent quelques dizaines d'hommes pour des travaux de terrassement, ils creusent des tranchées, puis, deux ou trois jours plus tard, les Allemands mènent à ces fossés toute la population juive et les fusillent tous jusqu'au dernier. Partout, dans toutes les bourgades autour de la ville, surgissent ces tertres juifs.

« Dans la maison voisine vit une jeune fille qui vient de Pologne. Elle raconte que là-bas, les meurtres des Juifs ne s'arrêtent pas un instant, on extermine les Juifs systématiquement, il ne reste des Juifs que dans quelques ghettos, à Varsovie, à Lodz, à Radom. Et quand j'ai réfléchi à tout cela, il m'est clairement apparu que l'on nous a réunis ici non pour nous conserver comme des aurochs dans une réserve naturelle mais comme du bétail à l'abattoir. Notre tour doit être prévu par le plan dans une semaine ou deux. Mais figure-toi que, tout en comprenant cela, je continue à soigner les malades et je leur dis : « Si vous baignez vos yeux quotidiennement, vos yeux guériront dans deux ou trois semaines. » J'examine un vieillard dont on pourra opérer la cataracte dans six mois ou un an.

« Je donne des leçons de français à Iouri, je me désole de sa mauvaise prononciation.

« Et au même moment des Allemands font irruption dans le ghetto et se livrent au pillage, des sentinelles tirent sur des enfants à travers les barbelés en guise de divertissement et des témoignages toujours plus nombreux confirment que notre sort doit se décider d'un jour à l'autre.

« Et voilà comment cela se passe, les hommes continuent à vivre. Nous avons même eu il y a quelques jours une noce. Les bruits naissent par centaines. Tantôt mon voisin m'annonce, en s'étranglant de joie, que nos troupes sont passées à l'offensive et que les Allemands sont en fuite. Tantôt le bruit se répand comme quoi le gouvernement soviétique et Churchill ont lancé un ultimatum aux Allemands et que Hitler a ordonné de ne plus tuer les Juifs. Tantôt on annonce que les Juifs seront échangés contre les prisonniers de guerre allemands.

« Ainsi le ghetto est l'endroit au monde où il y a le plus d'espérance. Le monde est rempli d'événements qui n'ont qu'un sens, qu'une cause : le salut des Juifs. L'espoir est indéracinable ! Et la source de cet espoir est une : l'instinct de vie, qui résiste sans aucune logique à l'idée effroyable que nous sommes tous condamnés à périr sans laisser de traces. Je regarde autour de moi et je me dis : « Est-il possible que nous soyons tous des condamnés à mort qui attendent leur exécution ? » Les coiffeurs, les cordonniers, les tailleurs, les médecins, les chauffagistes… tous travaillent. On a même ouvert une maternité, ou plutôt un semblant de maternité. Les lessives se font, le linge sèche sur les cordes, à partir du 1er septembre les enfants vont à l'école et les mères interrogent les maîtres sur les notes de leurs enfants.

« Le vieux Spielberg a donné plusieurs livres à relier. Alia Sperling fait quotidiennement sa gymnastique matinale ; chaque soir, avant de se coucher, elle se met des papillotes et elle se dispute avec son père pour qu'il lui donne un coupon de tissu d'été.

« Et moi aussi, je suis prise du matin au soir. Je rends mes visites aux malades, je donne des leçons, je fais du raccommodage, de la lessive, je me prépare pour l'hiver : je fais mettre une doublure chaude pour mon manteau. J'écoute les récits : la femme d'un conseiller juridique que je connais a été battue sans pitié parce qu'elle avait acheté un œuf de cane pour son enfant ; une sentinelle a blessé à l'épaule un garçon, le fils du pharmacien Sirota, alors qu'il essayait de se glisser sous les barbelés pour rattraper son ballon. Puis, de nouveau, des bruits, des bruits, des bruits…

« Et maintenant voilà autre chose que des bruits. Aujourd'hui les Allemands ont emmené quatre-vingts jeunes gens à l'arrachage des pommes de terre. Certains se réjouissent : ils pourront peut-être rapporter quelques pommes de terre pour la famille. Mais j'ai compris de quelles pommes de terre il s'agit.

« La nuit, dans le ghetto, est un temps à part. Tu te souviens, mon fils, je t'ai toujours appris à me dire la vérité, un fils doit la vérité à sa mère. Mais une mère doit, elle aussi, la vérité à son fils. Ne t'imagine pas, Vitia, que ta mère soit une femme forte. Je suis faible. Je crains la douleur et j'ai peur quand je vais chez le dentiste. Quand j'étais petite fille, j'avais peur du tonnerre, j'avais peur du noir. Une fois vieille, j'ai eu peur de la maladie, de la solitude, je craignais que, malade, je ne puisse plus travailler et que je devienne une charge pour toi et que tu me le fasses sentir. Je craignais la guerre. Maintenant, la nuit, je suis prise d'une panique qui me gèle le cœur. La mort m'attend. J'ai envie de t'appeler au secours.

« Il y a bien longtemps, petit enfant, tu accourais chercher refuge auprès de moi. Maintenant, en ces instants de faiblesse, j'ai envie de cacher ma tête sur tes genoux pour que tu me défendes, me protèges, toi qui es fort et si intelligent. Je n'ai pas seulement l'âme forte, Vitia, elle est faible aussi. Je pense souvent au suicide et je ne sais pas ce qui me retient, est-ce ma faiblesse, ma force ou un espoir insensé ?

« Mais en voilà assez. Je m'endors et je vois des rêves. Je vois souvent ma mère, je lui parle. Cette nuit, j'ai vu en rêve Alexandra Chapochnikov, à l'époque où nous vivions ensemble à Paris. Mais je ne t'ai pas vu une seule fois en rêve bien que je pense sans cesse à toi, même dans les moments les plus durs. Je me réveille et de nouveau ce plafond, et je me souviens que les Allemands occupent notre terre, que je suis une lépreuse et il me semble que je ne me suis pas réveillée mais, au contraire, que je viens de m'endormir et que je rêve.

« Mais quelques minutes passent, j'entends Alia et Liouba se disputer pour savoir qui doit aller chercher l'eau au puits, j'entends quelqu'un raconter que les Allemands ont brisé le crâne d'un vieillard dans la rue voisine.

« Une élève de l'Institut pédagogique, que je connais, est venue me chercher pour examiner un malade. J'ai appris qu'elle cachait un lieutenant avec une blessure à l'épaule et un œil brûlé. Un gentil jeune homme avec l'accent de la Volga. Il est passé la nuit sous les barbelés et il a trouvé refuge dans le ghetto. Son œil n'était pas fortement atteint et j'ai pu stopper la suppuration. Il m'a beaucoup parlé des combats, de la fuite de nos troupes, ces récits m'ont déprimée. Il veut reprendre des forces et traverser la ligne du front. Plusieurs de nos jeunes gens vont partir avec lui, l'un d'eux a été mon élève. Oh ! si je pouvais partir avec eux ! J'étais si heureuse d'aider ce garçon, il me semblait que moi aussi je participais à la guerre contre le fascisme.

« On lui a apporté des pommes de terre, des haricots, une grand-mère lui a tricoté des chaussettes de laine.

« Aujourd'hui la journée est riche en drames. Alia s'est procuré, hier, le passeport d'une jeune fille russe, morte à l'hôpital. Cette nuit, Alia va partir. Et nous avons appris aujourd'hui, d'un paysan ami qui passait à côté des barbelés, que les Juifs qu'on avait emmenés arracher des pommes de terre sont en train de creuser de profondes tranchées à quatre kilomètres de la ville, près de l'aérodrome, sur la route de Romanovka. Retiens ce nom, Vitia, c'est là que tu trouveras la fosse commune où sera enterrée ta mère.

« Même Sperling a tout compris, il est pâle, ses lèvres tremblent et il me demande, affolé : « Y a-t-il de l'espoir qu'on laisse en vie les gens qualifiés ? » En effet, on raconte que, parfois, on n'a pas exécuté les meilleurs tailleurs, cordonniers et médecins.

« Et malgré tout, Sperling a fait venir le soir un maçon qui lui a fait une cachette pour la farine et le sel. Et moi, le soir, j'ai lu avec Iouri *les Lettres de mon moulin*. Tu te rappelles, nous lisions à voix haute mon récit préféré, *les Vieux*, et quand nous l'avions terminé nous nous étions regardés et nous avions ri, mais nous avions tous les deux les yeux pleins de larmes. Puis j'ai dicté à Iouri les leçons à apprendre pour demain. Il faut qu'il en soit ainsi. Mais quel sentiment déchirant quand je regardais la petite mine triste de mon élève, ses doigts qui notaient dans le cahier les numéros des paragraphes de grammaire qu'il devait apprendre.

« Que d'enfants ici, des yeux merveilleux, des cheveux bruns et bouclés, il y a sûrement parmi eux de futurs savants, des professeurs de médecine, des musiciens, des poètes peut-être.

« Je les regarde quand ils courent le matin à l'école, ils ont un sérieux qui n'est pas de leur âge, et leurs yeux tragiques leur mangent le visage. Parfois ils se battent, se disputent, rient, mais cela est encore pire.

« On dit que les enfants sont notre avenir, mais que peut-on dire de ces enfants-là ? Ils ne deviendront pas musiciens, cordonniers, tailleurs. Et je me suis représenté très clairement cette nuit comment ce monde bruyant de papas barbus et affairés, de grand-mères grognons, créatrices de gâteaux au miel et de cous d'oies farcis, ce monde aux rituels de mariage compliqués, ce monde des proverbes et des jours de sabbat, je me suis représenté comment ce monde disparaîtrait à jamais sous terre ; après la guerre la vie reprendra et nous ne serons plus là, nous aurons disparu comme ont disparu les Aztèques.

« Le paysan qui nous a annoncé qu'on était en train de creuser des fosses communes raconte que sa femme a pleuré toute la nuit et qu'elle se lamentait : « Ils sont tailleurs et cordonniers, ils travaillent le cuir, ils réparent les montres, ils vendent les médicaments dans les pharmacies... Que va-t-il se passer quand on les aura tous tués ? »

« Et j'ai vu très clairement un homme qui, en passant devant des ruines, dirait : « Tu te souviens, c'est ici que vivait Boruch, le cordonnier ; le soir de sabbat, sa vieille restait assise sur un banc et des enfants jouaient autour d'elle. » Et le deuxième passant dirait : « Et là-bas, sous le vieux poirier, d'habitude on voyait la doctoresse, je ne me rappelle plus son nom, je me suis fait soigner les yeux chez elle un jour ; après le travail elle s'installait toujours sur une chaise cannée, sous le poirier, et lisait un livre. » Il en sera ainsi, Vitia.

« C'est comme si un souffle d'effroi était passé sur les visages ; tous ont compris que le temps approche.

« Vitia, je voudrais te dire... Non, ce n'est pas ça.

« Vitia, je termine ma lettre et je vais la porter à la limite du ghetto pour la donner à mon ami. Il ne m'est pas facile d'interrompre cette lettre, elle est ma dernière conversation avec toi ; quand j'aurai transmis la lettre, je t'aurai définitivement quitté, jamais tu ne sauras ce qu'ont été mes dernières heures. C'est notre toute dernière séparation. Que te dire avant de te quitter pour toujours ? Tu as été ma joie ces derniers jours, comme tu l'as été durant toute ma vie. La nuit, je me souvenais de tes vêtements d'enfant, de tes premiers livres, je me souvenais de ta première lettre, de ton premier jour d'école, je me suis souvenue de tout, depuis les premiers jours de ton existence jusqu'à la dernière nouvelle qui me soit venue de toi, le télégramme que j'ai reçu le 30 juin. Je fermais les yeux et il me semblait que tu allais me protéger de l'horreur qui s'avançait sur moi. Et quand je me rappelais ce qui se passait autour de moi, je me réjouissais de ton absence ; ainsi tu ne connaîtrais pas cet horrible destin.

« J'ai toujours été solitaire, Vitia. Pendant des nuits blanches, j'ai souvent pleuré de désespoir. Car personne ne le savait. Mon unique consolation était la pensée, qu'un jour, je te raconterais ma vie. Que je te raconterais pourquoi nous nous sommes séparés, ton père et moi, pourquoi, toutes ces longues années, j'ai vécu seule. Et je me disais souvent : « Comme il sera étonné, Vitia, quand il apprendra que sa mère a fait des folies, qu'elle était jalouse et qu'on la jalousait, que sa mère a été comme tous les jeunes. » Mais mon destin est de mourir en solitaire sans m'être ouverte à toi. Parfois, je pensais que je ne devais pas vivre loin de toi, que je t'aimais trop et que cet amour me donnait le droit de finir ma vie à tes côtés. Parfois, je pensais que je ne devais pas vivre avec toi, que je t'aimais trop.

« *Enfin*... Sois heureux avec ceux que tu aimes, qui t'entourent, qui te sont devenus plus chers que ta mère. Pardonne-moi.

« On entend dans la rue des pleurs de femmes, des jurons de policiers et moi, je regarde ces pages et il me semble que je suis protégée de ce monde horrible, plein de souffrances.

« Comment finir cette lettre ? Où trouver la force pour le faire, mon chéri ? Y a-t-il des mots en ce monde capables d'exprimer mon amour pour toi ? Je t'embrasse, j'embrasse tes yeux, ton front, tes yeux.

« Souviens-toi qu'en tes jours de bonheur et qu'en tes jours de peine l'amour de ta mère est avec toi, personne n'a le pouvoir de le tuer.

« Vitenka... Voilà la dernière ligne de la dernière lettre de ta maman. Vis, vis, vis toujours... Ta maman. »

18

Strum n'avait jamais réfléchi avant la guerre au fait qu'il était juif, que sa mère était juive. Jamais sa mère ne lui en avait parlé, ni dans son enfance, ni plus tard, quand il était étudiant. Jamais, pendant ses années d'études à l'université de Moscou, un étudiant, un professeur, ou un directeur de séminaire n'avait entamé de conversation sur ce sujet.

Ni à l'Institut ni à l'Académie des sciences, il n'avait eu, avant guerre, l'occasion d'entendre des conversations sur ce sujet.

Jamais, pas une fois, il n'eut envie d'en parler à Nadia, de lui expliquer que sa mère était russe et que son père était juif.

Le siècle d'Einstein et de Planck était aussi le siècle d'Hitler. La Gestapo et la renaissance scientifique sont les enfants d'un même siècle. Que le XIXᵉ siècle, le siècle de la physique naïve, était humain en comparaison du XXᵉ ! Le XXᵉ avait tué sa mère. Il y a une ressemblance hideuse entre les principes du fascisme et les principes de la physique moderne.

Le fascisme a rejeté le concept d'individu, le concept d'homme et il opère par masses énormes. La physique moderne parle d'une plus ou moins grande probabilité des phénomènes dans tel ou tel ensemble d'individus physiques. Le fascisme ne se fonde-t-il pas, dans sa terrifiante mécanique, sur les lois d'une politique quantique, sur une théorie des probabilités politiques ?

Le fascisme a décidé d'exterminer des couches entières de la population, d'ensembles nationaux ou raciaux, en partant de l'idée que la probabilité de conflits ouverts ou cachés était plus grande dans ces ensembles que dans d'autres ensembles humains. La mécanique des probabilités et des ensembles humains.

Mais non, bien sûr ! Et le fascisme périra justement parce qu'il a cru pouvoir appliquer à l'homme les lois des atomes et des pavés.

Le fascisme et l'homme ne peuvent coexister. Quand le fascisme est vainqueur, l'homme cesse d'exister, seuls subsistent des humanoïdes, extérieurement semblables à l'homme mais complètement modifiés à l'intérieur. Mais quand l'homme doué de raison et de bonté est vainqueur, le fascisme périt et les êtres qui s'y sont soumis redeviennent des hommes.

Maman... Maroussia... Tolia...

Par instants, il lui semblait que la science était une tromperie qui masquait la folie et la cruauté de la vie.

Était-ce seulement un hasard si la science est devenue la compagne de ce siècle terrifiant ? Qu'il se sentait seul ! Il ne savait à qui confier ses pensées. Tchepyjine était loin ; Postoïev aurait trouvé tout cela bizarre et inintéressant.

Sokolov a des tendances mystiques et fait preuve d'une sorte de résignation religieuse face à l'injustice et à la cruauté de César.

Dans son labo, il y avait deux magnifiques chercheurs, Markov, l'expérimentateur, et Svostianov, l'ivrogne bourré de talent. Mais s'il avait eu l'idée de leur parler de tout cela, ils l'auraient pris pour un malade mental.

Il sortit de son bureau la lettre de sa mère et la relut une fois encore.

« Je suis sûr, Vitia, que cette lettre te parviendra, bien que je sois derrière la ligne du front et derrière les barbelés du ghetto juif... Où trouver la force pour le faire, mon chéri... »

Et la lame froide le frappait une fois de plus à la gorge...

19

Lioudmila Nikolaïevna sortit de la boîte une lettre des armées.

Elle entra à grands pas dans la pièce et, rapprochant la lettre de la lumière, elle déchira le bord de l'enveloppe en papier grossier.

Un instant, elle crut voir tomber de l'enveloppe des photos de Tolia ; Tolia est un minuscule bébé qui ne tient pas encore sa tête, il est couché tout nu sur un coussin, les pattes en l'air, la bouche ouverte.

Il semblait que, sans même lire les mots, en s'imprégnant du texte calligraphié par une main appliquée, elle avait compris : il est en vie, il vit.

Elle lut que Tolia était gravement blessé à la poitrine et au flanc, qu'il avait perdu beaucoup de sang, qu'il était faible, qu'il ne pouvait pas écrire lui-même et que depuis quatre semaines la fièvre ne tombait pas... Mais des larmes de joie lui voilaient les yeux, tel avait été son désespoir quelques instants auparavant.

Elle sortit dans l'escalier, lut les premières lignes de la lettre et, apaisée, se dirigea vers le bûcher. Là, dans la froide pénombre, elle lut le milieu et la fin de la lettre et pensa que cette lettre était un adieu avant la mort.

Lioudmila Nikolaïevna empila les bûches dans le sac. Et bien que le médecin qui la soignait à Moscou dans la polyclinique des savants lui eût ordonné de ne pas soulever plus de trois kilos et de ne faire que des mouvements lents et doux, elle jeta avec un han de bûcheron le sac plein de bois vert sur l'épaule et monta d'un élan à l'étage. Elle laissa tomber le sac par terre et la vaisselle tinta sur la table.

Lioudmila mit son manteau, jeta son fichu sur sa tête et sortit dans la rue.

Des gens la croisaient puis se retournaient. Elle traversa la rue, un tramway freina brusquement et la conductrice la menaça du poing.

En tournant à gauche, on peut atteindre par la ruelle l'usine où travaille maman.

Si Tolia meurt, son père ne le saura pas. Dans quel camp se trouve-t-il ? Peut-être est-il mort depuis longtemps...

Lioudmila Nikolaïevna alla à l'Institut chez Victor Pavlovitch. En passant devant la maisonnette des Sokolov, elle entra dans la cour, frappa à la fenêtre, mais le rideau resta baissé. Maria Ivanovna n'était pas chez elle.

« Victor Pavlovitch vient de passer dans son bureau », lui dit quelqu'un et elle remercia sans savoir à qui elle avait eu affaire, un homme, une femme, une connaissance, un inconnu... Elle entra dans la salle du laboratoire où, comme d'habitude, on avait l'impression que personne ne travaillait. Généralement, il semble que les hommes bavardent ou bien fument en parcourant distraitement un livre, alors que les femmes sont très occupées, elles font du thé dans des matras, enlèvent leur vernis à ongles avec du dissolvant, tricotent.

Elle notait tous les détails, des dizaines de détails ; elle remarqua le papier qu'utilisait un garçon de labo pour se rouler sa cigarette.

Dans le bureau de Victor Pavlovitch, elle fut accueillie à grands cris et Sokolov se précipita vers elle en agitant une grande enveloppe blanche.

— On nous donne un espoir, dit-il, il y a un plan, on prévoit de nous ramener à Moscou, avec tous les impedimenta, avec l'appareillage, les familles. Pas mal, hein ? C'est vrai que les délais ne sont pas fixés. Mais quand même !

Elle sentit de la haine pour ce visage animé, pour ces yeux. Si elle avait su qu'elle verrait tant de visages joyeux elle ne serait, bien sûr, jamais allée chez Victor. Et Victor aussi est joyeux et sa joie entrera ce soir à la maison, et Nadia sera heureuse, ils quitteront enfin cette ville si détestée.

Valent-ils, tous ces gens, tous tant qu'ils sont, le jeune sang qui a payé leur joie ?

Elle leva des yeux pleins de reproches sur son mari.

Il la regardait, compréhensif, inquiet.

Quand ils restèrent seuls, il lui dit qu'il avait immédiatement compris, dès qu'elle était entrée, qu'un malheur était arrivé.

Il lut la lettre et dit :

— Que faire, mon Dieu, que faire ?

Il mit son manteau et ils se dirigèrent vers la sortie.

— Je ne viendrai plus aujourd'hui, dit-il à Sokolov qui se trouvait à côté du nouveau chef du personnel, Doubenkov, un homme de haute taille, à la tête ronde, vêtu à la mode d'un veston trop étroit pour ses larges épaules.

Strum lâcha une seconde la main de Lioudmila, dit à mi-voix à Doubenkov :

— Nous voulions commencer à faire les listes pour Moscou, mais je ne pourrai pas aujourd'hui. Je vous expliquerai plus tard.

— Ne vous inquiétez pas, Victor Pavlovitch, dit d'une petite voix de basse Doubenkov. Il y a tout le temps. Ce ne sont que des prévisions pour l'avenir, je prends sur moi tout le travail préparatoire.

Sokolov agita les mains, hocha la tête, et Strum comprit qu'il avait deviné le nouveau malheur qui venait de le frapper.

Un vent froid balayait les rues, soulevant la poussière. Tantôt il la tordait en une tresse, tantôt il la semait comme un grain inutile. Il y avait une rudesse implacable dans ce froid, dans les claquements osseux des branches, dans le bleu glacial des rails de tramway.

Sa femme tourna vers lui un visage rajeuni et creusé par la souffrance ; elle fixait d'un regard implorant Victor Pavlovitch.

Ils avaient eu autrefois une jeune chatte ; à sa première portée, elle ne put pas mettre au monde son chaton et, mourante, elle rampa jusqu'à Strum et se mit à crier en le fixant de ses yeux écarquillés. Mais qui pouvait-on supplier dans cet immense ciel vide, sur cette terre poussiéreuse et impitoyable ?

— Voilà l'hôpital militaire où j'ai travaillé, dit-elle.

— Vas-y ! Comment n'y avons-nous pas pensé plus tôt ! Ils pourront te dire à quelle ville correspond la boîte postale.

Il vit Lioudmila gravir l'escalier, s'expliquer avec le gardien. Strum allait et venait, passait le coin, puis revenait vers l'entrée. Des passants couraient, avec dans leurs filets des bocaux où des nouilles et des pommes de terre grises nageaient dans une soupe grise.

— Vitia, l'appela sa femme.

Il comprit à sa voix qu'elle s'était reprise.

— Alors voilà, dit-elle. C'est à Saratov. L'adjoint du médecin en chef y était il n'y a pas longtemps. Il m'a donné la rue et le numéro.

Ils furent soudain très occupés : il fallait savoir quand passerait le bateau, se procurer un billet, préparer les bagages, trouver de la nourriture, il fallait emprunter de l'argent, obtenir un ordre de mission quelconque pour justifier le voyage.

Lioudmila Nikolaïevna partit sans bagages ni nourriture, sans affaires pour Tolia, presque sans argent ; elle monta sur le pont sans billet, profitant du désordre et de la presse qui régnaient pendant l'embarquement.

Elle n'emporta avec elle que le souvenir des adieux avec sa mère, son mari, Nadia, par une sombre soirée d'automne. Des vagues noires frappaient la coque et le vent soulevait des embruns.

20

Dementi Trifonovitch Guetmanov, le secrétaire du parti d'une des régions d'Ukraine occupée par les Allemands, avait été nommé commissaire politique d'un corps d'armée de blindés en formation dans l'Oural.

Avant de rejoindre son poste, Guetmanov avait fait un saut en Douglas à Oufa où avait été évacuée sa famille.

Les camarades du parti, à Oufa, avaient été très attentionnés à l'égard de sa famille ; le logement, les conditions de vie lui apparurent fort décents. Galina Terentievna, la femme de Guetmanov, qui se distinguait avant la guerre par sa corpulence (un métabolisme déficient), n'avait pas maigri, elle avait même plutôt gagné du poids pendant l'évacuation. Les deux filles et le petit garçon, qui n'allait pas encore à l'école, semblaient en bonne santé.

Guetmanov passa trois jours à Oufa. Avant son départ, quelques proches vinrent lui dire au revoir : le frère cadet de sa femme, adjoint au chef de cabinet du gouvernement d'Ukraine, un vieil ami, le Kiévien Machouk, qui servait dans les organes de sécurité, et un deuxième beau-frère, un des responsables du secteur de propagande du Comité central d'Ukraine, qui répondait au nom de Sagaïdak.

Sagaïdak arriva vers 11 heures ; les enfants étaient déjà couchés et l'on parlait à voix basse.

— Et si l'on se buvait un petit gorgeon de vodka, chers camarades ? proposa Guetmanov.

Tout était gros chez lui : sa caboche à la chevelure grisonnante, son large front, son nez charnu, ses mains, ses doigts, ses épaules, son cou puissant. Mais lui, cet assemblage de pièces massives, il était de petite taille. Et, chose étrange, dans ce large visage, on remarquait et retenait tout particulièrement les yeux : ils étaient étroits, à peine visibles entre des paupières bouffies. Leur couleur était incertaine, un mélange de gris et de bleu. Mais ils recelaient beaucoup de finesse de vie, une perspicacité aiguë.

Galina Terentievna souleva légèrement son gros corps et sortit de la pièce ; les hommes se turent comme cela arrive souvent quand on attend l'arrivée de l'alcool sur la table. Galina Terentievna revint bientôt chargée d'un plateau. Il semblait étonnant que de si grosses mains aient su, en si peu de temps, ouvrir une telle quantité de boîtes de conserve ou sortir la vaisselle.

Machouk regarda les murs décorés de tissus artisanaux, le large divan, les bouteilles accueillantes, les boîtes de conserve et déclara :

— Je me souviens de ce divan quand il était dans votre appartement et je vous félicite d'avoir su l'emporter avec vous, vous avez un talent d'organisateur-né.

— Et faut savoir, dit Guetmanov, que j'étais déjà parti quand elle a été évacuée, elle a fait tout toute seule.

— Je n'allais quand même pas le laisser aux Allemands, dit Galina Terentievna. Et puis, Dima l'aimait tellement, quand il revenait d'une réunion du bureau de l'*obkom* [1], il s'installait dessus et lisait ses dossiers.

— On les connaît, ses dossiers, dit Sagaïdak, il dormait, oui.

Elle repartit pour la cuisine et Machouk, l'œil égrillard, se pencha vers Guetmanov et lui glissa :

— Oh ! je la vois d'ici la doctoresse, le médecin militaire, dont notre Dementi Trifonovitch va faire connaissance !

— Il leur en fera voir, ajouta Sagaïdak.

Guetmanov haussa les épaules :

— Laissez tomber, les gars, je suis un invalide.

— Oui, oui, bien sûr, poursuivit Machouk. Et qui rentrait à 3 heures du matin à la maison de repos de Kislovodsk ?

Les hôtes éclatèrent de rire et Guetmanov lança un coup d'œil bref mais aigu au frère de sa femme.

Galina Terentievna revint et regarda les hommes en train de rire :

---

1. Comité régional du parti. *(N.d.T.)*

— Il suffit que sa femme ait le dos tourné pour que vous lui racontiez vos bêtises, à mon pauvre Dima.

Guetmanov versa la vodka dans les verres et tous s'affairèrent autour des boîtes. Guetmanov regarda le portrait de Staline suspendu au mur et leva son verre :

— Eh bien, camarades, le premier toast sera à la santé de notre père, bonne santé à lui.

Il prononça ces mots sur un ton un peu rude, entre amis. Cette simplicité voulue devait signifier que tout le monde connaissait la grandeur de Staline mais que les personnes réunies autour de cette table voyaient d'abord en lui et aimaient en lui l'homme, un homme simple, modeste et sensible. Et Staline, sur son mur, contemplait de ses yeux plissés la table et la poitrine opulente de Galina Terentievna et semblait dire :

— Attendez, les gars, j'allume ma pipe et je vous rejoins.

— C'est ça, *khaï* notre *batko*[1] vive toujours, dit le frère de la maîtresse de maison, Nicolaï Terentievitch. Que deviendrions-nous sans lui ?

Il se tourna vers Sagaïdak, en gardant son verre levé, dans l'attente que celui-ci dise quelque chose à son tour. Mais Sagaïdak se contenta de regarder le portrait : « Il n'y a rien à rajouter, père, tu sais tout », et vida son verre. Les autres l'imitèrent.

Dementi Trifonovitch Guetmanov était originaire de Liven, de la région de Voronej, mais il avait des liens de longue date avec les camarades d'Ukraine car il avait été pendant longtemps à des postes responsables du parti en Ukraine. Ses liens avec Kiev s'étaient renforcés à l'occasion de son mariage avec Galina Terentievna dont la nombreuse parenté occupait des postes en vue tant à l'intérieur de l'appareil du parti que dans celui de l'État.

La vie de Dementi Trifonovitch était assez pauvre en événements. Il n'avait pas fait la guerre civile. Il n'avait pas été pourchassé par la police politique tsariste et les tribunaux tsaristes ne l'avaient pas exilé en Sibérie. Généralement, il se contentait de lire les rapports qu'il faisait aux conférences et aux congrès du parti. Il lisait bien, sans bafouiller, en y mettant le ton, bien que ce ne fût pas lui qui les rédigeât. Mais il est vrai qu'ils étaient faciles à lire, ils étaient tapés en gros caractères, à double intervalle, et le nom de Staline était tapé spécialement en rouge. Il avait été dans le temps un petit gars discipliné et pas bête, il voulait suivre des cours dans un institut technique mais il avait été mobilisé dans les organes de la Sécurité et il devint en peu de temps le garde du corps d'un secrétaire de territoire. Puis il fut remarqué et envoyé à l'École du parti, après quoi il se retrouva

---

1. « Que notre père... » ukrainien. *(N.d.T.)*

dans l'appareil du parti ; il fut d'abord dans la section organisation d'un territoire, puis à la section des cadres au C.C. Un an plus tard il était *instructeur* à la section des cadres dirigeants. Et peu après 1937 il devint le secrétaire d'une région, le maître absolu d'une région.

Un mot de lui pouvait décider du sort d'un titulaire de chaire à l'Université, d'un ingénieur, d'un directeur de banque, d'un secrétaire de syndicat, d'un kolkhoze, d'une mise en scène.

La confiance du parti ! Guetmanov savait ce que ces mots-là voulaient dire. Le parti lui faisait confiance ! Le travail de sa vie, où il n'y avait ni grands livres, ni grandes découvertes, ni batailles remportées, était un travail immense, méthodique, obstiné, un travail fait de tension et de nuits blanches. Le sens suprême de ce travail était qu'il se faisait sur ordre du parti et au nom de ses intérêts. La récompense suprême de ce travail consistait en une seule chose : la confiance du parti.

L'esprit de parti, les intérêts du parti devaient inspirer toutes ses décisions, en toutes circonstances. Il pouvait s'agir d'un enfant qu'il fallait envoyer dans un orphelinat, de la réorganisation de la chaire de biologie à l'Université, de l'expulsion d'un bâtiment appartenant à la bibliothèque d'un atelier fabriquant des objets de plastique. L'esprit de parti devait inspirer l'attitude du dirigeant à l'égard du travail, à l'égard d'un livre ou d'un tableau. Il fallait donc qu'il soit en mesure de renoncer à son travail habituel, à son livre préféré, si les intérêts du parti entraient en contradiction avec ses goûts. Mais Guetmanov savait qu'il existait un degré encore plus élevé de l'esprit de parti : l'homme n'avait plus de goûts et d'inclinations susceptibles d'entrer en contradiction avec l'esprit de parti ; tout ce qu'un dirigeant du parti aime ou apprécie, il l'aime, il l'apprécie justement parce que cela exprime l'esprit de parti.

Les sacrifices qu'apportait Guetmanov à l'esprit de parti étaient parfois rudes et cruels. Là, plus rien ne compte, ami d'enfance ou vieux maître à qui l'on doit tout ; il n'y a plus ni pitié ni amour. Là, des mots comme « se détourner », « ne pas soutenir », « trahir », « faire périr » n'entrent plus en ligne de compte. Mais ce qui caractérise l'esprit de parti, c'est précisément que les sacrifices ne sont pas nécessaires, ils ne sont pas nécessaires parce que les sentiments personnels, l'amour, l'amitié, la solidarité, disparaissent d'eux-mêmes quand ils entrent en contradiction avec l'esprit de parti.

Il ne se voit pas, le travail des hommes qui ont la confiance du parti. Mais il est immense, il faut dépenser son âme et son intelligence sans compter. Pour être fort, un dirigeant du parti n'avait besoin ni du talent du savant ni des dons de l'écrivain. Sa force se situait au-dessus du talent et des dons. La parole de Guetmanov, cette parole qui orientait et décidait, était écoutée avec avidité par des centaines de personnes qui possédaient le don de chercher, de chanter, d'écrire des livres ; et pourtant Guetmanov ne savait ni chanter, ni jouer du piano, ni créer des mises en scène, et même il n'était pas capable de comprendre et goûter les créations de la science, de la poésie, de la musique, de la peinture... La force de sa parole était due au fait que le parti lui avait confié ses intérêts dans les domaines de la culture et de l'art.

Et la somme de pouvoirs qu'il détenait, lui, le secrétaire de l'organisation régionale du parti, ni un tribun du peuple ni un penseur n'auraient pu y prétendre.

Guetmanov pensait que l'essence même de la notion « esprit de parti » était exprimée par l'opinion, le sentiment de Staline. C'est dans sa confiance pour ses compagnons, pour ses ministres et ses maréchaux que se trouvait l'essence de la ligne du parti.

Les hôtes parlaient principalement de la nouvelle nomination de Guetmanov. Ils comprenaient que Guetmanov aurait pu espérer un poste plus élevé, des gens de son rang dans le parti devenaient, quand ils passaient dans l'armée, membres des Conseils d'armée ou même des Conseils de groupe d'armées.

Ayant reçu sa nomination dans un corps d'armée, Guetmanov s'inquiéta et se renseigna, par l'intermédiaire d'un ami, membre du secrétariat, s'il n'y avait rien contre lui là-haut. Mais non, il n'y avait rien d'inquiétant.

Alors, pour se consoler, Guetmanov commença à trouver de bons côtés à sa nomination. On n'envoie pas n'importe qui dans un corps d'armée de blindés, on l'enverrait plutôt dans une armée de deuxième zone. Ainsi, le parti lui avait manifesté sa confiance. Mais il était malgré tout ulcéré ; et il aimait beaucoup, ayant enfilé son uniforme, se regarder dans la glace et annoncer :

— Le commissaire de brigade Guetmanov, membre du Conseil d'armée.

Pour une raison mystérieuse, c'était le commandant du corps d'armée, le colonel Novikov, qui l'irritait le plus. Il ne l'avait encore jamais vu mais tout ce qu'il savait à son sujet lui déplaisait profondément.

Ses amis comprenaient son état d'esprit et tout ce qu'ils disaient de sa nouvelle nomination ne pouvait que lui plaire.

Sagaïdak dit qu'on enverrait très probablement le corps d'armée à Stalingrad, que le camarade Staline connaissait le commandant du front, le général Eremenko, depuis la Guerre civile, qu'il lui téléphonait souvent par la ligne directe et qu'il recevait le général lors de ses déplacements à Moscou... Tout récemment, le général Eremenko avait été reçu par Staline à sa datcha près de Moscou et leur entretien avait duré deux heures. Il est bon de se trouver sous les ordres d'un chef qui bénéficie d'une telle confiance de la part du camarade Staline.

Puis quelqu'un dit que Nikita Serguéiévitch (autrement dit Khrouchtchev) n'avait pas oublié Guetmanov depuis le temps où il dirigeait le parti en Ukraine, et que ce serait une grande chance pour Guetmanov de se trouver sur le front dont Nikita Serguéiévitch était le responsable politique.

— Ce n'est pas un hasard, dit Nikolaï Terentievitch, si le camarade Staline a envoyé précisément Nikita Serguéiévitch dans le groupe d'armées de Stalingrad, c'est le front décisif, qui aurait-il envoyé d'autre ?

— Et mon Dementi Trifonovitch, c'est par hasard que Staline l'envoie dans un corps d'armée ? dit Galina Terentievna sur le ton de la plaisanterie.

— Eh oui, dit Guetmanov, pour moi, atterrir dans un corps d'armée, c'est à peu près comme si d'un poste de secrétaire de région j'étais promu secrétaire de district. Il n'y a pas de quoi pavoiser.

— Non... Non... répondit sérieusement Sagaïdak. Cette nomination est une manifestation de la confiance que te fait le parti. Un district ? Si tu veux, mais pas n'importe lequel ; pas un district rural mais Magnitogorsk. Un corps d'armée ? D'accord, mais pas n'importe lequel, des blindés.

Machouk dit que le commandant du corps d'armée, dont Guetmanov allait être le commissaire, venait d'être nommé, il n'avait jamais commandé auparavant d'unité de cette importance. C'était quelqu'un de la section spéciale [1] du groupe d'armées, de passage à Oufa, qui le lui avait appris.

— Il m'a dit encore autre chose à son sujet, poursuivit Machouk mais il s'interrompit et conclut : ... Je ne vois pas pourquoi je vous parle de tout ça, vous devez en savoir plus sur lui que lui-même.

Les yeux déjà étroits de Guetmanov se réduisirent à une fente, ses narines charnues frémirent.

— Plus... Plus... N'exagérons rien.

Machouk eut un mince sourire et tous les présents le notèrent. Chose étrange, bien que Machouk fût un parent des Guetmanov, bien qu'aux réunions de famille il se comportât en homme simple et discret, aimant la plaisanterie, les Guetmanov éprouvaient toujours une certaine tension quand ils entendaient cette voix trop douce, quand ils regardaient ces yeux calmes, ce visage allongé et pâle. Et Guetmanov ne s'étonnait pas, il comprenait quelle force se trouvait derrière Machouk, il comprenait que Machouk savait des choses que lui-même, parfois, ignorait.

---

1. La police politique. *(N.d.T.)*

— Et alors ? demanda Sagaïdak.

Guetmanov condescendit à répondre :

— Un de ces hommes que la guerre a mis en avant. Il n'avait rien fait de particulier avant.

— Il ne faisait pas partie de la nomenklatura ? demanda en souriant le frère-chef de cabinet.

— La nomenklatura ? Tu parles... dit Guetmanov en agitant les mains. Mais c'est un homme utile. Il paraît que c'est un bon spécialiste des chars. Son chef d'état-major est le général Néoudobnov. J'ai fait sa connaissance au XVIIIᵉ congrès du parti. C'est loin d'être un idiot.

— Néoudobnov ? Illarion Innokentievitch ? s'exclama Machouk. Bien sûr que c'est un gars bien. C'est avec lui que j'ai commencé puis le destin nous a séparés. Je l'ai rencontré avant la guerre chez Lavrenti Pavlovitch [1].

— « Séparés », c'est beaucoup dire, fit Sagaïdak en souriant. Il faut approcher les problèmes d'un point de vue dialectique. Il faut chercher l'identité et l'unité et non les contradictions.

Machouk reprit :

— Cette guerre a tout mis sens dessus dessous ; un colonel se retrouve commandant un corps d'armée et Néoudobnov devient son subordonné !

— Il n'a pas d'expérience militaire, faut en tenir compte, dit Guetmanov.

Mais Machouk continuait à s'étonner.

— Néoudobnov, ce n'est pas rien, une seule de ses paroles décidait bien des choses. C'est un homme qui était déjà dans le parti avant la révolution, qui a une très grande expérience des affaires de l'État. On pensait un temps qu'il pourrait devenir chef de cabinet.

Le reste des invités le soutint.

Il leur était plus facile d'exprimer leur sympathie pour Guetmanov en plaignant Néoudobnov.

— Eh oui. Elle a tout bouleversé cette guerre, vivement qu'elle se termine, dit le frère de Galina.

Guetmanov leva la main en direction de Sagaïdak et dit :

— Vous avez connu Krymov ? Il est de Moscou, il était venu à Kiev faire un exposé sur la situation internationale pour les collaborateurs du C.C.

— Il était venu juste avant la guerre ? Une espèce de déviationniste ? Il avait travaillé au Komintern ?

— C'est ça. Eh bien, mon colonel a l'intention de se marier avec son ancienne femme.

---

1. Beria. *(N.d.T.)*

Cette nouvelle réjouit tout le monde bien que personne ne connût ni l'ancienne femme de Krymov ni le colonel qui désirait l'épouser.

— Ouais, dit Machouk. Ce n'est pas pour rien que notre Guetmanov a commencé sa carrière chez nous, dans les *organes*. Il est même déjà au courant du futur mariage.

— Il sait s'y prendre, il n'y a rien à dire, dit Nikolaï Terentievitch.

— Que faire ?... Le Commandement suprême n'aime pas les négligents.

— Notre Guetmanov est tout sauf négligent, murmura Sagaïdak.

D'une voix sérieuse et quotidienne, comme s'il se trouvait dans son bureau, Machouk dit :

— Ce Krymov, je m'en souviens, il n'est pas net. Il a depuis longtemps des liaisons et avec les trotskistes, et avec les droitiers. Et si l'on examine de près...

Il parlait franchement et simplement, aussi simplement, aurait-on dit, que le directeur d'une usine de bonneterie ou un enseignant d'un centre d'apprentissage parlant de leur travail. Mais tous comprenaient que cette simplicité et cette franchise n'étaient qu'apparentes ; mieux que quiconque, Machouk savait ce dont il avait le droit de parler et ce qu'il fallait taire. Et Guetmanov, qui aimait, lui aussi, frapper ses interlocuteurs par son audace, sa simplicité et sa sincérité, connaissait les profondeurs secrètes qui se taisaient sous la surface d'une conversation vivante et spontanée.

Sagaïdak qui était généralement le plus occupé et le plus sérieux des trois n'avait pas envie de voir la conversation prendre un tour trop sérieux et expliqua gaiement à Guetmanov :

— Si sa femme l'a quitté, ça doit être justement parce qu'il n'est pas un camarade totalement sûr.

— Si c'était pour ça, ce serait parfait, dit Guetmanov. Mais j'ai idée que mon colonel va se marier avec une femme qui n'a rien de la vraie femme soviétique.

— Et puis alors, de quoi je me mêle ? dit Galina Terentievna. L'essentiel est qu'ils s'aiment.

— L'amour, bien sûr, c'est important, tout le monde le sait, dit Guetmanov. Mais il existe à côté de cela des choses que certains Soviétiques oublient.

— Tout juste, approuva Machouk, or il ne faut rien oublier.

— Et après certains s'étonnent que le C.C. ne les maintienne pas à leurs postes, ils s'étonnent que ci et que ça, mais eux, est-ce qu'ils font tout pour mériter la confiance du parti ?

Soudain, Galina Terentievna s'étonna :

— Vous avez une drôle de conversation, comme s'il n'y avait pas de guerre, et que le seul problème est de savoir qui va épouser le colonel et quel est l'ancien mari de sa future femme. Contre qui tu as l'intention de faire la guerre, Dima ?

Elle fixa les hommes d'un air moqueur et ses beaux yeux bruns avaient quelque chose de commun avec les fentes étroites de son mari, probablement la perspicacité.

— Est-ce qu'on peut l'oublier, la guerre ? fit Sagaïdak d'une voix triste. Nos fils et nos frères partent pour la guerre, du dernier des kolkhozes et du Kremlin. Cette guerre est grande et elle est patriotique.

— Le camarade Staline a son fils, Vassili, qui est dans la chasse, et puis Mikoïan a, lui aussi, son fils qui fait la guerre dans l'aviation ; Lavrenti Pavlovitch, à ce que j'ai entendu dire, a son fils au front mais je ne sais pas dans quelle arme. Je continue : Timour Frounze est lieutenant, dans l'infanterie je crois ; il y a encore, comment elle s'appelle... Dolorès Ibarruri, son fils est tombé à Stalingrad.

— Le camarade Staline a ses deux fils au front, dit le frère de la maîtresse de maison. Le deuxième, Iakov, commandait une batterie. Plus exactement, c'est lui le premier, Vassili est le cadet, et Iakov l'aîné. Le pauvre gars, il a été fait prisonnier.

Il se tut, sentant qu'il avait touché là un sujet tabou.

Cherchant à rompre le silence pesant qui s'était instauré, il poursuivit sur un ton insouciant :

— A propos, les Allemands lancent des tracts parfaitement mensongers qui affirment que Iakov Staline leur donne volontiers toutes sortes d'indications.

Mais le vide autour de lui se fit encore plus inquiétant. Il venait d'évoquer quelque chose dont on ne pouvait parler, que cela soit sérieusement ou non ; il convenait de l'éviter, un point c'est tout.

Guetmanov, se tournant brusquement vers sa femme, déclara :

— Mon cœur est là où le camarade Staline a pris les choses en main, et bien pris en main.

Nikolaï Terentievitch, l'air coupable, cherchait des yeux le regard de Guetmanov.

Mais les gens assis à cette table n'étaient pas des excités, ils ne s'étaient pas réunis pour faire de cette maladresse une véritable affaire, pour créer un dossier.

Sagaïdak intervint, conciliant :

— Tout juste ; et nous aussi, chacun dans son secteur, faisons pour le mieux.

— Et évitons les bavardages inutiles, ajouta Guetmanov.

Qu'il ait, au lieu de se taire, blâmé, quasi ouvertement, la légèreté de son beau-frère, voulait dire qu'il le pardonnait et Sagaïdak avec Machouk hochèrent la tête en signe d'accord.

Nikolaï Terentievitch savait que cet incident sans importance serait oublié, mais il savait aussi qu'il ne le serait pas totalement. Un jour, il sera question de pourvoir un poste ou de confier une mission particulièrement délicate et quand on proposera Nikolaï Terentievitch, Guetmanov, Sagaïdak et Machouk acquiesceront, mais avec un petit sourire entendu ; si l'interlocuteur curieux leur demande la signification de ce sourire, ils diront : « Peut-être un poil étourdi », et montreront, sur le bout du petit doigt, la dimension du poil.

Tous comprenaient, au fond d'eux-mêmes, que les tracts n'étaient pas si mensongers que cela. Et c'était justement la raison pour laquelle il ne fallait pas en parler.

Mieux que tout autre, Sagaïdak comprenait cela. Il avait long-temps travaillé dans un journal ; il avait été responsable des faits divers, puis de l'agriculture et avait été, pendant deux ans, le rédac-teur en chef d'un journal de Kiev. Il pensait que le rôle d'un journal était d'éduquer son lecteur et non de lui donner en vrac des informa-tions sur les événements les plus divers et fortuits. Si le rédacteur en chef Sagaïdak estimait nécessaire de taire quelque chose, d'ignorer une mauvaise récolte, un poème idéologiquement incertain, une toile formaliste, un tremblement de terre, une épizootie, s'il ne voulait pas voir un raz de marée qui avait noyé des milliers de personnes ou un gigantesque incendie dans une mine (tout cela n'avait pas d'impor-tance à ses yeux), il lui semblait que le lecteur, le journaliste ou l'écri-vain n'avaient pas à s'en soucier. Parfois, il lui arrivait de donner des explications très particulières à un événement, et ces explications allaient à l'encontre du bon sens habituel.

Pendant la collectivisation totale, Sagaïdak expliquait, avant la parution de l'article de Staline « Le vertige des succès »[1], que la famine était due aux koulaks qui enterraient le blé, qui ne voulaient pas manger, enflaient de faim et se laissaient mourir par villages entiers y compris les enfants et les vieillards, dans le seul but de nuire à l'État soviétique.

Et dans le même journal il publiait des reportages sur les crèches des kolkhozes où les enfants se nourrissaient de bouillon de poulet, de croquettes de riz et côtelettes de veau. Pendant ce temps-là les enfants enflaient de faim.

Ce fut la guerre. Une des guerres les plus terribles et cruelles que la Russie ait connues au cours de ses mille ans d'existence. Pendant les épreuves les plus dures des premières semaines et des premiers mois, son feu exterminateur avait remis au premier plan le cours réel des événements ; la guerre décidait de tout, de toutes les vies, de celle du parti comme de toutes les autres. Mais cette période prit fin. Et aussitôt l'écrivain Korneïtchouk expliqua dans sa pièce *le Front*

_____

1. Article condamnant les « excès » commis pendant la collectivisation. *(N.d.T.)*

que tous les échecs du début étaient dus à des généraux idiots qui ne savaient pas exécuter les ordres sages et infaillibles du Commandement suprême.

Ce soir-là, Nikolaï Terentievitch ne fut pas le seul à connaître des moments désagréables. Machouk feuilletait un gros album-photos relié de cuir et soudain son visage exprima un tel étonnement que tous suivirent son regard. La photo représentait Guetmanov dans son bureau avant la guerre. Vêtu d'une vareuse analogue à celle de Staline, il était assis derrière un bureau vaste comme la steppe. On voyait, sur le mur derrière lui, un immense portrait de Staline, comme seul il peut y en avoir dans le bureau d'un secrétaire d'*obkom*. Le portrait avait été griffonné et un crayon bleu lui avait ajouté une barbiche et des boucles d'oreilles.

— Mais quel voyou ! s'exclama Guetmanov en levant les bras au ciel.

Galina Terentievna, désolée, répétait, en regardant ses hôtes :

— Et vous savez, pas plus tard qu'hier, il m'a dit, avant de s'endormir : « J'aime tonton Staline autant que mon papa. »

— C'est une gaminerie, dit Sagaïdak.

— Non, ce n'est pas une gaminerie, c'est un crime, soupira Guetmanov.

Il jeta un coup d'œil inquiet à Machouk. Et tous deux se souvinrent d'une histoire qui s'était passée avant la guerre : le neveu d'un « pays », un étudiant, avait tiré, dans le foyer où il vivait, sur le portrait de Staline avec un fusil à air comprimé.

Ils savaient que ce crétin d'étudiant l'avait fait par bêtise et n'avait à l'esprit aucune intention politique et terroriste. Son oncle, un brave gars, directeur d'une M.T.S., avait demandé à Guetmanov de sauver son neveu.

Guetmanov raconta l'histoire à Machouk, après une réunion du bureau de l'obkom.

— Dementi Trifonovitch, lui dit Machouk, nous ne jouons pas à des jeux d'enfants. Coupable, pas coupable, quelle importance ? Mais imagine que je ferme le dossier, le lendemain on fera savoir à Moscou, peut-être à Lavrenti Pavlovitch en personne, que Machouk a été très indulgent à l'égard de ceux qui tirent sur le portrait du grand Staline. Aujourd'hui, je suis assis dans ce cabinet et demain je ne serai plus que de la poussière de camp. Vous voulez prendre la responsabilité vous-même ? Voilà ce qu'on dira : « Il a tiré sur le portrait, demain il tirera sur autre chose ; mais Guetmanov a l'air de trouver ce jeune homme sympathique, ou bien, peut-être, il apprécie son acte. » Alors ? Vous êtes prêt à cela ?

Un mois plus tard, Guetmanov demanda à Machouk :

— Alors, qu'est-ce qu'il devient, le tireur ?

Machouk le regarda de ses yeux calmes et répondit :

— Pas la peine de te faire du souci pour lui ; on a appris que c'était un salaud, une raclure de bidet de koulak ; il a tout avoué à l'interrogatoire.

Et maintenant, regardant Machouk d'un œil inquiet, Guetmanov répéta :

— Non, ce n'est pas une gaminerie.

— Allons, grogna Machouk, il n'a pas cinq ans, il faut quand même tenir compte de l'âge.

— Je vais vous avouer, dit Sagaïdak avec une émotion que tous perçurent, moi, je n'ai pas la force de me montrer intraitable politiquement avec les enfants. Il le faudrait, je le sais bien, mais je n'en ai pas le courage.

Tous regardaient Sagaïdak avec compassion. Il était un père malheureux. Son fils aîné, Vitali, quand il était encore à l'école, menait déjà une vie dissipée. Il fut arrêté un jour par la milice pour avoir participé à une beuverie dans un restaurant ; son père dut intervenir auprès de l'adjoint du ministre de l'Intérieur pour étouffer le scandale auquel étaient mêlés des enfants d'hommes en vue : fils de généraux, fils d'académiciens, la fille d'un écrivain, la fille du ministre de l'Agriculture... Pendant la guerre, le jeune Sagaïdak décida de s'enrôler comme volontaire et son père lui trouva une place dans une école d'artillerie. Vitali s'en fit exclure pour indiscipline et faillit être envoyé au front. Depuis un mois il se trouvait dans une autre école et il n'avait encore rien fait ; ses parents se réjouissaient et espéraient, mais vivaient dans l'inquiétude.

Le deuxième fils, Igor, avait été gravement malade à deux ans et était resté paralysé des jambes. Il se déplaçait à l'aide de béquilles et n'avait pu aller à l'école ; les maîtres venaient donner des leçons au petit Igor à domicile. Il étudiait avec zèle et application.

Il n'y avait pas de neurologue éminent — non seulement en Ukraine mais à Moscou, Leningrad, Tomsk — que Sagaïdak n'eût consulté ; il n'y avait pas de nouveau médicament étranger que Sagaïdak ne se fût procuré par l'intermédiaire des missions commerciales ou des ambassades. Il savait qu'on pouvait lui reprocher cet amour excessif, mais il savait aussi que son péché n'était pas un péché mortel : il savait que les hommes d'un type nouveau aimaient les enfants d'un amour particulièrement profond. On lui pardonnerait la guérisseuse amenée d'Odessa en avion, comme on lui pardonnerait l'herbe envoyée à Kiev par la poste gouvernementale, une herbe miraculeuse fournie par un mystérieux saint homme d'Extrême-Orient.

— Nos chefs sont des êtres à part, dit Sagaïdak. Je ne parle même pas du camarade Staline, on ne peut rien en dire, mais de ses plus proches compagnons... Même là, ils savent mettre le parti au-dessus de leurs sentiments paternels.

— Oui, ils savent qu'on ne peut pas demander cela de tout le monde, approuva Guetmanov et il fit allusion à la sévérité dont fit preuve un secrétaire du C.C. à l'égard de son fils.

La conversation sur les enfants prit un nouveau cours, plus simple et plus familial. Il semblait que toute la force intérieure de ces hommes, toutes leurs joies étaient liées à la couleur des joues de leur Tania et de leur Vitali, aux notes qu'ils leur apportaient de l'école, au passage dans la classe supérieure de leur Vladimir ou de leur Lioudmila.

Galina Terentievna parlait de ses filles :

— Jusqu'à l'âge de quatre ans, ma petite Svetlana avait colite sur colite. Et vous savez ce qui l'a guérie ? Des pommes râpées.

— Et vous savez ce qu'elle m'a dit en rentrant de l'école aujourd'hui ? enchaîna Guetmanov. « A l'école, on nous appelle, Zoïa et moi, filles de général. » Zoïa s'est mise à rire et elle me dit : « Tu parles, fille de général, c'est pas grand-chose. Il y a dans notre classe une fille de maréchal, ça, je comprends ! »

— Vous voyez, dit gaiement Sagaïdak, ils ne sont jamais contents. Il n'y a pas longtemps, Igor m'a déclaré : « Troisième secrétaire, ce n'est pas si terrible que ça ! »

Nikolaï aurait pu, lui aussi, en raconter de bien bonnes sur ses enfants, mais il comprenait qu'il ne lui seyait pas de parler de l'intelligence de ses enfants alors que l'on parlait de l'intelligence du petit Igor Sagaïdak et des filles Guetmanov.

— Ils ne faisaient pas tant de manières, nos pères, à la campagne, dit Machouk, pensivement.

— Mais ça ne les empêchait pas d'aimer les enfants, dit Nikolaï.

— Ils les aimaient, sûr qu'ils les aimaient, mais ils les battaient aussi, moi, en tout cas.

Guetmanov évoquait des souvenirs :

— Je me souviens comment mon père, il est mort maintenant, partait pour la guerre ; c'était en 1915. Ne riez pas, il a fini adjudant, il a été décoré deux fois de la croix de Saint-Georges. Ma mère préparait les affaires : elle lui a mis dans le sac des chaussettes, une chemise de dessous, des œufs durs, un peu de pain. Ma sœur et moi, nous étions couchés et nous le regardions, c'était l'aube, assis pour la dernière fois à table. Il alla puiser de l'eau, fendit du bois. Ma mère s'en souvenait toujours, après.

Il regarda sa montre et fit :

— Oh, oh...

— Donc, c'est pour demain, dit Sagaïdak en se levant.

— L'avion décolle à 7 heures.

— A l'aérodrome civil ? demanda Machouk.

Guetmanov acquiesça.

— C'est mieux, fit Nikolaï en se levant lui aussi. Le militaire est à quinze kilomètres.

— Quelle importance, pour un soldat ? dit Guetmanov.

Les adieux commencèrent, ils s'embrassèrent, rirent, firent du bruit et ce n'est que dans l'entrée, quand tous avaient déjà mis leurs manteaux, que Guetmanov reprit sa pensée :

— Le soldat s'habitue à tout. La terre lui sert de lit et le ciel de couverture. Mais il y a une chose à laquelle il est impossible de s'habituer, c'est d'être séparé de ses enfants.

A sa voix, à l'expression de son visage, aux regards des partants, on voyait qu'ils ne plaisantaient plus.

21

La nuit, Dementi Trifonovitch, déjà en uniforme, écrivait assis à son bureau. Sa femme, en robe de chambre, était assise auprès de lui et suivait du regard la main qui écrivait. Il plia la lettre et dit :

— Ça, c'est pour le directeur du service de santé, dans le cas où tu aurais besoin d'un traitement spécial ou d'aller dans une autre ville pour une consultation. Ton frère te fera le laissez-passer et le directeur te donnera les papiers médicaux.

— Tu m'as donné la procuration pour recevoir les rations maximales ?

— Pas la peine. Tu n'as qu'à téléphoner au chef de cabinet de l'obkom ou, mieux encore, directement à Pouzitchenko, il s'en occupera.

Il feuilleta la pile de lettres, de procurations, de mots d'introduction et conclut :

— Bon, je crois que c'est tout.

Ils restèrent un moment silencieux.

— J'ai peur pour toi, mon grand nigaud, dit-elle. Tu pars quand même pour la guerre.

Il se leva :

— Prends soin de toi, prends soin des enfants. Tu as mis le cognac dans la valise ?

— Oui, oui, bien sûr. Tu te souviens, il y a deux ans, avant de partir pour Kislovodsk, tu m'écrivais comme ça, au petit matin, les procurations ?

— Maintenant Kislovodsk est occupé par les Allemands.

Guetmanov fit quelques pas dans la pièce, tendit l'oreille :

— Ils dorment ?

— Bien sûr, répondit Galina Terentievna.

Ils passèrent dans la chambre des enfants. Ces deux grands corps massifs se déplaçaient dans la pénombre avec une légèreté étonnante. Les têtes des enfants endormis ressortaient sur la blancheur des oreillers. Guetmanov guettait leur respiration.

Il serra sa main contre sa poitrine craignant que les battements violents de son cœur ne dérangent le sommeil des enfants. Ici, dans cette obscurité, il était envahi par un sentiment poignant de tendresse, de pitié et d'inquiétude pour ses enfants. Il était pris d'une envie passionnée d'étreindre son fils, ses filles, de baiser leurs visages endormis. Ici, il n'était plus que tendresse impuissante et amour irraisonné, il était désarmé et faible.

Sa nouvelle tâche ne lui faisait pas peur. Il avait souvent eu à se lancer dans un travail nouveau pour lui et il avait toujours su trouver rapidement la seule ligne juste. Il savait qu'il en serait de même maintenant.

Mais ici, comment faire pour lier sa fermeté implacable, sa volonté de fer et cette tendresse, cet amour qui ne connaissaient ni loi ni ligne juste.

Il regarda sa femme. Elle se tenait, la tête appuyée contre sa main, dans la pose d'une paysanne. Dans la pénombre, son visage semblait amaigri et rajeuni, tel qu'il était, il y a longtemps, quand ils étaient partis en voyage de noces au bord de la mer, dans la maison de repos « Ukraine ».

On corna avec prévenance sous la fenêtre, c'était la voiture de l'obkom qui l'attendait. Guetmanov se tourna à nouveau vers les enfants et ouvrit les bras en un geste qui exprimait son impuissance face à un sentiment qu'il ne pouvait maîtriser.

Dans le couloir, après les paroles et les baisers d'adieu, il mit sa pelisse de mouton retourné et son bonnet d'astrakan, puis attendit que le chauffeur sorte les valises.

— Et voilà, dit-il.

Soudain il retira son bonnet, fit un pas et, à nouveau, étreignit sa femme. Et ce nouvel et dernier adieu, quand l'air froid et humide du dehors vint se mêler par la porte entrouverte à la chaleur du foyer, quand la peau grossièrement tannée de la pelisse se frotta contre la soie parfumée de la robe de chambre, cet adieu leur fit sentir que leur vie, une jusqu'alors, venait de se fendre en deux et l'angoisse brûla leurs cœurs.

22

A Kouïbychev, Evguénia Nikolaïevna Chapochnikov, la sœur cadette de Lioudmila, avait trouvé à se loger chez Jenny Heinrich-sohn, une vieille Allemande qui avait été, il y a bien longtemps, avant la révolution, gouvernante dans la maison des Chapochnikov.

Evguénia Nikolaïevna éprouvait un sentiment étrange à se retrouver, après Stalingrad, dans une chambre paisible aux côtés d'une petite vieille qui passait son temps à s'étonner que sa fillette aux si jolies nattes soit devenue cette femme adulte.

Jenny Heinrichsohn vivait dans un réduit. Le réduit avait servi, en son temps, de chambre de bonne dans cet appartement qui avait appartenu à de riches marchands. Maintenant, il y avait une famille par pièce, et chaque pièce était divisée, à l'aide de paravents, rideaux, dossiers de canapés, en coins et recoins où l'on dormait, dînait, recevait les invités, où l'infirmière venait faire des piqûres à un vieillard paralysé.

Le soir, la cuisine bourdonnait des voix des locataires.

Evguénia aimait la cuisine aux voûtes enfumées, les flammes rouges et noires des réchauds à pétrole.

Les locataires, en robes de chambre, canadiennes, vareuses, s'agitaient au milieu du linge qui séchait, suspendu à des cordes. Des nuages de vapeur montaient des bassines et des lessiveuses au-dessus desquelles s'affairaient les maîtresses de maison. On n'allumait jamais la vaste cuisinière, ses flancs carrelés de faïence blanche restaient froids comme le sommet neigeux d'un volcan éteint.

Dans l'appartement, vivaient la famille d'un docker parti au front, un gynécologue, un ingénieur d'une usine d'armement, une mère célibataire qui travaillait comme caissière dans un centre de ravitaillement, la veuve d'un coiffeur tué au front, enfin, dans la plus grande pièce, l'ancien salon, vivait le directeur d'une polyclinique.

L'appartement était aussi vaste qu'une ville et il avait même son fou, un petit vieux aux yeux doux de gentil chiot.

Les gens vivaient les uns sur les autres mais isolés, sans entraide, ils se querellaient, se fâchaient puis se réconciliaient ; ils dissimulaient leurs problèmes et leur vie pour en révéler soudain tous les détails à leurs voisins.

Evguénia avait envie de peindre cet appartement, non les locataires et les objets mais le sentiment qu'ils éveillaient en elle. Ce sentiment était complexe et difficile ; même un grand artiste, semblait-il, n'aurait pu l'exprimer. Il naissait au confluent de la puissance militaire énorme du peuple et de l'État d'une part et de cette cuisine enfumée, de la misère, des ragots, des mesquineries, d'autre part ; il provenait de l'union de l'acier mortel avec les casseroles et les épluchures de pommes de terre.

La petite vieille était un être craintif et serviable. Elle portait une robe noire avec un col de dentelle. Ses joues étaient toujours roses bien qu'elle ne mangeât jamais à sa faim.

Elle gardait le souvenir des sottises de Lioudmila quand elle entra à l'école, des mots d'enfant de Maroussia, de Dimitri, âgé de deux ans, entrant dans la salle à manger, vêtu de son petit tablier et proclamant : « A tab', à tab' ! »

Maintenant, elle travaillait comme femme de ménage chez une dentiste : elle s'occupait de sa vieille mère, restée impotente après une attaque. La dentiste devait s'absenter pour une semaine de temps à autre, envoyée dans des villages par le service de santé, et la vieille Heinrichsohn passait la nuit avec la mère impotente.

Jenny Heinrichsohn était dénuée de tout sens de la propriété, s'excusait constamment auprès d'Evguénia Nikolaïevna, lui demandait la permission quand elle voulait ouvrir la fenêtre pour son chat. Tous ses intérêts tournaient autour de cet énorme matou, elle craignait constamment une méchanceté de la part des autres locataires.

Un voisin, l'ingénieur Draguine, observait d'un œil mauvais son visage ridé, sa silhouette desséchée de vieille fille, son lorgnon suspendu à un ruban noir. Ses origines plébéiennes le faisaient s'indigner quand elle racontait avec un sourire béat comment elle promenait ses petits en carrosse, comment elle avait accompagné *Madame* à Venise, Paris et Vienne. Ses « petits » avaient le plus souvent combattu dans les rangs de Dénikine et de Wrangel pendant la Guerre civile, nombre d'entre eux avaient été tués par les gars de l'Armée Rouge, mais la vieille gouvernante n'était préoccupée que par les souvenirs des scarlatine, coqueluche et diphtérie qu'avaient attrapées ses chers enfants.

Evguénia Nikolaïevna disait à Draguine :

— Je n'ai de ma vie rencontré un être aussi innocent et inoffensif. Croyez-moi, elle est la meilleure de tous les locataires de cet appartement.

Draguine la fixait d'un regard sans-gêne, ouvertement admiratif, et répondait :

— Cause toujours, mon lapin ; vous vous êtes vendue à l'Allemand pour quelques mètres carrés.

Jenny Heinrichsohn avait vécu il y a très longtemps chez les Chapochnikov, mais elle se souvenait de tous les prénoms et surnoms des enfants et fondit en larmes en apprenant la mort de Maroussia. Elle voulait envoyer une lettre à Alexandra Vladimirovna à Kazan, mais elle n'arrivait jamais à la terminer.

Elle donnait presque toute sa ration à son chat qu'elle appelait « mon cher petit en sucre ». Le chat, une brute égoïste, adorait la vieille ; il se transformait en sa présence en un être gai et affectueux.

Draguine interrogeait toujours la vieille sur ses sentiments à l'égard d'Hitler : « Alors, vous êtes sûrement contente ? » mais la maligne vieillarde s'était déclarée antifasciste et traitait le Führer de cannibale.

Elle était parfaitement désarmée dans la vie, elle ne savait faire ni la cuisine ni la lessive ; quand elle allait s'acheter une boîte d'allumettes, elle se faisait immanquablement prendre dans la presse ses tickets de viande ou de sucre pour un mois par un vendeur distrait.

Les enfants d'aujourd'hui ne ressemblaient en rien à ceux qu'elle avait connus en son temps, celui qu'elle appelait l'avant-guerre. Tout avait changé, même les jeux ; avant-guerre, les fillettes jouaient au cerceau, lançaient en l'air des diabolos de caoutchouc, elles portaient un ballon mou aux couleurs vives dans un filet blanc. Aujourd'hui, elles faisaient du volley, nageaient le crawl ; l'hiver, elles mettaient des fuseaux pour jouer au hockey sur glace, elles criaient et sifflaient.

Elles en savaient plus que la vieille femme sur les pensions alimentaires, les avortements, le marché noir des tickets de ravitaillement, sur les officiers qui rapportaient du front des matières grasses et des conserves pour d'autres femmes que les leurs.

Evguénia Nikolaïevna aimait beaucoup entendre la vieille Allemande évoquer leur famille, son père, son frère Dimitri, elle-même.

Un jour, sa gouvernante lui parla de ses derniers maîtres, en 1917 :

— Monsieur était adjoint au ministre des Finances, il faisait les cent pas dans la salle à manger et disait : « Tout est perdu, on brûle les propriétés, les usines sont arrêtées, l'argent se dévalue, les coffres-forts sont pillés. » Et c'est comme votre famille maintenant, ils se sont tous dispersés. Monsieur, Madame et Mademoiselle sont partis en Suède, mon élève s'est enrôlé chez Kornilov ; Madame pleurait : « Tous les jours des adieux, c'est la fin. »

Evguénia Nikolaïevna sourit tristement et ne répondit pas.

Un soir, un milicien vint apporter une convocation pour Jenny Heinrichsohn. La vieille gouvernante mit son chapeau à fleurs blanches et demanda à Evguénia Nikolaïevna de nourrir le chat : après la milice, elle irait directement chez la mère de la dentiste, elle pensait revenir dans vingt-quatre heures. Quand Evguénia Nikolaïevna revint du travail, elle trouva la pièce sens dessus dessous, les voisins lui annoncèrent que la vieille Allemande était arrêtée.

Evguénia Nikolaïevna essaya de se renseigner sur son sort. A la milice, on lui dit que la vieille était expédiée dans le Nord dans un convoi d'Allemands.

Le lendemain, apparut un milicien qui mit sous scellés et emporta le coffre d'osier qui contenait des chiffons, des photos et des lettres jaunies.

Evguénia s'adressa au N.K.V.D. pour essayer de transmettre un fichu de laine à sa gouvernante. L'homme assis derrière le guichet lui demanda :

— Et vous, qui vous êtes, une Allemande ?

— Non, je suis russe.

— Rentrez chez vous et ne dérangez plus les gens.

— Mais c'est pour transmettre des vêtements d'hiver.

— Vous avez compris ? dit l'homme d'une voix si calme et si basse qu'Evguénia Nikolaïevna prit peur.

Le soir même, elle surprit une conversation entre les locataires à la cuisine, ils parlaient d'elle.

Une voix dit :

— Ce n'est quand même pas joli, ce qu'elle a fait.

Une deuxième voix répondit :

— Et moi je trouve qu'elle s'est bien débrouillée. Elle a mis un pied dans la place, elle a informé qui de droit, a vidé la vieille, et la voilà maintenant propriétaire d'une chambre.

Une voix masculine fit :

— Tu parles d'une chambre, c'est un réduit.

Une quatrième voix proclama :

— Oui, une femme comme ça s'en sortira toujours.

La fin du chat fut triste. Il sommeillait, abattu, à la cuisine, tandis que les locataires discutaient de son sort.

— Qu'il aille au diable, cet Allemand ! disaient les femmes.

Soudain, Draguine déclara qu'il était prêt à nourrir le chat. Mais le chat ne survécut pas longtemps ; une des voisines, par accident ou par méchanceté, l'ébouillanta et il mourut.

23

Evguénia Nikolaïevna aimait sa vie solitaire à Kouïbychev. Elle n'avait jamais été aussi libre que maintenant. Elle se sentait légère et libre malgré les difficultés. Elle resta longtemps sans droit de résidence et n'avait pas de carte de ravitaillement. Elle ne mangeait qu'une fois par jour à la cantine. Dès le matin, elle pensait à l'instant où elle pénétrerait dans la cantine et où on lui donnerait une assiette de soupe.

Pendant cette période, elle pensait peu à Novikov. Elle pensait plus souvent, presque constamment, à Krymov, mais elle y pensait sans chaleur. Le souvenir de Novikov venait et disparaissait sans la faire souffrir. Mais un jour, elle vit un officier de haute taille dans la rue et elle crut, quelques secondes, que c'était Novikov. Elle se sentit oppressée, ses jambes la lâchèrent, une vague de bonheur la prit au dépourvu. Quand elle comprit qu'elle s'était trompée, elle oublia aussitôt son émotion.

Mais elle se réveilla au milieu de la nuit et se demanda pourquoi il n'écrivait pas, alors qu'il avait son adresse.

Elle vivait seule, il n'y avait ni Krymov, ni Novikov, ni aucun de ses proches. Et il lui semblait qu'elle devait son bonheur à cette liberté solitaire. Mais ce n'était qu'une apparence.

Kouïbychev abritait de nombreux ministères, des administrations, des journaux. Il était devenu la capitale d'un jour, où s'était réfugiée la vie de Moscou avec son corps diplomatique, le ballet du Bolchoï, ses écrivains célèbres et ses correspondants étrangers.

Ces milliers de personnes s'entassaient dans des chambres d'hôtel, des réduits, des foyers et poursuivaient leurs activités habituelles : les secrétaires d'État, les chefs de cabinet, les directeurs des administrations commandaient à leurs subordonnés et dirigeaient l'économie du pays ; les ambassadeurs et plénipotentiaires se rendaient en luxueuses limousines aux réceptions organisées par les dirigeants de la politique extérieure soviétique ; Oulanova dansait et Lemechev chantait, à la grande joie des amateurs de ballet et d'opéra ; M. Shapiro, le correspondant de *United Press,* posait des questions embarrassantes à Salomon Abramovitch Lozovski, le responsable du *Sovinformburo*, lors des conférences de presse ; les écrivains écrivaient pour les radios et les journaux soviétiques et étrangers ; les journalistes recueillaient des renseignements dans les hôpitaux pour des reportages sur la guerre.

Mais leur vie était tout autre qu'à Moscou. A la fin des repas, qu'elle prenait dans le restaurant de son hôtel en échange de tickets de ravitaillement, Lady Cripps, l'épouse de S. E. l'ambassadeur de Grande-Bretagne, enveloppait les restes de pain et de sucre dans une feuille de journal et les remontait dans sa chambre ; les correspondants d'agences de presse traînaient les marchés où ils débattaient longuement avec des invalides de la qualité des feuilles de tabac que ceux-ci vendaient, ou bien faisaient patiemment la queue devant les bains publics ; des écrivains, célèbres pour leurs dîners, discutaient des problèmes mondiaux et des destinées de la littérature autour d'un verre de goutte accompagné d'une tranche de pain noir.

D'énormes administrations se glissaient dans les appartements exigus de Kouïbychev ; les rédacteurs en chef des grands journaux soviétiques recevaient leurs visiteurs à une table de cuisine, où, après les heures de bureau, les enfants faisaient leurs devoirs.

Il y avait quelque chose de plaisant dans ce mélange entre la grandeur de l'État et la vie de bohème de l'évacuation.

Evguénia Nikolaïevna eut beaucoup de difficultés pour obtenir son droit de séjour.

Rizine, le directeur du bureau d'études où elle travaillait, un lieutenant-colonel à la voix douce, commença, dès les premiers jours, à se lamenter sur le sort des chefs qui devaient prendre sur eux la responsabilité d'embaucher un collaborateur sans droit de séjour. Rizine lui ordonna d'aller au commissariat local et lui fournit un certificat de travail.

Un employé lui prit son passeport intérieur, ses certificats et lui ordonna de revenir chercher la réponse dans trois jours.

Le jour dit, Evguénia Nikolaïevna entra dans le corridor où d'autres gens attendaient déjà. Ils avaient cette expression propre à ceux qui attendent une autorisation de la milice. Elle s'approcha du guichet. Une main de femme aux ongles rouge foncé lui tendit son passeport et une voix paisible lui dit :

— Refusé.

Elle prit son tour dans la file d'attente pour le chef du bureau. Les gens parlaient à mi-voix et suivaient du regard les employées aux lèvres peintes, mais en bottes et en vestes ouatinées, qui allaient et venaient dans le couloir. Un homme passa sans se presser, sortit une clef et entra dans son cabinet, c'était Grichine, le responsable des droits de séjour. Evguénia Nikolaïevna remarqua que ceux dont le tour d'être reçu arrivait, loin de se réjouir, comme c'est le cas d'habitude après une longue attente, avançaient craintivement comme s'ils s'apprêtaient à fuir à la dernière seconde.

Dans la file d'attente, Evguénia Nikolaïevna entendit maints récits sur une fille qu'on avait empêchée de vivre avec sa mère, sur une femme paralysée qu'on avait séparée de son frère, sur une femme qui était venue soigner son mari resté invalide et qui n'avait pas reçu son droit de séjour.

Evguénia Nikolaïevna entra dans le cabinet de Grichine. Sans un mot, il lui fit signe de s'asseoir et examina ses papiers.

— On vous a refusé, dit-il, que vous faut-il encore ?

— Camarade Grichine, fit-elle d'une voix tremblante, il faut que vous compreniez que pendant tout ce temps je ne reçois pas de tickets d'alimentation.

Il la regardait avec des yeux immobiles et tout son large visage exprimait une indifférence songeuse.

— Camarade Grichine, reprit-elle d'une voix qui tremblait, comprenez donc : il y a une rue de Kouïbychev qui porte mon nom. Mon père a été un des pionniers du mouvement révolutionnaire dans cette ville et on interdit à sa fille d'y habiter...

Les yeux calmes de Grichine la fixaient, il écoutait ce qu'elle lui disait.

— Il faut une demande de votre employeur, sinon je ne vous accorderai pas le droit de séjour.

— Mais je travaille pour l'armée.

— Ça ne se voit pas sur votre certificat de travail.

— Et si c'était indiqué, cela aiderait ?

— Peut-être, marmonna-t-il à contrecœur.

Le lendemain matin, Evguénia Nikolaïevna raconta à son chef qu'on lui avait refusé le droit de séjour. Il écarta les mains en un geste d'impuissance :

— Les idiots, ils ne comprennent donc pas que vous nous êtes devenue indispensable, vous travaillez pour la Défense.

— Justement, dit Evguénia. On m'a demandé un certificat comme quoi notre bureau d'études dépend du ministère de la Défense. Je vous en prie, ne pourriez-vous pas m'en faire un, je le porterai ce soir à la milice.

Quelques heures plus tard, Rizine s'approcha d'un air coupable d'Evguénia Nikolaïevna :

— Il faut que la milice nous envoie une demande écrite. Je n'ai pas le droit de vous donner un tel certificat sans demande de leur part.

Le soir même elle retournait à la milice où, après une longue attente, elle demanda à Grichine, avec un sourire implorant qu'elle ne pouvait contrôler, d'envoyer une demande de certificat à Rizine.

— Il n'en est pas question, dit Grichine.

Quand il apprit ce nouveau refus, Rizine dit qu'il pourrait, peut-être, se contenter d'une demande verbale.

Le soir suivant, Evguénia devait passer chez Limonov, un écrivain de Moscou qui avait connu son père. Aussitôt après le travail, elle retourna à la milice, demanda à la file d'attente de la laisser passer, « j'en ai pour une seconde, juste une question à poser », mais les gens haussaient les épaules, détournaient les yeux.

— Vous le prenez comme ça, dit-elle avec rage, alors, allons-y, après qui je dois prendre la queue ?

Ce jour-là, elle retira une impression particulièrement pénible du commissariat.

Une femme eut une crise d'hystérie dans le bureau de Grichine, sanglotait : « Je vous en supplie, je vous en supplie. » Un manchot hurlait des mots orduriers, le suivant hurlait lui aussi, on l'entendait crier : « Je ne sortirai pas d'ici. » Mais il sortit très rapidement. Pendant tout ce temps on n'entendait pas Grichine, pas une fois il ne haussa la voix, on aurait dit que les gens criaient et menaçaient dans un cabinet vide.

Elle attendit une heure et demie avant de pénétrer dans le bureau. Elle se détestait pour son sourire implorant, pour son « merci beaucoup » lancé précipitamment en réponse au vague signe de tête de Grichine en direction de la chaise, elle se détestait, mais, comme la fois précédente, elle ne pouvait pas faire autrement. Elle essaya de convaincre Grichine de demander un certificat, ne serait-ce qu'oralement. Elle posa sur le bureau un papier préparé à l'avance où elle avait écrit en lettres capitales le nom, le prénom, le grade, le poste et le téléphone de Rizine. Sans regarder le papier, Grichine dit :

— Il n'en est pas question.

— Mais pourquoi ? demanda-t-elle.

— Je n'ai pas à le faire.

— Le lieutenant-colonel Rizine dit qu'il n'a pas le droit d'envoyer un certificat sans une demande de votre part.

— S'il n'a pas le droit, il n'a qu'à pas l'envoyer.

— Mais qu'est-ce que je vais devenir ?

— A vous de voir.

Evguénia ne savait quelle attitude adopter, face à cette indifférence ; elle aurait préféré qu'il se mît en colère, mais il restait assis, sans la presser, sans qu'un trait de son visage ne bougeât.

Elle savait que les hommes étaient sensibles à sa beauté et elle le sentait quand ils lui parlaient. Mais Grichine la regardait comme il regardait les vieilles aux yeux larmoyants et les invalides de guerre : en entrant dans ce bureau elle n'était plus un être humain, une jeune et jolie femme, mais un solliciteur.

Elle sentait sa faiblesse et ne savait que faire face à ce mur de béton. Elle marchait rapidement dans la rue, en retard de plus d'une heure à son rendez-vous avec Limonov, mais, tout en hâtant le pas, elle ne ressentait plus aucune joie à l'idée de cette rencontre. Elle sentait encore l'odeur du corridor, elle voyait encore les visages des solliciteurs, le portrait de Staline éclairé par la faible lumière d'une ampoule électrique, et elle voyait Grichine, Grichine, simple et calme, Grichine dont l'âme mortelle était porteuse de toute l'omnipotence de l'État.

Limonov, un homme grand et gros, une couronne de cheveux autour d'une calvitie, l'accueillit chaleureusement.

— Je craignais déjà que vous ne viendriez plus, lui dit-il en l'aidant à ôter son manteau.

Il la questionna sur Alexandra Vladimirovna :

— Votre maman est toujours restée pour moi, depuis que nous étions étudiants, le symbole de la femme russe avec son courage inflexible. Je parle toujours d'elle dans mes livres, enfin, pas d'elle en personne, mais en général, enfin, vous me comprenez.

Baissant la voix et regardant du côté de la porte, il demanda :

— Vous avez des nouvelles de Dimitri ?

Puis ils parlèrent peinture, s'en prirent à Répine [1]. Limonov fit cuire une omelette sur son réchaud électrique, affirma qu'il était le plus grand spécialiste des omelettes en Russie et qu'il avait même donné des conseils au chef du *National* [2].

— Alors ? demanda-t-il, inquiet, en servant Evguénia. Puis, avec un soupir, il ajouta : Avouons-le, j'aime bien bouffer.

Que le poids des impressions policières était grand ! Evguénia était installée dans une pièce confortable, pleine de livres et de revues, où deux vieilles personnes pleines d'esprit et amateurs d'art vinrent rejoindre Limonov, mais elle ne pouvait retirer Grichine de son cœur glacé.

Mais grande est la force d'une parole libre et intelligente et, par instants, Evguénia oubliait Grichine et les visages abattus de la file d'attente. Il semblait qu'il n'existait rien d'autre que les discussions sur Roublev et Picasso, sur les vers d'Anna Akhmatova et Pasternak, sur les pièces de Boulgakov...

Elle sortit dans la rue et oublia immédiatement les conversations d'intellectuels.

Grichine... Grichine... Personne dans l'appartement ne lui demandait si elle avait reçu le droit de séjour et ne demandait à voir le tampon de la milice sur son passeport. Mais elle avait l'impression depuis plusieurs jours que Glafira Dmitrievna, la « doyenne » de l'appartement, la surveillait. Glafira Dmitrievna était une femme discrète et furtive, avec une voix douce et infiniment fausse. Chaque fois qu'elle la croisait dans le couloir, Evguénia prenait peur. Il lui semblait qu'en son absence, Glafira Dmitrievna entrait dans sa chambre à l'aide d'un passe-partout, qu'elle y fouillait ses papiers, recopiait ses déclarations à la milice, lisait ses lettres.

Evguénia s'efforçait de sortir de sa chambre sans faire de bruit, elle marchait dans le couloir sur la pointe des pieds, tant elle craignait de rencontrer la doyenne qui, tout à coup, pourrait lui dire : « Et alors ? vous désobéissez aux règlements, et après, c'est encore moi qui serai la coupable. »

Le matin, Evguénia Nikolaïevna passa chez Rizine et lui raconta son nouvel échec au bureau des passeports.

— Aidez-moi à me procurer un billet de bateau pour Kazan, sinon

---

1. Peintre réaliste, chef de file des Ambulants. *(N.d.T.)*
2. Restaurant célèbre à Moscou. *(N.d.T.)*

je vais me retrouver à extraire de la tourbe pour non-respect des règlements sur le droit de séjour.

Elle parlait méchamment, ne demandait plus rien.

Le bel homme à la voix douce la regardait, honteux de sa faiblesse. Elle sentait constamment son regard tendre et triste. Il regardait ses épaules, ses jambes, son cou et elle sentait sur ses épaules et sur sa nuque ce regard lourd et admiratif. Mais la force qui régissait la circulation des papiers officiels n'était pas une force pour rire.

Dans la journée, Rizine s'approcha d'Evguénia et posa sur sa table à dessin le certificat tant désiré.

Evguénia le regarda et les larmes lui montèrent aux yeux.

— Je l'ai demandé par l'intermédiaire du secteur secret, dit-il, je n'y comptais pas et voilà que j'ai reçu l'aval de mon chef.

Les collègues d'Evguénia la félicitaient, « vos souffrances sont enfin terminées », disaient-ils.

Elle alla à la milice. Les gens, dans la file d'attente, la reconnaissaient, certains la saluaient, lui demandaient comment ça allait.

Quelques voix firent : « Passez directement, ne faites pas la queue, vous en avez pour une minute, vous n'allez pas encore attendre pendant deux heures. »

Le bureau, le coffre-fort peint façon bois, ne lui semblaient plus, cette fois-ci, aussi froids et sinistres.

Grichine, à la vue du papier qu'Evguénia déposa d'une main tremblante sur sa table, eut un imperceptible geste de satisfaction :

— Bien, laissez votre passeport, les certificats et revenez dans trois jours retirer vos papiers à l'enregistrement.

Il avait son intonation habituelle mais il sembla à Evguénia que ses yeux clairs lui souriaient.

Sur le chemin du retour elle pensait que, finalement, Grichine s'était révélé être un homme comme les autres : il avait pu rendre service et il avait eu un sourire. Elle se dit qu'il avait un cœur comme tous les hommes et eut honte de tout le mal qu'elle avait pensé de lui.

Trois jours plus tard, une forte main de femme aux ongles rouge foncé lui tendit par le guichet son passeport à l'intérieur duquel on avait soigneusement rangé ses papiers. Evguénia lut la décision portée d'une main ferme : « Droit de séjour refusé, n'a pas droit à la pièce qu'elle occupe. »

— Ordure, dit Evguénia à haute voix et incapable de se retenir, elle poursuivit : Menteur, bourreau !

Elle criait, agitant son passeport, et quêtait un soutien auprès de la file d'attente mais tout le monde se détournait. L'esprit de révolte, la rage et le désespoir flambèrent en elle. Elle criait comme criaient parfois les femmes dans les files d'attente devant les prisons en 1937, quand, folles de désespoir, elles cherchaient à avoir des nouvelles d'un mari ou d'un frère, « condamné sans droit de correspondre ».

Le milicien de garde dans le corridor prit Evguénia par le coude, la poussa vers la sortie.

— Laissez-moi, ne me touchez pas, cria-t-elle en arrachant sa main et le repoussant.

— Citoyenne, dit-il d'une voix enrouée, arrêtez, ne nous obligez pas à vous en coller pour dix ans.

Il lui sembla voir dans les yeux du milicien une étincelle de compassion et de pitié.

Elle sortit rapidement. Dans la rue, les passants la bousculaient, ils avaient leurs cartes de séjour et leurs cartes de rationnement...

Cette vie sans droits, sans carte de séjour, sans tickets, cette crainte perpétuelle du gardien, du gérant, de la doyenne de l'appartement, tout cela elle le supportait de plus en plus mal. Evguénia se faufilait dans la cuisine quand tout le monde dormait déjà et se levait la première le matin pour faire sa toilette avant les autres locataires.

A son travail, elle écrivit le jour même une lettre de démission.

Elle avait entendu dire, qu'en cas de refus du droit de séjour, un milicien faisait signer un engagement de quitter Kouïbychev dans les trois jours, sinon... Evguénia ne voulait pas de sinon. Elle s'était faite à l'idée qu'il lui fallait quitter Kouïbychev. Elle se sentait plus calme, Grichine, Glafira Dmitrievna cessèrent de l'inquiéter. Elle avait renoncé à l'illégalité et s'était soumise à la loi.

Quand elle eut fini sa lettre et s'apprêtait à la porter chez Rizine, le téléphone sonna. C'était Limonov.

Il lui demanda si elle était libre le lendemain soir, il voulait lui faire rencontrer un homme qui venait de Tachkent et qui racontait très drôlement la vie là-bas... Elle sentit à nouveau le souffle d'une autre vie. Bien qu'elle n'eût pas l'intention de le faire, elle raconta toute son histoire à Limonov.

Il l'écouta sans l'interrompre puis il dit :

— Vraiment curieux. Le papa a sa rue à Kouïbychev et on vide la fille. Très amusant.

Il réfléchit un instant.

— Écoutez-moi. Ne donnez pas votre démission aujourd'hui, j'assiste ce soir à une réunion chez le secrétaire de l'obkom et je lui raconterai ce qui vous arrive.

Evguénia remercia mais se dit que Limonov oublierait dès qu'il aurait raccroché. Malgré tout, elle ne remit pas sa démission à Rizine et se contenta de lui demander de lui procurer un billet par bateau pour Kazan.

— Rien de plus facile, dit Rizine. L'ennui, c'est la milice. Mais que faire ? Kouïbychev a un statut spécial et ils ont reçu des instructions.

Il lui demanda si elle était libre le soir.

— Non, je suis prise, dit-elle d'une voix rageuse.

Elle se disait, en rentrant chez elle, qu'elle reverrait bientôt sa mère, sa sœur, Victor Pavlovitch, Nadia et que, à Kazan, la vie serait plus facile qu'ici. Elle s'étonnait de ses craintes et de ses colères. Qu'est-ce qu'elle en avait à fiche, après tout, de Kouïbychev.

Le lendemain, à peine était-elle arrivée au travail, qu'on lui téléphona et une voix aimable la pria de passer au bureau des passeports de la ville pour retirer son permis de séjour.

24

Evguénia fit connaissance d'un des locataires de son appartement. Quand Chargorodski se tournait brusquement, il semblait que sa grosse tête allait se détacher de son cou frêle pour rouler par terre. Evguénia avait été frappée par les reflets bleus sur le visage du vieillard. Il était de très vieille noblesse et comme ses yeux étaient bleus, eux aussi, Evguénia s'amusait à l'idée que, s'il lui avait fallu faire le portrait de Chargorodski, elle l'aurait peint en bleu.

La vie était devenue moins dure pour Vladimir Andreïevitch Chargorodski depuis le début de la guerre. Il trouvait maintenant un peu de travail de temps en temps. Le *Sovinformburo* lui commandait des papiers sur Dimitri Donskoï, Souvorov, Ouchakov[1], sur les traditions de l'armée russe, sur des poètes du XIXᵉ siècle, Tioutchev, Baratynski...

Chargorodski raconta à Evguénia qu'il était, par sa mère, d'une famille de princes plus ancienne que les Romanov [2].

Dans sa jeunesse, il avait travaillé dans un *zemstvo* [3] et prêchait aux fils de nobles, aux instituteurs de villages et aux jeunes prêtres les idées de Voltaire et de Tchaadaev.

Le maréchal de la noblesse lui avait dit un jour (il y a quarante-quatre ans maintenant) : « Vous êtes le descendant d'une des plus anciennes familles de Russie et vous cherchez à convaincre les moujiks que vous descendez des singes. Le moujik va vous demander : ... et le tsarévitch ? et la tsarine ? et le tsar... ? »

Vladimir Andreïevitch continuait à troubler les esprits et fut, pour finir, exilé à Tachkent. Il fut pardonné un an plus tard et partit en Suisse. Il y avait fait connaissance de nombreux révolutionnaires bol-

---

1. Chefs militaires russes. *(N.d.T.)*
2. Famille régnante de 1613 à 1917. *(N.d.T.)*
3. Organe de gestion locale institué en 1864. *(N.d.T.)*

cheviks et mencheviks, S.R. et anarchistes. Tout le monde connaissait le prince. Il assistait aux réunions et débats, était amical avec certains mais en accord avec personne. A l'époque, il s'était lié avec un étudiant juif, militant du Bund.

Il revint en Russie juste avant la Première Guerre mondiale et s'installa dans ses terres. Il publiait des articles sur la littérature ou l'histoire dans *la Gazette de Nijni-Novgorod*.

Il laissait à sa mère le soin de s'occuper du domaine.

Chargorodski fut le seul propriétaire à être épargné par les paysans en 1917. Le comité des paysans pauvres lui attribua même une charretée de bois et quarante choux. Vladimir Andreïevitch habitait dans l'unique pièce qui avait encore des vitres aux fenêtres et que l'on pouvait chauffer. Il lisait et écrivait des vers. Il lut un de ses poèmes à Evguénia, il avait pour titre *Russie* :

> *Une folle insouciance*
> *A tous les quatre vents.*
> *La plaine. L'espace immense.*
> *Les corbeaux croassant.*
>
> *Le sang. Les incendies.*
> *L'obtuse indifférence.*
> *L'opaque et sombre orgie.*
> *Grandeur et permanence.*

Il lisait les vers en prononçant chaque mot, respectant les points et les virgules ; il levait ses sourcils mais son grand front n'en semblait pas plus petit.

En 1926, Chargorodski eut l'idée de faire des conférences sur l'histoire de la littérature russe.

Il contestait toute valeur à Demian Bedni [1] et glorifiait Fet [2], il participait à des débats, alors à la mode, sur la beauté et le réel, il s'était déclaré l'ennemi de toute forme d'État, affirmait que le marxisme était une doctrine bornée, parlait de la destinée tragique de l'âme russe et finit par se faire envoyer pour une seconde fois à Tachkent. Il y resta jusqu'en 1933, s'étonnant de la puissance des arguments géographiques dans les discussions de caractère théorique, puis reçut l'autorisation de s'installer à Kouïbychev, chez sa sœur aînée. Elle était morte peu avant la guerre.

Chargorodski n'invitait jamais dans sa chambre. Mais Evguénia entrevit un jour les appartements princiers : des tas de livres et de vieux journaux s'amoncelaient dans les coins, des fauteuils anciens

---

1. Poète soviétique « officiel », médiocre auteur de vers de propagande. *(N.d.T.)*
2. Fet (1820-1892), un des plus grands poètes lyriques russes, précurseur du symbolisme. *(N.d.T.)*

étaient empilés jusqu'au plafond, des portraits dans leurs cadres dorés étaient posés à même le sol. Sur un canapé de velours rouge traînait une vieille couverture d'où s'échappaient des lambeaux d'ouate.

C'était un homme doux et peu pratique dans la vie de tous les jours. Il était de ces gens dont on dit : « Il a une âme d'enfant » ou « il est d'une douceur angélique ». Mais il pouvait passer avec indifférence, récitant ses vers préférés, devant un enfant mourant de faim ou la main tendue d'une vieille en guenilles.

Quand elle écoutait Chargorodski, Evguénia se rappelait son premier mari ; le vieil amoureux de Fet et de Soloviev [1] était l'opposé du militant du *Komintern,* Krymov.

Elle s'étonnait de ce que Krymov, qui était totalement indifférent au charme du paysage russe ou du conte russe, à la beauté des poésies de Fet et Tioutchev, fût tout autant un Russe que le vieux Chargorodski. Tout ce qui, dans la vie russe, était cher à Krymov depuis sa jeunesse, les hommes sans lesquels il ne concevait pas la Russie, tout cela était indifférent et souvent hostile à Chargorodski.

Pour Chargorodski, Fet était un dieu, et, avant tout, un dieu russe. Comme étaient divins le conte russe et les romances de Glinka. Et si grande que fût son admiration pour Dante, il lui manquait, à ses yeux, le caractère divin de la musique russe, de la poésie russe.

Krymov, lui, ne faisait pas de différence entre Dobrolioubov et Lassalle, entre Tchernychevski et Engels [2]. Pour lui, Marx était plus grand que tous les génies russes et la *Symphonie héroïque* de Beethoven triomphait de toute la musique russe. Il n'y avait peut-être que Nekrassov [3] qu'il considérait comme le plus grand des poètes au monde. Parfois, Evguénia se disait que Chargorodski l'aidait à mieux comprendre Krymov et les relations qu'elle avait avec lui.

Elle aimait discuter avec le vieillard. Généralement, ils parlaient d'abord des derniers bulletins d'information, puis Chargorodski se lançait dans des réflexions sur le destin de la Russie.

— La noblesse russe, disait-il, a eu des torts envers la Russie, mais elle savait aussi l'aimer. Lors de la guerre, l'autre, la première, on ne nous a fait grâce de rien, on nous a tout reproché : et nos idiots et benêts, et nos goinfres endormis, et Raspoutine, et les allées de tilleuls dans nos propriétés, et notre insouciance, et les isbas en ruine... Les six fils de ma sœur ont péri en Galicie, mon frère, un homme âgé et malade, fut tué au combat, mais l'Histoire ne leur en a pas su gré... Elle aurait dû pourtant...

---

1. Soloviev (1853-1900), philosophe religieux et poète symboliste. *(N.d.T.)*
2. Dobrolioubov (1836-1861) et Tchernychevski (1828-1889) : « Révolutionnaires-démocrates ». Tchernychevski, adepte d'un socialisme fouriériste, a profondément marqué le mouvement révolutionnaire russe. *(N.d.T.)*
3. Nekrassov (1821-1877), poète célèbre pour sa poésie militante contre l'autocratie et le servage. *(N.d.T.)*

Ses jugements littéraires ne ressemblaient en rien aux idées actuelles. Il plaçait Fet plus haut que Pouchkine. Il connaissait Fet mieux que quiconque, et Fet lui-même ne devait plus se rappeler, à la fin de sa vie, tout ce que savait de lui Vladimir Andréïévitch.

Il trouvait Léon Tolstoï trop proche de la réalité et, tout en rendant justice à sa poésie, il ne l'appréciait pas. Il appréciait Tourgueniev mais estimait qu'il n'était pas très profond. Il préférait Gogol et Leskov. Il pensait que Bielinski[1] et Tchernychevski étaient les fossoyeurs de la poésie russe.

Il dit à Evguénia qu'il aimait, outre la poésie russe, trois choses, et que les trois commençaient par la lettre « s », le sucre, le soleil, le sommeil.

— Est-il possible que je meure sans avoir vu un seul de mes poèmes imprimé ? demandait-il.

Un soir, Evguénia rencontra Limonov en rentrant de son travail. Il l'accompagna jusqu'à chez elle et Evguénia l'invita à boire une tasse de thé. Il la regarda attentivement et dit : « Merci, d'ailleurs, vous me devez une bouteille de vodka pour mon aide. »

Une fois dans la chambre, sa voix acquit soudain une intonation peu naturelle ; il entreprit d'exposer sa théorie de l'amour, des relations amoureuses.

— Une avitaminose. C'est une avitaminose de l'âme, disait-il en respirant avec bruit. Vous comprenez, c'est un besoin vital, comme les vaches ou les cerfs qui cherchent du sel à lécher. Je cherche dans celle que j'aime ce que je ne trouve pas chez mes proches, chez ma femme. Ma femme est la cause de mon avitaminose. Et l'homme aspire à trouver dans l'objet de son amour ce qu'il n'a pu trouver pendant des décennies chez sa femme. Vous me comprenez ?

Il lui prit la main et la caressa, puis passa à l'épaule, effleura le cou, la nuque.

— Vous me comprenez, répéta-t-il d'une voix doucereuse. C'est tout simple. Une avitaminose de l'âme !

Evguénia suivit d'un œil amusé et gêné la grande main blanche, aux ongles soignés, qui venait d'atteindre, après un voyage prudent, sa poitrine.

— Il semblerait qu'il existe aussi une avitaminose du corps, dit-elle sur le ton d'une maîtresse de cours préparatoire en train de faire la leçon à ses élèves. Ce n'est pas la peine de me peloter, pas la peine, je vous assure.

Il la regarda d'un air abasourdi puis éclata de rire et elle rit avec lui. Ils burent du thé et parlèrent de Sarian[1]. On frappa à la porte. C'était Chargorodski.

1. Bielinski (1811-1848), penseur et critique influent, occidentaliste démocrate. *(N.d.T.)*
2. Sarian, peintre arménien, proche de l'avant-garde du début du siècle. *(N.d.T.)*

Il apparut que Limonov connaissait Chargorodski de nom, il l'avait rencontré dans des correspondances, des notes manuscrites. Chargorodski n'avait jamais rien lu de Limonov mais avait entendu parler de lui : le nom de Limonov revenait souvent dans les articles de journaux consacrés aux écrivains spécialisés dans les œuvres historico-militaires.

Ils se parlèrent, se comprirent, se réjouirent de leur communauté d'intérêts. Ils évoquèrent Soloviev, Merejkovski, Rozanov, Biely, Milioukov, Berdïaev, Remizov, Evreïnov [1]...

Evguénia se dit que c'était comme si ces deux hommes avaient remonté du fond de la mer tout un monde englouti de livres, de tableaux, de systèmes philosophiques, de mises en scène.

Soudain Limonov dit à haute voix ce qu'elle venait de penser :

— J'ai l'impression que nous sommes en train de remonter l'Atlantide du fond de l'Océan.

— Oui, oui, acquiesça tristement Chargorodski. Mais vous, vous n'êtes qu'un explorateur de cette Atlantide, tandis que moi, je suis un de ses habitants, qui s'est, avec elle, enfoncé au fond de la mer.

— Oui, fit Limonov, mais enfin, la guerre en a fait remonter quelques-uns à la surface.

— Finalement, dit Chargorodski, les fondateurs de la IIIe Internationale n'ont rien trouvé de mieux, quand l'heure du danger a sonné, que de reprendre la vieille phrase sur la terre sacrée de nos ancêtres.

Il sourit.

— Vous verrez, poursuivit-il, si cette guerre se termine par une victoire, nos internationalistes vont déclarer que « la Russie est la mère de tous les peuples ».

Evguénia Nikolaïevna sentait que leur animation, leur éloquence, leur esprit, n'avaient pas pour seule raison la découverte d'un nouvel interlocuteur. Elle comprenait que tous deux, un vieillard et un homme âgé, sentaient sa présence et cherchaient à lui plaire. Tout cela était bien étrange. Il n'était pas moins étrange que cela lui fût indifférent et même l'amusât, mais que, dans le même temps, cela ne lui fût pas du tout indifférent et, au contraire, lui plût beaucoup.

Evguénia les regardait et se disait qu'il était impossible de se comprendre soi-même. « Pourquoi le passé ne me laisse-t-il pas en paix ? Pourquoi ai-je à ce point pitié de Krymov ? Pourquoi ne puis-je m'empêcher de penser constamment à lui ? »

Elle, qui, en son temps, n'éprouvait qu'indifférence pour les amis anglais et allemands de Krymov au *Komintern*, était irritée, aujourd'hui, quand Chargorodski se moquait des communistes. Même la

---

1. Philosophes, écrivains, etc., du début du siècle, « oubliés » par la suite.

théorie de l'avitaminose chère à Limonov ne pouvait l'aider à comprendre cela. Et d'ailleurs, il n'y a pas de théorie dans ce domaine.

Et soudain elle crut comprendre qu'elle pensait constamment à Krymov avec une telle sollicitude parce qu'elle souffrait de l'absence d'un autre homme, un homme auquel pourtant, semblait-il, elle ne pensait presque jamais.

« Est-il possible que je l'aime vraiment ? » s'étonna-t-elle.

25

Une fois la nuit tombée, le ciel au-dessus de la Volga s'éclaircit. Les collines, séparées par les gorges sombres des ravins, passaient lentement devant le bateau.

Parfois une étoile filante traversait le ciel et Lioudmila Nikolaïevna disait à voix basse : « Je veux que Tolia reste en vie. »

C'était son seul vœu, elle n'attendait rien d'autre du ciel.

Quand elle était encore étudiante à la faculté de physique et mathématiques, elle avait travaillé un temps à l'Observatoire. Elle y avait appris que les météorites tombaient en essaims et qu'ils avaient reçu des noms liés à l'époque où ils rencontraient la Terre : les Perséides, les Léonides, les Géminides... il devait y avoir aussi les Andromédides. Elle avait oublié le nom que portaient les météorites du mois de novembre... Mais elle voulait que Tolia reste en vie.

Victor lui reprochait de ne pas aimer aider les gens, de ne pas aimer sa belle-famille. Il était convaincu qu'il aurait suffi d'un peu de bonne volonté de sa part pour que Anna Semionovna ait vécu avec eux et ne soit pas restée en Ukraine.

Quand un cousin de Victor sortit du camp et passa à Moscou sur le chemin de l'exil, elle avait refusé de le laisser dormir une nuit à la maison, de peur que le gérant de l'immeuble ne l'apprenne. Elle le savait bien, jamais sa mère n'oublierait qu'elle avait refusé d'interrompre ses vacances au bord de la mer alors que son père était en train de mourir et qu'elle n'était revenue à Moscou que le lendemain des funérailles.

Il arrivait à sa mère de lui parler de Dimitri, le frère de Lioudmila, de dire son horreur devant ce qui lui était arrivé.

« Petit garçon, il disait toujours la vérité et il est resté comme ça toute sa vie. Et tout à coup on l'accuse d'espionnage, de préparer un attentat contre Kaganovitch et Vorochilov... Qui a besoin de ces mensonges monstrueux ? Qui a besoin de chercher la perte d'êtres honnêtes, sincères ?... »

Un jour, elle avait répondu à sa mère :

— Tu ne peux pas te porter totalement garante de Dimitri. Les innocents, on ne les met pas en prison.

Et maintenant, elle se souvenait du regard que lui avait lancé sa mère.

Une fois, elle lui avait dit :

— Je n'ai jamais pu sentir la femme de Dimitri, et je te le dis ouvertement, je ne vois pas pourquoi je changerais d'avis.

Et maintenant elle se souvenait de la réponse de sa mère :

— Mais enfin, tu réalises ce que ça veut dire, mettre une femme en prison pour dix ans parce qu'elle n'a pas dénoncé son mari ?

Elle se souvint aussi du jour où elle avait rapporté à la maison un jeune chiot qu'elle avait trouvé dans la rue, Victor ne voulait pas du chien et elle lui avait crié :

— Tu es cruel !

Et il lui avait répondu :

— Mon Dieu, Liouda, je ne désire pas que tu sois jeune et belle, je ne voudrais qu'une seule chose, que tu sois bonne à l'égard des hommes comme tu l'es à l'égard des animaux.

Et maintenant, assise sur le pont, pour la première fois elle ne s'aimait pas, elle se rappelait, sans chercher à accuser les autres ni à se trouver des excuses, toutes les paroles amères qu'elle avait entendues à son adresse dans la vie...

Personne ne la voyait pleurer, assise dans la nuit froide. Oui, elle était dure, elle ne se rappelait plus rien de ce qu'elle avait appris, elle n'était bonne à rien, elle ne pouvait plus plaire à personne, elle était grosse, ses cheveux étaient gris, elle faisait de la tension, oui, son mari ne l'aimait pas et c'est pour ça qu'il la trouvait sans cœur. Mais elle voulait que Tolia reste en vie. Elle voulait bien tout avouer, tout admettre, elle voulait bien se repentir de tout le mal que lui prêtaient ses proches, mais il fallait que Tolia reste en vie.

Pourquoi pense-t-elle tout le temps à son premier mari ? Où est-il ? Où le chercher ? Pourquoi n'avait-elle pas écrit à sa sœur à Rostov ? Maintenant c'était impossible, les Allemands y étaient. La sœur aurait pu donner des nouvelles de Tolia à son frère.

Le bruit des machines, les vibrations du pont, le clapotis de l'eau, le scintillement des étoiles dans le ciel, tout se mêla et Lioudmila Nikolaïevna s'assoupit.

L'aube approchait. Le brouillard flottait au-dessus de la Volga et il semblait qu'il avait englouti toute vie.

Soudain le soleil apparut, comme une explosion d'espoir. Le ciel se refléta dans l'eau et l'eau sombre respira et le soleil sembla crier dans les vagues du fleuve. La rive était blanche de givre et les arbres roux ressortaient gaiement sur ce fond blanc. Le vent forcit, le brouillard disparut, le monde avait la transparence aiguë du cristal, et il n'y avait de chaleur ni dans le soleil éclatant, ni dans le bleu du ciel, ni dans le bleu de l'eau.

La terre s'étirait, immense et sans fin. Et, immense et éternel comme la terre, il y avait le malheur.

Dans le bateau voyageaient, dans les cabines de 1re classe, des responsables de ministères, bien vêtus, coiffés de bonnets d'astrakan. Dans les cabines de 2e classe voyageaient les épouses et les belles-mères des dirigeants, chacune dans sa tenue respective, comme s'il y avait un uniforme pour les femmes de dirigeants et un autre pour les mères et belles-mères. Les femmes étaient en manteaux de fourrure et fichus blancs alors que les mères et belles-mères étaient en pelisses de drap bleu à col d'astrakan noir et coiffées de fichus couleur marron. Elles étaient accompagnées d'enfants aux yeux blasés. On distinguait, par les fenêtres des cabines, les provisions que ces passagers emportaient avec eux ; l'œil expérimenté de Lioudmila devinait sans peine le contenu de ces sacs, de ces boîtes hermétiquement fermées, de ces bouteilles sombres aux bouchons cachetés. D'après des bribes de conversation qu'elle avait surprises alors que les passagers des cabines se promenaient sur le pont, elle avait compris qu'ils étaient tous préoccupés par un train qui devait partir de Kouïbychev pour Moscou.

Lioudmila pensa que ces femmes regardaient avec indifférence les soldats et lieutenants entassés dans les couloirs, comme si elles n'avaient ni fils ni frères au front.

Quand, le matin, la radio transmettait le bulletin du *Sovinform-buro*, elles ne restaient pas avec les soldats et les matelots du bateau à écouter devant le haut-parleur, mais, jetant un coup d'œil ensommeillé à l'attroupement, elles continuaient de vaquer à leurs occupations.

Lioudmila avait appris par les matelots que le bateau entier était réservé à des cadres du parti et des ministères qui revenaient à Moscou en passant par Kouïbychev, mais que, à Kazan, les autorités militaires avaient ordonné de prendre à bord des soldats et des civils. Les passagers réguliers s'insurgèrent, refusèrent de laisser monter les militaires, téléphonèrent à un représentant du ministère de la Défense.

C'était un spectacle étrange et incroyable, que de voir ces soldats, en route pour Stalingrad, se sentant fautifs parce qu'ils dérangeaient des passagers forts de leurs droits.

Lioudmila ne pouvait pas supporter les yeux tranquilles de ces femmes. Les grand-mères appelaient leurs petits-enfants et, sans interrompre la conversation, leur fourraient dans la bouche un gâteau d'un geste coutumier. Et quand une vieille, trapue, en manteau de vison, sortit de sa cabine, située à l'avant, pour promener sur le pont deux jeunes garçons, les femmes la saluèrent avec empressement et lui sourirent tandis que les visages des serviteurs de l'État prirent une expression tendre et inquiète.

Si la radio avait soudain annoncé l'ouverture du second front ou la rupture du siège de Leningrad, pas une d'entre elles n'aurait levé un œil, mais si quelqu'un leur avait dit qu'on avait retiré le wagon-lit international du train pour Moscou, tous les événements de la guerre auraient disparu au profit des passions qu'aurait déchaînées la bataille pour les places de 1re classe.

Et pourtant... Par sa tenue, un manteau d'astrakan gris, Lioudmila Nikolaïevna ressemblait aux voyageuses de 1re et 2e classe. Et il n'y a pas si longtemps que, elle aussi, s'indignait parce qu'on n'avait pas donné un billet de première à Victor Pavlovitch quand il était allé à Moscou.

Elle raconta à un lieutenant d'artillerie que son fils, lieutenant d'artillerie lui aussi, était gravement blessé et se trouvait à l'hôpital de Saratov. Elle avait parlé à une vieille malade de Maroussia et de Vera, de sa belle-mère disparue dans un territoire occupé. Son malheur était le malheur qui régnait sur ce pont, le malheur des tombes et des hôpitaux de guerre, ce malheur qui avait toujours su trouver son chemin vers les isbas des paysans et les baraques sans numéro des camps anonymes.

En partant, elle n'avait pas emporté de pain ni même un quart ; il lui avait semblé que, durant tout le voyage, elle ne pourrait ni boire ni manger.

Mais maintenant, sur le bateau, elle avait très faim depuis le matin et elle se rendait compte que cela ne serait pas facile. Le deuxième jour, des soldats se mirent d'accord avec les mécaniciens et les chauffeurs pour faire cuire du millet dans la salle des machines, ils appelèrent Lioudmila et lui tendirent une gamelle pleine de bouillie.

Assise sur une caisse vide, Lioudmila mangeait la bouillie brûlante avec une cuiller empruntée.

— Pas sale, ma bouillie ! dit un des cuistots, et devant le silence de Lioudmila, il lui demanda :
« C'est peut-être pas vrai ? Elle n'est pas assez épaisse ? »

C'était justement dans cette recherche de compliments de la part de son invitée que se manifestait sa générosité naïve.

Elle aida un soldat à remettre un ressort récalcitrant dans son pistolet-mitrailleur, ce que même le sergent décoré de l'Étoile Rouge n'avait su faire.

Ayant surpris une discussion des lieutenants d'artillerie, elle prit un crayon et les aida à calculer une formule trigonométrique. Après cela, le lieutenant, qui l'appelait jusqu'alors « ma petite dame », lui demanda respectueusement son nom. Et la nuit, Lioudmila marchait sur le pont.

Un froid glacial montait de la rivière, un vent bas et impitoyable soufflait de l'obscurité. Au-dessus d'elle, les étoiles brillaient et le ciel de feu et de glace qui la dominait ne lui apportait ni paix ni consolation.

26

Avant l'arrivée à Kouïbychev, le capitaine du bateau reçut l'ordre de poursuivre sa route jusqu'à Saratov pour y prendre des blessés.

Les passagers des cabines sortaient les valises et paquets, les mettaient sur le pont, se préparaient à débarquer.

On vit apparaître, sur la rive, les silhouettes des usines, des maisonnettes sous leurs toits de tôle, des baraques. Puis, lentement, la masse grise, rousse, noire, de Kouïbychev sortit de l'horizon. Des fenêtres étincelaient au soleil, les lambeaux de fumée des trains s'étiraient au-dessus de la ville.

Les passagers qui devaient descendre s'étaient rassemblés devant la passerelle. Ils ne disaient au revoir à personne car ils n'avaient lié connaissance avec personne.

Une grande limousine noire, une Zis 101, attendait la grand-mère en manteau de vison et ses deux petits-fils. Un officier se mit au garde-à-vous devant la vieille et serra la main aux deux garçons.

En quelques minutes, les passagers avec leurs enfants, leurs valises, leurs paquets disparurent comme s'ils n'avaient jamais existé.

Lioudmila Nikolaïevna crut que maintenant elle se sentirait mieux, entourée de gens unis dans le même malheur, le même travail, le même destin.

Mais elle se trompait.

27

L'accueil que réserva Saratov à Lioudmila Nikolaïevna fut rude et cruel.

Dès le débarcadère, elle se heurta à un ivrogne ; il trébucha, la bouscula et l'injuria de façon ordurière.

Lioudmila Nikolaïevna grimpa la côte mal pavée qui montait à la ville ; une fois en haut, elle se retourna. Le bateau, une petite tache blanche au milieu des hangars gris du port, sembla comprendre ce qui se passait en elle et lança un léger coup de sirène : « Vas-y, mais vas-y donc... » Et elle alla.

A l'arrêt du tramway, de jeunes femmes repoussaient avec une application silencieuse les personnes plus faibles ou âgées. Un aveugle, visiblement un soldat qui sortait à peine de l'hôpital, ne savait comment monter et agitait fébrilement sa canne devant lui ; de toute évidence il n'était pas encore habitué à son nouvel état. Il saisit avec l'avidité d'un enfant la manche d'une femme qui passait. La femme, d'un certain âge, arracha sa main, pressa le pas, faisant sonner ses talons ferrés sur le pavé. L'aveugle, s'accrochant toujours à sa manche, expliqua précipitamment :

— Aidez-moi à monter, je sors de l'hôpital.

La femme jura, le poussa et l'aveugle tomba assis dans la rue.

Lioudmila regarda le visage de la femme.

D'où venait ce visage inhumain, quelle en était la cause ? La famine de 1921 qu'elle avait connue dans son enfance ? Celle de 1930 ? Une vie pleine à ras bord de misère ?

L'aveugle resta un instant figé puis se releva et se mit à crier d'une voix écorchée. Il s'était vu, de ses yeux morts, le bonnet de travers, brandissant sa canne en un geste insensé.

L'aveugle frappait l'air de sa canne, et dans ces moulinets s'exprimait sa haine contre le monde impitoyable des voyants. Les gens montaient en se bousculant dans le tramway et lui restait là, pleurant et criant. Et les hommes que Lioudmila avait unis avec espoir et amour en une seule famille solidaire dans le travail, la misère, la bonté et le malheur, ces hommes semblaient s'être donné le mot pour ne pas se conduire en hommes. Ils semblaient s'être donné le mot pour infirmer l'idée que l'on peut, sans hésitation, trouver la bonté dans les cœurs des hommes dont les vêtements et les mains sont noircis par le travail.

Lioudmila se sentit effleurer par un monde méchant, sombre, qui, par son seul attouchement, l'emplit du froid et de la nuit des espaces infinis de la Russie misérable. Elle se sentit désemparée.

Lioudmila demanda pour une seconde fois au receveur où elle devait descendre et la femme lui dit d'une voix calme :

— Je l'ai déjà annoncé, vous êtes sourde ou quoi ?

Les passagers debout dans le passage refusaient de se pousser, ne répondaient pas quand on leur demandait s'ils descendaient à la prochaine.

Petite fille, Lioudmila avait été élève en 11e, le cours préparatoire, au lycée de filles de Saratov. Les matins d'hiver, elle était installée à table et, balançant les pieds sous sa chaise, elle buvait son thé pendant que son père, qu'elle adorait, lui mettait du beurre sur une brioche encore chaude. La lampe se reflétait dans le flanc arrondi du samovar et elle n'avait pas envie de quitter la chaleur du samovar, de la brioche, de la main de son père.

Et on aurait pu croire qu'en ce temps-là il n'y avait dans cette ville ni vent froid de novembre, ni suicides, ni enfants mourant dans les hôpitaux, qu'il n'y avait que chaleur, chaleur, chaleur.

Là, dans ce cimetière, étaient enterrés sa sœur aînée, Sofia, et, si sa mémoire ne la trompait pas, son grand-père.

Elle était arrivée à un bâtiment de deux étages, une ancienne école transformée en hôpital militaire ; c'était là que se trouvait Tolia.

Il n'y avait pas de sentinelle à la porte et elle se dit que c'était un présage favorable. Elle se retrouva dans cet air, propre aux hôpitaux, si lourd et gluant que même les hommes épuisés par le froid ne goûtent pas sa chaleur et aspirent à s'en échapper dans le froid du dehors. Elle passa devant les toilettes qui avaient gardé les écriteaux « garçons » et « filles ». Elle passa par un couloir où des odeurs de cuisine l'agressèrent. Elle alla plus loin et vit, par une fenêtre embuée, des boîtes empilées dans la cour intérieure, c'étaient les cercueils, et elle se dit à nouveau, comme elle se l'était dit dans l'entrée avec la lettre encore cachetée entre les mains : « Mon Dieu, si je pouvais mourir maintenant. » Mais elle continua son chemin à grands pas, sentit sous ses pieds un tapis, et, après être passée devant des plantes d'appartement qui lui étaient familières, des asparagus et des philodendrons, elle s'approcha d'une porte où, à côté d'un écriteau annonçant « Cours moyen » était punaisée une feuille avec, écrit à la main, « Réception ».

Lioudmila ouvrit la porte et le soleil, perçant les nuages, frappa les vitres, faisant tout briller autour d'elle.

Et, quelques minutes plus tard, un secrétaire volubile, tout en consultant les fiches dans un long tiroir où venait se refléter le soleil, lui disait :

— Bien, bien, bien... Vous dites, Chapochnikov, Anatoli, voilà, voilà... Vous avez de la chance de ne pas avoir rencontré le directeur militaire, comme ça, en manteau, il vous en aurait fait voir... Donc, Chapochnikov... le voilà... C'est ça... C'est bien lui, lieutenant, c'est exact.

Lioudmila regardait les doigts qui sortaient la fiche de la boîte et il lui semblait qu'elle était debout devant Dieu et qu'il avait le pouvoir de faire vivre ou de faire mourir, mais qu'il avait pris du retard et qu'il n'avait pas encore décidé si le fils de Lioudmila devait vivre ou mourir.

28

Lioudmila Nikolaïevna était arrivée à Saratov une semaine après qu'on eut fait subir une opération, la troisième, à Tolia. Il avait été opéré par le chirurgien militaire de 2ᵉ rang Maazel. L'opération avait été difficile, Tolia était resté plus de quatre heures sous anesthésie générale et on lui avait injecté à deux reprises de l'hexonal. Cette opération n'avait encore jamais été réalisée à Saratov, ni par les chirurgiens militaires, ni par les chirurgiens civils du centre hospitalo-universitaire. On ne la connaissait que par une description détaillée qu'en avaient donnée les Américains dans une revue de médecine militaire en 1941.

En raison de la gravité de l'opération, le docteur Maazel eut un entretien avec le lieutenant après une dernière séance de radiographie. Il lui expliqua la nature des processus pathologiques provoqués par sa blessure. Il exposa également, sans rien cacher, les risques que cette opération faisait courir. Il lui dit que, parmi les médecins consultés, tous n'étaient pas favorables à l'opération, le vieux professeur Rodionov y était opposé. Le lieutenant Chapochnikov posa deux ou trois questions et, après une réflexion de quelques minutes, donna son accord.

L'opération commença à 11 heures et ne prit fin qu'à 3 heures. Dimitrouk, le médecin militaire responsable de l'hôpital, assistait à l'opération. Selon tous les médecins qui l'avaient suivie, elle avait été brillamment réalisée.

Maazel résolut correctement des difficultés inattendues que l'article américain n'avait pas décrites.

L'état du malade pendant l'opération était satisfaisant, son pouls était bien frappé.

Vers 2 heures, le docteur Maazel, un homme corpulent et plus tout jeune, se sentit mal et dut s'arrêter pendant quelques minutes. Le médecin généraliste Klestova lui donna des gouttes pour le cœur, après quoi Maazel ne s'interrompit plus jusqu'à la fin de l'opération. Mais, alors que le lieutenant se trouvait déjà dans un box réservé aux cas graves, Maazel fut victime d'une crise d'angine de poitrine. Plusieurs injections de camphre et une prise de trinitrine furent nécessaires pour faire céder les spasmes des artères coronaires.

Une infirmière restait aux côtés du lieutenant dans le box. Klestova y entra, vérifia le pouls de l'opéré qui n'avait pas repris connaissance. Son état était satisfaisant ; Klestova dit à l'infirmière :

— Maazel lui a sauvé la vie, mais lui-même, il a failli y passer.

Terentieva, l'infirmière, répondit :

— Mon Dieu, si seulement ce lieutenant Tolia pouvait s'en sortir !

La respiration du lieutenant était imperceptible. Son visage restait immobile, ses bras maigres, son cou ressemblaient à ceux d'un enfant ; on devinait, à travers sa pâleur, les traces de hâle qu'avaient laissées les marches forcées dans la steppe. Chapochnikov se trouvait dans un état semi-comateux, dû à l'anesthésie et à l'épuisement de ses forces physiques et morales.

Le malade laissait échapper des mots et parfois des phrases entières. L'infirmière crut l'entendre marmonner : « Heureusement que tu ne me vois pas dans cet état. » Puis il resta silencieux, les coins de ses lèvres s'abaissèrent en une moue et on aurait dit qu'il pleurait sans sortir de son évanouissement.

Vers 8 heures, il ouvrit les yeux et demanda à boire d'une voix claire qui réjouit Terentieva. Elle dit qu'il lui était interdit de boire et ajouta que l'opération s'était très bien passée et qu'il allait guérir. Elle lui demanda comment il se sentait, et il lui répondit que son côté et son dos ne lui faisaient pas très mal.

Elle vérifia une fois de plus son pouls et lui passa une serviette humide sur les lèvres et le front.

A cet instant un infirmier entra dans la chambre et dit à Terentieva que Platonov, le chef du service chirurgical, l'attendait au bout du fil. L'infirmière alla dans le bureau de l'infirmière-chef, prit le téléphone et dit au chef du service que l'opéré s'était réveillé et qu'il semblait dans un état satisfaisant compte tenu de la gravité de l'opération. Elle demanda à être remplacée car elle était convoquée par le bureau de recrutement, Platonov promit de le faire mais lui ordonna de veiller sur le malade jusqu'à ce qu'il l'examine.

L'infirmière regagna le box. Elle trouva l'opéré dans la pose où elle l'avait laissé mais l'expression de souffrance s'était atténuée, les coins des lèvres étaient remontés et le visage semblait calme, presque souriant. La douleur devait vieillir le lieutenant, car maintenant son visage souriant frappa l'infirmière par sa jeunesse : on aurait dit que ces joues creuses, ces grosses lèvres, ce grand front sans la moindre ride n'appartenaient pas à un adulte, pas même à un adolescent mais à un enfant. L'infirmière lui demanda comment il se sentait mais il ne lui répondit pas, visiblement il s'était endormi.

L'infirmière fut légèrement alertée par l'expression du visage. Elle prit le poignet de Chapochnikov ; on ne sentait plus le pouls, la main était à peine tiède, de cette chaleur à peine perceptible que garde un poêle éteint de la veille.

Et bien que l'infirmière eût vécu toute sa vie en ville, elle se laissa tomber à genoux et, doucement, pour ne pas déranger les vivants, se lamenta comme les pleureuses à la campagne :

— Notre chéri adoré, pourquoi nous as-tu quittés ? Où donc es-tu allé ?

29

Bientôt on apprit dans l'hôpital la venue de la mère du lieutenant Chapochnikov. La mère du lieutenant fut reçue par le commissaire politique de l'hôpital, un certain Chimanski, dont l'accent révélait ses origines polonaises. Il attendait, l'air sombre, appréhendant les inévitables pleurs ou même, qui sait, l'évanouissement de Lioudmila Nikolaïevna. Il passait sa langue sur sa récente moustache, plaignait le malheureux lieutenant, plaignait sa mère et, justement pour cela, se sentait irrité et contre le lieutenant, et contre sa mère : s'il fallait se mettre à recevoir maintenant toutes les mamans de tous les lieutenants qui mouraient, on ne tiendrait plus le coup.

Ayant installé Lioudmila Nikolaïevna, Chimanski, avant d'entamer la conversation, approcha d'elle une carafe d'eau. Elle le remercia mais refusa de boire.

Elle écouta attentivement le commissaire lui raconter la consultation des médecins (il ne jugea pas utile de lui parler du médecin qui était contre l'opération), les difficultés rencontrées pendant l'opération, son bon déroulement ; les chirurgiens estiment, précisa-t-il, qu'on doit effectuer cette opération en cas de blessures graves, du type de celles qu'avait le lieutenant Chapochnikov. Il dit que la mort du lieutenant Chapochnikov avait été causée par un arrêt subit du cœur, et que, comme l'avaient confirmé les conclusions de l'autopsie, cette issue fatale était imprévisible.

Puis le commissaire dit qu'il connaissait peu de malades, et il en avait vu passer des centaines, que le personnel soignant eût autant aimés. Le lieutenant Chapochnikov était un malade bien élevé, timide, qui craignait toujours de demander quelque chose, de déranger le personnel soignant.

Le commissaire déclara qu'une mère devait être fière d'avoir élevé un fils qui avait su, avec courage et abnégation, donner sa vie à la patrie.

Puis il demanda si la mère du lieutenant Chapochnikov avait des souhaits à formuler.

Lioudmila Nikolaïevna s'excusa auprès du commissaire de lui prendre son temps, sortit une feuille de papier de son sac à main et lut ses requêtes.

Elle demanda qu'on lui indique l'endroit où son fils avait été enterré.

Le commissaire hocha la tête, nota quelque chose dans son carnet. Elle voulait parler au docteur Maazel.

Le commissaire dit que le docteur Maazel, ayant appris son arrivée, voulait lui-même la rencontrer.

Elle voulait voir l'infirmière qui avait veillé son fils.

Le commissaire hocha la tête et nota quelque chose dans son carnet. Elle demanda l'autorisation de recevoir en souvenir les affaires de son fils.

De nouveau, le commissaire prit note.

Puis elle demanda de transmettre aux blessés les cadeaux qu'elle avait apportés pour son fils et elle posa sur la table deux boîtes de sardines et un petit sac de bonbons.

Ses yeux rencontrèrent les yeux du commissaire et il s'effraya de leur éclat.

Le commissaire demanda à Lioudmila de revenir à l'hôpital le lendemain à 9 h 30. Toutes ses demandes seraient satisfaites.

Le commissaire regarda la porte qui s'était refermée sur Lioudmila Nikolaïevna, regarda les cadeaux qu'elle avait laissés aux blessés, essaya de se prendre le pouls, n'y parvint pas, haussa les épaules et but l'eau qu'il avait préparée au début de l'entretien pour Lioudmila.

30

Lioudmila Nikolaïevna n'avait pas une minute de libre. La nuit, elle marchait dans les rues, s'asseyait sur un banc dans le parc de la ville, entrait dans la gare pour se réchauffer, puis parcourait à nouveau les rues de la ville d'un pas rapide et déterminé.

Le commissaire fit tout ce qu'elle avait demandé.

A 9 h 30 du matin, Lioudmila Nikolaïevna rencontra l'infirmière Terentieva.

Lioudmila Nikolaïevna lui demanda de raconter tout ce qu'elle savait sur Tolia.

Lioudmila Nikolaïevna enfila une blouse blanche et monta en compagnie de l'infirmière au premier étage, parcourut le corridor qui menait au bloc opératoire et par lequel on avait emmené son fils, resta un moment devant la porte du box, regarda l'étroit lit d'hôpital, vide ce matin-là. L'infirmière marchait tout le temps à ses côtés et se mouchait sans cesse. Elles descendirent au rez-de-chaussée où Terentieva prit congé de Lioudmila Nikolaïevna. Peu de temps après, un homme d'un certain âge, les cheveux blancs, les yeux cernés, entra dans la salle d'attente en respirant avec difficulté. La blouse empesée du docteur Maazel semblait encore plus blanche par contraste avec sa peau mate et ses yeux sombres.

Maazel expliqua à Lioudmila Nikolaïevna pourquoi le professeur Rodionov était contre l'opération. Il semblait deviner toutes les questions que se posait Lioudmila. Il lui rapporta ses discussions avec le lieutenant Tolia avant l'opération. Il comprenait l'état d'esprit de Lioudmila et lui raconta le déroulement de l'opération sans lui faire grâce de rien.

Puis il dit qu'il avait une affection quasi paternelle pour Tolia et la voix grave de Maazel se fêla. Elle regarda pour la première fois les mains du chirurgien ; elles vivaient de leur vie propre, distinctes de l'homme aux yeux plaintifs, des mains lourdes et rudes, aux doigts vigoureux. Maazel cacha ses mains sous la table. Et, comme s'il lisait dans ses pensées, il dit à Lioudmila Nikolaïevna :

— J'ai fait tout mon possible, mais, finalement, mes mains ont rapproché sa mort au lieu de la vaincre.

Il posa à nouveau ses mains sur la table.

Elle comprit que tout ce que disait Maazel était vrai.

Chacune de ses paroles, qu'elle attendait avec impatience, la brûlait. Mais il y avait autre chose dans cette conversation, et cela la rendait encore plus pénible, elle sentait que Maazel avait cherché cet entretien pour lui et non pour elle. Et elle en éprouvait de la rancune contre le chirurgien.

Au moment de le quitter, elle lui déclara être persuadée qu'il avait fait tout ce qui était en son pouvoir pour sauver son fils. Elle sentit que ses paroles apportaient un soulagement au chirurgien ; elle comprit à nouveau qu'il se savait le droit d'entendre ces mots et que c'est dans ce but qu'il avait cherché à la voir, et l'avait vue.

Et elle se dit avec amertume que c'était d'elle qu'on attendait des paroles de consolation.

Le chirurgien repartit et Lioudmila Nikolaïevna alla chez le directeur militaire. Il se mit au garde-à-vous puis lui annonça que le commissaire politique l'avait chargé de lui fournir une voiture pour la conduire sur la tombe de son fils. La voiture aurait dix minutes de retard. Les affaires du lieutenant étaient prêtes, elle pourrait les prendre au retour du cimetière.

Tous les souhaits de Lioudmila Nikolaïevna avaient été réalisés de façon nette et précise, comme il convenait à des militaires. Mais, dans l'attitude à son égard du directeur, de l'infirmière, du commissaire, on sentait qu'eux aussi attendaient d'elle apaisement et pardon.

Le commissaire se sentait coupable parce que des hommes mouraient dans son hôpital. Avant l'arrivée de Lioudmila Nikolaïevna, cela ne le dérangeait pas, n'est-ce pas la norme pour un hôpital en temps de guerre ? Le côté médical ne suscitait pas de mécontentement chez ses supérieurs. On lui reprochait surtout une activité politique insuffisante et le manque de renseignements sur l'état d'esprit des blessés.

Il ne menait pas la lutte avec assez d'énergie contre les blessés défaitistes, contre les manœuvres hostiles au pouvoir soviétique de certains blessés qui se permettaient de critiquer la mise en place des kolkhozes. On avait signalé des cas où des blessés avaient révélé des secrets militaires.

Chimanski avait été convoqué par la section politique auprès des services de santé de la région militaire, où on lui promit de l'envoyer au front si la section spéciale leur fournissait des renseignements sur de nouvelles défaillances dans l'action idéologique à l'hôpital.

Mais maintenant, le commissaire se sentait coupable devant la mère du lieutenant décédé parce que trois nouveaux blessés étaient morts hier, alors que lui, hier, il avait pris une douche, avait commandé son plat préféré, du *bigoch,* au cuisinier et avait bu un bidon de bière acheté dans un magasin de la ville.

L'infirmière se sentait coupable devant la mère du lieutenant décédé parce que son mari, ingénieur militaire, était dans un état-major d'armée et n'était jamais allé au front, et que son fils, qui avait un an de plus que Chapochnikov, travaillait dans le bureau d'études d'une usine d'aviation. Le directeur savait qu'il était coupable : militaire de carrière, il servait dans un hôpital loin du front ; il avait envoyé à sa famille un coupon de gabardine et de belles bottes, le lieutenant avait laissé à sa mère un uniforme de coton.

L'adjudant, un gars aux grosses oreilles charnues, qui était responsable des enterrements, se sentait en faute devant la femme qu'il emmenait au cimetière. Les cercueils étaient faits de minces planches déclassées ; les morts étaient enterrés dans leurs sous-vêtements ; les soldats étaient entassés dans les fosses communes ; les inscriptions sur les tombes se faisaient sur une vague planchette avec une peinture qui tenait mal. Il est vrai que dans les hôpitaux de campagne, les morts étaient enterrés sans cercueil dans des fosses communes et les inscriptions se faisaient au crayon chimique, lisibles jusqu'à la première pluie. Et ceux qui étaient tués au combat, dans les forêts, les marécages, les ravins ou en plein champ, restaient parfois sans sépulture, et seuls le sable, les feuilles mortes ou la neige se chargeaient de les recouvrir.

Mais malgré tout l'adjudant se sentait responsable de la mauvaise qualité des planches envers la femme qui lui demandait comment on enterrait les morts, comment on habillait les corps, et quelles paroles, si paroles il y avait, on prononçait sur la tombe.

Sa gêne venait aussi de ce que, avant de partir, il avait fait un saut à la pharmacie de l'hôpital et avait descendu, avec son copain, un flacon d'alcool à 90° légèrement délayé qu'il avait accompagné de pain et d'oignons. Il avait honte de l'odeur d'alcool et d'oignon qu'il répandait dans la voiture mais ne pouvait rien y faire.

Tous les hommes sont coupables devant une mère qui a perdu son fils à la guerre, et tous cherchent en vain à se justifier devant elle depuis que le monde est monde.

31

De vieux rappelés déchargeaient des cercueils d'un camion. On devinait une grande habitude dans leurs gestes mesurés et efficaces. Un des soldats, debout dans le camion, approchait le cercueil du bord, un deuxième le prenait sur l'épaule et le tenait en équilibre le temps que le troisième prenne sur son épaule l'autre extrémité du cercueil. Faisant crisser leurs chaussures sur la terre gelée, ils portaient les cercueils au bord d'une grande fosse commune, puis revenaient au camion. Quand le camion, une fois vide, retourna en ville, les soldats s'installèrent sur les cercueils auprès de la tombe ouverte, et se roulèrent des cigarettes avec beaucoup de papier et peu de tabac.

— On dirait qu'on est un peu moins bousculé, aujourd'hui, dit un des soldats en battant le briquet.

— Le juteux, il a dit qu'il y aura encore un camion, pas plus, dit un deuxième en allumant sa cigarette et laissant échapper une grosse bouffée de fumée.

— On arrangera la tombe quand il arrivera.

— Sûr, on fera tout d'un coup, et il aura la liste, il vérifiera, dit un troisième, qui ne fumait pas.

Il sortit un morceau de pain de sa poche, le secoua, souffla dessus et commença à manger.

— Tu lui diras, au juteux, qu'il nous donne des pioches et des barres à mine ; le sol est gelé sur vingt centimètres, demain faudra en creuser une nouvelle, on s'en sortira jamais avec des pelles.

Le premier, celui qui avait allumé le briquet, fit sauter le reste de la cigarette de son fume-cigarette en bois et le tapota doucement contre le couvercle du cercueil.

Tous trois se turent, comme s'ils écoutaient. Tout était silencieux.

— C'est vrai, ce qu'on dit, qu'on n'aura plus de repas chauds ? demanda le non-fumeur en baissant la voix pour ne pas déranger les morts dans leurs cercueils par une conversation sans intérêt pour eux.

Tout redevint silencieux.

— Il fait pas mauvais aujourd'hui, à part le vent.

— Ecoutez, j'entends le camion qui arrive, on aura fini dans la matinée.

— Non, ce n'est pas notre camion, c'est une voiture.

Leur adjudant et une femme coiffée d'un fichu sortirent de la voiture et se dirigèrent vers la grille de fonte le long de laquelle ils avaient enterré la semaine dernière mais avaient dû cesser par manque de place.

— On en enterre, et il n'y a personne pour les accompagner, dit l'un des soldats. En temps de paix, tu sais comment c'est : on enterre un seul gars et tu en as cent derrière lui à porter des fleurs.

— On les pleure aussi, ceux-là, dit un autre en tapotant délicatement le couvercle de son ongle poli par le travail comme un galet par la mer. Mais nous ne les voyons pas, ces larmes... Regarde, voilà notre adjudant.

Ils allumèrent une nouvelle cigarette, cette fois-ci tous les trois. L'adjudant s'approcha.

— Alors, les gars, dit-il sans colère, toujours à fumer ? Et qui va faire le boulot à votre place ?

Ils lancèrent sans répondre trois nuages de fumée. Puis le possesseur du briquet proféra :

— Tu parles qu'on peut fumer ici... J'entends le camion qui arrive, je le reconnais au bruit.

32

Lioudmila Nikolaïevna s'approcha du monticule de terre et lut sur la planchette de contre-plaqué le nom et le grade de son fils.

Elle sentit distinctement ses cheveux remuer sous le fichu, une main froide jouait avec.

Des deux côtés, à droite et à gauche, s'étendaient des monticules identiques, gris, sans herbe ni fleurs, avec seulement une tige de bois jaillie de la terre tombale. A son extrémité, une planchette avec un nom. Elles étaient nombreuses ; leur uniformité et leur densité évoquaient un champ de blé...

Et voilà, elle avait enfin retrouvé Tolia. Il lui était souvent arrivé de chercher à deviner où il était, ce qu'il faisait, à quoi il pensait. Son petit dormait-il adossé à la paroi d'une tranchée, buvait-il du thé, le quart dans une main et un morceau de sucre dans l'autre, courait-il sous les balles à travers un champ ?... Elle voulait être à ses côtés, il avait besoin d'elle : elle lui aurait rajouté un peu de thé dans son quart, elle lui aurait demandé : « Tu ne veux pas encore un peu de pain ? », elle l'aurait aidé à se déchausser et aurait lavé ses pieds couverts d'ampoules, elle lui aurait mis une écharpe autour du cou... Mais chaque fois il s'esquivait et elle ne parvenait pas à le trouver. Et maintenant elle avait enfin retrouvé Tolia, mais il n'avait plus besoin d'elle.

Il semblait que le ciel s'était vidé de son air, comme si on l'avait pompé, et il n'y avait plus, au-dessus d'elle, que vide et poussière sèche. Et l'énorme pompe, ayant vidé le ciel de son air, continuait à pomper en silence, et non seulement le ciel disparut, mais il n'y avait plus ni foi ni espoir pour Lioudmila. Il n'y avait plus, dans l'immensité vide, qu'un tertre de mottes de terre gelées.

Tout ce qui était vie, Nadia, les yeux de Victor, sa mère, les bulletins du front, tout avait cessé d'exister.

Toute vie avait cessé de vivre. Dans le monde entier, seul Tolia était en vie. Mais quel silence tout autour. Savait-il qu'elle était venue...

Lioudmila s'agenouilla et redressa la planchette, doucement, pour ne pas déranger son fils, il se mettait toujours en colère quand elle lui arrangeait ses cols, quand elle l'accompagnait à l'école.

— Me voilà ; et toi, tu devais te demander pourquoi ta maman ne venait pas...

Elle parlait à mi-voix, de peur d'être entendue par les passants de l'autre côté de la grille.

Des camions passaient, un vent bas soulevait la poussière sur l'asphalte. Des marchandes de lait avec leurs bidons, des hommes portant des sacs, des écoliers en bonnets d'uniforme et vestes ouatinées longeaient la grille.

Mais ce monde plein de mouvement n'était plus pour elle qu'une image floue.

Quel silence !

Elle parlait avec son fils, se souvenait de détails de leur vie passée, et ces souvenirs, qui ne vivaient plus que dans sa conscience, emplirent l'espace d'une voix d'enfant, de pleurs, du bruissement d'un livre d'images qu'on feuillette, du tintement de la cuiller contre le bord de l'assiette blanche, du grésillement d'une radio à galène, du crissement des skis sur la neige, du grincement des tolets sur l'étang des vacances, du froissement d'un papier de bonbon que l'on jette, des visions fugitives d'un visage d'enfant, de ses épaules, sa poitrine.

Son désespoir avait ramené à la vie les larmes, les chagrins, les bonnes et mauvaises actions. Ils existaient, concrets et perceptibles.

Ce n'étaient pas des souvenirs du passé mais des émotions du présent qui s'étaient emparées d'elle.

Pourquoi faut-il qu'il lise toute la nuit avec cet éclairage, il s'abîme les yeux, porter des lunettes à son âge...

Pourquoi l'a-t-on couché sans rien ? Juste un maillot de peau, pieds nus. Il faudrait au moins une couverture, la terre est glacée et les nuits si froides.

Soudain Lioudmila se mit à saigner du nez. Le mouchoir devint lourd de sang. La tête lui tourna, tout s'obscurcit, durant un bref instant elle crut qu'elle perdait connaissance. Elle ferma les yeux et quand elle les rouvrit, le monde ramené à la vie par son désespoir avait déjà disparu. Seule la poussière soulevée par le vent tourbillonnait au-dessus des tombes ; tantôt l'une, tantôt l'autre se mettait à fumer.

L'eau vive qui avait jailli de dessous la glace et qui avait sorti Tolia de la nuit, avait reflué, disparu et le monde qu'avait créé le désespoir d'une mère, le monde qui, brisant les chaînes, avait voulu devenir réalité, ce monde s'était évanoui. Le désespoir de la mère avait, tel le Seigneur, sorti le lieutenant de sa tombe et avait couvert le ciel de nouvelles étoiles.

Au cours des minutes qui venaient de s'écouler, il était seul en vie dans le monde entier et par lui existait tout le reste.

Mais la force de la mère n'avait pu soumettre plus longtemps les foules humaines, les océans, la terre, les villes à son fils mort.

Elle porta son mouchoir à ses yeux, les yeux étaient secs et le mouchoir humide de sang, elle sentit que son visage était barbouillé de sang séché. Voûtée, résignée, elle commençait, imperceptiblement, à admettre la mort de Tolia.

Les gens de l'hôpital avaient été frappés par son calme, ses questions. Ils n'avaient pas compris qu'elle était incapable de ressentir ce qui était pour eux une évidence : l'absence de Tolia parmi les vivants. Son amour pour son fils était si fort que la force du fait accompli ne pouvait en venir à bout, il vivait toujours.

C'était une folie que personne ne voyait. Enfin, elle avait retrouvé Tolia. Une chatte ayant retrouvé son chaton mort se réjouit et le lèche.

L'âme traverse de longues années, parfois des décennies de souffrance avant d'ériger, pierre après pierre, sa tombe au-dessus de l'être cher, avant d'admettre sa mort.

Les soldats avaient fini leur travail et étaient partis, le soleil s'apprêtait à partir, les ombres des piquets sur les tombes s'étaient allongées. Lioudmila resta seule.

Elle se dit qu'il fallait annoncer la mort de Tolia à la famille, à son père, à son vrai père, celui qui était dans un camp. A quoi pensait-il avant l'opération ? Comment le nourrissait-on, à la petite cuiller ? Avait-il pu dormir un peu, couché sur le côté ou sur le dos ? Il aime la citronnade sucrée. Comment est-il maintenant, lui a-t-on rasé les cheveux ?

Le monde autour d'elle, sans doute sous le poids de sa douleur, devenait de plus en plus sombre.

Elle pensa soudain que son malheur serait éternel, Victor mourrait, les petits-enfants de sa fille mourraient et son malheur vivrait toujours.

Quand son angoisse devint insupportable, la frontière entre le réel et le monde qui vivait en Lioudmila s'effaça de nouveau, et l'éternité recula devant son amour.

Ce n'était pas la peine, se dit-elle, d'annoncer la mort de Tolia à son père, à Victor, à tous les proches, après tout, rien n'était sûr... Il valait mieux attendre, peut-être que tout finirait par s'arranger.

Elle murmura :

— Toi non plus, ne dis rien à personne, rien n'est sûr, peut-être que tout va s'arranger.

Lioudmila couvrit d'un pan de son manteau les pieds de Tolia. Elle retira son fichu et en couvrit les épaules de son fils.

— Mon Dieu, ce n'est pas possible, pourquoi on ne t'a pas donné de couverture. Couvre-toi bien les pieds, au moins.

Dans une sorte de demi-sommeil elle continuait à parler avec son fils, lui reprochait ses lettres trop brèves. Elle se réveillait, remontait le fichu que le vent avait fait glisser.

Comme c'était bien d'être seuls, tous les deux, personne ne les dérangeait. Personne n'aimait Tolia. Ils disaient tous qu'il était laid ; il a de grosses lèvres, il se conduit de façon bizarre, il est irritable, il se vexe tout le temps. Elle non plus personne ne l'aimait, tous ses proches ne voyaient en elle que des défauts... Mon pauvre garçon, mon doux, mon bon, mon malheureux garçon... Lui seul l'aimait et maintenant, la nuit, dans ce cimetière, lui seul restait avec elle, il ne la quitterait jamais, et quand elle ne serait plus qu'une vieille inutile, il l'aimerait toujours... comme il est désarmé dans la vie. Il ne sait pas demander, il est timide, ridicule ; la maîtresse dit qu'il est le souffre-douleur de ses camarades de classe, ils le taquinent, se moquent de lui, et il pleure comme un enfant. Tolia, ne me laisse pas.

Puis le jour se leva, une aurore rouge et glacée gagnait la steppe. Un camion passa dans un grondement.

La folie s'en était allée. Elle est assise à côté de la tombe de son fils. Le corps de Tolia est recouvert de terre. Il n'est plus.

Elle vit ses doigts sales, le mouchoir qui traînait par terre ; ses jambes étaient engourdies, elle sentait que son visage était couvert de taches. Sa gorge était sèche.

Tout lui était indifférent. Si quelqu'un lui avait dit que la guerre était finie, que sa fille était morte, si quelqu'un lui avait donné un verre de lait chaud, elle n'aurait pas bougé, n'aurait pas tendu la main. Son cerveau était vide. Tout était inutile. Il ne restait plus qu'une souffrance régulière qui lui serrait le cœur et écrasait ses tempes. Les gens de l'hôpital lui disaient quelque chose sur Tolia, elle voyait leurs bouches s'ouvrir mais n'entendait pas les mots qui en sortaient. Elle vit par terre la lettre qu'elle avait reçue de l'hôpital et qui avait dû tomber de sa poche, elle n'avait pas envie de la ramasser, d'en enlever la poussière. Elle ne pensait pas à Tolia quand, à deux ans, il poursuivait, tricotant des jambes, têtu et patient, un criquet ; elle ne pensait pas à l'infirmière à qui elle avait oublié de demander comment il était couché le matin de son opération, le dernier jour de sa vie, sur le côté ou sur le dos ? Elle voyait la lumière du jour, elle ne pouvait pas ne pas la voir.

Soudain, elle revit Tolia : on fêtait ses trois ans ; le soir, on avait servi le gâteau d'anniversaire et il avait demandé :

— Maman, pourquoi il fait nuit ? C'est pourtant mon anniversaire aujourd'hui.

Elle voyait les branches des arbres, les pierres du cimetière, la planchette avec le nom de son fils : « Chapoch » était écrit en grosses lettres mais il n'y avait pas eu de place pour « nikov » et les lettres étaient petites, serrées les unes contre les autres. Elle ne pensait pas, la douleur était partie. Tout était parti.

Elle se leva, ramassa la lettre, enleva une motte de terre de son manteau, l'épousseta, essuya ses chaussures, secoua longuement son fichu jusqu'à ce qu'il retrouve sa couleur blanche. Elle le noua autour de sa tête, ôta avec une des pointes la poussière sur ses sourcils, frotta les taches de sang sur ses lèvres et son menton. Elle se dirigea vers le portail, sans se retourner, d'un pas égal, sans se presser mais sans s'attarder.

33

Après son retour à Kazan, Lioudmila Nikolaïevna commença à maigrir ; elle ressemblait à ses photos de jeunesse, du temps où elle était étudiante. Elle allait chercher les provisions à l'économat, préparait les repas, allumait le feu dans les poêles, lavait les planchers, faisait la lessive. Les journées d'automne lui semblaient très longues et elle ne savait comment les remplir.

Le jour de son arrivée, elle raconta son voyage. Elle raconta ses réflexions sur sa culpabilité envers ses proches, son arrivée à l'hôpital ; elle ouvrit le paquet qui contenait la tenue ensanglantée et déchiquetée de Tolia. Pendant son récit, Alexandra Vladimirovna respirait difficilement, Nadia pleurait, les mains de Victor Pavlovitch se mirent à trembler, il ne pouvait pas soulever la tasse de thé devant lui. Maria Ivanovna, qui était accourue aux nouvelles, était blanche, la bouche ouverte, les yeux emplis de souffrance. Seule Lioudmila parlait d'une voix calme, les fixant de ses yeux d'un bleu éclatant.

Elle ne contredisait plus personne, alors que toute sa vie elle avait toujours contredit tout le monde. Avant, il suffisait que quelqu'un dise comment aller à la gare pour que Lioudmila, énervée et rageuse, affirme qu'il fallait prendre un tout autre chemin et prendre un tout autre trolleybus.

Un jour, Victor Pavlovitch lui demanda :

— Avec qui tu parles la nuit ?

Elle répondit :

— Je ne sais pas, tu as dû te tromper.

Il ne lui posa plus de questions mais raconta à sa belle-mère que presque toutes les nuits, Lioudmila ouvrait les valises, étendait une couverture sur le petit divan dans le coin de la pièce et parlait à mi-voix.

— J'ai l'impression qu'elle est comme dans un rêve quand elle est avec nous dans la journée, alors que la nuit elle a une voix animée, comme avant la guerre, dit Victor Pavlovitch. J'ai le sentiment qu'elle est tombée malade, qu'elle est devenue une autre personne.

— Je ne sais pas quoi dire, répondit Alexandra Vladimirovna. Nous sommes tous dans le malheur. Nous le vivons tous de la même façon et chacun à sa façon.

Leur conversation fut interrompue par quelqu'un qui frappait à la porte d'entrée. Victor Pavlovitch se leva. Mais Lioudmila Niko-laïevna cria de la cuisine :

— J'y vais.

Ils avaient tous remarqué que, pour une raison inconnue, depuis qu'elle était revenue de Saratov, Lioudmila Nikolaïevna vérifiait plusieurs fois par jour s'il y avait du courrier dans la boîte aux lettres. Et que, quand on frappait à la porte, elle se précipitait pour ouvrir la première.

Et cette fois-là aussi, Victor Pavlovitch et Alexandra Vladimirovna se regardèrent en entendant les pas précipités de Lioudmila.

Ils entendirent sa voix irritée :

— Je n'ai rien, je n'ai rien pour vous aujourd'hui ; et ne revenez pas si souvent, je vous ai déjà donné une livre de pain il y a deux jours.

34

Le lieutenant Viktorov était convoqué chez le major Zaklabouka, le commandant du régiment de chasse [1] cantonné en réserve. L'officier de jour, le lieutenant Velikanov, lui annonça que le major était parti en U 2 pour le Q.G. de l'armée, dans la région de Kalinine, et qu'il ne reviendrait que le soir. Quand Viktorov lui demanda la raison de sa convocation, il eut un sourire complice et lui dit que, très probablement, c'était en rapport avec la beuverie à la cantine.

Viktorov passa la tête par le rideau, une toile de tente et une couverture épinglées ensemble, derrière lequel on entendait le crépitement d'une machine à écrire. Volkonski, le chef du secrétariat, devançant la question, laissa tomber :

— Non, pas de lettres, camarade lieutenant.

La dactylo, une salariée, à la vue du lieutenant, se regarda dans un miroir allemand pris sur un avion abattu, un cadeau de Demidov, qui avait depuis péri au combat ; elle redressa son calot, déplaça la règle sur le document qu'elle était en train de recopier et réattaqua les touches de sa machine.

Ce lieutenant, à la gueule longue comme un jour sans pain, et qui posait toujours une seule et unique question au chef du secrétariat, déprimait la petite Lénotchka.

---

1. L'équivalent d'une escadre dans l'armée soviétique *(N.d.T.)*.

Sur le chemin du retour, vers l'aérodrome, Viktorov fit un crochet jusqu'à la lisière de la forêt.

Cela faisait un mois que leur régiment était stationné sur un terrain de l'arrière pour recomplètement en matériel et en effectifs.

Lors de leur arrivée, cette nature du Nord avait étonné Viktorov, qui la voyait pour la première fois. La vie de la forêt, la jeune rivière qui courait entre les collines abruptes, l'odeur des feuilles pourrissantes et des champignons, la vibration des arbres, tout cela ne le laissait en paix ni jour ni nuit.

Au cours des vols, Viktorov avait l'impression que les odeurs terrestres parvenaient jusqu'à la cabine du chasseur. La vie de la vieille Russie, celle que Viktorov ne connaissait que par les livres, vivait dans cette forêt, ces lacs... Ici, passaient les routes anciennes; ces forêts avaient servi à bâtir les isbas et les églises, elles avaient donné les mâts des navires. L'ancien temps s'était attardé ici, perdu dans ses songes, le loup gris et son compère le renard couraient encore, la petite fille des trois ours s'était égarée dans la forêt que longeait en ce moment Viktorov. Il lui semblait que cette époque révolue devait être naïve, simple, jeune, que les demoiselles dans leurs isbas mais aussi les marchands aux barbes grises, les diacres et les patriarches étaient de mille ans plus jeunes que les gars à la coule, les aviateurs appartenant au monde de la vitesse, des avions, des canons à tir rapide, des diesels, du cinéma et de la radio, des jeunes gens venus dans ces forêts avec le régiment de chasse du major Zaklabouka. La Volga, rapide et maigrichonne, entre ses rives colorées, dans la verte forêt, dans ses ramages rouges et bleus, était comme le symbole de cette jeunesse enfuie.

Combien sont-ils, ces lieutenants, ces sergents, ces simples soldats, à marcher sur la route de la guerre ? Ils fument leur ration de cigarettes, raclent leur fond de gamelle de leur cuiller en fer-blanc, jouent aux cartes dans les trains, se régalent d'esquimaux en ville, boivent, en s'étranglant, leur dose réglementaire de cent grammes de vodka, crient pour se faire entendre dans le téléphone de campagne, tirent au canon, du 75 ou du gros calibre, appuient sur l'accélérateur dans leur T 34...

Sous ses bottes, la terre crissait, élastique, comme un vieux matelas ; les feuilles, sur le dessus, légères, fragiles, avaient gardé leur différence par-delà la mort, dessous, les feuilles, mortes depuis des années, s'étaient fondues en une seule masse brune, restes d'une vie qui faisait éclater les bourgeons, qui bruissait sous l'orage, qui brillait au soleil après la pluie. Les brindilles de bois mort s'émiettaient sous les pas. Une lumière douce, tamisée par l'écran des arbres, parvenait jusqu'au sol. L'air, dans la forêt, était figé, épais ; l'aviateur de chasse le ressentait particulièrement. Les arbres, échauffés et suants, sentaient le bois vert et humide. Mais l'odeur des arbres morts recouvrait l'odeur de la forêt vivante. Sous les sapins, la gamme des odeurs était coupée par la note haute de l'essence de térébenthine. L'odeur du tremble était douceâtre et écœurante, celle de l'aune était âcre. La forêt vivait à part du reste du monde et Viktorov avait l'impression d'entrer dans une maison inconnue où rien n'était comme au-dehors : les sons, les odeurs, la lumière qui traversait les rideaux ; il ne se sentait pas à l'aise, comme s'il s'était trouvé en compagnie de personnes peu connues.

Il est agréable de sortir de cette pénombre silencieuse pour déboucher soudain sur une clairière. Tout est autre : la terre chaude, l'odeur du genièvre sous le soleil, la mobilité de l'air, les grosses clochettes des campanules, les œillets sauvages avec leurs tiges collantes... On se sent l'âme légère et cette clairière est comme un jour de bonheur dans une vie de misère. Il fait chaud, des fraises des bois sont encore en fleur, la boucle du ceinturon et les boutons de l'uniforme sont brûlants. Sûr que cette clairière n'avait jamais été survolée par un U-88 ou un Heinkel nocturne.

35

Souvent, la nuit, il se souvenait des mois passés à l'hôpital de Stalingrad. Il ne se souvenait plus de la chemise de nuit humide de sueur, de l'eau saumâtre qui soulevait le cœur, il ne se souvenait pas des odeurs qui l'avaient fait tellement souffrir. Il n'y voyait qu'une époque de bonheur. Et, ici, dans la forêt, écoutant le gémissement des arbres, il se demandait s'il avait vraiment entendu le bruit de ses pas.

Cela avait-il vraiment eu lieu ? Elle l'embrassait, lui caressait les cheveux, elle pleurait et il baisait ses yeux salés.

Parfois, Viktorov se représentait comment il ferait pour parvenir à Stalingrad en Yak. Il y en avait pour quelques heures de vol, il pourrait faire le plein à Riazan, puis aller jusqu'à Engels où l'officier-contrôleur à la vigie était un copain. Après, on pourrait toujours le fusiller.

Il aimait se rappeler une histoire qu'il avait lue dans un vieux livre. Les frères Cheremetiev, les fils du *Feldmarschall,* avaient marié leur sœur, âgée de seize ans, au prince Dolgorouki ; la jeune fille l'avait vu peut-être une fois, pas plus, avant le mariage. Les frères, immensément riches, avaient accordé une dot énorme : l'argenterie à elle seule occupait trois pièces. Mais, deux jours après le mariage,

Pierre II est tué. Dolgorouki, un de ses proches, est arrêté, emmené dans le Nord et enfermé dans une tour. La jeune épouse n'écouta pas les conseils ; alors qu'elle aurait pu se libérer de ce mariage qui n'avait pas duré deux jours, elle suivit son mari, s'installa dans une contrée reculée, en pleine forêt, dans une isba de paysan. Tous les jours, pendant dix ans, elle allait jusqu'à la tour où était détenu Dolgorouki. Un matin, elle vit qu'on avait laissé la porte de la tour grande ouverte. La jeune princesse parcourut la rue, tomba à genoux devant les passants, gardes, paysans, peu importe, et elle les supplia de lui dire où était son mari. De bonnes gens lui apprirent qu'il avait été emmené à Nijni-Novgorod. Que de souffrances elle endura pour faire ce long chemin à pied ! Mais une fois arrivée, elle apprit que Dolgorouki avait été écartelé. Alors, la princesse décida de se retirer dans un couvent et elle partit pour la Laure de Kiev. Le jour où elle devait prendre le voile, elle erra longtemps sur la rive du Dniepr. Mais ce n'était pas sa liberté qu'elle pleurait ; elle devait enlever son anneau nuptial et elle ne parvenait pas à s'en séparer... De longues heures durant, elle parcourut la rive et enfin, quand le soleil était déjà bas dans le ciel, elle enleva l'anneau de son doigt, le lança dans le Dniepr et alla vers la porte du couvent.

Et le lieutenant des forces aériennes, pupille d'un orphelinat, mécano dans un atelier de réparations, ne pouvait oublier la princesse Dolgorouki. Tout en marchant dans la forêt, il rêvait. Il n'est plus de ce monde, on l'a enterré, son avion, descendu par un Frisé, le nez dans la terre, est déjà mangé par la rouille et tombe en morceaux que l'herbe recouvre ; Vera Chapochnikov erre en cet endroit, elle s'arrête, descend la pente jusqu'au bord de la Volga, regarde l'eau couler... Dans le même pays où, deux cents ans plus tôt, avait erré la princesse Dolgorouki, Vera débouchera sur une clairière, coupera un champ de lin, écartera les buissons parsemés de baies rouges.

Et le lieutenant avait mal, et il était triste, il était désespéré et attendri.

Le petit lieutenant, dans sa vareuse élimée, marche dans la forêt ; combien seront-ils, de cette époque inoubliable, à être oubliés.

36

Avant même de pénétrer sur l'aérodrome, Viktorov comprit qu'il se passait quelque chose d'extraordinaire. Les camions-citernes allaient et venaient sur les pistes, les mécanos s'affairaient autour des appareils dissimulés sous leur toile de camouflage.

« Pigé », se dit Viktorov en accélérant le pas.

Tout se confirma quand il rencontra Solomatine, un lieutenant aux joues marquées de rose par des brûlures.

— On sort des réserves, l'ordre est arrivé, dit-il.

— On va au front ? demanda Viktorov.

— Où veux-tu qu'on aille, à Tachkent, peut-être ? railla Solomatine et il s'éloigna en direction du village.

Visiblement, il était malheureux ; entre lui et sa logeuse, c'était du sérieux et, sûrement, il courait la rejoindre.

— Notre Solomatine et sa proprio vont partager leurs biens : l'isba pour elle, la vache pour lui, dit une voix familière à côté de Viktorov.

C'était le lieutenant Erémine, l'équipier de patrouille de Viktorov.

— Où nous envoie-t-on ? demanda Viktorov.

— Peut-être sur le front nord-ouest : il va passer à l'offensive. Le commandant de la division vient d'arriver. J'ai un copain, il est pilote sur le Douglas du Q.G., on peut lui demander, il est au courant de tout.

— Pas la peine de demander, ils nous le diront bien eux-mêmes.

L'alerte, après avoir gagné l'état-major et les pilotes sur l'aérodrome, s'était emparée du village. Korol, un sous-lieutenant à l'œil noir et à la bouche lippue, le plus jeune pilote du régiment, marchait dans la rue en portant devant lui son linge lavé et repassé, par-dessus le linge étaient disposés une galette et un petit sac de baies séchées.

On plaisantait Korol à cause des deux vieilles, deux veuves, chez qui il était cantonné. Elles le bourraient de pâtisseries et, quand il partait en mission, elles allaient vers l'aérodrome pour l'accueillir à mi-chemin. L'une était haute et droite, l'autre toute voûtée et Korol marchait entre les deux, en garçon gâté, l'air rageur et embarrassé. Les pilotes disaient que Korol marchait encadré par un point d'exclamation et un point d'interrogation.

Le chef d'escadrille Martynov sortit de sa maison vêtu de sa capote, il portait sa valise dans une main et sa casquette de parade dans l'autre : il évitait, pour ne pas la froisser, de la ranger dans sa valise. La fille de la maison, une rousse avec une permanente maison, le suivit d'un regard qui rendait tout commentaire superflu.

Un garçon boiteux annonça à Viktorov que ses compagnons de cantonnement, l'instructeur politique Goloub et le lieutenant Skotnoï, étaient déjà partis en emportant leurs affaires.

Viktorov avait déménagé quelques jours plus tôt ; auparavant il avait vécu, avec Goloub, chez une femme méchante au grand front bombé et aux yeux jaunes dont le regard mettait mal à l'aise.

Pour se débarrasser de ses locataires, elle enfumait l'isba, et même, un jour, elle mit des cendres dans le thé. Goloub voulait que

Viktorov écrive un rapport au commissaire du régiment, mais Viktorov n'en avait guère envie.

— Qu'elle aille se faire fiche, la vieille, finit par tomber d'accord Goloub.

Ils changèrent de cantonnement et leur nouveau logis leur sembla un paradis. Mais ils n'en profitèrent pas longtemps.

Et bientôt, Viktorov marchait lui aussi, avec son barda, le long des hautes isbas grises ; le petit boiteux sautillait à ses côtés en visant les poules et les avions qui tournaient au-dessus du village, avec l'étui à revolver allemand que lui avait offert Viktorov. Il passa devant l'isba, où la vieille Evdokia Mikeïevna l'avait enfumé, et il vit son visage immobile derrière les carreaux troubles de la fenêtre. Elle était solitaire ; personne ne lui parlait quand elle allait chercher de l'eau au puits et qu'elle s'arrêtait pour souffler. Elle n'avait ni vache, ni brebis, ni martinets sous son toit. Goloub avait essayé de se renseigner sur son compte, il cherchait à lui trouver des origines koulaks, mais il s'avéra qu'elle était d'une famille pauvre. Les femmes racontaient qu'elle semblait avoir perdu l'esprit après la mort de son mari ; par une froide journée d'automne, elle était restée vingt-quatre heures dans l'eau du lac. Les hommes l'en avaient sortie à grand-peine. Mais, ajoutaient les femmes, même avant la mort de son mari, et même avant son mariage, elle était renfermée et taciturne.

Dans quelques heures, Viktorov aura quitté pour toujours ce village de forêt et tout ce monde, la forêt frémissante, le village, les potagers où les élans venaient faire des incursions, les coulées jaunes de la résine, les coucous, tout ce monde cessera d'exister pour lui. Et avec lui disparaîtront les vieux et les petites filles, les discussions sur les méthodes de la collectivisation, les récits sur les ours qui prenaient aux femmes leur panier de framboises, sur les garçons qui mettaient leur pied nu sur la tête d'une vipère... Ce village, insolite à ses yeux, ce village, tourné vers la forêt comme était tournée vers l'usine la cité ouvrière où il était né et où il avait grandi, ce village disparaîtrait.

Puis, son chasseur atterrira et en un instant surgiront, se mettront à exister le nouvel aérodrome, le village ou la cité ouvrière avec ses vieilles, ses filles, ses larmes et ses rires, ses matous aux nez balafrés, avec ses récits sur la collectivisation totale, avec ses histoires du passé, avec ses bonnes et mauvaises logeuses.

Le major Zaklabouka, le visage de bronze, le crâne rasé tout blanc, lut aux pilotes l'ordre de mission. Il se balançait, en lisant, sur ses jambes torses, et ses cinq médailles de l'Ordre du Drapeau Rouge s'entrechoquaient. Puis, il ajouta que le plan de vol leur serait communiqué le lendemain, qu'il ordonnait de dormir dans les abris, qu'il était interdit de quitter l'aérodrome, et ça ne rigolerait pas avec ceux qui désobéiraient.

— Je veux pas que vous dormiez là-haut, il faut que vous passiez une bonne nuit avant le départ.

Puis, ce fut au tour de Berman, le commissaire du régiment, de prendre la parole. Bien qu'il sût parler avec compétence et éloquence des finesses de pilotage, on ne l'aimait pas pour son caractère hautain. Et on l'aima encore moins après l'histoire avec Moukhine. Le Moukhine en question filait le parfait amour avec la radio, la belle Lida Voïnova. Cela plaisait à tout le monde : à peine avaient-ils une minute de libre qu'ils se retrouvaient, allaient se promener le long de la rivière en se tenant comme toujours par la main. Tout était si évident dans leurs relations qu'on ne se moquait même pas d'eux.

Et soudain le bruit courut, et ce bruit provenait de Lida en personne qui s'était confiée à son amie qui en avait parlé à tout le régiment, le bruit courut que, au cours d'une de leurs promenades, Moukhine avait violé Voïnova en la menaçant d'une arme à feu.

L'ayant appris, Berman entra dans une rage folle et déploya une telle énergie qu'en dix jours, Moukhine fut jugé par un tribunal militaire et condamné à être fusillé.

Avant l'exécution de la sentence, le général Alexeïev, commissaire politique de l'armée de l'air, arriva dans le régiment et enquêta sur les circonstances du crime. Lida plongea le général dans le trouble le plus profond : elle se mit à genoux devant lui et l'assura, en le suppliant de la croire, que toute l'affaire était pure invention.

Elle lui raconta comment tout s'était passé. Ils s'étaient étendus dans une clairière, avaient passé un moment à s'embrasser, puis elle s'était endormie. Désirant lui jouer un tour, Moukhine lui glissa doucement un pistolet entre les genoux et tira un coup de feu dans le sol. Elle s'éveilla en hurlant et ils reprirent leurs jeux. Et c'est dans l'interprétation qu'en avait donnée son amie, à qui elle avait tout raconté, que la plaisanterie s'était transformée en viol. Dans toute cette histoire, il y avait une vérité, fort simple : son amour pour Moukhine. Tout finit heureusement, la sentence fut annulée et Moukhine muté dans un autre régiment.

Et c'était depuis ce temps-là que les pilotes n'aimaient pas Berman.

Solomatine dit un jour, à la cantine, qu'un Russe n'aurait pas agi ainsi.

Quelqu'un, Moltchanov peut-être, rétorqua qu'il y avait des gens bons et mauvais dans toutes les nations.

— Korol, par exemple, il est juif, eh bien, j'aime bien voler en patrouille avec lui, dit Vania Skotnoï. Quand tu pars en mission avec lui, tu sais que tu as dans ta queue un ami sur qui tu peux compter.

— Qu'est-ce que tu vas chercher, ce n'est pas un Juif, Korol, dit Solomatine ; j'ai plus confiance en lui qu'en moi-même. C'était près de Rjev, il a descendu un Messer de sous ma queue. Et moi, deux fois que j'ai abandonné la poursuite de Frisés qui se sauvaient pour aider Korol et pourtant, tu le sais, j'en oublie ma propre mère quand je vais à l'attaque !

— Drôle de raisonnement, fit Viktorov, quand un Juif est bien, tu dis qu'il n'est pas juif.

Tous éclatèrent de rire, mais Solomatine grogna :

— Vous pouvez toujours rire, mais Moukhine, lui, il ne riait pas, quand Berman l'a fait condamner à mort.

C'est à cet instant que Korol entra dans la cantine et quelqu'un lui demanda d'un ton compatissant si c'était vrai qu'il était juif.

Korol s'étonna mais répondit :

— Oui, je suis juif.

— Sûr ?

— Tout à fait sûr.

— Tu es circoncis ?

— Va-te faire foutre, répondit Korol.

Tout le monde rit.

Mais sur le chemin de l'aérodrome au village, Solomatine se porta à la hauteur de Viktorov :

— Tu sais, dit-il, tu n'avais pas à faire tes discours. Quand je travaillais dans une savonnerie, il y en avait plein, de Juifs, chez nous, tous des cadres ; je les connais bien, ces Isaac Abramovitch ; et puis, tu peux être certain, ils ne se laissent pas tomber, ça se tient les coudes, cette engeance-là !

— Mais qu'est-ce que tu me veux ? s'étonna Viktorov. Pourquoi tu me mets dans le même sac qu'eux ?

Et donc, Berman prit la parole. Il dit qu'une nouvelle ère s'ouvrait à eux, que c'en était fini de la vie facile de l'arrière. Tout le monde le savait sans lui mais on l'écoutait avec attention, à l'affût d'une allusion qui permettrait de savoir si le régiment resterait sur le front nord-ouest, en étant simplement transféré près de Rjev, ou s'il serait jeté à l'ouest ou au sud.

Berman parlait.

— Ainsi donc, la première qualité d'un pilote de combat est une bonne connaissance technique de sa machine, la deuxième, c'est l'amour pour sa machine, il doit l'aimer, l'aimer comme sa sœur, comme sa mère ; la troisième, c'est l'audace et l'audace, c'est un esprit froid et un cœur chaud. La quatrième, c'est la camaraderie, toute la vie soviétique l'a éduquée en vous. La cinquième qualité d'un pilote, c'est la cohésion. Suis ton leader de patrouille ! Un bon pilote, c'est celui qui, même à terre, analyse les combats passés, qui se demande s'il n'a pas commis d'erreurs.

Les pilotes regardaient le commissaire avec un intérêt feint sur le visage et conversaient à voix basse.

— Peut-être va-t-on escorter les Douglas qui ravitaillent Leningrad ? dit Solomatine, qui avait une petite amie là-bas.

— Ou peut-être sur le front de Moscou ? poursuivit Moltchanov dont la famille vivait à Kountsevo, dans la banlieue de Moscou.

— Et si c'était à Stalingrad ? s'interrogea Viktorov.

— Peu probable, fit Skotnoï.

Lui, la future destination du régiment ne l'intéressait pas. Tous ses proches étaient en Ukraine, en territoire occupé.

— Et toi, Boris, demanda Solomatine à Korol, où veux-tu aller ? Dans ta capitale juive, à Berditchev ?

Soudain, les yeux sombres de Korol s'assombrirent encore de rage et il envoya, à haute et intelligible voix, Solomatine se faire foutre.

— Lieutenant Korol ! cria Berman.

— A vos ordres, camarade commissaire...

— Silence...

Mais Korol s'était déjà tu.

Zaklabouka avait une réputation de grand expert dans l'art de jurer et il n'aurait jamais pensé à faire une histoire parce qu'un pilote de combat avait juré en présence de supérieurs. Lui-même, chaque matin, criait à son ordonnance :

— Mazioukine, putain de ta mère, tu me l'apportes cette bordel de merde de serviette !

Mais connaissant l'amour de Berman pour les rapports, Zaklabouka n'osa pas amnistier sur-le-champ Korol. Le commissaire aurait aussitôt dénoncé dans un rapport l'attitude du commandant du régiment qui avait déconsidéré la direction politique en présence des pilotes. Berman avait déjà écrit à la direction politique de l'armée que, depuis que le régiment était en réserve, Zaklabouka avait organisé sa propre ferme, qu'il s'était enivré avec des officiers de son état-major et qu'enfin il avait une liaison avec la kolkhozienne Evguénia Bondareva.

Aussi le major entreprit-il une manœuvre tournante.

— Qu'est-ce que c'est que cette tenue, lieutenant Korol ? lança-t-il d'une voix rauque et menaçante. Deux pas en avant ! Où vous croyez-vous ?

Puis il embraya :

— Instructeur politique Goloub, pour quelle raison le lieutenant Korol a-t-il enfreint la discipline ?

— A vos ordres, camarade major ! Le lieutenant Korol s'est disputé avec le lieutenant Solomatine, mais je n'ai pas entendu pourquoi.

— Lieutenant Solomatine !

— A vos ordres, camarade major !

— Faites votre rapport ! Pas à moi ! Au commissaire !

— A vos ordres, camarade major !

— Allez-y, dit Berman sans regarder Solomatine.

Il sentait que le major suivait un plan. Il savait que Zaklabouka était extrêmement rusé, sur terre comme dans le ciel où il savait, mieux que quiconque, deviner le plan de l'adversaire, sa tactique, et répondre par une ruse à ses ruses. Sur terre, il savait comment se comporter avec ses supérieurs, jouer à l'idiot quand il le fallait, rire aux plaisanteries stupides d'un homme stupide ; il savait tenir ses lieutenants qui ne craignaient ni Dieu ni diable.

A l'arrière, Zaklabouka avait manifesté un engouement certain pour l'agriculture, principalement pour l'élevage. Mais il ne négligeait pas non plus les possibilités qu'offrait la forêt : il faisait de la liqueur de framboise, marinait et salait des champignons. Sa table était réputée, et nombre d'officiers venaient, quand ils avaient un moment de libre, lui rendre visite en U 2. Mais le major ne donnait rien pour rien.

Berman connaissait au major encore un trait de caractère qui rendait les rapports avec Zaklabouka particulièrement délicats. Si rusé, prudent et calculateur qu'il fût, Zaklabouka était dans le même temps un homme capable de prendre le mors aux dents et de foncer droit devant au mépris de sa propre vie.

— S'opposer à ses chefs, disait-il à Berman, c'est comme pisser face au vent.

Et soudain il commettait un acte insensé qui allait contre ses intérêts et le commissaire ne savait plus que penser.

Quand ils étaient tous deux de bonne humeur, ils se lançaient des clins d'yeux et se donnaient de grandes claques dans le dos ou sur le ventre :

— Il est malin, notre commissaire, disait Zaklabouka.

— Il est fort, notre héros de major, disait Berman.

Zaklabouka n'aimait pas le commissaire à cause de son caractère doucereux, du zèle qu'il mettait à noter dans ses rapports toute parole un peu imprudente ; il se moquait de l'amour que portait Berman aux jolies filles et à la poule bouillie (« je voudrais le pilon »), son manque de goût pour la vodka ; il condamnait l'indifférence de Berman pour les problèmes des autres et son attachement à son confort personnel. Mais le major appréciait en Berman son intelligence, son aptitude à entrer en conflit avec le commandement quand c'était nécessaire, son courage, il lui semblait parfois que Berman ne comprenait pas comme il était facile de perdre la vie.

Et ces deux hommes, qui devaient mener au front un régiment de chasse, écoutaient, en se surveillant du coin de l'œil, le rapport de Solomatine.

— C'est de ma faute, camarade commissaire, si Korol a enfreint la discipline. Je me moquais de lui, et il a fini par perdre patience.

— Que lui avez-vous dit ? l'interrompit Zaklabouka.

— On était en train d'essayer de deviner où on nous enverrait, sur quel front. Alors moi, j'ai dit à Korol : « Toi, sûr que tu veux aller dans ta capitale, à Berditchev. »

Les pilotes observaient Berman.

— Je ne comprends pas. De quelle capitale parlez-vous ? dit Berman, et soudain il comprit.

Il se troubla, tout le monde le sentit ; et le major fut frappé que cela arrivât à cet homme affûté comme une lame de rasoir. Mais ce qui suivit fut tout aussi étonnant.

— Et puis après ? dit Berman. Et si vous, Korol, vous aviez demandé à Solomatine, qui, comme chacun sait, est né dans un village du district de Novo-Rouzki, s'il avait envie de combattre au-dessus de son Dorokhovo, qu'est-ce qu'il aurait dû faire, à votre avis, vous casser la gueule ? Drôle d'attitude ! Mentalité de ghetto incompatible avec le titre de jeune communiste !

Il prononçait des mots qui exerçaient toujours une sorte de pouvoir hypnotique sur les hommes. Tous comprenaient que Solomatine avait cherché à offenser Korol et qu'il y était parvenu, mais Berman expliquait avec aplomb que Korol n'avait pas su se débarrasser des préjugés nationalistes et que sa conduite était une injure à l'amitié entre les peuples. Korol ne devrait pas oublier que ce sont précisément les fascistes qui jouent sur les préjugés nationalistes.

Tout ce que disait Berman était, dans l'abstrait, parfaitement juste. C'étaient la révolution et la démocratie qui avaient engendré les idées dont il parlait maintenant avec tant de flamme. Mais la force de Berman en cet instant venait de ce qu'il n'était pas au service de l'idée, mais c'étaient les idées qui étaient à son service, au service de son projet.

— Comme vous voyez, camarades, disait Berman, quand il n'y a pas de clarté dans les idées, il n'y a pas de discipline. C'est ce qui explique l'acte commis aujourd'hui par Korol.

Il s'arrêta un instant et rajouta :

— L'acte inqualifiable de Korol, l'attitude de Korol, indigne d'un Soviétique.

Bien sûr, à ce stade, Zaklabouka ne pouvait plus intervenir. Berman avait transformé l'incident en une affaire politique et Zaklabouka savait qu'aucun officier ne pouvait se permettre d'intervenir dans l'action des organes politiques.

— Et voilà, camarades (Berman se tut un moment pour souligner la suite) ; le premier responsable de cet acte indécent est le coupable direct mais moi aussi, le commissaire de ce régiment, je suis responsable, car je n'ai pas su aider le lieutenant Korol à surmonter les survivances de nationalisme répugnant qu'il y avait en lui. Le problème est plus grave que je ne le pensais au début, c'est pourquoi je ne punirai pas aujourd'hui le lieutenant Korol mais je prends sur moi l'engagement de le rééduquer.

Les pilotes s'agitèrent sur leurs sièges, s'installant plus confortablement. Il était clair que l'incident était clos.

Korol regarda le commissaire et quelque chose dans son regard obligea Berman à tressaillir et à se détourner.

Le soir, Solomatine disait à Viktorov :

— Tu vois ce que je disais. C'est toujours comme ça avec eux. L'un couvre l'autre et pas de vagues. Si cela avait été toi ou Vania Skotnoï, tu peux être sûr que Berman l'aurait collé dans un bataillon disciplinaire.

37

Le soir, les pilotes ne dormaient pas ; allongés sur les châlits, ils fumaient et bavardaient. Skotnoï, qui avait bu sa ration de vodka, chantonnait :

> *Le piège tombe en vrille*
> *Dans son dernier parcours,*
> *Pleure pas, petite fille,*
> *Oublie-moi pour toujours.*

Finalement, Velikanov ne tint pas sa langue et tous apprirent que leur régiment était envoyé à Stalingrad.

La lune s'était levée au-dessus de la forêt et sa lumière inquiète se devinait derrière les arbres. Le village sombre, silencieux, semblait enfoncé dans de la cendre. Les pilotes, assis à l'entrée de leur abri, contemplaient le monde merveilleux de la terre. Viktorov regardait les ombres légères que projetaient les ailes des Yak et accompagnait à voix basse le chanteur :

> *Sous un tas de ferraille,*
> *Nos corps ils trouveront.*
> *Pour le dernier voyage,*
> *Les éperviers voleront.*

Ceux qui étaient déjà couchés bavardaient. On ne pouvait distinguer les visages dans la pénombre, mais ils reconnaissaient la voix de celui qui parlait et n'avaient pas besoin de demander à qui il fallait répondre.

— Tu te souviens, Demidov, quand il ne volait pas, il en maigrissait ; il suppliait qu'on lui donne une mission.

— Et tu te souviens, près de Rjev, nous escortions des Petliakov, et huit Messer lui sont tombés dessus, il a accepté le combat et il s'est défendu pendant dix-sept minutes.

— En vol, il chantait toujours. Tous les jours, je chante ses chansons. Il chantait même des chansons de Vertinski.

— C'est qu'il était cultivé, il était de Moscou.

— Ouais, celui-là, en l'air, il ne te laissait pas tomber. Il gardait toujours un œil sur ceux qui restaient à la traîne.

— Tu n'as même pas eu le temps de le connaître.

— Que si ! Tu apprends à connaître ton équipier à sa façon de voler. Je savais comment il était.

Skotnoï, après un nouveau couplet, s'arrêta et tous se turent en attendant qu'il reprenne. Mais Skotnoï ne continua pas.

La conversation tomba sur les Allemands.

— Eux aussi, tu vois tout de suite si c'est un bon pilote ou s'il cherche les jeunots et guette les traînards.

— Souvent, leurs patrouilles se tiennent moins bien les coudes que les nôtres.

— J'en suis pas persuadé.

— Le Boche, il ne te lâchera pas un blessé jusqu'à ce qu'il l'ait descendu, mais quand il a affaire à un bon pilote, il refuse le combat.

— Ne te fâche pas, mais moi, je ne donnerais pas de décoration pour un Junkers.

— Je voudrais bien savoir : notre chef va emporter sa vache et ses poulets sur son Douglas ?

— On les a déjà tous égorgés, on est en train d'en faire des salaisons.

— Moi, dit une voix rêveuse, je n'oserai plus aller danser avec une jeune fille.

— Solomatine, en revanche, ne serait pas gêné, lui.

— T'es peut-être jaloux ?

— Du fait, pas de l'objectif.

— Pigé. Fidèle jusqu'à la tombe.

Ils parlèrent ensuite du combat près de Rjev, le dernier avant leur mise en réserve, quand sept de leurs chasseurs s'étaient heurtés à un fort groupe de Junkers qui allaient bombarder, accompagnés par des Messer. Chacun semblait parler de lui-même, mais ce n'était qu'une impression, chacun parlait de tous.

— Tant qu'ils étaient sur fond de forêt, on ne les a pas vus, mais dès qu'ils sont montés, je les ai tout de suite repérés. Ils volaient sur trois niveaux ! Des Ju-87, pas difficiles à reconnaître avec leurs pattes qui traînent et leurs nez jaunes ! Bon, que je me suis dit, ça va chauffer !

— Et moi, j'ai d'abord cru que c'était la D.C.A. qui nous tirait dessus.

— Le soleil nous a aidés, bien sûr ! Je lui suis tombé dessus avec le soleil dans le dos. J'étais le leader de gauche. Et voilà que mon piège fait un saut d'au moins trente mètres. Je branle le manche, l'avion répondait. J'ai ouvert le feu avec toutes mes mitrailleuses, je lui ai foutu le feu, au Junkers. Mais voilà-t-il pas que je vois un Messer qui vire vers moi, il n'était pas à la bourre ! Je vois les lueurs des balles traçantes sur ma carlingue.

— Et moi, je voyais les miennes qui faisaient mouche.

— Doucement.

— Quand j'étais gosse, je passais déjà tout mon temps à lancer des cerfs-volants, même que mon père me filait de sacrées tournées. Quand je travaillais à l'usine, j'allais à l'aéroclub, sept kilomètres aller, sept kilomètres retour, j'avais la langue qui traînait par terre. Mais je n'ai pas sauté un seul cours.

— Non, écoute un peu plutôt. Il me fout en flammes : les réservoirs, la tuyauterie. Ça brûle dans la carlingue. Et en plus il m'a touché le pare-brise, j'ai les lunettes en miettes, des éclats de verre partout ! Alors moi, je lui passe sous le ventre, j'arrache mes lunettes ! Solomatine m'a couvert. Et tu sais, le piège est en flammes et moi, je n'ai même pas le temps d'avoir peur ! J'ai fini par atterrir, je n'ai pas brûlé, mes bottes ont brûlé et l'avion.

— Moi, je vois, le copain va se faire descendre. Je fais deux virages, il bat des ailes, « tu peux partir ». Je n'avais pas d'équipier, j'aidais ceux qui ne s'en sortaient pas.

— Douze fois, que j'ai attaqué ce Messer, j'ai fini par le toucher. Je vois que le pilote branle de la tête, il a sa dose. Je l'ai descendu avec mon canon à vingt-cinq mètres.

— En général, ils n'aiment pas les combats dans le plan vertical, ils préfèrent le plan horizontal.

— T'en as de bonnes !

— Eh quoi ?

— Tout le monde le sait, même les filles du village !

Puis le silence tomba et quelqu'un dit :

— Nous partirons demain et Demidov restera ici tout seul.

— Bon, les gars, chacun fait ce qu'il veut, mais moi, je vais faire un tour au village.

— La visite d'adieu ? On y va ?

Tout, la rivière, les champs, la forêt, était si merveilleux et si calme dans la nuit qui les entourait que la haine, la trahison, la vieillesse semblaient impossibles ; seul l'amour pouvait exister. Rares furent ceux qui passèrent la nuit dans leur abri. On pouvait deviner des fichus blancs, entendre des rires, à l'extrémité du village. Dans le silence, un arbre frissonnait, effrayé par un mauvais rêve ; puis l'eau de la rivière marmonnait quelque chose d'indistinct et se remettait à glisser sans un bruit.

Vint le matin. Les moteurs hurlèrent, le vent des avions plaqua l'herbe au sol... Les avions de combat, l'un après l'autre, montaient dans le ciel, emportant avec eux canons et mitrailleuses, attendaient leurs camarades, se regroupaient en escadrilles...

Et ce qui cette nuit encore semblait infini s'enfonce dans le bleu du ciel. On voit les petits cubes gris des maisons, les rectangles des potagers, ils glissent et s'en vont. On ne voit déjà plus le chemin gagné par les herbes, on ne voit déjà plus la tombe de Demidov... En route ! Et la forêt glisse sous les ailes de l'avion.

— Bonjour, Vera ! dit Viktorov.

38

À 5 heures du matin, les hommes de jour réveillèrent les détenus. Il faisait nuit noire, les baraques étaient éclairées par cette lumière impitoyable que connaissent les prisons, les gares de triage et les salles de consultation dans les hôpitaux.

Des milliers d'hommes, toussant et crachant, enfilaient leurs pantalons ouatinés et leurs chaussettes, se grattaient les flancs, le cou, le ventre.

Quand les détenus qui couchaient en haut des châlits donnaient, en descendant, des coups de pied à ceux qui s'habillaient en bas, ces derniers ne protestaient pas et se contentaient de repousser le pied qui les gênait.

Il y avait quelque chose de profondément antinaturel dans cet éveil nocturne d'une multitude humaine, dans cette agitation de têtes et de dos, dans cette épaisse fumée de cigarettes, cette lumière électrique enfiévrée : des centaines de kilomètres carrés de taïga étaient figés dans un silence glacial, et le camp était bourré d'hommes, plein de mouvement, de fumée, de lumière.

La neige était tombée pendant toute la première moitié de la nuit et les congères avaient enseveli les entrées des baraques, recouvert la route qui menait à la mine...

Les sirènes des mines hurlèrent lentement et, peut-être, quelque part dans la taïga, des loups accompagnaient-ils leur hurlement sinistre. Sur la place du camp, les chiens-loups aboyaient, les gardes lançaient leurs appels ; plus loin, on entendait geindre les tracteurs qui étaient en train de déblayer la route de la mine.

La neige sèche, éclairée par les projecteurs, brillait d'un éclat tendre et doux. Accompagné par les aboiements incessants des chiens, l'appel sur la grande place commença... La rivière humaine, gonflée par la multitude, s'ébranla enfin en direction des puits de mine ; la neige crissait sous les bottes de feutre et les chaussures. Le mirador écarquillait son œil unique dans la nuit.

Le chœur des sirènes du nord, proches ou lointaines, hurlait toujours. Leur hurlement s'étendait sur la région de Krasnoïarsk, sur la République autonome de Komi, sur les neiges de la Kolyma, sur la toundra de la Tchoukotka, sur les camps de Mourmansk et du Kazakhstan du Nord...

Levés par les sirènes, par des coups de barre contre un rail suspendu à une branche, les hommes partaient extraire la potasse de Solikamsk, le cuivre de Ridder et des rives du lac Balkhach, le plomb et le nickel de la Kolyma, la houille de Kouznetsk et de Sakhaline, ils partaient construire la voie ferrée le long de l'océan Arctique et les routes de la Kolyma, ils partaient abattre le bois en Sibérie, dans l'Oural du Nord, dans les régions de Mourmansk et d'Arkhangelsk.

Dans la neige et la nuit, la journée de travail avait commencé sur toute l'étendue de l'énorme système des camps du *Dalstroï*.

39

Cette nuit-là, le *zek* Abartchouk avait eu un accès de désespoir. Ce n'était pas le désespoir pesant et quotidien mais un désespoir brûlant comme la fièvre, un désespoir qui vous fait crier, qui vous jette au bas du châlit et vous fait donner des coups de poing sur le crâne.

Quand, le matin, les détenus se préparèrent à partir au travail, Néoumolimov, qui avait commandé une brigade de cavalerie dans l'Armée Rouge du temps de la guerre civile et qui était maintenant voisin de châlit d'Abartchouk, lui demanda :

— Qu'est-ce que t'avais à t'agiter, cette nuit, t'as rêvé d'une bonne femme ? Même que tu rigolais.

— Toi et tes bonnes femmes, répondit Abartchouk.

— Et moi, je croyais que tu pleurais en dormant, je voulais te réveiller, dit l'autre voisin d'Abartchouk, un planqué du nom de Monidze. Il avait été membre du présidium du K.I.M., de l'Internationale de la Jeunesse communiste.

Le troisième ami d'Abartchouk, l'infirmier Abraham Roubine, n'avait rien remarqué et dit, tandis qu'ils étaient en train de sortir dans l'obscurité glacée :

— Tu sais, cette nuit, j'ai vu en rêve Boukharine, il était venu dans notre institut, gai et animé comme d'habitude, et tout le monde s'engueulait à propos des théories d'Entchmène et de son matérialisme vulgaire.

Abartchouk arriva au magasin d'outillage où il travaillait. Son aide, un certain Barkhatov, qui avait égorgé une famille de six personnes pour les voler, chargeait le poêle de bois des rebuts de la scierie. Abartchouk devait trier les outils dans les caisses. Il trouvait que la dureté froide des limes et des burins correspondait bien à ce qu'il avait éprouvé cette nuit.

La journée ne se distinguait en rien des précédentes. Le comptable lui avait envoyé les demandes en outils formulées par les camps annexes. Il fallait prendre les outils correspondants, les emballer dans des caisses, remplir les bordereaux. Il fallait faire des papiers particuliers pour les caisses incomplètes.

Comme toujours, Barkhatov ne faisait rien et il était impossible de l'obliger à travailler. Au magasin, il ne s'occupait qu'à se nourrir. Ce jour-là, il entreprit de se faire une soupe de pommes de terre et de feuilles de choux. Un professeur de latin, de l'université de Kharkov, passa voir Barkhatov et lui versa un peu de millet sale sur la table ; ses doigts rouges de froid tremblaient. Pour de sombres raisons, Barkhatov l'avait mis à l'amende.

Abartchouk fut convoqué par le service financier, certains comptes ne tombaient pas juste dans sa comptabilité. L'adjoint du chef comptable le menaça d'envoyer un rapport au chef du camp. Abartchouk ne savait que dire : seul, sans aide, il ne pouvait venir à bout de son travail mais il n'osait pas se plaindre de Barkhatov. Il était fatigué, il avait peur de perdre son poste de magasinier et de se retrouver dans la mine ou à l'abattage du bois. Ses cheveux étaient devenus blancs, sa force l'abandonnait... C'était cela la raison de son accès de désespoir : sa vie était partie dans la glace sibérienne.

Quand il revint du service financier, il trouva Barkhatov endormi ; sa tête reposait sur des bottes de feutre qu'avait dû lui apporter un droit commun, il avait laissé à côté de lui la casserole de soupe vide, un peu du millet de la rançon était resté collé sur sa joue.

Abartchouk savait que Barkhatov volait des outils, peut-être que les bottes provenaient justement d'un troc. Quand, un jour, ayant constaté qu'il manquait trois limes, Abartchouk lui dit qu'il devrait avoir honte de voler le précieux métal alors que la Russie était en guerre, Barkhatov répondit :

— Toi, le pou, ferme ta gueule ! sinon...

Abartchouk n'osa pas réveiller directement Barkhatov et se mit à faire du bruit, il déplaça des rubans de scies, toussa, fit tomber un marteau. Barkhatov avait ouvert les yeux et le suivait du regard.

— Il y a un gars, arrivé avec le convoi d'hier, dit-il d'une voix douce, il m'a raconté qu'il existait des camps pire qu'ici. Les zeks ont des fers aux pieds, la moitié du crâne rasé. Pas de noms, un numéro cousu sur la poitrine et c'est tout.

— Des racontars, dit Abartchouk.

— Il faudrait y coller tous les fascistes de politiques, proféra Barkhatov d'une voix rêveuse. Et toi, la salope, en premier, ça t'apprendrait à me réveiller.

— Excusez-moi, monsieur Barkhatov, d'avoir troublé votre repos, dit Abartchouk.

Il avait très peur de Barkhatov mais ne parvenait pas toujours à maîtriser son irritation.

A l'heure du changement d'équipe, Néoumolimov, noir de charbon, passa voir Abartchouk.

— Alors, ça marche, l'émulation socialiste ? demanda Abartchouk. Les gens s'y mettent ?

— Tout doucement. On a besoin du charbon pour le front, et ça, tout le monde le comprend. On a reçu de nouvelles affiches de la section d'animation culturelle : « Aidons la patrie par notre travail. »

Abartchouk soupira :

— Tu sais, il faudrait écrire une étude sur le désespoir dans les camps. Il y a le désespoir qui t'écrase, il y a celui qui se jette sur toi à l'improviste, il y a celui qui t'étouffe, qui ne te permet plus de respirer. Et puis il y a celui qui ne t'écrase pas et ne t'étouffe pas ; c'est celui qui déchire l'homme de l'intérieur, comme les monstres des profondeurs qu'on remonte à la surface de l'océan.

Néoumolimov eut un sourire triste, mais ses dents ne se détachèrent pas sur la noirceur du visage, elles étaient gâtées, et leur couleur se fondait avec celle du charbon.

Barkhatov s'approcha d'eux et Abartchouk, se retournant, lui dit :

— Tu ne fais pas un bruit en marchant, tu es là avant qu'on t'ait entendu arriver, je sursaute à tous les coups.

Barkhatov, l'homme qui ne souriait jamais, annonça, d'un ton préoccupé :

— Je vais faire un saut au magasin de vivres, tu n'as rien contre ?

Il sortit et Abartchouk dit à son ami :

— Cette nuit, j'ai pensé à mon fils, que j'ai eu de ma première femme.

Il se pencha vers Néoumolimov :

— Je voudrais qu'en grandissant il devienne un bon communiste. Je me disais, un jour, je le retrouverais et je lui dirais : souviens-toi, ce qui est arrivé à ton père n'est qu'un hasard malheureux, un détail. Le but que poursuit le parti est sacré. Il est la loi suprême de notre temps !

— Il porte ton nom ?

— Non, je ne voulais pas, je pensais qu'il deviendrait un petit-bourgeois.

La veille au soir et cette nuit, il avait pensé à Lioudmila, il avait envie de la voir. Il cherchait dans des lambeaux de journaux qui traînaient la photo de son fils. Sait-on jamais ? S'il tombait d'un seul coup sur une photo avec, en légende : « Le lieutenant Anatoli Abart-chouk » ? Il comprendrait alors que son fils avait choisi de porter le nom de son père.

Pour la première fois de sa vie, il avait envie d'être plaint ; il s'ima-ginait en train de marcher vers son fils, il aurait le souffle coupé et il montrerait son cou de la main : « Je ne peux pas parler. »

Tolia le prendrait dans ses bras et il poserait sa tête sur la poitrine de son fils et il pleurerait sans se cacher, il pleurerait, il pleurerait.

Et ils resteraient longtemps comme ça, le fils dépassant son père d'une tête...

Tolia pensait constamment à son père. Il avait retrouvé des amis de son père qui lui avaient raconté comment son père avait combattu pour la révolution. Tolia dirait : « Papa, mon papa, tes cheveux sont devenus tout blancs, que ton cou est maigre et ridé, tu as lutté toutes ces années, tu as mené un grand combat, et ce combat était solitaire. »

Au cours de l'instruction, on lui avait donné pendant trois jours de la nourriture salée sans rien lui donner à boire, on l'avait battu.

Il avait compris que le but recherché, c'était moins d'obtenir des aveux ou des accusations contre d'autres, que de le faire douter de la cause à laquelle il avait consacré sa vie. Durant l'instruction, il avait d'abord cru qu'il était tombé entre les mains des bandits et qu'il suf-fisait d'obtenir une entrevue avec le chef du service pour faire arrêter le juge d'instruction criminel.

Mais le temps passa et il comprit qu'il ne s'agissait pas seulement de quelques sadiques.

Il apprit les lois qui régissaient les trains et les bateaux de prison-niers. Il vit les droit commun jouer aux cartes les affaires des autres mais aussi les vies des autres. Il vit une débauche pitoyable et il vit des trahisons. Il vit « l'Inde » des truands, hystérique, sanglante, d'une cruauté inouïe. Il vit des rixes terribles entre les « putes », ceux qui acceptaient de travailler, et les « hommes », les orthodoxes qui refusaient de travailler.

Il disait : « On ne met pas en prison pour rien », il pensait qu'il n'y avait qu'un groupe infime, dont il faisait partie, mis en prison par erreur et que les autres, l'immense majorité, l'avaient été à juste titre ; le glaive de la justice avait frappé les ennemis de la révolution.

Il vit la servilité, le reniement, la soumission, la cruauté... Il appelait cela les tares bourgeoises héritées du passé et pensait qu'on les trouvait seulement chez les hommes de l'ancien régime, les officiers blancs, les koulaks, les nationalistes bourgeois.

Sa foi était infinie, sa fidélité au parti était inébranlable.

Alors qu'il était sur le point de partir, Néoumolimov dit soudain :

— Ah ! oui, au fait, il y a quelqu'un qui demandait après toi aujourd'hui.

— Où ça ?

— Quelqu'un du convoi qui est arrivé hier. On était en train de les répartir pour le travail. Il y en a un qui a demandé s'il n'y aurait pas par hasard quelqu'un qui te connaîtrait. Je lui ai dit : « Si. Je le connais par hasard. Ça fait par hasard quatre ans que nous dormons sur le même châlit. » Il m'a dit son nom mais ça m'est sorti de la tête.

— Quelle allure il a ? demanda Abartchouk.

— Eh bien... Un petit vieux chétif avec une cicatrice sur la tempe.

— Mon Dieu, s'écria Abartchouk, ça ne serait pas Magar ?

— Si, si, c'est ça.

— C'est mon aîné, mon maître, c'est lui qui m'a fait entrer dans le parti ! Qu'est-ce qu'il a demandé ? Qu'est-ce qu'il a dit ?

— Les choses habituelles : combien tu tires, tout ça. Je lui ai répondu : il en a demandé cinq mais en a récolté dix. Maintenant, j'ai dit, il tousse ; il va quitter le camp plus vite que prévu.

Abartchouk n'écoutait pas Néoumolimov, il répétait :

— Magar... Mon Dieu, Magar... Il a travaillé un temps dans la Tchéka. C'était un homme à part, tu sais, à part. Il était capable de donner à un camarade tout ce qu'il possédait, il t'aurait laissé son manteau en hiver, son dernier morceau de pain. Et puis intelligent, cultivé. Et de pure souche prolétarienne, fils d'un marin pêcheur de Kertch.

Il jeta un coup d'œil derrière lui, se pencha vers Néoumolimov :

— Tu te souviens, nous disions, il faudrait que les communistes du camp créent leur cellule pour aider le parti et Roubine a dit : « Et qui on mettrait comme secrétaire ? » C'est lui qu'il faudrait mettre.

— Moi, je voterai pour toi, dit Néoumolimov, je ne le connais pas. Où veux-tu le trouver, maintenant ? On a emmené les gars en camions vers les annexes, sûrement qu'il en était, lui aussi.

— Ça ne fait rien, on le retrouvera. Alors il cherchait après moi ?
Ah ! Magar... Magar...

— J'ai failli oublier pourquoi j'étais venu, dit Néoumolimov.
Passe-moi une feuille de papier. Quelle mémoire j'ai !

— Une lettre ?

— Non, une requête que j'envoie à mon ancien chef, à Semion
Boudienny [1]. Je demande à être envoyé au front.

— On ne t'acceptera pas.

— Semion se souvient de moi.

— On n'accepte pas les politiques dans l'armée. Si nos mines donnent plus de charbon, les combattants nous diront merci et tu auras
ta part dans ce charbon.

— Je veux faire la guerre.

— Boudienny ne te sera d'aucun secours. Moi, j'ai même écrit à
Staline en personne.

— Aucun secours ? Tu plaisantes, Boudienny, ce n'est pas le premier venu. Peut-être que tu veux pas donner de ton papier ? Je ne
t'en demanderais pas si je pouvais en obtenir à la section éducative,
mais ils ne m'en donnent pas, j'ai dépassé ma norme.

— Bon, d'accord, je te donnerai une feuille, dit Abartchouk.

Il avait un peu de papier de côté pour lequel il n'avait pas de comptes à rendre. A la section éducative, on comptait les feuilles de papier
et il fallait, ensuite, justifier leur emploi.

Le soir, le baraquement vivait de sa vie habituelle.

Toungoussov, un vieil officier de la garde impériale, racontait un
interminable roman de son cru ; les droit commun l'écoutaient
attentivement, en hochant de temps à autre la tête en signe d'approbation.

Toungoussov improvisait une histoire rocambolesque où il avait
introduit des danseuses qu'il avait connues, les aventures de Lawrence d'Arabie et des trois mousquetaires, les voyages du *Nautilus*.

— Attends une seconde, dit un des auditeurs, comment elle a fait
pour traverser la frontière perse ? Hier, tu disais que les espions
l'avaient empoisonnée.

Toungoussov s'interrompit, regarda son critique d'un air docile, et
repartit de plus belle :

— L'état de Yolande n'était désespéré qu'en apparence. Grâce
aux efforts du médecin tibétain qui versa entre ses lèvres entrouvertes quelques gouttes d'un élixir extrait des herbes bleues des hautes
montagnes de l'Himalaya, Yolande revint à la vie. Au lever du
jour, elle était déjà suffisamment remise pour se déplacer dans sa

_____

1. Commandant de la Iʳᵉ armée de cavalerie pendant la guerre civile, puis maréchal de
l'Union soviétique. (*N.d.T.*)

chambre sans être aidée. Elle retrouvait ses forces d'heure en heure.

Les auditeurs furent satisfaits de l'explication.

— Compris, la suite, dit une voix.

Dans un coin du baraquement, dit le coin des kolkhoziens, les gens riaient en écoutant les quatrains cochons que chantait un vieux blagueur qui avait été chef d'un village occupé par les Allemands.

Un journaliste et écrivain de Moscou, un homme bon, intelligent et craintif, mâchait lentement du pain blanc séché qu'il avait reçu la veille dans un colis envoyé par sa femme. Visiblement, le goût et le bruit du croûton qui craquait sous la dent lui rappelaient sa vie passée, et il avait les yeux pleins de larmes.

Néoumolimov se querellait avec un chef de char, qui se trouvait dans le camp pour viol et meurtre. Le soldat divertissait son public en se moquant de la cavalerie, et Néoumolimov criait, blanc de rage :

— Tu sais ce qu'on a fait avec nos sabres, en 1920 !

— Oh, oui ! Vous égorgiez des poules volées. Un seul char pourrait mettre toute votre Iʳᵉ armée de cavalerie en déroute. Ça ne peut pas se comparer, la guerre civile et celle-ci.

Un jeune voleur qui ressemblait à un chat sauvage aux yeux clairs, Kolia Ougarov, s'en était pris à Roubine ; il essayait de le convaincre d'échanger ses chaussures contre des pantoufles déchirées.

Roubine, sentant le danger, bâillait nerveusement, se tournant vers ses voisins à la recherche d'un soutien.

— Fais gaffe, le youpin, fais gaffe, mon salaud, tu me cherches.

Puis Ougarov dit :

— Pourquoi tu ne me portes pas pâle ?

— Je n'ai pas le droit, tu es en parfaite santé.

— Alors, tu ne le feras pas ?

— Kolia, mon vieux, je t'assure que je le ferais si je le pouvais.

— Alors, tu ne le feras pas ?

— Mais comprends donc, bien sûr que si je pouvais...

— Bon, d'accord.

— Attends un peu, comprends donc...

— J'ai tout compris. C'est toi qui vas comprendre maintenant.

Stedding, un Suédois russifié, dont on disait qu'il était pour de vrai un espion, leva les yeux du tableau qu'il était en train de peindre sur un morceau de carton reçu au K.V.T., regarda Ougarov, Roubine, hocha la tête et se replongea dans son tableau. Le tableau s'appelait *Notre mère taïga*. Stedding n'avait pas peur des droit commun, pour une raison inconnue ils le laissaient en paix.

Quand Ougarov s'éloigna, Stedding dit à Roubine :

— Vous n'êtes pas sage, Abraham Efimovitch.

Le Biélorusse Konachevitch ne craignait pas, lui non plus, les droit commun. Il avait été mécanicien d'avion et avait remporté les championnats militaires de boxe dans la catégorie des poids mi-lourds. Il était respecté par les droit commun mais il ne prenait jamais la défense de ceux que les voleurs malmenaient.

Abartchouk avançait lentement dans l'étroite travée entre les châlits à deux niveaux ; le désespoir l'avait à nouveau gagné. L'extrémité du baraquement, long de cent mètres, était noyée dans la fumée de cigarettes et, chaque fois, il semblait à Abartchouk, qu'une fois l'horizon du baraquement atteint, il découvrirait quelque chose de neuf, mais c'était toujours la même chose : le tambour où des détenus faisaient leur lessive sous les chéneaux en bois où coulait l'eau, les serpillières dans un coin, les seaux, les matelas sur les châlits qui perdaient leurs copeaux par les trous de la toile de sac, le bruit régulier des conversations.

La majorité des zeks, en attendant l'extinction des feux, bavardaient, assis sur les châlits. Ils parlaient de la soupe, des femmes, du coupeur de pain qui était malhonnête, de leurs lettres à Staline, de leurs déclarations au procureur général de l'U.R.S.S., des nouvelles normes pour l'abattage et le herchage du charbon, du froid qu'il avait fait aujourd'hui et du froid qu'il ferait demain.

Abartchouk avançait lentement, en écoutant des bribes de conversations. On aurait dit que des milliers d'hommes menaient depuis des années une seule et même conversation, dans les wagons à bestiaux et dans les baraques des camps, dans les prisons et les convois ; les jeunes parlaient de femmes et les vieux de nourriture. Mais c'était particulièrement désagréable quand des vieux se mettaient à parler des femmes avec concupiscence et de jeunes gars des bons repas d'avant le camp.

Vivement l'extinction des feux, qu'il puisse s'étendre sur le châlit, se couvrir la tête de la veste, ne plus rien voir, ne plus rien entendre !

Abartchouk regarda du côté de la porte, il espérait voir entrer soudain Magar. Abartchouk arriverait bien à convaincre le chef de chambrée de l'installer à côté de lui et, la nuit, ils pourraient discuter ensemble, à cœur ouvert, en communistes, le maître et l'élève, deux membres du parti. ·

Les puissances de la chambrée, Perekrest (le chef d'équipe de la mine), Barkhatov, Zarokov (le chef de chambrée), avaient organisé un gueuleton dans leur coin. Jeliabov, dit Vingt-deux, le larbin du caïd Perekrest, avait étalé une serviette et disposait le lard, le hareng, des gâteaux secs, le tribut que percevait Perekrest des détenus qui travaillaient dans son équipe.

En passant devant le coin des chefs, Abartchouk frémit dans l'espoir d'être invité. Il avait si envie de manger quelque chose de bon. Cochon de Barkhatov ! Il faisait ce qu'il voulait au magasin.

Abartchouk savait bien qu'il volait des clous, qu'il avait pris trois limes, mais il n'en avait rien dit aux gardes... Barkhatov aurait pu l'appeler : « Eh ! chef, viens par ici ! » Abartchouk sentait, et ne s'en méprisait que plus, que ce n'était pas seulement l'envie de manger qui le poussait, mais quelque chose d'autre, propre aux camps. Il avait envie de se trouver parmi les forts, de bavarder avec Perekrest qui faisait trembler tout le camp.

Et Abartchouk se traita de salopard. Et aussitôt après traita Barkhatov de salopard.

On ne l'invita pas, on invita Néoumolimov. Et le héros de la guerre civile, décoré à deux reprises de l'ordre du Drapeau rouge, se dirigea, en souriant de toutes ses dents noircies, vers le châlit de Perekrest. L'homme qui s'approchait en souriant de la table des voleurs, avait, il y a vingt ans de cela, mené les régiments de cavalerie au combat pour instaurer la Commune mondiale...

Pourquoi avait-il parlé à Néoumolimov de Tolia, de ce qu'il avait de plus cher ?

Mais lui aussi, après tout, avait combattu pour la Commune, il avait envoyé, de son cabinet du Kouzbass, des rapports à Staline sur l'avancement du grand chantier, et lui aussi espérait qu'on l'appellerait, quand il était passé, les yeux baissés, l'air faussement indifférent, devant la table de nuit recouverte d'une serviette sale.

Abartchouk s'approcha de la place de Monidze qui reprisait une chaussette.

— Aujourd'hui, dit-il, Perekrest m'a menacé : « Méfie-toi, sale Géorgien, qu'il m'a dit, je vais te donner un coup sur le crâne et au poste de garde on me dira merci, tu es le dernier des traîtres. »

Roubine, qui était assis à la place d'à côté, dit :

— Et ce n'est pas le pire.

— Oui, oui, dit Abartchouk, tu as vu notre commandant de cavalerie, comme il était content d'être invité ?

— Et toi, tu te désoles parce que ce n'est pas toi qu'on a invité ? dit Roubine.

— Lis dans ton âme si ça te chante, mais laisse la mienne tranquille, dit Abartchouk avec cette haine qu'éveille un reproche ou un soupçon justifié.

Roubine, les yeux mi-clos, comme une poule sur son perchoir, murmura :

— Moi ? Moi, je n'ose même pas me désoler. Je suis un hors caste, un intouchable. Tu as entendu ce que m'a dit Ougarov ?

— Ce n'est pas ça, pas ça, dit en se détournant Abartchouk.

Il se leva et reprit sa marche dans le baraquement, dans l'étroite travée, entre les châlits. Et à nouveau les bribes de l'interminable conversation parvenaient jusqu'à lui :

— ... du bortsch avec du porc tous les jours, dimanche compris.

— Elle avait de ces nichons, pas croyable !

— Moi, j'aime ce qui est simple, du mouton avec de la kacha, je n'en ai rien à faire de vos sauces.

Il revint vers la place de Monidze, s'assit, écouta la conversation :

— Au début, je n'avais pas compris, racontait Roubine, pourquoi il m'avait dit que je deviendrais un musicien. Il parlait des mouchards, parce qu'ils vont à l'opéra, autrement dit, ils vont chez l'*oper,* l'officier opérationnel.

Monidze, sans interrompre son ravaudage, dit :

— Qu'il aille se faire fiche, moucharder, c'est vraiment le dernier truc à faire.

— Que veut dire moucharder ? s'indigna Abartchouk, tu es un communiste.

— Comme toi, répondit Monidze, un ex.

— Je ne suis pas un ex-communiste, dit Abartchouk, et toi non plus.

Et de nouveau Abartchouk fut ulcéré par un soupçon justifié de Roubine :

— Ça n'a rien à voir avec le communisme. Il y en a marre de cette eau de vaisselle trois fois par jour. Je peux plus la voir, cette soupe de maïs. Ça, c'est ce qui pousse à moucharder. Ce qui en empêche, c'est d'être battu à mort la nuit et d'être descendu dans la lunette des chiottes, comme c'est arrivé à Orlov. Tu as entendu ce que m'a dit Ougarov ?

— La tête en bas, les pieds dehors, dit Monidze et il se mit à rire, peut-être parce qu'il n'y avait rien de drôle.

— Tu crois, alors, que je n'obéis qu'à l'instinct de conservation ? cria Abartchouk et il sentit monter en lui le désir hystérique de frapper Roubine.

Il se releva à nouveau, reprit sa marche.

Bien sûr, il en avait assez de ce brouet de maïs. Combien de jours ça fait déjà, qu'il essaie de deviner ce qu'on leur servira au dîner pour l'anniversaire de la révolution : des nouilles, un gratin, une purée de légumes ?

Bien sûr, bien des choses dépendaient de l'*oper,* bien sûr, les voies qui mènent vers les sommets de la vie, par exemple être responsable du bain ou des rations de pain, sont sombres et mystérieuses. Il pourrait travailler au laboratoire, blouse blanche, un ingénieur de l'extérieur pour responsable, il pourrait ne plus dépendre des droit commun ; il pourrait travailler dans le département du plan, diriger une mine... Mais Roubine se trompe. Roubine veut l'humilier, il cherche à saper la force de l'homme, il trouve dans l'homme ce qui se glisse en lui contre sa volonté. Roubine est un ennemi.

Abartchouk avait été toute sa vie implacable à l'égard des opportunistes de droite et de gauche, toute sa vie, il avait haï les hésitants, les hypocrites, les ennemis objectifs.

Sa force morale, sa foi, reposaient sur le droit de juger. Il avait douté de sa femme et il l'avait quittée. Il l'avait crue incapable de faire de son fils un soldat de la révolution et il avait refusé de donner son nom à son fils. Il condamnait ceux qui doutaient, méprisaient les geignards et les faibles. Il avait déféré devant les tribunaux les ingénieurs du Kouzbass qui ne pouvaient se passer de leurs familles restées à Moscou. Il avait fait condamner quarante ouvriers qui avaient quitté le chantier pour retourner dans leurs villages. Il avait renié son bourgeois de père.

Il est doux d'être inflexible. En jugeant, il affirmait sa force intérieure, son idéal, sa pureté. Là étaient sa consolation et sa foi. Il n'avait pas une fois essayé d'éviter les mobilisations du parti. Il avait volontairement renoncé au salaire majoré des cadres du parti. En renonçant, il s'affirmait. Il portait toujours la même vareuse et les mêmes bottes, que ce soit pour aller au travail, participer à une conférence au ministère, ou se promener sur le bord de mer à Yalta quand le parti l'y avait envoyé pour se faire soigner. Il voulait ressembler à Staline.

En perdant le droit de juger, il se perdait lui-même. Et Roubine le sentait. Presque tous les jours, il faisait des allusions à la faiblesse, à la peur, aux désirs pitoyables qui se glissent peu à peu dans une âme de détenu.

Avant-hier, il avait dit :

— Barkhatov fournit en métal piqué au magasin tous les voyous du camp, mais notre Robespierre garde le silence. Comme dit la chanson : « Le poulet aussi veut vivre… »

Quand Abartchouk voulait condamner quelqu'un mais qu'il sentait que lui aussi était coupable, quand il se mettait à hésiter, il était pris de désespoir, il ne savait plus où il en était.

Abartchouk s'arrêta à côté du châlit du prince Dolgorouki. Le vieux prince parlait avec un jeune professeur de l'Institut d'économie du nom de Stépanov. Stépanov avait un comportement hautain, il refusait de se lever quand les autorités du camp entraient dans le baraquement, exprimaient ouvertement des opinions antisoviétiques. Il était fier d'avoir été condamné pour quelque chose, à la différence de la grande masse des détenus politiques. Il avait écrit un article qui s'intitulait : « L'État de Lénine et Staline » et il l'avait donné à lire à des étudiants. Le troisième ou peut-être le quatrième de ses lecteurs l'avait dénoncé.

Dolgorouki était revenu en Union soviétique après avoir vécu en Suède. Auparavant, il avait longuement séjourné à Paris et souffrait du mal du pays. Une semaine après son retour il avait été arrêté. Dans le camp, il priait beaucoup, fréquentait les croyants de diverses sectes et écrivait des poèmes d'inspiration mystique.

En ce moment, il était en train de lire ses vers à Stépanov.

Abartchouk, appuyé sur les planches du châlit, écouta. Dolgo-rouki, d'une voix chevrotante, récitait :

> *N'est-ce pas moi qui ai choisi l'heure, le lieu,*
> *L'année et la nation, le jour de ma naissance,*
> *Afin de traverser les souffrances du feu,*
> *Le baptême de l'eau, les traits de la conscience ?*
> *Tombé dans les bas-fonds, l'horrible et le sordide,*
> *Dans le sang et le pus, les puanteurs putrides,*
> *Englouti par la bête aux dix cornes, je crois !*
> *Ses blasphèmes n'ont pas dénaturé ma foi.*
> *Je crois en l'équité des forces supérieures*
> *Qui firent déchaîner les pires éléments.*
> *De la Russie brûlée, du fond de son malheur,*
> *Je dis : ô mon Seigneur, juste est ton jugement !*
> *Tu trempes dans le feu les profondeurs de l'être,*
> *Jusqu'à ce qu'il soit dur et pur tel un cristal.*
> *Et si le four tiédit, s'il faut brûler pour naître,*
> *Prends ma chair, ô mon Dieu, pour fondre le métal !*

Quand il eut fini, il resta un moment les yeux fermés, ses lèvres tressautaient encore.

— C'est de la merde, dit Stépanov, complètement décadent.

Dolgorouki eut un geste circulaire.

— Vous voyez où Tchernychevski et Herzen ont amené la Russie ? Vous souvenez-vous de la troisième lettre philosophique de Tchaadaev ?

Stépanov déclara d'un ton professoral :

— Vous et votre obscurantisme mystique, vous me répugnez autant que les organisateurs de ce camp. Comme vous, ils semblent oublier qu'il existe une troisième voie pour la Russie, la plus naturelle, la voie de la démocratie et de la liberté.

Plus d'une fois déjà, Abartchouk avait eu l'occasion de s'opposer à Stépanov, mais aujourd'hui il n'avait pas envie de se mêler à la conversation, de dénoncer en Stépanov l'ennemi, l'émigré intérieur. Il alla dans le coin des baptistes, resta un moment à les écouter marmonner.

Soudain, Zarokov, le chef de chambrée, cria d'une voix forte :

— Debout !

Tous se levèrent d'un bond : c'étaient les gardiens. Abartchouk observait du coin de l'œil le long visage pâle de Dolgorouki qui se tenait au garde-à-vous ; ses lèvres continuaient à remuer, il devait répéter ses vers. « Il n'en a plus pour longtemps », pensa Abartchouk. Stépanov était, comme toujours, resté assis, il refusait de se soumettre, par instinct anarchiste, aux règles raisonnables du camp.

— La fouille, c'est la fouille.

Mais ce n'était pas une fouille. Deux jeunes gardiens passèrent entre les châlits en observant les détenus.

Arrivé à la hauteur de Stépanov, l'un d'eux lança :

— Alors, le professeur, toujours assis, tu as peur d'attraper froid au cul ?

Stépanov tourna vers eux sa face large, au nez retroussé, et récita d'une voix de perroquet sa phrase habituelle :

— Citoyen commandant, je vous prie de me vouvoyer, je suis un détenu politique.

Cette même nuit, Roubine fut assassiné.

Le meurtrier lui avait mis, alors qu'il dormait, un gros clou contre l'oreille et, d'un grand coup, l'avait enfoncé dans le cerveau. Cinq personnes, dont Abartchouk, furent convoquées chez l'officier opérationnel. Visiblement, l'*oper* cherchait à savoir comment l'assassin s'était procuré le clou. Ces clous venaient d'arriver au magasin d'outillage et n'avaient pas encore été mis en circulation.

Pendant la toilette, Barkhatov se mit à côté d'Abartchouk devant le bac. Il tourna vers lui son visage mouillé, se passa la langue sur les lèvres pour lécher des gouttes d'eau et dit à voix basse :

— N'oublie pas, merdeux, si tu me mouchardes à l'*oper,* moi, je n'aurai rien, mais toi, je te crèverai la nuit qui suit, et t'auras pas une mort facile.

Après s'être essuyé, il plongea ses yeux calmes, encore humides, dans les yeux d'Abartchouk et, y trouvant ce qu'il voulait y trouver, il lui serra la main.

A la cantine, Abartchouk donna sa gamelle de soupe au maïs à Néoumolimov.

— Les monstres. Notre Abraham ! Quel homme c'était ! dit Néoumolimov d'une voix tremblante, et il attira vers lui la gamelle de soupe.

Abartchouk, sans répondre, quitta la table.

A l'entrée, les détenus s'écartèrent, Perekrest entra dans la cantine. Il se voûta pour passer le seuil, le plafond était trop bas pour sa taille.

— C'est mon anniversaire, aujourd'hui, dit-il à Abartchouk. Viens, on fera la fête, on boira de la vodka.

L'horreur ! Des dizaines de personnes avaient entendu le meurtre de cette nuit, avaient vu l'homme qui s'était glissé jusqu'à la place de Roubine.

Il aurait été facile de sauter de sa couchette, de réveiller toute la chambrée ; ils auraient pu, tous ensemble, venir à bout de l'assassin, sauver leur camarade. Mais personne n'avait levé la tête, personne n'avait crié. On avait tué un homme comme on égorge un mouton. Les gens étaient restés couchés, faisant semblant de dormir, se retenant de tousser, ils avaient recouvert leur tête de leur veste pour ne pas entendre le mourant en train de se débattre.

Quelle lâcheté, quelle soumission !

Mais lui non plus ne dormait pas, lui non plus ne s'était pas levé ; lui aussi avait recouvert sa tête de sa veste... Il savait pertinemment que cette soumission n'était pas venue de rien, qu'elle était le fruit de l'expérience, de la connaissance des lois du camp.

Ils auraient pu se lever, ils auraient pu arrêter l'assassin, mais de toute façon un homme armé d'un couteau est plus fort qu'un homme désarmé. La force d'une chambrée ne dure qu'un instant alors qu'un couteau reste toujours un couteau.

Abartchouk pensait à l'interrogatoire qui l'attendait ; il était facile à l'*oper* d'exiger des témoignages : il ne dormait pas dans la baraque, il ne se lavait pas dans les lavabos en offrant son dos à un couteau, il ne marchait pas dans les galeries de la mine, il n'allait pas dans les latrines du camp, où on pouvait te sauter dessus à plusieurs et te couvrir la tête d'un sac.

Oui, il avait vu cette nuit l'homme qui s'était approché de Roubine. Il avait entendu les râles, il avait entendu Roubine agonisant battre des pieds et des mains contre son châlit.

Le capitaine Michanine, l'officier opérationnel, fit venir Abartchouk dans son bureau, ferma la porte et dit :

— Détenu Abartchouk, asseyez-vous.

Il posa les premières questions, les questions auxquelles les détenus politiques répondaient toujours rapidement et précisément.

Puis il leva ses yeux fatigués sur Abartchouk et le regarda quelques instants en silence. Il comprenait parfaitement que, homme d'expérience, le détenu, craignant une vengeance inévitable, ne lui dirait jamais comment le meurtrier avait pu se procurer ce clou.

Abartchouk, lui aussi, regardait le visage du capitaine, ses cheveux, ses sourcils, les taches de rousseur sur son nez et se disait qu'il devait avoir deux ou trois ans de plus que son fils.

L'*oper* posa la question décisive, c'était pour poser cette question qu'il avait convoqué les détenus et déjà trois d'entre eux avaient refusé d'y répondre.

Abartchouk se taisait.

— Et alors, vous êtes sourd ?

Abartchouk se taisait toujours. Comme il aurait voulu que l'officier, même si ce n'était pas sincère, même si ce n'était qu'un procédé d'interrogatoire, lui dise : « Écoute, camarade Abartchouk, tu es un communiste. Aujourd'hui tu es dans un camp mais demain, peut-être, nous verserons nos cotisations dans la même cellule. Alors, aide-moi, comme un communiste doit aider un autre communiste ; aide-moi en tant que membre du parti. »

Mais le capitaine Michanine dit :

— Vous dormez ou quoi ? Je vais vous réveiller, moi.

Mais il ne fallait pas réveiller Abartchouk.

D'une voix sourde, il commença :

— C'est Barkhatov qui a volé les clous. En outre, il a pris trois limes. A mon avis, c'est Ougarov qui a tué Roubine. Je sais que Barkhatov lui avait donné les clous et Ougarov a menacé plus d'une fois Roubine de le tuer. Et hier, il le lui a promis une fois de plus : Roubine refusait de lui donner un certificat de maladie.

Puis il prit la cigarette que lui tendait le capitaine.

— J'ai estimé, dit-il, que c'était mon devoir de communiste de vous le dire, camarade capitaine. Le camarade Roubine était un vieux membre du parti.

Michanine lui offrit du feu et se mit à écrire rapidement.

— Vous devez savoir, détenu, dit-il d'une voix douce, que vous n'avez pas le droit de parler d'appartenance au parti. Vous n'avez pas le droit non plus de m'appeler camarade. Pour vous, je suis citoyen commandant.

— Pardonnez-moi, citoyen commandant, dit Abartchouk.

— Pendant quelques jours, le temps que je finisse mon enquête, il n'y aura pas de problèmes. Ensuite, vous savez, on pourra vous transférer dans un autre camp.

— Non, je n'ai pas peur, citoyen commandant, répondit Abartchouk.

Il alla au magasin, il savait que Barkhatov ne lui demanderait rien. Barkhatov le suivrait sans cesse, et trouverait la vérité en observant ses gestes, ses regards, ses soupirs...

Abartchouk était heureux, il avait remporté une victoire sur lui-même.

Il avait retrouvé le droit de juger. Et, pensant à Roubine, il regrettait de ne pas pouvoir lui dire le mal qu'il avait pensé de lui la veille.

Trois jours passèrent, mais Magar ne se manifestait toujours pas. Abartchouk se renseigna auprès de la direction de la mine, mais les secrétaires que connaissait Abartchouk ne trouvèrent nulle part le nom de Magar.

Le soir, alors qu'Abartchouk s'était déjà résigné à l'idée de ne pas revoir son ami, un infirmier couvert de neige entra dans le baraquement et avertit Abartchouk qu'un nouvel arrivant, à l'infirmerie, avait demandé à le voir. L'infirmier ajouta :

— Le mieux, c'est que je te conduise tout de suite. Demande l'autorisation de sortir maintenant, sinon, tu sais, ces zeks, on ne peut pas se fier à eux ; ton gars, il peut casser sa pipe en moins de deux et après tu peux toujours essayer de lui causer quand il aura enfilé son manteau de sapin.

40

L'infirmier introduisit Abartchouk dans le couloir de l'infirmerie ; il y régnait une puanteur particulière, distincte de celle des baraques. Ils passèrent devant des civières entassées et des ballots de vêtements, qui attendaient probablement d'être envoyés à la désinfection.

Magar était dans une chambre séparée, ou plutôt une sorte de réduit aux murs de rondins. Il y avait à peine la place pour les deux lits. Cette chambre était réservée aux malades infectieux et aux « musulmans », c'est-à-dire aux mourants. Les pieds des lits étaient si fins qu'ils semblaient faits de fil de fer mais ils restaient bien droits, les hommes qu'on posait sur ces lits ne pesaient jamais très lourd.

— Pas là, pas là, regarde plus à droite, dit une voix si familière qu'Abartchouk eut soudain l'impression qu'il n'y avait ni prison, ni cheveux blancs et qu'il avait retrouvé ce qui l'avait fait vivre tant et tant d'années.

— Bonjour, bonjour, bonjour..., répétait-il en fixant le visage de Magar.

— Assieds-toi donc sur l'autre lit, dit Magar.

Voyant le regard qu'Abartchouk jeta sur le lit voisin, il ajouta :

— Tu ne le dérangeras pas, plus rien ne le dérangera maintenant.

Abartchouk se pencha pour mieux voir le visage de son ami puis regarda de nouveau le corps sous la couverture :

— Il y a longtemps ?

— Ça doit faire deux heures qu'il est mort, les infirmiers n'y touchent pas pour l'instant, ils attendent le médecin ; c'est mieux ainsi, sinon ils vont en mettre un autre, et un vivant nous empêchera de parler.

— Tu as raison, dit Abartchouk, et il ne posa pas les questions qui lui brûlaient les lèvres : « Alors, tu as été pris avec l'affaire Boubnov, ou bien de Sokolnikov ? Tu tires combien d'années ? Tu étais dans quelle prison, à Souzdal ou à Vladimir ? Tu es passé devant un tribunal militaire ou bien tu as eu droit à l'Osso[1] ? Tu as signé tes aveux ? »

Il demanda, indiquant le corps :

— Qui c'est ? De quoi il est mort ?

— Il est mort du camp, c'est un dékoulakisé. Il appelait tout le temps une Nastia, voulait s'en aller...

Abartchouk distinguait maintenant dans la pénombre le visage de Magar. Il ne l'aurait pas reconnu, on ne pouvait même plus dire que Magar avait changé, c'était un vieillard en train de mourir qu'il avait devant lui.

Il se dit, sentant sur lui le regard de son ami, que, sûrement, Magar devait se dire lui aussi qu'il ne l'aurait jamais reconnu.

Mais Magar dit :

— Je viens de comprendre : il disait tout le temps quelque chose dans le genre de « ba... ba... ba... ba... », en fait il demandait : « A boire... à boire... » Il y avait une timbale à côté de lui, j'aurais pu satisfaire son dernier désir.

— Tu vois, le mort aussi nous empêche de parler tranquillement.

— Et ça peut s'expliquer. (Abartchouk reconnut son intonation : c'est ainsi que Magar commençait habituellement une discussion sérieuse.) Nous parlons de lui, mais il s'agit de nous.

— Non, non ! cria Abartchouk.

Il saisit la main de Magar, la serra, puis l'étreignit contre lui. Des sanglots le secouèrent.

— Merci, murmura Magar, merci, merci.

Ils se turent. Tous deux respiraient difficilement. Leurs deux souffles se mêlaient.

Magar reprit la parole :

— Écoute, mon ami, et c'est la dernière fois que je peux t'appeler ainsi.

— Arrête, qu'est-ce que tu racontes, tu vivras.

Magar s'assit.

— Je ne voulais pas en parler ; c'est, pour moi, pire que toutes les tortures, mais il le faut. Toi aussi, écoute (s'adressa-t-il au corps allongé à côté d'eux et dont Abartchouk sentait le coude pointu dans son dos), ça vous concerne, toi et ta Nastia. C'est mon dernier devoir de révolutionnaire et je le remplirai. Tu es une nature à part, camarade Abartchouk. Et nous nous sommes rencontrés dans un temps à part, notre meilleur temps, je crois. Alors, je dois te dire... Nous

---

1. Tribunal spécial de la police politique littéralement : Commission délibérative spéciale. *(N.d.T.)*

nous sommes trompés. Et voilà où ça a mené, notre erreur, regarde... Nous devons lui demander pardon. Donne-moi une cigarette. Et puis, il ne s'agit pas de se repentir. Jamais, rien, aucun repentir ne pourra expier ce que nous avons fait. Ça, c'est la première chose que je voulais te dire. La seconde, maintenant. Nous n'avons pas compris ce qu'est la liberté. Nous l'avons écrasée. Marx aussi l'a sous-estimée : elle est la base et le sens, elle est l'infrastructure des infrastructures. Sans liberté, il n'y a pas de révolution prolétarienne. Ça, c'est le deuxième point, et maintenant, écoute le troisième. Nous sommes passés par les camps et la taïga, mais notre foi est restée la plus forte. Mais cette force n'est que faiblesse ; elle n'est qu'instinct de conservation. Ainsi, dehors, l'instinct de conservation a poussé les gens à changer pour ne pas périr, pour ne pas se retrouver dans un camp. Les communistes se sont créé une idole, ont remis des épaulettes, ont réintroduit le nationalisme, ils s'en sont pris à la classe ouvrière et, s'il le faut, ils finiront comme les ligues des *Cent-noirs* [1]... Mais là, dans le camp, le même instinct de conservation nous ordonne de ne pas changer : si tu ne veux pas finir dans un manteau de sapin, surtout ne change pas pendant les dix ans que tu as à passer dans les camps... ce sont les deux faces de la piécette...

— Arrête ! s'écria Abartchouk en approchant son poing du visage de Magar. On t'a brisé ! Tu n'as pas tenu le coup ! Tout ce que tu racontes, c'est du délire.

— J'aimerais bien, mais non, je ne délire pas. De nouveau, je t'appelle à me suivre. Comme il y a vingt ans. Et si nous ne pouvons plus vivre en révolutionnaires, alors il vaut mieux mourir ; on ne peut pas vivre ainsi.

— Ça suffit.

— Pardonne-moi. Je comprends bien, je ressemble à une vieille putain qui pleure sa virginité perdue. Mais je te le dis : souviens-toi ! Encore une fois : pardonne-moi.

— Te pardonner ? Mais il vaudrait mieux que je... Il vaudrait mieux que tu sois couché là, comme ce cadavre, que tu sois mort avant notre rencontre...

Et, sur le pas de la porte, Abartchouk ajouta :

— Je reviendrai te voir... Je te remettrai la cervelle en place, maintenant, c'est moi qui serai ton maître.

Le lendemain matin, Abartchouk rencontra l'infirmier sur la place du camp. Il tirait une luge avec un bidon de lait.

— Ton petit copain ne boira plus de lait, dit-il. Il s'est pendu cette nuit.

---

1. Cf. note p. 82.

Il est agréable de frapper son interlocuteur d'une nouvelle inattendue. L'infirmier regarda Abartchouk d'un air triomphant.

— Il a laissé une lettre ? demanda Abartchouk en avalant une profonde gorgée d'air.

Il lui semblait que Magar ne pouvait pas ne pas avoir laissé de letttre, que la scène d'hier n'était qu'un hasard.

— Une lettre, pour quoi faire ? Tout ce qu'on écrit finit chez l'*oper*.

Cette nuit fut la plus dure qu'ait connue Abartchouk. Il était couché sur le dos, les dents serrées, les yeux grands ouverts, il fixait le mur d'en face, maculé de traces de punaises écrasées.

Il s'adressait à son fils, auquel il avait naguère refusé son nom ; il l'appelait à son secours : « Tu es tout ce qui me reste, tu es mon seul espoir. Tu vois, mon ami, mon maître a voulu tuer en moi la volonté et la raison et il s'est tué lui-même. Tolia, mon Tolia, tu es tout ce qui me reste au monde. Est-ce que tu me vois, est-ce que tu m'entends ? Sauras-tu un jour que ton père n'a pas plié, n'a pas succombé au doute ? »

Autour de lui, le camp dormait. Le camp dormait d'un sommeil lourd, bruyant, hideux. L'air empuanti était traversé par des ronflements, des gémissements, des cris, des grincements de dents.

Abartchouk se souleva soudain sur sa couche : il lui sembla voir bouger une ombre.

41

A la fin de l'été 1942, l'armée de Kleist s'était emparée avec Maïkop du principal centre pétrolifère de l'Union soviétique. Les troupes allemandes occupaient la Crète et le cap Nord, le nord de la Finlande et les côtes de la Manche. Le renard du désert, le maréchal Erwin Rommel, était à quatre-vingts kilomètres d'Alexandrie. Le drapeau à croix gammée flottait sur l'Elbrouz. Manstein avait reçu l'ordre de concentrer des canons géants et les lance-roquettes multitubes *Nebelwerfer* autour de Leningrad. Mussolini mettait au point la crise du Caire et s'entraînait à faire du cheval sur un étalon arabe. Dietl, le combattant des neiges, avait atteint des latitudes septentrionales qu'aucun conquérant d'Europe n'avait atteintes avant lui.

Paris, Vienne, Prague, Bruxelles n'étaient plus que des chefs-lieux de province de l'empire allemand.

Le moment était venu de réaliser les plans les plus atroces du national-socialisme, ceux qui visaient l'homme, sa vie et sa liberté. Les chefs nazis mentent quand ils affirment que seule la tension de la lutte les oblige à être aussi barbares. Bien au contraire, le danger les rend raisonnables, le manque de confiance en leurs forces les oblige à se modérer.

Le monde sera noyé dans son sang lorsque le fascisme sera parfaitement sûr de sa victoire. Si le fascisme n'a plus d'adversaires armés sur terre, ses bourreaux ne connaîtront plus de limites. Car c'est l'homme qui est le principal ennemi du fascisme.

Au cours de l'automne 1942, des lois particulièrement inhumaines furent adoptées.

En particulier, le 12 septembre 1942, à l'apogée des succès militaires du national-socialisme, les Juifs des pays d'Europe sont déclarés hors la loi et passent sous la juridiction de la Gestapo.

Les dirigeants du parti et Adolf Hitler en personne prirent la décision d'anéantir le peuple juif.

42

Sofia Levintone pensait parfois à sa vie passée. Ses cinq années d'études à l'université de Zurich, les vacances à Paris et en Italie, les concerts à la Philharmonie, les expéditions dans les montagnes de l'Asie centrale, son travail de médecin pendant trente-deux ans, ses plats préférés, ses amis, dont les vies, avec leurs jours de bonheur et leurs jours de peine, avaient croisé la sienne, les conversations quotidiennes au téléphone, les petits mots de tous les jours : « Salut... comment va... », les parties de cartes, les affaires qu'elle avait laissées dans sa pièce à Moscou.

Elle pensait aux Chapochnikov, des amis qu'elle s'était faits à Stalingrad : à Evguénia, Alexandra Vladimirovna, Serioja, Vera...

Un soir, alors que leur wagon à bestiaux était, avec le reste du convoi, sur une voie de garage dans une des gares de triage des environs de Kiev, elle épouillait le col de sa vareuse ; deux vieilles femmes, assises à côté d'elle, parlaient à voix basse et rapide en yiddish. C'est à cet instant qu'elle comprit, avec une acuité extraordinaire, que c'était à elle, à Sonia, à Sofia Ossipovna Levintone, médecin-major de l'Armée Rouge, que tout cela était arrivé.

L'essence de la métamorphose que subissaient les hommes consistait en un affaiblissement de leur nature propre, de leur personnalité et en un renforcement du sentiment du destin.

— Qui suis-je, en fin de compte, qui c'est, moi, moi, moi ? pensait Sofia Ossipovna. La fille chétive et morveuse qui avait peur de papa et maman, la grosse femme autoritaire avec ses deux galons ou bien celle-ci, pouilleuse et galeuse ?

L'aspiration au bonheur avait disparu, mais de nombreux désirs avaient pris sa place : tuer les poux... atteindre la fente et respirer un peu d'air frais... uriner... laver ne serait-ce qu'un pied... et le désir de tout son corps : boire.

On l'avait jetée dans le wagon, elle essaya de distinguer quelque chose dans l'obscurité qui lui parut d'abord totale, et entendit un léger rire.

— Qui rit ici, des fous ? demanda-t-elle.

— Non, répondit une voix d'homme. On se raconte des blagues, ici.

— Encore une Juive pour notre triste convoi, dit une voix mélancolique.

Sofia Ossipovna, restée debout près de la porte, répondit aux questions.

Et aussitôt, à travers les pleurs, les gémissements, la puanteur, elle fut plongée dans l'atmosphère des intonations et des mots oubliés depuis l'enfance.

Sofia Ossipovna voulut faire un pas à l'intérieur du wagon, mais c'était impossible. Elle trouva à tâtons de maigres jambes d'enfant en culottes courtes et s'excusa :

— Excuse-moi, mon garçon, j'ai dû te faire mal ?

Mais le garçon ne répondit pas. Elle lança dans l'obscurité :

— La maman de l'enfant muet pourrait peut-être le déplacer, je ne peux quand même pas rester debout durant tout le voyage.

— Il fallait envoyer un télégramme, dit une voix de comédien aux accents hystériques, on vous aurait réservé une chambre avec salle de bains.

— Crétin ! dit Sofia Ossipovna d'une voix forte.

Une femme, dont elle pouvait déjà distinguer le visage dans la pénombre, lui dit d'une voix chantonnante :

— Venez par ici, il y a des masses de place.

En entendant cette expression, Sofia Ossipovna sentit ses mains trembler.

C'était le monde qu'elle connaissait depuis l'enfance, le monde du *shtetl*. Mais elle s'aperçut vite que ce monde avait changé.

Il y avait dans le wagon des élèves d'une école technique, des enseignants de centres professionnels, un électricien, un ingénieur d'une conserverie, une jeune fille vétérinaire. C'étaient des métiers jusqu'alors inconnus chez les Juifs. Mais d'autre part, elle, Sofia Ossipovna, n'avait pas changé, elle était restée celle qui avait peur de papa maman ; alors, peut-être, ce monde nouveau était-il, en fait, resté inchangé. Mais, finalement, cela avait-il de l'importance ? Nouveau ou inchangé, de toute façon, ce monde-là, le monde yiddish, roulait vers l'abîme.

Elle entendit une voix de jeune femme qui disait :

— Les Allemands d'aujourd'hui sont des sauvages, ils ne savent même pas qui est Heine.

— Mais pour finir, rétorqua une voix d'homme dans un autre coin, les sauvages nous transportent comme du bétail. Et à quoi a servi votre Heine ?

On interrogea Sofia Ossipovna sur la situation au front et, comme ses informations n'avaient rien de réjouissant, on lui expliqua qu'elles étaient fausses, et elle comprit que le wagon à bestiaux avait sa propre stratégie, basée sur le désir passionné de vivre.

— Vous ne savez donc pas qu'on a envoyé à Hitler un ultimatum pour qu'il relâche immédiatement tous les Juifs ?

Bien sûr, l'opium absurde de l'optimisme vient au secours des hommes quand le sentiment aigu de l'horreur prend la place d'un désespoir résigné.

Bientôt plus personne ne s'intéressa à Sofia Ossipovna ; elle devint un compagnon de voyage comme les autres, qui ne savait pas plus que les autres où et dans quel but on les emmenait. Personne ne lui avait demandé comment elle s'appelait.

Sofia Ossipovna s'étonnait : il avait suffi de quelques jours pour parcourir en sens inverse le chemin qui mène de la bête sale et misérable, privée de nom et de liberté, jusqu'à l'homme, et pourtant le chemin vers l'homme avait duré des millions d'années.

Dans cet énorme malheur qui les avait frappés, les gens, à son grand étonnement, continuaient à se préoccuper de petits détails banals, à se mettre en colère pour des causes insignifiantes.

Une vieille femme lui dit à l'oreille :

— Dis, la doctoresse, regarde-moi cette grande dame qui s'est installée là-bas près de la fente, on pourrait croire qu'il n'y a que son enfant qui a besoin d'air pur. Madame va aux eaux.

Le train s'arrêta à deux reprises au cours de la nuit. Tous écoutaient le bruit des pas de l'escorte, les phrases indistinctes en allemand et en russe.

Elle était devenue terrible, la langue de Goethe, quand on l'entendait dans la nuit des petites gares russes, mais la langue maternelle que parlaient les Russes engagés dans la police allemande était plus sinistre encore.

Comme tous les autres, Sofia Ossipovna souffrait de faim et de soif. Son rêve était étriqué et timide ; elle rêvait d'une boîte de conserve cabossée avec un peu de liquide tiède dans le fond. Elle se grattait avec des mouvements brefs et saccadés comme un chien qui a des puces.

Sofia Ossipovna croyait avoir compris maintenant la différence entre la vie et l'existence. Sa vie était finie, mais l'existence, elle, durait encore. Et bien que cette existence fût misérable, la pensée d'une mort prochaine emplissait le cœur de terreur.

Il se mit à pleuvoir, quelques gouttes passèrent par la lucarne grillagée. Sofia Ossipovna arracha une bande de tissu à sa chemise et, s'approchant de la paroi du wagon, elle la passa par une fente ; puis elle attendit que le morceau de tissu s'imbibe d'eau. Ensuite elle tira le chiffon humide à l'intérieur et se mit à le mâcher. Et aussitôt les gens se mirent, eux aussi, à arracher des lambeaux de tissu et Sofia Ossipovna se sentit fière d'avoir trouvé un moyen pour s'emparer de la pluie.

Le garçon que Sofia Ossipovna avait bousculé en entrant était assis non loin d'elle, il observait les gens en train de passer leurs chiffons par les fentes entre le sol et la porte. Malgré la lumière incertaine, elle pouvait distinguer son visage maigre où ressortait un nez aiguisé. Il devait avoir dans les six ans. Sofia Ossipovna se dit que, depuis qu'elle était entrée dans le wagon, personne ne s'était adressé au garçon et qu'il était resté sans bouger ni parler à qui que ce soit. Elle lui tendit son chiffon humide et dit :

— Prends-le, mon gars.

Il ne répondit pas.

— Prends, mais prends donc, insista-t-elle et il tendit une main hésitante.

— Comment t'appelles-tu ? demanda-t-elle.

Il murmura :

— David.

Moussia Borissovna, une femme qui était assise à côté d'elle, lui expliqua que David était venu de Moscou pour passer ses vacances chez sa grand-mère et que la guerre l'avait séparé de sa mère. La grand-mère avait péri dans le ghetto ; il y avait dans le wagon une tante de David, elle s'appelait Rébecca Buchman, elle était avec son mari malade, et elle ne permettait même pas au garçon de s'asseoir à ses côtés.

A la fin de la journée, Sofia Ossipovna était pleine de récits, de conversations, de disputes, elle-même avait raconté et parlé. Maintenant, elle s'adressait à ses interlocuteurs par un : « *Brider yidn*, voilà ce que je vais vous dire... »

Nombreux étaient ceux qui attendaient avec espoir la fin du voyage ; ils pensaient qu'on les emmenait dans des camps où tout le monde pourrait travailler selon sa spécialité, tandis que les malades seraient installés dans des baraques pour invalides. Tous en parlaient sans arrêt. Et pendant ce temps l'horreur muette ne les quittait pas et se terrait au fond de leurs âmes.

On raconta à Sofia Ossipovna l'histoire d'une femme qui mit sa sœur paralysée dehors par une nuit d'hiver et la laissa mourir de froid. On lui raconta qu'il y avait des mères qui avaient tué leurs enfants et qu'une des femmes du wagon l'avait fait. On lui parla de gens qui avaient vécu pendant des mois comme des rats dans les égouts en se nourrissant d'immondices, prêts à tout endurer pour sauver leur existence.

La vie des Juifs, sous le nazisme, était effroyable, or les Juifs n'étaient ni des saints ni des monstres, ils étaient des êtres humains.

Le sentiment de pitié qu'éprouvait Sofia Ossipovna pour ces gens se faisait plus fort encore quand elle regardait le petit David.

La plupart du temps, il restait immobile et silencieux. Parfois il sortait une vieille boîte d'allumettes, jetait un coup d'œil à l'intérieur puis la remettait dans sa poche.

Cela faisait plusieurs nuits que Sofia Ossipovna ne dormait pas, elle n'avait pas sommeil. Cette nuit-là aussi, elle resta à veiller dans l'obscurité puante. « Où peut être en ce moment Evguénia Chapochnikov ? » se dit-elle soudain. Elle écoutait les murmures et les cris, et se disait que dans tous ces cerveaux enfiévrés devaient vivre des images que les mots ne pouvaient plus exprimer. Comment faire pour les fixer, les conserver au cas où l'homme vivrait encore sur terre et voudrait savoir ce qui fut.

« Golda ! Golda ! » cria une voix d'homme entrecoupée de sanglots.

43

... Le cerveau de Nahum Rozenberg, un comptable de quarante ans, effectuait ses calculs habituels. Nahum Rozenberg marchait sur la route et comptait : plus cent dix avant-hier, plus soixante et un hier, plus six cent douze la semaine dernière, cela fait un total de sept cent quatre-vingt-trois... Il aurait dû tenir un compte séparé pour les hommes, les femmes et les enfants... Les femmes brûlent plus facilement. Un *brenner* expérimenté dispose les corps de façon à mettre les vieux, osseux et riches en cendres, à côté des femmes. Bientôt allait venir l'ordre de quitter la route, comme avaient dû recevoir cet ordre il y a un an ceux qu'ils allaient déterrer et sortir de la fosse à l'aide de crochets au bout de cordes. Un brenner expérimenté peut déterminer d'après le monticule, avant même d'y avoir touché, combien de corps sont enfouis dans la fosse, 50, 100, 200, 600, 1000... Le Scharführer Elf exige que l'on ne parle pas de corps mais de figures : 100 figures, 200 figures ; mais Rozenberg continue à dire : des personnes, un homme assassiné, un enfant exécuté, un vieillard exécuté. Il le dit tout doucement, pour lui-même, sinon le Scharführer le tuerait, mais il s'entête et marmonne : tu sors de la fosse, l'homme... ne te cramponne donc pas à ta maman, mon petit, elle ne s'en ira pas, vous allez rester ensemble...

— Qu'est-ce que t'as à marmonner ?

— Moi ? Rien, il vous a semblé.

Et il continue à marmonner, il lutte, c'est son combat... Avant-hier ils ont ouvert une fosse avec seulement huit morts. Le Scharführer criait : « Ce n'est pas sérieux. Une équipe de vingt brenner fait brûler huit figures. » Il a raison, mais que faire d'autre ? Il n'y avait que deux familles juives dans ce village. L'ordre est formel : ouvrir toutes les tombes et brûler tous les corps... Et voilà, ils ont quitté la route et marchent dans l'herbe à travers champs, et, pour la cent quinzième fois, les voilà devant un monticule de terre grise au centre d'une clairière : une tombe. Huit brenner creusent ; quatre d'entre eux abattent des chênes et les scient en rondins de longueur égale, celle d'un corps humain ; deux d'entre eux les fendent avec des coins et des cognées ; deux autres ramassent sur la route de vieilles planches et du petit bois pour faire partir le feu, les quatre autres préparent l'emplacement du bûcher, ils creusent une rigole pour donner de l'air au feu, il faut repérer d'où vient le vent.

L'odeur de la forêt disparaît brutalement, les soldats de l'escorte rient et se bouchent le nez, le Scharführer s'écarte en jurant. Les brenner laissent leurs pelles, prennent les crochets, s'entourent le nez et la bouche de chiffons... Bonjour, grand-père, vous allez voir encore une fois la lumière du jour ; que vous êtes lourd... Une mère et trois enfants, deux garçons, l'aîné devait déjà aller à l'école, la fille doit être de 39, elle était atteinte de rachitisme, ça ne fait rien, elle n'en a plus maintenant... Ne te cramponne pas comme ça à ta maman, mon petit, elle ne partira pas... « Combien de figures ? » crie le Scharführer de loin. « Dix-neuf », et doucement pour lui-même, « personnes de tuées ». Tous jurent, une demi-journée de perdue. En revanche, la semaine dernière, ils avaient ouvert une fosse où il y avait deux cents jeunes femmes. Quand ils eurent retiré la couche de terre en surface, une vapeur grise monta au-dessus du charnier, les soldats riaient : « Elles ont le sang chaud, les garces ! » Sur les tranchées qui amènent l'air frais on met du bois sec, puis des bûches de chêne, elles donnent de la bonne braise, puis les corps des femmes, puis des bûches, puis les corps des hommes, encore des bûches, puis des morceaux de corps anonymes, puis on verse de l'essence, puis, au milieu, une bombe incendiaire, puis le Scharführer lance un ordre et les soldats de l'escorte sourient d'avance : les brenner vont chanter en chœur. Le bûcher flambe ! Puis on jette les cendres dans le trou. Et tout est silencieux à nouveau. Le silence est redevenu silence. Et ensuite on les conduisit dans un bois, il n'y avait pas de monticule au milieu de la clairière, le Scharführer ordonna de creuser un trou de quatre mètres sur deux ; tous comprirent ; ils avaient rempli leur tâche : 89 villages, plus 18 shtetl, plus 4 hameaux, plus 2 chefs-lieux de district, plus 3 sovkhozes, 2 céréaliers et 1 d'élevage, au total 116 agglomérations, 116 charniers que les brenner ont déterrés... Tout en creusant la fosse pour lui et ses compagnons, le comptable Nahum Rozenberg poursuit ses calculs : la semaine écoulée, 783 ; les 3 décades précédentes ont fait au total 4 826 corps brûlés, cela fait un total général de 5 609 corps brûlés. Il compte, compte et le temps passe insensiblement, il compte le montant moyen de figures, non pas de figures, de corps, par charnier, il faut diviser 5 609 par le nombre de charniers, c'est-à-dire 116, cela fait 48,35 corps par fosse commune, on peut donc dire, en arrondissant, 48 corps humains par tombe. Maintenant, si l'on compte que 20 brenner ont travaillé pendant 37 jours, cela fait... « En rang ! » crie le chef de l'escorte et le Scharführer ordonne : « *In die Grube marsch* » ! Mais il ne veut pas aller dans la tombe. Il court, tombe, repart, il court mal, le comptable ne sait pas courir, mais on n'a pas su le tuer et il est couché dans l'herbe, parmi les arbres ; tout est calme. Il ne pense pas au ciel au-dessus de lui, il ne pense pas à Golda qui était enceinte de six mois quand on l'a tuée ; il est étendu dans l'herbe et il calcule ce qu'il n'a pas eu le temps de calculer dans la tombe : 20 brenner, 37 jours, cela fait un ratio de... Ensuite il lui faut calculer combien cela fait en moyenne de stères par corps ; quelle est la durée moyenne de la combustion d'une figure ; combien...

La police le rattrapa au bout d'une semaine et le conduisit au ghetto.

Et maintenant, dans le wagon, il marmonne, il compte, multiplie, divise. Le bilan comptable de l'année. Il faut le présenter à Buchman, le chef comptable de la *Gosbank*. Et soudain, la nuit, pendant son sommeil, des larmes brûlantes arrachèrent l'écorce qui recouvrait son cerveau et son cœur.

« Golda ! Golda ! » appelle-t-il.

44

La fenêtre de sa chambre donnait sur les barbelés du gnetto. Une nuit, Moussia Borissovna se réveilla, souleva le coin du rideau et vit deux soldats en train de tirer une mitrailleuse ; la lumière bleue de la lune jouait sur l'acier poli, les lunettes de l'officier qui marchait en tête scintillaient. Elle entendit le grondement assourdi des moteurs. Les camions approchaient du ghetto tous phares éteints, leurs roues soulevaient des nuages de poussière argentée, et ils se déplaçaient, comme des divinités, sur leurs nuages.

Durant les quelques minutes au clair de lune dont eurent besoin les détachements de S S et S D, les polizei ukrainiens et une colonne motorisée appartenant aux réserves du *Reichssicherheitshauptamt*, pour s'approcher de l'entrée du ghetto endormi, Moussia Borissovna put voir ce qu'était la fatalité du XXe siècle.

Le clair de lune, le mouvement lent et majestueux des détachements en armes, les camions puissants et noirs, le tic-tac de la pendule sur le mur, le chandail, le soutien-gorge et les bas sur la chaise, la douce odeur du logis, l'impossible conciliation entre les inconciliables.

45

Natacha Karassik, la fille d'un médecin arrêté et exécuté en 1937, essayait, de temps en temps, de chanter. Parfois elle chantait même la nuit, mais les gens du wagon ne lui en voulaient pas.

Elle était timide, parlait toujours à voix basse, les yeux baissés ; elle ne rendait visite qu'à ses parents les plus proches et s'étonnait de l'audace des jeunes filles qui osaient aller danser.

A l'heure de la sélection, on ne la rangea pas dans le petit groupe de médecins et d'artisans qu'on gardait en vie parce qu'ils étaient utiles ; personne n'avait besoin de l'existence d'une jeune fille fanée aux cheveux grisonnants.

Un policier la poussa vers un groupe de trois hommes ivres qui se tenaient sur un talus de la place du marché. Elle avait connu l'un d'entre eux avant la guerre, il était magasinier dans un entrepôt du chemin de fer, et était, maintenant, le chef de la police. Elle n'avait pas même compris que ces trois-là décidaient de la vie et de la mort d'un peuple ; un policier la poussa dans une foule bruyante de milliers d'hommes, de femmes, d'enfants reconnus inutiles.

Puis, sous le soleil torride d'août, leur dernier soleil, ils marchèrent vers l'aéroport. Ils marchaient entre les pommiers poussiéreux qui bordaient la route, ils poussaient pour la dernière fois des cris perçants, déchiraient leurs vêtements, priaient. Natacha marchait en silence.

Jamais elle n'aurait cru que le sang puisse être d'un rouge vif sous le soleil. Quand, pour un instant, les cris, les détonations, les râles s'interrompaient, on entendait, dans la fosse, le sang ruisseler ; il courait sur les corps blancs comme sur des pierres blanches.

La suite fut bien moins effrayante : le crépitement de la mitraillette, le visage bon enfant et fatigué du bourreau qui attendait patiemment tandis qu'elle s'approchait craintivement de lui et se plaçait au bord de la fosse ruisselante.

La nuit, après avoir essoré sa chemise mouillée, elle retourna à la ville. Les morts ne sortent pas des tombes, elle était donc vivante.

Et, alors qu'elle se faufilait de cour en cour, pour regagner le ghetto, Natacha vit, sur la grand-place, un bal populaire. Un orchestre, cuivres et cordes, jouait des valses dont la mélodie mélancolique et rêveuse lui avait toujours plu ; et à la lumière blafarde des lampadaires et de la lune, des couples, soldats et jeunes filles, tournaient sur la place poussiéreuse, et le frottement des pieds se mêlait à la musique. Et soudain, la jeune fille fanée se sentit gaie et pleine d'assurance, et depuis elle chantait, chantait sans cesse dans l'attente du bonheur à venir, et parfois, si personne ne la voyait, s'essayait à valser.

46

David se souvenait mal de tout ce qui s'était passé depuis le début de la guerre. Mais une nuit, dans le wagon, des scènes se pressèrent dans son cerveau.

Il fait noir, sa grand-mère le conduit chez les Buchman. Le ciel est couvert d'étoiles et l'horizon est clair, d'un jaune verdâtre. Des feuilles de bardane lui frôlent le visage comme des mains froides et humides.

Dans le grenier, derrière la fausse paroi en brique de la cachette, des gens sont terrés. Les plaques de tôle ondulée du toit chauffent pendant la journée. Parfois la cachette s'emplit d'une odeur de brûlé, le ghetto flambe. Quand il fait jour, tous restent immobiles. La petite Svetlana, la fille des Buchman, pleure. Buchman a le cœur malade, dans la journée tout le monde le croit mort. La nuit, il mange et se dispute avec sa femme.

Soudain, des aboiements de chiens. Des mots d'une langue étrangère : « *Asta ! Asta ! Wo sind die Juden ?* » et, au-dessus des têtes, le bruit grandit, les Allemands sont passés sur le toit par une trappe.

Puis le fracas ferré des bottes allemandes dans le ciel de tôle noire s'interrompt. On entend des petits coups sournois de l'autre côté de la cloison, quelqu'un ausculte les murs.

Un silence passionné s'installe dans l'abri, un silence fait de cous et d'épaules tendus, d'yeux écarquillés par l'attente, de bouches grimaçantes.

Svetlana reprend sa mélopée sans paroles qu'accompagnent les coups dans le mur. Soudain les pleurs cessent, David se retourne et rencontre les yeux enragés de la mère de Svetlana.

Une ou deux fois par la suite, David revit la scène, les yeux enragés de Rébecca Buchman et Svetlana la tête pendant sur le côté comme une poupée de chiffons.

Mais il se rappelait très bien et revoyait souvent sa vie avant la guerre. Comme un vieillard, David vivait dans le passé, il l'aimait et le chérissait.

47

Le 19 décembre, le jour de son anniversaire, sa maman lui avait acheté un livre de contes. Au centre d'une clairière, se tenait un chevreau, tout autour, la forêt obscure semblait particulièrement menaçante. Parmi les troncs marron foncé des arbres et les champignons rouges et blancs, on devinait la gueule ouverte aux dents longues et les yeux verts du loup.

Seul David savait qu'un meurtre allait être commis. Il tapait du poing sur la table, cachait la clairière de sa main ouverte, mais il comprenait qu'il ne pourrait pas sauver le chevreau.

La nuit, il criait :

— Maman, maman, maman !

Réveillée, elle s'approchait de son lit, tel un nuage blanc dans les ténèbres de la nuit, et il s'étirait dans un bâillement bienheureux, comprenant que la plus grande force au monde le protégeait contre le noir de la forêt nocturne.

Plus tard, il eut peur des chiens rouges du *Livre de la jungle*. Une nuit, les fauves rouges envahirent la chambre, et David, s'aidant des tiroirs ouverts de la commode, se faufila dans le lit de sa mère.

Quand David avait une forte fièvre et délirait, il faisait toujours le même cauchemar : il était couché sur une plage au bord de la mer et de minuscules vagues chatouillent son corps. Soudain, s'élève à l'horizon une montagne liquide, elle grandit et s'approche à une vitesse vertigineuse. David est couché sur le sable chaud et l'énorme montagne d'eau noire fond sur lui. C'était plus effrayant que le loup et les chiens rouges.

Le matin, sa mère partait au travail. Il sortait sur l'escalier de service et versait du lait dans une boîte à sardines pour un chat sans maître à la queue longue et fine, au nez blanc et aux yeux chassieux. Mais un jour, une voisine annonça qu'enfin des hommes étaient venus et avaient, Dieu merci, emporté cet horrible chat errant à l'Institut.

— Où veux-tu que j'aille ? Quel Institut ? C'est parfaitement impossible, tu ferais mieux d'oublier l'existence de ce malheureux chat ! disait sa mère en regardant les yeux implorants de son fils. Comment feras-tu dans la vie ? Ce n'est pas possible d'être à ce point vulnérable !

Sa mère voulait l'envoyer en vacances dans un camp de pionniers, il pleurait, la suppliait, criait :

— Je te promets, j'irai chez grand-mère, mais, s'il te plaît, ne m'envoie pas dans le camp !

Tout le temps que dura le voyage, quand sa mère l'emmena en Ukraine où vivait la grand-mère, il ne mangea presque rien, il lui semblait honteux de manger des œufs durs ou de ronger une cuisse de poulet enveloppée dans un papier graisseux.

La mère de David resta cinq jours chez la grand-mère. Puis elle repartit travailler à Moscou.

Il ne pleura pas au moment des adieux mais il la serra si fort par le cou qu'elle lui dit :

— Tu m'étouffes, gros bêta. Tu auras plein de fraises, elles ne sont pas chères ici, et dans deux mois je reviendrai te chercher.

A côté de la maison de grand-mère Rosa, il y avait un arrêt de l'autobus qui allait jusqu'à la tannerie. En ukrainien, on ne disait pas arrêt mais *zoupynka*.

Défunt grand-père avait été un membre du Bund, c'était un grand homme, il avait vécu à Paris. Cela avait valu à grand-mère beaucoup de respect et de nombreux licenciements.

On entendait par les fenêtres ouvertes la radio qui annonçait : « *Ouvaga, ouvaga,* ici Kiev ».

Pendant la journée, la rue était déserte ; elle s'animait quand les élèves du centre d'apprentissage de la tannerie rentraient à la maison. Ils criaient d'un trottoir à l'autre : « Bella, t'as passé ton examen ? Yacha, viens ce soir réviser le marxisme ! »

Vers le soir, les ouvriers de la tannerie, les vendeurs de magasin, l'électricien rentraient à leur tour. La grand-mère travaillait comme employée à la polyclinique de la ville.

Pendant son absence, David ne s'ennuyait pas.

Auprès de la maison, il y avait un verger abandonné. Là, parmi les pommiers stériles, une vieille chèvre broutait de l'herbe et des poules marquées à la peinture cherchaient leur nourriture. Les citadins, moineaux et corneilles, se conduisaient de façon effrontée alors que les oiseaux des champs, dont David ignorait les noms, égarés dans le verger, ressemblaient à des filles de la campagne intimidées.

Il entendit pour la première fois de nombreux mots, et il y retrouvait des reflets de sa langue maternelle, le russe. Il entendit pour la première fois parler yiddish et fut stupéfait quand il entendit sa mère et sa grand-mère parler devant lui en yiddish. Il n'avait jamais entendu sa mère parler une langue qu'il ne comprenait pas.

La grand-mère emmena un jour David chez sa nièce, la grosse Rébecca Buchman. David fut frappé par la quantité de rideaux et de napperons de dentelle. Bientôt Édouard Isaacovitch Buchman, chef comptable à la *Gosbank,* entra dans la pièce. Il était dans une tenue aux allures d'uniforme, en vareuse et en bottes.

— Chaïm, dit Rébecca, voilà notre hôte de Moscou, c'est le fils de Rachel.

Elle ajouta :

— Dis bonjour à tonton Édouard.

— Tonton Édouard, pourquoi ma tante vous appelle Chaïm ? demanda David.

— Oh ! Ça, c'est une vraie question, dit Édouard Isaacovitch. Tu ne sais donc pas qu'en Angleterre tous les Chaïm s'appellent Édouard ?

Puis un chat gratta à la porte et quand il parvint à l'ouvrir, tous virent dans la pièce d'à côté une petite fille assise, l'air grave, sur son pot.

Le dimanche, David accompagna sa grand-mère au marché. Des vieilles en fichus noirs, des femmes de responsables locaux à l'air hautain, des paysannes chaussées de bottes trop grandes se pressaient dans la même direction qu'eux.

Des mendiants juifs criaient avec des voix méchantes et il semblait qu'on leur donnait l'aumône plus par crainte que par pitié. Les camions des kolkhozes chargés de sacs de pommes de terre et de poules qui caquetaient dans les cahots comme de vieilles Juives malades brinquebalaient sur les pavés de la chaussée.

Les étals de boucherie le fascinaient et le repoussaient. David vit des hommes décharger un corps de veau mort, sa langue pâle pendait et le pelage frisotté sur son cou était taché de sang.

La grand-mère acheta une petite poule tachetée et elle la portait en la tenant par ses pattes qu'attachait un petit chiffon blanc ; David marchait à côté et s'efforçait d'aider la poule à lever sa tête qui pendait sans force ; il s'étonnait de voir sa grand-mère faire preuve soudain d'une cruauté si inhumaine.

Il se souvint des paroles incompréhensibles de sa mère disant que la famille du côté de son grand-père était de tradition intellectuelle mais que, du côté de la grand-mère, c'étaient tous des boutiquiers. C'était sûrement pour cela que sa grand-mère n'avait pas pitié de la poule.

Ils pénétrèrent dans une cour, un vieillard, coiffé d'une calotte, sortit à leur rencontre et la grand-mère prononça quelques phrases en yiddish. Le petit vieux prit la poule, marmonna quelque chose, la poule, rassurée, caquetait. Puis il fit un geste rapide, à peine perceptible mais sûrement horrible, et jeta la poule par-dessus l'épaule ; elle poussa un cri et se sauva en battant des ailes, et le garçon vit qu'elle n'avait plus de tête, seul courait un corps sans tête ; le petit vieux l'avait tuée. Après quelques pas, le corps tomba et griffa le sol de ses pattes jeunes et puissantes puis cessa de vivre.

Au cours de la nuit, David eut l'impression qu'une odeur humide de vaches abattues et d'enfants égorgés pénétrait dans la chambre.

La mort, qui vivait jusqu'alors dans une image de forêt où une image de loup guettait une image de chevreau, quitta ce jour-là les pages du livre de contes. Pour la première fois, il comprit avec une acuité extraordinaire que lui aussi mourrait un jour, pas dans un conte mais pour de vrai.

Il comprit qu'un jour sa mère mourrait. La mort, la sienne, celle de sa mère, ne viendraient pas de la forêt imaginaire où des sapins se dressent dans la pénombre, elles viendraient de l'air qui l'entoure, des murs de sa chambre, de sa vie, et il était impossible de se cacher.

Il ressentit la mort avec l'acuité et la profondeur dont seuls les enfants et les grands philosophes sont capables.

Les chaises dont les sièges défoncés étaient recouverts d'une plaque de contre-plaqué, la grosse armoire pleine de vêtements avaient une odeur tranquille et bonne, la même que les cheveux et les robes de grand-mère. Tout autour c'était la nuit, d'un calme trompeur.

48

Cet été-là, la vie descendit des faces des cubes, des images dessinées dans les livres de lecture. Il connut le bleu d'une aile de canard et la bonne humeur ironique de son sourire et de son coin-coin. Il grimpa sur le tronc rugueux d'un cerisier et cueillit le bigarreau blanc qu'il avait vu dans les feuilles. Il s'approcha d'un veau attaché à un piquet dans un terrain vague et lui tendit un morceau de sucre ; pétrifié de bonheur, il vit de près les yeux attendrissants de l'énorme bébé.

Pyntchik le rouquin s'approcha de David dans la cour et lui dit, sans prononcer les « r » :

— Faisons la baga''e !

Dans la cour de la grand-mère, les Juifs et les Ukrainiens se ressemblaient.

Ce monde semblait bien plus plaisant à David que son monde de Moscou, dans la maison de la rue Kirov, où la vieille Drago-Dragon à la figure peinte promenait son caniche dans le puits asphalté de la cour, où une limousine officielle stationnait le matin devant la porte d'entrée, où une voisine, en pince-nez, une cigarette entre des lèvres rouge vif, grinçait, penchée au-dessus de la gazinière de la cuisine commune : « Espèce de trotskiste, tu as encore changé de brûleur mon café. »

Sa mère le conduisait de la gare chez la grand-mère. Ils marchaient dans une rue pavée, éclairée par la lune, ils passèrent devant une église catholique où, dans une niche, un Christ maigrelet, de la taille d'un enfant de douze ans, courbait la tête sous la couronne d'épines, ils passèrent devant l'école normale où maman avait fait ses études.

Quelques jours plus tard, le vendredi soir, il vit les vieillards aller à la synagogue dans la poussière dorée que soulevaient les footballeurs du terrain vague.

Un charme poignant naissait de cette union de chaumières ukrainiennes passées à la chaux, du grincement des puits et des antiques broderies sur le Thaleth noir et blanc. Et dans le même temps, *Kobzar*[1], Pouchkine et Tolstoï, les manuels de physique, et *la Maladie*

---

1. Recueil de poèmes du classique ukrainien T. Chevtchenko. *(N.d.T.)*

infantile du communisme, les fils de tailleurs et de cordonniers qui avaient combattu pendant la guerre civile, et dans le même temps, les « instructeurs » du parti, les tribuns et les mauvais coucheurs des syndicats, les camionneurs, les inspecteurs de police, les conféren ciers de marxisme-léninisme.

David apprit chez sa grand-mère que sa mère était malheureuse La première à le lui annoncer fut tante Rachel :

— Abandonner une femme comme ta mère ! *Nicht Derleben soll men es !*

Le lendemain, David savait déjà que son père avait quitté sa mère pour une Russe, son aînée de huit ans, qu'il gagnait deux mille cinq cents roubles par mois à la Philharmonie, que sa mère n'avait pas voulu de pension alimentaire et vivait de son salaire : trois cent dix roubles par mois [1].

Un jour, David montra à sa grand-mère le cocon qu'il gardait dans une boîte d'allumettes.

Mais sa grand-mère se contenta de dire :

— Fé ! Pour quoi faire, cette saleté ? Jette-le en vitesse !

David alla regarder, par deux fois, comment on chargeait du bétail à la gare de marchandises. Il entendit un taureau mugir et il ne comprit pas si le taureau se plaignait ou s'il implorait la pitié. L'âme de l'enfant s'emplit d'horreur, mais les cheminots en vestes graisseuses qui passaient à côté du wagon ne tournèrent même pas leurs visages émaciés en direction de la bête qui criait.

Une semaine après l'arrivée de David, une voisine de la grand-mère, Deborah, la femme de Lazare Yankelevitch, qui travaillait comme mécanicien à l'usine de machines agricoles, mit au monde son premier enfant. Elle était allée l'année dernière chez sa sœur, dans la région de Kolyma, et avait été frappée par la foudre ; on l'avait ranimée puis recouverte de terre, elle était restée deux heures comme morte, et voilà, elle avait mis au monde l'enfant qu'elle n'arrivait pas à avoir depuis quinze ans. C'est la grand-mère qui raconta la nouvelle à David, en ajoutant :

— C'est ce que disent les gens, mais on lui a fait par ailleurs une opération l'année dernière.

Donc, David et sa grand-mère allèrent rendre visite aux voisins.

— Eh bien, Lazare, eh bien, Deba, dit la grand-mère après avoir contemplé la petite chose dans le panier à linge. Elle le dit d'un ton menaçant, comme si elle avait voulu avertir le père et la mère qu'ils ne devraient jamais prendre à la légère le miracle de cette naissance.

Un jour, grand-mère envoya David porter un pot de crème fraîche chez Moussia Borissovna... La chambre était minuscule. Une petite

---

1. Des roubles d'avant les réformes monétaires. *(N.d.T.)*

ᵗasse était posée sur la table. Une petite photographie où l'on voyait David bébé dans les bras de sa mère était accrochée au-dessus du petit lit, à côté d'une petite étagère avec de petits livres. Quand David regarda la photo, Moussia Borissovna rougit et se justifia :

— Tu sais, ta maman et moi, nous étions de grandes amies à l'école.

Il lui récita la fable de la cigale et de la fourmi et elle lui récita d'une voix douce le début du *Sacha* de Nekrassov : « Sacha pleurait les arbres abattus... »

Le matin, la cour était en émoi : on avait volé à Solomon Slepoï son manteau de fourrure rangé pour l'été dans la naphtaline.

Quand la grand-mère apprit le vol du manteau, elle se réjouit :

— Merci, mon Dieu, il aura eu au moins cela comme punition.

David apprit que Solomon était un mouchard, qu'il avait dénoncé beaucoup de gens, quand, après la révolution, on confisquait l'or et les devises étrangères. Et il avait recommencé en 1937. Parmi ceux qu'il avait dénoncés, deux furent fusillés et un mourut à l'infirmerie de la prison.

La nuit, pleine de bruits effrayants, le sang innocent, le chant des oiseaux, tout se fondit en un mélange en ébullition. David aurait pu analyser cela bien des années plus tard, mais il ressentait nuit et jour, dans son petit cœur, son horreur et son charme poignant.

49

L'abattage du bétail malade demande des préparatifs : il faut transporter le bétail, le rassembler, trouver du personnel qualifié, creuser des fosses.

La population aide les autorités à mener les bêtes à l'abattoir, à retrouver celles qui se sont échappées, non par haine pour les veaux et les vaches, mais par instinct de conservation.

De même, quand on procède à un abattage de masse d'êtres humains, la population n'éprouve pas de haine sanguinaire contre les femmes, vieillards et enfants qu'il convient d'exterminer. Aussi est-il indispensable de préparer une campagne d'abattage d'êtres humains d'une façon particulière. L'instinct de conservation, dans ce cas, ne suffit plus, et il est indispensable de faire naître la répulsion et la haine dans la population.

C'est précisément dans une telle atmosphère de répulsion et de haine qu'avait été préparée et réalisée l'extermination des Juifs d'Ukraine et de Biélorussie. Sur ces mêmes terres, Staline avait en son temps mené la campagne contre les koulaks « en tant que classe », contre les saboteurs, contre la clique trotskiste et boukharinienne, il avait créé et mobilisé la fureur des masses.

L'expérience a montré qu'au cours de telles campagnes, la majeure partie de la population obéit de façon hypnotique aux indications du pouvoir. Une minorité de la population suffit pour créer l'atmosphère de la campagne : cela peut être des crétins idéologisés, des êtres sanguinaires qui se réjouissent et jubilent, cela peut être aussi des hommes qui cherchent à régler des comptes personnels, à voler les affaires ou les appartements, à prendre des postes qui se libèrent. La majorité des gens, tout en étant horrifiée par les exécutions massives, cache son sentiment à ses proches et à soi-même. Ces hommes emplissent les salles où se déroulent les réunions consacrées aux campagnes d'extermination, et si fréquentes que soient les réunions, si vastes que soient les salles, il n'y a presque pas de cas où quelqu'un ait brisé l'unanimité silencieuse. Et plus rares encore, bien sûr, furent ceux qui n'ont pas détourné les yeux en croisant le regard implorant d'un chien supposé être enragé et l'ont caché dans leur propre maison, mettant en danger leur femme et leurs enfants, mais malgré tout il y eut de tels cas.

La première moitié du XXᵉ siècle restera l'époque des grandes découvertes scientifiques, des révolutions, de gigantesques bouleversements sociaux et de deux guerres mondiales.

Mais la première moitié du XXᵉ siècle entrera aussi dans l'histoire de l'humanité comme la période de l'extermination totale d'énormes masses de la population juive, extermination qui s'est fondée sur des théories sociales ou raciales. Le monde actuel le tait avec une discrétion fort compréhensible.

Une des propriétés les plus extraordinaires de la nature humaine qu'ait révélée cette période est la soumission. On a vu d'énormes files d'attente se constituer devant les lieux d'exécution et les victimes elles-mêmes veillaient au bon ordre de ces files. On a vu des mères prévoyantes qui, sachant qu'il faudrait attendre l'exécution pendant une longue et chaude journée, apportaient des bouteilles d'eau et du pain pour leurs enfants. Des millions d'innocents, pressentant une arrestation prochaine, préparaient un paquet avec du linge et une serviette et faisaient à l'avance leurs adieux. Des millions d'êtres humains ont vécu dans des camps qu'ils avaient construits et qu'ils surveillaient eux-mêmes.

Et ce ne furent pas des dizaines de milliers, ni même des dizaines de millions, mais d'énormes masses humaines qui assistèrent sans broncher à l'extermination des innocents. Mais ils ne furent pas seulement des témoins résignés ; quand il le fallait, ils votaient pour l'extermination, ils marquaient d'un murmure approbateur leur accord avec les assassinats collectifs. Cette extraordinaire soumission des hommes révéla quelque chose de neuf et d'inattendu.

Bien sûr, il y eut la résistance, il y eut le courage et la ténacité des condamnés, il y eut des soulèvements, il y eut des sacrifices, quand, pour sauver un inconnu, des hommes risquaient leur vie et celle de leurs proches. Mais, malgré tout, la soumission massive reste un fait incontestable.

Que nous apprend-elle ? Est-ce un aspect nouveau et surprenant de la nature humaine ? Non, cette soumission nous révèle l'existence d'un nouveau et effroyable moyen d'action sur les hommes. La violence et la contrainte exercées par les systèmes sociaux totalitaires ont été capables de paralyser dans des continents entiers l'esprit de l'homme.

En se mettant au service du fascisme, l'âme de l'homme proclame que l'esclavage, ce mal absolu, porteur de malheur et de mort, est le seul et unique bien. L'homme ne renonce pas aux sentiments humains, mais il proclame que les crimes commis par le fascisme sont une forme supérieure de l'humanisme, il consent à partager les gens en purs et impurs, en dignes et indignes. La volonté de survivre à tout prix a eu pour résultat la compromission de l'âme avec l'instinct.

L'instinct reçoit l'aide de la puissance hypnotique qu'exercent des systèmes idéologiques globaux. Ils appellent à tous les sacrifices, ils invitent à utiliser tous les moyens au nom du but suprême : la grandeur future de la patrie, le progrès mondial, le bonheur de l'humanité, de la nation, d'une classe.

A côté de ces deux premières forces (l'instinct de conservation et la puissance hypnotique des grandes idées), il y en a une troisième : l'effroi provoqué par la violence sans limites qu'exerce un État puissant, par le meurtre érigé en moyen de gouvernement.

La violence exercée par un État totalitaire est si grande qu'elle cesse d'être un moyen pour devenir l'objet d'une adoration quasi mystique et religieuse.

Sinon, comment peut-on expliquer que des penseurs juifs non dépourvus d'intelligence aient pu affirmer qu'il était indispensable de tuer les Juifs pour réaliser le bonheur de l'humanité et qu'ils étaient prêts à conduire leurs propres enfants à l'abattoir, qu'ils étaient prêts à répéter, pour le bonheur de leur patrie, le sacrifice d'Abraham ?

Sinon, comment peut-on expliquer qu'un poète, fils de paysan, doué de raison et de talent, ait écrit un poème plein de sincérité qui glorifiait une époque de souffrances sanglantes de la paysannerie, une époque qui avait dévoré son père, un paysan travailleur, honnête et simple ?

Un des moyens qu'exerce le fascisme sur l'homme est l'aveuglement. L'homme ne peut croire qu'il est voué à l'extermination. L'optimisme dont faisaient preuve les gens alors qu'ils étaient au bord de la tombe est tout bonnement étonnant. Un espoir insensé, parfois vil, parfois lâche, engendrait une soumission du même ordre, une soumission pitoyable, parfois vile, parfois lâche.

Le soulèvement du ghetto de Varsovie, le soulèvement de Treblinka, le soulèvement de Sobibor, les petites révoltes des brenner, sont nés du désespoir.

Mais, bien sûr, le désespoir lucide et total n'a pas seulement suscité des soulèvements et de la résistance, il a également suscité une aspiration, inconnue de l'homme normal, à être tué le plus rapidement possible.

Des hommes se disputaient à qui passerait le premier dans les files d'attente devant les fossés sanglants ; on entendit une voix exaltée, folle, exultante même, crier :

— Yidn, n'ayez pas peur, rien de terrible, cinq minutes à passer et c'est terminé !

Tout, tout engendrait la soumission, l'espoir aussi bien que le désespoir. Les gens d'une même destinée ne sont pas forcément de même nature.

Il faut s'interroger sur ce qu'a dû voir et endurer un homme pour en être réduit à attendre comme un bonheur le moment de son exécution. Et en premier lieu ceux qui devraient s'interroger là-dessus, ce sont les hommes qui sont enclins à expliquer comment il aurait fallu combattre dans des conditions dont, par chance, ces professeurs n'ont pas la moindre idée.

Étant établi que l'homme se soumet à une contrainte et à une violence infinies, il faut en tirer la déduction ultime, décisive pour la compréhension de l'homme et de son avenir.

La nature de l'homme subit-elle une mutation dans le creuset de l'État totalitaire ? L'homme perd-il son aspiration à la liberté ? Dans la réponse à ces questions résident le sort de l'homme et le sort de l'État totalitaire. Une transformation de la nature même de l'homme impliquerait le triomphe universel et définitif de la dictature de l'État, la conservation de l'instinct de liberté chez l'homme impliquerait la condamnation de l'État totalitaire.

Les glorieux soulèvements du ghetto de Varsovie, de Treblinka et de Sobibor, le gigantesque mouvement de résistance qui s'empara de dizaines de pays asservis par Hitler, les soulèvements qui eurent lieu après la mort de Staline à Berlin en 1953, en Hongrie en 1956 et ceux des camps de Sibérie et d'Extrême-Orient, les mouvements en Pologne, les mouvements etudiants pour la liberté de pensée dans de nombreuses villes, les grèves dans de nombreuses usines, tout cela a démontré que l'instinct de liberté chez l'homme est invincible. Il a été étouffé mais il a toujours existé. L'homme, condamné à l'esclavage, est esclave par destin et non par nature.

L'aspiration de la nature humaine vers la liberté est invincible, elle peut être écrasée mais elle ne peut être anéantie. Le totalitarisme ne peut pas renoncer à la violence. S'il y renonce, il périt. La contrainte et la violence continuelles, directes ou masquées, sont le fondement du totalitarisme. L'homme ne renonce pas de son plein gré à la liberté. Cette conclusion est la lumière de notre temps, la lumière de l'avenir.

50

Dans une maison claire, vaste et propre d'un village de l'Oural entouré de forêts, le commandant du corps de blindés Novikov et le commissaire Guetmanov finissaient l'examen des rapports des commandants de brigade qui avaient reçu l'ordre de se préparer à faire mouvement.

Un moment d'accalmie avait succédé aux nuits blanches et au travail des derniers jours.

Novikov et ses subordonnés avaient l'impression, comme toujours en pareil cas, qu'ils n'avaient pas eu assez de temps pour parfaire l'instruction des recrues. Mais la période d'instruction était terminée ; c'en était fini de l'étude des régimes du moteur et du train de roulement, de l'étude des tubes, de l'optique, des postes radio ; c'en était fini des exercices : direction des tirs, évaluation, choix et désignation des objectifs, choix du genre de tirs, ouverture du feu, observation des coups, correction des tirs, changement d'objectifs.

Un nouveau maître, la guerre, aurait vite fait de rattraper les mauvais élèves, de remplir les oublis, d'indiquer les révisions à faire.

Guetmanov se dirigea vers un petit placard, entre deux fenêtres, y frappa du doigt et dit :

— Eh, l'ami, monte en première ligne.

Novikov ouvrit le placard, en sortit une bouteille de cognac et emplit deux gros verres bleutés.

— Alors, à qui allons-nous boire ? fit le commissaire, pensif.

Novikov savait en l'honneur de qui il fallait lever le premier verre, et que c'était justement pour cela que Guetmanov avait posé sa question.

— Je propose, camarade commissaire, que nous portions un toast à ceux que nous allons conduire au combat, souhaitons qu'ils ne versent pas trop de leur sang, prononça Novikov après une brève hésitation.

— Bonne idée, l'homme est le capital le plus précieux, buvons pour nos gars, dit Guetmanov.

Ils trinquèrent et vidèrent leurs verres.

Avec une hâte qu'il était incapable de dissimuler, Novikov emplit une seconde fois les verres et porta le second toast :

— Buvons au camarade Staline ! Faisons tout pour justifier sa confiance.

Il remarqua un léger sourire dans les yeux affectueux et attentifs de Guetmanov et il s'en voulut : « Je me suis trop pressé. »

Guetmanov reprit, sur un ton familier :

— D'accord, pour notre petit vieux, notre papa. On est arrivé jusqu'à la Volga sous sa direction.

Novikov regarda le commissaire, mais que peut-on lire dans les yeux en fentes, gais et dépourvus de bonté, sur le visage large et souriant, plein d'intelligence, d'un homme de quarante ans ?

Soudain, Guetmanov parla de leur chef d'état-major, le général Néoudobnov :

— C'est un homme bien. Un bolchevik. Un vrai stalinien. Il a une grande expérience du travail dirigeant. Il a des nerfs d'acier. Je l'ai connu en 1937. Ejov l'avait envoyé nettoyer un peu la région militaire et moi, en ce temps-là, vous savez, je ne travaillais pas non plus dans un jardin d'enfants. Mais lui, alors, il en a fait. Une vraie hache, il liquidait les hommes par listes entières, il a fait aussi bien que Ulrich, Vassili Vassilievitch, il a mérité la confiance de Ejov. Il faut qu'on l'invite, sinon il va se vexer.

D'après son ton, on aurait pu croire qu'il condamnait la lutte contre les ennemis du peuple, lutte à laquelle, Novikov le savait, Guetmanov avait pris une part active. Et de nouveau, Novikov regarda Guetmanov sans pouvoir le déchiffrer.

— Eh oui, fit Novikov à contrecœur, il y en a qui ont fait du dégât en ce temps-là.

Guetmanov eut un geste de désespoir.

— Nous avons reçu aujourd'hui un bulletin du G.Q.G. C'est terrifiant : les Allemands ne sont plus très loin de l'Elbrouz, ils jettent les nôtres dans la Volga à Stalingrad. Et moi, je le dis carrément, il y va de notre faute, nous avons tiré sur les nôtres, nous avons détruit nos cadres.

Novikov ressentit un brusque élan de confiance pour Guetmanov :

— On peut dire que ces gars-là, ils en ont expédié, des gens remarquables, ils ont fait beaucoup de mal dans l'armée, camarade commissaire. Tenez, ils ont crevé un œil au général Krivoroutchko, mais lui, il a cassé la tête de son juge d'instruction avec un encrier.

Guetmanov hocha la tête en signe d'accord et dit :

— Lavrenti Pavlovitch apprécie beaucoup notre Néoudobnov. Et Lavrenti Pavlovitch ne se trompe jamais, question homme, il en a là-dedans.

« Oh ! oui, bien sûr », se dit tristement Novikov, mais il resta silencieux.

Ils se turent et prêtèrent l'oreille aux voix basses et sifflantes qui provenaient de la pièce voisine.

— Ce n'est pas vrai, ces chaussettes sont à nous.

— Comment ça, à vous, camarade lieutenant, vous ne savez plus ce que vous dites.

La même voix ajouta, passant cette fois-ci au tu :

— Ne touche pas, c'est à nous ces cols.

— Et encore quoi, camarade instructeur, ils ne sont pas à vous, regarde !

C'étaient les officiers d'ordonnance de Novikov et de Guetmanov qui triaient le linge de leurs chefs après la lessive.

— Ça fait un moment que j'observe nos gaillards, dit Guetmanov. Nous allions aux exercices de tir dans le bataillon de Fatov. J'ai traversé le ruisseau en marchant sur des pierres ; vous, vous avez sauté par-dessus et tapé des pieds pour faire tomber la boue. Et qu'est-ce que je vois ? Mon ordonnance, lui aussi, marche sur les pierres tandis que le vôtre saute et tape des pieds.

— Eh, les guerriers, faites moins de bruit en vous injuriant, dit Novikov et les voix se turent aussitôt.

Le général Néoudobnov, un homme au front haut, aux cheveux épais et grisonnants, entra dans la pièce. Il regarda la bouteille, les verres, posa un dossier sur la table et dit :

— Qu'allons-nous faire, camarade colonel, pour le chef d'état-major de la deuxième brigade ? Mikhalev reviendra de l'hôpital seulement dans six semaines, je viens de recevoir son certificat médical.

— Vous parlez d'un chef d'état-major avec un morceau de boyau et d'estomac en moins, dit Guetmanov.

Il se leva, versa du cognac dans un verre et le tendit à Néoudobnov.

— Buvez, camarade général, buvez tant que les boyaux sont en place.

Néoudobnov leva les sourcils, jeta un coup d'œil interrogateur en direction de Novikov.

— Je vous en prie, camarade général, l'invita celui-ci.

Les manières de Guetmanov l'irritaient. Où qu'il fût, Guetmanov se sentait toujours chez lui, il était convaincu de son droit de prendre longuement la parole à des conférences sur des problèmes techniques auxquels il n'entendait rien ; de même, tout aussi sûr de lui, convaincu de son bon droit, il pouvait offrir du cognac qui ne lui appartenait pas, installer quelqu'un à dormir dans le lit d'un autre, ou lire sur une table des papiers qui ne le regardaient pas.

— On pourrait peut-être nommer en attendant le major Bassangov ? dit Novikov. C'est un officier qui connaît son affaire, il a pris part à des combats de chars dès le début de la guerre, à Novograd-Volynsk. Notre commissaire n'a pas d'objections ?

— Bien sûr que non, dit Guetmanov. Quelles objections pourrais-je bien avoir ?... Mais j'ai quelques considérations à formuler. Le colonel commandant en second de la deuxième brigade est un Arménien, son chef d'état-major sera un Kalmouk, ajoutez à cela que le chef d'état-major de la troisième brigade est le lieutenant-colonel Lifchits. Peut-être pourrions-nous nous passer du Kalmouk ?

Il regarda Novikov, puis Néoudobnov.

— C'est ce que nous suggèrent le sens commun et notre cœur, mais le marxisme nous a appris à avoir un autre point de vue sur la question.

— L'essentiel, c'est de savoir comment le camarade en question combattra l'Allemand, voilà mon marxisme, dit Novikov. Quant à savoir où son père priait Dieu, dans une église, une mosquée... (il s'arrêta une seconde et poursuivit) ou une synagogue, ça m'est égal... Moi, je pense que l'essentiel, à la guerre, c'est de tirer.

— Tout juste, tout juste, approuva joyeusement Guetmanov. Aussi je ne vois pas pourquoi on transformerait un corps de blindés en synagogue ou Dieu sait quel autre lieu de culte. C'est quand même la Russie que nous défendons.

Soudain il se renfrogna et proféra avec rage :

— Je vais vous dire, moi, ça suffit ! Ça me fait vomir ! Au nom de l'amitié des peuples, nous sacrifions toujours l'homme russe. Les nationaux des minorités, ils savent à peine les lettres de l'alphabet qu'on les nomme déjà ministres. Et notre Ivan, même s'il a la grosse tête, on l'envoie au pelote, « laissez le passage aux nationaux ». Le grand peuple russe a été réduit à l'état de minorité nationale. Je suis pour l'amitié entre les peuples, mais pas de ce type. Ça suffit !

Novikov réfléchit un instant, regarda les papiers étalés devant lui, tapota du doigt son verre et finit par dire :

— C'est peut-être moi qui opprime les Russes par sympathie particulière pour les Kalmouks ?

Puis, se tournant vers Néoudobnov, il ordonna :

— Bon, eh bien, prenez note : le major Sazonov est nommé à titre temporaire chef d'état-major de la deuxième brigade.

— Un excellent officier, ce Sazonov, fit doucement Guetmanov.

Une fois de plus, Novikov, qui avait appris à être dur, impérieux, grossier, sentit qu'il manquait d'assurance face à son commissaire... « Bon, bon, d'accord... se dit-il pour se consoler, en politique je suis un analphabète. Je suis tout juste un spécialiste de la guerre. Notre boulot n'est pas bien sorcier : battre les Allemands. »

Mais, bien qu'il raillât intérieurement l'incompétence en matière militaire de Guetmanov, il lui était désagréable de sentir qu'il avait peur de lui.

Cet homme avec une grosse tête et un gros ventre, aux cheveux perpétuellement en bataille, de petite taille mais large d'épaules, à la voix forte, était toujours en mouvement, toujours prêt à rire, jamais fatigué.

Bien qu'il n'eût jamais été au front, on disait de lui : « Il n'a pas froid aux yeux, notre commissaire, un vrai baroudeur. »

Il aimait tenir des meetings : ses discours plaisaient aux soldats, son langage était simple, il avait la plaisanterie facile et ne craignait pas les expressions un peu vertes.

Il avait une démarche chaloupée et, généralement, s'appuyait sur une canne ; si un soldat distrait tardait à le saluer, Guetmanov s'arrêtait devant lui et, s'appuyant sur sa fameuse canne, s'inclinait bien bas à la manière d'un ancêtre de village.

Il était coléreux et n'aimait pas être contredit ; quand on s'opposait à lui, il se renfrognait et se mettait à souffler ; un jour, pris de fureur, il leva la main et, pour ainsi dire et en quelque sorte, il allongea un coup de poing au capitaine Goubenko, le chef d'état-major du régiment de chars lourds, un homme entêté et, selon l'expression de ses camarades, « affreusement à cheval sur les principes ».

L'ordonnance de Guetmanov condamna le capitaine entêté : « Le cochon, regardez ce qu'il a fait de notre commissaire. »

Guetmanov n'avait aucune considération pour ceux qui avaient vécu les jours difficiles du début de la guerre. Il disait du commandant de la première brigade, Makarov, le préféré de Novikov :

— Je la lui ferai recracher, sa philosophie de 1941 !

Novikov ne répondait pas, bien qu'il aimât discuter avec Makarov des premiers jours de la guerre, jours terribles mais par certains côtés fascinants.

En apparence, Guetmanov, avec ses jugements à l'emporte-pièce, était le contraire vivant de Néoudobnov. Mais, malgré leurs dissemblances, les deux hommes étaient unis par une communauté profonde.

Le regard inexpressif mais attentif de Néoudobnov, sa parole toujours calme, ses phrases bien tournées, décourageaient Novikov.

Alors que Guetmanov lançait avec un petit rire :

— Nous avons eu de la chance, les Allemands se sont rendus plus insupportables à nos moujiks en un an que les communistes en vingt-cinq ans.

Ou bien il disait d'un air moqueur :

— Il n'y a rien à dire, le papa il aime bien qu'on dise qu'il est génial.

Mais ces audaces n'encourageaient pas son interlocuteur, bien au contraire, elles faisaient monter en lui une sourde inquiétude.

Quand, avant la guerre, Guetmanov dirigeait une région, il parlait avec assurance du problème de la production de briques de chamotte, de l'organisation de la recherche dans une filiale de l'Institut de la houille, de la qualité de la cuisson du pain dans les boulangeries de la ville, des défauts du roman *les Flammes bleues* paru dans un almanach local, de la reconstruction du garage municipal, de l'épizootie de peste aviaire dans les basses-cours des kolkhozes.

Maintenant, il parlait avec la même assurance de la qualité du carburant, de la vitesse d'usure des moteurs, de la tactique des combats de chars, de la collaboration des blindés, de l'artillerie et de l'infanterie au cours d'une percée du front ennemi, des chars en ordre de marche, de l'assistance médicale pendant le combat, des transmissions radio en code, de la psychologie des combattants, des relations à l'intérieur d'un équipage de char, de l'entretien courant et des remises à neuf des chars, de l'évacuation du champ de bataille des chars endommagés.

Un jour, après des exercices de tir, Guetmanov et Novikov s'étaient arrêtés devant le char du bataillon de Fatov qui avait remporté la première place.

Le chef de l'équipage, tout en répondant aux questions de ses supérieurs, caressait, d'un geste affectueux de la paume, la paroi du blindé.

Guetmanov lui demanda s'il avait eu du mal à remporter la première place et le soldat, soudain animé, se confia :

— Non, pourquoi donc ? C'est que je l'aime, mon char. Quand je suis arrivé de mon village au centre d'instruction et que je l'ai vu, je l'ai tout de suite aimé, si fort que c'est pas croyable.

— Le coup de foudre alors, dit Guetmanov en éclatant de rire.

Et ce rire condescendant semblait condamner l'amour ridicule du jeune gars pour son char.

Novikov sentit, en cet instant, que lui aussi était ridicule, que lui aussi pouvait aimer bêtement. Mais il n'avait pas envie d'en parler à Guetmanov. Aussi, quand Guetmanov, redevenu sérieux, dit d'un ton sentencieux :

— C'est très bien, l'amour pour son char est une grande force.

C'est parce que tu aimes ton char que tu as remporté ce grand succès, Novikov fit, ironique :

— Et pourquoi au juste doit-on l'aimer ? Il offre une cible magnifique, rien de plus facile que de le mettre hors de combat, il fait un bruit de dingue, se livrant lui-même à l'ennemi, et l'équipage devient lui aussi dingue de bruit. En marche il secoue tellement qu'il est impossible d'observer et de tirer correctement.

Guetmanov avait souri ironiquement en regardant Novikov.

Et maintenant, Guetmanov avait le même sourire en remplissant les verres, il regarda Novikov et déclara :

— Notre chemin passe par Kouïbychev. Notre commandant va pouvoir rencontrer quelqu'un qu'il connaît. Buvons à cette rencontre.

« Il ne manquait plus que cela », pensa Novikov et il sentit qu'il rougissait comme un collégien.

Le général Néoudobnov avait été surpris par le début de la guerre à l'étranger. Ce n'est qu'au début de l'année 1942, de retour à Moscou, au ministère de la Défense, qu'il vit les barricades et les fossés antichars, qu'il entendit les sirènes des alertes aériennes.

Néoudobnov, tout comme Guetmanov, ne posait jamais de questions sur la guerre, peut-être avait-il honte de son inexpérience du front.

Novikov cherchait à comprendre quelles qualités avaient permis à Néoudobnov de devenir général, il étudiait sa biographie qui se reflétait, comme un bouleau dans un étang, dans les feuillets des enquêtes contenues dans son dossier.

Néoudobnov était plus âgé que Novikov et Guetmanov ; en 1916, il avait déjà été en prison pour avoir participé à un cercle de bolcheviks.

Après la guerre civile, il avait été envoyé par le parti travailler dans la Guépéou, avait servi dans les troupes frontalières, puis envoyé à l'Académie militaire (pendant ses études, il fut secrétaire du parti de sa promotion)... Ensuite, il avait travaillé dans le département militaire du Comité central, dans le cabinet du ministère de la Défense.

Il avait séjourné à deux reprises à l'étranger. Il faisait partie de la nomenclature ; avant, Novikov ne se représentait pas très clairement ce que cela représentait, quelles particularités et avantages possédaient les gens appartenant à la nomenclature.

La période, habituellement fort longue, qui sépare l'inscription au tableau d'avancement et la nomination était, pour ce qui était de Néoudobnov, réduite à un strict minimum. On aurait pu croire que le commissaire du peuple à la Guerre n'avait pas de tâches plus urgentes que de signer les arrêtés de nomination de Néoudobnov. Les renseignements que donnaient les enquêtes avaient une propriété étrange :

ils expliquaient tous les mystères d'une vie, les causes des succès et des échecs, mais, une minute plus tard, il s'avérait qu'en d'autres circonstances ils n'expliquaient plus rien et ne faisaient que cacher l'essentiel.

La guerre avait réexaminé à sa façon les états de service, les distinctions, les biographies, les certificats et les diplômes d'honneur. Et ainsi, Néoudobnov, qui faisait partie de la nomenclature, s'était retrouvé sous les ordres du colonel Novikov.

Mais Néoudobnov savait parfaitement que dès la fin de la guerre tout reprendrait sa place...

Il avait apporté avec lui un fusil de chasse qui avait laissé tous les amateurs pantois. Et Novikov avait émis l'hypothèse que Nicolas II devait chasser avec un fusil semblable. Néoudobnov l'avait reçu en 1938 dans un entrepôt spécial de biens confisqués, où il avait reçu, de la même façon, des meubles de style, des tapis, de la vaisselle en porcelaine et une datcha.

La conversation pouvait porter sur la guerre, sur les kolkhozes, le livre du général Dragomir, les Chinois, les qualités du général Rokossovski, le climat sibérien ou la beauté des blondes comparée à celle des brunes, les opinions de Néoudobnov ne sortaient jamais de la norme.

Il était difficile de deviner si c'était par réserve ou si c'était sa véritable nature.

Parfois, après dîner, il devenait plus loquace et racontait des histoires sur la mise hors d'état de nuire d'ennemis du peuple qui agissaient dans les sphères les plus inattendues : des usines fabriquant des instruments médicaux, des cordonneries de l'armée, des pâtisseries, des palais de pionniers, les écuries de l'hippodrome de Moscou, la Galerie Tretiakov.

Il avait une mémoire excellente et, selon toute apparence, il avait beaucoup lu et étudié les œuvres de Lénine et Staline. Dans une discussion, il avait l'habitude de dire : « Déjà, au XVIIe Congrès, le camarade Staline disait... », et il faisait une citation.

Un jour, Guetmanov lui dit :

— Il y a citation et citation. On en a dit des choses... Par exemple : « Nous ne voulons pas de la terre des autres, mais nous ne céderons pas un pouce de notre terre natale. » Et où sont les Allemands aujourd'hui ?

Mais Néoudobnov haussa les épaules, comme si la présence des Allemands sur la Volga n'avait aucune importance en comparaison de la phrase sur le pouce de terre que nous ne céderons pas.

Et soudain, tout s'évanouissait : les chars, le règlement de service en campagne, les exercices de tir, la forêt, Guetmanov, Néoudobnov... Génia ! La reverra-t-il ?

51

Novikov fut étonné quand Guetmanov, après avoir lu une lettre reçue de la maison, lui dit : « Mon épouse nous plaint beaucoup, je lui ai décrit dans quelles conditions nous vivions. »

Cette vie, que le commissaire trouvait difficile, mettait Novikov mal à l'aise par son luxe excessif.

C'était la première fois qu'il pouvait choisir son logement. Il avait dit au passage que le canapé ne lui plaisait pas et, quand il revint d'une brigade, le canapé était déjà remplacé par un fauteuil et Verchkov, son officier d'ordonnance, s'inquiétait de savoir si le fauteuil était au goût de son chef.

Le cuisinier demandait : « Comment trouvez-vous le bortsch, camarade colonel ? »

Depuis l'enfance, Novikov aimait les bêtes. Et, maintenant, il avait un hérisson qui vivait sous le lit, et qui, la nuit, courait à travers la pièce, et on entendait le petit bruit de ses pattes sur le sol ; dans une cage décorée d'un char, que lui avait offerte l'atelier de réparations, un jeune écureuil mangeait des noisettes. Il s'était rapidement habitué à Novikov, il lui arrivait de s'installer sur les genoux de son maître et de le regarder avec son petit œil d'enfant, confiant et curieux. Tous étaient pleins d'attentions et de gentillesse à l'égard des bêtes : Verchkov, le cuisinier, le chauffeur de la jeep.

Tout cela n'était pas sans importance pour Novikov. Quand, avant la guerre, il avait apporté un chiot dans le foyer des officiers et que celui-ci eut rongé une chaussure de la colonelle voisine et fait pipi trois fois en une demi-heure, cela souleva un tel remue-ménage dans la cuisine commune, que Novikov dut aussitôt se séparer de son chien.

Le jour du départ arriva et la méchante querelle entre le commandant du régiment de chars lourds et son chef d'état-major resta en suspens.

Le jour du départ arriva et avec lui les problèmes de carburant, de ravitaillement en cours de route, de chargement des blindés sur les plates-formes.

Le jour du départ arriva, et il n'avait pas trouvé le temps de rendre visite à son frère et à sa nièce. Quand il était parti pour l'Oural, il s'était dit qu'il serait à côté de son frère et voilà qu'il s'en allait sans avoir pu le voir.

On lui avait déjà annoncé que le hérisson et l'écureuil avaient été relâchés dans la forêt, que les brigades faisaient mouvement, que les plates-formes pour les chars lourds étaient avancées.

Il n'est pas facile d'être le maître absolu, de répondre du moindre détail. Les chars ont déjà été chargés, mais ont-ils été bien arrimés, a-t-on mis le frein, enclenché la première, fixé les tourelles canon en avant, bloqué les écoutilles ? A-t-on prévu les coins de bois pour empêcher les chars de bouger et faire tanguer les wagons ?

— Et si on se faisait une dernière partie de belote ? proposa Guetmanov.

— Je n'ai rien contre, dit Néoudobnov.

Mais Novikov avait envie de sortir à l'air libre et de rester un moment seul.

En ce début de soirée, l'air était d'une superbe limpidité et les objets les plus infimes ressortaient avec netteté. La fumée qui sortait des cheminées montait en filets parfaitement verticaux. Les bûches crépitaient dans les roulantes. Au milieu de la rue, une jeune fille étreignait un jeune soldat aux sourcils noirs et, la tête sur sa poitrine, pleurait. Des bâtiments de l'état-major, on sortait des caisses, des valises et des machines à écrire dans leurs étuis noirs. Les soldats des transmissions rembobinaient les gros fils noirs qui reliaient les brigades à l'état-major de la division. Les chauffeurs faisaient le plein des nouveaux camions citernes, des Ford, et débarrassaient les capots de leurs housses capitonnées. Mais tout autour le monde restait figé dans son immobilité.

Novikov regardait, debout sur le perron, et la boule de soucis et d'angoisses qui l'étreignait se relâcha.

Avant la tombée de la nuit, il alla en jeep vers la chaussée qui menait à la gare.

Les chars sortaient de la forêt.

La terre, gelée par les premiers froids, sonnait légèrement sous leur poids. Le soleil couchant ravivait les cimes des pins d'où sortaient les chars de la brigade du lieutenant-colonel Karpov. Les régiments de Makarov passaient à travers de jeunes bois de bouleaux. Les soldats avaient décoré leurs chars avec des branches d'arbres et il semblait que les feuilles de bouleaux et les aiguilles de pins fussent nées, comme les blindés, du grondement des moteurs, du cliquetis argentin des chenilles.

« Ça va être la fête ! », disent les militaires quand des troupes partent pour le front.

Novikov avait quitté la chaussée et regardait les chars qui passaient.

Que de drames, d'histoires horribles ou ridicules s'étaient déroulés ici ! Que d'événements, d'accidents, d'incidents on lui avait rapportés !... On a découvert une grenouille dans la soupe du dîner... Le sous-lieutenant Rojdestvenski, bachelier, a, en nettoyant son arme, blessé par accident un camarade au ventre, après quoi le sous-lieutenant Rojdestvenski s'est suicidé. Un soldat du régiment d'infanterie motorisée a refusé de prêter serment, « seulement à l'église », a-t-il affirmé.

Les fumées bleues et grises restaient accrochées aux broussailles sur les bas-côtés de la route.

Que de pensées diverses sous les casques de cuir ! Il y avait les pensées communes au peuple tout entier : l'amour de son pays, le malheur de la guerre, mais y régnait aussi cette extraordinaire diversité qui rend si belle la communauté des hommes.

Mon Dieu, mon Dieu... Combien sont-ils, dans leurs combinaisons de couleur noire, avec leurs larges ceinturons... Ils étaient larges d'épaules mais on les avait sélectionnés pour leur petite taille, afin qu'ils puissent plus facilement se glisser par l'écoutille à l'intérieur du tank et s'y activer. Que de réponses identiques aux questions des enquêtes sur les père et mère, la date de naissance, le nombre d'années d'études, sur leur expérience de tractoriste ! Les T-34 surbaissés, de couleur verte, toutes les écoutilles ouvertes, semblaient se fondre en un seul.

Un tankiste chantonne, un autre, les yeux mi-clos, est plein d'effroi et de pressentiments funestes ; le troisième pense à sa maison ; le quatrième mâche du pain et du saucisson et pense à son saucisson ; le cinquième, la bouche ouverte, cherche à identifier un oiseau sur un arbre : il croit reconnaître une huppe ; le sixième se demande avec inquiétude s'il n'a pas vexé son copain la veille en lui répondant grossièrement ; le septième, plein de colère fielleuse et de rancune, rêve de casser la gueule de son ennemi, le chef du T-34 qui roule devant lui ; le huitième compose de tête un poème : les adieux à la forêt automnale ; le neuvième pense aux seins d'une fille ; le dixième caresse un chien : celui-ci, sentant qu'on l'abandonnait, avait sauté sur le char et tentait de persuader le tankiste de le reprendre en agitant fébrilement la queue et se tortillant d'un air plaintif ; le onzième se dit qu'il aimerait bien se cacher dans la forêt, vivre dans une cabane, se nourrir de baies, boire de l'eau de source et marcher pieds nus ; le douzième suppute s'il ne serait pas possible de se faire porter pâle et rester quelque part en chemin dans un hôpital ; le treizième se raconte une histoire qu'il aimait quand il était petit ; le quatorzième évoque ses adieux avec son amie, il n'est pas triste que ce soit pour toujours, au contraire, il s'en réjouit ; le quinzième fait des plans d'avenir : il aimerait bien, la guerre finie, devenir directeur de cantine.

« Ah ! la la... les gars », se dit Novikov.

Ils le regardent. Sûrement qu'il vérifie la tenue des tankistes, qu'il écoute les moteurs, appréciant au bruit la maîtrise du conducteur, qu'il contrôle si les distances entre les chars et les escadrons sont respectées, si les casse-cou ne font pas la course.

Mais lui les regarde et il est comme eux, et ses pensées sont les mêmes que les leurs : il pense à sa bouteille de cognac que Guetmanov s'est permis de déboucher, il pense que Néoudobnov n'a pas un caractère facile, qu'il n'aura plus l'occasion de chasser dans les forêts de l'Oural et que la dernière chasse ne fut pas réussie : avec beaucoup de vodka, des tirs à la mitraillette et des blagues idiotes... il pense à la femme qu'il reverra bientôt et qu'il aime depuis des années... quand il apprit, six ans auparavant, qu'elle s'était mariée, il écrivit un mot : « Je pars en congé illimité, ci-joint mon revolver numéro 10322 » (il était à l'époque à Nikolsk-Oussourïssk) et puis voilà, il n'avait pas pressé la détente...

Les timorés, les renfrognés, les rieurs et les réservés, les pensifs, les cavaleurs, les égoïstes inoffensifs, les vagabonds, les avares, les contemplatifs, les bons... Les voilà qui vont au combat pour une cause commune, pour une juste cause. Cette vérité est si simple qu'il semble gênant d'en parler. Mais cette simple vérité est oubliée justement par ceux qui devraient la prendre pour point de départ. Et là, quelque part, doit se trouver la réponse à la vieille question : l'homme vit-il pour le sabbat ?

Les pensées à propos de maison dans un village perdu, de chien abandonné, la haine contre un copain qui t'a pris ton amie, tout cela est bien petit... Mais le problème est le suivant :

Un seul objectif détermine le sens des grands conglomérats humains : gagner pour les hommes le droit d'être dissemblables, de sentir, de penser, de vivre chacun à sa manière.

Pour conquérir ce droit, ou bien pour le défendre, ou encore l'élargir, les hommes s'unissent. C'est là que prend naissance un préjugé effroyable mais puissant ; préjugé qui fait croire que de telles unions au nom de la race, de Dieu, d'un parti, de l'État, constituent le sens de la vie et non un simple moyen. Non, non et non. C'est dans l'homme, dans sa modeste particularité, dans son droit à cette particularité que réside le seul sens, le sens véritable et éternel de la lutte pour la vie.

Novikov sentait qu'ils parviendraient à leurs fins, qu'ils seraient plus forts, plus malins, plus intelligents que leurs ennemis. Cette masse de travail, d'intelligence, de bravoure, de calcul, de savoir-faire, de colère, toute cette richesse humaine des combattants, étudiants, écoliers, instituteurs, électriciens, tourneurs, chauffeurs d'autobus, qui pouvaient être au choix méchants, bons, coléreux, lents, braves, prudents, aimant rire ou chanter ou jouer de l'accordéon, tout cela s'unirait, se fondrait, et, une fois unis, ils devaient vaincre, car ils constituaient une trop grande richesse pour être battus.

Si ce n'est pas l'un, ce sera l'autre, si ce n'est pas au centre, ce sera sur une aile, si ce n'est pas à la première heure de bataille, ce sera à la deuxième, mais ils y parviendront, ils surpasseront l'ennemi, en intelligence et en ruse, et là, ils le briseront, l'écraseront de toute leur masse... C'est d'eux que dépend la victoire, ce sont eux qui la gagneront dans la poussière et la fumée, en tournant et en se lançant plus vite, en tirant un dixième de seconde avant, un centimètre plus juste que l'ennemi.

Ce sont eux qui détiennent la réponse, eux, les gars dans les engins armés de canons et de mitrailleuses, eux, la force principale de la guerre.

Mais parviendront-ils à s'unir, parviendront-ils à ne former qu'une force unique ?

Novikov les regardait et une certitude joyeuse montait en lui : « Elle sera mienne, mienne, mienne. »

52

C'étaient des jours étonnants.

Krymov avait l'impression que l'histoire avait quitté les pages des livres pour se mêler à la vie.

Il ressentait de façon exacerbée la couleur du ciel et les nuages de Stalingrad. Il retrouvait son enfance, quand la première neige, une averse d'été, un arc-en-ciel l'emplissaient de bonheur. Ce sentiment merveilleux s'émousse, avec les ans, et disparaît chez presque tous les êtres vivants qui s'habituent au miracle de leur vie sur terre.

Tout ce qui, dans la vie de ces dernières années, semblait erroné à Krymov n'était pas sensible à Stalingrad. « C'est comme quand Lénine était encore en vie », pensait-il.

Il lui semblait que les gens avaient ici une attitude différente, meilleure à son égard qu'avant la guerre. Il ne se sentait plus le mal-aimé de son temps, comme il ne le sentait pas au moment de l'encerclement, au début de la guerre. Il y a peu de temps encore, quand il était dans les arrières, de l'autre côté de la Volga, il préparait avec enthousiasme ses exposés et ses conférences, il trouvait naturel que la Direction politique l'eût muté au poste de conférencier.

Mais maintenant, il se sentait profondément ulcéré. Pourquoi ne l'avait-on pas laissé à son poste de commissaire combattant ? Pourtant, à première vue, il ne s'en sortait pas plus mal et plutôt mieux que bien d'autres...

Les relations entre les gens étaient belles à Stalingrad. L'égalité et la dignité vivaient sur cette rive de glaise arrosée de sang.

L'intérêt pour l'avenir des kolkhozes, pour les relations futures entre les grands peuples et leurs gouvernements était quasi général.

Presque tous croyaient que le bien triompherait sur cette guerre et que les hommes honnêtes, qui n'avaient pas hésité à verser leur sang, pourraient bâtir une vie juste et bonne. Cette croyance était touchante chez des hommes qui estimaient qu'eux-mêmes avaient peu de chances de survivre jusqu'à la fin de la guerre, et qui s'étonnaient quotidiennement d'avoir pu vivre jusqu'à la tombée de la nuit.

53

Le soir, après une nouvelle conférence, Krymov se retrouva dans l'abri du lieutenant-colonel Batiouk, le commandant de la division qui était disposée sur les pentes du Mamaev Kourgan et à côté du Banny Ovrag.

Batiouk, un homme de petite taille, au visage de soldat épuisé par la guerre, se réjouit de la venue de Krymov.

Pour le dîner, on servit des pieds de veau en gelée et une bonne tourte, encore chaude, de fabrication maison. Tout en versant un verre de vodka à Krymov, Batiouk le regarda de dessous ses paupières baissées et fit :

— Et moi, quand j'ai appris que vous veniez chez nous faire des conférences, je me suis demandé où vous iriez en premier : chez Rodimtsev ou chez moi. Finalement, vous avez commencé par Rodimtsev.

Il eut un petit rire, se racla la gorge :

— La vie ici, c'est comme au village. Quand ça se calme un peu, le soir, on se téléphone, entre voisins, qu'est-ce que t'as mangé pour le dîner ? qui est venu te voir ? chez qui tu vas ? qu'est-ce que t'ont dit les chefs ? qui a la meilleure étuve pour le bain, qui a eu droit à un article dans le journal ? On ne parle jamais de nous mais toujours de Rodimtsev ; s'il fallait en croire les journaux, il est le seul à faire la guerre à Stalingrad.

Batiouk servait son hôte mais se contentait, lui, de pain arrosé de thé ; il était, en fait, indifférent à la bonne chère.

Krymov découvrit que la lenteur des gestes de Batiouk, sa parole lente d'Ukrainien, ne correspondaient pas aux problèmes difficiles qu'il avait en tête.

Batiouk ne posa pas la moindre question sur la conférence et Nikolaï Grigorievitch en fut peiné. Comme si la conférence qu'il avait faite n'avait abordé aucune des questions que se posait Batiouk.

Krymov fut profondément frappé par le récit que lui fit Batiouk des premières heures de la guerre. Lors de la retraite générale, Batiouk mena son régiment vers l'ouest pour reprendre à l'ennemi les passages de rivière. Le haut commandement, en train de reculer sur la route, imagina que Batiouk voulait se livrer aux Allemands. Sur place, au bord de la chaussée, après un interrogatoire fait d'injures et de cris hystériques, on décida de le fusiller. Au dernier instant (on l'avait déjà collé contre un arbre) ses soldats le libérèrent.

— Eh oui..., dit Krymov. Ce n'était pas rien.

— Je ne suis pas mort d'un arrêt du cœur mais je suis quand même parvenu à attraper une maladie du cœur, ça oui.

— Entendez-vous les tirs du côté du Marché ? demanda Krymov d'un ton légèrement théâtral. Que fait donc Gorokhov en ce moment ?

Batiouk lorgna de son côté.

— Qu'est ce qu'il peut faire ? Sûrement qu'il tape la carte.

Krymov dit qu'il avait entendu parler d'une réunion de tireurs d'élite qui devait avoir lieu chez Batiouk et que cela l'intéresserait d'y assister.

— Bien sûr, c'est intéressant. Pourquoi pas ? répondit Batiouk.

Ils parlèrent de la situation du front. La concentration nocturne des troupes allemandes au nord du secteur inquiétait Batiouk.

Quand les *sniper* se réunirent dans l'abri, Krymov comprit enfin à qui était destinée la tourte.

Des hommes vêtus de vestes ouatinées, des hommes intimidés et gênés mais dans le même temps forts de leur dignité s'installaient sur les bancs disposés le long des murs et de la table. Les nouveaux venus, comme les ouvriers qui déposeraient leurs pelles et leurs haches, posaient dans un coin, en s'efforçant de faire le moins de bruit possible, leurs fusils et pistolets-mitrailleurs.

Le visage de Zaïtsev, un sniper célèbre, respirait une gentillesse familière : un bon gars de la campagne ; mais quand il tourna la tête et plissa les yeux, la dureté de ses traits ressortit.

Krymov se rappela soudain une impression d'avant-guerre. Un jour, au cours d'une réunion, il observait un vieil ami assis à côté de lui et, soudain, ce visage, qui semblait toujours plein de dureté, lui parut sous un tout autre jour : un œil papillotant, un nez baissé, une bouche entrouverte, un menton trop petit, tout cela composa un visage indécis et privé de volonté.

A côté de Zaïtsev étaient assis Bezdidko, un pointeur de mortier aux épaules étroites, aux yeux marron et rieurs, et un jeune Ouzbek aux lèvres encore gonflées par l'enfance, Souleïman Khalimov. Matsegour, un chef de pièce, ressemblait à un paisible père de famille avec un caractère peu compatible avec le terrible travail de sniper, il essuyait fréquemment son front inondé de sueur avec un petit mouchoir.

Les autres, le lieutenant d'artillerie Choulkine, Tokarev, Manjoulia, Solodki, avaient des allures de jeunes gars timides et craintifs.

Batiouk les interrogeait, la tête penchée sur l'épaule, il ressemblait plus à un élève avide d'apprendre qu'à un des commandants les plus sages et expérimentés de Stalingrad.

Quand il s'adressa en ukrainien à Bezdidko, les yeux des assistants s'éclairèrent, dans l'attente d'une plaisanterie.

— Queument va t'o à matin ?

— Hier, i l'eu z'en ai fé vouér d' la misère aux Boches ! Mais à matin l'en a tué que cinq avec quatre obus.

— Ouis, pas terrible, commenta Batiouk. Ce n'est pas comme Choulkine : avec un seul canon il a détruit quatorze chars.

— Choulkine, il a tiré avec ïun seul canon, pasqu'o n'avé pu qu'ïun dans sa batterie.

— Il leur a fait sauter leur bordel de campagne, aux Allemands, dit en rougissant Boulatov.

— Mâ, s'étonna Bezdidko, i o z'ai inscrit queume si ol é été in' guitoune.

— Moi, un obus a soufflé la porte de la mienne, de guitoune, dit Batiouk.

Puis, se tournant vers Bezdidko, il reprit en ukrainien sur un ton de reproche :

— Et mâ, i ai pensé : « Qué-t-o qu' l'ai en train de fére tïo fi' d' bougre de Bezdidko ! Ol' é pourtant bé mâ qui li ai appris à tirer ! »

Le pointeur Manjoulia, particulièrement intimidé, dit en goûtant à la tourte :

— La pâte est réussie, camarade lieutenant-colonel.

Batiouk tapota d'une balle de fusil le bord d'un verre.

— Eh bien, camarades, il est temps de passer aux choses sérieuses.

C'était une réunion de travail, semblable à celles qui se tiennent dans les ateliers ou dans les champs. Mais ce n'étaient pas des tisserands, des boulangers ou des tailleurs et ils ne parlaient ni de blé ni de battage.

Boulatov raconta comment, ayant vu un Allemand qui marchait sur la route en tenant une femme enlacée, il les força à se jeter à terre et comment, avant de les tuer, il les laissa se relever à trois reprises et les força à trois reprises à se jeter à terre en soulevant de ses balles des petits nuages de poussière à leurs pieds.

— Et je l'ai tué alors qu'il se penchait sur elle, ils sont restés étendus en croix sur la route.

Boulatov racontait avec nonchalance, et son récit était horrible, d'une horreur que n'ont jamais les récits des soldats.

— Arrête tes salades, Boulatov, l'interrompit Zaïtsev.

— Ce n'est pas des salades, répondit sans comprendre Boulatov. Mon compte est de soixante-dix-sept au jour d'aujourd'hui. Le commissaire ne permettrait pas que je mente, voilà sa signature.

Krymov avait envie de se mêler à la conversation, de dire que, parmi les Allemands tués par Boulatov, il y avait peut-être des ouvriers, des révolutionnaires, des internationalistes... Qu'il fallait le garder en mémoire, et qu'on pouvait, sinon, se transformer en ultranationalistes. Mais Nikolaï Grigorievitch ne dit rien. Car ces pensées n'étaient pas utiles pour la guerre, elles n'armaient pas, mais désarmaient.

Le blond Solodki raconta d'une voix légèrement zézayante comment il avait tué huit Allemands pendant la journée d'hier. Puis il ajouta :

— Moi, donc, je suis d'un kolkhoze, vers Oumansk, les Allemands, ils ont fait des choses incroyables dans mon village. Moi aussi, j'ai perdu un petit peu de sang, j'ai été trois fois blessé. C'est comme ça que, de kolkhozien, je suis devenu tireur d'élite.

L'air sombre, Tokarev expliqua comment il fallait se placer sur la route qu'utilisaient les Allemands pour aller aux roulantes et pour chercher de l'eau ; il ajouta, en passant :

— Ma femme m'écrit ce qu'ils ont enduré en détention, nous sommes de la région de Mojaev, ils m'ont tué mon fils parce que je l'ai appelé Vladimir Ilitch.

Khalimov, ému, prit la parole :

— Moi, jamais pressé, quand tenir le cœur, moi tire. Moi arriver au front, avoir ami, sergent Gourov, lui apprendre moi russe, moi apprendre lui ouzbek. Allemand a tué lui, moi tuer douze Allemands. Pris sur officier jumelles et mis autour mon cou. Vos ordres ont été exécutés camarade *politrouk*.

Ils étaient quand même un tant soit peu effrayants, ces rapports d'activité. Durant toute sa vie, Krymov s'était moqué des belles âmes intellectuelles, il s'était moqué de Strum et d'Evguénia Nikolaïevna qui se lamentaient sur le sort des dékoulakisés pendant la collectivisation. Il disait à Evguénia, pendant les événements de 1937 : « Ce qui est effrayant, ce n'est pas qu'on extermine les ennemis, que le diable les emporte ; non, ce qui est effrayant, c'est qu'on frappe les siens. »

Maintenant il avait envie de dire qu'il avait toujours été prêt à exterminer sans la moindre hésitation les gardes blancs, la saloperie menchevique et S.R., puis la racaille koulak, qu'il n'avait jamais éprouvé la moindre pitié pour les ennemis de la révolution, mais qu'on ne pouvait quand même pas se réjouir de tuer, en même temps que des fascistes, des ouvriers allemands. Elle était quand même effrayante, cette discussion, bien que les soldats sussent au nom de quoi ils agissaient ainsi.

Zaïtsev raconta la lutte qu'il avait menée pendant des jours contre un sniper allemand au pied du Mamaev Kourgan. L'Allemand savait que Zaïtsev le surveillait et il surveillait lui-même Zaïtsev. Ils devaient être de force à peu près égale et aucun des deux ne parvenait à prendre le dessus.

— Ce jour-là il en avait descendu trois des nôtres, et moi, je reste sans bouger dans mon fossé, je n'ai pas tiré un seul coup de feu. Le voilà qui tire encore une fois, il tire à coup sûr, le soldat tombe, sur le côté, les bras en croix. De leur côté il y a un soldat qui passe avec un papier, moi, je ne bouge toujours pas, j'observe... Et moi, je sais qu'il sait, lui, que s'il y avait un tireur d'élite de caché, le gars au papier, il l'aurait descendu, alors qu'il n'a rien eu. Et je sais que de là où il est, il ne voit pas le soldat qu'il a tué et qu'il voudrait bien voir. Plus rien. Un deuxième Allemand passe, avec un seau. Je ne tire toujours pas. L'autre attend encore un quart d'heure et il se soulève. Il se met debout. Je me lève aussi, de toute ma taille...

En revivant la scène, Zaïtsev se leva du banc, et cette expression de force qui était passée sur son visage tout à l'heure était devenue son expression dominante ; ce n'était plus le brave gars bien charpenté, il y avait quelque chose de léonin et de sinistre dans ce nez aux narines palpitantes, dans ce large front, dans ces yeux où s'était allumée une lueur victorieuse et terrible.

— Il a compris, il m'a reconnu. Et j'ai tiré.

Pendant un instant, le silence se fit. Le même silence, probablement, que le silence d'hier après la brève détonation. C'était comme si l'on avait entendu à nouveau le bruit que fait le corps d'un homme quand il tombe. Soudain Batiouk se tourna vers Krymov et demanda :

— Alors, ça vous intéresse ?

— C'est fort, dit Krymov et il ne dit rien d'autre.

Krymov cantonnait chez Batiouk.

Batiouk remua des lèvres en comptant les gouttes pour le cœur qu'il versait dans un verre, puis versa de l'eau.

Il raconta en bâillant à Krymov ce qui se passait dans la division, il ne parlait pas des combats, mais de divers événements de la vie quotidienne.

Krymov avait l'impression que tout ce que disait Batiouk avait un rapport avec ce qui lui était arrivé dans les premières heures de la guerre, que toutes les pensées de Batiouk y prenaient leur origine.

Depuis qu'il était arrivé à Stalingrad, Krymov n'arrivait pas à se défaire d'une impression étrange.

Il lui semblait par moments qu'il se trouvait dans un royaume où le parti n'existait pas ; tantôt, au contraire, il lui semblait qu'il respirait l'air des premiers jours de la révolution.

Soudain, Krymov demanda :

— Il y a longtemps que vous êtes au parti, camarade lieutenant-colonel ?

— Eh quoi, camarade commissaire, vous trouvez que je ne suis pas la ligne juste ?

Krymov ne répondit pas immédiatement.

— Vous savez, on peut dire que je ne suis pas un mauvais orateur dans le parti, j'ai eu à prendre la parole à de grands meetings d'ouvriers. Mais ici, j'ai tout le temps le sentiment non pas de montrer la voie, mais de suivre le mouvement. Voilà, c'est une drôle d'histoire. Oui, à ce propos, j'avais envie, tout à l'heure, de me mêler à la conversation de vos tireurs d'élite, d'apporter un correctif. Et puis, je me suis dit que le mieux était l'ennemi du bien. A vrai dire, ce n'est pas la seule raison de mon silence ; la Direction politique nous dit que nous devons faire entrer dans l'esprit des combattants que l'Armée Rouge est une armée de vengeurs. Et moi, je me mettrais à discourir sur l'internationalisme, le point de vue de classe. L'essentiel est de mobiliser la haine des masses contre l'ennemi. Je ne veux pas être l'idiot du conte qui, invité à la noce, récite la prière des morts...

Il se tut un instant.

— Et puis il y a l'habitude... Généralement, le parti mobilise la fureur, la haine des masses contre l'ennemi dans le but de le battre, de l'anéantir. Nous n'avons rien à faire de l'humanisme chrétien. Notre humanisme soviétique est rude... Nous ne prenons pas de gants... Naturellement, je ne parle pas de cas comme le vôtre, quand on voulait vous fusiller pour rien. Et en 37 aussi, il arrivait qu'on frappe les nôtres : c'est notre malheur. Mais là, les Allemands se sont attaqués à la patrie des ouvriers et des paysans, tant pis pour eux ! La guerre, c'est la guerre !

Krymov attendait une réponse de Batiouk, mais elle ne vint pas, non parce que Batiouk ne savait que répondre mais parce qu'il s'était endormi.

54

Dans l'atelier des fours Martin de l'usine « Octobre Rouge », des hommes allaient et venaient dans la pénombre sonore, les détonations résonnaient, des flammes brèves s'allumaient, une sorte de brume ou de poussière flottait dans l'air.

Le commandant de la division, le général Gouriev, avait installé les P.C. des régiments à l'intérieur des fours Martin.

On entendait d'ici le bruit des bottes allemandes, les ordres lancés par les officiers et on entendait même les claquements secs des fusils-mitrailleurs quand les soldats allemands les rechargeaient.

Quand Krymov se faufila, en rentrant la tête dans les épaules, à l'intérieur du four qui abritait le P.C. d'un des régiments, quand il sentit sous sa paume la chaleur que les briques réfractaires conservaient depuis plusieurs mois, une sorte de timidité s'empara de lui et il eut l'impression que le secret de cette grande résistance allait s'ouvrir à lui.

Il distingua dans la semi-obscurité un homme accroupi, vit son visage, entendit une voix amicale :

— Tiens, voilà un hôte dans notre palais, entrez donc, tout de suite cent grammes de vodka et un œuf dur pour faire passer.

Krymov pensa qu'il ne raconterait jamais à Evguénia Nikolaïevna comment il avait pensé à elle dans l'antre d'un four Martin à Stalingrad. Avant, il avait toujours envie de se débarrasser d'elle, de l'oublier. Mais maintenant il s'était accoutumé à l'idée qu'elle le suivait partout. La voilà qui l'avait suivi dans le four, la sorcière, pas moyen de lui échapper...

Bien sûr, tout cela était clair comme le jour. Personne n'en a besoin, des mal-aimés de leur temps. Collez-le avec les retraités, les invalides, faites-en du savon ! Le départ d'Evguénia n'avait fait que mettre en évidence sa vie ratée. Même ici, à Stalingrad, on ne lui avait pas confié un poste de combattant.

Le soir, après sa conférence, Krymov discutait, toujours dans le même atelier, avec le général Gouriev. Gouriev avait retiré sa veste et essuyait continuellement son visage rouge de chaleur. D'une voix rauque et forte, il proposait de la vodka à Krymov, criait des ordres au téléphone ; de la même voix il faisait un sermon à son cuisinier qui n'avait pas su faire griller les brochettes selon les règles, téléphonait à son voisin, Batiouk, pour lui demander si l'on avait eu le temps de jouer aux dominos sur le Mamaev Kourgan.

— En gros, nous avons des gars bien ici, dit Gouriev. Batiouk, il en a là-dedans, le général Joloudev, à l'usine de tracteurs, est un vieil ami à moi. Aux « Barricades », le colonel Gourtiev est bien lui aussi, mais il mène une vraie vie de moine, il ne boit plus du tout de vodka. Là, il a tort, bien sûr.

Puis il entreprit d'expliquer à Krymov que personne n'avait aussi peu d'hommes que lui, six ou huit par compagnie, pas plus ; personne n'était aussi coupé des arrières que lui, il arrivait que, sur une vedette de renforts, il débarquât un tiers de blessés à l'arrivée ; seul Gorokhov, peut-être, au Marché, dégustait autant que lui.

— Hier, Tchouïkov a convoqué Chouba, mon chef d'état-major, il n'était pas d'accord sur des détails dans le tracé de la première ligne, eh bien, mon colonel, Chouba est revenu en piteux état.

Il jeta un coup d'œil à Krymov.

— Vous croyez que je veux dire que Tchouïkov l'a injurié ? demanda-t-il et il éclata de rire. Non, moi-même je l'injurie tous les jours. Il lui fait sauter les dents, toute la première ligne.

— Oui... fit Krymov d'un ton pensif.

Ce « oui » voulait dire que la dignité de l'individu ne triomphait pas toujours sur les pentes de Stalingrad.

Puis Gouriev se mit à expliquer pourquoi les journalistes écrivaient si mal sur la guerre.

— Ils restent planqués, les fils de pute, de l'autre côté de la Volga, ils ne voient rien de leurs propres yeux et après ils écrivent. Si quelqu'un les reçoit bien, ils parlent de lui. Prenez Léon Tolstoï, il a écrit *Guerre et Paix* et voilà cent ans qu'on le lit et on le lira encore dans cent ans. Et pourquoi ? Il a fait la guerre lui-même, il y a pris part, et il sait de qui il faut parler.

— Permettez, camarade général, dit Krymov, Tolstoï n'a pas pris part à la guerre de 1812.

— Comment cela ? demanda le général.

— C'est tout simple, laissa tomber Krymov. Tolstoï n'était pas encore né au moment de la guerre contre Napoléon.

— Pas né ? (Gouriev reposa la question.) Comment cela : « Pas né » ? Que voulez-vous dire ?

Et ils entamèrent une discussion passionnée. C'était la première fois qu'une discussion suivait une conférence faite par Krymov. Et au grand étonnement de Krymov, il ne parvint pas à convaincre son interlocuteur.

55

La division demanda au commandant Beriozkine de lui faire un rapport sur la situation de l'immeuble « 6 bis » : fallait-il en retirer les troupes ?

Beriozkine conseilla au commandant de la division de ne pas en retirer les troupes bien que la maison fût menacée d'encerclement. Celle-ci abritait les postes d'observation de l'artillerie lourde de l'autre rive. Elle abritait également un détachement du génie qui était en mesure de paralyser l'avance des blindés ennemis. Il était peu vraisemblable que les Allemands lancent une attaque généralisée avant d'avoir liquidé ce foyer de résistance, leurs règles étaient, sur ce point, bien connues. Alors que si on assurait un minimum de soutien à l'immeuble « 6 bis », il pouvait tenir encore longtemps et, de ce fait, perturber les plans des Allemands. Dans la mesure où les agents de liaison ne pouvaient atteindre la maison que durant quelques heures au milieu de la nuit, et dans la mesure où les communications téléphoniques étaient constamment interrompues, il serait opportun d'y faire passer un radio.

La division approuva la position de Beriozkine. Au cours de la nuit, le commissaire Sochkine, accompagné de quelques combattants, parvint à la maison « 6 bis » et apporta aux défenseurs de la maison plusieurs caisses de munitions et de grenades. Dans le même temps, il y amena une radio, une toute jeune fille, et un émetteur-récepteur.

Une fois de retour, au petit matin, le commissaire raconta que le chef du détachement avait refusé de rédiger un rapport, affirmant qu' « il n'avait pas de temps à perdre en paperasseries, et qu'il n'avait de comptes à rendre qu'aux Frisés ».

— De façon générale, je ne comprends rien à ce qui se passe chez eux, dit Sochkine. Tout le monde a peur de ce Grekov, mais lui, il joue au copain, ils dorment tous en tas et lui avec tout le monde, ils le tutoient et l'appellent Vania. Excusez, mais on a l'impression d'avoir devant soi, non un détachement militaire, mais quelque chose dans le genre de la Commune de Paris.

Beriozkine hocha la tête, redemanda :

— Alors, il a refusé de rédiger le rapport ? Le sacré gaillard !

Puis le commissaire du régiment prononça un discours sur les militaires qui jouent aux francs-tireurs.

Conciliant, Beriozkine dit :

— Eh bien, quoi, les francs-tireurs... C'est l'esprit d'initiative, l'indépendance. Moi aussi, il m'arrive de souhaiter d'être encerclé pour être débarrassé de tous ces rapports.

— A propos de rapports, fit Pivovarov, faites-en un détaillé que j'enverrai au commissaire de la division.

La division prit au sérieux le rapport de Sochkine.

Le commissaire de la division ordonna à Pivovarov de recueillir des renseignements détaillés sur la situation dans la maison « 6 bis » et de remettre à Grekov la cervelle à l'endroit. Dans le même temps, le commissaire de la division adressa un rapport à un membre du Conseil d'armée et au chef du service politique de l'armée, où il faisait état de faits inquiétants en ce qui concernait l'état moral et le niveau politique des combattants.

Les renseignements rapportés par le commissaire Sochkine furent pris avec encore plus de sérieux au niveau de l'armée. Le commissaire de division reçut des instructions pour s'occuper, toutes affaires cessantes, de la maison encerclée. Le chef du service politique de l'armée, qui avait rang de général de brigade, envoya un rapport au chef du service politique du groupe d'armées, qui avait rang de général de division.

Katia Vengrova, la radio, parvint à la maison « 6 bis » de nuit. Le matin, elle se présenta à Grekov, le « gérant » de la maison. Grekov, tout en écoutant le rapport de la jeune fille, scrutait ses yeux craintifs, éperdus, mais en même temps moqueurs.

Elle avait une grande bouche aux lèvres exsangues. Grekov tarda quelques secondes avant de répondre à son « Permettez de me retirer ? ».

Des pensées qui n'avaient rien à voir avec la guerre surgirent dans sa tête durant ces quelques secondes : « Il n'y a pas à dire, elle est très mignonne... de jolies jambes... elle a peur... visiblement, c'est une fifille à sa maman. Combien elle peut avoir ? A tout casser dix-huit ans. Pourvu que mes gars ne lui sautent pas dessus... »

Toutes ces considérations aboutirent à une pensée qui semblait n'avoir aucun rapport avec les précédentes : « Et qui est le maître ici, qui a mis les Allemands sur les dents, hein ? »

Puis il répondit à la question de la jeune fille :

— Où voulez-vous vous retirer, mademoiselle ? Restez auprès de votre radio. On trouvera bien quelque chose à vous faire émettre.

Il tapota sur le récepteur-émetteur, lorgna vers le ciel où vrombissaient les bombardiers allemands.

— Vous êtes de Moscou ? demanda-t-il.

— Oui, répondit-elle.

— Asseyez-vous ; chez nous, c'est sans façon, on est de la campagne.

La jeune fille fit un pas de côté, les débris de briques crissaient sous ses bottes, le soleil faisait briller les canons des mitrailleuses, l'acier bruni du pistolet allemand de Grekov. Elle s'assit, regarda le tas de capotes au pied d'un mur effondré. Un bref instant, elle s'étonna que plus rien, ici, ne lui semble étonnant. Elle savait que les mitrailleuses devant les brèches des murs étaient des *Degterev,* qu'il y avait huit balles dans le chargeur d'un *Walther,* qu'il avait une grande puissance de feu mais qu'il était malcommode, elle savait que les manteaux empilés dans un coin avaient été retirés aux tués, que les tués n'étaient pas enterrés profond : à l'odeur de brûlé se mêlait une autre odeur qui lui était devenue familière. Et de même, l'appareil qu'on lui avait donné cette nuit ressemblait à celui dont elle se servait à Kotliouban : le même cadran, le même commutateur. Elle se souvint d'un jour, au milieu des steppes, où elle s'était servie de l'écran poussiéreux de l'ampèremètre comme miroir pour arranger ses cheveux qui s'échappaient de dessous son calot.

Personne ne lui parlait, on aurait dit que la vie agitée et terrible de la maison l'évitait.

Mais quand un soldat, un homme d'un certain âge — elle comprit d'après la conversation qu'il s'agissait d'un servant de mortier —, jura grossièrement devant elle, Grekov l'arrêta :

— Doucement, le père. Il y a une jeune fille ici. Il faut faire attention.

Katia frissonna ; ce n'étaient pas les jurons du soldat qui en étaient la cause, mais le regard que lui avait lancé Grekov.

Elle sentait que, même si on ne lui adressait pas la parole, sa présence avait mis la maison en alerte. Elle ressentait de toute sa peau la tension qui régnait autour d'elle. Cette tension ne se dissipa pas quand les bombardiers en piqué lâchèrent leurs bombes et qu'une pluie de briques s'abattit sur eux.

Malgré tout, elle avait une certaine habitude des bombardements, du sifflement des éclats, elle en avait moins peur maintenant, mais les lourds regards des hommes fixés sur elle éveillaient en elle toujours le même effroi.

La veille au soir, les jeunes filles des transmissions l'avaient plainte :

— Oh, ce que tu auras peur là-bas !

La nuit, un soldat l'avait amenée au P.C. du régiment. On y sentait déjà de façon aiguë la proximité du front, la fragilité de la vie. Les hommes étaient incertains : à l'instant ils étaient encore là, l'instant d'après ils avaient disparu.

Le commandant du régiment hocha la tête d'un air désolé :

— Ce n'est pas possible d'envoyer des enfants comme ça à la guerre.

Puis il ajouta :

— N'ayez pas peur, ma petite, s'il y a quelque chose qui ne va pas, faites-le-moi savoir directement par radio.

Sa voix était si bonne, si paternelle, que Katia ne retint ses larmes qu'à grand-peine.

Puis, un autre soldat la conduisit jusqu'au P.C. du bataillon. Un gramophone y jouait et le commandant du bataillon, un rouquin, lui proposa de boire un verre et de danser sur l'air de *Sérénade de Chine*.

Au bataillon, la peur était encore plus intense, et Katia se dit que l'officier avait bu moins pour s'amuser que pour étouffer une terreur insupportable, pour oublier sa fragilité.

Mais maintenant, elle était assise sur un tas de briques dans la maison « 6 bis » et, elle ne savait pourquoi, elle n'éprouvait aucune crainte ; elle pensait à sa vie merveilleuse d'avant-guerre.

Dans la maison encerclée, les hommes semblaient particulièrement forts, sûrs d'eux, et cette assurance apaisait. Ils avaient cette assurance propre aux grands médecins, aux ouvriers qualifiés dans une laminerie, aux tailleurs coupant un tissu précieux, aux vieux instituteurs en train d'expliquer devant le tableau noir.

Avant la guerre, Katia pensait qu'elle était destinée à vivre une vie sans joie. Avant la guerre, elle trouvait que ses amis et connaissances qui prenaient l'autobus étaient dépensiers. Des gens qui sortaient d'un restaurant minable lui semblaient des êtres fabuleux et il lui arrivait de suivre dans la rue une bande qui déboulait d'un quelconque *Caucase* ou *Aux chasseurs,* pour essayer de saisir leur conversation. En rentrant de l'école, à la maison, elle annonçait solennellement à sa mère :

— Tu sais ce qui m'est arrivé aujourd'hui ? Une fille m'a offert un verre d'eau gazeuse au sirop, du vrai sirop qui sentait le cassis !

Il ne leur était pas facile d'établir un budget avec l'argent qui restait des quatre cents roubles que recevait la mère, après qu'on en avait déduit l'impôt sur le revenu, l'impôt culturel, l'emprunt d'État. Elles n'achetaient pas de vêtements, mais retaillaient les vieux ; alors que les autres locataires Maroussia, la gardienne de l'immeuble, pour qu'elle fasse le ménage dans les parties communes de l'appartement, elles préféraient assurer elles-mêmes leur tour et Katia lavait les planchers et vidait les ordures ; elles n'achetaient pas leur lait chez la laitière mais dans les magasins d'État où les queues étaient interminables, mais cela leur permettait d'économiser six roubles par mois ; et quand il n'y avait pas de lait dans les magasins d'État, la mère de Katia allait le soir au marché kolkhozien, car les marchandes, pressées de prendre le train, baissaient leur prix et cela ne revenait guère plus cher que dans les magasins. Elles ne prenaient jamais l'autobus et n'empruntaient le tramway que les jours où elles devaient parcourir une longue distance. Katia n'allait jamais chez le coiffeur, c'était sa mère qui lui coupait les cheveux. La lessive, bien sûr, elles la faisaient elles-mêmes ; elles utilisaient dans leur chambre une ampoule très faible, à peine plus lumineuse que les lampes des parties communes. Elles préparaient le dîner pour trois jours à la fois. C'était de la soupe, parfois du gruau avec un peu d'huile ; un jour, après avoir mangé trois assiettes de soupe, Katia fit :

— Et voilà, nous aussi, aujourd'hui, nous avions trois plats à notre dîner.

La mère n'évoquait jamais le temps où ils vivaient avec le père de Katia, et Katia, elle, ne s'en souvenait déjà plus. Seule, parfois, Vera Dmitrievna, une amie de maman, disait en regardant la mère et la fille se mettre à table : « Eh oui, nous aussi, nous avons connu notre heure de gloire. »

Mais maman se mettait en colère et Vera Dmitrievna ne précisait pas ce qu'était la vie au temps où Katia et sa mère avaient connu leur heure de gloire.

Un jour, Katia trouva dans l'armoire une photo de son père. Elle voyait pour la première fois son visage mais elle comprit immédiatement que c'était son père. Sur le dos, il y avait : « A Lida, j'appartiens à la tribu des Asra, ce sont ces Asra qui meurent quand ils aiment. [1] » Elle ne dit rien à sa mère, mais, en revenant de l'école, elle sortait la photo et fixait longuement les yeux noirs et, trouvait-elle, tristes de son père.

Un soir, elle demanda :

— Où est papa maintenant ?

Sa mère répondit :

— Je ne sais pas.

Mais quand Katia partit pour l'armée, sa mère en parla pour la première fois ; Katia apprit qu'il avait été arrêté en 1937, elle apprit l'histoire de son second mariage.

Elles passèrent toute la nuit à parler. L'univers basculait ; sa mère, d'habitude si réservée, racontait sa jalousie, son humiliation, son amour, sa pitié. Katia était stupéfaite, et si grande lui semblait l'âme humaine, que même la guerre s'effaçait derrière elle. La mère attira la tête de Katia, le sac à dos lui tirait les épaules en arrière. Katia prononça : « J'appartiens à la tribu des Asra qui meurent quand ils aiment. »

Puis sa mère la poussa légèrement par l'épaule :

---

1. Citation de *Un Asra*. Poème de Heine. *(N.d.T.)*

— C'est l'heure, Katia, va.

Et Katia s'en alla, comme s'en allaient en ce temps-là des millions de jeunes et de vieux, elle s'en alla, quittant la maison maternelle pour, peut-être, ne plus jamais y revenir, ou pour y revenir changée, à jamais séparée de sa tendre et dure enfance.

Et maintenant, elle est assise à côté de Grekov, le gérant d'immeuble de Stalingrad, et elle regarde sa grosse tête, sa gueule lippue et renfrognée.

56

Le premier jour, la liaison téléphonique marchait. L'inactivité et le sentiment d'être exclue de la vie de la maison « 6 bis » pesaient de plus en plus sur la jeune radio.

Mais cette première journée fit beaucoup pour la préparer à la vie qui l'attendait dans la maison « 6 bis ».

Elle apprit que dans les ruines du premier étage se trouvaient des observateurs qui transmettaient des données à l'artillerie de l'autre côté de la Volga, et que leur chef était le lieutenant en vareuse sale dont les lunettes glissaient sans cesse sur un nez retroussé.

Elle comprit que le vieux soldat grossier venait d'une milice de volontaires et qu'il était très fier d'être chef de pièce. Entre un haut mur et un monticule de gravats étaient installés les soldats du génie, y régnait un homme corpulent qui grognait et grimaçait toujours quand il marchait comme s'il souffrait de cors aux pieds.

Le chef de l'unique canon était un homme chauve en marinière rayée ; il s'appelait Kolomeïtsev. Katia avait entendu Grekov crier :

— Eh ! Kolomeïtsev, j'ai comme l'impression que tu as encore loupé une occasion comme ça !

Le responsable de l'infanterie et des mitrailleuses était un sous-lieutenant à la barbe blonde. Cette barbe soulignait la jeunesse de son visage, alors qu'il devait être persuadé qu'elle lui donnait l'air d'un homme mûr de trente ans au moins.

On lui donna à manger du pain et du saucisson de mouton. Puis elle se souvint qu'il lui restait un bonbon dans la poche de sa vareuse et elle le glissa en cachette dans sa bouche. Après le repas, elle eut sommeil, bien que les tirs fussent tout proches. Elle s'endormit ; mais dans son sommeil elle continuait à sucer son bonbon, à souffrir dans l'attente angoissée d'un malheur. Soudain une voix chantante parvint jusqu'à elle. Les yeux fermés, elle écoutait :

Mais comme un vin prend force en vieillissant,
S'augmente en moi la tristesse d'antan [1]...

Dans ce puits de pierre, éclairé par une lumière d'ambre, se tenait un jeune gars, sale, les cheveux décoiffés, qui lisait un livre. Cinq ou six hommes étaient assis sur des briques, Grekov était allongé sur son manteau, la tête reposant sur les mains. Un soldat, il semblait être géorgien, écoutait d'un air soupçonneux, comme s'il voulait dire : « Non, mon vieux, laisse tomber, tu ne m'auras pas avec des idioties pareilles. »

Une explosion proche souleva un nuage de brique ; on aurait dit un brouillard rouge sorti des légendes, les hommes assis sur des amas de briques sanglantes, leurs armes dans le brouillard rouge semblaient venir de la journée terrible que raconte le *Dit de la bataille d'Igor* [2]. Et soudain le cœur de la jeune fille frémit dans l'attente incongrue d'un bonheur imminent.

Le deuxième jour. Ce jour-là survint un événement qui horrifia les habitants, pourtant habitués à tout, de la maison « 6 bis ».

Le locataire du premier était le lieutenant Batrakov. Il avait à ses côtés un observateur et un calculateur. Katia les voyait plusieurs fois par jour : le malin et naïf Bountchouk, le morne Lampassov, l'étrange lieutenant binoclard qui souriait continuellement à ses propres pensées.

Dans les minutes de silence, on pouvait les entendre par le trou du plafond.

Avant-guerre, Lampassov s'occupait d'élevage de poules et aimait à entretenir Bountchouk de l'intelligence et des mœurs traîtresses des poules. Bountchouk, l'œil collé à la lunette, rendait compte d'une voix traînante : « I voué un soula de voitures boches de Kalatch, ol'a au mitan un tank, do Boches qui marchant d' leu peds, un bataillan... Queume hier, ol'a do roulantes qui fumant... » Certaines de ses observations ne présentaient pas d'intérêt militaire. Il chantonnait : « I voué in' officier qui promeune avec san chin, le chin r'nifie, le va p'têt ben pisser. Ol' é p'êt ben ine chenne. In' officier et deux drôlesses de la ville qui causant avec do Boches, qui rigolant... On' a yine qui prend in' cigarette, l'autre branle la tête, a veut p'tê pas fumer. »

---

1. A. Pouchkine, *Élégie* (1830). Trad. de J.-L. Moreau. *(N.d.T.)*
2. Poème épique anonyme daté du XIIᵉ siècle.

Et soudain, sur le même ton chantonnant, Bountchouk annonça :

« I voué... sur la pïace des Boches, ol'a do musiciens... O mitan ol'a in' estrade, nan, un bûcher... » Puis il se tut un long moment ; quand il reprit, sa voix, toujours chantonnante, vibrait de désespoir : « I voué, camarade lieutenant, l'amenant in' bounne femme, en chemise, qui crie ; à couté, ol' a un p'tit drôle... A crie... Leu l'attachant à un poteau... L'attachant le drôle aussi... Camarade lieutenant, i v'dré pas voir tchieu... Deux Frisés versant de l'essence... »

Batrakov transmit la nouvelle par téléphone à l'artillerie lourde, de l'autre côté de la Volga.

Il se colla à la lunette et imitant le parler de Bountchouk, il hurla :

— I voué, les gars, tout est couvert de fumée et l'orchestre joue...

« Feu ! cria-t-il d'une voix terrible en direction de l'outre-Volga.

Mais l'outre-Volga restait silencieuse...

Quelques secondes s'écoulèrent, le lieu du supplice fut anéanti par un tir concentré des pièces du régiment d'artillerie lourde. La place fut cachée par un nuage de fumée et de poussière.

Un peu plus tard, on apprit par Klimov, l'éclaireur, que les Allemands s'apprêtaient à faire brûler un enfant et une femme tziganes, soupçonnés d'espionnage. La veille, Klimov avait laissé du linge sale à une vieille qui vivait avec son petit-fils et une chèvre dans une cave et lui avait dit qu'il reviendrait le lendemain chercher le linge lavé. Il voulait obtenir de la vieille des renseignements sur les Tziganes. Avaient-ils été tués par les obus soviétiques ou bien avaient-ils eu le temps de brûler sur le bûcher allemand ? Klimov rampa par des passages que lui seul connaissait mais un bombardier de nuit soviétique avait lâché une bombe à l'endroit où se trouvait l'abri de la vieille et il n'y avait plus ni vieille, ni petit-fils, ni chèvre, ni caleçons et chemise de Klimov. Parmi les débris de rondins et les gravats il ne découvrit qu'un chaton. Le chaton était en piètre état, il ne demandait rien, n'attendait rien, il devait croire que la vie sur terre c'était cela : le bruit, le feu, la faim.

Klimov ne parvint jamais à comprendre pourquoi il avait tout à coup fourré le chat dans sa poche.

Katia était étonnée par les relations qui régnaient entre les hommes de la maison « 6 bis ». Klimov fit son rapport à Grekov non pas debout, comme l'exigeait le règlement, mais assis à ses côtés ; ils discutaient comme deux vieux copains. Klimov alluma sa cigarette à celle de Grekov.

Quand il eut achevé son récit, Klimov s'approcha de Katia et lui dit :

— Voilà ce qui se passe sur terre, mademoiselle.

Elle soupira et rougit, sentant le regard dur qu'il portait sur elle.

Il sortit de sa poche le chaton et l'installa sur une brique à côté d'elle.

Ce jour-là, une dizaine de personnes entamèrent avec la jeune fille des conversations portant sur les chats, mais personne ne lui parla de la Tzigane, bien que l'histoire les eût tous troublés. Ceux qui avaient envie d'une conversation sentimentale à cœur ouvert lui parlaient sur un ton grossièrement moqueur ; ceux qui cherchaient sans malice à coucher avec elle prenaient un air cérémonieux et lui parlaient avec une délicatesse douceâtre.

Le chat fut pris de tremblements ; visiblement, il avait subi une commotion.

Le vieux chef de pièce laissa tomber avec une grimace de dégoût :

— Il n'y a qu'à l'achever ; mais il ajouta aussitôt : Tu devrais lui enlever ses puces.

Le deuxième servant du mortier, Tchentsov, lui aussi un volontaire, donna un conseil :

— Jetez cette saloperie, mademoiselle. Je comprends encore, si c'était un chat de Sibérie...

Liakhov, un soldat du génie au visage méchant et aux lèvres minces, était le seul à s'intéresser réellement au sort du chat, et à rester indifférent aux charmes de la radio.

— Quand nous étions dans les steppes, dit-il à Katia, j'ai reçu un sacré coup, j'ai pensé à un obus en fin de course. C'était un lièvre. Il est resté avec moi jusqu'au soir et dès que cela s'est calmé, il est parti.

Il développa son idée :

— Vous, par exemple, vous êtes une jeune fille, mais quand même vous comprenez : ça, c'est un 108 ; ça, c'est un *Vanioucha,* qui joue son air, ça, c'est un avion de reconnaissance. Tandis que le lièvre, lui, cet idiot, il n'y comprend rien. Il est incapable de distinguer un tir de mortier d'un tir d'obusier. L'Allemand lance des fusées éclairantes, et lui, il tremble de tout son corps, on ne peut rien lui expliquer. C'est pour ça que je les plains.

La jeune fille, sentant que son interlocuteur lui parlait sérieusement, lui répondit avec le même sérieux :

— Je ne suis pas tout à fait d'accord. Les chiens, par exemple, s'y retrouvent très bien en aviation. Quand nous étions cantonnés dans un village, il y avait un bâtard, Kerzon on l'appelait, quand c'étaient nos IL qui passaient, il restait couché et ne relevait même pas la tête. Mais dès qu'on entendait les Junker, Kerzon se mettait à l'abri. C'était un sacré malin.

L'air frémit, ébranlé par le grincement atroce d'un *Vanioucha* allemand. Un fracas métallique gronda, une fumée noire se mêla à la poussière sanglante des briques, une pluie de pierres dégringola sur eux. Mais une minute plus tard, quand la poussière retomba, la radio et Liakhov poursuivirent leur conversation comme si de rien n'était, comme si ce n'étaient pas eux qui venaient de plonger à terre. L'assurance des hommes du « 6 bis » avait, semble-t-il, gagné Katia. Ils avaient l'air de croire que, dans cette maison en ruine, tout était fragile, le fer et la pierre, à l'exception d'eux-mêmes.

Au-dessus d'eux, sifflèrent les balles d'une rafale de mitrailleuse, puis d'une seconde.

Liakhov dit :

— Ce printemps, nous étions dans les environs de Sviatogorsk. Ça se met à siffler au-dessus de nos têtes, mais on n'entendait pas les détonations. On n'y comprenait rien. C'étaient les merles qui avaient appris à imiter le sifflement des balles... Même que le lieutenant nous a mis en alerte, tellement ils sifflaient bien.

— A la maison, je m'imaginais que la guerre c'étaient des cris d'enfants, le feu partout, des chats qui courent... Je suis arrivée à Stalingrad, et j'ai vu que c'était réellement ainsi.

Peu de temps après, ce fut Zoubarev, le barbu, qui s'approcha de la radio.

— Alors, demanda-t-il, plein de sollicitude, il est en vie le jeune homme à moustache ?

Il souleva le chiffon qui recouvrait le chat.

— Oh ! le pauvre. Comme il a l'air faible ! disait-il, mais ses yeux brillaient d'un éclat plein d'insolence.

Le soir, après un bref combat, les Allemands parvinrent à progresser légèrement sur le flanc de la maison, ils tenaient maintenant sous le feu d'une mitrailleuse le chemin qui reliait la maison à la défense soviétique. La liaison téléphonique entre la maison et l'état-major du régiment fut coupée. Grekov ordonna de percer une communication entre la cave et un tunnel qui passait non loin de la maison.

— Du plastic, on en a, dit à Grekov l'adjudant Antsiferov, tenant dans une main un quart de thé et dans l'autre un morceau de sucre.

Les habitants de la maison, installés dans un trou, au pied d'un mur de refend, causaient. Ils ne parlaient toujours pas de l'exécution de la Tzigane. Ils semblaient indifférents à l'encerclement.

Ce calme paraissait étrange à Katia, mais elle s'y soumettait, et même le mot, effrayant, d'encerclement ne l'effrayait pas, ici, au milieu des hommes pleins d'assurance du « 6 bis ». Elle ne fut pas plus effrayée quand une rafale partit juste à côté et que Grekov cria : « Tirez, tirez, regardez, ils sont là. » Elle n'avait pas peur quand Grekov disait : « A chacun sa manière, qui préfère la grenade, qui le couteau, qui la pelle. Je ne vous ferai pas la leçon, le mieux est l'ennemi du bien. Je vous demande une chose, tuez, chacun à sa manière. »

Dans les minutes d'accalmie, les habitants du « 6 bis » discutaient, dans les moindres détails, sans se presser, du physique de la jeune radio. Batrakov, qu'on aurait pu croire étranger à ces choses et qui de surcroît était myope, se révéla être parfaitement averti des divers aspects de la question.

— Pour moi, l'essentiel chez une dame, c'est le buste, annonça-t-il.

Kolomeïtsev, l'artilleur, n'était pas du même avis. Selon l'expression de Zoubarev, il « appelait un chat, un chat ».

— A propos de chat, tu lui en as parlé ? demanda Zoubarev.

— Sûr, répondit Batrakov. Même notre papa a fait des approches sur ce sujet.

Le vieux milicien cracha entre ses dents et passa sa main sur la poitrine.

— Où est-ce qu'elle a ici ce qu'une fille doit avoir ? Je vous le demande ?

Mais ce qui le mit en fureur, ce furent les allusions à l'intérêt que portait Grekov à la jeune fille.

— Bien sûr, dans nos conditions, même une Katia peut faire l'affaire, au pays des aveugles, les borgnes sont rois. Elle a les jambes longues comme un héron, elle est plate comme une limande par-devant et par-derrière. Elle a de grands yeux, qu'on dirait une vache. Et vous appelez ça une fille ?

Tchentsov rétorquait :

— Toi, tout ce qu'il te faut, c'est des nichons. C'est un point de vue dépassé, d'avant la révolution.

Kolomeïtsev, un homme vicelard et ordurier, dont la grosse tête chauve cachait bien des contradictions, ricanait en plissant ses yeux d'un gris trouble.

— La fillette, elle a de la classe, dit-il. Mais moi, j'ai mon opinion sur la question. J'aime les petites brunes, des Arméniennes ou des Juives, avec de grands yeux, des rapides, des remuantes, avec des cheveux coupés court.

Zoubarev regarda d'un air pensif le ciel noir rayé par les projecteurs, puis lança :

— Mais quand même, j'aimerais bien savoir comment ça se terminera.

— Tu veux savoir à qui elle le donnera ? A Grekov, c'est clair.

— Non, ce n'est pas clair, dit Zoubarev et, ramassant un bout de brique par terre, il le lança avec force contre le mur.

Ses copains le regardèrent, regardèrent sa barbe et éclatèrent de rire.

— Et comment tu comptes la séduire, s'enquit Batrakov, avec ton poil au menton ?

— Par son chant, suggéra Kolomeïtsev. Ils feront une émission : notre fantassin au micro ; il chantera et elle émettra. Ils feront un de ces couples, je ne vous dis que ça.

Zoubarev se tourna vers le jeune gars qui, la veille, avait lu des vers.

— Et toi ?

Le vieux milicien maugréa :

— S'il se tait, c'est qu'il n'a pas envie de parler.

Puis, sur le ton d'un père qui fait la leçon à son jeune fils parce qu'il écoute la conversation des grandes personnes, il ajouta :

— Tu ferais mieux d'aller dans la cave dormir un peu tant que c'est possible.

— Il y a Antsiferov, dans la cave, il va creuser un passage au plastic, dit Batrakov.

Grekov, au même moment, dictait un rapport à la radio.

Il faisait savoir à l'état-major de l'armée que, d'après toutes les données dont il disposait, les Allemands préparaient une offensive qui, selon toute apparence, porterait dans la zone de l'usine de tracteurs. La seule chose qu'il ne communiqua pas, c'était que, selon lui, l'axe même de l'offensive passerait par la maison où lui et ses hommes s'étaient incrustés. Mais, alors qu'il regardait le cou de la jeune fille, ses lèvres, ses cils baissés, il se représentait, il se représentait très vivement, ce tendre cou brisé, avec une vertèbre d'un blanc nacré sortant par la peau déchiquetée, et ces cils au-dessus d'un œil vitreux de poisson, et ces lèvres mortes comme faites d'un caoutchouc gris poussière.

Il avait envie de l'étreindre, de sentir sa chaleur, sa vie, tant que lui et elle n'avaient pas encore disparu, tant que toute cette grâce habitait encore ce jeune corps. Il lui semblait que c'était pure pitié s'il avait envie d'étreindre la jeune fille, mais la pitié ne fait pas bourdonner les oreilles, ne fait pas battre le sang dans les tempes.

L'état-major ne répondit pas aussitôt.

Grekov s'étira avec une telle violence que toutes ses articulations craquèrent, il soupira bruyamment, se dit : « Ça va, ça va, on a toute la nuit devant nous » , puis demanda tendrement :

— Alors, comment il va, le chaton qu'a apporté Klimov ? Il a repris des forces ?

— Il en est loin, répondit la radio.

Quand Katia se représentait la femme et l'enfant tziganes sur le bûcher, ses doigts se mettaient à trembler, et elle regardait du côté de Grekov, se demandant s'il le remarquait.

Hier encore, elle pensait que personne ne lui parlerait dans la maison « 6 bis », mais aujourd'hui, alors qu'elle mangeait du gruau, le barbu passa devant elle en courant, un pistolet-mitrailleur à la main, lui cria, comme si elle était une vieille connaissance : « Katia, un peu d'énergie » et lui montra d'un geste de la main comment il fallait enfoncer la cuiller dans la gamelle.

Elle revit le garçon qui, hier, lisait des vers, en train de traîner des obus de mortiers sur une toile de tente. Une autre fois, elle se retourna et le vit, debout près de la chaudière pleine d'eau. Elle comprit qu'elle avait senti son regard mais qu'il avait eu le temps de se détourner.

Elle était déjà capable de deviner qui demain lui montrerait ses lettres et ses photos, qui pousserait des soupirs et la regarderait en silence de loin, qui lui apporterait des cadeaux — une gourde à moitié pleine d'eau, un peu de pain séché —, qui lui raconterait qu'il ne croyait plus en l'amour des femmes et qu'il n'aimerait jamais plus. Quant au fantassin barbu, sûr qu'il allait essayer de la peloter.

Enfin, l'état-major répondit ; Katia transmit la réponse à Grekov : « Je vous ordonne de donner un rapport détaillé quotidien à 12 heures... »

Soudain Grekov frappa la main de Katia sur le commutateur, coupa la communication. Elle poussa un cri d'effroi.

Il eut un sourire en coin.

— Un éclat d'obus a mis l'émetteur hors d'usage, nous rétablirons le contact quand cela conviendra à Grekov.

La jeune fille le regarda, étonnée.

— Pardonne-moi, Katia, fit-il en lui prenant la main.

57

Au petit matin, le régiment de Beriozkine informa l'état-major de la division que les hommes encerclés dans la maison « 6 bis » avaient creusé un passage qui les reliait à un tunnel en béton de l'usine de tracteurs et qu'ils avaient débouché dans un des ateliers. L'officier de jour de la division transmit l'information à l'état-major de l'armée, où l'on mit au courant le général Krylov ; le général Krylov ordonna de lui amener un des rescapés. L'officier de transmissions amena un jeune gars, choisi par l'officier de jour de l'état-major, au Q.G. de l'armée. Ils prirent un ravin qui menait vers la berge ; en chemin le garçon s'inquiétait, posait des questions.

— Il faut que je rentre à la maison, je devais seulement mener une reconnaissance dans le tunnel, pour voir comment évacuer les blessés.

— T'en fais pas, répondait l'officier. Tu vas chez un chef qui est légèrement supérieur au tien ; tu feras ce qu'on t'ordonnera !

En chemin, le jeune soldat raconta à l'officier qu'ils se trouvaient dans la maison « 6 bis » depuis plus de quinze jours, que pendant un temps ils s'étaient nourris de pommes de terre qu'ils avaient trouvées dans la cave, qu'ils buvaient l'eau du chauffage central, qu'ils en avaient tellement fait voir aux Allemands que les Allemands avaient envoyé un parlementaire et leur avaient proposé de sortir de l'encerclement et s'étaient engagés à les laisser regagner l'usine mais que, bien sûr, leur commandant (le garçon l'appelait le gérant) avait ordonné d'ouvrir le feu en guise de réponse.

Quand ils parvinrent jusqu'à la Volga, le jeune gars s'étendit sur le sol et but longuement ; après s'être désaltéré il fit tomber dans le creux de la main les gouttes d'eau qui étaient restées sur sa veste et il les lécha comme un affamé qui ramasse des miettes de pain. Il raconta que l'eau, dans la chaudière, était croupie, et que, les premiers jours, tous avaient souffert du ventre, mais que le gérant avait ordonné de faire bouillir l'eau dans les gamelles et que les dérangements avaient cessé. Puis ils marchèrent en silence. Le jeune garçon écoutait les bombardiers de nuit, regardait le ciel coloré par les fusées rouges et vertes, parcouru par les trajectoires des balles traçantes et des obus. Il regardait les flammes mourantes des incendies en ville, les éclairs blancs des canons, les gerbes bleues que soulevaient les obus de l'artillerie lourde en tombant dans la Volga. Il ralentissait de plus en plus le pas jusqu'à ce que l'officier le rappelle à l'ordre :

— Allez, un peu de nerf !

Ils avançaient parmi les roches de la rive, les obus passaient en sifflant, des sentinelles les interpellaient. Puis ils grimpèrent par un sentier qui montait au sommet du coteau parmi les tranchées, parmi les abris creusés dans la paroi de glaise ; tantôt ils empruntaient des marches taillées dans la terre, tantôt ils faisaient résonner sous leurs bottes des caillebotis et ils arrivèrent finalement à un passage barré par des barbelés, c'était le Q.G. de la 62e armée. L'officier remit de l'ordre dans sa tenue et enfila une tranchée menant à des abris qui se distinguaient par l'épaisseur de leurs rondins.

La sentinelle alla chercher l'aide de camp, la lumière douce d'une lampe électrique sous son abat-jour brilla un instant.

L'aide de camp éclaira les nouveaux venus avec une lampe de poche, demanda le nom du garçon, lui ordonna d'attendre.

— Et comment je ferai pour revenir à la maison ? demanda celui-ci.

— T'inquiète pas, tous les chemins mènent à Kiev, dit l'aide de camp.

Puis il ajouta sévèrement :

— Entrez donc, si vous vous faites tuer, ça sera encore moi qui devrai en répondre devant le général.

Dans la petite entrée, obscure et tiède, le garçon s'assit par terre et s'endormit.

Une main le secoua violemment et une voix irritée fit irruption dans son sommeil où se mêlaient les hurlements atroces des derniers jours de combats et le chuchotement paisible de sa maison natale, depuis longtemps disparue :

— Soldat Chapochnikov, chez le général, en vitesse...

58

Sérioja Chapochnikov passa deux jours dans l'abri de la section de défense rapprochée de l'état-major. Cette vie lui pesait. Il avait l'impression que les gens, ici, traînaient à ne rien faire du matin au noir.

Il se souvint comment il avait, avec sa grand-mère, passé huit heures à Rostov dans l'attente du train pour Sotchi et il se dit que son attente actuelle ressemblait fort à cette correspondance d'avant-guerre. Puis cette comparaison de la maison « 6 bis » avec la station balnéaire de Sotchi l'amusa. Il pria le chef des services de l'état-major de le laisser repartir, mais celui-ci laissait traîner les choses car il n'avait pas d'instruction explicite de la part du général. Quand Chapochnikov s'était présenté, le général lui avait posé deux questions, puis l'interrogatoire fut interrompu par une conversation téléphonique et le général oublia Chapochnikov. Le major avait décidé de retenir pour l'instant le jeune gars pour le cas où le général se souviendrait de lui.

Chaque fois, en pénétrant dans l'abri, le major sentait sur lui le regard de Chapochnikov et disait :

— T'énerve pas. Je m'en souviens.

Parfois, les yeux implorants du soldat l'irritaient et il disait :

— Qu'est-ce qui ne te plaît pas ici ? On te nourrit au poil, tu es au chaud. Tu auras toujours le temps de te faire tuer là-bas.

Quand la journée est pleine de bruit, quand l'homme est plongé jusqu'aux oreilles dans le chaudron de la guerre, il n'est pas en mesure de comprendre, de voir sa vie ; il lui faut s'écarter, ne serait-ce que de quelques pas. Alors, comme un homme sur la rive, il voit toute l'immensité de la rivière. Était-ce vraiment lui qui nageait au milieu de ces eaux en furie il y a quelques instants ?

Elle lui semblait paisible, à Sérioja, la vie dans son régiment de miliciens volontaires cantonné dans la steppe : les gardes de nuit, les discussions des soldats...

Ils n'étaient que trois à s'être retrouvés dans le quartier de l'usine de tracteurs.

La vie dans le « 6 bis » avait masqué l'existence antérieure. Bien que cette vie fût incroyable, elle était la seule réelle et tout ce qui avait eu lieu auparavant devint irréel.

Parfois seulement, la nuit, il revoyait les cheveux blancs d'Alexandra Vladimirovna, les yeux moqueurs de tante Génia et son cœur se serrait, envahi par l'amour.

Au cours des premiers jours dans la maison « 6 bis », il se disait qu'il aurait été incongru, dément, de voir apparaître dans sa vie familiale les Grekov, Kolomeïtsev, Antsiferov... Mais maintenant il s'imaginait à quel point seraient déplacés sa tante, sa cousine, l'oncle Victor Pavlovitch dans sa vie actuelle.

Oh, si grand-mère pouvait entendre comme il jurait maintenant !... Grekov !

Il ne savait pas au juste si dans la maison « 6 bis » s'étaient retrouvés des hommes hors du commun, ou alors si des hommes ordinaires, s'étant retrouvés dans cette maison, étaient devenus extraordinaires.

Grekov ! Un étonnant mélange de force, de courage, d'autorité et de sens pratique dans la vie quotidienne. Il se souvient du prix que coûtaient des chaussures d'enfant avant-guerre, du salaire que touche une femme de ménage ou un ajusteur, du montant en blé et en argent d'un *troudodien'* [1] dans le kolkhoze où travaillait son oncle.

Ou bien il parlait de ce qui se passait dans l'armée avant-guerre avec les purges, les réexamens, le piston pour obtenir un appartement, il parlait des hommes qui étaient parvenus jusqu'au grade de général en 1937 en dénonçant par dizaines les « ennemis du peuple ».

Parfois il semblait que sa force résidait dans la bravoure folle qui le jetait par la brèche du mur à la rencontre des Allemands en criant : « Vous ne passerez pas, fils de garces » et en lançant des grenades.

Parfois il semblait que sa force résidait dans son art d'être ami

_____

1. « Jour-travail ». Unité servant à mesurer le travail du kolkhozien. *(N.d.T.)*

avec tous les habitants de la maison, dans ses relations à la bonne franquette.

Avant la guerre, sa vie ne se distinguait par rien d'extraordinaire, il avait été chef d'équipe à la mine, puis contremaître dans le bâtiment ; il devint ensuite capitaine d'infanterie dans une unité cantonnée dans les environs de Minsk ; il faisait faire l'exercice à la caserne et sur le champ de manœuvres ; il suivait des cours de perfectionnement à Minsk ; il lisait un peu le soir des livres pas trop compliqués, il ne crachait pas sur la vodka, aimait aller au cinéma, jouait aux cartes avec les copains, se disputait avec sa femme qui était jalouse, non sans raisons, de nombreuses dames et demoiselles de la petite ville de garnison. Il avait raconté tout cela lui-même. Et soudain il était devenu aux yeux de Sérioja, et pas seulement de Sérioja, une sorte de preux de légende, un défenseur de la justice.

Des gens nouveaux étaient entrés dans la vie de Sérioja et ils avaient pris dans son âme la place des êtres qui lui avaient été les plus proches.

L'artilleur Kolomeïtsev était un marin de carrière, il avait servi sur des vaisseaux de guerre, avait coulé à trois reprises dans la mer Baltique.

Sérioja appréciait que Kolomeïtsev, qui pouvait parler avec mépris de gens ayant droit d'habitude à la plus grande des déférences, respectât profondément les savants et les écrivains. Selon lui, les chefs de tout poil et de tous grades n'étaient rien en comparaison de ce gringalet de Lobatchevski ou de ce vieillard de Romain Rolland.

Il arrivait que Kolomeïtsev parlât de littérature. Ce qu'il disait ne ressemblait en rien aux raisonnements de Tchentsov sur la littérature patriotique et éducative. Il aimait particulièrement un écrivain anglais ou, peut-être, américain. Bien que Sérioja n'eût jamais lu cet auteur et que Kolomeïtsev en eût oublié le nom, celui-ci trouvait des mots si crus, si colorés, si savoureux pour en parler que Sérioja était persuadé que c'était un bon écrivain.

— Moi, ce que j'aime en lui, disait Kolomeïtsev, c'est qu'il ne me fait pas la leçon. Un gars saute une bonne femme, un soldat se saoule la gueule, point à la ligne, pas de commentaire ; un vieux perd sa vieille, il décrit tout comme c'est. On rit, on pleure, on est intéressé, et de toute façon on ne sait pas pourquoi vivent les hommes.

Kolomeïtsev avait pour ami Vassili Klimov, l'éclaireur.

Un jour, Klimov et Chapochnikov devaient pénétrer à l'intérieur des positions ennemies ; ils franchirent le remblai de la voie ferrée et rampèrent jusqu'au bord d'un trou d'obus qui abritait une mitrailleuse lourde, ses servants et un officier d'artillerie. Les deux éclaireurs observèrent, collés au sol, la vie des Allemands. Un des soldats avait déboutonné sa vareuse, avait passé un mouchoir à carreaux rouges dans le col de sa chemise et se rasait. Sérioja entendait la barbe dure et poussiéreuse crisser sous la lame du rasoir. Un autre était en train de manger dans une petite boîte de conserve plate ; durant un bref mais interminable instant, Sérioja regarda cette large face concentrée sur son plaisir. L'officier remontait son bracelet-montre. Sérioja fut pris de l'envie de lui demander, doucement pour ne pas lui faire peur : « Eh, dites donc, quelle heure est-il ? »

Klimov dégoupilla une grenade et la lança au fond du trou. La poussière n'était pas encore retombée qu'il en lançait une deuxième et sautait à sa suite dans l'entonnoir. Les Allemands étaient morts, comme s'il y a quelques secondes encore ils n'avaient pas été vivants. Klimov, que les gaz de l'explosion et la poussière faisaient éternuer, prenait tout ce dont il avait besoin : la culasse de la mitrailleuse, les jumelles, il détacha la montre de la main encore tiède de l'officier, il retira avec précaution, pour ne pas se tacher, les papiers des soldats de leurs vestes déchiquetées.

Klimov rendit ses prises, raconta ce qui s'était passé, pria Sérioja de lui verser un peu d'eau sur les mains, s'assit aux côtés de Kolomeïtsev et dit :

— On va pouvoir s'en griller une maintenant.

Mais au même moment accourut Perfiliev, celui qui se définissait comme « un paisible habitant de Riazan aimant pêcher à la ligne ».

— Dis donc, Klimov, arrête de te prélasser, cria Perfiliev. Il y a le gérant qui te cherche, faut que tu ailles dans les maisons allemandes.

— J'arrive, j'arrive, dit Klimov d'un air coupable.

Il ramassa ses affaires, le pistolet-mitrailleur, la musette contenant les grenades. Il avait des gestes délicats, comme s'il craignait de faire mal aux objets.

Il vouvoyait presque tout le monde et jamais il ne jurait.

— Tu ne serais pas baptiste par hasard ? demanda un jour le vieux Poliakov à Klimov qui avait tué cent dix personnes.

Klimov n'était pas taciturne, il aimait tout particulièrement parler de sa jeunesse. Son père était ouvrier chez Poutilov. Klimov, lui, était un tourneur hautement qualifié, et avant-guerre il enseignait dans un centre d'apprentissage. Sérioja avait beaucoup ri quand Klimov avait raconté comment un de ses apprentis s'était étranglé avec une vis ; il étouffait et était devenu tout bleu et Klimov, avant que n'arrive l'ambulance, avait retiré la vis de la gorge de son élève avec une pince.

Mais un jour, Sérioja vit Klimov s'enivrer avec du schnaps pris aux Allemands ; il était effrayant et même Grekov en avait peur.

De tous les habitants du « 6 bis », Batrakov était le plus négligé. Il ne cirait jamais ses bottes, l'une d'elles bâillait, la semelle claquait par terre à chaque pas ; les soldats n'avaient pas besoin de lever la tête pour savoir que le lieutenant d'artillerie passait près d'eux. En revanche, le lieutenant essuyait ses lunettes des dizaines de fois par jour avec une petite peau de chamois, ses lunettes ne correspondaient pas à sa vue et il lui semblait constamment qu'une pellicule de fumée et de poussière provenant des explosions recouvrait ses verres. Klimov lui avait apporté plusieurs fois des lunettes qu'il avait trouvées sur des cadavres d'Allemands. Mais Batrakov n'avait pas de chance : les montures étaient belles mais les verres n'étaient jamais les bons.

Avant-guerre, Batrakov enseignait les mathématiques dans une école technique, il était plein de morgue et parlait avec un grand dédain de ses cancres.

Il fit passer à Sérioja un véritable examen en mathématiques et Sérioja se couvrit de honte. Les habitants de la maison plaisantaient : « On va te faire redoubler ! »

Un jour, pendant un raid aérien, alors que les forgerons en folie martelaient de leurs masses la pierre, le fer, la terre, Grekov trouva Batrakov assis en haut de la cage d'escalier béante en train de lire un livre.

— Non, rien à fiche, les Allemands peuvent toujours se brosser, ils n'arriveront à rien. Qu'est-ce que vous voulez qu'ils fassent avec un crétin pareil ?

Les actions des Allemands n'éveillaient, chez les habitants du « 6 bis », ni crainte ni encore moins terreur, mais plutôt une ironie condescendante. « Oh, là ! Ils s'appliquent aujourd'hui, les Frisés. » « Regarde, mais regarde ; qu'est ce qu'ils ne vont pas aller inventer, ces voyous ! » « Pas fort, le gars, regarde où il lâche ses bombes... »

Batrakov avait pour ami Antsiferov, le chef de la section de sapeurs ; c'était un homme d'une quarantaine d'années qui aimait beaucoup discuter de ses maladies, ce qui était rare au front : ulcères et sciatiques guérissaient d'eux-mêmes sous le feu.

Mais Antsiferov, lui, continuait à souffrir des nombreuses maladies qu'abritait son vaste corps. La médecine allemande s'était révélée impuissante.

Cet homme paraissait parfaitement invraisemblable quand, le visage large, le crâne dégarni, les yeux ronds, il se régalait à boire le thé avec ses soldats dans les lueurs sinistres des incendies. Généralement, il se déchaussait car il souffrait de cors aux pieds ; il ôtait sa vareuse car il avait toujours trop chaud. Il buvait son thé à petites gorgées dans une tasse à fleurs, essuyait sa calvitie avec un mouchoir, poussait un soupir, souriait et se remettait à souffler sur son thé brûlant ; Liakhov, un soldat à la tête bandée, lui rajoutait sans cesse de l'eau croupie qui bouillait en permanence dans une énorme bouilloire couverte de suie. De temps en temps, sans même enfiler ses bottes, il montait, maugréant et grognant, sur un monticule de briques pour voir ce qui se passait dehors. Il était là, pieds nus, en bras de chemise, sans son calot, et on aurait dit un paysan sur le seuil de sa maison en train de regarder une pluie d'orage s'abattre sur son potager.

Avant-guerre, il travaillait comme chef de chantier. Maintenant, son expérience du bâtiment avait, en quelque sorte, changé de signe. Son esprit était constamment préoccupé par des problèmes de destruction d'immeubles, de voûtes de caves.

Les conversations entre Batrakov et Antsiferov étaient principalement d'ordre philosophique. Après être passé de l'édification à la destruction, Antsiferov éprouvait le besoin de comprendre ce passage inhabituel.

Parfois leur conversation quittait les hauteurs philosophiques (la vie a-t-elle un sens ? existe-t-il un pouvoir soviétique dans d'autres mondes que la terre ? en quoi l'esprit de l'homme est-il supérieur à l'esprit de la femme ?) pour passer à des problèmes de la vie de tous les jours.

Ici, parmi les ruines de Stalingrad, tout était autre et la sagesse était souvent du côté de cet empoté de Batrakov.

— Tu sais, Vania, disait Antsiferov à Batrakov, j'ai l'impression que, grâce à toi, je commence à comprendre un peu les choses. Pourtant, avant, je croyais que je connaissais la vie dans les coins : à celui-ci, il faut lui refiler une bouteille de vodka ; à celui-là, il faut lui procurer des pneus neufs ; et au troisième, il faut tout simplement graisser la patte avec cent roubles.

Batrakov était réellement persuadé que c'étaient ses considérations fumeuses et non Stalingrad qui avaient transformé l'attitude d'Antsiferov à l'égard des hommes et il lui répondait d'un air condescendant :

— Eh oui, mon cher, on ne peut que regretter, à tout point de vue, que nous ne nous soyons pas rencontrés avant-guerre.

L'infanterie logeait dans la cave. C'était elle qui repoussait les attaques allemandes et, à l'appel de la voix perçante de Grekov, passait à la contre-attaque.

Ici, c'était le lieutenant Zoubarev qui dirigeait les opérations. Avant-guerre, il suivait des cours de chant au Conservatoire. Parfois, la nuit, il se glissait vers les maisons allemandes et se mettait à chanter : « Oh ! effluves du printemps, ne m'éveillez pas » ou les grands airs d'*Eugène Onéguine*.

Zoubarev ne répondait pas quand on lui demandait ce qui le poussait à chanter parmi les ruines, au risque de se faire tuer. Peut-être voulait-il, en cet endroit, où l'odeur des cadavres en décomposition empuantissait l'air, se prouver, prouver à ses camarades et même à ses ennemis que les forces destructrices, si fortes soient-elles, ne pourraient jamais venir à bout de la beauté et du charme de la vie.

Sérioja ne parvenait pas à croire qu'il avait pu vivre sans connaître Grekov, Kolomeïtsev, Poliakov, Klimov, Zoubarev et sa barbe, Batrakov.

Sérioja, qui, toute sa vie, avait vécu dans un milieu d'intellectuels, se rendait compte maintenant que sa grand-mère avait raison quand elle affirmait que les gens simples, les ouvriers étaient des gens bien.

Mais Sérioja, malin, avait su remarquer la faiblesse de grand-mère : malgré tout, elle considérait que les gens simples étaient simples.

Les hommes du « 6 bis » n'étaient pas simples. Un jour, des paroles de Grekov frappèrent Sérioja :

— On ne peut pas diriger les hommes comme on dirige des moutons ; il était pourtant intelligent, Lénine, et même lui n'a pas compris cela. On fait la révolution pour que personne ne dirige les hommes. Lénine, lui, disait : « Avant on vous dirigeait bêtement, et moi je vais vous diriger intelligemment. »

Jamais Sérioja n'avait entendu des gens condamner avec une telle audace les ministres de l'Intérieur qui avaient fait périr des innocents par dizaines de milliers en 1937.

Jamais Sérioja n'avait entendu des gens parler avec une telle douleur des souffrances et des malheurs qui furent le lot des paysans pendant la collectivisation. C'était Grekov en personne qui parlait le plus sur ces sujets, mais cela arrivait aussi à Kolomeïtsev ou Batrakov.

Et maintenant, dans l'abri de l'état-major, Sérioja trouvait que chaque minute passée loin de la maison « 6 bis » traînait de façon insupportable. Il lui semblait inconcevable d'écouter des conversations sur les tableaux de service, les convocations par les chefs des divers services de l'état-major.

Il essayait d'imaginer ce que pouvaient être en train de faire Poliakov, Kolomeïtsev, Grekov...

Le soir, pendant l'accalmie, ils devaient tous parler de la radio.

Grekov, quand il avait décidé quelque chose, plus rien ni personne ne pouvait l'arrêter, même si Bouddha ou Tchouïkov intervenaient personnellement.

Les habitants du « 6 bis » étaient des hommes exceptionnels, forts, insensibles à la peur. Sûr que Zoubarev avait, cette nuit aussi, lancé ses arias... Et elle, elle doit attendre, impuissante, son destin.

— Je les tuerai, pensa-t-il sans savoir qui il avait en vue au juste.

A quoi pouvait-il prétendre ? Il n'avait jamais embrassé une fille, alors que ces gars-là étaient expérimentés ; bien sûr qu'ils sauraient l'embobiner.

Il en avait entendu des histoires sur les infirmières, les téléphonistes, les petites filles sortant de l'école qui devenaient contre leur gré les maîtresses des commandants de régiments ou de divisions. Ces histoires ne l'intéressaient pas.

Il regarda la porte. Comment se faisait-il qu'il ne lui fût pas venu à l'esprit qu'il pouvait se lever et, sans rien demander à personne, partir d'ici ?

Il se leva, ouvrit la porte et sortit.

Or, au même moment, le service politique du groupe d'armées téléphonait à l'officier de jour d'état-major de l'armée pour qu'il envoie le soldat de la maison encerclée chez le commissaire Vassiliev.

Si l'histoire de Daphnis et Chloé touche depuis toujours le cœur des hommes, ce n'est pas parce que leur amour est né sous le ciel bleu à l'ombre des oliviers.

L'histoire de Daphnis et Chloé se répète partout et toujours, dans un sous-sol étouffant et sentant la morue, dans un bunker de camp de concentration, dans le cliquetis des bouliers d'un service comptable, dans l'atmosphère gorgée de poussière d'un atelier de filature.

Et cette histoire naquit à nouveau parmi les ruines, au son des bombardiers allemands ; elle naquit en un lieu où les hommes nourrissaient leurs corps, couverts de crasse et de sueur, non de miel, mais de pommes de terre pourries et d'eau croupie dans une vieille chaudière ; elle naquit en un lieu où les gravats, le bruit et la puanteur tenaient la place de paisibles rêveries.

59

Le vieux Andreïev qui travaillait comme gardien à la centrale électrique de Stalingrad reçut un petit mot de Leninsk où avait été évacuée sa belle-fille ; elle lui annonçait la mort de Varvara Alexandrovna : sa femme était morte d'une pneumonie.

Après la nouvelle de la mort de sa femme, Andreïev se renferma encore plus, il passait rarement chez les Spiridonov, une famille amie, et, le soir, il s'asseyait devant l'entrée du foyer d'ouvriers, regardait les éclairs des pièces d'artillerie et les faisceaux des projecteurs dans le ciel nuageux. Quand, parfois, un gars du foyer lui adressait la parole, il ne répondait pas. Croyant que le vieux entendait mal, celui-ci répétait sa question plus fort. Alors Andreïev prononçait, l'air sombre : « J'entends, j'entends, je suis pas sourd », et il se taisait à nouveau.

La mort de sa femme l'avait bouleversé. Sa vie s'était reflétée dans celle de sa femme ; ce qui lui arrivait de bien ou de mal, sa bonne ou sa mauvaise humeur, tout n'existait qu'en se reflétant dans l'âme de Varvara Alexandrovna.

Au cours d'un bombardement particulièrement violent, quand explosaient des bombes de plusieurs tonnes, Andreïev avait regardé les murs de terre qu'elles soulevaient dans les ateliers de la centrale et s'était dit : « Eh bien ! Si ma vieille voyait cela... Oh, regarde-moi ça, Varvara ! »

Et à ce moment-là, elle n'était déjà plus en vie.

Il lui semblait que les ruines des bâtiments détruits par les bombes et les obus, la cour de la centrale labourée par la guerre, tas de ferrailles tordues, amoncellements de terre, fumées âcres et humides, flamme jaune et reptilienne des isolateurs en feu, étaient l'expression de ce qui lui restait de vie.

Etait-ce bien lui, l'homme qui, il y a peu de temps encore, prenait son déjeuner dans une jolie pièce claire avant de partir pour le travail, sa femme se tenant à ses côtés et guettant ses mouvements pour, si besoin était, le resservir.

Oui, il ne lui restait plus qu'à mourir seul.

Soudain il la revoyait dans sa jeunesse, les yeux vifs, les mains hâlées.

Le moment viendrait, il n'était plus si loin.

Un soir, il descendit lentement, en faisant grincer les marches, dans l'abri des Spiridonov. Stépan Fiodorovitch [1] regarda le visage du vieux et dit :

— Ça ne va pas, Pavel Andreïevitch ?

— Vous, vous êtes encore jeune, répondit Andreïev. Vous avez moins de force que moi, vous vous consolerez, mais moi, j'aurai assez de force, je parviendrai jusqu'au bout tout seul.

Vera, qui faisait la vaisselle, se retourna, ne comprenant pas ce que voulait dire le vieux.

Andreïev, qui ne voulait pas de compassion, changea de conversation :

— Il serait temps que vous partiez, Vera, une infirmière n'a rien à faire ici, il n'y a plus d'hôpital, rien que des tanks et des avions.

Elle eut un petit sourire mais ne répondit pas.

— Même des inconnus lui en parlent, dit Stépan Fiodorovitch avec colère. Dès que quelqu'un la voit, avec son ventre, aussitôt : « Faut que vous passiez la Volga. » Hier, un membre du Conseil militaire de l'armée est passé ici, il est entré dans l'abri, il a vu Vera, il n'a rien

---

1. Stépan Fiodorovitch Spiridonov : directeur de la centrale électrique de Stalingrad, le mari de Maroussia, deuxième fille d'Alexandra Vladimirovna. Maroussia a été tuée pendant l'évacuation de Stalingrad *(N.d.T.)*.

dit, mais au moment de s'installer dans sa voiture, il a commencé à m'engueuler : « Qu'est-ce que vous faites ? Êtes-vous son père, oui ou non ? Si vous voulez on la passera en vedette blindée sur l'autre rive. » Qu'est-ce que j'aurais pu lui répondre ? Elle ne veut pas et il n'y a rien à faire.

Il parlait vite et sans chercher ses mots, comme quelqu'un qui discute tous les jours de la même chose et répète de jour en jour les mêmes arguments. Andreïev fixait sur la manche de son veston une reprise trop familière qui s'était décousue et il se taisait.

— Et quelles lettres de son pilote peut-elle encore attendre ? poursuivait Stépan Fiodorovitch. Comme s'il y avait encore une poste ici ! Ça fait combien de temps que nous sommes là ? Et pas la moindre lettre ni de la grand-mère, ni d'Evguénia, ni de Lioudmila... Où sont Tolia et Sérioja ? On ne peut rien savoir ici.

— Et pourtant, regarde, Pavel Andreïevitch a bien reçu une lettre, lui, dit Vera.

— Pas une lettre, un avis de décès, dit Stépan Fiodorovitch et, prenant peur de ses propres paroles, il montra les murs de l'abri, le rideau qui cachait le lit de Vera, et poursuivit d'un ton irrité :

« Comment peut-elle vivre là-dedans ? Une jeune fille, une femme, et autour il y a tout le temps des hommes, jour et nuit des ouvriers, des gardes sont là à crier, à fumer. »

Andreïev dit :

— Pensez au bébé, il ne fera pas de vieux os ici.

— Réfléchis un peu, et si les Allemands font irruption, qu'est-ce qui se passera ?

Vera se taisait.

Elle s'était persuadée qu'un jour, Viktorov entrerait par le portail en ruine de la centrale et qu'elle le verrait de loin, vêtu de sa combinaison de vol, de ses bottes, le porte-cartes sur le côté.

Elle allait sur la route pour guetter sa venue. Les soldats qui passaient dans les camions lui criaient :

— Eh, la belle, qui attends-tu ? Viens avec nous.

Retrouvant un instant sa gaieté, elle lançait :

— Là où je vais, un camion ne peut pas aller.

Quand les avions soviétiques passaient au-dessus de la centrale, elle observait les chasseurs, qui volaient bas, et il lui semblait qu'elle allait à l'instant distinguer et reconnaître Viktorov.

Quand, un jour, un chasseur battit des ailes au-dessus de la centrale, Vera poussa un cri d'oiseau désespéré, s'élança en trébuchant dans la cour et tomba ; après quoi elle eut mal au dos pendant plusieurs jours.

A la fin octobre, elle vit un combat aérien. Le combat s'acheva sans résultats : les avions soviétiques disparurent dans les nuages, les allemands firent demi-tour et repartirent vers l'ouest. Mais Vera resta debout à fixer le ciel vide et ses yeux élargis exprimaient une telle tension qu'un électricien, qui traversait la cour, lui demanda :

— Qu'avez-vous, camarade Spiridonov ? Vous n'auriez pas été touchée par hasard ?

Elle avait foi en sa rencontre avec Viktorov précisément ici, à la centrale ; il lui semblait que, si elle en parlait à son père, le destin s'irriterait contre elle et empêcherait leur rencontre. Cette conviction était par moments si forte qu'elle se mettait à cuire des galettes d'orge et de pommes de terre, à balayer de toute urgence par terre, à déplacer les objets, à cirer ses chaussures... Parfois, alors qu'elle était à table avec son père, elle tendait l'oreille, disait :

— Attends, j'en ai pour une seconde...

Et, jetant son manteau sur les épaules, elle remontait à la surface et regardait autour d'elle à la recherche d'un pilote qui serait debout dans la cour et demanderait où habitent les Spiridonov.

Jamais, pas un seul instant, il ne lui était venu à l'esprit qu'il aurait pu l'oublier. Elle était certaine que Viktorov pensait à elle jour et nuit tout comme elle pensait à lui.

Les grosses pièces allemandes tiraient sur la centrale presque tous les jours. Les Allemands avaient pris le coup et ne manquaient pas leur cible, les obus tombaient sur les ateliers, le fracas des explosions secouait à tout moment le sol. Souvent, des bombardiers errants parvenaient en solitaire jusqu'à la centrale et lâchaient leurs bombes. Les Messerschmitt, passant en rase-mottes, tiraient des rafales de mitrailleuse. On voyait apparaître parfois des chars allemands sur les collines et on entendait alors très distinctement le tir précipité des armes individuelles.

Stépan Fiodorovitch semblait s'être habitué aux obus et aux bombes, comme semblaient s'y être habitués les autres travailleurs de la centrale. Mais les uns et les autres y dépensaient leurs dernières réserves de force et, par moments, un épuisement total s'emparait de Spiridonov. Il avait envie de s'allonger, de se recouvrir la tête de son manteau et de rester ainsi, les yeux clos, sans bouger. Parfois, il avait envie de courir jusqu'au bord de la Volga, de la traverser et de marcher à travers la steppe vers l'est sans un regard pour la centrale ; il était prêt à accepter la honte de la désertion pour ne plus entendre le bruit terrifiant des bombes et des obus allemands. Quand Spiridonov téléphonait à Moscou, par l'intermédiaire du Q.G. de la 64e armée qui était disposée non loin de là, et que le vice-ministre lui disait : « Camarade Spiridonov, transmettez le salut de Moscou aux travailleurs héroïques que vous dirigez », Stépan Fiodorovitch se sentait mal à l'aise : de quel héroïsme pouvait-il être question ? Qui plus est, selon des bruits, les Allemands s'apprêtaient à effectuer un raid massif sur la centrale, ils se seraient promis de la raser au moyen de bombes monstrueuses. Dans la journée, ses yeux se tournaient involontairement vers le ciel gris, guettant la venue des avions ; la nuit, il se levait en sursaut, il lui semblait entendre le grondement dense et grandissant des armadas allemandes. Son dos, sa poitrine se couvraient de sueur.

De toute évidence, il n'était pas le seul à avoir les nerfs à vif. Kamychov, l'ingénieur en chef, lui avoua un jour : « Je n'en peux plus, il me semble voir sans cesse des horreurs ; je regarde la route et je me dis que je ficherais bien le camp d'ici. » Le responsable du parti passa un soir chez lui et lui demanda un verre de vodka. « J'ai fini ma bouteille, et ces temps-ci je n'arrive plus à dormir sans cet antibombine. » Et, en versant la vodka, Spiridonov lui dit : « On en apprend tous les jours. J'aurais dû choisir une profession où on peut facilement évacuer le matériel. Les turbines, elles, ne peuvent pas bouger et nous, on doit rester avec. Les gens des autres usines, il y a belle lurette qu'ils se promènent à Sverdlovsk. »

En essayant, une fois de plus, de convaincre Vera qu'il fallait qu'elle parte, il lui dit :

— Vraiment, tu m'étonnes. Les gens viennent me voir tous les jours, me demandent de les laisser partir sous n'importe quel prétexte ; et toi, je te supplie de t'en aller d'ici, et tu ne veux rien entendre. Si on me le permettait, je ne resterais pas ici une minute de plus.

— C'est à cause de toi que je reste, lui répondit-elle rudement. Sans moi, tu ne dessoûlerais plus.

Mais, bien sûr, Spiridonov ne faisait pas que trembler devant le feu ennemi. Il y avait aussi le travail épuisant, le courage, le rire, les blagues et le sentiment enivrant de vivre une destinée sans pitié.

Vera pensait sans cesse à son futur bébé. Elle craignait qu'il ne naisse malingre, que la vie qu'elle menait dans ce sous-sol étouffant et enfumé, que les bombardements quotidiens ne le rendent malade. Les derniers temps, elle avait souvent mal au cœur et elle était sujette aux vertiges. Qu'il sera triste, qu'il sera craintif, son enfant, se disait-elle, si les yeux de sa mère n'ont devant eux que des ruines, le feu, une terre torturée, des avions aux croix noires dans le ciel gris. Peut-être même qu'il entend le bruit des explosions et que son petit corps recroquevillé se fige, que sa tête rentre dans ses épaules quand hurlent les bombes.

Des hommes en manteaux graisseux serrés à la taille d'un ceinturon de soldat la croisaient et la saluaient de la main.

— Comment va la vie, Vera, criaient-ils dans un grand sourire. Est-ce que tu penses à moi ?

Elle sentait la tendresse qui l'entourait, elle, la future mère. Peut-être que son bébé sentait, lui aussi, cette tendresse, et que son cœur serait pur et bon.

Parfois elle allait jusqu'à l'atelier de réparations où on remettait en état les blindés. Viktorov y travaillait, avant la guerre. Elle essayait de deviner où se trouvait son poste. Elle s'efforçait de l'imaginer en bleu de travail comme les ouvriers, bien sûr, mais aussi les soldats du centre d'entretien. Les ouvriers de l'usine et les ouvriers de la guerre étaient impossibles à distinguer : les mêmes vestes ouatinées et graisseuses, les mêmes bonnets à oreillettes froissés, les mêmes mains noircies.

Vera ne pouvait penser qu'à Viktorov et à son enfant, qu'elle sentait en elle chaque jour plus fortement. Ses craintes pour sa grand-mère, pour la tante Evguénia, pour Tolia et Sérioja avaient reculé dans son cœur, elle sentait seulement une inquiétude diffuse quand elle pensait à eux.

La nuit, elle souffrait de l'absence de sa mère, elle l'appelait, se plaignait à elle, la suppliait de lui venir en aide, murmurait : « Maman, sois gentille, aide-moi. »

Elle se sentait faible et abandonnée ; elle n'avait plus rien de commun avec celle qui répondait calmement à son père :

— Pas la peine de m'en parler, je ne partirai pas d'ici.

60

Au cours du déjeuner, Nadia fit, pensive :

— Tolia préférait les pommes de terre bouillies aux pommes de terre frites.

Lioudmila Nikolaïevna dit :

— Demain, il aura exactement dix-neuf ans et sept mois.

Le soir, elle dit :

— Maroussia aurait eu de la peine si elle avait pu entendre parler du vandalisme des Allemands à Iasnaïa Poliana [1].

Peu de temps après, Alexandra Vladimirovna rentra à la maison après une réunion à l'usine et dit à Strum, qui l'aidait à retirer son manteau :

— Il fait un temps magnifique, Vitia, l'air est coupant et froid. Votre mère disait « comme de la vodka ».

Strum lui répondit :

_____

1. Résidence de L. Tolstoï transformée en musée. (N.d.T.)

— Et quand elle mangeait de la bonne choucroute, elle disait « c'est du raisin ».

La vie se mouvait ainsi qu'un iceberg dans la mer, sa partie inférieure, plongée dans les ténèbres, donnait une assise à la partie supérieure, celle qui reflétait les vagues, écoutait le bruit de l'eau, respirait...

Quand des jeunes gens de familles amies finissaient leurs études, soutenaient une thèse, tombaient amoureux, se mariaient, une note de tristesse venait se mêler aux discussions familiales.

Quand Strum apprenait la mort au front d'une personne qu'il connaissait, il avait l'impression qu'une parcelle de vie s'éteignait en lui. Mais la voix du mort continuait à se faire entendre dans le bruit de la vie.

L'époque à laquelle étaient liées la pensée et l'âme de Strum était terrible, elle s'était soulevée contre les femmes et les enfants. Voilà que dans sa famille aussi elle avait tué deux femmes et un adolescent, presque un enfant.

Et deux vers du poète Mandelstam, qu'il avait entendu citer par Madiarov, un historien parent de Sokolov, lui revenaient souvent à l'esprit :

> *Et le siècle chien-loup me bondit sur le dos*
> *un loup je ne suis [1]...*

Mais ce siècle était le sien, il vivait avec ce siècle et y resterait lié même après la mort.

Le travail de Strum progressait toujours aussi mal.

Ses expériences, commencées longtemps avant la guerre, ne donnaient pas les résultats prévus par la théorie.

Un chaos absurde et décourageant régnait dans la dispersion des résultats expérimentaux, dans l'entêtement qu'ils mettaient à contredire la théorie.

Pour commencer, Strum fut persuadé que ces échecs étaient dus à l'insuffisance expérimentale, à l'absence d'un nouvel appareillage. Ses collaborateurs l'irritaient, il lui semblait qu'ils ne consacraient pas assez de forces à leur travail, qu'ils se laissaient distraire par les soucis extérieurs.

Mais les problèmes ne venaient pas de ce que Savostianóv, gai, charmant, bourré de talent, était constamment à la recherche de tickets de vodka ; de ce que l'omniscient Markov faisait des conférences pendant son temps de travail ou expliquait aux autres collaborateurs quelles rations alimentaires recevaient les divers académiciens et comment l'académicien X partageait sa ration entre ses deux ex-femmes et sa troisième femme actuellement en service ; de ce

---

1. Trad. de M. Aucouturier. *(N.d.T.)*

qu'Anna Nahumovna racontait avec un luxe de détails insupportable ses rapports avec sa logeuse.

La pensée de Savostianov restait vivante et claire. Comme toujours, Markov ravissait Strum par l'ampleur de ses connaissances, par sa capacité de mettre au point en artiste les expériences les plus sophistiquées, par sa logique tranquille. Bien qu'Anna Nahumovna habitât une pièce de passage, non chauffée et à moitié en ruine, elle travaillait avec une opiniâtreté et une conscience professionnelle surhumaines. Et comme toujours, Strum était fier d'avoir Sokolov comme collaborateur

Ni la rigueur dans le respect des conditions expérimentales, ni les répétitions de l'expérience, ni les réétalonnages des instruments de mesure n'apportaient une quelconque amélioration. Le chaos avait fait irruption dans l'étude des sels organiques de métaux lourds soumis à l'action d'un rayonnement très énergétique.

Parfois, Strum se représentait cette particule de sel sous la forme d'un gnome ayant perdu toute décence et raison, un gnome coiffé d'un bonnet de travers, à la gueule rouge, se livrant à des grimaces et des gestes obscènes, un gnome qui ferait, de ses membres minuscules, un bras d'honneur à la face sévère de la théorie. Des physiciens de renommée mondiale avaient participé à l'élaboration de cette théorie, son appareil mathématique était sans défauts, les données expérimentales qu'avaient accumulées les laboratoires les plus réputés d'Allemagne et d'Angleterre durant des décennies y trouvaient leur place. Peu de temps avant la guerre, on avait monté à Cambridge une expérience qui devait confirmer le comportement des particules dans certaines conditions. Le succès de cette expérience marqua le triomphe suprême de la théorie. Strum la trouvait aussi élevée et poétique que l'expérience qui avait vérifié la déviation, prévue par la théorie de la relativité, d'un rayon de lumière en provenance d'une étoile lorsqu'il passait dans le champ d'attraction du soleil. Il semblait impensable de s'attaquer à la théorie : c'était comme si un soldat se mettait en tête d'arracher les pattes d'épaule dorées d'un maréchal.

Mais le gnome continuait ses pitreries et ses obscénités et il ne voulait rien entendre. Peu de temps avant le départ de Lioudmila Nikolaïevna pour Saratov, Strum s'était dit qu'il était possible d'élargir le cadre de la théorie ; il est vrai qu'il fallait pour cela admettre deux hypothèses arbitraires et alourdir de façon considérable l'outil mathématique.

Les nouvelles équations concernaient la branche des mathématiques où Sokolov était particulièrement fort. Strum demanda à Sokolov de l'aider, il ne se sentait pas assez sûr de lui dans ce domaine des mathématiques. Assez rapidement, Sokolov parvint à établir de nouvelles équations pour la théorie élargie.

Il semblait que le problème fût résolu, les données expérimentales ne contredisaient plus la théorie. Strum était heureux de ce succès, il félicitait Sokolov. Sokolov félicitait Strum, mais les sentiments d'inquiétude et d'insatisfaction persistaient.

Le découragement gagna à nouveau Strum.

— J'ai remarqué, dit-il à Sokolov, que mon humeur se gâte quand, le soir, je regarde ma femme repriser des chaussettes. Cela me rappelle ce que nous sommes en train de faire : nous avons reprisé la théorie, un travail grossier, les fils ne sont pas de la même couleur, un boulot d'amateur.

Les doutes ne le laissaient pas en paix ; par bonheur, il ne savait pas se mentir, il sentait instinctivement que l'autosatisfaction le mènerait à la défaite.

Cet élargissement de la théorie ne présentait rien de bon. Une fois reprisée, elle perdait son équilibre interne, les hypothèses lui ôtaient sa force, son autonomie, ses équations étaient devenues pesantes, difficiles d'emploi. Elle avait maintenant quelque chose d'arbitraire, de talmudique, d'anémié. C'était comme si toute vie, toute musculature l'avait quittée.

Pendant ce temps, la nouvelle série d'expériences, brillamment mises au point par Markov, entrait de nouveau en contradiction avec les nouvelles équations. Pour rendre compte de cette nouvelle contradiction, il aurait fallu admettre de nouvelles hypothèses, étayer à nouveau la théorie avec force allumettes et bouts de bois.

« C'est du bricolage », se dit Strum. Il comprenait qu'il s'était fourvoyé.

Il reçut de l'Oural une lettre de l'ingénieur Krymov, l'ex-beau-frère d'Evguénia. Celui-ci lui annonçait qu'il était obligé de remettre pour un certain temps la fabrication des appareils commandés par Strum ; l'usine était surchargée par des commandes de guerre ; le matériel ne pourrait être livré qu'avec un retard de six semaines au moins.

Mais cette lettre n'attrista pas Strum, il n'attendait plus ce nouveau matériel avec l'impatience de naguère, il ne pensait plus qu'il pouvait en attendre un changement quelconque dans les résultats des expériences. Par moments, il se sentait pris de rage et désirait recevoir au plus vite ce nouveau matériel pour se convaincre une fois pour toutes que les nouvelles données expérimentales contredisaient de façon totale et définitive la théorie.

Ses insuccès dans le travail s'associaient dans son esprit avec ses malheurs personnels ; tout s'était fondu en une grisaille sans la moindre percée de lumière.

Cette prostration durait depuis des semaines, il était devenu irritable, manifestait un intérêt soudain pour le train-train de la maison, se mêlait de la cuisine, passait son temps à s'étonner des dépenses excessives de Lioudmila.

Il se tenait au courant de la discussion qui opposait Lioudmila à leurs propriétaires : ceux-ci exigeaient, pour leur permettre d'utiliser le bûcher, un supplément de loyer.

— Alors, où en sont les pourparlers avec Nina Matveïevna ? demandait-il.

Puis, après avoir écouté le récit de Lioudmila, il commentait :
— Quelle sale bonne femme !

Maintenant, il ne réfléchissait plus aux liens qui existent entre la science et la vie des hommes ; il ne se demandait pas si elle était bonheur ou malheur. Pour ce genre de pensées, il faut se sentir maître de la situation, il faut être un vainqueur. Il lui semblait qu'il n'était qu'un apprenti malchanceux.

Il lui semblait qu'il ne pourrait plus jamais travailler comme avant, son malheur l'avait privé de son talent de chercheur.

Il passait en revue les noms des grands physiciens, mathématiciens et écrivains qui avaient accompli l'essentiel de leur œuvre dans leur jeunesse et qui n'avaient plus rien créé de considérable après trente-cinq, quarante ans. Ils pouvaient être fiers de ce qu'ils avaient fait, alors que lui, il aurait à traîner le reste de son existence, sans avoir rien fait dans sa jeunesse dont il puisse se souvenir. Evariste Galois, qui avait tracé les voies de la mathématique un siècle à l'avance, avait été tué à vingt et un ans ; Einstein avait vingt-six ans quand il fit paraître son traité sur la relativité restreinte ; Hertz n'avait pas atteint la quarantaine. Quel gouffre séparait ces hommes de Strum !

Strum annonça à Sokolov qu'il voudrait interrompre pour un temps les travaux de laboratoire. Mais Piotr Lavrentievitch estimait qu'il fallait poursuivre les expériences, il attendait beaucoup du nouvel appareillage. Strum se souvint qu'il ne lui avait même pas parlé de la lettre que lui avait envoyée l'usine.

Victor Pavlovitch voyait que sa femme était au courant de ses échecs, mais elle ne l'interrogeait pas sur son travail.

Elle ne s'intéressait pas à ce qui faisait l'essentiel de sa vie, alors qu'elle trouvait le temps de s'occuper du ménage, de bavarder avec Maria Ivanovna, de se disputer avec la propriétaire, de coudre une robe pour Nadia, de voir la femme de Postoïev. Il s'irritait contre Lioudmila, incapable qu'il était de comprendre son état.

Il lui semblait que Lioudmila avait repris sa vie habituelle, alors qu'elle accomplissait les actes habituels justement parce qu'ils étaient habituels et qu'ils ne demandaient de sa part aucun effort, effort qui était maintenant au-dessus de ses forces.

Elle faisait la soupe au vermicelle et parlait des chaussures de

Nadia, parce qu'elle tenait la maison depuis de longues années et que maintenant elle répétait mécaniquement les gestes habituels. Mais il ne voyait pas que, tout en poursuivant la vie qu'elle menait avant, elle lui était devenue étrangère.

Pour parler avec son mari de son travail, il lui aurait fallu trouver de nouvelles forces, des intérêts nouveaux. Elle n'avait pas la force. Strum, lui, avait l'impression que Lioudmila continuait à s'intéresser à tout, sauf à son travail.

Quand elle parlait de son fils, elle évoquait le plus souvent des scènes où Victor Pavlovitch ne s'était pas montré suffisamment gentil à l'égard de Tolia ; Strum se sentait offensé. On aurait dit qu'elle faisait le bilan des rapports entre Tolia et son beau-père, et ce bilan n'était pas favorable à Victor Pavlovitch.

Lioudmila disait à sa mère :

— Le pauvre, comme il était malheureux quand il avait des boutons sur la figure. Il m'avait même demandé de lui procurer une crème à l'Institut de beauté. Victor le taquinait sans cesse.

Et c'était vrai.

Strum aimait taquiner Tolia ; quand le jeune homme, rentrant à la maison, passait lui dire bonjour, Victor Pavlovitch avait coutume de l'examiner attentivement, de hocher la tête et de proférer, songeur :

— Ben, mon vieux, tu l'es, étoilé !

Ces derniers temps, Strum n'aimait pas rester le soir à la maison. Il lui arrivait d'aller chez Postoïev faire une partie d'échecs, écouter un peu de musique : la femme de Postoïev était une assez bonne pianiste. Parfois, il passait chez une nouvelle relation qu'il s'était faite à Kazan, chez Karimov. Mais le plus souvent il allait passer la soirée chez les Sokolov.

Il aimait leur petite chambre, le doux sourire de l'hospitalière Maria Ivanovna, et, par-dessus tout, les conversations qui s'y menaient à table.

Mais quand, tard le soir, il s'approchait de chez lui, l'angoisse qui l'avait un instant relâché le reprenait.

61

A la sortie de l'Institut, Strum alla directement chez son nouvel ami, Karimov, pour se rendre avec eux chez les Sokolov.

Karimov était un homme laid, au visage grêlé. Sa peau foncée soulignait la blancheur de ses cheveux et ses cheveux blancs faisaient paraître sa peau plus sombre encore.

Karimov parlait un russe correct et il fallait l'écouter attentivement pour saisir des traces d'accent.

Strum n'avait jamais entendu son nom mais, en fait, il était connu et pas seulement à Kazan. Karimov avait traduit en tatare *la Divine Comédie, les Voyages de Gulliver* et il était en train de traduire *l'Iliade*. Il leur arrivait souvent, avant d'avoir fait connaissance, de se rencontrer, au sortir de la bibliothèque universitaire, dans le coin réservé aux fumeurs. La bibliothécaire, une vieille bavarde, les lèvres peintes et négligée de sa personne, avait abondamment renseigné Strum sur Karimov. Karimov avait fait ses études à la Sorbonne, il avait une datcha en Crimée, et avant-guerre il passait la majeure partie de l'année au bord de la mer. Au début de la guerre, la femme et la fille de Karimov y étaient restées bloquées et depuis lors il était sans nouvelles. La bibliothécaire fit allusion à des épreuves que cet homme avait connues durant sept ans de sa vie mais Strum accueillit cette information d'un œil incompréhensif. Il semblait bien que la vieille avait aussi parlé de Strum à Karimov. Ayant beaucoup entendu parler l'un de l'autre, ils se sentaient gênés de ne pas avoir fait connaissance, mais, lorsqu'ils se rencontraient, ils ne se souriaient pas, bien au contraire ils prenaient un air renfrogné. Tout cela se termina le jour où ils buttèrent l'un sur l'autre dans le vestibule de la bibliothèque, se regardèrent, éclatèrent simultanément de rire et entamèrent la conversation.

Strum ignorait si ce qu'il disait intéressait Karimov, mais lui, Strum, trouvait de l'intérêt à parler quand Karimov l'écoutait. Strum savait d'expérience qu'un interlocuteur, si intelligent et spirituel fût-il, pouvait se révéler mortellement ennuyeux.

Il y avait des gens en présence desquels Strum était incapable de prononcer le moindre mot ; sa langue devenait de bois, la conversation perdait tout sens, toute couleur, telle une conversation d'aveugles sourds-muets.

Il y avait des gens en présence desquels une parole sincère devenait fausse.

Il y avait des gens, de vieux amis, en présence desquels Strum se sentait encore plus solitaire.

Quelle en était la cause ? La même qui faisait qu'on rencontrait un homme, un voisin de wagon, un voisin de camp, un interlocuteur de hasard, et que, soudain, en sa présence, le monde intérieur cessait d'être muet.

Ils marchaient côte à côte, en bavardant, et Strum se dit qu'il était capable maintenant de rester des heures entières sans penser à son travail, particulièrement le soir, au cours des discussions chez Sokolov. Cela ne lui était jamais arrivé auparavant, il avait toujours pensé à son travail, debout dans le tramway, écoutant de la musique, mangeant son repas ou s'essuyant le visage après la toilette du matin.

Telle était l'impasse où il s'était fourvoyé qu'il devait sûrement s'interdire, sans même s'en rendre compte, de penser à son travail...

— Alors, bien travaillé aujourd'hui, Akhmet Ousmanovitch ? demanda-t-il.

— J'ai la tête vide, impossible de se concentrer, répondit Karimov. Je ne fais que penser à ma femme et à ma fille ; parfois je me dis que tout finira bien, et par moments j'ai le pressentiment qu'elles ont péri toutes deux.

— Je vous comprends, fit Strum.

— Je sais, dit Karimov.

Strum se dit que, bizarrement, il était prêt à raconter à cet homme, qu'il connaissait depuis quelques semaines à peine, ce qu'il taisait à sa fille et sa femme.

Les hommes qui se réunissaient chaque soir dans la petite pièce des Sokolov ne se seraient probablement jamais rencontrés à Moscou.

Sokolov, un chercheur de grand talent, parlait de tout d'une façon verbeuse et livresque. Son discours était si lisse qu'on avait peine à imaginer que son père avait été matelot sur la Volga. C'était un homme au caractère noble et bon, mais son visage avait une expression rusée et même cruelle.

Piotr Lavrentievitch, et en cela non plus il ne ressemblait guère à un matelot de la Volga, ne buvait pas une goutte d'alcool, avait peur des courants d'air, se lavait sans cesse les mains et évitait de manger la croûte du pain à l'endroit où il le tenait par peur des microbes.

Chaque fois qu'il lisait ses travaux, Strum se demandait comment un homme qui pensait d'une façon aussi élégante et audacieuse, qui savait exposer et démontrer brièvement les idées les plus complexes, pouvait se transformer en un raseur verbeux et morne au cours de leurs conversations du soir.

Strum, comme beaucoup de gens ayant grandi dans un milieu intellectuel et livresque, aimait à placer, au cours d'une conversation, des mots comme « de la merde», « faire du foin », à traiter, au cours d'une discussion avec un académicien, une « savante » acariâtre de « vieille garce » ou « d'emmerdeuse ».

Avant la guerre, Sokolov n'admettait pas les discussions politiques. Dès que Strum abordait un sujet politique, Sokolov se renfermait ou changeait de façon ostentatoire de conversation.

Il avait fait preuve d'une étrange soumission, d'une étrange mansuétude face aux cruels événements du temps de la collectivisation ou de 1937. Il semblait accepter la colère de l'État comme on accepte la colère de la nature ou d'un dieu. Strum avait l'impression que Sokolov croyait en Dieu et que sa foi se sentait dans ses travaux, dans son humilité soumise face aux grands de ce monde et dans ses rapports personnels.

Un jour, Strum lui demanda carrément [1] :

[..
....]

Madiarov racontait tranquillement, sans se presser ; il ne justifiait pas les commandants de l'Armée Rouge qui avaient été fusillés comme « ennemis du peuple » et « traîtres à leur patrie », il ne justifiait pas Trotski mais quand on l'entendait parler avec admiration de Krivoroutchko et de Doubov, quand on l'entendait évoquer simplement ou même avec respect les noms de chefs et de commissaires politiques de l'Armée Rouge qui avaient été exterminés en 1937, on comprenait : il ne croyait pas que les maréchaux Toukhatchevski, Blücher et Egorov, que Mouralov, que les chefs d'armée Levandovski, Gamarnik, Dybenko, Boubnov, que Sklianski, le remplaçant de Trotski, qu'Unschlicht étaient des ennemis du peuple et des traîtres à leur patrie.

Le ton tranquille et quotidien de Madiarov semblait inconcevable. L'État n'avait-il pas mis sa puissance à créer un nouveau passé, à faire mouvoir la cavalerie rouge selon ses propres conceptions, à désigner de nouveaux auteurs à des exploits déjà anciens, à faire disparaître les héros véritables ? L'État avait assez de pouvoir pour rejouer ce qui avait déjà eu lieu une fois et à jamais, pour faire changer les figures de bronze et de granit, pour transformer les discours depuis longtemps prononcés, pour changer la disposition des personnages sur une photo documentaire.

En vérité, c'était une nouvelle histoire. Et même les hommes de cette époque, ceux qui étaient restés en vie, vivaient une deuxième vie, transformant eux-mêmes celle qu'ils avaient vécue, les braves se transformant en couards, les révolutionnaires en agents de l'étranger.

Mais, en écoutant parler Madiarov, on ne pouvait s'empêcher de penser qu'une autre logique, plus puissante encore, viendrait un jour, sans faute : la logique de la vérité. Jamais on ne discutait de ces choses avant la guerre.

Il dit :

— Et tous ces hommes se battraient aujourd'hui contre le fascisme, sans ménager leur sang ; pourquoi les a-t-on tués ?

L'appartement où les Sokolov louaient une pièce était celui d'un ingénieur-chimiste, un habitant de Kazan, Vladimir Romanovitch

---

1. Passage manquant dans l'édition originale.

Artelev. Sa femme rentrait du travail le soir. Leurs deux fils étaient au front. Artelev était responsable d'un atelier à l'usine de produits chimiques de Kazan. Il était mal habillé, n'avait ni manteau pour l'hiver ni bonnet de fourrure ; il portait, sous son imperméable, pour ne pas avoir froid, un cache-cœur molletonné. Il avait, en guise de couvre-chef, une casquette graisseuse qu'il enfonçait jusqu'aux oreilles avant de sortir.

Quand Strum le voyait entrer chez les Sokolov, en train de souffler sur ses doigts rougis par le froid, il lui semblait qu'il n'avait pas affaire au maître de maison, au chef d'un atelier important d'une grande usine, mais à un miséreux vivant aux crochets de ses voisins.

Ainsi, ce soir-là, il restait debout, immobile, près de la porte, et écoutait, sans un bruit, parler Madiarov.

Allant à la cuisine, Maria Ivanovna s'arrêta et lui demanda quelque chose à l'oreille ; il secoua la tête avec effroi ; visiblement, elle lui avait proposé de se mettre à table avec eux.

— Hier, racontait Madiarov, un colonel — il est en train de se faire soigner — me disait qu'il devait se présenter devant la commission d'enquête du parti parce qu'il avait cassé la gueule à un lieutenant. Au temps de la guerre civile, un tel acte était inconcevable.

— Pourtant, vous racontiez vous-même, objecta Strum, que Chtchors avait fait fouetter les membres d'une commission envoyée par le Conseil militaire de la révolution.

— C'était un subordonné qui faisait donner le fouet à ses supérieurs, répondit Madiarov. Cela fait une petite différence.

— C'est la même chose à l'usine, dit Artelev. Notre directeur dit « tu » à tous les ingénieurs mais si tu lui dis simplement « camarade Chouriev » et non « Léonti Kouzmitch », il se vexe. Il n'y a pas longtemps, un vieil ingénieur, un chimiste comme moi, l'a irrité. Chouriev l'a injurié, puis lui a crié : « Si je le dis, tu n'as qu'à exécuter ; sinon je te viderai de l'usine à coups de pied dans le cul! » Le vieux a soixante-douze ans.

— Et le syndicat, il ne dit rien ? demanda Sokolov.

— Le syndicat ? tu parles... dit Madiarov. Le syndicat appelle aux sacrifices : avant la guerre, on doit se préparer à la guerre, pendant la guerre, on le sait : « tout pour le front », après la guerre, le syndicat appellera à travailler pour effacer les conséquences de la guerre. Alors, avec tout ça, comment veux-tu qu'il s'occupe d'un vieux.

— Peut-être qu'on peut servir le thé ? demanda à mi-voix Maria Ivanovna à Sokolov.

— Bien sûr, bien sûr, dit-il, sers-nous du thé.

« Étonnant, comme elle se déplace sans bruit », se dit Strum en suivant d'un regard distrait Maria Ivanovna qui venait de se glisser par la porte entrouverte de la cuisine.

— Ah, mes très chers amis, s'exclama soudain Madiarov, vous savez ce que c'est, la liberté de la presse ? Un beau matin d'après guerre, vous ouvrez votre journal et, au lieu d'y trouver un éditorial triomphant, une lettre des travailleurs au grand Staline, un article sur les vaillants ouvriers métallurgistes qui ont dédié leur travail aux élections du Soviet suprême, un autre article sur les travailleurs américains qui, à la veille du nouvel an, sont plongés dans le désespoir par le chômage grandissant et la misère, vous trouvez... Devinez quoi ! Des informations ! Vous arrivez à imaginer cela ? Un journal qui vous donne des informations !

« Et voilà ce que vous lisez : un article sur la mauvaise récolte dans la région de Koursk, un compte rendu d'une inspection de la prison Boutyrki, une discussion sur l'opportunité de la construction du canal entre la mer Blanche et la Baltique, vous apprenez que l'ouvrier Bidalère a pris la parole contre le lancement d'un nouvel emprunt d'État.

« Bref, vous êtes au courant de tout ce qui se passe dans votre pays : récoltes records et sécheresses ; élans d'enthousiasme et vols à main armée ; ouverture d'une nouvelle mine et accident dans une autre mine ; désaccord entre Molotov et Malenkov ; vous lisez un reportage sur une grève de protestation parce qu'un directeur d'usine a offensé un ingénieur, un vieillard de soixante-dix ans ; vous lisez les discours de Churchill et de Blum et non plus ce qu'ils « ont prétendu » ; vous lisez le compte rendu d'une réunion de la Chambre des Communes ; vous apprenez combien de personnes se sont suicidées hier à Moscou ; combien de personnes ont été victimes d'accidents de la circulation. Vous savez pourquoi il n'y a plus de sarrasin à Moscou au lieu d'apprendre que les premières fraises sont arrivées en avion de Tachkent à Moscou. Vous apprenez combien de grammes de blé reçoit un kolkhozien pour une journée de travail en lisant votre journal et non d'après les récits de votre femme de ménage chez qui vient d'arriver sa nièce, venue de la campagne à Moscou pour acheter du pain. Oui, oui, oui... et malgré cela, vous restez pleinement soviétique.

« Vous entrez dans une librairie et vous achetez les livres que vous voulez et vous restez pleinement soviétique ; vous lisez des philosophes, des historiens, des économistes, des journalistes politiques aussi bien français qu'anglais ou américains. Vous êtes capables de comprendre par vous-même en quoi ils ont raison et en quoi ils ont tort ; vous pouvez vous promener tout seul, sans nourrice, dans la rue. »

Alors que Madiarov terminait son discours, Maria entra dans la pièce, apportant une pyramide de vaisselle pour le thé.

Soudain, Sokolov frappa du poing sur la table :

— En voilà assez ! dit-il. Je vous demande instamment de mettre fin à ce genre de discussions.

Maria Ivanovna fixait, bouche bée, son mari. La vaisselle, dans ses mains, tintait ; visiblement, elle tremblait.

— Eh bien voilà, s'exclama Strum, notre Piotr Lavrentievitch a liquidé la liberté de la presse ! Elle n'a pas duré bien longtemps. Heureusement que Maria Ivanovna n'a pas entendu les paroles séditieuses qu'on a proférées ici.

— Notre système, fit Sokolov d'un ton irrité, a prouvé sa supériorité. Les démocraties occidentales se sont effondrées.

— Oui, certes, il l'a montré, dit Strum ; mais en 1940, la démocratie bourgeoise et dégénérée de Finlande s'est heurtée à notre centralisme et cela n'a pas tourné à notre avantage. Je ne suis pas un partisan des démocraties bourgeoises mais les faits restent les faits. Et puis, que vient faire là le vieux chimiste ?

Strum tourna la tête et vit les yeux attentifs de Maria Ivanovna qui le fixaient.

— Le problème, ce n'était pas la Finlande mais l'hiver finlandais, dit Sokolov.

— Arrête, fit Madiarov.

— Disons, proposa Strum, que l'État soviétique a montré, pendant la guerre, et ses qualités et ses défauts.

— Qu'avez-vous en vue en parlant de défauts ? demanda Sokolov.

— Eh bien, par exemple, dit Madiarov, il y a tous ceux qui pourraient combattre maintenant et qu'on a arrêtés. Regardez où on en est, on combat sur la Volga !

— Et le système, qu'est-ce qu'il a à voir là-dedans ? demanda Sokolov.

— Comment ça, « qu'est-ce qu'il a à voir » ? répliqua Strum. Alors, selon vous, la veuve du sous-officier s'est fusillée elle-même en 1937 [1] ?

Et de nouveau il sentit sur lui le regard attentif de Maria Ivanovna. Il se dit que, dans la discussion, il se comportait de façon étrange : dès que Madiarov se mettait à critiquer l'État soviétique, Strum le contredisait ; mais quand Sokolov s'en prenait à Madiarov, Strum le critiquait à son tour.

Sokolov aimait à se moquer, parfois, d'un article particulièrement stupide ou d'un discours analphabète, mais quand la discussion touchait à la ligne principale, il devenait de béton armé. Alors que Madiarov ne faisait pas mystère de ses opinions.

— Vous cherchez une explication à nos revers dans les imperfections du système soviétique, dit Sokolov, mais le coup que nous ont

---

1. Allusion au *Revizor* de Gogol, où le gouverneur, pour se justifier, prétend que la veuve, qu'il a fait fouetter, s'est fouettée elle-même. (IV, 5.)

porté les Allemands était d'une force telle qu'un État qui a pu supporter ce choc a prouvé à l'évidence non sa faiblesse mais sa puis-sance. Vous voyez l'ombre projetée par un géant, et vous dites : regardez cette ombre ! Mais vous oubliez le géant. Notre centralisme est un moteur social d'une puissance incomparable, il permet d'accomplir des miracles. Et il en a accompli. Et il en accomplira encore.

— Si l'État n'a pas besoin de vous, il vous pressurera, vous usera avec toutes vos idées, vos plans, vos œuvres, dit Karimov. Mais si votre idée correspond aux intérêts de l'État, à vous les tapis volants !

— Tout juste, approuva Artelev. J'ai été en mission pendant un mois dans une usine particulièrement importante travaillant pour la défense. Staline en personne suivait la mise en route des ateliers, télé-phonait au directeur... Un équipement ! Les matières premières, les pièces détachées apparaissaient comme par miracle. Je ne parle pas des conditions de vie. Salle de bains, lait à domicile le matin. Je n'ai jamais connu cela de toute ma vie. Une cantine extraordinaire ! Et l'essentiel, c'est qu'il n'y avait pas la moindre bureaucratie. Tout se faisait sans paperasserie.

— Ou plus exactement, ajouta Karimov, le bureaucratisme étati-que, tel le géant du conte, servait les hommes.

— Si l'on a pu atteindre une telle perfection dans une entreprise essentielle pour la défense, dit Sokolov, alors le principe est clair : on peut mettre en œuvre ces méthodes dans toute l'industrie.

— C'est le principe des « concessions », dit Madiarov. Cela fait deux principes totalement différents et non un principe. Staline fait bâtir ce dont a besoin l'État et non ce dont ont besoin les hommes. L'industrie lourde est nécessaire à l'État, pas aux hommes. Le canal mer Blanche-Baltique est inutile aux êtres humains. Les besoins de l'État se trouvent à un des pôles, les besoins des hommes se trouvent à l'autre, et rien ne pourra jamais les concilier.

— Tout juste, approuva Artelev. Et si l'on fait un seul pas hors des « concessions », on se retrouve en plein délire. Kazan a besoin de mes produits, mais, d'après le plan, je dois les envoyer au diable, à Tchita, et puis, de Tchita on les fera revenir à Kazan. J'ai besoin de monteurs-ajusteurs mais il me reste des crédits pour les crèches. Qu'est-ce que je fais ? Je fais passer mes ouvriers monteurs dans la rubrique des crèches comme puéricultrices. La centralisation nous étouffe ! Un chercheur a trouvé un moyen pour produire quinze cents pièces au lieu de deux cents ; le directeur l'a envoyé aux pelo-tes : le plan est calculé en poids total de la production, il n'a pas inté-rêt à innover. Et si son usine s'arrête et qu'il peut acheter les maté-riaux manquants au marché, eh bien, il ne le fera pas. Il préférera subir des pertes de deux millions de roubles plutôt que de se risquer à acheter pour trente roubles de marchandises.

Artelev jeta un coup d'œil à ses interlocuteurs et reprit, comme s'il avait peur d'être interrompu :

— Un ouvrier reçoit peu, mais il reçoit en fonction du travail fourni. Un marchand d'eau gazeuse dans la rue reçoit plus qu'un ingénieur. Mais les directeurs, les ministères ne savent qu'une chose : remplissez le plan ! Tu peux crever de faim, mais tu dois remplir le plan ! On avait un directeur, par exemple, il s'appelait Chmatkov ; eh bien, ce Chmatkov criait pendant les réunions : « L'usine doit compter plus pour vous que votre propre mère ! Vous devez vous sortir les tripes si besoin est, mais vous devez remplir le plan. Et ceux qui ne le comprennent pas, je leur sortirai les tripes moi-même. » Et soudain j'apprends que Chmatkov est muté à Voskressensk. Je lui ai demandé : « Comment faites-vous pour abandonner votre usine alors qu'elle ne remplit pas le plan ? » Et lui, tout de go, sans démagogie, il me répond comme ça : « Oh, vous savez, nous avons nos enfants qui font leurs études supérieures à Moscou et Voskressensk est plus près de Moscou. Et puis, là-bas, on nous promet un bon logement, avec un jardin, ma femme est toujours un peu malade, elle a besoin d'air pur. » Alors je m'étonne. Je ne comprends pas pourquoi l'État fait confiance à des hommes de cet acabit alors que les ouvriers, des savants célèbres, quand ils ne sont pas membres du parti, doivent tirer le diable par la queue.

— C'est tout simple, fit Madiarov. L'État confie à ces gens quelque chose de bien plus important que des usines ou des instituts, il leur a confié le cœur du système, le saint des saints : la force vitale du bureaucratisme soviétique.

— C'est bien ce que je dis, poursuivit Artelev sans relever la plaisanterie de Madiarov. J'aime mon atelier, je ne me ménage pas. Mais je ne sais pas faire l'essentiel, je ne sais sortir les tripes à des êtres vivants. Je pourrais encore me les sortir à moi-même, mais pas à un ouvrier, je n'ai pas le cœur assez bien accroché.

S'entêtant dans une attitude qu'il n'arrivait pas lui-même à comprendre, Strum éprouva maintenant le besoin de contredire Madiarov, bien que tout ce que disait Madiarov lui semblât parfaitement juste.

— Il y a quelque chose qui ne colle pas dans votre raisonnement, dit-il. Est-ce qu'on peut dire qu'aujourd'hui les intérêts de l'individu ne coïncident pas avec ceux de l'État qui a créé une industrie de guerre ? Il me semble que les canons, les chars, les avions avec lesquels nos fils et nos frères font la guerre, sont indispensables à chacun d'entre nous.

— Parfaitement exact, approuva Sokolov.

62

Maria Ivanovna servit le thé. On parla littérature.

— Dostoïevski est oublié de nos jours, dit Madiarov. Les bibliothèques n'aiment pas le prêter, les maisons d'éditions ne le rééditent plus.

— Parce que c'est un réactionnaire, dit Strum.

— Tout juste, acquiesça Sokolov. Il n'aurait pas dû écrire *les Démons.*

Mais cette fois-ci, Strum demanda :

— Vous êtes sûr, Piotr Lavrentievitch, qu'il n'aurait pas dû écrire *les Démons* ? A tout prendre, il aurait mieux fait, plutôt, de ne pas écrire le *Journal d'un écrivain.*

— Il ne faut pas émonder les génies, dit Madiarov. Dostoïevski ne trouve pas sa place dans notre idéologie. Ce n'est pas comme Maïakovski. Staline a eu raison de dire qu'il était le meilleur et le plus doué. Il est l'État personnifié même dans ses émotions. Alors que Dostoïevski est l'humanité en personne, même dans son étatisme.

— A raisonner ainsi, rien dans la littérature du XIXe siècle ne peut trouver place chez nous.

— Pas d'accord, laissa tomber Madiarov. Tolstoï, par exemple, a chanté l'idée de la guerre populaire ; l'État est à la tête d'une guerre populaire juste. Comme vient de nous le dire Karimov : votre idée correspond aux intérêts de l'État et à vous les tapis volants ! On entend Tolstoï à la radio, à des soirées de lecture ; on l'édite, nos chefs le citent.

— C'est Tchekhov qui a la meilleure part, dit Sokolov. Il a été reconnu par son époque et il l'est par la nôtre.

— C'est la meilleure ! s'exclama Madiarov en claquant la main sur la table. Mais c'est par malentendu que Tchekhov est reconnu chez nous. Un peu comme l'est Zochtchenko[1], qui est, en quelque sorte, son continuateur.

— Je ne comprends pas ce que vous dites, fit Sokolov. Tchekhov est un réaliste, alors que ce sont les décadents que l'on critique chez nous.

— Tu ne comprends pas ? reprit Madiarov. Attends, je vais t'expliquer.

— Ne touchez pas à Tchekhov, dit Maria Ivanovna. Je l'aime plus que tous les autres écrivains.

— Et tu as bien raison, ma petite Macha, répondit Madiarov. Toi, Piotr Lavrentievitch, c'est de l'humanité que tu cherches chez les décadents.

---

1. Écrivain satirique très populaire dans les années 20. *(N.d.T.)*

Mais Sokolov, en colère, ne l'écoutait plus.

Madiarov non plus ne faisait pas attention à Sokolov. Il lui fallait exprimer son idée et, pour cela, il lui fallait un Sokolov qui cherchât de l'humanité chez les décadents.

— L'individualisme n'est pas humanité ! Vous confondez ; tout le monde confond tout. Vous trouvez que l'on tape sur les décadents ? Sottises ! Ils ne sont pas dangereux pour l'État ; ils sont simplement inutiles, indifférents. Je suis persuadé qu'il n'y a pas de fossé entre le réalisme socialiste et les décadents. On a beaucoup discuté pour trouver une définition du réalisme socialiste. C'est un miroir auquel le parti ou le gouvernement demande : « Miroir, mon beau miroir doré, qui est le plus beau dans le monde entier ? » et qui répond immanquablement : « C'est toi, le parti, le gouvernement, l'État, qui es le plus beau ! » Les décadents, eux, répondent : « C'est moi, moi, moi, le décadent, qui suis le plus beau. » Ça ne fait pas une telle différence. Le réalisme socialiste, c'est l'affirmation de la supériorité de l'État ; le mouvement décadent, c'est l'affirmation de la supériorité de l'individu. Les méthodes sont différentes, mais le fond reste le même : l'extase devant sa propre supériorité. L'État génial et sans défauts n'a que faire de ceux qui ne lui ressemblent pas. Et le décadent en dentelles est parfaitement indifférent aux autres personnes, à l'exception de deux : avec l'une d'entre elles, il mène des conversations raffinées, avec l'autre il échange des baisers. Mais en apparence, le mouvement décadent, l'individualisme mènent le combat pour l'homme. En fait, ils n'en ont rien à faire ! Tout comme l'État, les décadents ne se préoccupent pas de l'homme. Il n'y a pas de gouffre entre eux.

Sokolov, les yeux mi-clos, suivait attentivement les propos de Madiarov ; il sentit que l'autre allait aborder des thèmes encore plus impossibles que les précédents et l'interrompit :

— Une seconde, quel est le rapport avec Tchekhov ?

— C'est de lui que je parle. Parce que, entre lui et l'État, il y a un gouffre infranchissable. Il a pris sur ses épaules cette démocratie russe qui n'a pu se réaliser. La voie de Tchekhov, c'était la voie de la liberté. Nous avons emprunté une autre voie, comme a dit Lénine. Essayez donc un peu de faire le tour de tous les personnages tchékhoviens. Seul Balzac a su, peut-être, introduire dans la conscience collective une telle quantité de gens. Non, même pas. Réfléchissez un peu : des médecins, des ingénieurs, des avocats, des instituteurs, des professeurs, des propriétaires terriens, des industriels, des boutiquiers, des gouvernantes, des laquais, des étudiants, des fonctionnaires de tous grades, des marchands de bestiaux, des entremetteuses, des sacristains, des évêques, des paysans, des ouvriers, des cordon-

niers, des modèles, des horticulteurs, des zoologistes, des aubergis-
tes, des gardes-chasse, des prostituées, des pêcheurs, des officiers,
des sous-officiers, des artistes peintres, des cuisinières, des écrivains,
des concierges, des religieuses, des soldats, des sages-femmes, des
forçats de Sakhaline...

— Ça suffit, ça suffit ! s'écria Sokolov.

— Ah, ça suffit ? reprit, sur un ton de menace plaisante, Madiarov. Non, cela ne suffit pas ! Tchekhov a fait entrer dans nos consciences toute la Russie dans son énormité ; des hommes de toutes les
classes, de toutes les couches sociales, de tous les âges... Mais ce n'est
pas tout ! Il a introduit ces millions de gens en démocrate,
comprenez-vous, en démocrate russe. Il a dit, comme personne ne l'a
fait avant lui, pas même Tolstoï, il a dit que nous sommes avant tout
des êtres humains ; comprenez-vous : des êtres humains ! Il a dit que
l'essentiel, c'était que les hommes sont des hommes et qu'ensuite seulement, ils sont évêques, russes, boutiquiers, tatares, ouvriers. Vous
comprenez ? Les hommes sont bons ou mauvais non en tant que
Tatares ou Ukrainiens, ouvriers ou évêques ; les hommes sont égaux
parce qu'ils sont des hommes. Il y a cinquante ans on pensait, aveuglé par des œillères partisanes, que Tchekhov a été le porte-parole
d'une fin de siècle. Alors que Tchekhov a levé le drapeau le plus glorieux qu'ait connu la Russie dans son histoire millénaire : le drapeau
d'une véritable démocratie russe, bonne et humaine ; le drapeau de la
dignité de l'homme russe, de la liberté russe. Notre humanisme a toujours été sectaire, cruel, intolérant. D'Avvakoum [1] à Lénine, notre
conception de la liberté et de l'homme a toujours été partisane, fanatique ; elle a toujours sacrifié l'homme concret à une conception abstraite de l'homme. Même Tolstoï, avec sa théorie de la non-résistance
au mal par la force, est intolérant, et surtout, son point de départ
n'est pas l'homme mais Dieu. Il veut que triomphe l'idée de la bonté,
mais les hommes de Dieu ont toujours aspiré à faire entrer de force
Dieu en l'homme : et pour arriver à ce but, en Russie, on ne reculera
devant rien : on te tuera, on t'égorgera sans hésiter.

« Qu'a dit Tchekhov ? Que Dieu se mette au second plan, que se
mettent au second plan les « grandes idées progressistes », comme
on les appelle ; commençons par l'homme ; soyons bons, soyons
attentifs à l'égard de l'homme quel qu'il soit : évêque, moujik, indus-
triel millionnaire, forçat de Sakhaline, serveur dans un restaurant ;
commençons par aimer, respecter, plaindre l'homme ; sans cela, rien
ne marchera jamais chez nous. Et cela s'appelle la démocratie, la
démocratie du peuple russe, une démocratie qui n'a pas vu le jour.

---

1. Avvakoum (1620-1682), chef des vieux-croyants qui s'opposa aux réformes du patriarche
Nikon. *(N.d.T.)*

« En mille ans, l'homme russe a vu de tout, la grandeur et la super-grandeur, mais il n'a jamais vu une chose, la démocratie. Et voilà (nous y revenons), ce qui sépare les décadents de Tchekhov. L'État peut s'irriter contre le décadent, lui donner une taloche ou un coup de pied au cul ; mais l'État est incapable de comprendre l'essentiel chez Tchekhov, et c'est pourquoi il le tolère. La démocratie n'a pas sa place chez nous, la véritable démocratie, bien sûr, la démocratie humaine.

A l'évidence, l'audace de Madiarov déplaisait profondément à Sokolov.

Et Strum, s'en rendant compte, dit avec une jouissance qu'il n'arrivait pas à s'expliquer :

— C'est très bien dit. C'est très juste, très intelligent. Je ne vous demande qu'un peu d'indulgence pour Scriabine ; il me semble qu'il doit faire partie des décadents, mais je l'aime beaucoup.

Il fit, en direction de la femme de Sokolov qui lui servait de la confiture, un geste de refus et dit :

— Non, non, merci, je n'en veux pas.

— C'est de la confiture de cassis, dit-elle.

Il regarda ses yeux marron doré et demanda :

— Vous aurais-je parlé de mon faible pour le cassis ?

Elle fit signe que oui en souriant. Sa denture était irrégulière, ses lèvres minces et sans éclat. Son visage, pâle et même grisâtre, se fit, en souriant, agréable et attirant.

« Elle est gentille et plaisante ; dommage que son nez soit continuellement rouge », se dit Strum.

Karimov répondait à Madiarov :

— Comment peut-on concilier votre discours passionné sur l'humanisme de Tchekhov avec votre hymne à Dostoïevski ? Pour Dostoïevski, tous les hommes ne sont pas égaux en Russie. Hitler a traité Tolstoï de dégénéré, alors qu'il a, dit-on, accroché un portrait de Dostoïevski dans son cabinet. J'appartiens à une minorité natio-nale de l'Empire russe, je suis tatare, je suis né en Russie, je ne peux pardonner à un écrivain russe sa haine contre les Pollacks et les You-pins. Non, je ne peux pas, même si c'est un génie. Trop longtemps, nous avons eu droit, dans la Russie tsariste, au sang, aux crachats dans les yeux , aux pogromes. En Russie, un grand écrivain n'a pas le droit de persécuter les allogènes, de mépriser les Polonais et les Tata-res, les Juifs, les Arméniens et les Tchouvaches.

Le vieux Tatare, aux cheveux blancs, aux yeux sombres, eut un sourire mauvais et hautain de Mongol :

— Vous avez peut-être lu, dit-il à Madiarov, *Hadji Mourat*, la nouvelle de Tolstoï ? Ou, peut-être, avez-vous lu *les Cosaques* ? Ou son récit : *le Prisonnier du Caucase* ? Tout cela, c'est un comte russe qui l'a écrit, plus russe que le Lituanien Dostoïevski. Tant que les Tatares seront de ce monde, ils prieront Allah pour Tolstoï.

Strum regarda Karimov.

« Ah ! tu es comme ça », pensa-t-il.

— Ahmet Ousmanovitch, dit Sokolov à Karimov, je respecte profondément votre amour pour votre peuple. Mais permettez-moi d'être, moi aussi, fier de mon peuple, permettez que je sois fier d'être russe, que j'aime Tolstoï pas seulement parce qu'il a dit du bien des Tatares. Nous autres Russes, nous n'avons pas le droit, on ne sait pourquoi, d'être fiers de notre peuple. Ou bien on vous fait aussitôt passer pour un membre des *Centuries noires*.

Karimov se leva. Son visage s'était couvert de grosses gouttes de sueur.

— Je vais vous dire la vérité, commença-t-il. En effet, pourquoi dirais-je des mensonges alors qu'existe une vérité ? Si on se rappelle comment, dans les années 20, on a exterminé tous ceux dont le peuple tatare s'enorgueillissait, tous nos grands hommes de culture, alors, on peut se demander, en effet, pourquoi on interdit le *Journal d'un écrivain.*

— Il n'y a pas que vous qui avez souffert, cela a été pareil pour nous, dit Artelev.

— Mais chez nous, reprit Karimov, on ne s'est pas contenté d'anéantir des hommes, on a anéanti toute une culture. Les intellectuels tatares que nous connaissons actuellement sont des analphabètes en comparaison de ceux qui ont disparu.

— Tout juste, dit Madiarov, ironique, ceux-là auraient pu créer leur culture nationale, mais aussi une politique extérieure et intérieure des Tatares et ça... ce n'était pas tolérable.

— Mais vous avez votre État, s'étonna Sokolov, vous avez vos instituts, vos écoles, vos opéras, vos livres, vos journaux en tatare, tout cela, c'est la révolution qui vous l'a donné.

— Parfaitement, nous avons un opéra d'État et un État d'opérette. Mais c'est Moscou qui engrange et c'est Moscou qui enferme.

— Vous savez, fit Madiarov, si c'étaient des Tatares à la place de Moscou, ce ne serait pas mieux.

— Et si personne n'enfermait personne ? demanda Maria Ivanovna.

— Elle en veut des choses, notre Maria, dit Madiarov.

Il regarda sa montre et s'exclama :

— Oh, oh ! Il se fait tard.

— Restez dormir chez nous, s'empressa de proposer Maria Ivanovna. Je vous installerai un lit de camp.

Il avait confié un jour à Maria Ivanovna qu'il ressentait particulièrement sa solitude quand il rentrait le soir chez lui et quand il pénétrait dans sa chambre obscure et vide, sachant que personne ne l'y attendait.

— Je ne suis pas contre, dit Madiarov. Piotr Lavrentievitch, tu n'as rien à y redire ?

— Mais non, bien sûr, répondit Sokolov.

Et Madiarov ajouta, pour rire :

— ... dit le maître de maison sans le moindre enthousiasme.

Tous se levèrent de table et prirent congé.

Sokolov sortit pour accompagner ses hôtes, et Maria Ivanovna, baissant la voix, dit à Madiarov :

— Comme c'est bien que Piotr Lavrentievitch n'évite plus ce genre de conversations. A Moscou, il suffisait d'une allusion pour qu'il se taise et se renferme sur lui-même.

Elle prononçait le prénom et le patronyme de son mari avec une tendresse et un respect particuliers. Elle recopiait à la main, souvent de nuit, les manuscrits de son mari, elle conservait ses brouillons, collait sur des feuilles de carton ses griffonnages de hasard. Elle voyait en lui un grand homme mais le traitait en petit enfant.

— Il me plaît, ce Strum, dit Madiarov. Je ne comprends pas pourquoi il a la réputation d'un homme désagréable.

Il ajouta, moqueur :

— J'ai remarqué que tous ses discours, il les prononce en votre présence. Quand vous étiez à la cuisine, il ménageait son éloquence.

Elle se tenait face à la porte et se taisait, comme si elle n'avait pas entendu Madiarov, puis elle répondit :

— Mais non, il ne fait pas plus attention à moi qu'à une fourmi. Piotr pense que c'est un homme moqueur, hautain, sans bonté ; c'est pour cela que les physiciens ne l'aiment pas et que certains le craignent. Mais je ne suis pas d'accord, il me semble qu'il est très bon.

— A mon avis, il n'est rien moins que bon. Il couvre tout le monde de sarcasmes, jamais d'accord avec personne ; mais il a l'esprit libre, il n'est pas endoctriné.

— Non, non. Il est bon, vulnérable.

— Mais il faut reconnaître que notre cher Piotr ne dit pas un mot de trop, même maintenant.

Juste à ce moment-là, Sokolov entra et entendit les paroles de Madiarov.

— Je vais te demander deux choses, dit-il. D'abord je te fais grâce de tes conseils, et deuxièmement, je te prierais d'éviter ce genre de conversation en ma présence.

— Tu sais, moi aussi, je n'ai rien à faire de tes conseils. Je réponds de mes paroles comme toi tu réponds des tiennes.

Sokolov fut sur le point de répondre violemment, mais il se retint et sortit à nouveau de la pièce.

— Eh bien, je crois que je vais rentrer chez moi, dit Madiarov.

— Non, vous me feriez de la peine, l'arrêta Maria Ivanovna. Vous savez comme il est bon. Il va se faire du mauvais sang toute la nuit.

Elle entreprit de lui expliquer que Piotr Lavrentievitch avait le cœur très sensible, qu'il avait beaucoup souffert, qu'en 1937 il avait été soumis à des interrogatoires extrêmement durs et qu'il avait, à la suite de cela, passé quatre mois dans une clinique pour maladies nerveuses.

Madiarov écoutait et acquiesçait de la tête.

— D'accord, d'accord, Macha, vous m'avez convaincu.

Mais, soudain, dans un accès de rage, il ajouta :

— Tout ça est bel et bon mais il n'y a pas que votre cher Piotr qui ait subi des interrogatoires. Vous vous souvenez quand on m'a gardé durant onze mois à la Lioubanka [1] ? Pendant tout ce temps, Piotr n'a téléphoné qu'une seule fois à ma femme, à sa propre sœur, hein ? Et peut-être vous souvenez-vous qu'il vous avait interdit, à vous aussi, de lui téléphoner. Ce fut très douloureux pour Klava... Peut-être qu'il est un grand physicien mais il a une âme de laquais.

Maria Ivanovna était assise, sans répondre, le visage caché entre les mains.

— Personne, personne ne peut comprendre comme tout cela me fait souffrir, dit-elle à voix basse.

Elle était seule à savoir l'horreur qu'avait éprouvée son mari devant les atrocités de la collectivisation totale et de 1937, elle savait qu'il était pur intérieurement. Mais elle savait aussi que grande était sa soumission, son obéissance servile face au pouvoir.

C'est pour cela qu'il se conduisait à la maison en tyran domestique, qu'il se faisait cirer ses chaussures par Macha, qu'elle devait l'éventer avec un foulard pendant les grandes chaleurs, qu'elle devait, pendant les promenades dans les environs de Moscou, chasser les moustiques à l'aide d'une petite branche.

Un jour, alors qu'il était étudiant en dernière année, Strum dit soudain à son camarade de cours : « Impossible à lire, c'est d'un ennui mortel ! » et jeta par terre la *Pravda* qu'il lisait.

A peine l'eut-il dit qu'il se sentit gagné par la peur. Il ramassa le journal, l'épousseta, fit un petit sourire étonnant de bassesse ; bien des années plus tard, il se couvrait de sueur au seul souvenir de ce sourire de chien battu.

---

1. Siège de la police politique (Tchéka, Guépéou, N.K.V.D., M.G.B., K.G.B.) avec une prison en sous-sol. *(N.d.T.)*

Quelques jours plus tard, il tendit à ce même camarade un numéro de la *Pravda* et dit d'un petit ton animé :

— Dis donc, Gricha, tu devrais lire l'éditorial, c'est drôlement bien.

Le camarade prit le journal et dit d'un ton apitoyé :

— Notre Vitia était peureux... Tu pensais que j'allais te dénoncer ?

C'est en ce temps-là, encore étudiant, que Strum se jura ou bien de se taire, de ne pas exprimer de pensées dangereuses, ou bien, s'il les avait exprimées, de ne pas faire machine arrière. Mais il ne tint pas parole. Il lui arrivait souvent de perdre toute prudence, de s'enflammer et de lâcher le morceau et, l'ayant fait, il prenait peur et s'appliquait à éteindre le feu qu'il avait lui-même allumé.

En 1938, après le procès Boukharine, il dit à Krymov :

— Vous pouvez me dire ce que vous voulez, mais je connaissais personnellement Boukharine, je lui ai parlé à deux repfises, une grosse tête, un sourire intelligent et fin, bref, c'est un homme d'une grande pureté et d'un grand charme.

Et aussitôt, inquiété par le regard sombre de Krymov, il marmonna :

— Mais, après tout, qu'est-ce que j'en sais, espionnage, agent de l'*Okhrana*[1], il n'est plus question de pureté et de charme... Répugnant !

Et de nouveau il fut pris au dépourvu. Avec un air toujours aussi renfrogné, Krymov lui dit :

— Profitant de nos liens de parenté, je peux vous annoncer la chose suivante : dans mon esprit, Boukharine et l'*Okhrana* ne vont et n'iront jamais ensemble.

Et Strum, en rage contre lui-même et contre cette force qui empêchait les hommes d'être des hommes, s'écria :

— Mais, bon Dieu, je n'y crois pas à ces horreurs ! Ces procès sont le cauchemar de ma vie ; mais pourquoi donc, dans quel but, avouent-ils ?

Mais Krymov ne poursuivit pas la conversation. Visiblement, il en avait déjà trop dit...

Oh, la force claire et merveilleuse d'une conversation sincère ! Oh, la force de la vérité ! Quel prix terrible payaient parfois des hommes pour quelques mots courageux prononcés sans arrière-pensée.

Que de fois, la nuit, Strum restait-il allongé à écouter les automobiles qui passaient dans la rue ! Voilà Lioudmila qui se lève, qui va, pieds nus, jusqu'à la fenêtre et écarte le rideau. Elle regarde, attend un moment, puis sans bruit (elle croit qu'il est en train de dormir), regagne le lit, se recouche. Le lendemain elle demande :

---

1. Nom de la police secrète de 1880 à la révolution. *(N. d. T.)*

— Tu as passé une bonne nuit ?

— Pas mal, merci, et toi ?

— Il faisait un peu lourd, je suis allée à la fenêtre chercher un peu d'air.

— Ah ! bon.

Comment rendre cet état nocturne où se mêlent le sentiment de son innocence et la certitude d'une fin imminente.

« Souviens-toi, Vitia, que chacune de nos paroles leur parvient. Tu causeras ta perte, la mienne et celle des enfants .»

Une autre conversation :

« Je ne peux pas tout te dire, mais je t'en supplie, écoute-moi bien. ne dis pas un mot de trop, à personne, tu entends, à personne : nous vivons une époque terrible, tu ne peux pas avoir idée. Souviens-toi, Victor, pas un mot, à personne... »

Et Victor Pavlovitch voit devant lui les yeux opaques, pleins de souffrance, d'un homme qu'il connaît depuis l'enfance et ce ne sont pas ses paroles qui font naître la peur, elle vient de ce que le vieil ami ne dit pas tout, de ce que Victor Pavlovitch n'ose pas demander : « Tu es un agent, tu collabores ? »

Victor Pavlovitch se souvient du visage de son assistant lorsqu'il lança, en guise de plaisanterie, que Staline avait énoncé les lois de la gravitation universelle avant Newton.

— Vous n'avez rien dit, je n'ai rien entendu, lui dit le jeune physicien gaiement.

Pourquoi faire toutes ces plaisanteries ? En tout cas, plaisanter est idiot, comme si l'on s'amusait à donner des chiquenaudes à un flacon de nitroglycérine.

Oh, la force claire d'une parole libre et joyeuse ! Elle existe justement parce qu'on la prononce soudain malgré toutes les peurs.

Comprenait-il, Strum, tout ce qu'avaient de tragique leurs discussions actuelles, menées si librement ? Tous les participants à ces discussions haïssaient le fascisme allemand, tous en avaient horreur... Pourquoi donc la liberté s'était-elle montrée en ces jours où la guerre avait atteint les rives de la Volga, où ils vivaient tous le malheur des défaites militaires qui pouvaient amener un esclavage détesté ?

Strum marchait en silence aux côtés de Karimov.

— C'est étrange, dit-il, quand on lit des romans étrangers où figurent des intellectuels, en ce moment, par exemple, je lis du Hemingway, tous ces intellectuels boivent sans arrêt au cours de leurs discussions. Cocktails, whisky, rhum, cognac, encore des cocktails, des whiskies de toutes origines. Alors que l'intelligentsia russe a toujours mené ses discussions essentielles autour d'une tasse de thé. C'est autour de cette tasse de thé à peine coloré que se mettaient d'accord les populistes, les membres de la *Narodnïa Volia* ou les sociaux-démocrates ; Lénine aussi a préparé la révolution avec ses amis autour d'une tasse de thé. Mais, paraît-il, Staline préfère le cognac.

— Oui, oui, oui, fit Karimov. Et notre discussion de ce soir, elle aussi, était accompagnée de thé. Vous avez raison.

— C'est bien ce que je dis. Madiarov est quelqu'un d'intelligent, de courageux. Je suis captivé par ses propos, si follement inhabituels !

Karimov prit Strum par le bras.

— Avez-vous remarqué, Victor Pavlovitch, que les choses les plus innocentes prennent chez lui des allures de lois générales ? Cela m'inquiète. Vous savez, il a été détenu pendant quelques mois en 1937 et puis on l'a relâché. Pourtant, à l'époque, on ne relâchait personne. Vous voyez ce que j'ai en vue ?

— Bien sûr que je comprends, le contraire serait étonnant, dit Strum lentement. Vous vous demandez si ce n'est pas un provocateur.

Ils se séparèrent au coin de la rue et Strum se dirigea chez lui.

« Et puis zut, quelle importance cela peut-il avoir, se disait-il, au moins on a pu avoir une véritable discussion, sans peur, sans hypocrisie, sans convention, on a pu parler de tout, à fond. Paris vaut bien une messe. »

Heureusement qu'il y avait encore des hommes comme Madiarov, des hommes qui n'avaient pas perdu leur indépendance intérieure. Et ce qu'avait dit Karimov au moment de se séparer ne lui avait pas gelé le cœur du froid habituel.

Il se dit qu'il avait de nouveau oublié de parler à Sokolov de la lettre qu'il avait reçue de l'Oural.

Il marchait dans la rue déserte et mal éclairée.

L'idée surgit brutalement. Et aussitôt, sans hésiter, il comprit, il sentit que l'idée était juste. Il vit une explication neuve, extraordinairement neuve, des phénomènes nucléaires qui, jusqu'alors, semblaient inexplicables ; soudain, les gouffres s'étaient changés en passerelles. Quelle simplicité, quelle clarté ! Que cette idée était gracieuse et belle ! Il lui semblait que ce n'était pas lui qui l'avait fait naître, mais qu'elle était montée à la surface, simple et légère, comme une fleur blanche sortie de la profondeur tranquille d'un lac, et il s'exclama de bonheur en la voyant si belle...

Et quelle étrange coïncidence, pensa-t-il soudain, que cette idée lui soit venue alors que son esprit était loin de toute science, alors qu'il était préoccupé par leurs discussions sur le sens de leur vie, discussions d'hommes libres, quand seule l'amère liberté déterminait ses paroles et celles de ses interlocuteurs ?

63

Triste et ennuyeuse apparaît la steppe kalmouke quand on la voit pour la première fois, quand on roule en voiture, soucieux et inquiet, et quand les yeux suivent distraitement la montée puis l'éloignement des collines qui sortent une à une de l'horizon pour, une à une, y disparaître... Le lieutenant-colonel Darenski avait l'impression que c'était toujours le même mamelon érodé par le vent qui se déplaçait devant lui, la même courbe qui s'ouvrait devant la voiture. Les cavaliers dans la steppe semblaient, eux aussi, toujours les mêmes, bien qu'ils fussent tantôt jeunes et imberbes, tantôt avec une barbe grise, que la robe de leurs petits chevaux fût tantôt noire, tantôt isabelle.

La voiture traversait des hameaux et des villages, passait devant des maisonnettes aux fenêtres minuscules, derrière lesquelles, comme dans un aquarium, s'entassaient des géraniums ; il aurait suffi de briser la vitre, semblait-il, pour que l'air s'écoule dans la steppe environnante et que les fleurs se dessèchent et meurent ; la voiture passait devant les yourtes circulaires, enduites de glaise, elle allait, allait toujours parmi les hautes et ternes graminées des steppes, parmi les herbes à chameaux couvertes de piquants, parmi les taches brillantes des plaques de sel, elle dépassait les nuages de poussière que soulevaient les troupeaux de brebis, les feux sans fumée oscillant dans le vent...

Pour le voyageur venu en voiture de la ville, tout se fondait en une grisaille misérable et uniforme, tout devenait d'une ressemblance monotone... Dans cette steppe kalmouke qui s'étend vers l'est jusqu'à l'estuaire de la Volga et les bords de la mer Caspienne, où elle se transforme en désert, la terre et le ciel se sont reflétés l'un dans l'autre depuis si longtemps qu'ils se ressemblent, comme se ressemblent mari et femme quand ils ont vécu toute leur vie ensemble. Et il est impossible de savoir si c'est le gris de l'herbe qui pousse sur le bleu incertain et délavé du ciel ou la steppe qui s'est imprégnée du bleu du ciel, et il devient impossible de distinguer le ciel de la terre, ils se fondent dans une même poussière sans âge. Quand on regarde l'eau épaisse et lourde des lacs Datsa et Barmantsak, on croit voir des plaques de sel à la surface de la terre ; les plaques de sel, elles, elles imitent à s'y méprendre l'eau des lacs.

Peut-être est-ce pour cette raison qu'il y a tant de mirages ? Les frontières entre l'air et la terre, entre l'eau et le sel n'existent plus. Un élan de la pensée, une impulsion du cerveau d'un voyageur assoiffé suffisent pour reconstruire cet univers, et l'air chaud se transforme en d'élégants édifices de pierre bleutée, et la terre se met à ruisseler, et les palmeraies s'étendent jusqu'à l'horizon, et les rayons du soleil terrible et dévastateur, traversant les nuages de poussière, se métamorphosent en des coupoles dorées de palais...

L'homme, en une minute d'épuisement, crée lui-même, à partir de ce ciel et de cette terre, le monde de ses désirs.

Et soudain le désert de la steppe se montre sous un tout autre jour.

La steppe ! Une nature sans la moindre couleur criarde, sans la moindre aspérité dans le relief ; la sobre mélancolie des nuances grises et bleues peut surpasser en richesse le flot coloré de la forêt russe en automne ; les lignes douces, à peine arrondies, des collines s'emparent de l'âme plus sûrement que les pics du Caucase ; les lacs avares, remplis d'une eau vieille comme le monde, disent ce qu'est l'eau mieux que toutes les mers et tous les océans.

Tout passe, mais ce soleil, ce soleil énorme et lourd, ce soleil de fonte dans les fumées du soir, mais ce vent, ce vent âcre, gorgé d'absinthe, jamais on ne peut les oublier. Riche est la steppe...

La voilà au printemps, jeune, couverte de tulipes, océan de couleurs... L'herbe à chameaux est verte et ses piquants sont encore tendres et doux.

Mais toujours — au matin, en été ou en hiver, par de sombres nuits de pluie ou par clair de lune — toujours et avant toute chose, la steppe parle à l'homme de la liberté... Elle la rappelle à ceux qui l'ont perdue.

Darenski était sorti de sa voiture et regardait un cavalier immobile au sommet d'une colline. Son *khalat* ceint d'une corde, il montait un petit cheval à poil long ; du haut de son monticule, il observait la steppe. Il était vieux, son visage avait la dureté de la pierre.

Darenski héla le vieillard, alla vers lui et tendit son porte-cigarettes. Le vieux se tourna sur la selle avec la légèreté d'un jeune homme et la grave lenteur de la vieillesse ; ses yeux se posèrent sur la main qui tendait les cigarettes, puis sur le visage de Darenski, son pistolet accroché à la ceinture, ses barrettes de lieutenant-colonel, ses bottes élégantes de dandy. Ensuite, il prit une cigarette et il la fit rouler entre ses petits doigts fins, si petits et si fins qu'on aurait dit une main d'enfant.

Le visage dur, aux pommettes saillantes, du vieux Kalmouk se transforma, et entre les rides, c'étaient maintenant des yeux pleins de bonté et d'intelligence qui regardaient Darenski. Et il devait y avoir quelque chose dans le regard de ces yeux bruns, à la fois confiants et scrutateurs, car Darenski se sentit soudain, sans raison aucune, gai et heureux. Le cheval, méfiant, qui avait dressé les oreilles à l'approche de Darenski, pointa vers lui une oreille curieuse puis l'autre et enfin il sourit de toutes ses grandes dents et de ses yeux merveilleux.

— Merci, dit le vieux d'une voix fluette.

Il passa sa main sur l'épaule de Darenski et dit :

— J'avais mes deux fils dans cavalerie ; l'aîné (il leva sa main légèrement au-dessus de la tête du cheval) il est tué, le cadet (il baissa la main légèrement en dessous de la tête du cheval), lui est mitrailleur, lui a trois médailles.

Puis il demanda :

— Tu as père ?

— Ma mère vit toujours, mais mon père est mort.

— Aïe, aïe, ce n'est pas bien, compatit le vieux en hochant la tête.

Et Darenski se dit que le vieux ne le disait pas par politesse mais qu'il avait réellement le cœur triste en apprenant que le colonel russe qui lui avait offert une cigarette avait perdu son père.

Soudain le vieux poussa un cri perçant et le cheval dévala la pente avec une légèreté, une vitesse indescriptibles.

A quoi pouvait penser le cavalier en galopant à travers la steppe ? A ses fils, au fait que le colonel russe, resté debout auprès de sa voiture en panne, avait perdu son père ?

Darenski suivait du regard le galop du vieillard ; ce n'était pas du sang qui battait dans ses tempes mais un mot, un seul :

— Libre... libre... libre...

Il enviait le vieux Kalmouk.

64

Darenski avait été envoyé par l'état-major du groupe d'armées en mission de longue durée dans l'armée qui était disposée à l'extrême gauche du front. Les officiers de l'état-major répugnaient à y aller : le manque d'eau, l'absence de logement, la longueur des distances, l'état des routes faisaient peur. Le Haut Commandement n'avait pas de données précises sur la situation des troupes perdues dans les sables entre les rives de la Caspienne et les steppes kalmoukes, aussi Darenski était-il chargé d'un grand nombre de tâches.

Après avoir parcouru des centaines de kilomètres dans la steppe, Darenski se sentit vaincu par l'ennui. Personne, ici, ne pensait à l'offensive ; la situation de ces troupes chassées par les Allemands au bout du monde semblait sans espoir.

La tension continuelle du Q.G. du groupement d'armées, les supputations sur une offensive prochaine, les mouvements des réserves, les télégrammes, les codes, le travail incessant du centre des transmissions, le grondement des colonnes de blindés et de camions venant du nord, tout cela semblait bien loin, presque irréel.

Darenski écoutait les conversations sans joie des officiers, réunissait et contrôlait les rapports sur l'état du matériel, inspectait les batteries et les divisions d'artillerie, voyait les visages renfrognés des soldats et des officiers, observait avec quelle lenteur se déplaçaient les hommes dans la poussière de la steppe et, peu à peu, Darenski se soumit à l'ennui du lieu. Et voilà, pensait-il, la Russie en est arrivée là, à ces steppes à chameaux, à ces dunes de sable, elle s'est couchée sur cette terre avare et c'en est fini d'elle, elle ne se relèvera pas.

Darenski arriva au Q.G. de l'armée. Dans une pièce, vaste et sombre, un gaillard au visage bien nourri et au cheveu rare jouait aux cartes avec deux femmes en uniforme. Les deux femmes, des lieutenants, et le garçon qui, lui, n'avait pas de signes distinctifs sur son uniforme, n'interrompirent pas leur jeu et se contentèrent de jeter un coup d'œil distrait sur le nouveau venu.

— Tu veux de l'atout, peut-être ? Tu voudrais un valet ?

Darenski attendit que se termine la donne et demanda :

— Est-ce ici qu'est installé le général commandant l'armée ?

L'une des deux jeunes femmes répondit :

— Il est parti sur le flanc droit, il ne sera de retour que ce soir.

Elle examina Darenski d'un œil expérimenté et affirma plus qu'elle ne demanda :

— Vous êtes de l'état-major du groupe d'armées, camarade lieutenant-colonel ?

— Exact, répondit Darenski.

Et, avec un clin d'œil fugitif, il tenta à nouveau sa chance :

— Excusez-moi, mais le membre du Conseil d'armée ne serait-il pas là ?

— Il est parti avec le commandant d'armée, il ne sera de retour que ce soir, répondit la deuxième jeune femme en interrogeant à son tour : Vous ne seriez pas de l'état-major de l'artillerie ?

— Exact, répondit Darenski.

Darenski trouva la première des deux femmes particulièrement attirante, bien qu'elle fût nettement la plus âgée des deux. Elle était de ce genre de femmes qui semblent très belles mais qui, soudain, vues sous un certain angle, paraissent fanées, vieilles, peu attirantes. Elle avait un beau nez droit, des yeux bleus et sans chaleur qui laissaient voir que cette femme savait parfaitement ce qu'elle valait et ce que valaient les autres.

Son visage paraissait très jeune, on lui aurait donné vingt-cinq ans, pas plus, mais il suffisait qu'elle restât songeuse un moment, qu'elle fronçât le sourcil pour que deviennent visibles les rides aux commissures des lèvres, la peau distendue du cou et elle faisait bien quarante-cinq ans, sinon plus. Mais ce qu'elle avait de bien, à coup sûr, c'étaient ses jambes et ses pieds chaussés de jolies bottes manifestement faites sur mesure.

Tous ces détails, longs à exposer, furent notés en un instant par l'œil expérimenté de Darenski.

Quant à la seconde, elle était jeune, mais déjà trop forte, gagnée par l'embonpoint ; tout en elle, pris séparément, n'avait rien d'extraordinaire : les cheveux manquaient d'épaisseur, le visage était large, les yeux étaient d'une couleur incertaine, mais elle était jeune et féminine. Si féminine que même un aveugle, semblait-il, assis à ses côtés, n'aurait pu ne pas le sentir.

Cela aussi, Darenski le remarqua immédiatement.

Il eut même le temps de comparer les mérites respectifs de l'une et de l'autre et de faire ce choix sans conséquence pratique que font presque toujours les hommes en regardant les femmes. Darenski, qui cherchait à mettre la main sur le commandant de l'armée, qui se demandait si celui-ci lui donnerait les chiffres dont il avait besoin, qui se demandait où il pourrait trouver à manger et à dormir, qui aurait aimé savoir si la division où il devait se rendre n'était pas trop éloignée et si la route qui y menait n'était pas trop mauvaise, Darenski, donc, eut le temps de se dire pour la forme (mais quand même pas seulement pour la forme) : « Celle-là ! » Et il advint qu'il n'alla pas chez le chef de l'état-major mais resta à jouer aux cartes.

Pendant la partie (il jouait avec la femme aux yeux bleus), Darenski apprit beaucoup de choses : sa partenaire s'appelait Alla Serguéïevna, la seconde, la plus jeune, travaillait à l'infirmerie, le jeune homme trop bien nourri s'appelait Volodia et semblait avoir des liens de parenté avec un membre du Haut Commandement, il travaillait comme cuisinier au mess du Conseil d'armée.

Darenski sentit aussitôt le pouvoir qu'exerçait Alla Serguéïevna. Cela se sentait au ton des gens qui entraient dans la pièce. Selon toute vraisemblance, elle était la femme légitime du commandant d'armée et non sa maîtresse, comme il l'avait cru au premier abord.

Il n'arrivait pas à comprendre pourquoi le dénommé Volodia était si familier avec elle. Mais, un peu plus tard, saisi d'une illumination soudaine, Darenski crut en deviner la raison : Volodia devait être le frère de la première femme du général. Certes, il restait à savoir si la première femme était encore en vie et, dans ce cas, si le divorce avait été prononcé.

La jeune, elle s'appelait Klavdia, n'était visiblement pas mariée avec le membre du Conseil. Dans l'attitude d'Alla Serguéïevna à son égard se glissaient des notes hautaines et condescendantes : « Bien sûr, nous jouons aux cartes ensemble, nous nous tutoyons, mais ce ne sont que les exigences de la guerre à laquelle nous participons l'une et l'autre. »

Mais Klavdia, elle aussi, éprouvait un sentiment de supériorité à l'égard d'Alla Serguéïevna. Darenski le traduisait approximativement ainsi : « Peut-être que je ne suis pas légalement mariée, je ne suis qu'une compagne de guerre, mais moi, je suis fidèle, alors que toi, toute épouse légitime que tu sois, je connais deux trois petites choses sur ton compte. Essaie un peu de me traiter de repos du guerrier et tu verras... »

Volodia ne cherchait pas à dissimuler à quel point Klavdia lui plaisait. Il semblait dire : Mon amour est sans espoir, est-ce que je peux moi, un vulgaire cuisinier, rivaliser avec un membre du Conseil d'armée ? Mais tout cuisinier que je sois, je t'aime d'un amour pur, tu dois le sentir toi-même, je ne demande qu'à te regarder dans tes jolis petits yeux, rien d'autre.

Darenski jouait mal et Alla Serguéïevna le prit sous sa protection. L'élégant colonel plaisait à Alla Serguéïevna : il disait : « Je vous remercie », il marmonnait : « Je vous prie de m'excuser » quand leurs mains se touchaient au moment de la donne, il regardait d'un air navré Volodia se moucher dans ses doigts et les essuyer ensuite avec un mouchoir ; le colonel souriait poliment aux plaisanteries des autres et il savait être spirituel.

Après un des bons mots de Darenski, elle lui dit :

— Spirituel !... je n'avais pas saisi. Cette vie dans la steppe vous rend bête.

Elle le dit à mi-voix, comme si elle voulait lui faire comprendre, ou plus exactement sentir, que pouvait se nouer entre eux une conversation où il n'y aurait plus qu'eux deux, une conversation qui fait courir des frissons dans le dos, cette conversation particulière qui seule importe entre un homme et une femme.

Darenski commettait sans cesse des erreurs, elle le corrigeait ; et dans le même temps naissait entre eux un autre jeu, et dans ce jeu-là, Darenski ne commettait plus d'erreurs, il le connaissait trop bien... Bien que rien n'eût été dit, si ce n'est « défaussez-vous de vos petits piques » ou bien « jouez atout, n'ayez pas peur », elle avait déjà vu et apprécié tous les attraits de Darenski : sa douceur et sa force, sa discrétion et son audace... Tout cela, elle l'avait senti parce qu'elle avait su le remarquer mais aussi parce qu'il avait su le lui montrer. A son tour, elle avait su lui montrer qu'elle comprenait la manière dont il regardait sa poitrine sous l'élégante vareuse de gabardine, les mouvements de ses mains aux ongles soignés, ses haussements d'épaules, ses jambes, ses sourires. Il sentait qu'Alla s'appliquait à parler avec une intonation plus chantante qu'à l'ordinaire, à sourire plus longuement que nécessaire afin qu'il puisse apprécier la beauté de sa voix, la blancheur de ses dents, la séduction de ses fossettes...

Darenski était sous le coup du sentiment soudain qui s'était emparé de lui. Il ne s'y était jamais fait, il avait chaque fois l'impression que cela lui arrivait pour la première fois. Sa grande expérience dans les relations avec les femmes ne s'était jamais transformée en habitude ; il y avait l'expérience d'une part et l'étonnement du bonheur de l'autre. C'est à cela qu'on reconnaît les véritables hommes à femmes.

Le hasard voulut qu'il restât cette nuit-là au Q.G.

Le matin, il passa voir le chef de l'état-major ; c'était un colonel taciturne qui ne lui posa pas la moindre question sur Stalingrad, sur les nouvelles du front, sur la situation au nord-ouest du front. A l'issue de leur conversation, Darenski comprit que ce colonel ne satisferait pas son besoin en renseignements, il le pria seulement de mettre un tampon sur sa feuille de mission et partit inspecter les unités.

Quand il s'installa dans la voiture, il avait une impression étrange de légèreté et de vide dans les membres, d'absence de pensées et de désirs ; une sensation d'assouvissement total et une sensation de vide total cohabitaient en lui... Il lui semblait que, autour de lui, tout était devenu fade et vide : le ciel, l'herbe des steppes, les dunes qui, pourtant, lui plaisaient tellement hier encore. Il n'avait plus envie de parler et de blaguer avec son chauffeur. Et quand il s'efforçait de réfléchir sur le combat dans les steppes, aux confins de la terre russe, ses réflexions restaient molles et sans passion.

A chaque instant, Darenski hochait la tête et répétait avec une sorte d'étonnement obtus : « Quelle femme, mais quelle femme... »

De vagues remords s'éveillaient en lui, il se disait que ce genre de passade ne menait généralement à rien de bon ; il se rappelait confusément une phrase trouvée dans une nouvelle de Kouprine ou peut-être dans un roman étranger, phrase qui comparait l'amour au charbon : incandescent, il brûle, froid, il salit... Il avait même envie de pleurer, ou plutôt de pleurnicher, de se plaindre à quelqu'un, car si le pauvre lieutenant-colonel était réduit à cette sorte d'amour, ce n'était pas de son plein gré mais par la volonté du destin... Puis il s'endormit et quand il s'éveilla, il se dit soudain : « Si je ne me fais pas tuer sur le chemin du retour, faut absolument que j'aille revoir ma petite Allotchka. »

65

Le commandant Erchov s'arrêta, en revenant du travail, devant la couchette de Mostovskoï et lui dit :

— Un Américain a entendu la radio, notre résistance à Stalingrad a brisé les plans des Allemands.

Il plissa le front et ajouta :

— Et puis, il y a une information en provenance de Moscou, il paraîtrait qu'on aurait dissous le Komintern.

— Qu'est-ce que vous racontez ? s'exclama Mostovskoï, plongeant son regard dans les yeux intelligents, semblables à des eaux de printemps, troubles et froides, d'Erchov. Vous ne savez pas ce que vous dites !

— Peut-être que le Ricain a tout mélangé, répondit Erchov, en se grattant la poitrine, peut-être que c'est tout le contraire et qu'on élargit le Komintern.

Au cours de sa vie, Mostovskoï en avait connu de ces gens qui devenaient en quelque sorte la membrane sensible, le porte-parole des idéaux, des passions et des pensées de toute la société. Aucun événement considérable ne pouvait, semblait-il, passer à côté de ces gens. Tel était Erchov qui exprimait toujours les pensées et les aspirations du camp. Mais le bruit sur la liquidation du Komintern laissait parfaitement indifférent le maître à penser du camp.

Ossipov, le commissaire politique, qui avait rang de général et avait été responsable de l'éducation politique de grandes unités militaires, n'était, lui aussi, que médiocrement intéressé par la nouvelle.

— Vous savez ce que m'a dit le général Goudz ? fit-il, s'adressant à Mostovskoï. Il m'a dit : « C'est la faute de votre éducation internationaliste, camarade commissaire, si nous avons connu la débandade, il fallait éduquer le peuple dans un esprit patriotique, dans un esprit russe. »

— Que voulez-vous dire ? ricana Mostovskoï. « Pour notre Dieu, notre Tsar, et notre Patrie », c'est ça ?

— Tout ça, ce sont des bêtises, dit Ossipov dans un bâillement nerveux. Le problème n'est pas de savoir si c'est du marxisme orthodoxe ou pas, le problème c'est que les Allemands vont nous faire la peau, cher camarade Mostovskoï, mon bon père.

Un soldat espagnol, que les Russes appelaient Andrioucha, avait écrit sur une planchette : « Stalingrad » et, la nuit, il regardait son inscription ; le matin, il retournait sa planchette pour que les kapos, qui furetaient dans le baraquement, ne voient pas le mot célèbre.

Le major Kirillov dit à Mostovskoï :

— Avant, quand on ne me menait pas de force au travail, je passais des journées à traîner sur le châlit. Alors que maintenant, j'ai lavé ma chemise et je mâche des copeaux de pin contre le scorbut.

Quant aux disciplinaires S.S. (surnommés « les joyeux » parce qu'ils se rendaient toujours au travail en chantant), ils s'en prenaient aux Russes avec encore plus de cruauté que d'habitude.

Des fils invisibles reliaient les habitants des baraques à la ville sur la Volga. Alors que le Komintern, d'évidence, laissait tout le monde indifférent.

C'est vers cette époque que Tchernetsov, l'émigré, aborda pour la première fois Mostovskoï.

Recouvrant d'une main son orbite vide, il lui parla de l'émission qu'avait surprise l'Américain.

Et le désir qu'éprouvait Mostovskoï d'en parler était si fort qu'il se réjouit de cette occasion.

— Ce n'est pas une source très autorisée, dit Mostovskoï, ce sont des racontars, sûr que ce sont des racontars.

Tchernetsov leva les sourcils. Il n'avait pas belle allure, ce sourcil interrogateur et neurasthénique au-dessus d'un œil vide.

— Et pourquoi donc ? demanda le menchevik borgne. Pourquoi serait-ce invraisemblable ? Messieurs les Bolcheviks ont créé la IIIe Internationale, messieurs les Bolcheviks ont créé la théorie du soi-disant socialisme dans un seul pays. L'association de ces deux termes est un non-sens. De la glace en friture... Dans un de ses derniers articles, Plekhanov écrivait : « Le socialisme peut soit exister comme un système mondial, international, soit ne pas exister du tout. »

— Le soi-disant socialisme, vous dites ? répéta Mostovskoï.

— Oui, le soi-disant socialisme. Le socialisme soviétique.

Tchernetsov sourit et vit le sourire de Mostovskoï. Ils se souriaient parce qu'ils retrouvaient leur passé dans ces paroles haineuses, dans ces intonations moqueuses.

C'était comme s'ils voyaient la lame de leur vieille opposition, fendant les décennies, briller à nouveau devant eux. Et cette rencontre dans un camp hitlérien ne leur rappelait pas seulement leur haine, elle leur rappelait aussi leur jeunesse.

Cet homme, qui lui était étranger et même hostile, connaissait et aimait ce qu'avait connu et aimé Mostovskoï dans sa jeunesse. C'était lui, et non Ossipov ou Erchov, qui se rappelait les récits sur le premier congrès du parti, les noms de gens qui n'intéressaient plus qu'eux. L'un et l'autre se sentaient concernés par les rapports de Marx avec Bakounine, par ce qu'avait dit Lénine et par ce qu'avait dit Plekhanov sur l'aile dure et l'aile molle de l'*Iskra*. Par l'attitude chaleureuse du vieux Engels à l'égard des jeunes sociaux-démocrates russes qui venaient le voir, et par l'attitude insupportable de Liou-botchka Axelrod à Zurich.

Ressentant visiblement la même chose que Mostovskoï, Tchernetsov eut un sourire amer :

— Les écrivains aiment à décrire l'émouvante rencontre d'amis de jeunesse, mais une rencontre d'ennemis de jeunesse, de vieux chiens blanchis et épuisés comme vous et moi, c'est, après tout, pas plus mal.

Mostovskoï vit une larme couler sur la joue de Tchernetsov. Ils comprenaient tous deux, que, dans un avenir proche, la mort des camps recouvrirait de sable tout ce qu'avaient été leurs longues vies : et les erreurs, et les succès, et la haine.

— Eh oui, dit Mostovskoï, ceux qui luttent contre vous durant toute votre vie en deviennent involontairement les protagonistes.

— C'est étrange, poursuivit Tchernetsov, de se retrouver ainsi dans cet enfer.

Et soudain, il ajouta :

— Le blé, le seigle, une giboulée... quels jolis mots !...

— Quelle horreur doit être ce camp, dit en riant Mostovskoï, pour que même une rencontre avec un menchevik puisse y sembler agréable.

Tchernetsov hocha tristement la tête :

— Oui, ça ne doit vraiment pas être facile pour vous.

— L'hitlérisme... proféra Mostovskoï. L'hitlérisme, je n'aurais jamais cru possible un tel enfer.

— Je ne vois pas ce qui vous étonne, dit Tchernetsov. La terreur n'est pas chose nouvelle pour vous.

Et on aurait pu croire que ce qui venait de se passer entre eux n'avait jamais existé. Ils entamèrent une dispute violente et sans pitié.

Les calomnies de Tchernetsov avaient ceci d'affreux qu'elles n'avaient pas le mensonge pour seul fondement. Tchernetsov érigeait en ligne générale les actes de cruauté, les erreurs qui s'étaient produits pendant la construction du socialisme. Il le dit explicitement à Mostovskoï.

— Bien sûr, cela vous arrange de croire que les événements de 1937 ne furent que des excès et que les crimes commis pendant la collectivisation sont dus au « vertige des succès » et que votre cher grand homme est quelque peu cruel et avide de pouvoir. Alors que c'est tout le contraire : c'est sa monstrueuse cruauté qui a fait de Staline le continuateur de Lénine. Comme on aime à l'écrire chez vous : Staline, c'est le Lénine de notre temps. Vous êtes toujours persuadé que la misère dans les campagnes et l'asservissement des ouvriers ne sont que temporaires, ne sont que des difficultés de croissance. Vous, vous êtes les véritables koulaks et monopolistes, vous achetez le blé au moujik à cinq kopecks le kilo, et vous le revendez au même moujik à un rouble le kilo. C'est cela la base première de votre édification du socialisme.

— Même vous, le menchevik, l'émigré, vous reconnaissez que Staline est le Lénine de notre temps, dit Mostovskoï. Nous sommes les héritiers de toutes les générations de révolutionnaires russes depuis Pougatchev et Razine. Les héritiers de Razine, de Dobrolioubov, de Herzen [1], ce n'est pas vous, renégats mencheviks qui avez fui à l'étranger, mais Staline.

— Ah, oui ! les héritiers, dit Tchernetsov. Savez-vous ce que représentaient pour la Russie les élections libres à l'Assemblée constituante ? Dans un pays soumis à un servage millénaire ! En mille ans, la Russie a été libre pendant six mois à peine. Votre Lénine n'est pas l'héritier mais le fossoyeur de la liberté russe. Quand je pense aux procès de 1937, c'est un tout autre héritage qui me revient à l'esprit. Vous souvenez-vous du colonel Soudeïkine, le chef de la IIIe section [2] ? Il avait voulu, en commun avec Degaïev, créer de toutes pièces des complots, faire peur au tsar et ainsi renforcer son pouvoir. Et vous considérez toujours, après cela, que Staline est l'héritier de Herzen ?

— Vous faites semblant ou vous êtes réellement idiot ? demanda Mostovskoï. Vous êtes vraiment sérieux quand vous parlez de Soudeïkine ? Et que faites-vous de la plus grande révolution sociale de tous les temps, de l'expropriation des expropriateurs, des usines prises aux capitalistes et des terres prises aux seigneurs ? Vous ne l'avez pas remarqué ? C'est l'héritage de qui, ça ? De Soudeïkine, peut-être ? Et l'alphabétisation générale, et l'industrie lourde ? Et l'irruption du quart-état, des ouvriers et des paysans, dans toutes les sphères de l'activité humaine ? C'est quoi, l'héritage de Soudeïkine ? Vous me faites pitié.

— Je sais, je sais, dit Tchernetsov, on ne peut s'opposer aux faits, comme vous dites. Mais on les explique. Vos maréchaux et vos écrivains, vos docteurs ès sciences et vos ministres ne sont pas les serviteurs du prolétariat. Ils sont les serviteurs de l'Etat. Et ceux qui travaillent dans les champs ou dans les usines, vous n'oserez pas, je pense, dire d'eux qu'ils sont les maîtres. Drôles de maîtres !

Soudain, il se pencha vers Mostovskoï :

— Je vais vous dire, de vous tous, le seul que je respecte, c'est Staline. C'est votre maçon, tandis que vous, vous n'êtes que des saintes-nitouches ! Staline, lui, il sait que la terreur, les camps, les procès de

_____

1. Razine (1630-1671) et Pougatchev (1742-1775) ont été les chefs de révoltes cosaques et paysannes. Herzen (1812-1870), écrivain et penseur socialiste *(N.d.T.)*.

2. Nom de la police politique jusqu'en 1880 *(N.d.T.)*.

sorcières moyenâgeux sont le fondement du socialisme dans un seul pays.

Mikhaïl Sidorovitch dit :

— Mon cher, toutes ces saloperies, nous les entendons depuis longtemps. Mais, je dois vous avouer, vous dites tout cela d'une façon particulièrement ignoble. Seul un homme qui a vécu depuis l'enfance dans votre maison et qui en a été chassé peut se livrer à de telles saletés. Et savez-vous qui est cet homme ? Un laquais !

Il fixa un moment Tchernetsov et poursuivit :

— Je ne vous cacherai pas que, pour commencer, j'avais plutôt envie de me rappeler ce qui nous unissait en 1898 et non ce qui nous a séparés en 1903 [1].

— Vous aviez envie de causer de l'époque où l'on n'avait pas encore chassé le laquais de la maison ?

Mais Mostovskoï était réellement en colère :

— Oui, oui... tout juste ! Un laquais que l'on a chassé et qui s'est enfui ! Un laquais en gants de fil blanc ! Nous ne le cachons pas : nous n'avons pas de gants. Nos mains sont couvertes de sang et de boue ! Soit ! Nous sommes entrés dans le mouvement ouvrier sans les gants de Plekhanov. Que vous ont apporté vos gants de laquais ? Les deniers de Judas que vous recevez pour vos misérables articles dans le *Sotsialistitcheski Vestnik*[2] ? Les Anglais, les Français, les Polonais, les Norvégiens, les Hollandais qui sont dans ce camp ont confiance en nous, ils croient en nous ! Le salut du monde est entre nos mains ! Entre les mains de l'Armée Rouge. Elle est l'armée de la liberté !

— Vous êtes bien sûr ? l'interrompit Tchernetsov. Et que faites-vous de 1939 quand vous vous êtes emparés de la Pologne en accord avec Hitler ? Et la Lituanie, l'Estonie, la Lettonie écrasées sous vos chars ? Et la Finlande que vous avez envahie ? Votre armée et Staline ont repris aux petits peuples ce que leur a donné la révolution. Et la répression des soulèvements paysans en Asie ? Et la répression de Cronstadt ? Tout cela, c'était au nom de la liberté et de la démocratie ? Vous croyez ?

Mostovskoï mit ses mains sous les yeux de Tchernetsov :

— Les voilà, les mains sans gants de laquais !

— Vous vous souvenez, demanda Tchernetsov, de Strelnikov, le chef de la police politique avant la révolution ? Lui aussi, il travaillait sans mettre de gants. Il écrivait de faux aveux au nom des révolutionnaires qu'il avait fait battre à mort, ou presque. Pourquoi avez-

---

1. 1898, date de la création du parti ouvrier social-démocrate russe. 1903, date de la scission du parti social-démocrate en bolcheviks et mencheviks. *(N.d.T.)*

2. Publication des mencheviks en exil. *(N.d.T.)*

vous eu besoin de 1937, pour lutter contre Hitler, peut-être ? Qui a été votre maître, Marx ou Strelnikov ?

— Vos paroles malodorantes ne m'étonnent pas, fit Mostovskoï. Vous n'êtes pas capable de dire autre chose. Vous savez ce qui m'étonne, en fait ? C'est ce qui a pu pousser les nazis à vous enfermer dans un camp. Nous, ils nous haïssent à la folie. Là, tout est clair. Mais vous, vous et vos semblables, pourquoi donc Hitler vous a-t-il mis dans des camps ?

Tchernetsov sourit et son visage retrouva l'expression qu'il avait au début de leur discussion.

— Et pourtant, comme vous voyez, ils nous y gardent. Ils ne nous laissent pas sortir. Intervenez en notre faveur, peut-être qu'ils voudront bien me laisser sortir.

Mais Mostovskoï n'accepta pas la plaisanterie.

— Avec votre haine à notre égard, vous ne devriez pas vous trouver dans un camp hitlérien, ni vous ni ce type, dit-il en montrant Ikonnikov-le-morse qui se dirigeait vers eux.

Le visage et les mains d'Ikonnikov étaient couverts de glaise.

Il fourra dans les mains de Mostovskoï quelques feuillets crasseux.

— Tenez, lisez-les, dit-il. Peut-être que demain je serai mort.

Mostovskoï cacha les feuillets sous la paillasse et laissa tomber :

— Je les lirai ; mais qu'est-ce qui vous prend de vouloir quitter ce monde ?

— Vous savez ce que j'ai entendu dire ? Les terrassements que nous sommes en train de faire sont destinés à des chambres à gaz. On a commencé aujourd'hui à couler le béton des fondations.

— Le bruit en court, en effet, dit Tchernetsov. Il courait déjà quand on a amené la voie ferrée.

Il se retourna, et Mostovskoï se dit que Tchernetsov voulait voir si les détenus qui revenaient des travaux avaient bien remarqué qu'il était en train de bavarder familièrement avec un vieux bolchevik. Cela devait l'emplir de fierté, d'être vu ainsi par les Italiens, les Espagnols, les Anglais... et surtout par les Russes.

— Et nous allons poursuivre ce travail ? demanda Ikonnikov-le-morse. Nous allons participer aux préparatifs de cette épouvante ?

Tchernetsov haussa les épaules :

— Où vous croyez-vous ? s'étonna-t-il. En Angleterre, peut-être ? Que ces milliers de personnes refusent de travailler et on les tuera toutes dans l'heure qui suit.

— Non, je ne peux pas, dit Ikonnikov. Je n'irai pas, non, je n'irai pas.

— Si vous refusez de travailler, on vous fera la peau sur-le-champ, intervint à son tour Mostovskoï.

— Juste, confirma Tchernetsov. Vous pouvez en croire le camarade ici présent. Il sait ce que cela veut dire d'appeler à la grève dans un pays privé de démocratie.

Il était déçu par sa conversation avec Mostovskoï. Ici, dans ce camp hitlérien, les paroles qu'il avait si souvent proférées dans son appartement parisien sonnaient faux à ses propres oreilles. Lorsqu'il écoutait des conversations entre détenus, il surprenait souvent le mot « Stalingrad », et, que cela lui plût ou non, les destinées du monde étaient liées à ce mot.

Un jeune Anglais fit le signe de la Victoire et lui dit :

— Je prie pour vous. Stalingrad a arrêté le déferlement des hordes.

Et Tchernetsov se sentit ému et heureux.

— Vous savez, s'adressa-t-il à Mostovskoï, Heine disait que seuls les idiots découvrent leurs faiblesses devant l'ennemi. Mais, bon, je serai un idiot, je vais vous dire que je comprends parfaitement l'immense portée de la lutte que mène votre armée. Et il est dur pour un socialiste russe de comprendre cela, et le comprenant, de se réjouir, d'être fier et de vous haïr.

Il fixait Mostovskoï qui eut soudain l'impression que le deuxième œil de Tchernetsov, le bon, était lui aussi injecté de sang.

— Est-il possible que, même ici, vous n'ayez pas senti dans votre chair que l'homme ne peut pas vivre sans démocratie et liberté ? demanda Tchernetsov. Vous l'aviez oublié, là-bas, chez vous ?

— Écoutez, ça suffit, vos histoires, fit Mostovskoï.

Il jeta un coup d'œil derrière lui et Tchernetsov se dit que Mostovskoï craignait d'être aperçu par les arrivants, en train de bavarder amicalement avec un émigré menchevik. Il devait sûrement avoir honte d'être vu ainsi par les étrangers, et surtout par les détenus russes.

Le trou sanglant et aveugle fixait Mostovskoï à bout portant.

Ikonnikov attrapa le pied déchaussé du prêtre assis au-dessus d'eux et, mélangeant français, allemand et italien, l'interrogea :

— Que dois-je faire, mio padre ? Nous travaillons dans una Vernichtungslager.

Les yeux anthracite de Guardi firent le tour des visages.

— Tout le monde travaille là-bas. Et moi je travaille là-bas. Nous sommes des esclaves, dit-il lentement, *Dieu nous pardonnera* [1].

— *C'est son métier* [1], ajouta Mostovskoï.

— *Mais ce n'est pas votre métier* [1], fit Guardi sur un ton de reproche.

Les mots se bousculaient dans la bouche d'Ikonnikov :

— Voilà, c'est justement, c'est ce que vous dites aussi, je ne veux

_____

1 En français dans le texte *(N. d. T.)*.

pas qu'on me pardonne mes péchés. Ne dites surtout pas : ce sont ceux qui te contraignent les coupables, tu es un esclave, tu n'es pas coupable car tu n'es pas libre. Je suis libre ! Je suis en train de construire un Vernichtungslager, j'en réponds devant les hommes qu'on y gazera. Je peux dire « non » ! Quelle force peut me l'interdire si je trouve en moi la force de ne pas craindre la mort ? Je dirai « non » ! *Je dirai non, mio padre, je dirai non* [1] » !

La main de Guardi frôla les cheveux blancs d'Ikonnikov.

— *Donnez votre main* [1], dit-il.

— Bon, nous allons assister aux admonestations du pasteur à sa brebis égarée par l'orgueil, dit Tchernetsov.

Et Mostovskoï eut un signe d'acquiescement involontaire.

Mais Guardi n'admonesta pas Ikonnikov ; il porta la main sale d'Ikonnikov à ses lèvres et la baisa.

66

Le lendemain, Tchernetsov discutait avec une de ses rares relations soviétiques, un dénommé Pavlioukov, un soldat de l'Armée Rouge qui travaillait maintenant comme infirmier au Revier.

Pavlioukov confiait sa crainte d'être chassé du Revier et d'être conduit aux travaux de terrassement.

— Tout ça, c'est un coup des gars du parti, dit-il à Tchernetsov. Ils ne peuvent pas supporter l'idée que je me trouve à une bonne place, parce que j'ai su graisser la patte au gars qu'il fallait. Eux, ils se sont planqués partout : comme balayeurs, aux cuisines, au *Waschraum*, vous vous souvenez, pépé, comment c'était avant la guerre ? Le comité de parti ? c'est pour leur pomme, le syndicat ? pareil... C'est peut-être pas vrai ? Et ici, la même chose, ils se serrent les coudes, ce sont des gars de chez eux qui travaillent aux cuisines et ils réservent les bonnes rations aux petits copains. Le vieux bolchevik, ils le soignent si bien qu'il pourrait se croire en maison de repos, tandis que vous, vous pouvez crever la gueule ouverte, ils ne vous regarderont même pas. C'est la justice, ça ? Nous aussi, on a trimé toute notre vie pour le pouvoir soviétique.

Tchernetsov lui dit, gêné, qu'il ne vivait plus en U.R.S.S. depuis vingt ans. Il avait déjà remarqué que des mots comme « émigrant »,

_____

1. En français dans le texte *(N. d. T.)*.

« à l'étranger » éloignaient aussitôt les détenus soviétiques. Mais la réponse de Tchernetsov ne dérangea pas Pavlioukov.

Ils s'assirent sur un tas de planches ; Pavlioukov, le front large, l'os épais, « un vrai fils du peuple », pensa Tchernetsov, regarda du côté du mirador en béton où une sentinelle marchait de long en large et dit :

— Je suis coincé ; il ne reste que l'armée de volontaires. Ou crever.

— Pour sauver sa peau, alors ? demanda Tchernetsov.

— Moi, en fait, je ne suis pas un koulak, on ne m'a pas fait trimer dans les coupes forestières à abattre le bois ; mais n'empêche que j'en veux aux communistes. On ne vous laisse pas faire votre vie à votre façon. Ça, faut pas que t'en sèmes, elle, faut que tu l'épouses, ça, c'est pas un travail pour toi. On n'est plus un homme mais un cul. Depuis mon enfance, j'ai envie d'ouvrir un magasin, où on pourrait acheter tout ce qu'on veut. Et à côté de la boutique il y aurait un petit restaurant, après avoir fait vos achats, si le cœur vous en dit, vous pourriez prendre un petit verre, une tranche de viande froide, une bière... Et, vous savez, j'aurais fait cela pour pas cher. On y aurait servi des choses simples, des plats de paysan, du lard à l'ail, du chou, des pommes de terre au four. Vous savez ce que j'aurais servi aux gens avec la vodka ? Des os à moelle ! Il y en aurait tout le temps eu à cuire dans un chaudron. Tu te prends ton carafon et moi je t'offre un morceau de pain noir, un os, bon, du sel bien sûr. Et partout des fauteuils en cuir pour éviter les poux. Vous êtes là à vous reposer et on vous sert. Si j'en avais parlé quelque part, de mon idée, on m'aurait expédié aussi sec en Sibérie. Et moi, maintenant, je me demande : quel mal cela ferait au peuple ? Mes prix auraient été la moitié des prix d'État.

Pavlioukov lorgna du côté de son interlocuteur :

— Dans notre baraque, il y a quarante gars qui se sont portés volontaires.

— Et qu'est-ce qui les a poussés ?

— Une assiette de soupe, un manteau, ne pas travailler jusqu'à ce qu'on vous pète le crâne.

— Et encore ?

— Certains poussés par leurs idées.

— Lesquelles ?

— Ça dépend. Les uns pour leurs proches, tués dans les camps ; les autres en ont assez de la misère à la campagne. Ils ne supportent pas le communisme.

— Mais c'est une honte ! fit Tchernetsov.

L'émigrant sentit sur lui le regard du Soviétique, il y lut une surprise moqueuse.

— C'est honteux, déshonorant, immoral, dit Tchernetsov. Ce

n'est pas le moment de régler ses comptes, et ce n'est pas ainsi qu'on les règle. Immoral face à soi-même et face à son pays.

Il se leva et se passa la main sur le derrière.

— On ne peut pas me soupçonner de tendresse pour les bolcheviks, dit-il. Mais ce n'est vraiment pas le moment de régler ses comptes. N'allez pas rejoindre Vlassov.

Il s'interrompit et rajouta soudain :

— Vous entendez, camarade, n'y allez pas.

Et après avoir prononcé, comme dans l'ancien temps, le temps de sa jeunesse, le mot « camarade », il ne put cacher son émotion, et il ne la cacha pas, bafouilla :

— Mon Dieu, aurais-je pu...

... Le train avait quitté le quai. L'air était embué par la poussière, l'odeur des lilas et des eaux sales, des fumées de locomotives et de la cuisine du buffet.

La lanterne rouge s'éloigna, puis elle sembla s'immobiliser parmi d'autres feux verts et rouges.

L'étudiant resta un moment sur le quai et sortit par le portillon. La femme qu'il venait de quitter l'avait étreint par le cou et avait embrassé son front, ses cheveux, prise au dépourvu, tout comme lui, par la violence soudaine du sentiment qui s'était emparé d'elle... Il marchait et le bonheur grandissait en lui, lui tournait la tête ; il lui semblait que c'était un commencement, le début de ce qui allait, par la suite, emplir toute sa vie...

Il se souvint de cet instant quand il quitta la Russie pour Slavouta ; il s'en souvint plus tard à Paris, après son opération, une ablation de l'œil atteint de glaucome ; il s'en souvenait chaque fois qu'il pénétrait dans le porche toujours sombre de la banque où il travaillait.

Le poète Khodassevitch, qui, comme lui, avait fui la Russie pour Paris, en avait parlé dans un de ses poèmes :

> *Un pèlerin qui s'en va dans la brume :*
> *C'est toi qui me viens à l'esprit.*
> *Une voiture sur la route qui fume :*
> *C'est toi qui me viens à l'esprit.*
> *Le soir, on allume la lumière :*
> *C'est toi qui me viens à l'esprit.*
> *Quoi qu'il arrive, sur terrre, sur mer*
> *Ou au ciel, je n'ai que toi à l'esprit.*

Il avait envie de retrouver Mostovskoï et de lui demander :

— Vous n'avez pas connu une certaine Natacha Zadonskaïa, est-elle encore en vie ? Est-il possible que vous ayez vécu toutes ces décennies sur la même terre ?

67

A l'appel du soir, le *Stubenältelste* Käse, un cambrioleur de Hambourg, était de bonne humeur. Käse portait des guêtres de cuir jaune et un veston à carreaux de couleur crème. Il chantonnait, en estropiant les mots russes : *Koli zavtra voïna, esli zavtra v pochod...*

Ce soir-là, son visage à la peau fripée, couleur safran, aux yeux bruns, respirait la bienveillance. De sa main blanche et douce, sans le moindre poil, aux doigts capables d'étrangler un cheval, il donnait des tapes sur le dos et les épaules des détenus. Tuer était pour lui aussi simple que de faire un croche-pied pour blaguer. Après un meurtre, il restait quelque temps tout émoustillé, comme un jeune chat qui vient de mettre à mal un hanneton.

Le plus souvent il tuait sur ordre du *Sturmführer* Drottenhahr qui était responsable du block sanitaire dans le quartier ouest.

Le plus compliqué était de transporter les corps jusqu'au crématoire, mais cela n'entrait pas dans les attributions de Käse, et personne n'aurait osé lui demander un tel travail. Drottenhahr était trop expérimenté pour laisser les hommes s'affaiblir au point d'être obligé de les transporter jusqu'au lieu d'exécution en civière.

Käse ne pressait pas ceux qui étaient destinés à l'opération, il ne leur faisait pas de remarques acerbes, jamais il ne les bousculait ou les frappait. Il avait déjà gravi plus de quatre cents fois les deux marches en béton qui menaient au local où il procédait à l'opération, mais il éprouvait toujours un vif intérêt pour l'homme qu'il allait traiter : pour le regard fait de terreur et d'impatience, de soumission, de souffrance, de crainte et de curiosité folle que le condamné lançait à l'homme venu pour le tuer.

Käse ne pouvait s'expliquer pourquoi, dans son travail, ce qui lui plaisait le plus, c'était son caractère banal et quotidien. Le local n'avait rien d'extraordinaire : un tabouret, un sol de ciment, une rigole d'écoulement, un robinet, un tuyau de caoutchouc, un bureau avec un livre d'enregistrement.

L'opération même avait été réduite à une totale banalité, on en parlait toujours sur un ton de plaisanterie. Si la procédure avait lieu à l'aide d'un pistolet, Käse disait qu'il allait « envoyer un grain de café dans la tête » ; si c'était au moyen d'une injection de phénol, Käse parlait « d'une petite dose d'élixir ».

Le mystère de la vie humaine trouvait une explication étonnamment simple, pensait Käse, dans un grain de café et une dose d'élixir.

On aurait dit que ses yeux bruns, coulés dans du plastique, n'appartenaient pas à un être vivant. C'était une résine brun-jaune qui s'était pétrifiée... Et, quand les yeux en béton de Käse s'emplissaient soudain de gaieté, ils inspiraient la peur.

Ici, dans le camp, Käse éprouvait un sentiment de supériorité à l'égard des peintres, des révolutionnaires, des savants, des généraux, des prédicateurs qui peuplaient les baraques. Et il ne s'agissait pas du grain de café ou de l'élixir ; c'était un sentiment de supériorité naturelle et ce sentiment l'emplissait de joie.

Il ne se réjouissait pas de son immense force naturelle, de sa capacité à marcher droit devant en écrasant tout sur son passage, de son adresse à fracturer les coffres-forts. Il était en admiration devant lui-même, devant son âme et son intelligence ; il se sentait mystérieux et compliqué. Sa colère ou sa faveur semblaient n'obéir à aucune logique. Quand, au printemps, un convoi avait amené des prisonniers de guerre soviétiques sélectionnés par la Gestapo et qu'ils furent réunis dans une baraque à part, Käse leur demanda de lui chanter ses chansons préférées.

Quatre Russes, au regard d'outre-tombe, aux mains gonflées, s'évertuaient : « Où es-tu, ô, ma Souliko ? »

Käse écoutait, mélancolique, tout en jetant des coups d'œil à un homme aux pommettes saillantes qui se tenait à l'écart. Käse, par égard pour les artistes, n'interrompit pas leur chant, mais, quand les chanteurs se turent, il dit à l'homme que, n'ayant pas participé au chœur, il n'avait qu'à chanter maintenant en soliste. En regardant le col sale de la vareuse où l'on voyait encore les traces des galons, Käse demanda :

— *Verstehen Sie, Herr Major* ? toi compris, zalop ?

L'homme hocha la tête, il avait compris.

Käse le saisit par le col et lui donna une secousse comme on secoue un réveil qui refuse d'avancer. Le prisonnier repoussa Käse d'un coup de poing dans la figure et lança un juron.

On aurait pu croire que c'en était fini de lui. Mais le « geleiter » du baraquement spécial ne tua pas le major Erchov, il le conduisit vers le châlit du coin, près de la fenêtre. La place était vide, Käse la réservait à quelqu'un qui lui serait agréable. Le même jour, Käse apporta à Erchov un œuf d'oie dur et lui dit dans un gros rire : *Ihre Stimme wird schön !*

Depuis ce jour Käse était bien disposé à l'égard d'Erchov. Et dans le baraquement tout le monde respectait Erchov dont la dureté inflexible s'associait à un caractère doux et joyeux.

Seul le commissaire de brigade Ossipov, un des chanteurs, en voulait à Erchov après l'histoire avec Käse :

— Un caractère impossible, disait-il.

C'est peu de temps après que Mostovskoï baptisa Erchov de maître à penser.

Outre le commissaire, un autre prisonnier éprouvait de l'antipathie à l'égard d'Erchov : Kotikov. C'était un détenu silencieux, renfermé, qui savait tout sur tout le monde ; il semblait incolore, sa voix n'avait pas de couleur, pas plus que ses yeux ou ses lèvres. Mais telle était cette absence de couleurs qu'elle frappait et qu'on s'en souvenait.

Ce soir-là, la gaieté de Käse pendant l'appel ne faisait qu'accroître la tension et la peur parmi les détenus. Les habitants des baraques vivaient dans l'attente continuelle de quelque chose de funeste et la peur, les pressentiments, l'angoisse, tantôt plus faibles, tantôt plus forts, étaient en eux nuit et jour.

Alors que se terminait l'appel du soir, huit policiers du camp, les kapos, casquettes de clowns, brassards d'un jaune vif, entrèrent dans le baraquement. A leur visage, on pouvait deviner qu'ils n'emplissaient pas leur gamelle avec l'ordinaire du camp.

Ils avaient pour chef un beau blond, de haute taille, vêtu d'une capote gris acier d'où l'on avait décousu tous les signes distinctifs. Ses bottes de cuir clair avaient l'éclat du diamant.

C'était König, le chef de la police intérieure du camp, un S.S. dégradé et condamné au camp pour crime de droit commun.

— *Mütze ab !* cria Käse.

La fouille commença. Les kapos, avec des gestes machinaux, comme des ouvriers sur la chaîne, auscultaient les tables à la recherche de cavités, secouaient une à une les loques des détenus, palpaient de leurs doigts prestes et intelligents les coutures des habits, contrôlaient l'intérieur des gamelles.

Parfois, pour plaisanter, ils donnaient un coup de genou dans le derrière d'un détenu en lui disant : « A ta santé. »

De temps en temps, un des kapos tendait à König sa trouvaille : un carnet, une feuille manuscrite, une lame de rasoir. König, d'un mouvement de gants, indiquait si l'objet trouvé lui semblait digne d'intérêt.

Pendant la fouille, les détenus se tenaient debout, alignés sur un rang.

Mostovskoï et Erchov se retrouvèrent côte à côte, ils regardaient en direction de König et de Käse. Les deux Allemands semblaient coulés dans le bronze.

Mostovskoï vacillait, la tête lui tournait. Indiquant du doigt Käse, il dit à Erchov :

— Quel engin !

— Un Aryen de première classe, répondit Erchov.

Pour que Tchernetsov, debout à côté d'eux, ne l'entende pas, il se pencha vers l'oreille de Mostovskoï :

— Mais nos petits gars peuvent être pas mal non plus !

290

Tchernetsov, intervenant dans la conversation qu'il n'avait pas entendue, dit à son tour :

— Le droit sacré de tout peuple est d'avoir ses héros, ses saints, comme ses salauds.

— Bien sûr, nous avons aussi nos canailles, dit Mostovskoï en s'adressant à Erchov mais en répondant aux deux. Mais l'assassin allemand a quelque chose d'inimitable qu'on ne peut trouver que chez les Allemands.

La fouille prit fin. On donna le signal du couvre-feu. Les détenus grimpèrent à leur place sur les châlits.

Mostovskoï s'allongea, étendit ses jambes. Il se dit qu'il avait oublié de vérifier si toutes ses affaires étaient intactes après la fouille. Il se redressa en grognant, se mit à les examiner.

Il lui semblait qu'avaient disparu son cache-nez et les bandes de tissu lui servant de chaussettes, mais il retrouva l'un et l'autre sans que son angoisse diminue.

Erchov s'approcha de lui et dit à voix basse :

— Nedzelski, le kapo, raconte partout qu'on va dissoudre notre block, ils en laisseront une partie ici, pour interrogatoire supplémentaire, les autres, la majorité, iront dans les camps ordinaires.

— Et puis après, fit Mostovskoï, on s'en fiche.

Erchov s'assit sur le châlit et dit d'une voix basse mais distincte :

— Mikhaïl Sidorovitch.

Mostovskoï se releva sur un coude, le regarda.

— Mikhaïl Sidorovitch, j'ai un grand projet, je veux en discuter avec vous. S'il faut périr, que ça se passe au moins en fanfare ! Le temps est précieux. Si les Allemands s'emparent de ce satané Stalingrad, les gens seront à nouveau bons à rien. Ça se voit à des gars comme Kirillov.

Erchov proposait de créer une union de combat des prisonniers de guerre. Il énonça de mémoire les divers points du programme comme s'il le lisait.

— ... Instauration d'une discipline et d'une autorité uniques pour les Soviétiques du camp, mise à l'écart des traîtres, porter des coups à l'ennemi, création de comités de lutte parmi les détenus polonais, français, yougoslaves, tchèques...

Fixant la pénombre au-dessus des châlits, il dit :

— Il y a des gars qui me font confiance parmi ceux qui travaillent dans les usines de guerre, nous allons accumuler des armes. Il faut voir large. Il faut établir des liaisons avec des dizaines de camps, créer des unités de combat de trois personnes, s'unir aux clandestins allemands, utiliser la terreur contre les traîtres. Le but final : le soulèvement général, la création d'une Europe libre et unie...

Mostovskoï répéta :

— Une Europe libre et unie... Ah, mon cher Erchov !

— Je ne parle pas pour ne rien dire. Notre discussion est le début de ce travail.

— Je me place dans les rangs, dit Mostovskoï.

Puis il répéta, en hochant la tête :

— Une Europe libre... Notre camp va connaître, lui aussi, une section de l'Internationale communiste, elle compte deux membres dont un est sans parti.

— Vous connaissez l'allemand, l'anglais, le français, des milliers de liens se créeront. Quel Komintern vous faut-il encore ? Détenus de tous les pays, unissez-vous !

En regardant Erchov, Mostovskoï prononça des mots depuis longtemps oubliés :

— La volonté du peuple [1] !

Et il se demanda lui-même pourquoi ces mots lui étaient venus soudain à l'esprit.

— Il faut se mettre d'accord avec Ossipov et le lieutenant-colonel Zlatokrylets, dit Erchov. Ossipov représente une grande force. Mais il ne m'aime pas, c'est vous qui vous en chargerez. Moi, je parlerai dès aujourd'hui avec le colonel. Nous formerons un quarteron.

68

Erchov réfléchissait sans cesse à son plan d'une organisation clandestine dans tous les camps allemands, aux moyens de liaison entre eux, il retenait les noms des camps de travail, des camps de concentration et des gares. Il réfléchissait à la mise au point d'un code secret, au moyen d'utiliser les détenus travaillant dans l'administration des camps pour inclure dans les listes de transports les organisateurs clandestins qui devraient se déplacer de camp en camp.

Une vision habitait son âme. L'activité de milliers de clandestins, de héros du sabotage, préparait le soulèvement et la conquête de tous les camps. Les révoltés s'empareraient des batteries antiaériennes qui étaient chargées de la défense des camps et les transformeraient en canons contre l'infanterie et les chars. Il faudrait repérer les artilleurs détenus et préparer les calculs pour les pièces saisies par les groupes d'assaut.

---

1. *La Narodnaïa volia*, organisation populiste révolutionnaire du XIXᵉ siècle. *(N.d.T.)*

Le major Erchov connaissait la vie des camps, il voyait la force de la corruption, de la peur, la volonté de se bourrer l'estomac, il avait vu bien des hommes échanger leurs honnêtes vareuses pour les capotes bleues avec pattes d'épaule que portaient les troupes de Vlassov.

Il avait vu l'abattement, la flagornerie, la trahison et la soumission, il avait vu l'horreur face à l'horreur, vu les hommes paralysés par l'apparition des terrifiants gradés de la *Sicherheitsdienst*.

Et malgré cela, les pensées du major loqueteux n'étaient en rien celles d'un rêveur. Pendant l'époque noire de l'offensive allemande sur le front ouest, il avait soutenu ses camarades par des paroles joyeuses et hardies, il était parvenu à mener au combat des hommes mourant de faim. Un mépris inextinguible et gai de la contrainte vivait en lui.

Les gens sentaient la chaleur joyeuse qui émanait d'Erchov comme la bonne et nécessaire chaleur qui émane d'un poêle russe où brûlent des bûches de bouleau.

Et, sûrement, cette bonne chaleur lui avait permis, tout autant que son intelligence et son courage, de devenir le maître incontesté des prisonniers de guerre russes.

Erchov avait compris depuis longtemps que Mostovskoï serait le premier auquel il découvrirait ses pensées. Il restait étendu sur son châlit, les yeux ouverts, et fixait les planches rugueuses du plafond, comme si, du fond d'un cercueil, il en regardait le couvercle. Mais son cœur battait.

Ici, dans le camp, il éprouvait, comme il ne l'avait jamais éprouvé durant les trente-trois années de sa vie, le sentiment de sa propre force.

Sa vie, avant la guerre, n'avait pas été heureuse. Son père, un paysan de la région de Voronej, avait été dékoulakisé en 1930. A l'époque, Erchov servait dans l'armée.

Erchov ne rompit pas avec son père. Il ne fut pas reçu à l'Académie militaire, bien qu'il eût passé l'examen d'entrée avec mention Très bien. Il put à grand-peine achever l'École militaire. Il fut affecté dans un bureau de recrutement de district. Son père, à ce moment-là, vivait avec toute sa famille, en tant que déporté, dans le nord de l'Oural. Erchov prit un congé et alla voir son père. A partir de Sverdlovsk, il fit deux cents kilomètres en chemin de fer. Une voie étroite et unique. Des deux côtés de la voie, ce n'étaient que forêts et marécages, piles de bois, barbelés des camps, baraquements et habitations précaires, simples trous creusés dans le sol ; un peu partout, semblables à des champignons au pied trop haut, se dressaient des miradors. Le train fut arrêté à deux reprises, des gardiens cherchaient un détenu en fuite. Une nuit, leur train dut attendre sur une voie d'évitement le passage d'un autre train, Erchov ne trouvait pas le sommeil et écoutait les aboiements des bergers allemands du N.K.V.D., les sifflets des sentinelles : la gare était proche d'un camp important.

Erchov ne parvint au terminus qu'au troisième jour de son voyage et, bien qu'il fût en uniforme de lieutenant, que tous ses papiers et son laissez-passer fussent en règle, il s'attendait à ce que, lors d'un contrôle, on lui dise : « Ramasse tes affaires » et qu'on l'emmène dans un camp.

L'air même, en ces lieux, était embarbelé.

Puis, il fit encore soixante-dix kilomètres de marécages à l'arrière d'un camion. Le camion appartenait au sovhkoze *Oguepeou* où travaillait le père d'Erchov. Ils étaient serrés à l'arrière, le camion transportait des ouvriers déportés qu'on emmenait dans l'annexe d'un camp pour abattre du bois. Erchov tenta de les questionner, mais ils répondaient par monosyllabes ; de toute évidence, ils avaient peur de son uniforme.

Vers le soir, le camion atteignit un hameau, coincé entre la lisière d'un bois et le bord d'un marécage. Il retint le coucher de soleil, si calme et si doux parmi les marécages du Nord concentrationnaire. A la lumière du soir, les isbas semblaient noires, comme si elles avaient été passées dans du goudron.

Il descendit dans la cahute à moitié enterrée ; avec lui y pénétra la lumière du soir ; à sa rencontre se levèrent l'humidité, la touffeur, la fumée, une odeur misérable de nourriture, de guenilles, de literie...

Son père sortit de cette obscurité ; son visage émacié, ses yeux merveilleux frappèrent Erchov par leur expression indicible.

Les vieilles mains, maigres et rugueuses, étreignirent le cou du fils, et le mouvement convulsif de ses mains qui entourèrent le cou du jeune officier exprima une telle douleur, une plainte si timide, une demande de protection si confiante qu'Erchov ne sut répondre à tout cela qu'en pleurant.

Puis, ils allèrent sur les trois tombes : la mère était morte le premier hiver, la sœur aînée, Anna, le second, et Maroussia, le troisième.

Dans cette région de camps, le cimetière s'était fondu avec le village et la même mousse recouvrait le pied des isbas, les toits des cahutes, les tombes et les marais. C'est ici, sous ce ciel, qu'elles resteront pour toujours, sa mère et ses sœurs, l'hiver, quand le froid chasse l'humidité, et l'automne, quand la terre du cimetière se gonfle de la boue noire des marais qui monte en elle.

Le père, debout auprès de son fils silencieux, gardait, lui aussi, le silence ; puis il leva les yeux, regarda son fils et ouvrit les bras : « Pardonnez-moi, les vivants et les morts, je n'ai pas su garder en vie ceux que j'aimais. »

Toute la nuit, le père raconta. Il parlait calmement. Ce qu'il racontait, on ne pouvait le dire que calmement, les cris et les larmes n'auraient pu l'exprimer.

Sur une caisse recouverte d'un journal, le fils avait disposé la nourriture et la bouteille de vodka qu'il avait apportées en cadeau. Le vieux parlait, et le fils, à côté de lui, écoutait.

Le père parlait de la famine, de la mort de voisins, de vieilles femmes devenues folles, d'enfants dont le corps ne pesait pas plus lourd qu'un poulet ; il parlait des hurlements de faim qui régnaient, jour et nuit, dans le village ; il parlait des maisons condamnées, aux fenêtres aveugles.

Il raconta les cinquante jours de voyage en plein hiver, dans des wagons à bestiaux aux toits crevés, des morts qui continuaient leur route en compagnie des vivants durant des jours et des jours. Il raconta comment ils avaient marché, les femmes portant les enfants dans les bras. La mère d'Erchov avait fait ce chemin, fiévreuse, à moitié folle. Il raconta comment on les avait amenés en pleine forêt, sans une tente, sans le moindre abri et comment ils y commencèrent une vie nouvelle (selon l'expression préférée des journaux), en allumant des feux, arrangeant des couches à l'aide de branches de sapins, faisant fondre la neige dans des gamelles ; il raconta comment ils enterrèrent leurs morts.

« Tout cela, c'est la volonté de Staline », dit le père. Et dans ses paroles il n'y avait ni haine ni rancœur. Il en parlait comme les gens simples parlent d'un destin qui ne connaît ni doute ni faiblesse.

Quand Erchov revint de son congé, il écrivit à Kalinine[1] pour le prier d'accorder une grâce impossible : pardonner à un innocent ; il demandait que l'on autorisât le vieillard à rejoindre son fils. Mais sa lettre n'était pas encore arrivée à Moscou qu'il était convoqué par son commandant : il avait été dénoncé et on était au courant de son voyage.

Il fut chassé de l'armée. Il partit pour un chantier, décida de gagner un peu d'argent et de rejoindre son père. Mais, bientôt, il reçut un mot qui lui annonçait la mort de son père.

Au deuxième jour de guerre, le lieutenant de réserve Erchov fut mobilisé.

Pendant les combats près de Roslavl[2], le commandant du régiment fut tué, Erchov en prit le commandement, ramena les fuyards, attaqua l'ennemi, reprit le contrôle du gué et permit la retraite de l'artillerie lourde des réserves du G.Q.G.

1. Kalinine, membre du bureau politique et chef d'État, avait la réputation d'être resté proche des paysans.
2. Ville de la région de Smolensk.

Il ne connaissait pas sa force. La soumission, en fait, n'était pas dans sa nature. Et plus la contrainte devenait forte, plus il avait envie de se battre.

Parfois, il se demandait d'où venait sa haine contre Vlassov. Les appels de Vlassov parlaient de ce que lui avait raconté son père. Il savait bien, lui, qu'ils disaient la vérité. Mais il savait aussi que cette vérité, dans la bouche de Vlassov et des Allemands, devenait mensonge.

Il sentait que, en luttant contre les Allemands, il luttait pour une vie libre en Russie, que la victoire sur Hitler serait aussi une victoire sur les camps de la mort où avaient péri sa mère, ses sœurs, son père.

Un sentiment amer mais bon l'animait : ici, dans le camp où la pureté de la biographie ne représentait rien, il était devenu une force, on le suivait. Ici, ni les grades, ni les décorations, ni le service spécial, ni la première section, ni le service du personnel [1], ni le coup de fil du raïkom, ni l'opinion du secrétaire à la section politique n'étaient rien.

Un jour, Mostovskoï lui dit :

— Il y a longtemps déjà que Heine l'a dit : « Nous sommes tous nus sous nos habits »... mais les uns, quand ils enlèvent leur uniforme, découvrent un corps anémié et pitoyable, alors que d'autres sont défigurés par des habits trop serrés et quand ils les enlèvent, on comprend où est la force.

Ce qui jusqu'à maintenant n'avait été qu'un rêve était devenu une tâche concrète. Qui allait-il mettre au courant, qui allait-il enrôler ? Il reprenait un à un les hommes qu'il connaissait, pesait le pour et le contre.

Qui devrait entrer dans l'état-major clandestin ? Cinq noms lui vinrent à l'esprit. Les défauts de caractère, les bizarreries prenaient une dimension nouvelle, devenaient importants.

Goudz a son autorité de général, mais il manque de volonté, il est assez froussard, visiblement pas très instruit, il doit être bien quand il a auprès de lui un bon second, un état-major, il attend toujours que les autres officiers lui rendent des services, lui donnent de leur nourriture et il accepte tout cela comme un dû, sans la moindre reconnaissance. Il semble bien qu'il se souvienne plus souvent de son cuisinier que de sa femme et de sa fille. Il aime plus que tout parler de chasse, canards, oies..., le temps qu'il a passé au Caucase se résume aux sangliers et aux bouquetins. Selon toute apparence il était porté sur la boisson. Il aime à parler de 1941, tous autour de lui commettaient des erreurs, le voisin de gauche comme le voisin de droite, seul le

---

1. Divers organismes où travaillent les agents de la police politique (le N.K.V.D. à l'époque). *(N. d. T.)*

général Goudz avait toujours raison. Jamais il ne rend responsable des échecs le Haut Commandement. Dans les affaires courantes, malin comme un singe. Mais, dans l'ensemble, si cela dépendait de lui, Erchov ne lui aurait même pas confié un régiment, encore moins un corps d'armée.

Ossipov, le commissaire de brigade, est intelligent. Il est capable de lancer, avec un sourire en coin, une phrase sur ceux qui s'apprêtaient à faire la guerre à bon compte sur le territoire ennemi, et de vous fixer de son œil brun. Mais le même Ossipov, une heure plus tard, dur comme de la pierre, fait un sermon au pauvre gars qui s'est permis d'émettre un doute. Et le lendemain, il remet ça :

— Oui, chers camarades, nous volons plus haut que le reste du monde, plus loin et plus vite, regardez où nous avons atterri.

Il parle intelligemment des défaites des premiers mois, mais il n'en souffre pas, il en parle avec l'impavidité d'un joueur d'échecs.

Il se lie facilement avec les gens, mais son ton de bonne camaraderie n'est qu'une imitation. Seules les discussions avec Kotikov l'intéressent réellement.

Qu'est-ce que le commissaire de brigade peut trouver dans ce Kotikov ?

Ossipov est un homme de grande expérience. Il connaît les hommes. Cette expérience est nécessaire, l'état-major clandestin ne peut se passer d'Ossipov. Mais si son expérience peut être utile, elle peut aussi devenir une gêne.

Il arrive à Ossipov de raconter des anecdotes sur de grands chefs militaires ; en parlant d'eux, il dit Semion Boudienny, Andrioucha Eremenko.

Un jour, il dit à Erchov :

— Toukhatchevski, Egorov, Blücher ne sont pas plus coupables que toi et moi.

Mais Kirillov apprit à Erchov qu'en 1937 Ossipov était le vice-directeur de l'Académie militaire et qu'il avait dénoncé sans pitié des dizaines de personnes, les accusant d'être des ennemis du peuple.

Il est terrifié par l'idée d'être malade : il se palpe, tire la langue et louche dessus pour voir si elle n'est pas chargée. Mais de la mort, cela se voit, il n'a pas peur.

Le colonel Zlatokrylets est taciturne, il ne fait pas de manières ; il commandait un régiment d'infanterie. Quant à lui, il pense que c'est le Haut Commandement qui porte la responsabilité de la retraite de 1941. Tous ressentent sa force de combattant, d'officier. Il est solide. Sa voix aussi est forte, elle semble faite pour arrêter les fuyards ou mener la troupe à l'assaut. Grossier.

Il n'aime pas expliquer, il ordonne. Bon camarade. Prêt à partager sa soupe avec un soldat. Mais il est trop grossier.

Les hommes sentent la force de sa volonté. Au travail, il est le chef, personne n'ose lui désobéir.

Il n'est pas du genre à céder, on ne la lui fait pas. On peut se reposer sur lui, mais qu'est-ce qu'il est grossier !

Kirillov, lui, est intelligent, mais il y a de la mollesse en lui. Il remarque le moindre détail mais il contemple tout d'un œil las... Il est indifférent, il n'aime pas les gens, mais il leur pardonne leurs faiblesses et leurs lâchetés. Il n'a pas peur de la mort, et semble même par moments la rechercher.

De tous, c'est peut-être lui qui parle le mieux de la défaite de 1941. Lui, le sans parti, dit un jour à Erchov :

— Je n'y crois pas, moi, que les communistes puissent rendre les hommes meilleurs. L'Histoire ne connaît pas de précédents.

Rien ne semble le toucher et pourtant, une nuit, il pleurait et à la question d'Erchov, il répondit, après un long silence, doucement : « Je pleure la Russie. » Mais il a quelque chose de mou. « La musique me manque », a-t-il dit un jour. Et hier, il a dit avec un sourire étrange : « Erchov, écoutez-moi, je vais vous lire un petit poème. » Les vers ne plurent pas à Erchov, mais il les retint et ils tournaient sans cesse dans sa tête.

> *Camarade, en ta longue agonie,*
> *Ne crie pas au secours, c'est trop tard.*
> *Laisse-moi réchauffer mes mains transies*
> *Au-dessus de ton sang qui s'égare.*
> *N'aie pas peur, ne pleure pas ni ne sanglote :*
> *Tu n'es pas blessé, mais seulement abattu.*
> *Laisse-moi plutôt prendre tes bottes,*
> *Car j'ai encore à me battre, vois-tu.*

Il se demandait qui en était l'auteur.

Non, Kirillov ne peut faire l'affaire. Comment pourrait-il entraîner les autres alors qu'il se traîne à peine lui-même ?

Mostovskoï, c'est autre chose ! Il a tout, une culture, que c'est rien de le dire, une volonté de fer. On raconte que, pendant les interrogatoires, il n'a pas faibli un seul instant.

Mais, chose étrange, pas un seul, aux yeux d'Erchov, n'était sans défauts.

Quelques jours auparavant, il avait fait un reproche à Mostovskoï :

— Pourquoi donc ces bavardages avec tous ces merdeux, avec ce dingue d'Ikonnikov-le-morse, ou bien avec ce salopard d'émigré borgne ?

— Et alors, répondit Mostovskoï, vous pensez que je vais me mettre à douter, me transformer en évangéliste ou mieux encore en menchevik ?

— Je ne sais pas, fit Erchov, mais, comme dit le proverbe : « Si tu ne veux pas que ça pue, touche pas à la merde. » Ce morse a fait du camp chez nous. Maintenant, ce sont les Allemands qui le traînent d'interrogatoire en interrogatoire. Il se vendra, et il vous vendra et ceux qui vous entourent aussi.

La conclusion de cet examen était qu'il n'y avait pas d'hommes idéaux pour le travail clandestin. Il fallait peser les forces et les faiblesses de chacun. Ce n'était pas bien difficile. Mais seule l'essence de l'homme permettait de savoir s'il ferait l'affaire ou pas. Et il était impossible de la mesurer. On pouvait seulement la sentir, la deviner. C'était comme cela qu'il avait décidé de commencer par Mostovskoï.

69

Le souffle court, le général Goudz s'approcha de Mostovskoï, il traînait des pieds, se raclait la gorge, avançait sa lèvre inférieure, faisant trembler les plis du cou et des joues ; tous ces gestes dataient du temps de sa majestueuse corpulence et produisaient un effet étrange, maintenant qu'il était faible et amaigri.

— Vous êtes notre père à tous, dit-il à Mostovskoï, et si je me permettais de vous faire des remarques, ce serait comme si un capitaine se mettait à faire la leçon à son général. Je vous le dis très simplement : vous avez tort d'avoir fondé avec cet Erchov votre fraternité des peuples. Cet homme n'est pas parfaitement clair. Il n'a pas de connaissances militaires. Ça a l'intelligence d'un lieutenant et ça veut jouer au chef, ça se mêle de commander aux colonels. Il faut se méfier de lui.

— Vous racontez des sornettes, Votre Excellence, dit Mostovskoï.

— Certes, certes, ce sont des sornettes, répéta Goudz en se raclant la gorge. On m'a communiqué qu'hier il y a encore une dizaine d'hommes du baraquement commun qui se sont enrôlés dans cette putain d'armée russe de libération [1]. Et combien il y a de koulaks

---

1. Armée sous le commandement de Vlassov créée par les Allemands. *(N. d. T.)*

parmi eux ? Je ne vous donne pas seulement mon opinion personnelle, je représente quelqu'un qui possède une certaine expérience politique.

— Ce ne serait pas par hasard Ossipov ? demanda Mostovskoï.

— Quand bien même. Vous êtes un théoricien, vous ne pouvez pas comprendre tout le fumier d'ici.

— Drôle de conversation, dit Mostovskoï. Je commence à croire qu'il ne reste en vous que de la méfiance. Qui aurait pu le penser !

Goudz se concentra sur les grincements et les gargouillis de sa bronchite et murmura, pris d'angoisse :

— Jamais je ne reverrai la liberté, non, jamais.

Mostovskoï le suivit du regard et soudain se donna un grand coup de poing sur le genou : il venait de comprendre pourquoi il se sentait inquiet et angoissé pendant la fouille. Les papiers que lui avait confiés Ikonnikov avaient disparu.

— Qu'est-ce qu'il a bien pu y écrire, ce crétin ? Peut-être qu'Erchov avait raison, et que ce pitoyable Ikonnikov a prêté la main à une provocation, quand il m'a refilé ses malheureux écrits. Qu'a-t-il bien pu y mettre ?

Il se dirigea vers la place d'Ikonnikov. Mais Ikonnikov n'y était pas, et ses voisins ignoraient où il se trouvait. Et tout cela, la disparition des papiers, la place vide d'Ikonnikov, lui fit comprendre qu'il n'avait pas eu une conduite juste, qu'il avait eu tort de se lancer dans des débats avec ce fol en Dieu.

Bien sûr, dans ses discussions avec Tchernetsov, il s'opposait à lui, mais ça ne voulait rien dire. Et c'était en présence de Tchernetsov que l'innocent lui avait remis ses papiers. Il y avait le délateur et il y avait le témoin.

Il avait besoin maintenant de sa vie pour agir et lutter et voilà qu'il pouvait la perdre pour rien.

« Vieil imbécile, qu'avais-tu besoin de fréquenter ces rebuts ? Te voilà perdu le jour où tu pouvais enfin mener une activité révolutionnaire. »

Son inquiétude ne faisait que grandir.

Il tomba sur Ossipov dans le *Washraum*. A la triste lumière d'une lampe anémique, le colonel faisait sa lessive dans une bassine.

— Je suis content de vous voir, dit Mostovskoï. J'ai à vous parler.

Ossipov acquiesça, jeta un regard autour de lui, s'essuya les mains sur la poitrine. Ils s'assirent sur une avancée cimentée du mur.

— C'est bien ce que je pensais, notre gaillard ne perd pas de temps, dit Ossipov quand Mostovskoï l'entretint d'Erchov.

Il caressa la main de Mostovskoï de sa paume encore humide.

— Camarade Mostovskoï, dit-il, je suis émerveillé par votre force de caractère. Vous êtes un bolchevik de la vieille garde léniniste, l'âge n'existe pas pour vous. Votre exemple sera pour nous tous un soutien.

Il baissa la voix.

— Camarade Mostovskoï, nous avons déjà créé notre groupe de combat, nous avions décidé de ne pas vous en parler pour l'instant, nous voulions préserver votre vie ; mais, visiblement, le temps n'a pas de prise sur les compagnons de Lénine. Je vous le dis très simplement : nous ne pouvons pas faire confiance à Erchov. Comme on dit, il a une bio qui ne vaut rien : un koulak, un koulak rendu haineux par les répressions. Mais nous sommes des réalistes. Pour l'instant, nous ne pouvons pas nous passer de lui. Il s'est forgé une popularité facile. Nous sommes contraints d'en tenir compte. Vous savez mieux que moi comment le parti a su utiliser, à certaines étapes de son histoire, des types de ce genre. Mais vous devez savoir notre opinion sur lui : prudemment et pour un temps.

— Camarade Ossipov, Erchov ira jusqu'au bout, j'en suis persuadé.

On entendait le bruit de l'eau qui gouttait sur le sol cimenté.

— Eh bien, voilà, camarade Mostovskoï, dit en détachant chaque mot Ossipov, nous n'avons pas de secrets pour vous. Nous avons ici un camarade envoyé par Moscou. Je peux vous donner son nom, c'est Kotikov. Ce que je viens de vous dire, c'est son point de vue sur Erchov, et non seulement le mien. Ses décisions sont pour nous, communistes, obligatoires. Ce sont les ordres du parti, les ordres de Staline dans des circonstances particulières. Mais nous avons décidé que nous collaborerions avec votre filleul, votre « maître à penser », nous l'avons décidé et c'est ce que nous ferons. Une seule chose est importante : être réaliste, être dialectique. Mais ce n'est pas à moi de vous l'apprendre.

Mostovskoï se taisait. Ossipov l'étreignit et l'embrassa par trois fois sur la bouche. Dans ses yeux brillaient des larmes.

— Je vous embrasse, comme j'embrasserais mon père, dit-il, et j'ai envie de vous bénir, comme me bénissait, dans mon enfance, ma mère.

Et Mikhaïl Sidorovitch sentit que ce qui le torturait ces derniers jours, l'affreuse complexité des choses, était en train de fondre. De nouveau, comme dans sa jeunesse, le monde lui apparaissait simple et limpide : les siens d'un côté, les ennemis de l'autre.

La nuit, des S.S. entrèrent dans le baraquement spécial et emmenèrent six personnes. Parmi elles, Mikhaïl Sidorovitch Mostovskoï.

DEUXIÈME PARTIE

1

Quand, à l'arrière, les hommes voient des convois qui partent vers le front, ils se sentent gagnés par une attente joyeuse ; il leur semble que ces canons, ces tanks, qui sentent encore la peinture fraîche, sont destinés à porter le coup décisif qui hâtera l'issue heureuse de la guerre.

Les hommes qui, après un séjour loin du front, montent dans les convois, éprouvent, eux, une tension particulière. Les jeunes officiers rêvent d'ordres de Staline dans des enveloppes cachetées à la cire... Bien sûr, les hommes d'expérence ne rêvent à rien de tel, ils boivent de l'eau chaude en guise de thé, ramollissent le poisson séché avant de le manger, discutent de la vie privée du major et des possibilités qu'offrira le troc à la prochaine gare. Les hommes d'expérience ont déjà vu comment cela se passe : on débarque les troupes quelque part dans la zone du front, dans une gare perdue que seuls les avions allemands semblent connaître, et, sous leurs premières bombes, les bleus ont tendance à perdre leur bonne humeur... Les hommes, qui en écrasaient jour et nuit dans le train, n'ont même plus maintenant une heure de repos ; les marches forcées durent des jours et des jours, pas le temps de boire, pas le temps de manger, les tempes éclatent au grondement incessant des moteurs surchauffés, les mains n'ont plus la force de tenir les leviers de commande. Quant au commandant de l'unité, il a eu tout son saoul de messages, de cris et d'injures par radio : les supérieurs ont besoin de boucher au plus vite les brèches dans le front et personne ne se soucie des bonnes notes qu'a pu recevoir le bataillon de chars pendant les exercices de tir. « Fonce, fonce, fonce. » C'est le seul mot qu'entend le commandant de l'unité, et il fonce, il ne s'attarde pas, il fonce à tout va. Et parfois, sans même reconnaître les lieux, encore en ordre de marche, les chars entrent dans la bataille ; une voix énervée et lasse ordonne : « Contre-attaquez immédiatement, là, le long des petites hauteurs, on n'a personne dans le coin et l'autre, il y va, tout fout le camp. »

Le bruit et le fracas de la longue route se mêlaient, dans les têtes des conducteurs, radios, artilleurs, aux hurlements des obus allemands et aux explosions.

C'est là que la folie de la guerre devient tangible ; une heure passe et voilà ce qui reste d'un travail énorme : des blindés en pièces, aux canons tordus, aux chenilles arrachées, qui achèvent de brûler en fumant.

Où sont passés les mois d'apprentissage zélé, le travail patient des métallurgistes, des électriciens ?

Et l'officier supérieur, pour dissimuler sa hâte irréfléchie, pour dissimuler la perte inutile de l'unité venue de l'arrière, rédige un rapport standard : « L'action des forces venues de l'arrière a permis de freiner pour un temps l'avance de l'ennemi et a permis de regrouper les forces dont j'avais le commandement. »

S'il n'avait pas crié « fonce, fonce », s'il avait laissé le temps d'effectuer une reconnaissance du terrain (qui aurait permis d'éviter le champ de mines), les chars auraient peut-être pu, même sans rien faire de décisif, se battre un peu contre les Allemands et les gêner un peu.

Le corps de blindés de Novikov marchait vers le front.

Les jeunes tankistes naïfs, qui n'avaient pas encore reçu le baptême du feu, étaient persuadés qu'ils allaient, eux et personne d'autre, prendre part aux combats décisifs. Les anciens, qui connaissaient la musique, riaient de leur enthousiasme ; Makarov, le commandant de la première brigade, et Fatov, le meilleur commandant de bataillon, connaissaient tout cela par cœur, ils l'avaient vu plus d'une fois...

Les sceptiques, les pessimistes sont des gens d'expérience qui ont payé de leur sang et de leurs souffrances leur dur savoir, leur compréhension de la guerre. C'est là que réside leur supériorité sur les innocents aux joues roses. Mais les gens d'amère expérience s'étaient trompés. Les chars du colonel Novikov devaient participer aux combats qui allaient décider de l'issue de la guerre et du sort de centaines de millions de gens après la guerre.

2

Novikov avait reçu l'ordre de prendre contact, à Kouïbychev, avec le représentant du Grand Quartier général, le général Rioutine, afin de lui fournir un certain nombre d'éclaircissements.

Novikov pensait que quelqu'un serait venu l'attendre à la gare, mais l'officier de permanence, un major au regard affolé et dans le même temps complètement endormi, lui dit que personne ne s'était enquis de Novikov. Il ne parvint pas à téléphoner au général de la gare; le numéro du général était un secret si bien gardé qu'il était impossible de lui téléphoner.

Novikov partit à pied pour l'état-major.

Sur la place de la gare, il se sentit gagné par cette inquiétude qui s'empare d'un officier de carrière dans le cadre inhabituel d'une ville. Le sentiment d'être le centre du monde s'effondrait : plus d'officier d'ordonnance pour tendre le combiné, plus de chauffeur qui se précipite pour démarrer l'automobile.

Des hommes couraient sur les gros pavés de la rue vers les queues qui se formaient devant les magasins. « C'est qui le dernier arrivé ?... C'est moi le suivant... »

On aurait pu croire qu'il n'y avait rien de plus précieux, pour ces gens aux bidons tintinnabulants, que ces queues devant les portes écaillées des magasins d'alimentation. La vue des militaires irritait tout particulièrement Novikov, ils avaient presque tous une valise ou un paquet à la main. « Les fourrer tous, ces saligauds, dans un convoi, et en route pour le front », pensa-t-il.

C'était donc possible ? Il la verrait dès ce soir ? Il marchait dans la rue et pensait à elle. Allô, Evguénia ?

Son entrevue avec le général Rioutine fut brève. A peine eurent-ils commencé que le général fut convoqué par téléphone pour Moscou, il devait partir avec le premier avion.

Rioutine s'excusa auprès de Novikov et téléphona en ville.

— Macha, tout est remis. Le Douglas décolle à l'aube, annonce-le à Anna Aristarkhovna. On n'aura pas le temps d'aller chercher les pommes de terre, les sacs sont au sovkhoze...

Son visage blafard se tordit en une grimace d'impatience et de dégoût. Et, coupant, de toute évidence, le flot de paroles qui venait à sa rencontre, il lança :

— Qu'est-ce que tu proposes ? Que je fasse savoir au G.Q.G. que je ne peux pas partir parce que la couturière n'a pas terminé le manteau de ma femme ?

Le général raccrocha et se tourna vers Novikov :

— Quelle est votre opinion, camarade colonel, sur le train de roulement du char ? Satisfait-il au cahier de charges ?

Novikov en avait assez de cette discussion. Durant ces quelques mois de commandement, il avait appris à évaluer précisément les hommes, ou du moins leur poids réel. En un instant, il évaluait à coup sûr le pouvoir de tous ces inspecteurs, instructeurs, envoyés spéciaux, présidents de commission qui venaient dans son corps d'armée.

Il savait ce que voulaient dire les quelques mots tout simples : « Le camarade Malenkov m'a dit de vous transmettre... » et il savait également qu'il y avait des hommes, couverts de décorations et portant uniforme de général, des hommes bruyants et pleins d'éloquence, qui étaient incapables d'obtenir une tonne de gas-oil, de nommer un magasinier ou de destituer un gratte-papier.

Rioutine ne fonctionnait pas au sommet de l'énorme machine étatique. Il travaillait pour la statistique, pour la représentation, pour la vision d'ensemble et Novikov, tout en poursuivant la conversation, jetait de fréquents coups d'œil sur sa montre.

Le général referma son grand bloc-notes.

— Hélas, dit-il, je dois vous quitter, je décolle à l'aube pour le G.Q.G. Je ne sais que faire, c'est tout juste s'il ne faudrait pas vous faire venir à Moscou, pourquoi pas ?

— Oui, bien sûr, camarade général, à Moscou, avec les chars dont j'ai le commandement, pourquoi pas ? fit froidement Novikov.

Novikov prit congé. Rioutine lui demanda de transmettre le bonjour au général Néoudobnov qu'il avait connu avant-guerre. Novikov marchait vers la porte du vaste cabinet quand il entendit Rioutine parler au téléphone :

— Mettez-moi en communication avec le chef du sovkhoze numéro 1.

« Faut pas laisser perdre ses pommes de terre », se dit Novikov.

Il se dirigea vers la maison d'Evguénia Nikolaïevna. Par une nuit étouffante d'été, il avait ainsi marché vers la maison d'Evguénia à Stalingrad, il venait de la steppe, tout imprégné de la poussière et la fumée de la retraite. Et voilà qu'il marchait à nouveau vers sa maison, et il lui semblait qu'un gouffre séparait l'homme d'alors et l'homme actuel et pourtant il était pareil, c'était lui, un seul et même homme.

« Tu seras mienne, pensa-t-il. Tu seras mienne. »

3

C'était une maison à un étage, de construction ancienne ; une de ces maisons refermées sur elles-mêmes, qui sont toujours en retard d'une saison : en été, elles restent d'une fraîcheur humide, et en automne, quand arrivent les premiers froids, elles gardent, entre leurs murs épais, une chaleur étouffante et poussiéreuse.

Il sonna. La porte s'ouvrit, laissant échapper une odeur de renfermé, et il vit, dans le couloir encombré de malles et de coffres, Evguénia Nikolaïevna. Il la voyait sans voir le foulard blanc qui coiffait sa tête, ni sa robe noire, ni ses yeux, ni son visage, ni ses épaules... Il ne la voyait pas avec ses yeux, mais avec son cœur. Elle étouffa une exclamation mais n'eut pas ce mouvement de recul qu'ont d'habitude les gens pris au dépourvu.

Elle répondit quelque chose à son bonjour.

Il fit un pas dans sa direction, les yeux fermés, et il sentit le bonheur de la vie, et il fut prêt à mourir sur-le-champ, et il perçut sa chaleur toute proche.

Et il découvrit que ce sentiment inconnu de lui jusqu'alors, le sentiment du bonheur, n'avait besoin ni de regards, ni de paroles, ni de pensées.

Elle lui demanda quelque chose et il lui répondit ; il marchait sur ses talons et lui tenait la main comme un garçonnet qui aurait peur de se perdre dans la foule.

« Qu'il est large ce couloir, pensa-t-il, un char lourd pourrait y passer. »

Ils entrèrent dans une pièce dont la fenêtre donnait sur un mur aveugle.

Deux lits, un de chaque côté, meublaient la pièce. Le premier était recouvert d'une couverture grise, son oreiller était tout plat et fripé ; sur le second, au couvre-lit de dentelles blanches, s'élevait une pile d'oreillers bien gonflés. Au-dessus du lit, étaient suspendues des cartes de vœux de Nouvel An et de Pâques, illustrées d'hommes du monde en smoking et de poussins sortant de leur coquille.

Le coin de la table, sur laquelle s'amoncelaient des rouleaux de papier à dessin, était occupé par une bouteille d'huile, un morceau de pain et une moitié d'oignon fanée.

— Evguénia... dit-il.

Le regard de la jeune femme, habituellement observateur et ironique, était étrange. Elle demanda :

— Vous avez faim ? Vous venez d'arriver ?

Visiblement, elle cherchait à détruire, à briser ce quelque chose de neuf qui était né entre eux et qu'il était déjà impossible de briser. Il était devenu autre, différent de ce qu'il était ; l'homme qui avait tout pouvoir sur des centaines d'hommes et de machines de guerre avait le regard plaintif d'un gamin malheureux. Cette discordance la troublait, elle avait envie de le plaindre, sans penser à sa force. Son bonheur venait de sa liberté. Mais sa liberté la quittait et elle était heureuse.

— Eh bien, quoi ! tu ne comprends donc pas, fit-il soudain. Et de nouveau il cessa d'entendre ce qu'ils se disaient. Et de nouveau le sentiment du bonheur monta en lui, et avec lui un autre sentiment, lié au premier : il avait le sentiment qu'il était prêt à mourir sur l'heure. Elle le prit par le cou, ses cheveux, comme une eau tiède, ruisselèrent sur le front et les joues de Novikov ; il vit, dans la pénombre des cheveux épars, les yeux d'Evguénia.

Le chuchotement de sa voix couvrit le bruit de la guerre, le grondement des chars...

Le soir, ils burent de l'eau chaude, mangèrent un peu de pain et Evguénia dit :

— Notre chef ne sait plus ce que c'est que du pain noir.

Elle servit une casserole de sarrasin, mise au frais sur le rebord de la fenêtre ; les grains gelés avaient pris des couleurs bleu-violet. Ils se couvrirent de buée.

— Ça ressemble à du lilas double, remarqua Evguénia.

Novikov goûta du lilas double... « Quelle horreur », se dit-il.

— Notre chef ne sait plus ce que c'est, répéta-t-elle.

« Heureusement que je n'ai pas écouté Guetmanov et que je ne lui ai rien apporté à manger », pensa Novikov.

— Quand la guerre a commencé, dit-il, j'étais dans les environs de Brest-Litovsk, dans une escadrille. Les pilotes se sont précipités vers l'aérodrome et j'ai entendu une Polonaise s'écrier : « Qui c'est ? » et un petit Polack lui a répondu : « Un zolnierz russe » ; et à ce moment-là, j'ai senti avec acuité que oui, j'étais un soldat russe, que j'étais un Russe... C'est que... Tu comprends, toute ma vie j'ai su que je n'étais pas un Turc, mais là, je me suis senti vibrer : je suis russe, russe... A dire vrai, on avait été élevé dans un autre esprit avant la guerre. Aujourd'hui, là, tout de suite, c'est le plus beau jour de ma vie, et je te regarde et c'est comme l'autre fois : le malheur russe, le bonheur russe... C'est un tel... je voudrais te dire...

Il s'interrompit :

— Qu'est-ce que tu as ?

Elle entrevit, devant elle, la tête ébouriffée de Krymov. Mon Dieu, s'étaient-ils vraiment séparés à jamais ?

En ces instants de bonheur, l'idée qu'ils ne se reverraient plus jamais lui était insupportable.

Elle eut soudain l'impression fugitive qu'elle était sur le point de réunir, la journée présente, les paroles de l'homme d'aujourd'hui, de l'homme qui était en train de l'embrasser, avec le temps passé et qu'alors elle comprendrait les cheminements secrets de sa vie, et qu'elle verrait ce qui doit rester interdit au regard, les profondeurs de son propre cœur, où se joue la destinée.

— Cette chambre appartient à une Allemande, dit Evguénia. Elle m'a recueillie. Ce petit lit d'ange, c'est le sien. De toute ma vie je n'ai connu d'être plus démuni, plus innocent... Bizarre quand même, pendant une guerre contre les Allemands, je suis convaincue qu'il n'y a pas de personne aussi bonne qu'elle dans toute la ville. Bizarre, hein ?

— Elle rentre bientôt ? demanda-t-il.

— Non, la guerre contre elle est terminée, on l'a déportée.

— Et tant mieux, dit Novikov.

Elle aurait voulu lui parler de sa pitié pour l'homme qu'elle avait quitté ; il n'avait personne à qui écrire, personne à voir, il ne lui restait plus que la tristesse, la tristesse sans espoir, et la solitude.

S'y mêlait le désir de parler à Novikov de Limonov et de Chargorodski, de toutes les choses nouvelles et étranges qu'elle associait à leurs noms. Elle avait envie de lui parler de Jenny, comment elle avait noté les mots d'enfant des petits Chapochnikov et les consignait dans des cahiers qu'il pouvait regarder, les cahiers étant là, sur la table. Elle avait aussi envie de lui parler de l'histoire du droit de séjour et de Grichine, le chef du bureau. Mais sa confiance en lui n'était pas encore assez forte ; elle était un peu gênée et se demandait s'il avait besoin de tous ces récits.

Chose étrange... Elle avait l'impression de revivre sa rupture avec Krymov. Elle avait toujours cru, au fond d'elle-même, que tout pourrait s'arranger, que le passé pourrait renaître. Et maintenant qu'elle se sentait portée par cette force nouvelle, elle était torturée par l'effroi : était-ce donc irréversible, était-ce donc vraiment irréparable ? Pauvre, pauvre Krymov. Qu'avait-il donc fait pour mériter ces souffrances ?

— Qu'allons-nous devenir ? demanda-t-elle.

— Evguénia Nikolaïevna Novikov, prononça-t-il.

Elle rit en scrutant son visage.

— Tu m'es étranger, complètement étranger. Qui es-tu, au fait ?

— Ça, je n'en sais rien, mais toi, tu es Novikov, Evguénia Nikolaïevna.

Elle ne survolait plus la vie. Elle lui versait de l'eau bouillante dans la tasse, lui proposait encore un peu de pain.

Soudain, elle lui dit :

— S'il arrive quelque chose à Krymov, s'il est mutilé ou s'il est arrêté, je le rejoindrai. Il faut que tu le saches.

— Et pourquoi donc on l'arrêterait ? demanda-t-il, l'air sombre.

— On ne sait jamais. C'est un ancien du Komintern. Trotski le connaissait, et même il avait dit, à propos d'un des articles de Krymov : « C'est du marbre ! »

— Essaie toujours, si tu retournes à lui, il te chassera.

— T'inquiète pas ; ça, c'est mon affaire.

Il lui dit qu'après la guerre, elle serait la maîtresse d'une grande et belle maison et que la maison serait entourée d'un jardin.

C'était donc pour toujours, pour toute la vie ?

Dieu sait pourquoi, elle voulait à tout prix que Novikov comprenne que Krymov était un homme intelligent et plein de talent, qu'elle lui était attachée, qu'elle l'aimait. Elle ne voulait pas que Novikov soit jaloux de Krymov, mais, sans même s'en rendre compte, elle faisait tout pour éveiller cette jalousie. Mais elle lui avait raconté, à lui seul, ce qu'un jour Krymov lui avait raconté, à elle seule : la phrase de Trotski. « Si quelqu'un, à part moi, avait eu vent de cette histoire, Krymov n'aurait sûrement pas survécu à la Terreur de 37. » Son sentiment pour Novikov exigeait qu'elle lui fasse confiance en tout et elle lui confia la vie de l'homme qu'elle avait rendu malheureux.

Des bribes de pensée se bousculaient dans son esprit. Elle pensait au futur, au jour présent, au passé ; elle se réjouissait, avait honte, s'attendrissait, s'inquiétait, s'effrayait. Elle liait des dizaines de personnes, mère, sœurs, neveux, Vera, au changement qui venait de survenir dans sa vie. Comment Novikov aurait-il discuté avec Limonov, comment aurait-il écouté les débats sur l'art et la poésie ? Il n'aurait pas eu honte, même s'il ignore qui sont Matisse et Chagall... Il est fort, fort, fort. Aussi s'est-elle soumise. La guerre va se terminer. Est-il possible qu'elle ne revoie jamais Nikolaï ? Seigneur, qu'a-t-elle fait ! Il ne faut pas y penser. On ne sait pas ce que cache l'avenir.

— Je viens juste de réaliser : je ne te connais pas du tout, tu m'es étranger. Une maison, un jardin... Pour quoi faire ? Tu parlais sérieusement ?

— Si tu veux, après la guerre, je quitte l'armée et je pars comme contremaître sur un chantier quelque part en Sibérie orientale. On vivra dans un baraquement pour ouvriers mariés.

Il parlait sérieusement ; il n'avait pas du tout l'air de plaisanter.

— Pas obligatoirement mariés.

— Si, c'est indispensable.

— Mais tu es fou. Pourquoi tu me racontes tout ça ?

Et elle pensa : « Nikolaï. »

— Comment cela « pourquoi » ? demanda-t-il, effrayé.

Il ne pensait ni au futur ni au passé. Il était heureux. Et même la pensée qu'il devrait la quitter dans quelques minutes ne l'effrayait pas. Il était assis à ses côtés, il la regardait... Evguénia Nikolaïevna Novikov... Il était heureux. Peu importait qu'elle fût jeune, belle, intelligente. Il l'aimait vraiment. Au début, il n'osait pas espérer qu'elle deviendrait sa femme. Puis, il y rêva de longues années. Mais maintenant, comme avant, il guettait, craintif et soumis, son sourire et ses paroles ironiques. Mais il voyait bien : quelque chose de nouveau était né.

Elle le regardait en train de se préparer au départ.

— Je vois que l'heure est venue pour toi de rejoindre tes vaillants compagnons et pour moi de me jeter dans la vague qui déferle[1].

Quand Novikov fit ses adieux, il comprit qu'elle n'était pas si forte que cela, et qu'une femme restait une femme, même si Dieu lui avait fait don d'une intelligence claire et aiguë.

— Je voulais te dire tant de choses et je n'ai rien eu le temps de te dire, répétait-elle sans cesse.

Mais ce n'était pas vrai. Ce qui est important, ce qui décide de la vie des gens, avait eu le temps de se préciser pendant leur rencontre. Il l'aimait vraiment.

4

Novikov marchait vers la gare.

... Evguénia, son chuchotement éperdu, ses pieds nus, son tendre chuchotement, ses larmes au moment des adieux, son pouvoir sur lui, sa pauvreté et sa pureté, l'odeur de ses cheveux, sa pudeur attendrissante, la chaleur de son corps...

Il se rappelait sa gêne de n'être qu'un simple ouvrier-soldat, mais aussi sa fierté d'appartenir aux simples ouvriers-soldats.

Novikov franchissait des voies ferrées quand une aiguille acérée s'enfonça dans le nuage mouvant et chaud de ses pensées : la peur d'avoir laissé partir son train, que connaît tout soldat rejoignant son unité.

Il vit de loin les plates-formes, les chars dont les formes anguleuses se dessinaient sous les bâches, les sentinelles sous leurs casques noirs, le wagon de l'état-major avec des rideaux blancs aux fenêtres.

Il monta dans le wagon en passant devant la sentinelle qui rectifia sa position.

Verchkov, son officier d'ordonnance, vexé parce que Novikov ne l'avait pas pris avec lui en ville, posa, sans un mot, un message codé du G.Q.G. sur la table. Il devait aller jusqu'à Saratov puis prendre l'embranchement d'Astrakhan...

Néoudobnov pénétra dans le compartiment et dit en regardant, non le visage de Novikov, mais le télégramme que tenait celui-ci :

— On nous a confirmé l'itinéraire.

---

1. Allusion aux paroles de la célèbre chanson sur le chef cosaque Stenka Razine. *(N. d. T.)*

— Eh oui, Mikhaïl Petrovitch, pas seulement l'itinéraire mais notre destin : c'est Stalingrad.

Puis il ajouta :

— Je dois vous transmettre le bonjour du général Rioutine.

— Ah bon, fit Néoudobnov, et il était impossible de deviner si ce « ah bon » indifférent se rapportait au bonjour de Rioutine ou à Stalingrad.

C'était un homme étrange, ce Néoudobnov, et il inquiétait parfois Novikov. Quand survenait, en route, le moindre incident, un retard dû à un train allant en sens contraire, une boîte d'essieu défectueuse dans un des wagons, un régulateur ne donnant pas l'ordre de marche à temps, Néoudobnov s'animait aussitôt :

— Le nom, notez le nom, disait-il, c'est un saboteur, il faut le coller au trou, ce salaud.

Au fond de lui-même, Novikov n'éprouvait pas de haine mais plutôt de l'indifférence à l'égard des hommes qu'on nommait « ennemis du peuple », « koulaks », « saboteurs ». Il n'avait jamais eu le désir de fourrer quelqu'un en prison, de mener quelqu'un au tribunal, de le dénoncer au cours d'une réunion publique. Mais il mettait cette indifférence bon enfant sur le compte de son manque de maturité politique.

Il lui semblait au contraire que Néoudobnov, lorsqu'il voyait un homme pour la première fois, commençait par se demander, en camarade vigilant, s'il n'avait pas en face de lui un ennemi du peuple. La veille, il avait raconté à Novikov et à Guetmanov l'histoire des architectes saboteurs qui avaient tenté de transformer les grandes rues de Moscou en terrain d'atterrissage pour l'aviation ennemie.

— A mon avis, ce sont des sornettes, dit Novikov. Techniquement, cela n'a pas de sens.

Mais maintenant, Néoudobnov avait entrepris Novikov sur sa vie de famille, un sujet qu'il aimait également beaucoup. Ayant tâté les tuyaux du chauffage, il se mit soudain à raconter comment il avait fait installer le chauffage central dans sa maison de campagne peu avant la guerre.

Tout à coup, Novikov se passionna pour le problème, demanda à Néoudobnov de lui faire un croquis de l'installation et le rangea soigneusement dans la poche intérieure de sa veste.

— Cela pourra toujours servir, commenta-t-il.

Peu de temps après, Guetmanov pénétra à son tour dans le compartiment ; il salua le retour de Novikov à grand bruit :

— Enfin, nous sommes de nouveau avec notre chef ; on commençait à se demander s'il ne nous faudrait pas élire un nouvel ataman[1],

---

1. Chef cosaque élu. *(N. d. T.)*

on se disait que, peut-être bien, notre Stenka Razine avait abandonné ses compagnons.

Il regardait amicalement Novikov entre ses paupières plissées, et Novikov riait des plaisanteries de son commissaire, mais il sentait naître en lui un sentiment d'inquiétude qui lui devenait habituel.

Les plaisanteries de Guetmanov avaient une propriété étrange. On avait l'impression, à les entendre, que Guetmanov en savait long sur Novikov et qu'il profitait de ses plaisanteries pour le faire sentir.

Cette fois-ci encore, il avait répété les paroles qu'avait prononcées Evguénia au moment de leur séparation, mais là, bien sûr, ce n'était qu'une coïncidence.

Guetmanov jeta un coup d'œil sur sa montre :

— Bon, les cosaques, lança-t-il, c'est mon tour de partir en ville. Personne n'y voit d'inconvénient ?

— Je vous en prie, on ne s'ennuiera pas sans vous ici, répondit Novikov.

— Ça, c'est sûr, dit Guetmanov, vous n'avez pas, camarade colonel, pour habitude de vous ennuyer à Kouïbychev.

Et cette plaisanterie n'était pas due à une coïncidence.

Sur le pas de la porte, Guetmanov se retourna pour demander :

— Comment va Evguénia Nikolaïevna ?

Le visage de Guetmanov était sérieux, ses yeux ne riaient plus.

— Merci, ça va, mais elle a beaucoup de travail, répondit Novikov.

Et, désirant changer de conversation, il demanda à Néoudobnov :

— Et vous, Mikhaïl Petrovitch, pourquoi n'iriez-vous pas faire un tour d'une heure à Kouïbychev ?

— Qu'est-ce que j'irais y voir ? répondit Néoudobnov.

Ils étaient assis côte à côte ; Novikov, tout en écoutant Néoudobnov, parcourait les papiers, les mettait de côté et laissait tomber de temps à autre :

— Bien, bien, bien... Poursuivez...

Toute sa vie, Novikov avait fait des rapports à des supérieurs qui, en parcourant des papiers, laissaient tomber un distrait « Bien, bien, bien... Poursuivez... » ; et chaque fois, Novikov se sentait offensé et il se disait que jamais il n'en ferait autant.

— Voilà le problème, disait Novikov, il faut envoyer à l'avance un papier au service de réparations pour faire une demande en personnel : nous avons suffisamment de spécialistes pour les engins à roues mais nous n'avons pratiquement personne pour les trains-chenilles.

— J'ai déjà préparé la note, je pense qu'il vaut mieux l'envoyer directement au général d'armée, de toute façon ça irait chez lui pour la signature.

— Bien, bien, bien, dit Novikov et il signa la note.

— Il faut vérifier, ajouta-t-il, les moyens de lutte antiaérienne dont disposent les brigades ; passé Saratov, des raids aériens peuvent se produire.

— J'ai déjà transmis des instructions dans ce sens à l'état-major.

— Ça ne va pas, il faut que ce soit sous la responsabilité personnelle de chaque chef de convoi, au rapport à 16 heures.

Néoudobnov poursuivit :

— La nomination de Sazonov au poste de chef d'état-major de brigade a été ratifiée.

Cette fois-ci, Néoudobnov ne détourna pas le regard, il sourit, comprenant parfaitement l'irritation et la gêne de Novikov.

Généralement, Novikov ne trouvait pas le courage de défendre jusqu'au bout les hommes qu'il jugeait dignes d'occuper des postes de commandement. Dès qu'on en venait aux qualités politiques de l'officier, Novikov perdait sa conviction et les qualités professionnelles des gens lui semblaient soudain perdre de leur importance.

Mais cette fois-ci, il ne cacha pas sa colère. Aujourd'hui, il ne cherchait pas la paix.

— C'est une erreur de ma part, dit-il en fixant Néoudobnov. J'ai fait passer les qualités de soldat après la pureté politique de la biographie. On y remettra de l'ordre une fois au front, une biographie pure n'y suffit plus pour combattre. Je renverrai Sazonov au diable dès le premier jour s'il le faut.

— Personnellement je n'ai rien contre ce Kalmouk de Bassangov, dit Néoudobnov en haussant les épaules, mais il faut donner la préférence à un Russe. L'amitié entre les peuples est une sainte chose mais, voyez-vous, il y a un fort pourcentage, parmi les minorités, d'hommes fluctuants, hostiles au régime, peu nets à tous égards.

— Il fallait y penser en 37, dit Novikov. Je connaissais quelqu'un, Mitka Evseïev il s'appelait, il criait tout le temps : « Je suis un Russe, d'abord et avant tout ! » Alors, on lui a fait voir de l'homme russe, il a été arrêté.

— Chaque chose en son temps, répondit Néoudobnov. Mais pour ce qui est d'arrêter, on n'arrête personne pour rien, chez nous. On arrête les salauds, les ennemis. Il y a un quart de siècle, nous avons conclu la paix de Brest-Litovsk avec les Allemands, et c'était ça, l'attitude bolchevique ; maintenant, le camarade Staline appelle à exterminer jusqu'au dernier les occupants allemands qui ont pénétré sur le territoire de notre patrie soviétique, et ça aussi, c'est l'attitude bolchevique.

Il ajouta d'un ton sentencieux :

— A l'heure actuelle, un bolchevik, c'est avant tout un patriote russe.

Novikov était irrité : il avait forgé sa « russitude » dans les durs combats du début, alors que Néoudobnov semblait l'avoir empruntée toute prête dans un bureau dont l'entrée était interdite à Novikov.

Il discutait avec Néoudobnov, s'irritait, pensait à mille choses... Mais ses joues brûlaient comme par grand froid, et son cœur battait à grands coups sourds et ne voulait pas s'apaiser.

Verchkov passa la tête dans le compartiment et annonça d'une voix doucereuse qui marquait son pardon :

— Camarade colonel, le cuisinier me fait la vie, ça fait deux heures que le repas est prêt.

— D'accord, mais en vitesse alors.

Aussitôt, le cuisinier, en sueur, accourut et, avec une expression de souffrance, de bonheur et de rancune peinte sur le visage, disposa sur la table des marinades apportées de l'Oural.

— Pour moi, ce sera une bouteille de bière, dit Néoudobnov d'une voix dolente.

Novikov eut soudain une telle envie de manger, après son long jeûne, que des larmes lui montèrent aux yeux. « Notre chef a pris l'habitude de manger », se dit-il en pensant au « lilas double » de naguère.

Néoudobnov et Novikov regardèrent ensemble par la fenêtre : un tankiste ivre, soutenu par un milicien l'arme à la bretelle, titubait sur les voies en poussant des cris perçants.

Le soldat essayait de se débarrasser du milicien et de le frapper, mais celui-ci le tenait fermement par les épaules ; l'esprit du soldat devait être fort brumeux car, oubliant son désir de se battre, pris d'un attendrissement soudain, il baisa la joue du milicien.

— Tirez ça au clair immédiatement et faites-moi un rapport, ordonna Novikov à son officier d'ordonnance.

— Il faut me fusiller ce salaud de désorganisateur, dit Néoudobnov en tirant le rideau.

Le visage simplet de Verchkov refléta des sentiments mêlés. Avant tout, Verchkov se désolait de voir son colonel se gâcher l'appétit ; mais aussi, il éprouvait de la compassion pour le soldat. On pouvait lire sur son visage toutes les nuances de la moquerie, de l'encouragement, de l'admiration amicale, de la tendresse paternelle, de la tristesse et de l'inquiétude.

Après avoir répondu, comme il convient, « à vos ordres », il se lança aussitôt dans une improvisation :

— Il a sa mère qui vit ici, et l'homme russe, est-ce qu'il connaît la mesure ? Il était triste, il voulait marquer son départ et il n'a pas su calculer la bonne dose.

Novikov se gratta le crâne, puis approcha son assiette. « Pas question qu'on m'y reprenne à quitter le convoi », pensa-t-il en s'adressant mentalement à la femme qui l'attendait.

Guetmanov revint peu avant le départ du convoi, l'air guilleret, le teint vif ; il refusa de dîner et demanda seulement une bouteille d'eau gazeuse à la mandarine, sa boisson préférée.

Il retira ses bottes en geignant, s'allongea sur une banquette, ferma la porte du compartiment de son pied déchaussé.

Il raconta à Novikov les nouvelles dont lui avait fait part un vieux camarade, un secrétaire d'Obkom, qui revenait de Moscou ; il y avait été reçu par un de ces hommes qui, lors des défilés sur la Place Rouge, montent sur la tribune du mausolée mais ne trouvent pas place derrière le micro, aux côtés de Staline. Cet homme, bien sûr, ne savait pas tout, et, bien sûr, n'avait pas dit tout ce qu'il savait au secrétaire d'Obkom, qu'il avait connu du temps où le secrétaire n'était qu'instructeur de raïkom dans une petite ville sur les bords de la Volga. Le secrétaire de l'Obkom, ayant soupesé son interlocuteur sur une balance invisible, n'avait pas confié grand-chose de ce qu'il savait au commissaire Guetmanov. Et, bien sûr, Guetmanov à son tour n'avait pas raconté au colonel Novikov grand-chose de ce que lui avait appris le secrétaire d'Obkom.

Mais ce soir-là, Guetmanov avait un ton particulièrement confiant. Il faisait comme si Novikov était parfaitement au courant des secrets des grands : que Malenkov avait un énorme pouvoir exécutif, que seuls Beria et Molotov tutoyaient Staline, que Staline détestait plus que tout les initiatives personnelles, que le camarade Staline aimait le soulgouni, un fromage géorgien, que le camarade Staline, à cause de son mauvais état dentaire, trempait son pain dans son vin, que le camarade Molotov n'était plus depuis longtemps le numéro deux dans le parti, que Iossif Vissarionovitch n'était pas très bien disposé ces temps derniers à l'égard de Nikita Sergueïevitch [1] et qu'il l'avait même injurié lors d'une récente discussion par radio.

Le ton confiant de Guetmanov, alors qu'il parlait des autorités suprêmes de l'État, du bon mot de Staline qui s'était signé lors d'un entretien avec Churchill, du mécontentement qu'avait provoqué chez Staline la trop grande assurance d'un de ses maréchaux, ce ton confiant semblait plus important que l'information provenant de l'homme du mausolée, à laquelle Guetmanov avait fait allusion. Cette information, l'âme de Novikov l'attendait depuis longtemps : le moment de la contre-attaque approchait. Il se disait, avec un sourire de contentement idiot dont il avait honte lui-même : « Ça alors, voilà que moi aussi je fais partie de la nomenclature. »

Le convoi démarra sans sonnerie ni annonce.

---

1. Khrouchtchev. *(N.d.T.)*

Novikov alla au bout du couloir, ouvrit la portière et fixa l'obscurité qui recouvrait la ville. Et de nouveau retentirent en lui : Génia, Génia, Génia. A travers le fracas des roues, venant de la tête du train, des bribes de la chanson sur Ermak parvenaient jusqu'à lui.

Le bruit des roues d'acier sur les rails d'acier, les crissements métalliques des wagons, qui menaient au front les masses d'acier des chars, les voix juvéniles des chanteurs, le vent froid qui soufflait de la Volga, et le ciel immense, rempli d'étoiles, tout cela prit soudain une autre coloration ; c'était différent de ce qu'il ressentait une seconde auparavant, différent de ce qu'il avait ressenti durant toute cette première année de guerre. C'était une joie dure et hautaine, le gai bonheur de sentir sa force, son aptitude à se battre ; pour lui, le visage de la guerre avait changé, il n'était plus seulement fait de souffrance et de haine... Le chant sombre et triste qui venait de l'obscurité se fit soudain menaçant et terrible.

Mais, chose étrange, son bonheur actuel n'éveillait en lui aucune bonté, aucune envie de pardonner. Son bonheur provoquait en lui haine, colère, volonté de prouver sa force, d'anéantir tout ce qui se mettrait sur sa route.

Il revint dans son compartiment. Et, si le charme de la nuit d'automne l'avait ravi quelques instants auparavant, maintenant il était pris par la touffeur du wagon, la fumée de tabac, l'odeur de viande grillée et de cirage, l'odeur de sueur des officiers d'état-major bien en chair. Guetmanov, le pyjama largement ouvert et laissant voir la peau blanche de sa poitrine, était toujours allongé sur le divan.

— Alors, on se fait une partie de dominos ? Notre général n'aurait rien contre.

— Pourquoi pas ? Ça peut se faire, répondit Novikov.

Guetmanov laissa échapper un rot discret :

— Je dois avoir un ulcère quelque part, fit-il d'un ton préoccupé. Après manger, j'ai des brûlures d'estomac.

— Fallait pas laisser partir le toubib avec le deuxième convoi, dit Novikov.

« Il n'y a pas longtemps, je voulais caser Darenski, se disait Novikov en s'échauffant tout seul, il a suffi que Fédorenko fronce le sourcil pour que je fasse marche arrière. J'en ai parlé à Guetmanov et à Néoudobnov, ils ont froncé le sourcil, ils ne voulaient pas d'un ancien *zek* et j'ai eu la frousse. Je leur ai proposé Bassangov, ça n'allait pas non plus, ce n'était pas un Russe, et j'ai fait marche arrière encore une fois... Faudrait savoir si je pense quelque chose ou pas. » Il regardait Guetmanov et se disait, poussant volontairement son idée jusqu'à l'absurde : « Aujourd'hui il m'offre mon propre cognac et demain, si ma femme vient, il voudra coucher avec elle. »

Mais pourquoi, alors qu'il était persuadé que c'était lui, et personne d'autre, qui aurait à briser le dos à la machine de guerre allemande, pourquoi était-il toujours faible et craintif lorsqu'il discutait avec Guetmanov ou Néoudobnov ?

Il avait accumulé de la haine contre ces hommes pendant les longues années de sa vie passée où — et cela semblait normal — des gaillards militairement incompétents, mais habitués au pouvoir, à la bonne chère, aux décorations, écoutaient les rapports qu'il leur présentait, lui faisaient la grâce d'intervenir pour qu'il obtienne une chambre dans le foyer des officiers et le citaient à l'ordre du jour. Ces hommes qui ne connaissaient pas les calibres des pièces, ces hommes incapables de lire correctement les discours que d'autres leur avaient écrits, ces hommes incapables de s'orienter sur une carte, ces hommes qui disaient « Helzinski », « un aéropage imminent », « je ne suis pas sans ignorer », avaient été, toute sa vie, ses supérieurs. Il leur faisait ses rapports. Leur ignorance ne s'expliquait pas par leur origine ouvrière : lui aussi avait un père mineur, un grand-père mineur, un frère mineur. Il lui semblait parfois que la force de ces hommes-là résidait précisément dans leur ignorance. Son langage correct, son amour des livres, son savoir faisaient sa faiblesse. Il pensait, avant la guerre, que ces hommes avaient sur lui l'avantage de la volonté et de la foi. Mais la guerre avait montré qu'il n'en était rien.

La guerre l'avait promu à un poste élevé. Mais il n'en était pas devenu pour autant le patron. Comme avant, il se soumettait à une force qu'il sentait constamment présente mais qu'il ne pouvait s'expliquer. Les deux hommes qui étaient ses subordonnés, qui n'avaient pas droit au commandement se trouvaient être les représentants de cette force.

Et le voilà qui fondait de plaisir quand Guetmanov lui confiait quelques histoires sur le monde où, de toute évidence, vivait cette force à laquelle on ne pouvait que se soumettre.

Mais la guerre montrerait à qui la Russie devrait être reconnaissante : aux Guetmanov, ou aux hommes tels que lui, Novikov.

Son rêve s'était, aujourd'hui, enfin exaucé, celle qu'il aimait depuis de longues années serait sa femme... Et le même jour ses chars avaient reçu l'ordre de marcher sur Stalingrad.

— Vous savez, dit soudain Guetmanov à Novikov, pendant que vous étiez en ville, nous avons eu une petite discussion, Mikhaïl Petrovitch et moi.

Il se laissa aller contre le dossier du divan et poursuivit, après une gorgée de bière :

— Moi, je suis un homme simple et je vais vous le dire carrément : nous avons parlé de la camarade Chapochnikov. En 1937, son frère a fait le plongeon (Guetmanov pointa un doigt vers le plancher). En fait, Néoudobnov l'a connu à cette époque, et moi, j'ai connu Krymov, le premier mari ; celui-là, on peut dire que c'est un miracle s'il a survécu. Il faisait partie du groupe des conférenciers auprès du Comité central. Et alors, Néoudobnov, il disait que le camarade Novikov a tort de lier sa vie à une personne issue d'un milieu peu net du point de vue social et politique, et ce, au moment même où le peuple soviétique et le camarade Staline ont placé en lui toute leur confiance.

— Et en quoi elle le regarde, ma vie personnelle ? demanda Novikov.

— Tout juste, acquiesça Guetmanov. Tout ça, ce sont des restes des habitudes de 1937, il faut avoir une vue plus large de ces choses. Mais n'interprétez pas en mal ce que je viens de vous dire. Néoudobnov est un homme magnifique, un homme d'une pureté de cristal, un communiste inflexible forgé par Staline. Mais il faut lui reconnaître un léger défaut : il ne sait pas toujours être sensible aux changements. L'essentiel, pour lui, ce sont les citations tirées de nos grands classiques. Et il ne sait pas toujours voir les enseignements de la vie. On a parfois l'impression qu'à force de se bourrer de citations, il ne sait plus dans quel État il vit. Et pourtant, elle nous en apprend des choses, la guerre. Le général Rokossovski, les généraux Gorbatov, Poultous, Belov, tous ils ont fait du camp. Cela n'a pas empêché le camarade Staline de juger qu'il pouvait leur confier des postes de commandement. Mitritch, c'est le camarade chez qui je suis allé aujourd'hui, m'a raconté comment Rokossovski est passé directement du camp au poste de général. Il était dans son baraquement en train de faire sa lessive et on vient le chercher : en vitesse ! Bon, qu'il se dit, on ne m'aura même pas laissé le temps de finir de laver mes chaussettes : la veille il avait eu droit à un interrogatoire poussé et on l'avait un peu malmené. Et là, on le fourre dans un Douglas et on te l'amène directement au Kremlin. Il faut quand même tirer des conclusions de tout cela. Mais notre Néoudobnov, c'est un enthousiaste des méthodes de 1937, et rien ne le fera changer. Je ne sais pas ce qu'il avait commis, ce frère d'Evguénia Nikolaïevna, mais peut-être qu'aujourd'hui le camarade Beria le libérerait lui aussi et qu'il commanderait une armée. Quant à Krymov, il est à l'armée. Il a sa carte du parti, pas de problèmes. Pas la peine de faire des histoires.

Mais ce furent justement ces derniers mots qui firent exploser Novikov.

— Mais qu'est-ce que ça peut bien me faire ! s'écria-t-il, et il s'étonna lui-même des éclats que sa voix venait de trouver.

« Rien à foutre qu'il ait été ennemi du peuple ou pas, le frère Chapochnikov. Nous n'avons pas gardé les cochons ensemble ! Quant à ce Krymov, paraît que Trotski a dit d'un de ses articles que c'était du marbre. Et moi, j'en ai rien à foutre. C'est du marbre ? Va pour le marbre. Il pourrait bien être le chouchou de Trotski, de Boukharine et de Pouchkine à la fois, qu'est-ce que ma vie a à voir là-dedans ? Moi, je ne les ai pas lus ses articles de marbre. Et Evguénia Nikolaïevna, qu'est-ce qu'elle a à voir, elle ? C'est peut-être elle qui a travaillé au Komintern jusqu'en 1937 ? Diriger, ça, tout le monde sait le faire, essayez un peu de combattre, chers camarades, essayez un peu de travailler. Ça suffit, mes petits gars ! Y en a marre !

Ses joues brûlaient, son cœur battait à grands coups sourds, ses pensées étaient claires, nettes et dures mais sa tête était pleine de brouillard : « Génia, Génia, Génia. »

Il entendait sa voix et il n'arrivait pas à réaliser que c'était lui qui, pour la première fois de sa vie, parlait aussi librement, aussi durement à un haut fonctionnaire du parti. Il regarda Guetmanov et, étouffant en lui remords et crainte, il se sentit joyeux.

Soudain, Guetmanov bondit sur ses pieds et s'exclama en ouvrant ses gros bras :

— Viens là que je t'embrasse, t'es un homme, et un vrai !

Novikov, ne sachant pas trop où il en était, étreignit Guetmanov et ils s'embrassèrent.

— Verchkov, apporte-nous le cognac, cria Guetmanov, le commandant du corps d'armée et le commissaire ont décidé de se tutoyer et il faut arroser cela.

5

« Eh bien voilà, c'est fini », se dit, toute contente, Evguénia Nikolaïevna quand elle eut fini le ménage dans sa chambre, comme si elle avait dans le même temps mis de l'ordre dans sa chambre, où le lit était fait et les plis de l'oreiller effacés, et dans son âme. Evguénia comprit qu'elle cherchait à se leurrer, qu'elle n'avait besoin que d'une chose au monde : de Novikov. Elle éprouva l'envie de raconter ce qui venait de se passer dans sa vie à Sofia Ossipovna, à Sofia Ossipovna et à personne d'autre, ni à sa sœur ni à sa mère. Et elle sentait confusément pourquoi elle aimerait en parler précisément à Sofia Ossipovna.

— Ah ! ma petite Sonia, ma petite Levintonnette, fit Evguénia à voix haute.

Puis elle se dit que Maroussia était morte. Elle comprenait qu'elle ne pouvait vivre sans lui et, de désespoir, se mit à taper du poing sur la table. Puis elle lança : « Et zut, je n'ai besoin de personne », après quoi elle se mit à genoux devant l'endroit où naguère était suspendu son manteau et murmura : « Ne meurs pas. »

Puis elle se dit : « Tout ça, c'est de la comédie, tu es une bonne femme pas possible. »

Elle cherchait à se faire mal et prononça un monologue intérieur qui lui était adressé et qu'elle prononça au nom d'un être bas et perfide de sexe indéterminé :

— C'est clair, elle en avait assez, la petite dame, d'être privée de mâle, ce sont les meilleures années qui passent... Elle en a plaqué un, bien sûr il ne faisait plus le poids, ce Krymov, il était en passe d'ailleurs de se faire exclure du parti. Alors que là, femme d'un commandant de corps d'armée. Et quel homme ! On la comprend... Mais que faire maintenant pour le garder ? Tu as déjà donné l'essentiel... Pas de doute, tu es bonne pour les nuits d'insomnie à te demander s'il ne s'est pas fait tuer ou s'il ne s'est pas trouvé une petite téléphoniste de dix-neuf ans.

Et, débusquant une pensée dont Evguénia ne savait rien encore, la voix cynique ajouta :

— T'en fais pas, tu fileras bientôt le rejoindre.

Elle ne comprenait pas pourquoi elle avait cessé d'aimer Krymov. Mais là, il n'y avait pas besoin de comprendre, elle était heureuse.

Soudain, elle se dit que Krymov gênait son bonheur. Il était constamment entre elle et Novikov, il lui empoisonnait sa joie. Il continuait de lui gâcher sa vie. Pourquoi fallait-il qu'elle se torture, pourquoi ces remords ? Qu'attendait-il d'elle, pourquoi la poursuivait-il ? Elle avait le droit d'être heureuse, elle avait le droit d'aimer celui qu'elle aimait. Pourquoi fallait-il qu'elle vît en Krymov un être faible, perdu, solitaire, sans défense ? Pas si faible que cela ! Pas si bon que cela !

Elle se sentait de plus en plus irritée contre Krymov. Non, mille fois non, elle ne lui sacrifierait pas son bonheur... Il était cruel, inflexible, d'un fanatisme borné. Elle n'avait jamais pu admettre son indifférence à l'égard des souffrances humaines. Comme tout cela leur était étranger, à elle, à sa mère, à son père... « Pas de pitié pour les koulaks », disait-il alors que, dans les campagnes russe et ukrainienne, des dizaines de milliers de femmes et d'enfants mouraient de faim. « On n'arrête pas des innocents », disait-il, alors que régnaient Yagoda et Ejov. Quand, un jour, Alexandra Vladimirovna avait raconté comment, en 1918, à Kamychine, on avait chargé sur une péniche et noyé dans la Volga de riches marchands et des propriétaires immobiliers avec leurs enfants (il y avait parmi eux des camarades de classe de Maroussia), les Minaïev, les Gorbounov, les Kassaïkine, les Sapojnikov. Krymov avait rétorqué, irrité : « Et qu'est-ce que vous voulez qu'on fasse avec les ennemis de notre révolution, qu'on leur donne de la brioche ? » Pourquoi n'aurait-elle pas droit au bonheur ? Pourquoi devrait-elle se déchirer, plaindre un homme qui, lui, n'a jamais plaint les faibles ?

Mais au fond d'elle-même, à travers sa colère, elle savait qu'elle avait tort et que Nikolaï Grigorievitch n'était pas si cruel que cela.

Elle ôta sa jupe d'hiver, une jupe qu'elle avait eue à la foire au troc, et enfila sa robe d'été, la seule qui lui restait après l'incendie de Stalingrad, la robe qu'elle portait le soir où Novikov et elle s'étaient promenés au bord de la Volga, à Stalingrad.

Un jour, peu de temps avant sa déportation, elle avait demandé à Jenny si elle avait connu l'amour.

Jenny avait rougi de confusion et avait répondu que, oui, elle avait été amoureuse d'un garçonnet aux boucles dorées et aux yeux bleus. Il portait une veste de velours et un col de dentelles. Elle avait onze ans et ne le connaissait que de vue. Où était maintenant le garçonnet bouclé en veste de velours, où était Jenny ?

Evguénia Nikolaïevna s'assit sur le lit, regarda sa montre. C'était à cette heure-là que, d'habitude, Chargorodski passait la voir. Mon Dieu, qu'elle n'avait pas envie, aujourd'hui, de conversations intelligentes !

Elle enfila précipitamment son manteau, mit son fichu. Cela n'avait pas de sens, le convoi devait être parti depuis longtemps.

Aux alentours de la gare palpitait une masse énorme d'hommes assis sur leurs sacs et baluchons. Evguénia Nikolaïevna rôdait dans les ruelles environnantes, une femme lui demanda des bons de rationnement, une autre des bons de voyage... Des hommes la suivaient d'un regard endormi et soupçonneux. Un convoi pesant passa sur la voie numéro 1, les murs de la gare tremblèrent, les vitres tintèrent. Elle crut que son cœur, lui aussi, tremblait. Les chars chargés sur les plates-formes passaient devant la gare.

Elle se sentait heureuse. Et les chars continuaient à défiler devant elle, avec, assis dessus, des soldats casqués, mitraillette sur la poitrine.

Elle rentrait chez elle, elle marchait en balançant les bras comme un gamin, elle avait ouvert son manteau et jetait de temps en temps un coup d'œil sur sa robe d'été.

Soudain, le soleil couchant éclaira les rues et aussitôt la ville froide et poussiéreuse, méchante et éraillée, devint claire, rose, majestueuse... Elle entra dans sa maison et la doyenne de l'appartement, qui avait remarqué dans la journée la venue chez Evguénia Nikolaïevna d'un colonel, annonça avec un sourire flagorneur :

— Il y a une lettre qui vous attend.

« Oui, c'est mon jour de bonheur », pensa Evguénia et elle décacheta la lettre qui venait de Kazan, de sa mère.

Elle lut les premières lignes, elle poussa un petit cri et appela :

— Tolia, Tolia !

6

L'idée qui avait frappé Strum au milieu de la nuit, en plein dans la rue, servit de base à une théorie nouvelle. Les équations qu'il avait développées en quelques semaines de travail ne servaient absolument pas à élargir la théorie classique, acceptée par tous les physiciens, elles n'en étaient pas le complément ; bien au contraire, c'était la théorie classique qui était devenue un cas particulier de la nouvelle théorie, plus large, qu'avait élaborée Strum ; ses équations incluaient l'ancienne théorie qui jusqu'alors semblait globale.

Strum cessa pour un temps d'aller à l'Institut et c'était Sokolov qui dirigeait les travaux du laboratoire. Strum ne sortait presque plus de chez lui, marchait de long en large dans la chambre, passait des heures assis à son bureau. Parfois, le soir, il sortait se promener et choisissait dans ce cas les ruelles désertes autour de la gare afin d'éviter les gens de connaissance. A la maison, il n'avait pas changé d'habitude : il plaisantait à table, lisait les journaux, écoutait le bulletin d'information du *Sovinformburo,* s'en prenait à Nadia, posait des questions à Alexandra Vladimirovna sur son travail à l'usine, discutait avec sa femme.

Lioudmila Nikolaïevna sentait que, tous ces jours, son mari s'était mis à lui ressembler : il faisait tout ce qu'il avait coutume de faire mais il ne participait pas à la vie qu'il menait ; il s'y conformait aisément pour la seule raison qu'elle lui était familière. Mais cette similitude n'avait pas rapproché Lioudmila Nikolaïevna de son mari, car elle n'était qu'apparente. Des causes radicalement opposées étaient à l'origine de leur indifférence intérieure à la maison : la vie et la mort.

Strum ne doutait pas de la justesse de ses résultats. Cette assurance ne lui était pas naturelle. Mais précisément maintenant, alors qu'il avait formulé la plus grande découverte scientifique de sa vie, il n'avait pas un instant été effleuré par le doute. A la seconde où lui était venue l'idée d'un nouveau système d'équations qui permettaient d'interpréter de façon nouvelle tout un ensemble de phénomènes physiques, il avait senti, sans éprouver les doutes et hésitations habituels, que son idée était juste.

Et maintenant, alors qu'il arrivait au terme de son travail mathématique, qu'il vérifiait et revérifiait la démarche de ses raisonnements, sa certitude n'était pas plus grande qu'à l'instant où, dans une rue déserte, il avait été frappé par une illumination soudaine.

Il lui arrivait d'essayer de comprendre la voie qu'il avait suivie. En apparence, tout était simple.

Les expériences qu'ils avaient montées au laboratoire devaient confirmer ce que la théorie prédisait. Mais ce ne fut pas le cas. Les contradictions entre les expériences et la théorie l'amenèrent tout naturellement à mettre en doute la précision des expériences. La théorie, qui avait été élaborée à partir des travaux que des chercheurs avaient menés pendant des décennies et qui, à son tour, avait permis d'expliquer nombre de résultats expérimentaux, cette théorie semblait intouchable. Les expériences, maintes fois répétées, montraient chaque fois que les déflexions subies par les particules chargées en interaction avec les noyaux ne correspondaient toujours pas à ce que prévoyait la théorie. Les diverses corrections, même les plus généreuses, pour l'imprécision des expériences, pour l'imperfection des appareils de mesure et de l'émulsion photographique utilisée pour photographier les fissions des noyaux, ne pouvaient expliquer de si grands écarts.

Il devint évident alors que les résultats des expériences ne pouvaient être mis en doute, et Strum s'efforça de raccommoder la théorie ancienne en y introduisant une série de nouveaux postulats, postulats qui devaient permettre à la théorie de rendre compte des nouveaux résultats obtenus au laboratoire.

Tout ce qu'il faisait découlait d'une idée fondamentale : la théorie était déduite de la pratique, aussi l'expérience ne pouvait contredire la théorie.

Un énorme travail fut dépensé en vain pour rendre la théorie compatible avec les résultats.

Mais la théorie, qu'il lui semblait toujours impensable de rejeter, avait beau avoir été raccommodée, elle n'aidait pas plus qu'avant à expliquer les données expérimentales contraires que le laboratoire continuait à fournir.

C'est alors que tout bascula.

L'ancienne théorie cessa d'être la base, le fondement, le tout global. Elle n'était pas fausse, elle n'était pas un égarement mais elle n'était plus qu'un cas particulier de la nouvelle théorie... La reine douairière s'inclina devant la nouvelle reine. Tout cela n'avait pris qu'un instant.

326

Quand Strum voulut repenser la naissance dans son esprit de la nouvelle théorie, un fait inattendu le frappa.

La logique simplette qui relie la théorie à l'expérience semblait absente. Les traces de pas s'interrompaient, il ne pouvait comprendre la voie qu'il avait suivie.

Il avait toujours cru que la théorie sortait de l'expérience. Il pensait que les contradictions entre la théorie et de nouvelles expériences menaient naturellement à l'élaboration d'une nouvelle théorie, plus large que la précédente.

Mais, chose étrange, il venait de se convaincre que cela ne se passait absolument pas ainsi. Le succès était venu alors qu'il n'essayait pas de relier l'expérience à la théorie, ni la théorie à l'expérience.

Le nouveau était sorti, semblait-il, non pas tant de l'expérience que de la tête de Strum. C'était pour lui d'une évidence aveuglante. Le nouveau était né librement. Sa tête avait donné naissance à une théorie. La logique de cette théorie, ses déterminations n'étaient pas liées aux expériences que menait Markov au laboratoire. La théorie, semblait-il, était née librement du libre jeu de l'intelligence et c'était ce libre jeu qui se serait comme détaché de l'expérience, et qui avait permis de trouver une explication à toute la richesse des résultats expérimentaux anciens et nouveaux.

L'expérience avait été le choc extérieur qui avait mis en branle la pensée. Mais celui-ci n'avait pas déterminé le contenu même de la pensée.

C'était stupéfiant...

Son cerveau était rempli de relations mathématiques, d'équations différentielles, de lois des probabilités, de la théorie des nombres. Ces relations mathématiques avaient leur vie propre dans un néant de vide, en dehors du monde des atomes et des étoiles, en dehors des champs électromagnétiques, en dehors des champs de gravitation, en dehors du temps et de l'espace, en dehors de l'histoire humaine et de l'histoire géologique de la terre. Mais elles étaient dans sa tête.

Et, dans le même temps, sa tête était pleine d'autres relations et d'autres lois : d'interactions quantiques, de champs de forces, de constantes qui déterminent les processus nucléaires, la propagation de la lumière, la contraction et la dilatation du temps et de l'espace. Et, curieusement, dans sa tête de physicien, les processus du monde matériel n'étaient que le reflet de lois engendrées dans le désert mathématique. Dans l'esprit de Strum, ce n'était pas la mathématique qui était le reflet du monde, mais le monde qui était une projection d'équations différentielles, le monde était un reflet de la mathématique.

Et, dans le même temps, sa tête était pleine d'indications de divers compteurs et appareils de mesure, de pointillés qui avaient fixé sur l'émulsion du papier les trajectoires des particules et les fissions des noyaux.

Et dans le même temps, vivaient dans sa tête et le bruit des feuilles dans les arbres et le clair de lune, et la bouillie de sarrasin au lait, et le ronflement du feu dans le poêle, et des bribes de mélodies, et des aboiements de chiens, et le sénat de Rome, et les bulletins du *Sovin formburo,* et la haine de l'esclavage, et l'amour pour les graines de potiron.

Et de toute cette bouillie était sortie une théorie, elle avait surgi des profondeurs où il n'y a ni mathématiques, ni physique, ni expériences dans un laboratoire de physique, ni expérience tout court, où il n'y avait pas de conscience mais la tourbe inflammable de l'inconscient...

Et la logique mathématique, sans lien avec le monde, s'était reflétée et exprimée, s'était incarnée dans une théorie physique réelle ; et soudain la théorie s'était inscrite avec une exactitude divine dans l'entrelacs de pointillés qui s'était imprimé sur le papier photo.

Quant à l'homme dans la tête duquel tout cela s'était passé, il regardait les équations différentielles et les bouts de photos qui confirmaient la théorie qu'il avait créée, il poussait de petits sanglots et essuyait les larmes de bonheur qui coulaient de ses yeux.

Et malgré tout, s'il n'y avait pas eu ces expériences malheureuses, s'il n'y avait pas eu ce chaos et ces absurdités, Sokolov et lui auraient raccommodé tant bien que mal l'ancienne théorie et ils se seraient trompés.

Quelle chance que le chaos n'ait pas cédé devant leur insistance !

Et malgré tout, même si cette nouvelle explication était née dans sa tête, elle était liée aux expériences de Markov. Car quand même, s'il n'y avait pas d'atomes et de noyaux d'atomes dans le monde réel, il n'y en aurait pas dans le cerveau de l'homme. Oui, s'il n'y avait pas eu les Petouchkov, ces merveilleux souffleurs de verre, les centrales électriques de Moscou, les hauts fourneaux, s'il n'y avait pas eu la production de réactifs purs, il n'y aurait pas eu de mathématiques prédisant la réalité dans la tête du physicien.

Ce qui étonnait le plus Strum, c'était qu'il avait obtenu son plus brillant succès scientifique au moment où il était écrasé par le chagrin. Comment cela se pouvait-il ?

Et pourquoi avait-il en quelques brèves secondes trouvé une solution à ces problèmes insolubles, au moment où il sortait de discussions dangereuses et acérées qui n'avaient aucun rapport avec son travail ? Mais, bien sûr, c'était là pure coïncidence.

Il était malaisé de tirer tout cela au clair.

Son travail était achevé et Strum éprouva le besoin d'en parler, jusqu'alors il ne s'était pas demandé à qui il pourrait confier ses idées.

Il eut envie de rencontrer Sokolov, d'écrire à Tchepyjine ; il s'imaginait les réactions de Mandelstam, Joffe, Landau, Tamm, Kourtchatov quand ils verraient ses nouvelles équations ; il voulait savoir l'effet qu'elles produiraient sur ses collaborateurs du laboratoire ou sur les Léningradois. Il cherchait un titre pour sa publication. Il s'interrogeait sur l'attitude qu'aurait Bohr à l'égard de son travail, sur ce que dirait Fermi. Peut-être même qu'Einstein le lirait et lui écrirait quelques mots. Il se demandait quels seraient ses adversaires, et quels problèmes il aiderait à résoudre.

Il n'avait pas envie de parler de son travail à sa femme. D'ordinaire, avant d'envoyer la moindre lettre d'affaire, il la lisait à Lioudmila. Quand il rencontrait par hasard un vieil ami dans la rue, sa première pensée était : « C'est Lioudmila qui sera étonnée ! » Quand, au cours d'une discussion avec le directeur de l'Institut, il lançait une réplique un peu sèche, il se disait : « Ce soir, je raconterai à Lioudmila ce que je lui ai mis. » Il ne concevait pas qu'il puisse voir un film ou assister à une pièce de théâtre sans savoir que Lioudmila était à côté de lui et qu'il pouvait lui glisser : « Seigneur, quelle merde ! » Il partageait avec elle ses craintes les plus intimes ; du temps où il était encore un étudiant, il lui disait : « Tu sais, je crois bien que je suis un crétin. »

Pourquoi se taisait-il maintenant ? Ce besoin qu'il avait de lui faire partager sa vie reposait peut-être sur la certitude qu'elle vivait plus par sa vie à lui que par la sienne propre, que la vie de son mari était sa vie ? Et cette certitude l'avait fui. Avait-elle cessé de l'aimer ? Peut-être était-ce lui qui avait cessé de l'aimer ?

Et malgré tout, bien qu'il n'en eût pas envie, il parla de son travail à Lioudmila.

— Tu comprends, disait-il, c'est une drôle de sensation, il peut m'arriver n'importe quoi maintenant, je sais au fond de moi que je n'ai pas vécu pour rien. Tu comprends, c'est maintenant, précisément maintenant, que pour la première fois je n'ai pas peur de mourir, là, sur-le-champ ; c'est que cela est, c'est né !

Et il lui montra sur la table un feuillet tout griffonné.

— Je n'exagère pas, c'est un nouveau point de vue sur la nature des forces nucléaires, un nouveau principe, pas de doute, c'est une clé pour bien des portes qui restent encore fermées... Et, tu comprends, quand j'étais petit... non, ce n'est pas ça, mais tu sais, ce que je ressens, c'est comme si soudain un nénuphar sortait d'une eau noire, ah, mon Dieu !

— Je suis très contente, vraiment très contente, disait-elle en souriant.

Il voyait bien qu'elle était plongée dans ses propres pensées, qu'elle ne partageait ni ses émotions ni ses joies.

Et elle n'en parla ni à sa mère ni à Nadia ; elle ne s'en rappelait sûrement plus.

Le soir, Strum alla chez les Sokolov.

Ce n'est pas seulement de son travail qu'il voulait parler avec Sokolov ; il voulait aussi lui faire part de ses sentiments.

Sokolov le comprendrait, il n'était pas seulement intelligent, il était aussi une âme pure et bonne.

Mais il avait en même temps peur que Sokolov ne lui fasse des reproches et ne lui rappelle ses moments de découragement. Sokolov aimait beaucoup expliquer aux autres leurs propres actes et se lancer dans de verbeuses leçons de morale.

Il n'était pas retourné chez Sokolov depuis longtemps, bien qu'il en eût l'intention à trois ou quatre reprises. Il revit les yeux à fleur de tête de Madiarov. « C'est qu'il ne manque pas d'audace, le cochon », pensa-t-il. Il n'avait pas une seule fois, il s'en étonnait lui-même, pensé à leurs débats nocturnes. Et même maintenant, il n'avait pas envie d'y penser. Une inquiétude diffuse, l'attente d'un malheur iné-luctable étaient liées à ces discussions nocturnes. Il fallait dire qu'ils avaient vraiment perdu toute mesure, à jouer les oiseaux de mauvais augure. Et pourtant, Stalingrad résistait toujours, les Allemands étaient arrêtés, les évacués commençaient à rentrer à Moscou.

Il avait dit la veille à Lioudmila que maintenant il n'avait plus peur de la mort, mais il avait peur de repenser à ses critiques d'alors. Sans parler de Madiarov qui racontait vraiment Dieu sait quoi. Rien que d'y penser... Quant aux soupçons de Karimov, ils étaient tout bonne-ment terrifiants. Et si c'était vrai que Madiarov n'était qu'un provocateur ?

« Bien sûr, bien sûr, se disait Strum, je n'ai pas peur de la mort, mais je suis maintenant un prolétaire qui n'a pas que ses chaînes à perdre. »

Sokolov, vêtu d'une veste d'intérieur, lisait un livre.

— Et où est donc Maria Ivanovna ? demanda Strum, étonné.

Et il s'étonna lui-même de son étonnement. Ne trouvant pas Maria Ivanovna chez elle, il ne savait plus que faire, comme si ce n'était pas avec Sokolov mais avec sa femme qu'il était venu discuter de physi-que théorique.

Sokolov rangea ses lunettes dans leur étui et sourit :

— Est-ce que Maria Ivanovna est censée rester toujours à la maison ?

Et alors, ému, Strum entreprit, avec force « euh », hésitations et toussotements, d'exposer ses idées et de développer les équations.

Sokolov était la première personne à qui Strum confiait sa théorie, et Strum ressentit tout autrement ce qu'il avait fait.

— Eh bien voilà, c'est tout, fit Strum d'une voix qui se brisa car il sentait l'émotion de Sokolov.

Ils gardèrent le silence, et ce silence sembla à Strum merveilleux. Il restait tête baissée, l'œil sombre, et hochait tristement la tête. Finalement il osa lancer un regard craintif en direction de Sokolov, et il crut voir des larmes.

Deux hommes étaient assis dans une pièce misérable, pendant une guerre terrible qui s'était emparée du monde entier, et un lien merveilleux les unissait à des hommes qui vivaient dans d'autres pays, à des hommes qui avaient vécu il y a des centaines d'années, à des hommes dont la pensée avait toujours aspiré vers ce que l'homme peut faire de plus beau et de plus pur.

Strum aurait voulu que Sokolov continue à se taire ; il y avait quelque chose de divin dans ce silence...

Ils restèrent longtemps ainsi. Puis Sokolov s'approcha de Strum, lui posa la main sur l'épaule et Strum sentit qu'il allait se mettre à pleurer.

— Une merveille, incroyable, d'une élégance... dit Sokolov. Je vous félicite de tout mon cœur. Quelle force, quelle logique, quelle élégance ! Vos conclusions sont même esthétiquement parfaites.

« Mon Dieu, pensa Strum, il s'agit bien d'élégance ici ! »

— Vous voyez bien, poursuivait Sokolov, que vous aviez tort quand vous aviez perdu courage, quand vous parliez de tout remettre à Moscou.

Et, sur ce ton de prêche, que Strum ne supportait pas, il commença :

— Vous manquez de foi, vous manquez de patience. C'est votre grand défaut...

— Je sais, je sais, l'interrompit précipitamment Strum. J'étais profondément déprimé par cette impasse, je n'avais plus le cœur à rien.

Mais Sokolov s'était déjà lancé dans ses raisonnements, et tout ce qu'il disait déplaisait à Strum bien que Piotr Lavrentievitch eût saisi la portée du travail de Strum et qu'il le louât en termes superlatifs. Mais Strum trouvait toutes ces appréciations plates et fausses.

« Votre travail promet de grands résultats... » Qu'est-ce que c'est que ce « promet » ? Il n'a pas besoin de Sokolov pour savoir ce que son travail « promet ». Et pourquoi « promet » ? Son travail est en lui-même un résultat, pas besoin de promettre. « Vous avez employé une méthode originale... » Le problème n'est pas de savoir si c'est original ou pas... C'est du pain, du simple pain noir...

Strum fit dévier la conversation sur les affaires du laboratoire :

— A propos, Piotr Lavrentievitch, j'avais oublié de vous en parler, j'ai reçu une lettre de l'Oural, ils ont pris du retard pour réaliser notre commande.

— Et voilà, dit Sokolov, le nouveau matériel va arriver, et nous, nous serons déjà à Moscou. Cela a un aspect positif. De toute façon nous ne l'aurions pas monté à Kazan et on nous aurait accusés de prendre du retard dans notre travail.

Il parla longuement des affaires du laboratoire, du plan à remplir. Et bien que Strum eût lui-même choisi ce nouveau sujet, il était triste de voir Sokolov l'accepter si facilement et abandonner l'autre, le principal.

En ces instants, Strum ressentit plus vivement que jamais sa solitude.

Se pouvait-il que Sokolov ne comprît pas qu'il s'agissait de quelque chose de plus important que les habituelles affaires de labo ?

Il s'agissait probablement de la plus grande découverte qu'ait faite Strum, elle influait sur les conceptions théoriques des physiciens. Visiblement, Sokolov comprit, d'après le visage de Strum, qu'il avait accepté trop facilement de changer de sujet.

— C'est intéressant, dit-il, vous avez confirmé sous un angle totalement nouveau ce truc avec les neutrons et le noyau lourd (il fit un geste de la main qui évoquait une luge dévalant une pente), et là, nous aurons besoin de notre nouvel appareillage.

— Oui, en effet, dit Strum, mais ce n'est qu'un détail.

— Pas d'accord, c'est un détail suffisamment important, admettez que c'est une énergie fantastique.

— Laissez-la donc en paix, fit Strum. Ce qui est intéressant dans tout cela, c'est un nouveau point de vue sur la nature des microforces. Il se peut que cela en réjouisse quelques-uns et que cela mette fin à bien des tâtonnements à l'aveuglette.

— Pour ce qui est de se réjouir, comptez-y ! dit Sokolov. Ils se réjouiront comme se réjouissent des sportifs quand ce ne sont pas eux mais quelqu'un d'autre qui bat un record.

Strum ne répondit pas. Sokolov avait abordé un sujet qui avait été débattu récemment au laboratoire.

Savostianov avait tracé un parallèle entre le savant et le sportif : le savant se préparait, s'entraînait, sa tension, quand il cherchait à résoudre un problème scientifique, était celle d'un sportif qui faisait une tentative pour battre un record. C'était, d'un côté comme de l'autre, une question de records.

Strum, mais plus encore Solokov, s'était indigné. Solokov prononça même tout un discours, traitant Savostianov de cynique. La science, à l'entendre, était quasiment une religion où s'exprimait l'aspiration de l'homme vers le divin.

Strum comprenait que, s'il s'était mis en colère contre Savostianov, la seule raison n'en était pas la fausseté des affirmations de ce dernier. Plus d'une fois, Strum avait éprouvé la joie purement sportive d'une victoire, la passion et l'envie du sportif.

Mais il savait que l'envie, la volonté d'être premier, les émois sportifs, la recherche du record, tout cela n'était qu'à la surface de sa relation à la science. Il s'était mis en colère contre Savostianov parce que ce dernier avait raison mais aussi parce qu'il avait tort.

Ce qu'était véritablement son sentiment à l'égard de la science, sentiment né dans sa jeunesse, il ne le disait à personne, pas même à sa femme. Et il lui avait été agréable d'entendre Sokolov parler de la science sur un ton si juste et si élevé lors de sa discussion avec Savostianov.

Pourquoi fallait-il maintenant que Piotr Lavrentievitch parle des savants qui ressemblent à des sportifs ? Pourquoi l'avait-il fait précisément en cet instant, si crucial pour Strum ?

Ulcéré, il lança brutalement à Sokolov :

— Et alors, Piotr Lavrentievitch, là maintenant, ce n'est pourtant pas vous qui êtes le recordman, vous n'avez aucune joie devant ce dont nous discutons ?

Sokolov était justement en train de se dire que la solution trouvée par Strum allait de soi, qu'elle était d'une simplicité évidente, qu'elle existait déjà dans sa tête à lui, Sokolov, et qu'il était sur le point de la formuler lui aussi.

— Non, de la même manière que Lawrence n'éprouva aucun enthousiasme quand ce fut Einstein, et non pas lui, qui transforma les équations que lui, Lawrence, avait établies.

Le naturel de l'aveu étonna Strum, qui regretta son animosité à l'égard de Sokolov.

Mais Sokolov rajouta aussitôt :

— Je dis cela pour rire, bien sûr, Lawrence n'a rien à voir. Ce n'est pas ça que je pense. Mais malgré tout, c'est moi qui ai raison et non pas vous, même si je ne pense pas ce que j'ai dit.

— Évidemment, fit Strum, vous avez dit cela pour rire.

Mais son irritation ne passait pas et il était fermement convaincu que Sokolov pensait ce qu'il avait dit.

« Il n'est pas sincère aujourd'hui, pensa Strum. Mais il est pur comme un enfant, ça se voit tout de suite quand il n'est pas sincère. »

— Dites-moi, demanda-t-il, on se réunit chez vous samedi comme d'habitude ?

Sokolov tordit son gros nez de brigand, sembla sur le point de dire quelque chose mais resta silencieux.

Strum le fixait d'un œil interrogateur.

— Vous savez, se décida enfin Sokolov, entre nous soit dit, nos petites soirées ne me plaisent plus tellement.

C'était à lui maintenant de fixer Strum d'un air interrogateur et bien que Strum ne répondît rien, il poursuivit :

— Vous voulez savoir pourquoi ? Vous comprenez bien vous-même... On ne plaisante pas avec ces choses-là. On avait la langue trop longue.

— Vous, ça ne vous concerne pas, dit Strum, vous vous taisiez la plupart du temps.

— Ben, vous savez, c'est justement là le problème.

— Bon, alors faisons-le chez moi, j'en serais très heureux, dit Strum.

C'était à ne rien y comprendre. Lui non plus n'arrivait pas à être sincère ! Pourquoi fallait-il qu'il mente ? Pourquoi contredisait-il Sokolov, alors qu'en son for intérieur il était d'accord avec lui ? Car lui aussi maintenant craignait ces rencontres et ne souhaitait pas les voir reprendre.

— Pourquoi chez vous ? demanda Sokolov. Ce n'est pas le problème. Et puis, à dire vrai, je me suis brouillé avec notre principal orateur, et mon parent, autrement dit avec Madiarov.

Strum avait très envie de demander : « Êtes-vous sûr qu'on peut faire confiance à Madiarov ? Pouvez-vous vous en porter garant ? » Mais au lieu de cela, il dit :

— Pourquoi vous en faites une histoire ? Vous vous êtes persuadé que la moindre parole courageuse met en péril l'État. Dommage que vous vous soyez disputé avec Madiarov, il me plaît, et même beaucoup.

— Ce n'est pas bien que des Russes, en ces temps difficiles pour la Russie, s'amusent à tout critiquer, prononça Sokolov.

De nouveau, Strum eut envie de demander : « Piotr Lavrentievitch, c'est une affaire sérieuse, vous êtes tout à fait sûr que Madiarov n'est pas un provocateur ? »

Mais il ne posa pas la question qui lui brûlait les lèvres.

— Permettez, dit-il, justement cela va un peu mieux maintenant. Stalingrad est l'hirondelle qui annonce le printemps. Regardez, nous venons d'établir les listes de personnes qui doivent rentrer à Moscou. Et souvenez-vous à quoi on pensait il y a deux mois à peine. L'Oural, la taïga, le Kazakhstan, voilà ce qu'on avait en tête.

— Raison de plus, fit Sokolov, je ne vois pas de raison pour croasser.

— Croasser ? répéta Strum.

— Précisément, croasser.

— Mais enfin, pourquoi dites-vous des choses pareilles ? s'étonna Strum.

Quand il prit congé de Sokolov, il se sentait égaré et oppressé.

Sa solitude lui était insupportable. Dès le matin il était mal à l'aise, il avait espéré voir Sokolov. Il s'était dit que ce serait une rencontre qui ne serait pas comme les autres. Mais en fait, tout ce que lui avait dit Sokolov lui avait semblé mesquin, peu sincère.

Mais lui non plus n'avait pas été sincère. Le sentiment de solitude ne l'avait pas lâché et devenait même de plus en plus intense.

Il sortit dans la rue. Il était encore devant la porte d'entrée quand il entendit une voix de femme l'appeler doucement. Il reconnut la voix.

La lumière terne du lampadaire éclairait le visage de Maria Ivanovna ; son front, ses joues étaient brillants de pluie. Avec son fichu de laine sur la tête et son manteau râpé, cette femme d'un docteur ès sciences, d'un professeur d'université, semblait une incarnation de la pauvre vie des évacués en temps de guerre.

« Une femme de ménage », pensa-t-il.

— Comment va Lioudmila Nikolaïevna ? demanda-t-elle en fixant Strum d'un regard attentif.

— Toujours la même chose, fit-il en haussant les épaules.

— Je passerai chez vous demain de bonne heure, dit-elle.

— Même sans cela, vous êtes son ange gardien, dit Strum. Encore heureux que Piotr Lavrentievitch le tolère : vous passez des heures et des heures avec Lioudmila Nikolaïevna et lui, c'est un véritable enfant, il ne peut se passer de vous ne serait-ce qu'un instant.

Elle le fixait toujours, l'air pensif, comme si elle l'écoutait sans l'entendre.

— Vous avez aujourd'hui un visage tout à fait particulier, dit-elle soudain. Vous est-il arrivé quelque chose d'heureux ?

— Qu'est-ce qui vous fait dire cela ?

— Vous n'avez pas les mêmes yeux que d'habitude. C'est votre travail, ajouta-t-elle, c'est votre travail qui marche, c'est cela ? Eh bien, vous voyez, et vous qui disiez que vous n'étiez plus bon à rien à cause du grand malheur qui vous était arrivé.

— Où avez-vous appris tout cela ? Et qu'avez-vous donc trouvé de si extraordinaire au fond de mes beaux yeux ? demanda-t-il, cachant son irritation sous l'ironie.

« Quelles bavardes, ces bonnes femmes, pensa-t-il, c'est sûrement Lioudmila qui lui a tout raconté. »

Elle ne répondit pas immédiatement, réfléchissant à ce qu'il venait de lui dire, et quand elle parla, ce ne fut pas sur le ton plaisant qu'il lui proposait :

— On voit toujours une souffrance dans vos yeux, mais pas aujourd'hui.

Et il lui parla :

— Comme tout est étrange, Maria Ivanovna. Je le sens : je viens d'accomplir la grande affaire de ma vie. La science c'est le pain, le pain de l'âme. Et cela s'est passé maintenant, à une époque si dure, si cruelle. Comme c'est étrange, comme tout est embrouillé dans la vie ! Comme je voudrais que... Oh ! et puis pourquoi en parler...

Elle l'écoutait sans le quitter du regard.

— Comme je voudrais, dit-elle à voix basse, chasser le malheur de votre maison.

— Merci, ma chère Maria Ivanovna, dit Strum en la quittant.

Il s'était soudain apaisé, comme si c'était elle qu'il voulait voir et qu'il lui avait dit ce qu'il tenait à dire.

Mais, une minute plus tard, il marchait dans la rue sans lumière, les ruelles sombres soufflaient le froid, le vent soulevait les pans de son manteau aux carrefours, et il avait complètement oublié les Sokolov. Strum marchait la tête rentrée dans les épaules, le front plissé : est-ce possible que maman ne sache jamais ce que son fils avait accompli ?

Strum réunit tous les collaborateurs du laboratoire (les physiciens Markov, Savostianov et Anna Nahumovna Weispapier, le mécanicien Nozdrine, l'électricien Perepelitsyne) et il leur annonça que les doutes qu'ils avaient eus sur la précision de leur appareillage n'étaient pas fondés. Tout au contraire, c'était l'extrême précision des mesures qui avait amené à des résultats identiques, quelles que fussent les variations des conditions de l'expérience.

— Tous, nous avons été inquiets et déprimés, dit Strum. Maintenant, tous, nous pouvons nous réjouir. Les expériences ont été menées par le professeur Markov de manière irréprochable ; c'est aussi, bien sûr, le mérite et de l'atelier de mécanique et des garçons de laboratoire qui ont procédé à des centaines et des milliers d'observations et de calculs.

— On voudrait que vous exposiez, dit Markov avec un petit toussotement, votre point de vue de façon aussi détaillée que possible.

— Faudra que je boive tout l'alcool du laboratoire pour arroser cela, dit Savostianov d'un air préoccupé.

Anna Nahumovna, grande militante devant l'éternel, s'exclama :

— Quel bonheur ! On commençait déjà à nous accuser de tous les péchés du monde, au cours des réunions du syndicat sur l'efficacité des laboratoires.

Nozdrine, le mécanicien, se taisait et se frottait la joue.

Perepelitsyne, le jeune électricien unijambiste, devint tout rouge et laissa tomber sa béquille.

Cette journée apporta beaucoup de joie à Strum.

Pimenov, le jeune directeur, lui avait parlé le matin au téléphone et l'avait couvert d'éloges. Pimenov devait prendre l'avion pour Moscou : on en était aux derniers préparatifs et le retour à Moscou de la quasi-totalité des laboratoires de leur Institut était imminent.

— Victor Pavlovitch, dit en guise d'adieu Pimenov, nous nous reverrons donc bientôt à Moscou. Je suis heureux et fier d'être le directeur de cet Institut au moment où vous avez mené jusqu'à leur terme vos remarquables travaux.

De même, toute la réunion avec les collaborateurs du laboratoire lui avait été très agréable.

Markov, qui ironisait volontiers sur les mœurs de son laboratoire et aimait à dire : « Chez nous, il y a un régiment de docteurs, un bataillon d'attachés de recherche, et comme soldat nous n'avons que Nozdrine. Nous sommes une pyramide inversée. Il nous faudrait un régiment de Nozdrine ! », dit, après l'exposé de Strum :

— Ouais, je pouvais toujours causer des régiments et des pyramides !

Quant à Savostianov, qui proclamait que la recherche scientifique est une sorte de sport, il regardait Strum, après son exposé, avec des yeux extraordinairement bons et heureux.

Strum comprit qu'en cet instant Savostianov ne le regardait pas comme un footballeur qui regarde son entraîneur mais comme un croyant qui regarde un apôtre.

Il se souvint de sa discussion de naguère avec Solokov, il se souvint du récent débat entre Solokov et Savostianov et se dit que s'il comprenait peut-être quelque chose à la nature des forces nucléaires, il ne comprenait décidément rien à rien à la nature de l'homme.

Alors que la journée de travail tirait à sa fin, Anna Nahumovna entra dans le bureau de Strum :

— Le nouveau chef du personnel, lui dit-elle, ne m'a pas inscrite dans la liste des personnes qui rentrent à Moscou ; je viens de la voir.

— Je suis au courant, répondit Strum, mais il ne faut pas vous en faire. On a constitué deux listes, vous partirez avec la seconde, quelques semaines plus tard, c'est tout.

— Mais, bizarrement, je suis la seule de notre groupe à ne pas avoir été inscrite dans la première liste. Je crois que je vais devenir folle, tellement j'en ai assez de vivre ici. Toutes les nuits, je vois Moscou en rêve. Et puis, je ne comprends pas, cela voudrait dire que l'on commencerait le montage à Moscou sans moi ?

— Oui, oui, bien sûr... Mais, voyez-vous, la liste a déjà été visée, ce serait très difficile de la faire modifier. Svetchine, du laboratoire de magnétique, a déjà essayé pour Boris Israélevitch, à qui est arrivé la même histoire qu'à vous, et il s'est avéré que c'est extrêmement difficile. Je pense qu'il vaudrait mieux que vous vous armiez de patience.

Et soudain il explosa :

— On se demande ce qui leur sert de tête, cria-t-il, ils ont fourré dans la liste des incapables en pagaille, alors que vous, qui seriez indispensable pour le montage principal, on vous a oubliée.

— On ne m'a pas oubliée, dit Anna Nahumovna, on m'a fait pire que cela...

Anna Nahumovna lança un regard étrange, presque furtif, vers la porte entrouverte et poursuivit en baissant la voix :

— On n'a rayé des listes que les noms juifs ; Rimma, la secrétaire du service du personnel, m'a dit qu'à Oufa on a rayé pratiquement tous les noms juifs dans la liste de l'Académie des sciences d'Ukraine ; on n'a laissé que les docteurs.

Strum, ébahi, resta un instant bouche bée puis éclata de rire :

— Mais, ma chère, vous ne savez plus du tout ce que vous dites ! Dieu merci, nous ne sommes plus dans la Russie des tsars. Qu'est-ce que c'est que ce complexe d'infériorité de Juif du ghetto ? Et cessez immédiatement d'inventer des bêtises pareilles !

8

De retour à la maison, Strum vit, accroché à la patère, un manteau qu'il connaissait bien : Karimov était passé le voir et l'attendait.

Karimov posa le journal qu'il était en train de lire, et Strum se dit que, selon toute apparence, Lioudmila n'avait pas voulu faire la conversation à son hôte.

— J'arrive directement d'un kolkhoze où j'ai fait une conférence, dit Karimov. Surtout, je vous en prie, ne vous dérangez pas, j'ai énormément mangé au kolkhoze, notre peuple est si hospitalier.

Et Strum se dit que Lioudmila n'avait même pas proposé à Karimov une tasse de thé.

Ce n'est qu'en examinant de près le visage de Karimov que Strum parvenait à y surprendre, d'après des traits infimes, quelque chose qui le distinguait du type commun aux Russes, aux Slaves. Mais, par instants, il suffisait que Karimov tourne la tête sous un angle inattendu pour que ces traits infimes transforment le visage de Karimov en visage de Mongol.

De même, parfois, il arrivait à Strum de deviner le Juif chez un blond aux yeux bleus et au nez retroussé. Quelque chose d'à peine décelable dénotait leur origine juive : parfois un sourire, parfois la manière de plisser le front pour marquer son étonnement, parfois un haussement d'épaules.

Karimov parla de sa rencontre avec un lieutenant qui était en permission de convalescence chez ses parents. Visiblement c'était ce récit qui avait amené Karimov chez Strum.

— Un bon petit gars, dit Karimov. Il parlait de tout très honnêtement.

— En tatare ? demanda Strum.

— Bien sûr.

Et Strum se dit que, s'il rencontrait un lieutenant juif blessé, il ne pourrait lui parler la langue des Juifs ; il connaissait à peine une dizaine de mots yiddish et encore, c'étaient des mots comme *bekitser* ou *haloimes* qui lui servaient à prendre le ton de la plaisanterie.

Le lieutenant avait été fait prisonnier en automne 1941 dans la région de Kertch. Les Allemands l'avaient envoyé dans les champs récolter du blé, abandonné sous la neige, pour fournir du fourrage aux chevaux. Le lieutenant, saisissant un moment propice, s'était enfui. La population russe et tatare l'avait aidé à se cacher.

— J'ai maintenant bon espoir de revoir ma femme et ma fille, dit Karimov. Il paraît que les Allemands ont, comme nous, des cartes de rationnement de différentes catégories. Le lieutenant racontait que beaucoup de Tatares s'en vont dans les montagnes, bien que les Allemands les laissent en paix.

— Il y a longtemps, j'étais encore étudiant, j'ai fait de la montagne en Crimée, dit Strum.

Il se souvint que sa mère lui avait envoyé de l'argent pour le voyage.

— Et des Juifs, il en a vu, votre lieutenant ? demanda Strum.

Lioudmila Nikolaïevna passa sa tête par la porte :

— Maman n'est toujours pas rentrée, dit-elle. Je suis très inquiète.

— Ah oui, en effet, où peut-elle bien être ? s'étonna distraitement Strum.

Et quand Lioudmila Nikolaïevna referma la porte, il répéta sa question :

— Que dit votre lieutenant à propos des Juifs ?

— Il a vu comment on emmenait faire fusiller une famille juive, une vieille, deux jeunes filles.

— Mon Dieu, dit Strum.

— Et puis il a entendu parler de camps en Pologne où l'on rassemble les Juifs ; on les tue et on dépèce les corps comme à l'abattoir. Il semblerait bien que ce soit pure imagination. Je l'ai spécialement interrogé sur les Juifs, je savais que cela vous intéressait.

« Pourquoi seulement moi ? pensa Strum. Cela n'intéresserait donc pas les autres ? »

— Ah oui, j'oubliais, il m'a aussi raconté comme quoi on ordonnait de livrer à la Kommandantur les bébés juifs, qu'on leur passe sur les lèvres une mystérieuse pommade incolore et qu'ils meurent sur-le-champ.

— Des bébés ? répéta Strum.

— Il me semble que c'est une invention dans le même genre que les camps où l'on dépèce les cadavres.

Strum se leva, fit quelques pas

— Quand je me dis que, de nos jours, on tue des nouveau-nés, tous les efforts de la culture paraissent inutiles. Qu'ont-ils appris à l'humanité, les Bach et les Goethe ? On tue des nouveau-nés !

— Oui, c'est terrible, dit Karimov.

Strum sentait toute la compassion de Karimov, mais il sentait aussi son émotion joyeuse : le récit du lieutenant lui avait redonné l'espoir de revoir sa femme. Strum, lui, savait qu'il ne reverrait pas sa mère après la victoire.

Karimov s'apprêta à rentrer chez lui, et Strum, qui ne voulait pas le quitter, décida de le raccompagner.

— Vous savez, dit Strum, nous, les savants soviétiques, nous avons de la chance. Que doit ressentir un honnête physicien ou chimiste allemand qui sait que ses découvertes profitent à Hitler ? Pouvez-vous vous représenter un physicien juif, dont on abat les proches comme des chiens enragés, et qui se réjouit en faisant une découverte, quand cette découverte, contre sa volonté, renforce la puissance militaire du fascisme ? Il voit, il comprend tout, et pourtant il ne peut s'empêcher de se réjouir de sa découverte... affreux !

— Oui, c'est certain, approuva Karimov. Mais un homme qui a toujours pensé ne peut pas se forcer à ne plus penser.

Ils sortirent.

— Ça me gêne que vous me raccompagniez, dit Karimov. Il fait un temps horrible, vous veniez de rentrer chez vous, et voilà que vous ressortez.

— Ce n'est rien, je vous accompagnerai seulement jusqu'au coin. Et puis, ajouta Strum en regardant son hôte, cela me fait plaisir de marcher un peu avec vous dans la rue.

— Vous allez repartir bientôt pour Moscou, il faudra bien se séparer, et moi, j'aimais beaucoup nos rencontres.

— Je vous assure que cela me fera de la peine à moi aussi.

Alors que Strum rentrait chez lui, quelqu'un le héla sans qu'il l'entende.

Les yeux sombres de Madiarov le fixaient. Le col de son manteau était relevé.

— Alors, fit-il, c'est en fini de nos assemblées ? Vous, vous avez totalement disparu, Piotr Lavrentievitch me boude...

— Oui, bien sûr, c'est dommage, répondit Strum, mais, avouez-le, on y a dit pas mal de bêtises tous les deux dans le feu de la discussion.

— Qui accorde de l'importance à des paroles lancées dans une discussion ?

Madiarov rapprocha son visage de Strum, ses grands yeux tristes devinrent encore plus tristes :

— C'est peut-être en effet pas plus mal que nos assemblées aient pris fin.

— Et pourquoi donc ? s'étonna Strum.

— Faut que je vous dise, proféra Madiarov, le souffle court, le vieux Karimov, il me semble qu'il collabore. Vous réalisez ? Et je crois que vous vous voyez assez souvent ?

— Ce n'est pas possible, je n'y crois pas ! s'exclama Strum.

— Et vous ne vous êtes pas dit que tous ses amis et que tous les amis de ses amis sont depuis longtemps réduits en poussière, tout son entourage a disparu sans laisser de traces ; il ne reste plus que lui, et qui plus est, il est florissant, il est docteur d'État.

— Et alors ? Moi aussi, je suis docteur, et vous aussi.

— Réfléchissez un peu à cette destinée merveilleuse, vous n'êtes plus un enfant, mon cher, que je sache.

9

— Vitia, maman vient seulement d'arriver, dit Lioudmila Nikolaïevna.

Alexandra Vladimirovna était assise à table, son fichu sur les épaules, elle approcha sa tasse de thé puis l'éloigna à nouveau.

— Eh bien voïlà, dit-elle, j'ai parlé avec un homme qui a vu Mitia juste avant la guerre.

Très émue, et pour cette raison d'une voix particulièrement calme et mesurée, elle expliqua que les voisins d'appartement de sa collègue, une laborantine, avaient reçu la visite d'un pays. La laborantine avait, par hasard, prononcé le nom de Chapochnikov, et l'invité avait demandé si Alexandra Vladimirovna n'avait pas un Dimitri parmi ses parents.

Après le travail, Alexandra Vladimirovna se rendit chez la laborantine. Elle y apprit que l'homme venait d'être libéré après sept années de camp. Il était correcteur de son métier et avait été arrêté parce qu'il avait laissé passer une coquille dans l'éditorial du journal : les typos avaient intervertie deux lettres dans Staline. Avant la guerre, il avait été transféré, pour infraction à la discipline, dans un camp à régime sévère dans « les camps des lacs », en Extrême-Orient C'est là que Dimitri Chapochnikov avait été son voisin de baraque.

— J'ai tout de suite compris qu'il s'agissait bien de Mitia. Il m'a dit : « Il restait allongé à sa place et il chantonnait sans cesse *Ah, vous dirais-je maman...* » Juste avant son arrestation, Mitia venait me voir et à toutes mes questions, il répondait par un petit sourire en coin et chantonnait *Ah, vous dirais-je maman...* » Cet homme doit partir dès ce soir pour Iaïchevo où habite toute sa famille. Mitia, à ce qu'il dit, était malade : le scorbut et le cœur. Il m'a dit que Mitia ne croyait pas qu'il sortirait de là. Mitia lui a parlé de moi, de Sérioja... Mitia travaillait aux cuisines, paraît que c'est un très bon travail.

— Oui, c'est pour cela qu'il a dû faire deux instituts, dit Strum.

— On ne peut pas être sûr, cet homme, c'est peut-être un provocateur, dit Lioudmila.

— Qui a besoin d'une vieille comme moi ?

— Oui, mais Victor, on s'y intéresse, «là où vous savez»

— Des bêtises, laissa tomber Victor Pavlovitch qui perdait patience.

— Et il t'a expliqué comment cela se faisait qu'il était libre ? demanda Nadia.

— Ce qu'il raconte, c'est incroyable. C'est tout un monde, on dirait un mauvais rêve. C'est comme s'il venait d'une autre planète. Ils ont leurs coutumes, leur Moyen Age et leurs Temps modernes à eux, ils ont leurs dictons et leurs proverbes.

« Je lui ai demandé pourquoi on l'avait libéré ; il s'étonna de mon ignorance. « Comment, dit-il, vous ne savez pas ? J'ai été radié pour vétusté », et à nouveau je n'ai pas compris. Il m'a expliqué : les mourants, les « crevards », on les libère. Ils ont leur classification : les travailleurs, les planqués, les putes... Je lui ai demandé ce que voulaient dire les dix ans de détention sans droit de correspondance auxquels ont été condamnés des milliers de personnes en 1937 [1]. Il m'a dit qu'il n'a jamais vu personne dans les camps qui ait reçu une telle condamnation et pourtant il a été dans des dizaines de camps. « Et où sont ces gens, alors ? » lui ai-je demandé. « Je ne sais pas, pas dans les camps, en tout cas », m'a-t-il répondu.

« L'abattage du bois. Les déportés, les assignés à résidence... Il m'a écrasée. Et Mitia a vécu là-dedans et, lui aussi, il devait dire : « Les crevards, les planqués, les putes... » Il m'a parlé d'une façon qu'on a de se suicider dans les marécages de la Kolyma : on arrête de manger et on boit pendant plusieurs jours de suite l'eau des marais,

---

1. Cette condamnation cachait une condamnation à la peine capitale. *(N. d. T.)*

on meurt d'œdème. Chez eux, ça s'appelle il a bu de l'eau, il a commencé à boire. Bien sûr, c'est si on a le cœur malade.

Elle voyait le visage tendu et angoissé de Strum, les sourcils froncés de Nadia. La tête en feu, la bouche sèche, elle poursuivit son récit.

— Il dit que le pire, pire que le camp, c'est la route. Les droit commun font ce qu'ils veulent dans les convois, ils prennent les vêtements, la nourriture, ils jouent la vie des politiques aux cartes, celui qui perd doit tuer un homme au couteau, et la victime ignore jusqu'au dernier instant qu'on a joué sa vie aux cartes. Ce qui est horrible aussi, c'est que les droit commun ont tous les postes de commandement à l'intérieur des camps : ils sont chefs de chambrée, chefs d'équipe ; les politiques n'ont aucun droit, on les tutoie, « le fasciste », disaient les droit commun en parlant de Mitia.

Alexandra Vladimirovna lança d'une voix forte, comme si elle s'adressait à une assemblée :

— Cet homme a été transféré du camp où se trouvait Mitia à Syktyvar ; un certain Kachkotine est arrivé au début de la guerre dans le groupe de camps où était resté Mitia et il y a organisé la mise à mort d'une dizaine de milliers de détenus.

— Mon Dieu, dit Lioudmila Nikolaïevna, je voudrais comprendre : est-ce que Staline est au courant de toutes ces horreurs ?

— Mon Dieu, fit Nadia en singeant sa mère, tu ne comprends donc pas ? C'est Staline qui a donné l'ordre de les tuer.

— Nadia ! cria Strum, veux-tu te taire !

Il fut pris de rage, comme cela arrive souvent aux gens quand ils sentent que quelqu'un a deviné leurs faiblesses cachées.

— Et n'oublie pas que Staline est le Commandant suprême de l'armée qui combat le fascisme ; ta grand-mère a espéré en Staline jusqu'à son dernier jour ; nous tous, nous ne vivons que parce qu'il y a Staline et l'Armée Rouge... Commence d'abord par apprendre à te moucher toute seule et après tu pourras critiquer Staline qui a barré le chemin au fascisme à Stalingrad.

— Staline est à Moscou, et tu sais très bien *qui* a barré le chemin à Stalingrad, dit Nadia. Je n'arrive pas à te comprendre : tu disais la même chose que moi quand tu revenais de chez les Sokolov...

Il sentit monter en lui un afflux de rage si violente contre Nadia que, lui semblait-il, il en aurait assez pour toute sa vie.

— Tu racontes n'importe quoi, je n'ai jamais rien dit de semblable.

— Pourquoi faut-il évoquer toutes ces horreurs alors que les enfants soviétiques meurent à la guerre pour leur patrie ? dit Lioudmila.

C'est alors que Nadia montra toute sa connaissance des faiblesses cachées de son père :

— Non, bien sûr, tu n'as rien dit. Maintenant que ça marche si bien à ton travail et qu'on a arrêté les Allemands à Stalingrad

— Comment oses-tu, dit Strum, comment oses-tu soupçonner ton père d'être malhonnête ? Tu entends ce qu'elle dit, Lioudmila ?

Il s'attendait à être soutenu par sa femme, mais Lioudmila Nikolaïevna ne le soutint pas.

— Je ne vois pas ce qui t'étonne, dit-elle. Nadia répète ce que tu disais. De quoi d'autre parliez-vous avec ton Karimov et ce répugnant Madiarov. Maria Ivanovna m'a parlé de vos discussions. D'ailleurs tu en as suffisamment parlé toi-même à la maison. Vivement qu'on retourne à Moscou !

— Ça suffit, lança Strum, je sais déjà toutes les choses agréables que tu veux me dire.

Nadia se tut ; son visage soudain fané et enlaidi ressemblait à celui d'une petite vieille. Elle s'était détournée de son père, mais quand Strum parvint enfin à croiser son regard, il fut surpris par la haine qu'on pouvait y lire.

L'air devint irrespirable, tant de choses mauvaises s'y étaient répandues. Tout ce qui vit dans l'ombre pendant des années dans presque toutes les familles, qui affleure par moments pour être aussitôt refoulé par l'amour et la confiance, venait de remonter à la surface et s'étalait maintenant, remplissant toute leur vie ; on aurait pu croire que seuls l'incompréhension, le soupçon, la haine, les reproches existaient maintenant entre le père, la mère et la fille.

Comme si leur peine et leur destin communs ne pouvaient engendrer que méfiance et solitude.

— Grand-mère ! dit Nadia.

Strum et Lioudmila se tournèrent d'un même mouvement vers Alexandra Vladimirovna : elle tenait sa tête serrée entre ses mains, comme en proie à une douleur insoutenable.

Son impuissance, son inutilité avaient quelque chose d'infiniment pitoyable ; personne ne semblait se soucier d'elle et de son malheur, elle ne faisait que gêner, elle n'avait servi qu'à semer la discorde dans sa famille ; cette femme si forte et sévère d'habitude semblait abandonnée et désemparée.

Se laissant soudain tomber à genoux, Nadia appuya son front contre les jambes d'Alexandra Vladimirovna.

— Grand-mère, ma petite chérie...

Victor Pavlovitch s'approcha du mur, brancha le haut-parleur en carton de la radio et des grondements, des sifflements, des plaintes en sortirent. On aurait dit la méchante nuit d'automne qui régnait sur le front, les villages incendiés, les tombes des soldats, les camps de la Kolyma et de la Vorkuta.

Strum regarda le visage sombre de Lioudmila, s'approcha d'Alexandra Vladimirovna, prit ses mains entre les siennes et les baisa.

Puis, il se pencha et caressa la tête de sa fille. On aurait pu croire qu'il ne s'était rien passé pendant ces quelques minutes, c'étaient toujours les mêmes personnes qui se tenaient dans la même pièce, c'était toujours le même malheur qui les écrasait, ils étaient toujours menés par le même destin. Ils étaient seuls à savoir quelle chaleur merveilleuse avait en ces quelques instants empli leurs cœurs...

Une voix bien timbrée envahit soudain la pièce :

« Nos troupes ont mené ce jour des combats contre l'ennemi dans les régions de Stalingrad, de Touapsé et de Naltchik. Rien à signaler sur les autres fronts. »

10

Le lieutenant Peter Bach avait été hospitalisé pour une blessure à l'épaule. Cette blessure s'avéra sans gravité, et les camarades qui accompagnaient Bach au fourgon sanitaire le félicitèrent de sa chance.

Intensément heureux, bien que gémissant de douleur, Bach, soutenu par un infirmier, alla prendre son bain.

Le contact de l'eau chaude lui apporta une grande sensation de volupté.

— C'est mieux que dans les tranchées ? demanda l'infirmier qui, désireux de dire quelque chose d'agréable au blessé, ajouta : quand vous sortirez d'ici, tout ira sûrement bien là-bas.

Il fit un geste dans la direction d'où parvenait un grondement régulier et continu.

— Il n'y a pas longtemps que vous êtes ici ? demanda Bach.

L'infirmier frotta un instant le dos du lieutenant puis répondit :

— Qu'est-ce qui vous fait dire ça ?

— C'est que, là-bas, il n'y a plus personne pour penser que les choses finiront bientôt. Au contraire, on pense que ça ne finira pas de sitôt.

L'infirmier regarda l'officier nu dans la baignoire. Bach se souvint que le personnel des hôpitaux avait ordre de faire des rapports sur les opinions des blessés, or ses paroles trahissaient son manque de confiance dans la puissance des forces armées. Il répéta pourtant distinctement :

— Oui, pour le moment, personne ne sait comment les choses vont tourner.

Pourquoi avait-il redit ces paroles dangereuses ? Seul, un homme vivant dans un empire totalitaire pouvait le comprendre.

Il les avait répétées par agacement contre la peur qu'il avait éprouvée en les prononçant la première fois. C'était une manière de tactique défensive pour tromper, par son insouciance, son délateur présumé.

Puis, pour dissiper la mauvaise impression produite par ses paroles de contestation, il déclara :

— Il n'y a probablement jamais eu, depuis le début de la guerre, de forces aussi importantes que celles qui ont été rassemblées ici, croyez-moi.

Mais ce jeu compliqué et desséchant finit par le dégoûter et il se réfugia dans un jeu d'enfant en essayant de retenir dans sa main l'eau tiède et savonneuse qui jaillissait tantôt vers le bord de la baignoire, tantôt vers son propre visage.

— C'est le principe du lance-flammes, dit-il à l'infirmier.

Comme il avait maigri ! Il contemplait ses bras nus, sa poitrine, et pensa à la jeune femme russe qui l'embrassait deux jours plus tôt. Aurait-il jamais pensé qu'il aurait une aventure amoureuse avec une femme russe à Stalingrad ? A vrai dire, il était difficile d'appeler cela une aventure amoureuse. C'était plutôt une liaison due aux hasards de la guerre. Des circonstances extraordinaires, fantastiques, une rencontre dans une cave, il s'avance vers elle parmi les décombres qu'illuminent les éclairs des explosions. Une rencontre telle qu'on en voit dans les livres. Il devait aller la voir hier. Elle pensait sûrement qu'il avait été tué. Quand il serait guéri, il retournerait la voir. Il se demandait qui aurait occupé sa place entre-temps. La nature a horreur du vide...

Peu après son bain, on l'envoya au service de radiologie et le radiologiste le plaça devant l'écran.

— Il faisait chaud, là-bas, lieutenant ?

— Plus chaud pour les Russes que pour nous, répondit Bach, désireux de plaire au médecin et d'obtenir un bon diagnostic qui rendrait l'opération facile et indolore.

Le chirurgien entra. Les deux médecins avaient vue sur les tréfonds de Bach et la radioscopie devait leur révéler toutes les impuretés contestataires enfouies au fond de son cœur.

Le chirurgien saisit Bach par le bras et le fit tourner, de façon à le rapprocher ou à l'éloigner de l'écran. Toute son attention allait à la blessure par éclat de balle : qu'à cette blessure fût attaché un jeune homme ayant fait des études supérieures semblait un hasard négligeable.

Les médecins se mirent à parler un mélange de latin et de joyeux jurons allemands, et Bach comprit que son cas n'était pas trop grave et qu'il sauverait son bras.

— Préparez-le pour l'opération. Moi, je vais m'occuper maintenant de la blessure crânienne. Un cas difficile.

L'infirmier lui enleva sa chemise puis l'assistante du chirurgien le fit asseoir sur un tabouret.

— Bon sang, dit Bach avec un piteux sourire, gêné de sa nudité. Il aurait fallu, Fraülein, réchauffer le tabouret avant d'y faire s'asseoir fesses nues un combattant de la bataille de Stalingrad.

Elle lui répondit sans sourire :

— Cela ne fait pas partie de nos fonctions.

Et elle se mit à sortir d'une armoire vitrée des instruments qui firent à Bach une impression terrifiante.

L'extraction de son éclat de balle fut rapide et facile. Bach en voulut même un peu au médecin qui semblait englober le blessé dans son mépris pour une opération si insignifiante.

L'assistante demanda à Bach s'il voulait qu'on le raccompagne dans sa chambre.

— Non, je vais y arriver, répondit-il.

— Vous n'aurez pas besoin de rester longtemps chez nous, lui dit-elle d'un ton rassurant.

— Parfait, répondit-il, car je commençais justement à me languir.

Elle sourit.

L'infirmière se représentait probablement les blessés tels qu'ils étaient décrits dans les journaux. Écrivains et journalistes y racontaient des histoires de blessés qui s'évadaient des hôpitaux pour rejoindre leur cher bataillon et leur régiment, mus par un besoin impérieux de tirer sur l'ennemi, faute de quoi leur vie ne leur semblait pas valoir la peine d'être vécue.

Il était fort possible que les journalistes aient parfois trouvé de tels hommes dans les hôpitaux, ce qui n'empêcha pas Bach d'éprouver un indigne plaisir à se coucher dans son lit aux draps frais, à manger son assiettée de riz au lait, à aspirer les premières bouffées de sa cigarette (il était strictement interdit de fumer dans les chambres) et à entamer la conversation avec les voisins.

Ils étaient quatre blessés dans la chambre : trois officiers du front et un fonctionnaire à la poitrine creuse et au ventre ballonné, envoyé en mission depuis l'arrière et victime d'un accident d'automobile dans la région de Gumrak. Quand il était couché sur le dos, les mains croisées sur le ventre, il donnait l'impression d'un homme maigre à qui on aurait fait la farce de mettre un ballon de football sous la couverture.

C'était sans doute la raison pour laquelle il avait été surnommé le « gardien de but ».

Le « gardien de but » était le seul à se lamenter des effets de sa blessure. Il parlait avec emphase de la patrie, de l'armée, de son devoir, et se disait fier de la mutilation que lui avait value la bataille de Stalingrad.

Les officiers du front, qui avaient versé leur sang pour le peuple, considéraient son patriotisme avec ironie.

L'un d'eux, que sa blessure aux fesses obligeait à rester couché sur le ventre, était le commandant Krapp et avait été à la tête d'une compagnie d'éclaireurs : c'était un homme au teint blême, avec de grosses lèvres et des yeux bruns à fleur de tête.

— Vous êtes sûrement un de ces gardiens de but, dit-il, qui ne se contentent pas seulement d'arrêter le ballon, mais ne répugnent pas à l'envoyer dans les buts adverses.

L'éclaireur faisait une véritable fixation érotique : sa conversation tournait essentiellement autour des relations sexuelles.

Le « gardien de but » voulut vexer son offenseur en retour et lui demanda :

— Comment se fait-il que vous soyez si pâle ? Vous travaillez sans doute dans les bureaux ?

Mais Krapp ne travaillait pas dans les bureaux.

— Je suis un oiseau de nuit, dit-il : ma chasse se fait la nuit. Quant aux femmes, contrairement à vous, c'est le jour que je couche avec.

La chambrée s'entendait pour critiquer les bureaucrates, qui déguerpissaient tous les soirs de Berlin en voiture pour gagner leur datcha ; on tapait aussi sur les foudres de guerre de l'intendance, qui gagnaient leurs médailles plus vite que les hommes du front. On se racontait les malheurs subis par les familles de ces derniers, leurs maisons bombardées. On tapait sur les chauds lapins restés à l'arrière et qui en profitaient pour s'approprier les femmes des mobilisés. On critiquait enfin les cantines du front, incapables de vendre autre chose que de l'eau de Cologne et des lames de rasoir.

Bach avait pour voisin le lieutenant Gerne. Bach avait eu l'impression que Gerne devait être d'origine noble, mais il apprit que c'était un de ces paysans promus par le coup d'État national-socialiste. Il était l'adjoint du chef d'état-major du régiment et avait été blessé par un éclat de bombe lors d'un bombardement nocturne.

Quand on eut emporté le gardien de but pour l'opérer, le lieutenant Fresser, qui occupait le lit du coin, déclara à sa façon d'homme simple :

— Moi, je me fais tirer dessus depuis 39, et je n'ai jamais clamé mon patriotisme. On me donne à boire et à manger, on m'habille, eh bien, je me bats ! Sans philosophie.

Bach dit :

— Non, pas tout à fait. Quand les gars du front se moquent de l'hypocrisie du gardien de but, c'est déjà une espèce de philosophie.

— Tiens donc ! dit Gerne. Et dites-nous voir un peu quelle est cette philosophie ?

A l'expression hostile de son regard, Bach eut le sentiment familier d'avoir en face de lui, en Gerne, un homme qui haïssait l'intelligentsia d'avant Hitler.

Bach en avait lu, en avait entendu, des discours sur l'ancienne intelligentsia, qui tendait vers la ploutocratie américaine, sur ses sympathies cachées pour le talmudisme et l'abstraction hébraïque, pour le style judaïsant en peinture et en littérature. Il sentit la haine monter en lui. Maintenant qu'il était prêt à s'incliner devant la puissance brutale de ces hommes nouveaux, pourquoi le regardait-on avec cette sombre et farouche méfiance ? N'avait-il pas souffert des poux, du gel, tout comme eux ? Il était officier de première ligne, et on ne le considérait pas comme un Allemand. Bach ferma les yeux et se tourna vers le mur.

— Pourquoi y a-t-il tant de venin dans votre question ? marmonnerait-il avec ressentiment ; à quoi Gerne répondrait avec un sourire méprisant et avantageux :

— Comme si vous ne compreniez pas !

— Je vous ai dit que je ne comprenais pas, répondrait Bach agacé, et il ajouterait : mais je devine.

Bien entendu, Gerne éclaterait de rire.

— Vous me soupçonnez de duplicité, c'est cela ? s'écrierait Bach.

— C'est cela, exactement : de duplicité, dirait joyeusement Gerne.

— D'impuissance morale ?

Là, Fresser se mettrait à ricaner. Krapp, se relevant sur ses coudes, regarderait Bach avec une parfaite insolence.

— Bande de dégénérés, proférerait Bach d'une voix tonitruante. Ces deux-là sont complètement en deçà de la pensée humaine, mais vous, Gerne, vous êtes quand même déjà quelque part à mi-chemin entre le singe et l'homme... Il faut parler sérieusement.

Il se sentit glacé de haine et ferma très fort les yeux.

« Il suffit que vous ayez commis un opuscule sur je ne sais quel sujet infime, et vous osez déjà haïr ceux qui ont posé les fondements de la science allemande. Vous n'avez pas plutôt publié une misérable petite nouvelle que vous bafouez la gloire de la littérature allemande. Vous vous imaginez la science et les arts comme des sortes de ministères où les fonctionnaires de l'ancienne génération ne vous laissent pas monter en grade. Vous vous y sentez à l'étroit avec votre opuscule : Koch, Nernst, Planck et Kellerman vous gênent... Les sciences et les arts ne sont pas des bureaux, c'est le mont Parnasse sous le ciel infini, où il y a place pour tous les talents, tout au long de l'histoire de l'humanité, tant que vous ne vous mêlez pas de vouloir y porter vos fruits secs. Il n'y manque pas de place : simplement, votre place n'est pas là. Vous cherchez à y faire le vide, mais ce n'est pas cela qui fera monter vos misérables ballons mal gonflés. Vous en avez chassé Einstein, mais sa place n'est pas pour vous. Oui, oui, Einstein, un Juif, et cependant un génie, mille pardons. Il n'est pas de puissance au monde qui puisse vous aider à occuper sa place. Demandez-vous un peu si cela vaut la peine de dépenser tant d'énergie pour détruire ceux dont les places resteront vides à tout jamais. Si votre impuissance vous empêche de suivre la voie ouverte par Hitler, la faute en est à vous seuls, et il est inutile de déverser votre haine sur ceux qui valent mieux que vous. La méthode de la haine policière n'aboutit à rien dans le domaine de la culture. Vous voyez bien que Hitler, Goebbels comprennent cela parfaitement. Ils nous montrent l'exemple. Voyez avec combien d'amour, de patience et de tact ils prennent soin des sciences, de la littérature et de la peinture allemandes. Prenez exemple sur eux, suivez la voie de la consolidation, au lieu d'apporter la discorde dans cette cause allemande qui nous est commune ! »

Après avoir prononcé intérieurement son discours imaginaire, Bach rouvrit les yeux.

Ses voisins étaient sagement couchés sous leurs couvertures.

Fresser annonça :

— Camarades, regardez par ici ! Et, d'un geste de prestidigitateur, il extirpa de dessous son oreiller un litre de cognac italien « Trois Valets ». Gerne émit un curieux bruit de gorge : seul un authentique ivrogne, et un ivrogne paysan, pouvait contempler une bouteille d'un tel regard.

« Et pourtant, ce n'est pas un mauvais homme : c'est clair comme le jour qu'il n'est pas mauvais », pensa Bach, et il eut honte du discours hystérique qu'il avait prononcé sans le prononcer.

Pendant ce temps, Fresser sautillait sur une jambe et versait le cognac dans les verres qui se trouvaient sur les tables de chevet.

— Vous êtes un lion ! dit l'éclaireur en souriant.

— Voilà un vrai soldat, dit Gerne.

Fresser dit à son tour :

— Un des toubibs en chef a remarqué ma bouteille et m'a demandé : « Qu'est-ce qu'il y a d'enveloppé dans ce journal ? » Je lui ai répondu : « C'est les lettres de ma mère, je ne m'en sépare jamais. »

Il leva son verre :

— Bon, bien le bonjour du front, lieutenant Fresser !

Ils vidèrent tous leur verre.

Gerne eut aussitôt envie de boire un deuxième coup :

— Zut, il faut en laisser pour le gardien de but.

— Tant pis pour lui, pas vrai, lieutenant ? demanda Krapp.

— Il n'a qu'à accomplir son devoir envers la patrie, pendant ce temps-là, nous, on boit, dit Fresser. On a tous envie de vivre.

— Mon cul revit, dit l'éclaireur. Manque plus qu'une dame un peu potelée.

Ils se sentaient tous d'humeur gaie et légère.

— Allez, c'est parti, dit Gerne en levant son verre.

Et chacun de vider le sien.

— C'est bien qu'on soit tombés dans la même chambre.

— Et moi, j'ai tout de suite compris, quand je vous ai vus. Je me suis dit : « Ça, c'est des vrais gars du front. »

— Moi, à vrai dire, j'avais des doutes sur Bach. J'ai pensé : « Celui-là, il est au parti. »

— Non, je ne suis pas au parti.

Ils commençaient à avoir chaud et rejetèrent leurs couvertures. La conversation s'engagea sur les combats du front.

Fresser avait combattu sur le flanc gauche, aux environs du village d'Okatovka.

— Va savoir pourquoi, dit-il, les Russes sont incapables de mener une offensive. Mais nous voilà déjà début novembre et, nous non plus, on ne bouge pas. Qu'est-ce qu'on a bu comme vodka, au mois d'août, en trinquant toujours à la même chose : « Ne pas se perdre de vue après la guerre : fonder une association des anciens combattants de Stalingrad. »

— L'offensive, ça peut aller, dit l'éclaireur, qui s'était battu dans le quartier des usines. Ce qu'ils ne savent pas faire, c'est consolider leurs positions. Ils vous foutent dehors et les voilà aussitôt partis se coucher ou bouffer, pendant que leurs chefs se bourrent la gueule.

— De vrais sauvages, dit Fresser avec un clin d'œil. On a dépensé plus de ferraille contre ces sauvages de Stalingrad que contre l'Europe tout entière.

— Pas seulement de la ferraille, dit Bach. Dans notre régiment, il y en a qui pleurent sans raison et d'autres qui poussent des cris de coq.

— Si aucune action décisive n'intervient avant l'hiver, dit Gerne, ça va être la guerre à la chinoise. Une invraisemblable cohue.

L'éclaireur dit à mi-voix :

— Vous savez que nous préparons une offensive dans le quartier des usines : on y a rassemblé plus de troupes qu'il n'y en a jamais eu jusqu'à présent. Ça va péter d'un jour à l'autre. Le 20 novembre, on aura chacun une fille de Saratov dans son lit.

De derrière les fenêtres tendues de rideaux parvenaient l'ample et majestueux grondement de l'artillerie et le vrombissement des avions dans la nuit.

— Tiens, ça c'est le bruit des coucous russes, dit Bach. C'est à cette heure-ci qu'ils bombardent. Certains les appellent des scies à nerfs.

— Dans notre état-major à nous, dit Gerne, on les appelle le sous-officier de service.

— Chut ! dit l'éclaireur, un doigt levé. Vous entendez les gros calibres !

— Pendant ce temps-là, nous, on déguste notre petit cognac dans la salle des blessés légers, dit Fresser.

Pour la troisième fois de la journée, ils se sentirent tout gais.

Ils se mirent à parler des femmes russes. Chacun avait son histoire à raconter. Bach n'aimait pas ce genre de conversations.

Et pourtant, ce soir-là, à l'hôpital, il parla de Zina, qui vivait dans la cave d'une maison en ruine : il en parla si gaillardement qu'il fit rire tout le monde.

Soudain, l'infirmier entra : il considéra un instant les visages joyeux des blessés puis se mit à défaire le lit du gardien de but.

— Alors, notre défenseur de la patrie berlinois, vous l'avez renvoyé pour simulation ? demanda Fresser.

— Pourquoi tu ne réponds pas ? dit Gerne : on est tous des hommes, s'il lui est arrivé quelque chose, tu peux nous le dire.

— Il est mort, dit l'infirmier. Arrêt du cœur.

— Voilà où mènent les discours patriotiques, dit Gerne.

Bach intervint :

— Ce n'est pas bien de parler ainsi d'un mort. Il ne mentait pas : il n'avait pas de raison de nous mentir. Il était donc sincère. Non, ce n'est pas bien, camarade.

— Ah ! ah ! dit Gerne, il me semblait bien que le lieutenant était chargé de nous apporter la parole du parti. J'ai tout de suite compris qu'il appartenait à la nouvelle race idéologique.

11

Cette nuit-là, Bach n'arriva pas à s'endormir : il se sentait trop bien installé. Il se remémorait avec un sentiment étrange son abri, ses camarades, l'arrivée de Lenard et se revoyait, contemplant avec eux le coucher du soleil par la porte ouverte de l'abri, buvant le café de leur thermos et fumant.

La veille, au moment de monter dans le fourgon sanitaire, il avait passé son bras valide autour des épaules de Lenard, ils s'étaient regardés tous deux dans les yeux puis avaient éclaté de rire.

Aurait-il jamais pensé qu'il boirait un jour en compagnie d'un S.S. dans un bunker de Stalingrad, et qu'il marcherait à travers les ruines éclairées des lueurs d'un incendie vers sa maîtresse russe ?

Ce qui lui était arrivé avait quelque chose d'étonnant. Pendant de longues années il avait haï Hitler. Quand il entendait les paroles éhontées de ces professeurs chenus qui déclaraient que Faraday, Darwin et Edison n'étaient qu'une bande de filous qui avaient pillé la science allemande et que Hitler était le plus grand savant de tous les temps et de tous les peuples, il pensait avec une joie mauvaise : « Toutes ces inepties finiront bien par être balayées un jour. » Il avait le même sentiment à la lecture de ces romans qui décrivaient à grand renfort de mensonges effarants des hommes sans défauts, le bonheur des ouvriers et des paysans bien dans la ligne, le beau travail d'éducation des masses accompli par le parti. Mon Dieu, quels misérables poèmes paraissaient dans les revues ! C'était peut-être ce qui le touchait le plus : lycéen, il avait lui-même écrit des vers.

Et voici qu'à Stalingrad il voulut entrer au parti. Lorsqu'il était enfant et qu'il discutait avec son père, il avait si peur que son père réussisse à lui faire abandonner son opinion qu'il se bouchait les oreilles et criait : « Je ne veux pas écouter, je ne veux pas... » Mais cette fois, il avait entendu ! Le monde avait tourné autour de son axe.

La nullité des pièces de théâtre et des films continuait à le dégoûter. Peut-être faudrait-il que le peuple se passe de poésie pendant quelques années, une dizaine d'années, qui sait ? Mais qu'y faire ? Pourtant, il était parfaitement possible d'écrire la vérité aujourd'hui même ! Et cette vérité, c'était l'âme allemande elle-même, elle qui donnait son sens au monde. Les maîtres de la Renaissance avaient bien su exprimer, dans leurs œuvres, faites sur commande de princes ou d'évêques, les plus grandes valeurs spirituelles...

L'éclaireur Krapp dormait toujours, tout en participant à un combat nocturne qui le fit crier si fort qu'on aurait sans doute pu entendre son cri de l'extérieur : « Balancez-lui une grenade, une grenade ! » Il voulut ramper, se retourna maladroitement, poussa un hurlement de douleur, puis se rendormit et se remit à ronfler.

Même le massacre des Juifs, qui le faisait frémir, lui apparaissait à présent sous un jour nouveau. Oh ! bien sûr, s'il était au pouvoir, il ferait cesser immédiatement le génocide des Juifs. Mais, bien qu'il eût un certain nombre d'amis juifs, il fallait reconnaître qu'il existait un caractère allemand, une âme allemande et, par conséquent, un caractère et une âme juifs.

Le marxisme avait fait faillite ! C'était là une pensée difficile à admettre pour un homme dont le père et la mère avaient été des sociaux-démocrates.

Marx ressemblait à un physicien qui aurait fondé sa théorie de la structure de la matière sur les forces centrifuges sans tenir compte de l'attraction terrestre. Il a défini les forces centrifuges des classes sociales, et c'est lui qui les a le mieux mises en lumière tout au long de l'histoire de l'humanité. Mais, et c'est ce qui arrive souvent aux auteurs d'une grande découverte, il s'est abusé lui-même, croyant que les forces de la lutte des classes qu'il avait définies étaient seules à déterminer l'évolution de la société et la marche de l'Histoire. Il n'a pas vu les forces puissantes qui unissent une nation par-dessus les classes, et sa physique sociale, élaborée sans tenir compte de la loi universelle de l'attraction nationale, est absurde.

L'État n'est pas l'effet, il est la cause !

C'est une loi mystérieuse et divine qui détermine la naissance d'un État national ! Il constitue une unité vivante, il est seul à pouvoir exprimer ce que des millions d'hommes ont de plus précieux, d'immortel, à savoir le caractère allemand, la volonté allemande, l'abnégation allemande.

Bach demeura étendu un long moment, les yeux fermés. Pour essayer de s'endormir, il essaya de compter des moutons : un blanc, un noir, un blanc, un noir, encore un blanc et encore un noir...

Le lendemain matin, après le petit déjeuner, Bach écrivit une lettre à sa mère. Il soupirait, le front plissé : tout ce qu'il écrivait lui serait désagréable. Mais c'était à elle qu'il fallait qu'il dise ce qu'il ressentait ces derniers temps. Lors de sa dernière permission, il ne lui avait rien dit. Mais elle avait bien vu son agacement, et son peu d'envie de l'écouter raconter ses éternels souvenirs sur son père, toujours les mêmes.

« Il renie la foi de son père », penserait-elle. Justement pas. Car il refusait d'être un renégat.

Les malades, fatigués par les soins du matin, se taisaient. Un blessé grave amené au cours de la nuit occupait le lit du gardien de but. Il n'avait pas repris connaissance, et on ne pouvait pas savoir à quelle unité il appartenait.

Comment faire pour expliquer à sa mère que les hommes de la nouvelle Allemagne lui étaient aujourd'hui plus proches que ses amis d'enfance ?

Un infirmier entra et demanda :

— Le lieutenant Bach ?

— C'est moi, dit Bach en cachant de sa main le début de sa lettre.

— Monsieur le lieutenant, une Russe vous demande.

— Moi ? dit Bach stupéfait, et il comprit aussitôt que c'était son amie de Stalingrad, Zina. Comment avait-elle pu savoir où il se trouvait ? Il se souvint alors que ce devait être le chauffeur du fourgon sanitaire du régiment. Il se réjouit et fut ému : elle en avait eu du courage, pour faire du stop la nuit puis pour parcourir à pied six ou huit kilomètres. Il se rappela le teint pâle de son visage, ses grands yeux, son cou gracile et son fichu gris sur la tête.

La chambrée se mit à glousser.

— Chapeau, lieutenant Bach, dit Gerne. Ça, c'est du vrai travail sur la population indigène !

Fresser agita les mains avec un sifflement d'admiration, et dit :

— Amenez-la ici, infirmier. Le lit du lieutenant est assez large. On va les marier.

L'éclaireur Krapp dit à son tour :

— Les femmes, c'est comme les chiens : elles suivent l'homme à la trace.

Bach se sentit brusquement indigné. Qu'est-ce qu'elle s'imaginait donc ? Elle se permettait d'entrer dans un hôpital militaire ! Il était interdit aux officiers allemands d'avoir des relations avec les femmes russes. Et s'il y avait eu des membres de sa famille travaillant dans cet hôpital, ou simplement des gens connaissant la famille Forster ? Après des relations si insignifiantes, même une Allemande n'aurait pas osé venir lui rendre visite.

Le blessé grave, toujours inconscient, sembla éclater d'un rire dégoûté.

— Dites à cette femme que je ne peux pas sortir la voir, dit-il en se renfrognant et, pour ne pas participer à la joyeuse conversation de la chambrée, il reprit aussitôt son crayon et se mit à relire ce qu'il avait écrit.

« ... Ce qu'il y a d'étonnant, c'est que j'ai considéré pendant de longues années que l'État m'opprimait. Mais maintenant, j'ai compris que c'est précisément lui qui exprime mes aspirations. Je ne veux pas d'un destin facile. S'il le faut, je romprai avec mes anciens amis. Je sais que ceux vers qui je me tourne ne me considéreront jamais entièrement comme un des leurs. Mais je me plierai à ce qu'il y a d'essentiel en moi... »

La chambrée était toujours aussi joviale.

— Chut, ne le derangez pas. Il écrit à sa fiancée, dit Gerne.

Bach se mit à rire. Par instants, son rire contenu ressemblait à des sanglots et il pensa qu'il aurait pu tout aussi bien pleurer que rire.

12

Les généraux et les officiers qui ne voyaient pas souvent Paulus, le commandant de la VIe armée d'infanterie, estimaient qu'il n'y avait pas eu de changement ni dans les idées ni dans l'état d'esprit du général. Son attitude, sa façon de commander, le sourire avec lequel il écoutait aussi bien les petites remarques de détail que les rapports importants témoignaient de ce que le général en chef continuait à soumettre les divers aléas de la guerre à sa propre autorité.

Seuls, ceux qui l'approchaient de très près, comme son aide de camp, le colonel Adams, ou le général Schmidt, chef d'état-major de l'armée, comprenaient à quel point Paulus avait changé depuis le commencement des combats de Stalingrad. Il avait gardé son charme, son humour, sa bienveillance et cette faculté d'entrer tantôt avec hauteur, tantôt avec amitié dans les circonstances de la vie de ses officiers. Il était toujours en son pouvoir de mener au combat des régiments et des divisions entières, d'élever ou de rétrograder ses hommes, d'attribuer des décorations. Il fumait toujours les mêmes cigares... Mais l'essentiel, le fond caché de son âme se transformait de jour en jour et allait connaître un changement irrévocable.

Le sentiment qu'il avait eu jusque-là de dominer les circonstances et le temps l'abandonnait. Encore tout récemment, il parcourait d'un regard paisible les rapports du service de renseignements de l'état-major ; peu lui importait quelles étaient les intentions des Russes ou les mouvements de leurs unités de réserve.

A présent, Adams s'apercevait que, parmi les différents rapports et documents qu'il posait le matin sur le bureau du commandant, celui-ci commençait par extraire les renseignements sur les mouvements que les Russes avaient effectués pendant la nuit.

Un jour, Adams modifia l'ordre dans lequel les différents documents étaient disposés dans le dossier et plaça au-dessus les rapports du service de renseignements. Paulus ouvrit le dossier, regarda le premier document. Ses longs sourcils remontèrent, puis il referma brusquement le dossier.

Le colonel Adams comprit qu'il avait commis une indélicatesse. Il fut surpris par le bref regard, presque pitoyable, du général.

Quelques jours plus tard, après avoir parcouru les rapports et les documents disposés, cette fois, dans l'ordre habituel, Paulus sourit et dit à son officier d'ordonnance :

— Monsieur le novateur, vous me semblez perspicace.

Ce soir-là, une paisible soirée d'automne, le général Schmidt avait au cœur une certaine fierté en se rendant chez Paulus pour lui faire son rapport.

Schmidt se dirigeait vers la maison du commandant par une des larges rues du village : il respirait avec plaisir l'air froid qui lui semblait laver sa gorge encrassée de tout le tabac qu'il avait fumé pendant la nuit. De temps en temps, il regardait le ciel que coloraient les teintes sombres du crépuscule de la steppe. Il avait l'âme sereine, pensait à la peinture et constatait que ses brûlures d'estomac avaient enfin cessé de le tourmenter.

Il marchait le long de la rue, paisible et déserte le soir, et dans sa tête, sous sa casquette à la lourde visière, prenait place tout ce qui devait concourir au combat le plus acharné qui avait jamais été préparé depuis le début de la bataille de Stalingrad. Ce fut d'ailleurs ce qu'il dit au commandant lorsque celui-ci l'invita à s'asseoir et s'apprêta à l'écouter.

— Bien sûr, dit-il, l'histoire de nos armes a connu des attaques mobilisant des quantités infiniment plus importantes de matériel. Mais, en ce qui me concerne, je n'ai jamais été amené à créer une telle densité d'armements, à la fois de terre et d'air, sur une superficie du front si réduite.

Paulus écoutait le chef de l'état-major dans une attitude qui n'était pas celle d'un vrai général. Le dos voûté, il tournait la tête avec une sorte de docilité empressée pour suivre les mouvements du doigt de Schmidt qui indiquait les différentes colonnes du graphique et les secteurs de la carte. C'était lui qui avait conçu cette offensive. C'était lui, Paulus, qui en avait défini les paramètres. Or, à présent, en écoutant Schmidt, le plus brillant chef d'état-major avec lequel il ait jamais eu l'occasion de travailler, il ne reconnaissait pas ses propres idées dans l'élaboration détaillée de cette prochaine action.

Il lui semblait qu'au lieu d'exposer les conceptions de Paulus sous forme de programme tactique, Schmidt lui imposait sa propre volonté et préparait contre son gré l'offensive de l'infanterie, des chars et des bataillons du génie.

— Oui, dit Paulus, cette densité impressionne d'autant plus si on la compare avec le vide de notre aile gauche.

— Impossible de faire autrement, dit Schmidt, il y a trop de terre a l'est, plus que de soldats allemands.

— Je ne suis pas le seul à m'en inquiéter : von Weichs m'a dit : « Ce n'est pas avec le poing que nous avons frappé, mais avec la main grande ouverte, les doigts largement écartés sur toute l'étendue de l'Est. » Cela n'inquiète pas non plus que Weichs. Le seul à ne pas s'en inquiéter, c'est...

Il ne finit pas sa phrase.

Tout se passait à la fois comme il le fallait et comme il ne le fallait pas.

On avait l'impression que des imprécisions dues au hasard et des détails pernicieux de ces dernières semaines de combat allait surgir incessamment le véritable visage de la guerre, morne et désespéré.

Le service de renseignements continuait obstinément à annoncer une concentration de troupes soviétiques au nord-ouest. L'aviation n'était pas en mesure d'empêcher cette concentration. Weichs ne possédait pas de réserves allemandes sur les flancs de l'armée de Paulus. Il tentait de désinformer les Russes en implantant des émetteurs de radio allemands en zone roumaine. Mais cela ne transformerait pas les Roumains en Allemands.

... La campagne africaine avait commencé par des victoires, ainsi que la superbe vengeance prise sur les Anglais à Dunkerque, en Norvège, en Grèce : mais tout cela n'avait pas été couronné par la prise des îles Britanniques. Les formidables victoires à l'est, la percée sur des milliers de kilomètres vers la Volga n'avaient pas non plus abouti à l'anéantissement définitif de l'armée soviétique... Il semblait toujours que le plus important fût accompli et que seul un obstacle insignifiant, dû au hasard, eût empêché de mener les choses à bonne fin.

Que signifiaient ces quelques centaines de mètres qui le séparaient de la Volga, ces usines à demi détruites, ces carcasses vides de maisons incendiées, comparées aux espaces grandioses conquis pendant l'offensive de cet été ?... Ce n'étaient aussi que quelques kilomètres de désert qui séparaient Rommel de son oasis égyptienne. Il n'avait manqué que quelques heures et quelques kilomètres, enfin, à Dunkerque, pour que le triomphe soit complet sur la France brisée... Partout et toujours ces mêmes quelques kilomètres les séparaient de la victoire décisive sur l'ennemi, partout et toujours c'est le vide sur leurs flancs, d'immenses espaces derrière leurs troupes victorieuses et le manque de réserves.

Ce fameux été 1942 ! Il n'est donné à l'homme qu'une fois dans sa vie de vivre des jours tels que ceux-là. Il avait senti sur son visage le souffle de l'Inde. Si l'avalanche qui balaie les forêts et fait sortir les rivières de leur lit pouvait éprouver des sensations, elle aurait éprouvé ce qu'il avait ressenti à ce moment-là.

Car c'est à ce moment-là que l'idée lui était venue que l'oreille allemande s'était habituée au nom de Friedrich : c'était une plaisanterie, ce n'était pas une idée sérieuse, mais il l'avait eue tout de même. Et c'est justement à ce moment-là qu'un petit grain de sable bien dur avait crissé sous son pied, ou peut-être entre ses dents. Au sein du quartier général régnait l'exaltation du bonheur et du triomphe. Il recevait des commandants d'unités des rapports écrits, des rapports oraux, des rapports-radio, des rapports téléphoniques. On avait l'impression que ce n'était plus le dur travail du soldat, mais l'expression symbolique du triomphe allemand...

Mais un jour, le téléphone sonna : « Mon général... » A la voix, Paulus reconnut celui qui parlait : c'était l'intonation de la guerre quotidienne, peu en harmonie avec les carillons dont résonnaient l'air et les ondes. Le commandant de division Weller lui avait annoncé que, dans son secteur, les Russes étaient passés à l'offensive et qu'une de leurs unités d'infanterie équivalant à peu près à un bataillon renforcé avait réussi une percée vers l'ouest et occupait la gare de Stalingrad. Ce fut cet événement insignifiant qui fit naître en Paulus son sentiment d'inquiétude.

Schmidt lut à haute voix son projet de l'ordre d'opérations, redressa insensiblement les épaules et releva le menton pour exprimer qu'il ressentait bien le côté officiel du moment, nonobstant les bonnes relations qu'il entretenait avec le général.

Celui-ci eut alors ces paroles étranges et inattendues, qu'il prononça à mi-voix, sur un ton qui n'avait rien de celui d'un militaire et encore moins d'un général, et qui troublèrent Schmidt :

— Je crois au succès. Mais vous savez, il faut dire que notre lutte dans cette ville est totalement inutile et insensée.

— C'est un peu inattendu de la part de celui qui commande les armées de Stalingrad, dit Schmidt.

— Vous trouvez cela inattendu ? Stalingrad a cessé d'exister en tant que centre de communications et d'industrie lourde. Qu'avons-nous à y faire maintenant ? Nous pouvons couvrir le flanc nord-est des armées du Caucase le long de la ligne Astrakhan-Kalatch. Pour cela, nous n'avons pas besoin de Stalingrad. Je crois au succès, Schmidt : nous réussirons à prendre l'usine de tracteurs. Mais cela ne nous permettra pas de protéger notre aile. Von Weichs ne doute pas un instant que les Russes vont frapper. Le bluff ne les arrêtera pas.

A quoi Schmidt répondit :

— Le cours des événements modifie leur sens, mais le Führer ne s'est jamais replié sans avoir rempli sa mission jusqu'au bout.

Paulus pensait, lui aussi, que les plus brillantes victoires n'avaient malheureusement pas porté leurs fruits, parce qu'elles n'avaient pas été menées jusqu'au bout avec la ténacité et la fermeté nécessaires. Mais il lui semblait en même temps que savoir refuser d'accomplir certaines missions quand elles ont perdu tout leur sens prouvait la véritable force d'un général.

Devant le regard pressant et intelligent du général Schmidt, il ajouta :

— Ce n'est pas à nous d'imposer notre volonté à un grand stratège.

Il prit le texte de l'ordre d'opérations et le signa.

— Seulement quatre exemplaires, dit Schmidt : ultra-secret.

13

Après sa visite à l'état-major de l'armée des steppes, Darenski se rendit dans une unité disposée sur le flanc sud-ouest, dans les étendues sablonneuses et désertiques autour de la mer Caspienne.

Darenski avait l'impression maintenant que les steppes avec les cours d'eau et les lacs étaient une sorte de paradis terrestre, on y voyait de l'herbe, parfois un arbre, on y entendait hennir les chevaux.

Des milliers d'hommes habitués à la rosée du matin, au bruissement du foin, à l'air humide étaient installés dans ce désert de sable. Le sable fouette la peau, pénètre dans les oreilles, il crisse dans la bouillie et dans le pain, il se glisse dans le sel et les culasses, dans les mécanismes des montres, dans les rêves des soldats... Le corps de l'homme, ses narines, sa gorge, ses mollets souffrent. Le corps de l'homme y vit comme une télègue qui quitterait la route pour rouler à travers champs.

Darenski passa sa journée à inspecter les positions de l'artillerie, il discutait, écrivait, dessinait des schémas, examinait les pièces et les stocks de munitions. Le soir, il était épuisé, ses oreilles bourdonnaient, ses jambes, peu habituées à marcher dans le sable, lui faisaient mal.

Darenski avait remarqué depuis longtemps que les généraux deviennent particulièrement attentifs aux besoins de leurs subordonnés quand une armée bat en retraite ; les commandants d'armées et les membres de conseils d'armée font preuve, en veux-tu en voilà, de modestie, de scepticisme, d'esprit critique. Jamais une armée ne connaît autant d'esprits profonds que pendant une retraite désespérée quand l'ennemi avance et que la *Stavka* cherche des coupables.

Mais ici, dans les sables, les hommes étaient plongés dans une somnolence indifférente. On aurait pu croire que les officiers d'état-major et de troupes s'étaient persuadés qu'il n'y avait rien à faire, que de toute façon, demain et après-demain et dans un an, il n'y aurait que du sable.

Bova, le chef d'état-major du régiment d'artillerie, invita Darenski à passer la nuit chez lui. Malgré son nom de preux de légende, Bova était voûté, chauve et sourd d'une oreille.

Bova vivait dans une cahute de planches enduites d'argile et de fumier, le sol était couvert de quelques plaques de tôle rouillée. Elle ressemblait en tout point aux cahutes qu'habitaient les officiers à travers les sables.

— Salut, dit Bova en secouant énergiquement la main de Darenski. On est bien ici, hein ? (Il montra les murs tout autour.) C'est là qu'il faudra passer l'hiver, dans cette niche enduite de merde.

— Oui, pas terrible comme logis, fit Darenski, étonné par la transformation du doux et calme Bova.

Il installa Darenski sur une caisse qui avait contenu des conserves américaines, lui tendit un grand verre sale, couvert de traces de dentifrice qu'il emplit à ras bord de vodka et lui présenta une tomate marinée sur un lambeau de journal détrempé.

— Régalez-vous, camarade lieutenant-colonel, voilà le champagne et les ananas.

Darenski, peu porté sur l'alcool, but une petite gorgée précautionneuse, posa le verre loin de lui et entreprit d'interroger Bova sur la situation dans l'armée. Mais Bova n'avait pas envie de parler travail :

— Je ne pensais qu'au service, je ne voulais pas me laisser distraire, service service, et pourtant, il y avait de ces bonnes femmes quand on était en Ukraine, sans parler du Kouban. Seigneur... et pas farouches avec ça, suffisait de faire signe ! Et moi, espèce de crétin, j'usais mes fonds de pantalons au bureau-opérations, j'ai compris trop tard : j'étais déjà au milieu des sables !

Si, pour commencer, Darenski était irrité parce que Bova ne voulait pas discuter de la densité moyenne des troupes par kilomètre de front ou de la supériorité du mortier sur l'artillerie classique dans les conditions du désert, il finit par s'intéresser au tour qu'avait pris la conversation.

— Pas qu'un peu, fit-il, les Ukrainiennes sont de belles femmes. En 1941, notre état-major était à Kiev, je fréquentais une personne, une Ukrainienne, c'était une beauté ! Pour ce qui est du Kouban, ce n'est pas moi qui vais vous contredire. De ce point de vue, on peut le mettre à une des toutes premières places : un énorme pourcentage de belles femmes.

Les paroles de Darenski eurent un effet extraordinaire sur Bova : il jura et poussa un cri de désespoir.

— Et maintenant, tout ce qu'on a, c'est des Kalmoukes !

— Là, je ne suis pas d'accord, dit Darenski.

Et il prononça un discours assez bien construit sur le charme des femmes des steppes, sentant l'herbe et la fumée, aux pommettes hautes et à la peau basanée. Il se souvint d'Alla Sergueïevna et conclut :

— D'ailleurs, des femmes, il y en a partout. Il n'y a pas d'eau dans le désert, ça, c'est vrai, mais des dames, ça se trouve.

Mais Bova ne répondit pas et Darenski s'aperçut que son hôte dormait, et il comprit enfin que Bova était fin saoul.

Les ronflements de Bova ressemblaient aux râles d'un mourant, sa tête pendait du lit. Darenski, avec cette patience et cette bonté particulières qu'éprouve l'homme russe à l'égard d'un ivrogne, mit un oreiller sous la tête de Bova, essuya un filet de bave, puis il chercha un endroit où il pourrait s'installer pour dormir.

Darenski étendit sur le sol la capote du maître des lieux, puis la sienne, prit sa sacoche en guise d'oreiller.

Il sortit, avala l'air frais de la nuit, en soupira d'aise, se soulagea tout en contemplant les étoiles, se dit : « Ouais, le cosmos » et rentra dormir.

Il s'étendit sur le manteau de Bova, se couvrit du sien, mais, au lieu de fermer les yeux, il resta à fixer l'obscurité.

Quelle pauvreté l'entourait ! Couché par terre, il regardait des restes de tomates marinées et une valise en carton bouilli qui devait contenir une serviette marquée d'un tampon noir, une boîte à savon ébréchée et un étui à revolver vide.

L'isba de Pomogromne, où il avait passé une nuit l'automne dernier, lui semblait maintenant bien luxueuse ; mais dans un an, quand, au fond d'un trou, il se souviendrait de cette cabane, elle lui apparaîtrait d'un confort raffiné.

Darenski avait beaucoup changé pendant ces quelques mois à l'état-major de l'artillerie. Il y avait satisfait sa soif de travail et il n'éprouvait pas plus de bonheur maintenant à travailler que n'en éprouve un homme qui boit tous les jours à sa soif.

Il travaillait bien et ses supérieurs l'appréciaient. Il s'en réjouissait les premiers temps, en homme qui n'a pas l'habitude de se sentir indispensable. Il avait même été habitué au contraire pendant de longues années.

Il était, peut-être, encore plus apprécié à l'état-major du groupe d'armées de Stalingrad que ne l'avait été Novikov au groupe d'armées du sud-ouest. On disait que des pages entières de ses rapports passaient dans les notes qu'adressaient ses supérieurs à Moscou. Ainsi, son intelligence, son travail étaient utiles. Mais sa femme l'avait quitté cinq ans avant la guerre parce qu'il était « un ennemi du peuple qui avait su cacher sa nature visqueuse et hypocrite ». Ses origines nobles, par son père et par sa mère, l'avaient souvent empêché de trouver du travail. Darenski avait fini par croire qu'il n'était réellement pas digne d'un travail opérationnel, d'un poste à responsabilités. Après les camps, il s'était définitivement convaincu de son infériorité.

Et voilà que cette guerre terrible révélait qu'il n'en était rien.

Darenski remonta sa capote sur ses épaules, découvrant ses pieds à l'air froid qui venait à la porte, et se dit que maintenant, quand ses capacités étaient enfin reconnues, il dormait à même le sol dans une cage à lapins, il entendait les cris perçants des chameaux, et rêvait non de palaces ou de plages privées, mais de mettre des caleçons propres et de pouvoir se laver avec un rogaton de savon noir.

Il était fier que sa promotion ne lui apportât aucun avantage matériel, mais en même temps cela l'irritait.

La haute opinion qu'il avait de lui-même s'associait à un manque d'assurance dans la vie courante : Darenski avait l'impression que les biens de la vie n'étaient pas faits pour lui. Ce manque d'assurance, le manque d'argent, le sentiment de porter des vêtements usés lui étaient coutumiers depuis l'enfance.

Et maintenant, en sa période faste, ce sentiment ne le quittait pas.

L'idée qu'il pourrait se présenter au mess du conseil militaire et que la serveuse lui dirait : « Camarade colonel, vous n'avez droit qu'à la cantine de l'économat », cette idée l'effrayait. Et ensuite, à une quelconque réunion, un quelconque général, amateur de plaisanteries, lui lancerait : « Alors, colonel, il est bon le bortsch au mess du conseil ? » L'assurance dont faisaient preuve les généraux, bien sûr, mais même les simples reporters photographes, quand ils mangeaient, buvaient, exigeaient essence et cigarettes là où ils n'y avaient pas droit, l'emplissait d'étonnement.

Ainsi allait la vie, son père n'avait pu trouver de travail pendant de longues années, c'était sa mère qui faisait vivre la famille en travaillant comme dactylo.

Au milieu de la nuit, les ronflements de Bova s'interrompirent et Darenski prêta l'oreille au silence inquiétant qui s'instaura.

— Vous ne dormez pas, camarade colonel ? demanda soudain Bova.

— Non, je n'ai pas sommeil.

— Pardonnez-moi de ne pas vous avoir mieux reçu hier. J'avais un peu trop bu. Mais maintenant, j'ai la tête claire, comme si de rien n'était. Vous savez, je suis là, à me demander comment nous avons fait pour nous retrouver dans ce coin perdu. Qui nous a aidés à atterrir dans cette région oubliée de Dieu ?

— Qui vous voulez que ce soit ? Les Allemands, bien sûr.

— Passez donc sur le lit, et moi, je me mettrai par terre, proposa Bova.

— Mais non, voyons, je suis très bien ici.

— Ça ne se fait pas chez les Caucasiens : le maître de maison se prélasse dans le lit, alors que l'invité doit rester par terre.

— Ce n'est pas grave, nous ne sommes pas des Caucasiens tout de même !

— Presque ! Les premiers contreforts du Caucase ne sont plus très loin. Vous me dites que ce sont les Allemands qui nous ont aidés. Mais, voyez-vous, peut-être que ce ne sont pas seulement les Allemands, peut-être que nous nous sommes aidés nous-mêmes.

Bova s'était sûrement redressé car Darenski entendit le lit grincer.

— Ouais... ajouta-t-il.

— Oui, oui, oui... laissa tomber Darenski sans s'engager.

Bova avait engagé la conversation dans un cours inhabituel et maintenant, ils se taisaient, chacun se demandait s'il fallait poursuivre ce genre de discussion avec un quasi-inconnu.

Bova alluma une cigarette.

L'allumette éclaira un instant son visage ; il parut à Darenski fripé, sombre, étranger.

Darenski alluma à son tour une cigarette.

Bova vit le visage de Darenski ; il lui parut froid, hautain, étranger.

Et juste après, commença la discussion qu'il n'aurait pas fallu mener.

— Eh oui, dit Bova d'une voix ferme maintenant, la bureaucratie et les bureaucrates, c'est ça qui nous a amenés jusqu'ici.

— C'est terrible, la bureaucratie, approuva Darenski. Mon chauffeur me racontait que, dans son village, on ne pouvait obtenir le moindre papier si l'on n'offrait pas une bouteille de vodka.

— Ne plaisantez pas. Il n'y a pas de quoi rire. La bureaucratie, ce n'est pas drôle ; même en temps de paix, elle vous réduisait un homme à moins que rien. Mais au front... la bureaucratie peut être encore plus effrayante. Je peux vous raconter un exemple. Un pilote saute de son avion : un Messer l'avait allumé. Le pilote n'avait rien mais ses pantalons avaient brûlé. Écoutez la suite : on ne lui donne pas de pantalons ! L'intendant refuse : les précédents n'avaient pas fini leur temps, point à la ligne ! Le pilote est resté trois jours sans pantalons ! Il a fallu remonter jusqu'au chef de l'escadrille.

— Pardon, mais ça n'a pas de rapport, dit Darenski. Ce n'est pas parce qu'un idiot a refusé quelque part de délivrer des pantalons que nous avons reculé de Brest jusqu'au désert de la Caspienne.

— Est-ce que je dis que c'est la faute des pantalons ? Je vais vous donner un autre exemple. Une unité s'est trouvée encerclée, les hommes n'ont rien à manger. Une escadrille reçoit l'ordre de leur parachuter des vivres. L'intendance refuse : il nous faut une signature de décharge sur le bon de livraison, qu'ils disent, et si on leur jette des sacs d'en haut, on ne voit pas comment on pourra avoir notre décharge. Il n'y avait rien à faire. On n'a pas pu le convaincre. Il leur a fallu un ordre écrit de leurs supérieurs.

Darenski sourit.

— C'est drôle, mais, une fois de plus, ce n'est qu'un détail. Trop pointilleux. Dans les conditions du front, la bureaucratie peut avoir des effets monstrueux. Vous connaissez l'ordre : « Pas un pas en arrière » ? Et voilà que l'Allemand pilonne les nôtres, et il suffirait de passer sur l'autre versant pour que les hommes soient à l'abri : ça ne change rien à la situation et ça peut sauver le matériel. Mais un ordre a été donné : « Pas un pas », et l'on garde les hommes sous le feu, et les hommes périssent et le matériel est détruit.

— Tout juste, c'est exactement ça, dit Bova. En 1941, on nous a envoyé deux colonels de Moscou pour contrôler l'exécution de cet ordre précisément : « Pas un pas en arrière. » Ils n'avaient pas de voiture, et nous, on avait fui de deux cents kilomètres en trois jours depuis Gomel. Je prends les deux colonels dans mon camion. Ils sont secoués comme des sacs de pommes de terre à l'arrière mais ça ne les empêche pas de me demander quelles mesures on a prises pour appliquer le « Pas un pas en arrière ». Le rapport, que voulez-vous ?

Darenski prit une profonde inspiration, comme s'il s'apprêtait à plonger et, visiblement, plongea :

— La bureaucratie, c'est effrayant quand un soldat a défendu une hauteur, seul contre soixante-dix Allemands, quand il a retardé l'offensive ennemie, qu'il a péri, que l'armée s'est inclinée devant lui, et quand on vide sa femme tuberculeuse de l'appartement qu'elle habite et que le responsable du soviet lui crie : dehors, saleté ! La bureaucratie, c'est quand on ordonne à quelqu'un de remplir trente-six questionnaires et que pour finir il se repent en réunion publique : « J'avoue, je ne suis pas un camarade. » Mais quand un homme affirme : oui, notre État est un État ouvrier et paysan, mes parents sont des nobles, des parasites, des raclures de bidet, chassez-moi, alors là, oui, tout va bien.

— Eh bien, moi, je ne vois pas de bureaucratie là-dedans, dit Bova. C'est en effet comme ça, nous avons un État ouvrier et paysan et il est dirigé par des ouvriers et des paysans. Qu'y a-t-il de mal à cela ? C'est juste. L'État bourgeois, lui, ne confie pas ses affaires à des va-nu-pieds.

Darenski resta interloqué, il s'avérait que son interlocuteur avait un tour de pensée différent du sien.

Bova frotta une allumette et éclaira le visage de Darenski. Celui-ci plissa les yeux avec le sentiment qu'éprouve un soldat pris dans le faisceau de lumière d'un projecteur ennemi.

— Moi, par exemple, continua Bova, je suis de pure origine prolétarienne, mon père était ouvrier, mon grand-père aussi. J'ai une « bio » pure comme le cristal. Eh bien, moi non plus, je ne faisais pas l'affaire avant la guerre.

— Et pourquoi donc ? s'étonna Darenski.

— Je ne vois pas de bureaucratie quand l'État ouvrier fait preuve de vigilance à l'égard de nobles. Mais moi, un ouvrier, pourquoi m'a-t-on pris à la gorge ? Je ne savais plus quoi faire. Aller trier les patates dans les entrepôts de légumes ou me faire balayeur. Et pourtant je n'avais fais qu'exprimer un point de vue de classe : j'avais critiqué nos chefs, ils menaient un peu trop la belle vie. Et on m'a foutu dehors. C'est là, à mon avis, qu'est la racine de la bureaucratie, quand l'ouvrier est la victime de son propre État.

Darenski sentit que son interlocuteur touchait là quelque chose de particulièrement important. Et, comme il n'avait pas l'habitude de parler de ce qui lui tenait à cœur et qu'il n'avait pas plus l'habitude d'entendre les autres en parler, il se sentit gagné par une émotion extraordinaire : le bonheur de parler sans arrière-pensées de ses préoccupations les plus profondes.

Mais ici, dans cette cahute, allongé par terre, dans cette discussion avec un simple soldat à peine dessoûlé, rien n'était comme d'habitude. Et il se produisit cette chose si simple, si naturelle, si désirée et si nécessaire, cette chose si inaccessible et impensable : une conversation à cœur ouvert entre deux hommes.

— En quoi vous avez tort ? commença Darenski. Je vais vous le dire. Les bourgeois ne laissent pas entrer les va-nu-pieds au Sénat, c'est parfaitement vrai ; mais quand un pauvre a su devenir millionnaire, on le laisse entrer au Sénat. Un Ford est d'origine ouvrière. On ne laisse pas accéder, chez nous, les bourgeois et les nobles aux postes de direction, et c'est normal. Mais si l'on marque du sceau de l'infamie un honnête travailleur pour la seule raison que son père ou son grand-père était un paysan enrichi ou un prêtre, ce n'est plus du tout la même chose. Cela n'a plus rien à voir avec le point de vue de classe. Vous croyez, peut-être, que je n'en ai pas vu des ouvriers de chez Poutilov ou des mineurs du Donetsk pendant mes années de camp ? Tant que vous voulez ! Notre bureaucratie est terrible quand on comprend qu'elle n'est pas une tumeur sur le corps sain de l'État (on peut enlever une tumeur), mais que la bureaucratie est le corps même de l'État. Le premier larbin venu peut écrire « refusé » sur une demande ou chasser de son cabinet la veuve d'un soldat, mais pour chasser l'Allemand il faut être un homme et un vrai.

— Rien de plus juste, approuva Bova.

— Je n'en veux à personne. Merci, mille mercis. Je suis heureux. Ce qui est affreux, c'est qu'il ait fallu des épreuves aussi terribles pour que je puisse être heureux, pour que je puisse donner toutes mes forces à la Russie. A ce prix, qu'il aille se faire voir mon bonheur, qu'il soit plutôt maudit !

Darenski sentait malgré tout qu'il n'était pas parvenu à rendre clair ce qui constituait le fond de leur conversation, ce qui aurait éclairé la vie d'une lumière simple et évidente. Mais il avait quand même pensé, il avait dit des choses que d'ordinaire il s'interdisait et cela le rendait heureux.

— Vous savez, dit-il à son interlocuteur, de ma vie, quoi qu'il arrive dans le futur, je ne regretterai notre conversation de cette nuit.

14

Mikhaïl Sidorovitch avait passé plus de trois semaines dans une cellule individuelle auprès du Revier. Il était bien nourri et un médecin S.S. l'avait examiné à deux reprises et lui avait prescrit des injections de glucose.

Pendant les premières heures de sa détention, en attendant l'interrogatoire, Mostovskoï s'en voulait d'avoir accepté les discussions avec Ikonnikov. L'innocent l'avait sûrement dénoncé et lui avait refilé des papiers compromettants juste avant la fouille.

Mais les jours passaient et l'interrogatoire ne venait toujours pas. Il préparait mentalement des discussions politiques avec les détenus, se demandait qui parmi eux pourrait faire l'affaire dans l'entreprise d'Erchov. Il composait, les nuits d'insomnie, les textes de tracts, il choisissait les mots qu'il faudrait inclure dans le lexique qu'il avait l'intention de fabriquer afin de faciliter les rapports entre les détenus de nationalités différentes.

Il essayait de se rappeler les vieilles règles de conspiration, qui devraient permettre d'éviter un écroulement total de l'organisation si un provocateur les dénonçait.

Il aurait voulu questionner Erchov et Ossipov sur les premiers pas de l'organisation. Il était persuadé qu'il saurait vaincre les préjugés d'Ossipov à l'égard d'Erchov.

Tchernetsov, avec sa haine du bolchevisme et son espoir de voir

gagner l'Armée Rouge, lui semblait pitoyable. Il attendait son interrogatoire avec calme.

Mostovskoï fut pris, au cours de la nuit, d'un malaise cardiaque.
L'angoisse propre aux mourants dans une prison l'étreignait. La
douleur lui fit perdre connaissance. Quand il revint à lui, il sentit que
la douleur n'était plus aussi violente ; son visage, sa poitrine, les paumes de ses mains se couvrirent de sueur. Il avait l'impression, trom-
peuse, d'avoir à nouveau l'esprit clair.

Dans son esprit, la discussion sur le mal avec le prêtre italien se
mêlait au sentiment de bonheur qu'avait éprouvé le jeune garçon qui,
surpris par l'averse, s'était réfugié dans la pièce où sa mère était en
train de coudre, au souvenir de sa femme qui était venue le rejoindre
dans son exil sibérien, et de ses yeux pleins de larmes et de bonheur,
au souvenir de Dzerjinski, au visage blême, qu'il avait interrogé,
pendant un congrès du parti, sur le sort d'un charmant jeune homme
S. R. et à la réponse de Dzerjinski : « Fusillé. » Les yeux tristes du
major Kirillov... On traîne sur une luge le cadavre d'un ami qui n'a
pas voulu de son aide pendant le blocus de Leningrad.

La tête aux cheveux en bataille du garçon rêveur et ce crâne chauve
appuyé contre les planches rugueuses d'une baraque de camp.

Puis le passé se mit à reculer, perdit ses couleurs, son volume. Il
semblait s'enfoncer lentement dans une eau froide. Mostovskoï
s'endormit pour se réveiller dans la pénombre de l'aube au son de la
sirène.

Le matin, on conduisit Mostovskoï aux bains du Revier. Il examina d'un œil critique ses bras maigres, sa poitrine creuse.

« On ne peut guérir de la vieillesse », se dit-il.

Quand le gardien qui l'escortait sortit fumer une cigarette, un
détenu malingre, qui passait une serpillière sur le sol en ciment,
s'adressa à Mostovskoï :

— Erchov m'a ordonné de vous informer que les nôtres repous-
sent toutes les attaques des Boches à Stalingrad ; et aussi que tout va
bien. Il vous demande de rédiger un tract que vous transmettrez au
prochain bain.

Mostovskoï voulut dire qu'il n'avait ni crayon ni papier, mais il fut
interrompu par le retour du gardien.

Au moment de se rhabiller, Mostovskoï sentit un paquet dans une
de ses poches. Il contenait une dizaine de morceaux de sucre, un petit
morceau de lard enveloppé d'un chiffon, un bout de papier blanc et
un reste de crayon.

Mostovskoï se sentit heureux. Que pouvait-il désirer de plus ? Il
pourrait finir sa vie autrement qu'à se faire du souci à propos de son
estomac, ses rhumatismes et ses malaises cardiaques.

Un sous-officier S.S. le fit sortir le soir même du Revier, l'emmena par la rue du camp. Le vent froid lui soufflait par rafales dans le visage. Mikhaïl Sidorovitch se tourna du côté des baraques endormies et se dit : « Ça ira, les nerfs du camarade Mostovskoï ne céderont pas ; dormez tranquilles, les gars. »

Ils pénétrèrent dans le bâtiment de la direction du camp. On n'y percevait plus l'odeur habituelle d'ammoniaque ; une odeur de tabac froid flottait dans l'air. Mostovskoï remarqua une cigarette à peine entamée qui traînait par terre et il résista à l'envie de la ramasser.

Ils montèrent directement au second étage ; le soldat ordonna à Mostovskoï de s'essuyer les pieds et lui-même frotta longuement ses semelles sur le paillasson. Essoufflé par la montée de l'escalier, Mostovskoï cherchait à reprendre haleine.

Ils suivirent un couloir recouvert de moquette. Des lampes aux abat-jour en tulipes répandaient une lumière chaude et douce. Ils passèrent devant une porte qui portait l'inscription *Kommandant* pour s'arrêter devant une autre sur laquelle, de la même manière, était inscrit *Obersturmbannführer Liss.*

Mostovskoï avait entendu prononcer ce nom plus d'une fois : c'était le représentant de Himmler auprès de la direction du camp. Mostovskoï avait bien ri quand le général Goudz s'était plaint d'être interrogé par un adjoint de Liss alors qu'Ossipov avait eu droit à Liss lui-même. Goudz y avait vu un manque de considération pour les officiers opérationnels.

Ossipov racontait que Liss l'avait interrogé sans l'aide d'un interprète : Liss était un Allemand de Riga et connaissait le russe.

Un jeune officier sortit dans le couloir, dit quelques mots au soldat et fit entrer Mostovskoï dans le cabinet sans refermer la porte derrière lui.

Le cabinet était vide. Tapis par terre, fleurs dans un vase, tableau au mur (lisière de forêt et toits de tuiles rouges) ; Mostovskoï se dit qu'il se trouvait dans le cabinet d'un directeur d'abattoir : tout autour les râles des bêtes mourantes, les entrailles fumantes, les hommes couverts de sang, mais dans le cabinet du directeur tout est calme et seuls les téléphones sur le bureau évoquent le lien qui existe entre l'abattoir et ce cabinet.

L'ennemi ! Quel mot clair et net ! Et de nouveau, il pensa à Tchernetsov. Quel triste destin à l'époque du *Sturm und Drang !* Mais en gants de fil. Mostovskoï regarda ses mains. Une porte s'ouvrit dans les profondeurs du cabinet. Et aussitôt la porte qui menait dans le couloir se referma. L'officier de jour venait de voir que Liss était entré dans son cabinet.

Mostovskoï attendait debout, l'air sombre.

— Bonjour, dit d'une voix douce l'homme qui venait d'entrer. Il était de petite taille, on pouvait voir l'emblème des S.S. sur la manche de sa vareuse grise.

Liss n'avait rien de repoussant et c'était précisément ce qui le rendait encore plus effrayant aux yeux de Mostovskoï. Un nez en bec d'aigle, des yeux d'un gris foncé, un regard attentif, un grand front, des joues pâles et creuses, tout contribuait à donner une expression ascétique à son visage.

Liss attendit que Mostovskoï finisse de tousser et dit :

— J'ai envie de discuter avec vous.

— Et moi, je n'en ai pas envie, lui répondit Mostovskoï tout en regardant dans le coin de la pièce où il s'attendait à voir apparaître les aides de Liss, les manœuvres de l'interrogatoire physique, qui allaient le battre.

— Je vous comprends parfaitement, fit Liss, asseyez-vous.

Il installa Mostovskoï dans un fauteuil et s'assit à ses côtés.

Son russe était comme désincarné, il avait ce goût de cendres froides propre à la langue des brochures de vulgarisation scientifique.

— Vous ne vous sentez pas bien ?

Mostovskoï haussa les épaules sans répondre.

— Oui, oui, je le sais. Je vous ai envoyé un médecin et il m'en a fait part. Je vous ai dérangé en pleine nuit. Mais j'avais vraiment très envie de converser avec vous.

« Tu parles », pensa Mostovskoï, mais il dit :

— Vous m'avez fait venir pour un interrogatoire. Je n'ai pas à tenir de conversation avec vous.

— Et pourquoi donc ? demanda Liss. Vous regardez mon uniforme. Mais je ne le porte pas de naissance. Notre guide, notre parti nous donnent un travail et nous y allons, nous, les soldats du parti. J'ai toujours été un théoricien dans le parti, je m'intéresse aux problèmes d'histoire et de philosophie, mais je suis membre du parti. Et chez vous, pensez-vous que tous les agents du N.K.V.D. [1] aiment ce qu'ils font ? Si le Comité central vous avait chargé de renforcer le travail de la Tchéka, auriez-vous pu refuser ? Non, vous auriez mis de côté votre Hegel et vous y seriez allé. Nous aussi nous avons mis de côté Hegel.

Mikhaïl Sidorovitch coula un regard du côté de son interlocuteur ; il lui semblait étrange, sacrilège que ces lèvres impures puissent prononcer le nom de Hegel... Si un bandit avait entamé avec lui une conversation dans la cohue d'un tramway, il n'aurait pas écouté ce qu'il lui disait, il aurait suivi ses mains du regard en guettant l'instant où il sortirait un rasoir pour lui taillader le visage.

---

1. Le N.K.V.D. (littéralement ministère de l'Intérieur) ainsi que, quelques lignes plus bas, la Tchéka, est un des noms qu'a pris, à travers l'histoire soviétique, la police politique. *(N.d.T.)*

Liss leva ses mains, les regarda et dit :

— Nos mains comme les vôtres aiment le vrai travail et nous ne craignons pas de les salir.

Mikhaïl Sidorovitch grimaça : il lui était insupportable de retrouver chez son interlocuteur son propre geste et ses propres paroles.

Liss s'anima, ses paroles se précipitèrent, on aurait dit qu'il avait déjà discuté avec Mostovskoï et que, maintenant, il se réjouissait de pouvoir reprendre leur discussion interrompue.

— Vingt heures de vol et vous voilà chez vous, en Union soviétique, à Magadan, installé dans le fauteuil d'un commandant de camp. Ici, chez nous, vous êtes chez vous, mais vous n'avez tout simplement pas eu de chance. J'éprouve beaucoup de peine quand votre propagande fait chorus à la propagande de la ploutocratie et parle de justice partisane.

Il hocha la tête. Les paroles qui suivirent furent encore plus surprenantes, effroyables, grotesques.

— Quand nous nous regardons, nous ne regardons pas seulement un visage haï, nous regardons dans un miroir. Là réside la tragédie de notre époque. Se peut-il que vous ne vous reconnaissiez pas en nous ? Que vous ne retrouviez pas votre volonté en nous ? Le monde n'est-il pas pour vous, comme pour nous, volonté ; y a-t-il quelque chose qui puisse vous faire hésiter ou vous arrêter ?

Liss approcha son visage de Mostovskoï :

— Vous me comprenez ? Je ne parle pas parfaitement russe, mais je voudrais tant que vous me compreniez. Vous croyez que vous nous haïssez, mais ce n'est qu'apparence : vous vous haïssez vous-même en nous. C'est horrible, n'est-ce pas ? Vous me comprenez ?

Mikhaïl Sidorovitch avait décidé de ne pas répondre, de ne pas se laisser entraîner dans la discussion.

Mais un bref instant, il lui sembla que l'homme qui cherchait son regard ne désirait pas le tromper, qu'il était réellement inquiet et s'efforçait de trouver les mots justes.

Et une angoisse douloureuse étreignit Mostovskoï.

— Vous me comprenez ? Vous me comprenez ? répétait Liss, et il ne voyait même plus Mostovskoï, tant était grande son excitation.

« Vous me comprenez ? Nous portons des coups à votre armée mais c'est nous que nous battons. Nos tanks ont rompu vos défenses, mais leurs chenilles écrasent le national-socialisme allemand. C'est affreux, un suicide commis en rêve. Cela peut avoir une conclusion tragique. Vous comprenez ? Si nous sommes vainqueurs, nous, les vainqueurs, nous resterons sans vous, nous resterons seuls face aux autres qui nous haïssent.

Il aurait été aisé de réfuter les raisonnements de cet homme. Ses yeux s'approchèrent encore de Mostovskoï. Mais il y avait quelque chose de plus répugnant et de plus dangereux que les paroles de ce provocateur S.S., c'étaient les doutes répugnants que Mostovskoï trouvait au fond de lui-même et non plus dans le discours de son ennemi.

Ainsi il arrive qu'un homme ait peur d'être malade, qu'il craigne une tumeur maligne, mais il ne va pas consulter un médecin, il s'efforce de ne pas remarquer ses douleurs, évite de parler maladie avec ses proches. Mais voilà qu'un jour on lui dit : « Dites-moi, il ne vous arrive pas d'avoir tel type de douleur, généralement après que vous avez... C'est cela... Oui... »

— Me comprenez-vous, maître ? demanda Liss. Un Allemand fort intelligent, vous connaissez bien son livre, a écrit que la tragédie de Napoléon est due au fait qu'il exprimait l'âme de l'Angleterre alors que c'était précisément en Angleterre que se trouvait son ennemi mortel.

« Mon Dieu, j'aimerais mieux qu'ils me passent à tabac », se dit Mostovskoï et en même temps : « Ah oui, il parle de Spengler. »

Liss alluma une cigarette et tendit son étui en direction de Mostovskoï.

Mikhaïl Sidorovitch le coupa d'une voix brève.

— Non.

Il se sentit plus calme à l'idée que tous les policiers du monde, ceux qui lui avaient fait subir des interrogatoires il y a maintenant quarante ans, et celui-là, capable de parler de Hegel et de Spengler, que tous utilisaient le même procédé idiot : ils offraient des cigarettes à celui qu'ils interrogeaient. D'ailleurs, s'il était désorienté, c'était tout bêtement parce qu'il l'avait pris au dépourvu : il s'attendait à être passé à tabac et voilà qu'on lui infligeait cette conversation répugnante et grotesque. Même dans la police tsariste, il y avait des gens qui n'étaient pas complètement ignares en politique et il y en avait même de réellement instruits, il en avait connu un qui avait étudié *le Capital*. Mais il serait intéressant de savoir s'il arrivait à ce flic de la police politique de ressentir une hésitation au fond de son âme à la lecture de Marx : et si Marx avait raison ?... Quels pouvaient bien être les sentiments du policier quand il se posait cette question ? Mais on pouvait être sûr d'une chose : il ne passait pas dans le camp des révolutionnaires. Il devait refouler ses doutes et restait dans la police... Et moi, qu'est-ce que je fais, sinon refouler mes doutes ? Oui, mais moi, je reste un révolutionnaire.

Liss, n'ayant même pas remarqué le refus de Mostovskoï, marmonna :

— Oui, oui, vous avez raison. C'est du très bon tabac.

Il referma son porte-cigarettes et sembla encore plus désolé.

— Pourquoi semblez-vous si étonné par notre conversation ? Vous aussi, vous devez avoir à votre siège de la place Loubianka [1] des hommes instruits ? Des hommes capables de discuter avec l'académicien Pavlov ou avec Oldenbourg. Mais eux, ils poursuivent un but, tandis que moi, je ne poursuis aucun but dans cette conversation. Je vous en donne ma parole. Je suis torturé par les mêmes choses que vous.

Il sourit et rajouta :

— Parole d'honneur de gestapiste, et ce n'est pas rien.

Mostovskoï se répétait sans cesse : « Ne pas répondre, en aucun cas, surtout ne pas se laisser entraîner dans la discussion. »

Liss poursuivit, et on aurait dit qu'il avait oublié la présence de Mostovskoï :

— Il y a deux pôles ! C'est cela ! Si ce n'était pas parfaitement exact, il n'y aurait pas cette guerre affreuse. Nous sommes vos ennemis mortels, oui, bien sûr. Mais notre victoire est en même temps la vôtre. Vous comprenez ? Si c'est vous qui gagnez, nous périrons, mais nous continuerons à vivre dans votre victoire. C'est un paradoxe : si nous perdons la guerre, nous la gagnerons, nous continuerons à nous développer sous une autre forme mais en conservant notre essence.

Mais pourquoi donc ce Liss, ce tout-puissant Liss, au lieu de se faire projeter des films, boire de la vodka, rédiger des rapports à Himmler, lire des livres de jardinage, relire les lettres de sa fille, se payer du bon temps avec des jeunes filles choisies dans le dernier convoi, ou bien dormir dans sa chambre spacieuse après avoir pris un médicament améliorant son métabolisme, pourquoi a-t-il fait venir au milieu de la nuit un vieux bolchevik russe qui pue le camp ?

« Qu'a-t-il en tête ? Pourquoi cache-t-il son jeu ? Quelle information cherche-t-il à lui arracher ? »

Mikhaïl Sidorovitch ne craignait pas la torture ; il avait peur d'autre chose. Et si l'Allemand ne mentait pas ? S'il était sincère ? S'il avait simplement envie de discuter ?

Quelle pensée répugnante ! Ils sont deux êtres malades, torturés par le même mal, mais l'un d'eux n'a pu tenir et parle, fait part de ses pensées, l'autre se tait, se terre, mais écoute, écoute...

Enfin, comme pour répondre à la muette interrogation de Mostovskoï, Liss ouvrit un dossier qui se trouvait sur le bureau devant lui et en sortit d'un geste dégoûté, la tenant entre deux doigts, une liasse de papiers sales. Et Mostovskoï les reconnut aussitôt : c'étaient les écrits d'Ikonnikov.

Liss devait espérer que la vue soudaine des papiers provocateurs d'Ikonnikov prendrait Mostovskoï au dépourvu...

---

1. Siège de la Tchéka, puis de la Guépéou, N.K.V.D., M.V.D., etc. *(N.d.T.)*

Mais Mostovskoï ne perdit pas son sang-froid. Un sentiment proche du soulagement le gagna tandis qu'il regardait ces papiers : tout était clair, tout était bête et grossier, comme toujours quand il s'agit d'interrogatoire policier. Liss poussa les griffonnages d'Ikonnikov vers le bord du bureau puis les replaça devant lui.

— Vous voyez, dit-il en passant soudain à l'allemand, ce sont les papiers qu'on vous a pris pendant la fouille. Je n'avais pas lu les premiers mots que j'avais déjà compris que vous n'étiez pas l'auteur de ces bêtises, je n'avais pas besoin pour cela de connaître votre écriture.

Mostovskoï se taisait.

Liss tapota du doigt la liasse de papiers dans un geste d'invite amical.

Mais Mostovskoï se taisait toujours.

— Me serais-je trompé, s'étonna Liss. Non ! Je n'ai pas pu me tromper. Vous et moi éprouvons le même dégoût pour les insanités de ce texte. Vous et moi sommes du même côté, et de l'autre côté, il y a « cela » !

Et Liss montra les papiers devant lui.

— Bon, eh bien, allons-y ! fit Mostovskoï, hargneux. Ces papiers ? Oui, ils m'ont été confisqués. Vous voulez savoir qui me les a transmis ? Ça ne vous regarde pas. Peut-être que c'est moi qui les ai écrits. Peut-être que c'est vous qui avez ordonné à votre agent de me les glisser en cachette sous mon matelas. C'est compris ?

Un instant, on aurait pu croire que Liss allait accepter le défi, qu'il allait hurler dans un accès de rage :

— J'ai les moyens de vous faire parler !

Comme Mostovskoï l'aurait voulu ! Comme tout serait devenu simple ! Comme tout serait devenu facile ! « L'ennemi », quel mot clair et net !

Mais Liss dit :

— Que viennent faire là ces papiers minables ? Qu'est-ce que ça peut bien faire, qui en est l'auteur ? Ce que je sais, c'est que ce n'est ni vous ni moi. Je suis très peiné. Réfléchissez : qui se trouve dans nos camps en temps de paix, quand il n'y a pas de prisonniers de guerre ? On y trouve les ennemis du parti, les ennemis du peuple. C'est une espèce que vous connaissez, ce sont ceux qu'on trouve également dans vos camps. Et si en temps de paix vos camps entraient dans notre système de la S.S., nous ne laisserions pas sortir vos prisonniers. Vos prisonniers sont nos prisonniers.

Il esquissa un sourire :

— Les communistes allemands que nous avons incarcérés dans les camps l'ont été par vous aussi en 1937. Ejov les a mis dans des camps et le Reichsführer Himmler en a fait autant... Soyez hégélien, cher maître.

Il fit un clin d'œil à Mostovskoï :

— Je me disais : dans vos camps, votre connaissance des langues étrangères vous aurait été aussi utile que dans les nôtres. Aujourd'hui, vous êtes effrayé par notre haine du judaïsme. Mais il se peut que demain vous la repreniez à votre propre compte. Et après-demain, c'est nous qui deviendrons plus tolérants. J'ai parcouru une longue route, et j'avais pour guide un grand homme. Vous aussi, vous avez pour guide un grand homme, vous aussi, vous avez parcouru une longue et dure route. Vous y croyiez, vous, que Boukharine était un provocateur ? Seul un grand homme pouvait faire suivre cette voie. Moi, de même, j'ai connu Röhm, je croyais en lui. Mais il le fallait. Et voilà la pensée qui me torture : votre terreur a tué des millions de gens, et il n'y a que nous, les Allemands, qui, dans le monde entier, comprenons qu'il le fallait, que c'était bien ainsi.

« Comprenez-moi comme je vous comprends. Cette guerre doit vous faire horreur.

« Napoléon n'aurait pas dû faire la guerre contre l'Angleterre. »

C'est alors qu'une nouvelle pensée frappa Mostovskoï.

Il ferma même les yeux : la lumière était-elle trop crue ou bien cherchait-il à fuir cette pensée torturante ?

Et si ses doutes n'étaient pas un signe de faiblesse, d'impuissance, de fatigue, de manque de foi ? Et si les doutes qui s'emparaient parfois de lui, tantôt timides, tantôt destructeurs, étaient justement ce qu'il y avait de plus honnête, de plus pur en lui ? Et lui, il les refoulait, les repoussait, les haïssait. Et si c'étaient eux qui contenaient le grain de la vérité révolutionnaire ? C'étaient eux qui contenaient la dynamite de la liberté !

Pour repousser Liss, ses doigts visqueux, il suffit de ne plus haïr le menchevik Tchernetsov, de ne plus mépriser le fol en Dieu Ikonnikov ! Non, non, plus encore ! Il faut renoncer à tout ce qui constituait sa vie à ce jour, condamner tout ce qu'il défendait et justifiait.

Mais non, non, bien plus ! Pas condamner mais haïr de toute son âme, de toute sa foi de révolutionnaire, les camps, la Loubianka, le sanglant Ejov, Iagoda, Beria ! Ce n'est pas assez, il faut haïr Staline et sa dictature !

Mais non, non, bien plus ! Il faut condamner Lénine ! Le chemin conduisait à l'abîme.

La voilà, la victoire de Liss ! Ce n'était pas une victoire remportée sur les champs de bataille, mais dans cette guerre sans coups de feu, pleine de venin, que menait contre lui le gestapiste.

La folie le guettait. Et soudain il poussa un soupir de soulagement. La pensée qui l'avait, l'espace d'un instant, aveuglé et terrifié, tombait en poussière, semblait ridicule et pitoyable. Son égarement n'avait duré que quelques secondes.

Comment avait-il pu, ne serait-ce qu'une seconde, ne serait-ce qu'une fraction de seconde, douter de la justesse de la grande cause ?

Liss le fixa, mâchonna un instant, et poursuivit :

— Aujourd'hui, on nous regarde avec horreur et on vous regarde avec amour et espoir. Mais, n'en doutez pas, ceux qui nous regardent avec horreur, vous regarderont, vous aussi, avec horreur.

Mostovskoï ne craignait plus rien. Maintenant, il savait ce que valaient ses doutes. Ils ne menaient pas dans le marais, comme il avait pu le penser auparavant, mais à l'abîme !

Liss reprit les papiers d'Ikonnikov.

— Pourquoi fréquentez-vous des gens pareils ? Cette maudite guerre a tout perturbé, tout mélangé. Ah, si j'avais la force de démêler cet écheveau !

— Non, monsieur Liss, il n'y a rien à démêler. Tout est clair et net. Ce n'est pas en nous unissant à des Ikonnikov ou des Tchernetsov que nous vous avons vaincus. Nous sommes assez forts pour venir à bout et des uns et des autres.

Maintenant, Mostovskoï voyait clairement que Liss réunissait en lui tout le monde de l'obscur, or toutes les décharges dégagent la même odeur, tous les débris se ressemblent. Il ne faut pas chercher ressemblances et différences dans les débris, les ordures, il faut les chercher dans l'idée, le projet du bâtisseur.

Et une rage heureuse et triomphante s'empara de lui. Une rage qui n'avait pas pour seul objet Liss et Hitler ; elle était aussi tournée contre l'officier anglais qui l'avait interrogé sur la critique du marxisme en Russie, contre les discours répugnants du menchevik borgne, contre le prêcheur pleurnichard qui n'était en fin de compte qu'un agent provocateur. Où donc tous ces gens trouveront-ils les idiots qui pourraient croire qu'il y a l'ombre d'une ressemblance entre l'empire nazi et un État socialiste ? Liss, ce gestapiste, était l'unique consommateur de leur marchandise sortie des poubelles de l'Histoire. Mikhaïl Sidorovitch comprit en cet instant, comme jamais auparavant, le lien qui unissait le fascisme et ses agents.

« N'est-ce pas là, se dit Mostovskoï, que réside le génie de Staline ? Quand il exterminait les gens de cette sorte, il était le seul à voir la fraternité secrète qui unissait le fascisme aux pharisiens qui se faisaient les apôtres d'une liberté abstraite. » Et cette idée lui sembla si évidente qu'il eut envie d'en faire part à Liss pour le convaincre de l'absurdité de ses élucubrations. Mais il se contenta de sourire : il était un vieux singe, et ce n'est pas lui qui irait discuter avec l'ennemi de ses affaires.

Fixant Liss droit dans les yeux, il dit d'une voix forte que durent entendre les gardes derrière la porte :

— Suivez mon conseil, vous perdez votre temps avec moi, collez-moi au mur ou faites-moi balancer au bout d'une corde, tuez-moi.

Liss répliqua aussitôt :

— Calmez-vous, s'il vous plaît. Personne n'a l'intention de vous tuer.

— Je ne m'inquiète pas, répondit gaiement Mostovskoï, je n'ai absolument pas l'intention de m'inquiéter.

— Vous devez vous inquiéter. Que mon insomnie soit la vôtre ! Mais quelle est donc la cause de l'hostilité qui nous sépare ? Je ne peux pas la comprendre. Adolf Hitler ne serait pas un Führer mais le laquais des Krupp et des Stinnes ? Chez vous la terre n'est pas propriété privée ? Les usines et les banques appartiennent au peuple ? Vous êtes des internationalistes, alors que nous prêchons la haine raciale ? Nous avons allumé l'incendie, tandis que vous vous efforcez de l'éteindre ? On nous déteste alors que l'humanité regarde avec espoir du côté de Stalingrad ? C'est cela qu'on dit chez vous ? Balivernes ! Il n'y a pas de gouffre entre nous. C'est une invention. Nous sommes des formes différentes d'une même essence : l'État-Parti. Nos capitalistes ne sont pas les maîtres. L'État leur donne un plan et un programme. L'État leur prend leur production et leurs profits. Ils ne gardent que 6 % de leurs profits pour eux, c'est leur salaire. Votre État-Parti définit lui aussi le plan et le programme ; il prend, lui aussi, la production. Ceux que vous nommez les maîtres, les ouvriers, reçoivent, eux aussi, un salaire de l'État-Parti.

Mikhaïl Sidorovitch regarda Liss et s'étonna : « Comment est-il possible que cet ignoble bavardage ait pu me troubler, même un instant ? Comment est-il possible que je me sois noyé dans ce flot de boue malodorante ? »

Liss poussa un soupir de découragement.

— Le drapeau rouge du prolétariat flotte aussi au-dessus de notre État populaire ; nous aussi, nous appelons à l'unité et à l'effort national ; nous aussi, nous disons que le parti exprime les aspirations de l'ouvrier allemand. Vous aussi, vous avez les mots « labeur » et « national » à la bouche. Vous savez, aussi bien que nous, que le nationalisme est la grande force du XXe siècle. Le nationalisme est l'âme de notre temps ! Le socialisme dans un seul pays est l'expression suprême du nationalisme !

« Je ne vois pas ce qui nous sépare. Mais notre maître génial, le guide du peuple allemand, notre père, le meilleur ami de la mère allemande, le plus grand stratège de tous les temps et de tous les peuples a décidé cette guerre. Malgré cela je crois en Hitler ! Je crois que l'esprit de votre Staline n'est pas obscurci par la colère et la douleur.

Il voit la vérité à travers les fumées et les flammes de la guerre. Il sait qui sont ses ennemis. Il le sait, oui, il le sait, alors même qu'il discute avec eux d'une stratégie commune contre nous et qu'il lève son verre à leur santé. Il y a sur terre deux grands révolutionnaires : Staline et notre Führer. Leur volonté a fait naître le socialisme national de l'État.

« En ce qui me concerne, notre fraternité avec vous est plus importante que la guerre que nous menons contre vous pour les territoires de l'Est. Nous bâtissons deux maisons et elles doivent se trouver côte à côte. Je voudrais, cher maître, que vous viviez un temps dans le calme de la solitude et que vous réfléchissiez, réfléchissiez longuement avant notre prochain entretien.

— Pour quoi faire ? C'est idiot ! Insensé ! Grotesque ! dit Mostovskoï. Et que signifie ce « cher maître » ridicule ?

— Oh, non ! il n'est pas ridicule. Nous devons comprendre, vous et moi, que l'avenir ne se décide pas sur les champs de bataille. Vous avez personnellement connu Lénine. Il a fondé un parti de type nouveau. Il a été le premier à comprendre que seuls le parti et le chef expriment l'élan vital d'une nation, et il a mis fin à l'Assemblée constituante. Quand, en physique, Maxwell détruisit la mécanique newtonienne, il était persuadé qu'il était en train de la confirmer ; de même Lénine se prenait pour le fondateur de l'Internationale, alors qu'il était en train de fonder le grand nationalisme du XXe siècle. Puis Staline nous apprit énormément de choses. Pour qu'existe le socialisme dans un seul pays il fallait priver les paysans du droit de semer et de vendre librement, et Staline n'hésita pas : il liquida des millions de paysans. Notre Hitler s'aperçut que des ennemis entravaient la marche de notre mouvement national et socialiste, et il décida de liquider des millions de Juifs. Mais Hitler n'est pas qu'un disciple, il est un génie ! C'est dans notre « Nuit des longs couteaux » que Staline a trouvé l'idée des grandes purges de 37. Hitler non plus n'hésita pas... Vous devez me croire. J'ai parlé, vous vous êtes tu, mais je sais que j'ai été pour vous un miroir.

Mostovskoï prononça :

— Un miroir ? Tout ce que vous avez dit est mensonge du premier au dernier mot. Ma dignité ne me permet pas de réfuter votre sale bavardage de provocateur. Un miroir ? Qu'est-ce qui vous prend ? Vous avez définitivement perdu la tête ? Stalingrad vous ramènera à la raison.

Liss se leva et Mostovskoï, en qui se mêlaient désarroi, enthousiasme et haine, se dit : « C'est la fin, il va m'abattre ! »

Mais on aurait cru que Liss n'avait pas entendu les paroles de Mostovskoï. Il s'inclina respectueusement devant lui.

— Vous serez toujours nos maîtres, dit-il, et en même temps nos disciples. Alors nous devons réfléchir en commun.

Son visage était triste mais ses yeux riaient. Et de nouveau une pointe venimeuse piqua Mostovskoï au cœur. Liss regarda sa montre.

— Le temps ne passe pas comme ça, en vain.

Il sonna, dit doucement :

— Prenez cela, si vous en avez besoin. Nous nous reverrons bientôt. *Gute Nacht.*

Mostovskoï prit, sans savoir pourquoi, les feuillets sur la table et les fourra dans sa poche.

On le fit sortir du bâtiment de la direction, il inspira une profonde bouffée d'air froid. Comme elle était agréable, cette nuit humide avec le hurlement des sirènes dans l'obscurité du petit matin, après le cabinet du gestapiste et la voix douce du théoricien en national-socialisme !

Il vit passer, alors qu'il approchait du Revier, une voiture aux phares bleus. Mostovskoï comprit que Liss rentrait prendre du repos. Un nouvel accès d'angoisse s'empara de Mostovskoï. Le sous-officier le fit entrer dans son box, ferma la porte à clef.

« Si je croyais en Dieu, se dit Mostovskoï, je me dirais que cet étrange interlocuteur m'a été envoyé pour me punir de mes doutes. »

Il n'arrivait pas à trouver le sommeil. Une journée nouvelle commençait. Adossé au mur fait de planches de sapin mal rabotées, Mostovskoï entreprit de déchiffrer les gribouillages d'Ikonnikov.

15

« La plupart des êtres qui vivent sur terre ne se fixent pas pour but de définir le « bien ». En quoi consiste le bien ? Le bien pour qui ? Le bien de qui ? Existe-t-il un bien en général, applicable à tous les êtres, à tous les peuples, à toutes les circonstances ? Ou, peut-être, mon bien réside dans le mal d'autrui, le bien de mon peuple dans le mal de ton peuple ? Le bien est-il éternel et immuable, ou, peut-être, le bien d'hier est aujourd'hui un vice et le mal d'hier est aujourd'hui le bien ?

« Le Jugement dernier approche, les philosophes et les théologiens ne sont plus les seuls à se poser le problème du bien et du mal, il se pose à tous les hommes, cultivés ou analphabètes.

« Les hommes ont-ils avancé dans l'image qu'ils se font du bien au cours des millénaires ? Est-ce une notion commune à tous les hommes, et « il n'y a pas de différence de Juif et de Grec », comme disait l'apôtre. Ou peut-être est-ce une notion encore plus large, commune aussi aux animaux, aux arbres, aux lichens, cette largeur qu'ont mise dans la notion de bien Bouddha et ses disciples ? Bouddha qui, pour englober le monde dans l'amour et le bien, a dû finir par le nier.

« Je le vois : la succession, au cours des millénaires, des différents systèmes moraux et philosophiques des guides de l'humanité conduit au rétrécissement de la notion du bien.

« Les idées chrétiennes, que cinq siècles séparent du bouddhisme, rétrécissent le monde vivant auquel s'appliquent les notions de bien et de mal : ce n'est plus le monde vivant dans sa totalité mais seulement les hommes.

« Au bien des premiers chrétiens, le bien de tous les hommes, a succédé le bien pour les seuls chrétiens, et à côté existait le bien des musulmans.

« Des siècles s'écoulèrent et le bien des chrétiens se divisa et il y eut le bien des catholiques, celui des protestants et celui des orthodoxes. Puis, du bien orthodoxe naquit le bien de la nouvelle et de l'ancienne foi.

« Et vivaient côte à côte le bien des riches et le bien des pauvres, et le bien des Jaunes, des Noirs, des Blancs.

« Et, se fragmentant de plus en plus, apparut le bien pour une secte, une race, une classe ; tous ceux qui se trouvaient au-delà du cercle étroit n'étaient plus concernés.

« Et les hommes virent que beaucoup de sang était versé à cause de ce petit, de ce mauvais bien, au nom de la lutte que menait ce bien contre tout ce qu'il estimait, lui, le petit bien, être le mal.

« Et parfois, la notion même d'un tel bien devenait un fléau, devenait un mal plus grand que le mal.

« Un tel bien n'est que de la balle d'où est tombée la graine. Qui rendra la graine aux hommes ?

« Donc, qu'est-ce que le bien ? On disait : c'est un dessein, et, liée à ce dessein, une action qui mène au triomphe de l'humanité, d'une famille, d'une nation, d'un Etat, d'une classe, d'une croyance.

« Ceux qui luttent pour le bien d'un groupe s'efforcent de le faire passer pour le bien général. Ils proclament : mon bien coïncide avec le bien général ; mon bien n'est pas seulement indispensable pour moi, il est indispensable à tous. Cherchant mon propre bien, je sers le bien général.

« Ainsi, le bien ayant perdu son universalité, le bien d'une secte, d'une classe, d'une nation, d'un Etat, prétend à cette universalité pour justifier sa lutte contre tout ce qui lui apparaît comme étant le mal.

« Mais même Hérode ne versait pas le sang au nom du mal, il le versait pour son bien à lui, Hérode. Une nouvelle puissance était née qui le menaçait, menaçait sa famille. ses amis et ses favoris, son royaume, son armée.

« Or, ce qui était né n'était pas un mal mais le christianisme. Jamais encore l'humanité n'avait entendu ces paroles : «Ne jugez pas et vous ne serez pas jugés : car, du jugement dont vous jugerez, vous serez jugés ; et de la mesure dont vous mesurerez, il vous sera mesuré... Aimez vos ennemis ; faites du bien à ceux qui vous haïssent ; bénissez ceux qui vous maudissent ; priez pour ceux qui vous insultent... Toutes les choses que vous voulez que les hommes vous fassent, faites-les donc aussi pour eux ; car c'est cela, la loi et les prophètes. »

« Qu'apporta à l'humanité cette doctrine de paix et d'amour ?

« Les tortures de l'Inquisition, la lutte contre les hérésies en France, en Italie, en Flandre, en Allemagne, la guerre entre les protestants et les catholiques, la cruauté des ordres monastiques, la lutte entre Avvakoum et Nikon, des persécutions séculaires contre la science et la liberté, le génocide de peuples entiers, les criminels brûlant les villages de nègres en Afrique. Tout cela coûta plus de souffrances que les crimes des brigands et des criminels faisant le mal pour le mal...

« Telle est la destinée terrible, qui laisse l'esprit en cendres, de la doctrine la plus humaine de l'humanité ; le christianisme n'a pas échappé au sort commun et il s'est lui aussi divisé en une série de petits « biens » privés. La cruauté de la vie fait naître le bien dans les grands cœurs, ils portent ce bien dans la vie, brûlant du désir de transformer le monde à l'image du bien qui vit en eux. Mais ce ne sont pas les cercles de la vie qui se transforment à l'image du bien, c'est l'idée du bien qui, engluée dans le marécage de la vie, se fragmente, perd son universalité, se met au service du moment présent et ne modèle pas la vie à sa merveilleuse mais immatérielle image.

« L'homme perçoit toujours la vie comme une lutte entre le bien et le mal, mais il n'en est pas ainsi. Les hommes qui veulent le bien de l'humanité sont impuissants à réduire le mal sur terre.

« Les grandes idées sont nécessaires pour frayer de nouvelles voies, déplacer les rochers, abattre les falaises ; les rêves d'un bien universel pour que les grandes eaux puissent couler en un seul flot. Si la mer pouvait penser, l'idée et l'espoir du bonheur naîtraient dans ses eaux à l'occasion de chaque tempête ; et la vague, en se brisant contre les rochers, penserait qu'elle périt pour le bien des eaux de la mer, il ne lui viendrait pas à l'idée qu'elle est soulevée par la force du vent, que le vent l'a soulevée comme il en a soulevé des milliers avant elle et comme il en soulèvera des milliers après elle.

« Des milliers de livres ont été écrits pour indiquer comment lutter contre le mal, pour définir ce que sont le bien et le mal.

« Mais le triste en tout cela est le fait suivant, et il est incontestable : là où se lève l'aube du bien, qui est éternel mais ne vaincra jamais le mal, qui lui aussi est éternel mais ne vaincra jamais le bien, là où se lève l'aube du bien, des enfants et des vieillards périssent, le sang coule. Non seulement les hommes mais même Dieu n'a pas le pouvoir de réduire le mal sur terre.

« Une voix a été ouïe à Rama, des lamentations et des pleurs et de grands gémissements. Rachel pleure ses enfants ; et elle ne veut pas être consolée, parce qu'ils ne sont plus. » Et il lui importe peu, à la mère qui a perdu ses enfants, ce que les sages estiment être le bien et ce qu'ils estiment être le mal.

« Mais alors, peut-être que la vie, c'est le mal ?

« J'ai pu voir en action la force implacable de l'idée de bien social qui est née dans notre pays. Je l'ai vue au cours de la collectivisation totale ; je l'ai vue encore une fois en 1937. J'ai vu qu'au nom d'une idée du bien, aussi belle et humaine que celle du christianisme, on exterminait les gens. J'ai vu des villages entiers mourant de faim, j'ai vu, en Sibérie, des enfants de paysans déportés mourant dans la neige, j'ai vu les convois qui emmenaient en Sibérie des centaines et des milliers de gens de Moscou, de Leningrad, de toutes les villes de la Russie, des gens dont on avait dit qu'ils étaient les ennemis de la grande et lumineuse idée du bien social. Cette grande et belle idée tuait sans pitié les uns, brisait la vie des autres, elle séparait les femmes et les maris, elle arrachait les pères à leurs enfants.

« Maintenant, l'horreur du fascisme allemand est suspendue au-dessus du monde. Les cris et les pleurs des mourants emplissent l'air. Le ciel est noir, la fumée des fours crématoires a éteint le soleil.

« Mais ces crimes inouïs, jamais vus encore dans l'univers entier, jamais vus même par l'homme sur terre, ces crimes sont commis au nom du bien.

« Il y a longtemps, alors que je vivais dans les forêts du Nord, je m'étais imaginé que le bien n'était pas dans l'homme, qu'il n'était pas dans le monde des animaux et des insectes, mais qu'il était dans le royaume silencieux des arbres. Mais non ! J'ai vu la vie de la forêt, la lutte cruelle que mènent les arbres contre les herbes et les taillis pour la conquête de la terre. Des milliards de semences, en poussant, étouffent l'herbe, font des coupes dans les taillis solidaires ; des milliards de pousses autosemencées entrent en lutte les unes contre les autres. Et seules celles qui sortent victorieuses de la compétition forment une frondaison où dominent les essences de lumière. Et seuls ces arbres forment une futaie, une alliance entre égaux. Les sapins et les hêtres végètent dans un bagne crépusculaire, dans l'ombre du dôme de verdure que forment les essences de lumière. Mais vient, pour eux, le temps de la sénescence et c'est au tour des sapins de monter vers la lumière en mettant à mort les bouleaux.

« Ainsi vit la forêt dans une lutte perpétuelle de tous contre tous. Seuls des aveugles peuvent croire que la forêt est le royaume du bien. Est-il vraiment possible que la vie soit le mal ?

« Le bien n'est pas dans la nature, il n'est pas non plus dans les prédications des prophètes, les grandes doctrines sociales, l'éthique des philosophes... Mais les simples gens portent en leur cœur l'amour pour tout ce qui est vivant, ils aiment naturellement la vie, ils protègent la vie ; après une journée de travail, ils se réjouissent de la chaleur du foyer et ils ne vont pas sur les places allumer des brasiers et des incendies.

« C'est ainsi qu'il existe, à côté de ce grand bien si terrible, la bonté humaine dans la vie de tous les jours. C'est la bonté d'une vieille, qui, sur le bord de la route, donne un morceau de pain à un bagnard qui passe, c'est la bonté d'un soldat qui tend sa gourde à un ennemi blessé, la bonté de la jeunesse qui a pitié de la vieillesse, la bonté d'un paysan qui cache dans sa grange un vieillard juif. C'est la bonté de ces gardiens de prison, qui, risquant leur propre liberté, transmettent des lettres de détenus adressées aux femmes et aux mères.

« Cette bonté privée d'un individu à l'égard d'un autre individu est une bonté sans témoins, une petite bonté sans idéologie. On pourrait la qualifier de bonté sans pensée. La bonté des hommes hors du bien religieux ou social.

« Mais, si nous y réfléchissons, nous voyons que cette bonté privée, occasionnelle, sans idéologie, est éternelle. Elle s'étend sur tout ce qui vit, même sur la souris, même sur la branche cassée que le passant, s'arrêtant un instant, remet dans une bonne position pour qu'elle puisse cicatriser et revivre.

« En ces temps terribles où la démence règne au nom de la gloire des Etats, des nations et du bien universel, en ce temps où les hommes ne ressemblent plus à des hommes, où ils ne font que s'agiter comme des branches d'arbre, rouler comme des pierres qui, s'entraînant les unes les autres, comblent les ravins et les fossés, en ce temps de terreur et de démence, la pauvre bonté sans idée n'a pas disparu.

« Des Allemands, un détachement punitif, sont entrés dans le village. Deux soldats allemands avaient été tués la veille sur la route. Le soir, on réunit les femmes du village et on leur ordonna de creuser une fosse à la lisière de la forêt. Plusieurs soldats s'installèrent dans l'isba d'une vieille femme. Son mari fut emmené par un *politsaï* au bureau, où on avait déjà rassemblé une vingtaine de paysans. Elle resta éveillée toute la nuit : les Allemands avaient trouvé dans la cave un panier d'œufs et un pot de miel, ils allumèrent eux-mêmes le poêle, se firent frire une omelette et burent de la vodka. Puis, l'un d'entre eux, le plus âgé, joua de l'harmonica, les autres, tapant du pied, chantaient. Ils ne regardaient même pas la maîtresse de maison, comme si elle était un chat et non un être humain. Au lever du jour, ils vérifièrent leurs mitraillettes, l'un d'entre eux, le plus âgé, appuya par mégarde sur la détente et reçut une rafale dans le ventre. Les autres criaient, couraient à travers la maison. Ils le pansèrent tant bien que mal et le couchèrent sur le lit. A ce moment-là, on les appela tous dehors. Ils ordonnèrent par signes de veiller sur le blessé. La femme voit qu'elle pourrait aisément l'étrangler : il bredouille des mots informes, ferme les yeux, pleure, claque des lèvres. Puis il ouvre soudain les yeux et demande d'une voix claire : « Mère, à boire. » « Maudit, dit la femme, je devrais t'étrangler. » Et elle lui donne à boire. Il la saisit par la main et lui montre qu'il veut s'asseoir, le sang l'empêche de respirer. Elle le soulève et lui se tient à son cou. A cet instant, on entendit la fusillade, la femme était secouée par des tremblements.

« Par la suite, elle raconta ce qui s'était passé, mais personne n'arrivait à la comprendre et elle ne pouvait pas expliquer ce qu'elle avait fait.

« C'était cette sorte de bonté que condamne pour son absurdité la fable sur l'ermite qui réchauffa un serpent en son sein. C'est la bonté qui épargne la tarentule qui vient de piquer un enfant. Une bonté aveugle, insensée, nuisible !

« Les hommes aiment à représenter dans des fables ou des récits des exemples du mal que provoque cette bonté insensée. Il ne faut pas la craindre ! La craindre serait craindre un poisson d'eau douce accidentellement entraîné par la rivière dans les eaux salées de l'océan.

« Le mal que peut parfois apporter à la société, à une classe, une race, un Etat cette bonté insensée pâlit en comparaison de la lumière qu'irradient les hommes qui en sont doués.

« Elle est, cette bonté folle, ce qu'il y a d'humain en l'homme, elle est ce qui définit l'homme, elle est le point le plus haut qu'ait atteint l'esprit humain. La vie n'est pas le mal, nous dit-elle.

« Cette bonté n'a pas de discours et n'a pas de sens. Elle est instinctive et aveugle. Quand le christianisme lui donna une forme dans l'enseignement des Pères de l'Eglise elle se ternit, le grain se fit paille. Elle est forte tant qu'elle est muette et inconsciente, tant qu'elle vit dans l'obscurité du cœur humain, tant qu'elle n'est pas l'instrument et la marchandise des prédicateurs, tant que la pépite d'or ne sert pas à battre la monnaie de la sainteté. Elle est simple comme la vie.

Même l'enseignement du Christ l'a privée de sa force : sa force réside dans le silence du cœur de l'homme.

« Mais ayant perdu la foi dans le bien, j'ai douté de la bonté. Je parle de son impuissance ! A quoi sert-elle alors, elle n'est pas contagieuse.

« Je me suis dit : elle est impuissante, elle est belle et impuissante comme l'est la rosée.

« Comment peut-on en faire une force sans la perdre, sans la dessécher comme le fit l'Eglise ? La bonté est forte tant qu'elle est sans forces ! Sitôt que l'homme veut en faire une force elle se perd, se ternit, disparaît.

« Maintenant, je vois ce qu'est la force réelle du mal. Les cieux sont vides. Sur terre, il n'y a que l'homme. A l'aide de quoi peut-on éteindre le mal ? A l'aide des gouttes de rosée ? de la bonté humaine ? Mais cet incendie ne peut être éteint par l'eau de toutes les mers et de tous les nuages, il ne peut être éteint par les quelques gouttes de rosée rassemblées depuis le temps des Evangiles jusqu'à notre époque de fer...

« Ainsi, ayant perdu l'espoir de trouver le bien en Dieu et dans la nature, j'ai commencé à perdre la foi en la bonté.

« Mais plus les ténèbres du fascisme s'ouvrent devant moi et plus je vois clairement que l'humain continue invinciblement à vivre en l'homme, même au bord de la fosse sanglante, même à l'entrée de la chambre à gaz.

« J'ai trempé ma foi dans l'enfer. Ma foi est sortie du feu des fours crématoires, elle a franchi le béton des chambres à gaz. J'ai vu que ce n'était pas l'homme qui était impuissant dans sa lutte contre le mal, j'ai vu que c'était le mal qui était impuissant dans sa lutte contre l'homme. Le secret de l'immortalité de la bonté est dans son impuissance. Elle est invincible. Plus elle est insensée, plus elle est absurde et impuissante et plus elle est grande. Le mal ne peut rien contre elle ! Les prophètes, les maîtres de la foi, les réformateurs, les leaders, les guides ne peuvent rien contre elle ! L'amour aveugle et muet est le sens de l'homme.

« L'histoire des hommes n'est pas le combat du bien cherchant à vaincre le mal. L'histoire de l'homme c'est le combat du mal cherchant à écraser la minuscule graine d'humanité. Mais si même maintenant l'humain n'a pas été tué en l'homme, alors jamais le mal ne vaincra. »

Ayant fini de lire, Mostovskoï resta quelques minutes les yeux fermés.

Oui, c'est là le texte d'un homme profondément ébranlé. La catastrophe d'un esprit affaibli.

La chiffe molle a proclamé que les cieux sont vides... Il voit dans la vie la guerre de tous contre tous. Et, à la fin, il a entamé une vieille rengaine sur la bonté des petites vieilles, et il compte éteindre l'incendie mondial avec une poire à lavement. Comme tout cela est minable !

Mostovskoï regardait le mur de béton gris du cachot et se souvenait du fauteuil bleu, de sa discussion avec Liss ; une sensation pesante s'empara de lui. Ce n'était pas une angoisse cérébrale, son cœur était angoissé et il ne pouvait plus respirer. Visiblement, il avait eu tort de soupçonner Ikonnikov. Il n'était pas le seul à regarder avec mépris le texte de l'innocent, son répugnant interlocuteur de cette nuit avait eu la même réaction. Il pensa de nouveau à son attitude à l'égard de Tchernetsov et au mépris haineux avec lequel l'officier de la Gestapo parlait de ce genre d'hommes. L'angoisse bourbeuse qui le tenait était pire qu'une souffrance physique.

16

Sérioja Chapochnikov montra un livre posé sur une brique, à côté du havresac, et demanda :

— Tu l'as lu ?

— Je le relisais.

— Tu aimes ?

— Je préfère Dickens.

— Tu parles, Dickens !

Il avait un ton moqueur et condescendant.

— Et *la Chartreuse de Parme*, t'as aimé ?

— Pas tellement, répondit-il après un moment de réflexion. Aujourd'hui, je vais avec les fantassins vider les Allemands de la baraque d'à côté.

Il ajouta, comprenant le regard de la jeune fille :

— C'est un ordre de Grekov, bien sûr.

— Et les autres artilleurs, Tchentsov, il les envoie, eux ?

— Non, il n'y a que moi.

Ils se turent.

— Il te court après ?

Elle hocha la tête.

— Et toi ?

— Tu le sais bien, dit-elle, et elle pensa aux Asra qui meurent quand ils aiment.

— J'ai l'impression que je me ferai tuer aujourd'hui.

— Pourquoi on t'envoie ? Tu es servant de mortier, pas fantassin.

— Et pourquoi Grekov te garde ici ? La radio est en miettes. Il y a longtemps qu'il aurait dû te renvoyer dans le régiment et de toute façon tu devrais être sur l'autre rive. Tu n'as rien à faire ici

— Mais en revanche on se voit tous les jours.

Il coupa court en se levant et s'en alla.

Katia vit que Bountchouk l'observait du haut du premier étage. Chapochnikov avait dû, lui aussi, le remarquer, c'était pourquoi il était parti aussi brusquement.

Les Allemands soumirent la maison à un tir d'artillerie jusqu'au soir, trois soldats furent légèrement blessés, un mur intérieur s'écroula et boucha l'issue de la cave, on la dégagea, mais un obus fit écrouler un pan de mur et boucha l'issue pour une seconde fois, on la déblaya à nouveau.

Antsiferov jeta un coup d'œil dans la pénombre gorgée de poussière et demanda :

— Alors, la radio, vous êtes encore vivante ?

— Oui, répondit dans l'obscurité Vengrova, et elle éternua et cracha de la poussière rouge.

— A vos souhaits, dit le sapeur.

Quand la nuit fut tombée, les Allemands lancèrent des fusées éclairantes et ouvrirent le feu à la mitrailleuse ; un bombardier survola la maison à plusieurs reprises et lâcha des bombes explosives. Personne ne dormait. Grekov lui-même dut se mettre à la mitrailleuse ; à deux reprises, les fantassins, jurant tout ce qu'ils savaient, se jetèrent en avant pour repousser les Allemands.

On aurait dit que les Allemands sentaient l'attaque qui se préparait contre la maison du no man's land qu'ils avaient occupée.

Quand la fusillade se calma, Katia les entendit crier, elle entendait même assez clairement leurs rires.

Les Allemands avaient une tout autre prononciation que les professeurs de langue étrangère. Elle remarqua que le chaton avait quitté son tas de chiffons. Ses pattes de derrière étaient sans mouvement et il rampait, en s'aidant des seules pattes de devant, s'efforçant d'atteindre Katia le plus vite qu'il pouvait.

Puis il s'arrêta de ramper, sa mâchoire s'ouvrit et se referma plusieurs fois... Katia essaya de soulever sa paupière. « Crevé », pensa-t-elle, et elle éprouva une sensation de dégoût. Elle comprit tout à coup que le petit animal, pressentant son anéantissement, avait pensé à elle, avait rampé vers elle alors qu'il était déjà à moitié paralysé... Elle déposa le petit corps dans un trou et le recouvrit de morceaux de brique.

La lumière d'une fusée éclairante emplit la cave, il lui sembla qu'il n'y avait plus d'air autour d'elle, qu'elle respirait un liquide sanguinolent qui coulait du plafond, suintait d'entre les briques.

Les Allemands sortent des coins sombres, ils vont l'atteindre, l'attraper, l'emmener. Tout près d'elle, on tirait des rafales de mitraillette. Peut-être que les Allemands sont en train de nettoyer le premier ? Peut-être qu'ils ne vont pas sortir d'en bas mais surgiront d'en haut, par le trou dans le plafond ?

Pour se calmer elle essayait de se souvenir de la liste des locataires sur la porte de leur appartement : « Tikhomirov : un coup de sonnette ; Dzyga : deux coups ; Tchériomouchkine : trois coups ; Feinberg : quatre coups ; Vengrov : cinq coups ; Andriouchenko : six coups ; Pégov : un long... [1] » Elle essayait de revoir en imagination la grande casserole des Feinberg suspendue dans la cuisine commune, la bassine servant à la lessive des Andriouchenko, la cuvette à l'émail écaillé accrochée par une ficelle dans un coin. C'est le soir, elle fait son lit et glisse sous le drap, là où les ressorts sont particulièrement agressifs, le fichu brun de sa mère, un manteau craqué aux coutures, une pièce de ouatine...

Puis elle pensa à la maison « 6 bis ». Maintenant, alors que les nazis sortaient de dessous terre, les amateurs de grivoiseries ne lui semblaient plus grossiers, le regard de Grekov, qui la faisait rougir jusqu'aux épaules, ne lui faisait pas peur.

Elle en avait entendu, des cochonneries, pendant ces quelques mois de guerre ! Elle avait eu une discussion pénible avec un lieutenant-colonel, au réseau-radio, quand celui-ci lui avait expliqué ce qu'elle devait faire pour rester sur la rive gauche de la Volga, au centre de transmissions... Il y avait une chanson que les jeunes filles chantaient à mi-voix :

Et puis, par une belle nuit d'automne,
Le commandant la choya en personne.
Jusqu'à l'aube, elle fut sa colombe,
Après quoi elle fut à tout le monde...

Elle avait vu Chapochnikov pour la première fois alors qu'il lisait des vers, et elle s'était dit alors : « Quel idiot ! » Puis il avait disparu pendant deux jours, et elle n'osait pas se renseigner sur lui, craignant qu'il ne fût tué. Puis il apparut de nouveau, la nuit, à la surprise générale, et elle l'entendit dire à Grekov qu'il était parti sans autorisation du Q.G.

— T'as bien eu raison, fit Grekov ; tu as déserté pour nous rejoindre en enfer.

En s'éloignant, Chapochnikov passa devant elle sans même la

---

1. Code en vigueur dans les appartements communautaires. *(N.d.T.)*

regarder. Elle en fut d'abord attristée, puis elle se mit en colère et à nouveau, elle se dit : « Espèce d'idiot. »

Une autre fois, elle entendit une conversation entre plusieurs « locataires » de la maison. Ils discutaient pour savoir qui aurait le plus de chances de coucher le premier avec Katia. L'un dit : « C'est clair, Grekov. »

Un deuxième protesta : « Ce n'est pas encore du tout cuit. Mais à coup sûr, le dernier de la liste, c'est Sérioja. Les filles, plus elles sont jeunes, et plus elles se sentent attirées par les hommes d'expérience. »

Plus tard, elle remarqua que les plaisanteries, les tentatives de flirt avaient pratiquement cessé. Grekov laissait clairement voir qu'il n'appréciait pas que les autres locataires entreprennent Katia.

Un jour, Zoubarev s'adressa à elle, en l'appelant « Eh ! l'épouse du gérant. »

Grekov ne se pressait pas, mais il était, à l'évidence, sûr de son fait et elle sentait cette assurance. Après que la radio avait été cassée par un éclat de bombe, il lui ordonna de s'installer dans la plus profonde des caves.

La veille, il lui avait dit : « Des filles comme toi, je n'en ai encore jamais rencontré. Si je t'avais rencontrée avant la guerre, je t'aurais épousée. »

Elle eut envie de lui dire qu'il faudrait demander son avis mais elle n'osa pas.

Il ne lui avait rien fait, il ne lui avait pas dit un seul mot grossier ou équivoque mais, quand elle pensait à Grekov, elle avait peur.

C'était la veille aussi qu'il lui avait dit, l'air triste : « Les Allemands vont bientôt déclencher leur offensive. Probable que nous y resterons tous. Le centre de l'offensive passe par notre maison. »

Il avait laissé peser sur elle un regard lent et attentif, et elle avait eu peur, non à l'idée de l'offensive allemande, mais de ce regard calme et lent. « Je passerai te voir », avait-il ajouté. On aurait pu croire qu'il n'y avait pas de lien entre ces mots et ce qu'il venait de dire, à propos de leur mort probable à tous ; mais ce lien existait et elle l'avait compris.

Il ne ressemblait pas aux officiers qu'elle avait vus à l'arrière. Il parlait sans crier ni menacer et tout le monde lui obéissait. Il était là, assis avec les autres en train de fumer, de raconter, d'écouter, impossible de le distinguer des soldats. Il avait une autorité immense.

Elle n'avait jamais eu de véritable discussion avec Chapochnikov. Par moments, il lui semblait qu'il était amoureux d'elle mais, comme elle, impuissant face à l'homme qu'ils craignaient et admiraient tous deux. Chapochnikov était faible, sans expérience, mais elle avait envie de lui demander son aide, de lui dire : « Reste à côté de moi... » Et parfois, elle éprouvait le besoin de le consoler. Leurs rares conversations avaient un caractère étrange, on aurait dit qu'il n'y avait ni guerre ni maison « 6 bis ». Il devait le sentir et s'efforçait de paraître plus grossier qu'il ne l'était.

Et maintenant, elle avait l'impression qu'il y avait un lien cruel entre ses pensées et ses sentiments confus et le fait que Grekov envoie Chapochnikov à l'assaut de la maison allemande.

Elle écoutait le tir des armes automatiques et elle vit Chapochnikov, étendu sur un tas de briques, sa tête aux cheveux trop longs pendant dans le vide.

Un sentiment de pitié déchirante l'étreignit ; en son âme se mêlèrent les feux multicolores dans la nuit, et la peur de Grekov, et son admiration pour Grekov, qui lançait une attaque contre les divisions de fer des Allemands à partir de ces quelques ruines isolées, et des visions de sa mère.

Elle se dit qu'elle sacrifierait tout au monde pour revoir Chapochnikov vivant.

« Et si on te disait, c'est ta mère ou lui », pensa-t-elle. Puis elle entendit des pas, ses doigts se crispèrent sur la brique, elle écouta.

La fusillade avait cessé, tout était silencieux.

Son dos, ses épaules, ses genoux la démangeaient, mais elle avait peur de se gratter de crainte de faire le moindre bruit.

On demandait toujours à Batrakov pourquoi il se grattait et il répondait : « C'est nerveux. » Et hier, il avait dit : « J'ai trouvé onze poux. » Kolomeïtsev s'était moqué de lui : « Des poux nerveux se sont attaqués à Batrakov. »

Elle a été tuée. Les soldats, la traînant vers un trou, se disent entre eux : « Pauvre fille, elle est couverte de poux. »

Mais peut-être que c'est réellement nerveux ? Et elle comprit qu'un homme se dirigeait vers elle, un homme qui n'était pas le résultat, fait de lambeaux de lumière et d'ombre, de son imagination, de son cœur défaillant. Katia demanda :

— Qui vive ?

— N'aie pas peur, c'est moi, répondit l'obscurité.

17

— L'assaut n'aura pas lieu aujourd'hui. Grekov l'a reporté à demain ; aujourd'hui ce sont les Allemands eux-mêmes qui avancent. A propos, je voulais te dire que je ne l'ai jamais lue, cette *Chartreuse*.

Elle ne répondit pas.

Il s'efforçait de distinguer ses traits dans le noir, et répondant à ses désirs, la lumière d'une explosion éclaira son visage. Puis l'obscurité se fit à nouveau et, comme s'ils en avaient convenu, ils attendaient une nouvelle explosion, une nouvelle lueur. Sérioja lui prit la main. Elle lui serra les doigts. Pour la première fois de sa vie, il tenait dans sa main la main d'une jeune fille.

La radio, pouilleuse, sale, restait assise sans un mot et l'on voyait son cou blanc dans le noir.

Une fusée les éclaira et leurs têtes se rapprochèrent. Il l'étreignit et elle ferma les yeux, ils connaissaient tous deux l'histoire qui se raconte à l'école : si on embrasse les yeux ouverts, c'est que l'on n'aime pas.

— C'est sérieux, hein ? demanda-t-il.

Elle lui serra la tête entre ses paumes, l'obligeant à se tourner vers elle.

— C'est pour toute la vie, dit-il lentement.

— C'est extraordinaire, fit-elle, j'ai peur que quelqu'un entre. Et avant, quel bonheur c'était quand quelqu'un arrivait : Liakhov, Koloméïtsev, Zoubarev, n'importe qui...

— Grekov, suggéra-t-il.

— Oh non ! s'exclama-t-elle.

Il lui embrassa le cou, défit le bouton métallique du col de sa vareuse et effleura de ses lèvres le creux de ses maigres épaules, il n'osa pas embrasser la poitrine. Elle lui caressait ses cheveux raides et sales comme s'il était un enfant, elle savait déjà que tout ce qui se passait était inéluctable, qu'il fallait qu'il en fût ainsi.

Il regarda le cadran lumineux de sa montre.

— Qui vous conduit demain, demanda-t-elle, Grekov ?

— Pourquoi parler de cela ? On ira nous-mêmes, pas besoin de nous conduire.

Il l'étreignit à nouveau et, soudain, il sentit le bout de ses doigts devenir gourds, un frisson de froid lui traversa la poitrine, il était résolu. Elle était à moitié couchée sur sa capote, on aurait dit qu'elle ne respirait plus. Il sentait sous ses doigts le tissu raide et poussiéreux de la vareuse et de la jupe, la matière rugueuse des bottes. Il sentit sous sa main la chaleur du corps. Elle tenta de se rasseoir mais il l'embrassa à nouveau. Une lueur éclaira, l'espace d'un instant, le calot de Katia sur le sol, son visage qui lui sembla inconnu. Et aussitôt l'obscurité revint, une obscurité particulière...

— Katia !

— Oui ?

— Rien, je voulais entendre ta voix. Pourquoi tu ne me regardes pas ?

— Non, non, je ne veux pas, éteins !

Elle pensa de nouveau à Sérioja et à sa mère. Qui lui était le plus cher ?

— Pardonne-moi, dit-elle.

Il ne la comprit pas.

— Ne crains rien, c'est pour la vie, si nous avons une vie.

— Je pensais à maman.

— Ma mère à moi est morte. Je l'ai compris seulement maintenant, on l'a déportée à cause de mon père.

Ils s'endormirent sur la capote de Katia, dans les bras l'un de l'autre. Grekov s'approcha d'eux et les regarda dormir. La tête du deuxième classe Chapochnikov reposait sur l'épaule de la radio, sa main la tenait par le dos comme s'il avait eu peur de la perdre. Leur sommeil était si calme et immobile que Grekov avait l'impression qu'ils étaient morts.

A l'aube, Liakhov, se montrant à l'entrée de la cave, lança :

— Eh, Chapochnikov ! eh, Vengrov ! le patron veut vous voir, et en quatrième vitesse !

Le visage de Grekov était dur et impitoyable. Il se tenait accoté contre un mur, ses cheveux en désordre tombaient sur son front bas.

Ils étaient debout devant lui, se balançant d'une jambe sur l'autre sans même s'apercevoir qu'ils se tenaient par la main.

— Eh bien, voilà ! dit Grekov, et les narines de son nez épaté se gonflèrent, Chapochnikov, tu vas te rendre au P.C. du régiment, je t'y détache.

Sérioja sentit frémir les doigts de la jeune fille et il les serra, et elle sentit que les doigts du garçon tremblaient. Il avala sa salive, sa langue et sa bouche étaient sèches.

Le silence figea les nuages dans le ciel et la terre. Il semblait que les hommes couchés pêle-mêle sur le sol ne dormaient pas sous leurs manteaux, mais attendaient en retenant leur souffle.

Tout, autour d'eux, était merveilleux et familier ; Sérioja pensa : « On me chasse du paradis, il nous sépare comme des serfs », et il fixait Grekov avec des yeux pleins de haine et de supplication.

Grekov plissa les yeux, étudiant le visage de la jeune fille, et son regard semblait impudent à Chapochnikov.

— C'est tout, ajouta Grekov. La radio ira avec toi, elle n'a rien à faire ici sans émetteur, tu l'accompagneras jusqu'au P.C. du régiment.

Il sourit.

— Une fois là-bas, vous trouverez votre chemin vous-mêmes ; prends ce papier, j'en ai fait un seul pour vous deux, je ne peux pas sentir la paperasserie. Compris ?

Et soudain, Sérioja se rendit compte que des yeux merveilleux le fixaient, des yeux intelligents et tristes, des yeux comme il n'en avait jamais vu de sa vie.

18

Pour finir, le commissaire de régiment Pivovarov n'eut pas l'occasion de se rendre à la maison « 6 bis ».

La communication radio avec la maison avait été coupée, on ne savait pas si c'était leur émetteur qui était hors d'usage ou si c'était le capitaine Grekov, qui faisait la pluie et le beau temps dans cette maison et qui en avait eu assez des ordres stricts du commandement.

On avait reçu pendant un temps des renseignements sur la maison encerclée, par l'intermédiaire de Tchentsov, un servant de mortier membre du parti ; il avait fait savoir que le capitaine se permettait n'importe quoi, qu'il racontait les pires hérésies à ses soldats. Il est vrai que Grekov se battait bien contre les Allemands, cela l'informateur ne le niait pas.

La nuit où Pivovarov devait se faufiler jusqu'à la maison « 6 bis », Beriozkine, le commandant du régiment, tomba gravement malade.

Le médecin, après avoir examiné Beriozkine, ne savait que faire. Il avait l'habitude de soigner les membres écrasés, les crânes enfoncés, et voilà qu'un homme tombait malade de lui-même.

— Faudrait lui mettre des ventouses, dit le médecin, mais où voulez-vous que j'en trouve ?

Pivovarov décida d'informer ses supérieurs, mais déjà le commissaire de la division lui téléphona et lui ordonna de se présenter d'urgence au Q.G.

Quand Pivovarov, quelque peu essoufflé (des explosions proches l'avaient forcé par deux fois à se jeter par terre), entra dans l'abri, le commissaire de division était en train de discuter avec un commissaire de bataillon qui venait de la rive gauche. Pivovarov avait entendu parler de cet homme qui faisait des conférences aux unités disposées dans les usines.

Pivovarov s'annonça d'une voix forte :

— Commissaire Pivovarov, à vos ordres.

Il ajouta aussitôt que Beriozkine était malade.

— Ouais, c'est la merde, dit le commissaire de division. Il faudra que vous preniez le commandement du régiment.

— Et la maison encerclée ?

— Ce n'est plus une affaire pour vous ; on a fait un de ces foins, ici, autour de cette maison. C'est remonté jusqu'à l'état-major de l'armée. C'est d'ailleurs pour ça que je vous ai fait venir. Voici le camarade Krymov, il a été chargé par la Direction politique du groupe d'armées de rejoindre la maison encerclée, d'y rétablir l'ordre bolchevique, d'en être le commissaire politique et, en cas de besoin, d'écarter ce Grekov pour prendre lui-même le commandement... Dans la mesure où tout cela se passe dans le secteur de votre régiment, vous assurerez tout le nécessaire, le passage dans la maison et les liaisons par la suite. Compris ?

— A vos ordres, répondit Pivovarov.

Puis, passant à un ton habituel, non officiel, il demanda au commissaire nouveau venu :

— C'est votre profil, des gars de ce genre ?

— Précisément, répondit avec un sourire le commissaire. Au cours de l'été 1941, j'ai fait sortir de l'encerclement deux cents personnes en Ukraine, alors la mentalité franc-tireur, je sais ce que c'est.

— Bon, dit le commissaire de division. Alors, camarade Krymov, agissez. Restez en liaison avec moi. Un État dans l'État, ce n'est pas une bonne chose.

— Ah, oui ! ajouta Pivovarov, il y a aussi, dans cette maison, une histoire pas nette avec une radio, une toute jeune fille. Beriozkine était inquiet : la maison n'émettait plus, et les gars là-bas, ils sont capables de tout.

— D'accord. Vous aviserez sur place. Bonne chance ! dit le commissaire de division.

19

Vingt-quatre heures après que Grekov eut renvoyé Chapochnikov et la radio, Krymov, accompagné d'un soldat, se mit en route pour la célèbre maison.

Ils sortirent, par une froide et claire soirée, du P.C. du régiment. A peine mit-il le pied sur l'asphalte de la cour que Krymov ressentit le danger d'être anéanti comme jamais auparavant.

Mais, en même temps, il se sentait joyeux et plein d'allant. Le message codé en provenance de l'état-major du groupe d'armées semblait lui confirmer qu'ici, à Stalingrad, tout était différent : les relations, les appréciations, les exigences. Krymov était de nouveau

Krymov, il n'était plus un mutilé dans un bataillon d'invalides mais un commissaire combattant, un bolchevik. Sa mission, dangereuse et difficile, ne lui faisait pas peur. Il lui était si doux de retrouver dans les yeux de Pivovarov, dans ceux du commissaire de division ce que, naguère encore, il voyait constamment chez ses camarades du parti.

Un soldat mort était étendu au milieu de plaques d'asphalte soulevées par une explosion, à côté d'un mortier déchiqueté.

Pour une raison mystérieuse, en cet instant où il se sentait plein d'allégresse, la vue du corps frappa Krymov. Il avait vu beaucoup de cadavres et leur vue le laissait indifférent. Mais là, il frissonna : le corps, empli d'une mort éternelle, gisait, tel un oiseau fragile, les jambes repliées sous lui, comme s'il avait froid.

Un instructeur politique, vêtu d'un imperméable raide et gris, tenant contre sa tête une musette bien remplie, passa devant le tué ; des soldats traînaient dans une toile de tente des roquettes antichars pêle-mêle avec des miches de pain.

Mais le mort n'avait pas besoin de pain ni de munitions, il ne désirait pas recevoir de lettre de sa femme aimante. Il n'était pas fort dans la mort, il était le plus faible - moineau tué, que ne craignent ni mouches ni papillons.

Des artilleurs étaient en train de mettre en batterie un canon devant la brèche d'un mur de l'atelier et ils s'injuriaient avec les servants d'une mitrailleuse lourde. On pouvait aisément deviner, d'après leurs gestes, l'objet de leur dispute.

— Tu sais depuis combien de temps elle est là, notre mitrailleuse ? Vous vous tourniez les pouces sur l'autre rive quand nous, on tirait déjà.

— Vous êtes des insolents, voilà ce que vous êtes !

L'air hurla, un obus explosa dans un coin de l'atelier. Les éclats tambourinèrent contre les murs. Le soldat qui marchait devant Krymov se retourna pour s'assurer que le commissaire n'avait pas été tué. Il attendit Krymov et lui dit :

— Ne vous en faites pas, camarade commissaire, nous, on dit que c'est la seconde ligne, l'arrière.

Peu de temps après, Krymov comprit que la cour à côté du mur d'atelier était en effet un endroit tranquille.

Ils durent courir et se laisser tomber, la face contre terre, puis courir encore pour se laisser tomber à nouveau. Ils s'arrêtèrent à deux reprises dans des tranchées occupées par l'infanterie ; ils traversèrent des pavillons brûlés où il n'y avait plus d'hommes, où seul le fer sifflait...

— Ce n'est rien, dit le soldat, rassurant Krymov. Le principal, c'est qu'il n'y a pas d'attaques en piqué.

Puis il lança :

— Allons, camarade commissaire, on va jusqu'au trou, là-bas.

Krymov se laissa glisser au fond du trou de bombe ; il regarda en l'air : un ciel bleu s'étendait au-dessus de lui, sa tête était toujours sur ses épaules. C'était étrange, la seule manifestation d'une présence humaine était la mort hurlante que des hommes envoyaient au-dessus de lui.

C'était étrange, cette sensation de sécurité dans une excavation creusée par la mort.

Le soldat ne lui laissa pas le temps de retrouver son souffle :
— Suivez-moi !

Il s'enfonça dans un étroit passage qui commençait au fond du trou. Krymov le suivit, le passage s'élargissait, sa voûte remonta et ils se retrouvèrent dans un tunnel.

On entendait, sous terre, la tempête qui faisait rage à la surface, les parois tremblaient et des grondements traversaient le sous-sol. A un embranchement, où se divisaient des câbles noirs, de l'épaisseur d'un bras, où les conduites de fonte étaient particulièrement denses, Krymov lut une inscription faite au minium sur la paroi : « Makhov est un con. » Le soldat éclaira devant lui avec sa lampe de poche et commenta :

— Au-dessus de nos têtes, ce sont les Allemands.

Bientôt, ils bifurquèrent vers une tache gris clair à peine perceptible au bout du passage ; plus la tache devenait claire et plus les rafales de mitrailleuses et les explosions étaient nettes.

Krymov, un bref instant, eut l'impression de marcher vers l'échafaud. Mais ils parvinrent à la surface et la première chose que vit Krymov, ce fut des visages : ils lui semblèrent divinement calmes.

Un sentiment indescriptible s'empara de Krymov, allègre, léger. Et même la guerre ne lui apparaissait pas comme une frontière fatale entre la vie et la mort, mais comme un orage au-dessus de la tête d'un jeune voyageur plein de force et de vie.

Il était habité par la certitude absolue qu'il était en train de vivre un tournant heureux de sa destinée.

Il croyait voir son avenir dans la claire lumière du jour ; il vivrait à nouveau dans un engagement total de son intelligence, de sa volonté, de sa passion de bolchevik.

Le sentiment de joie et d'assurance se mêlait à la tristesse d'avoir perdu sa femme. Mais maintenant, elle ne lui semblait plus partie à jamais. Elle reviendrait comme lui étaient revenues sa force et sa vie passées. Il allait la retrouver.

Un vieux, son calot enfoncé sur le front, retournait, avec la pointe d'une baïonnette, des galettes de pommes de terre qui cuisaient sur une plaque de tôle posée sur un feu à même le sol ; il mettait les galettes cuites dans un casque. A la vue du soldat de liaison qui accompagnait Krymov, il lui demanda :

— Sérioja est chez vous ?

— Je conduis un gradé, répondit le soldat d'un ton rogue.

— Quel âge ça vous fait, le père ? demanda Krymov.

— Soixante, je suis de la milice ouvrière, expliqua le vieux.

Il regarda de nouveau en direction du soldat.

— Sérioja est chez vous ?

— Il n'est pas dans notre régiment, il a dû atterrir chez le voisin.

— Zut, fit le vieux avec dépit, il ne s'en sortira pas.

Krymov lançait des « bonjour », regardait autour de lui, examinait la cave aux cloisons de bois à moitié abattues. Un canon léger était pointé par une meurtrière ménagée dans un mur.

— Comme sur un vaisseau de guerre, dit Krymov.

— L'eau en moins, rétorqua un soldat.

Un peu plus loin, dans des trous, dans des fissures, des mortiers étaient mis en batterie.

Par terre, on voyait des obus, un accordéon sur une toile de tente.

— Voilà donc la maison « 6 bis » qui tient toujours, qui ne se rend pas aux fascistes, dit d'une voix forte Krymov. Le monde entier, des millions de gens ont les yeux fixés sur vous et se réjouissent.

Les soldats se taisaient.

Le vieux Poliakov tendit le casque plein de galettes à Krymov.

— Et personne n'écrit comment Poliakov sait préparer les galettes ?

— Toujours à rire, dit Poliakov. Mais notre Sérioja, on l'a emmené.

— On n'a pas ouvert le deuxième front ? demanda quelqu'un. Pas de nouvelles ?

— Pas pour l'instant, répondit Krymov.

— Quand notre artillerie lourde s'est mise à tirer sur nous de l'autre rive, dit un soldat en maillot de corps, Kolomeïtsev s'est fait renverser par l'onde de choc ; il se relève et il dit : « Ça y est, les gars, on a ouvert le deuxième front. »

— Tu parles pour ne rien dire, fit un soldat aux cheveux bruns, s'il n'y avait pas l'artillerie, les Allemands nous auraient bouffés depuis longtemps.

— Mais enfin, où est votre commandant ? demanda Krymov.

— Là, il s'est casé juste en première ligne.

Le chef du détachement était allongé sur un tas de briques et observait quelque chose à la jumelle.

Quand Krymov l'interpella, il tourna lentement la tête, mit le doigt sur ses lèvres en signe de silence et reprit ses jumelles. Quelques instants plus tard ses épaules se mirent à tressauter : il riait. Il se laissa glisser du haut de son tas et dit en souriant :

— Pire que les échecs.

Remarquant les barrettes vertes et l'étoile de commissaire sur la vareuse de Krymov, il ajouta :

— Bienvenue dans notre maison, camarade commissaire.

Puis il se présenta :

— Le gérant de la maison, Grekov. Vous êtes venu par notre passage ?

Tout, en lui, le regard, les gestes rapides, les larges narines de son nez épaté, tout respirait l'insolence.

« Ça ne fait rien, je te materai », pensa Krymov.

Krymov entreprit de l'interroger. Grekov répondait distraitement, du bout des lèvres, il bâillait et regardait autour de lui comme si les questions de Krymov l'empêchaient de se rappeler quelque chose de réellement important et utile.

— Il faut peut-être assurer votre relève ?

— Pas la peine, répondit Grekov. Il n'y a que la question tabac, et puis, bien sûr, il nous faudrait des grenades, des obus et, si ça ne vous faisait rien, vous pourriez nous lancer un peu de vodka et de la bouffe par un *koukourouznik* [1]...

En énumérant, il comptait sur les doigts de la main.

— Donc, pas l'intention de partir ? demanda Krymov, rageant mais ne pouvant s'empêcher d'admirer le visage ingrat de Grekov.

Ils se turent et pendant ce bref silence Krymov surmonta son sentiment d'infériorité morale face aux habitants de la maison encerclée.

— Vous tenez un journal des actions militaires ? demanda-t-il.

— Je n'ai pas de papier, répondit Grekov. Je n'ai rien sur quoi écrire, et je n'ai pas le temps et ça ne sert à rien.

— Vous êtes sous le commandement du commandant du 176e régiment de tirailleurs, dit Krymov.

— A vos ordres, camarade commissaire de bataillon, répondit Grekov en ajoutant, l'air moqueur : Quand les Allemands ont coupé ce secteur, quand j'ai réuni dans cette maison des hommes et des armes, quand j'ai repoussé trente attaques et incendié six chars, je n'avais pas de chef.

— Connaissez-vous précisément vos effectifs au moment présent ? Les avez-vous contrôlés ?

— Pour quoi faire ? Je ne présente pas de rapports, je ne reçois pas de rations de l'intendance. On vit de pommes de terre pourries et d'eau croupie.

— Y a-t-il des femmes dans la maison ?

---

1. *Koukourouznik* : un biplan léger *(N.d.T.)*.

— On dirait, camarade commissaire, que vous voulez me soumettre à un interrogatoire ?

— Est-ce que certains de vos hommes ont été faits prisonniers par les Allemands ?

— Non.

— Et où est donc votre radio ?

Grekov se mordit les lèvres, ses sourcils se réunirent :

— Cette jeune fille est une espionne allemande, répondit-il. Elle m'a enrôlé, puis je l'ai violée et puis je l'ai abattue.

Il tendit le cou et demanda :

— C'est ce genre de réponse que vous attendez de moi ? Je vois que ça commence à sentir le bataillon disciplinaire ou bien fais-je erreur, monsieur le commandant ?

Krymov le regarda quelques secondes en silence.

— Ah, Grekov ! Vous perdez le sens de la mesure. L'orgueil vous fait perdre la tête. Moi aussi, j'ai été pris dans un encerclement ; et moi aussi, j'ai été interrogé.

Après une pause, il poursuivit :

— J'ai reçu l'ordre de vous démettre, en cas de besoin, de votre commandement et de le prendre à votre place. Pourquoi me poussez-vous dans cette voie ?

Grekov se taisait. Il réfléchit, écouta, puis dit :

— Ça se calme, l'Allemand s'apaise.

20

— Parfait, dit Krymov, nous allons pouvoir rester tous les deux et préciser la suite.

— Pourquoi à deux ? s'étonna Grekov, nous faisons la guerre tous ensemble, et nous préciserons la suite tous ensemble.

L'insolence de Grekov plaisait à Krymov, mais elle l'irritait également. Il avait envie de raconter à Grekov comment il avait été pris dans un encerclement en Ukraine, lui parler de sa vie avant la guerre, pour que Grekov ne voie pas en lui un fonctionnaire. Mais, sentait Krymov, un tel récit aurait révélé sa faiblesse. Et Krymov était venu dans cette maison montrer sa force et non sa faiblesse. Il n'était pas un fonctionnaire de l'administration politique mais le commissaire d'une unité combattante.

« Ça ira, se dit-il, le commissaire tiendra le coup. »

Les hommes s'étaient assis ou allongés sur les tas de briques, mettant à profit la pause.

— L'Allemand ne nous embêtera plus aujourd'hui. Si on mangeait ? proposa Grekov à Krymov.

Krymov s'assit à côté de Grekov parmi les hommes en train de se reposer.

— Je vous regarde, là, dit Krymov, et ça me fait penser à la vieille formule : « Les Russes ont toujours battu la Prusse. »

— Très juste, confirma une voix traînante.

Ce « très juste » exprimait une telle ironie à l'égard des formules toutes faites qu'un léger rire parcourut l'assemblée. Ils connaissaient aussi bien que l'homme qui avait le premier lancé cette phrase la force des Russes, ils étaient d'ailleurs cette force, mais ils savaient et comprenaient que si la Prusse avait atteint la Volga et Stalingrad, ce n'était certes pas parce que les Russes avaient toujours battu la Prusse.

Krymov ne savait plus exactement ce qu'il pensait. Généralement, il n'aimait pas quand les instructeurs politiques glorifiaient les hommes de guerre de l'ancienne Russie, il trouvait inutile la création de décorations à l'effigie de Souvorov ou Koutouzov. La révolution était la révolution et son armée n'avait besoin que d'un seul drapeau, le drapeau rouge. Mais pourquoi fallait-il que, précisément aujourd'hui, quand il avait retrouvé l'esprit de la révolution et de Lénine, il soit gagné par ce type de pensée et de sentiment ?

Le « très juste » moqueur lancé par un des soldats l'avait ulcéré.

— Pas besoin de vous apprendre à combattre, dit Krymov, vous pourriez vous-même donner des leçons à n'importe qui. Pourquoi donc le commandement a-t-il jugé bon de m'envoyer parmi vous ? Pourquoi suis-je parmi vous ?

— Pour la soupe, peut-être ? proposa quelqu'un sans méchanceté.

Un rire bruyant accueillit la timide supposition. Krymov regarda Grekov.

Grekov riait avec les autres.

— Camarades, cria Krymov rouge de colère, un peu de sérieux, je suis envoyé ici par le parti.

Qu'est-ce que cela pouvait bien signifier ? Une humeur passagère, une révolte ? Leur peu d'envie d'écouter le commissaire s'expliquait peut-être par le sentiment de leur propre force, de leur expérience ? Ou peut-être que cette gaieté n'avait rien de criminel, qu'elle n'était que le fruit de ce sentiment d'égalité qui était si fort à Stalingrad ?

Mais pourquoi donc ce sentiment d'égalité qui ravissait auparavant Krymov n'éveillait-il maintenant en lui qu'un sentiment de colère, que l'envie de l'étouffer ?

Si Krymov ne parvenait pas ici à établir le lien avec les hommes, cela ne venait pas de ce qu'ils étaient effrayés, abattus, désorientés. Ici, les hommes se sentaient sûrs d'eux, et comment se faisait-il que ce sentiment de force affaiblissait leurs liens avec le commissaire Krymov, provoquait méfiance et hostilité de part et d'autre ?

Le vieux qui était en train de cuire des galettes leva la tête.

— Ça fait longtemps, dit-il, que j'avais envie de demander à un homme du parti si c'était vrai ce qu'on dit, comme quoi, sous le communisme, chacun recevra selon ses besoins ? Qu'est-ce que ça va donner, si chacun, dès le matin, pourra recevoir selon ses besoins, tout le monde sera ivre, non ?

Krymov se tourna vers le vieux et lut sur son visage une inquiétude non feinte.

Grekov riait, ses yeux riaient, ses larges narines s'élargissaient encore.

Un sapeur, la tête entourée d'un pansement sale et ensanglanté, s'adressa à son tour à Krymov.

— Et pour ce qui est des kolkhozes, camarade commissaire, ça serait bien si on les supprimait après la guerre.

— Ça serait pas mal de nous faire un petit exposé sur la question, fit Grekov.

— Je ne suis pas venu ici pour vous faire des conférences, dit Krymov. Je suis venu ici pour mettre fin à vos agissements de francs-tireurs.

— Mettez-y fin, dit Grekov, mais qui mettra fin aux agissements des Allemands ?

— On trouvera, ne vous inquiétez pas. Je ne suis pas venu ici pour la soupe, comme disait quelqu'un, mais pour vous faire goûter de la cuisine bolchevique.

— Eh bien allez-y, mettez fin aux agissements, faites votre cuisine.

— Et s'il le faut, coupa Krymov en riant mais sérieusement malgré tout, s'il le faut on vous mangera avec, Grekov !

Maintenant, Krymov se sentait calme et sûr de lui. Ses doutes étaient dissipés. Il fallait retirer le commandement à Grekov.

Maintenant, Krymov voyait clairement en quoi Grekov était un élément hostile et étranger au pouvoir soviétique. Tout ce qui s'était fait d'héroïque dans la maison encerclée ne pouvait le dissimuler ou le minimiser. Il savait qu'il viendrait à bout de Grekov.

Quand la nuit fut tombée, Krymov s'approcha de Grekov :

— Parlons un peu, franchement et clairement. Que voulez-vous ?

Grekov jeta un regard rapide, de bas en haut (il était assis et Krymov était debout), vers Krymov et répondit gaiement :

— Ce que je veux ? La liberté. C'est pour elle que je me bats.

— Nous voulons tous la liberté.

— Arrêtez, lança Grekov, qu'est-ce que vous en avez à foutre, de la liberté. Tout ce que vous cherchez, c'est de battre les Allemands.

— Cessez vos plaisanteries, camarade Grekov, dit Krymov. Dites-moi plutôt, comment se fait-il que vous tolériez que certains soldats expriment des opinions politiques erronées ? Hein ? Avec l'autorité que vous avez sur eux, vous pourriez y mettre le holà aussi bien qu'un commissaire. J'ai comme l'impression que les hommes disent leurs bêtises puis se tournent vers vous comme s'ils quêtaient votre approbation. Celui-là, là, celui qui parlait des kolkhozes, pourquoi l'avez-vous soutenu ? Je vous le dis franchement : mettons-y bon ordre ensemble. Et si vous ne voulez pas, je vous le dis tout aussi franchement, ça va mal aller.

— Pour ce qui est des kolkhozes, qu'est-ce qu'il a dit de si extraordinaire ? C'est vrai, on ne les aime pas, vous le savez aussi bien que moi.

— Qu'est-ce qui vous prend ? Vous voulez peut-être changer le cours de l'Histoire ?

— Et vous, vous voulez que tout reprenne comme avant ?

— Quoi « tout » ?

— Tout. La contrainte générale.

Grekov parlait paresseusement, comme à contrecœur, laissant tomber les mots un à un. Soudain il se redressa :

— Camarade commissaire, laissez tomber. Tout ce que je voulais, c'était vous faire marcher un peu. Je suis tout aussi soviétique que vous. Votre défiance me vexe.

— Alors discutons sérieusement pour savoir comment éliminer le mauvais esprit, l'esprit non soviétique qui règne ici. Vous l'avez fait naître, aidez-moi à le tuer. Vous aurez encore à combattre avec gloire.

— J'ai envie de dormir. Et vous aussi, il faudrait que vous vous reposiez un peu. Vous allez voir ce qui va se passer ici dès l'aube.

— Bon, d'accord. Va pour demain. Je ne suis pas pressé, je n'ai pas l'intention de m'en aller d'ici.

— Vous verrez, nous arriverons à nous mettre d'accord, dit Grekov en riant.

« Pas de doute, se dit Krymov, ce n'est pas d'homéopathie qu'il s'agit ici. Faut régler ça au bistouri. On ne redresse pas un bossu politique en lui faisant des remontrances.

— Vous avez des yeux qui me plaisent, dit soudain Grekov. Vous avez eu un malheur.

Stupéfait, Krymov ne put qu'ouvrir les bras et ne dit mot. Et Grekov, comme s'il avait entendu une réponse positive, poursuivit :

— Moi aussi, vous savez, j'ai un malheur, mais ce n'est rien d'important, une affaire personnelle, on ne peut pas mettre ça dans un rapport.

La nuit, Krymov fut blessé à la tête pendant son sommeil par une balle perdue. La balle lui avait arraché la peau et égratigné le crâne. Ce n'était pas grave, mais la tête lui tournait et il ne pouvait pas tenir sur ses jambes. Il était pris de nausées.

Grekov ordonna de confectionner une civière et on évacua le blessé de la maison encerclée.

Grekov accompagna la civière jusqu'à l'entrée du souterrain

— Pas de chance, camarade commissaire, dit-il à Krymov.

Krymov comprit soudain : Et si c'était Grekov qui avait tiré sur lui cette nuit ?

A la tombée du jour, le mal de tête s'accentua, les vomissements devinrent plus fréquents.

On le garda deux jours à l'hôpital de campagne, puis on l'évacua sur la rive gauche de la Volga dans un hôpital de l'arrière.

21

Le commissaire Pivovarov pénétra dans les abris étroits du poste de secours. Les blessés jonchaient le sol, il ne trouva pas parmi eux Krymov qui avait été évacué la veille de l'autre côté du fleuve.

« Comment s'est-il débrouillé pour être blessé sur-le-champ ? se demanda Pivovarov. Pas de chance. Ou, au contraire, il a bien de la chance. »

Pivovarov était également venu au poste de secours pour voir s'il valait la peine d'y transférer le commandant du régiment. A son retour dans le P.C. du régiment (il avait failli en chemin se faire tuer par un éclat d'obus), Pivovarov expliqua au soldat Glouchkov qu'il n'y avait pas moyen de soigner un malade au poste de secours. Partout des tas de gaze ensanglantée, des pansements, de l'ouate, effrayant à voir.

— Bien sûr, camarade commissaire, dit Glouchkov, on est quand même mieux dans son abri.

— Oui, et là-bas on ne fait pas la différence, soldat ou colonel, tous en tas par terre.

Et Glouchkov, auquel son grade donnait droit à être étendu par terre, dit, compatissant :

— Bien sûr, ce n'est pas bien.

— Est-ce qu'il a dit quelque chose ? demanda Pivovarov.

— Non, même qu'il a reçu une lettre de sa femme et il ne l'a même pas regardée.

— Qu'est-ce que tu dis ? Il est bien malade ! Quelle affaire, il ne l'a même pas regardée, tu dis ?

Il prit la lettre, la soupesa, l'approcha du visage de Beriozkine et lui dit d'un ton sévère :

— Ivan Léontievitch, vous avez reçu une lettre de votre épouse.

Il se tut un instant et ajouta sur un tout autre ton :

— Vania, une lettre de ta femme, tu ne comprends donc pas ? Eh, Vania !

Mais Beriozkine ne comprenait pas.

Son visage était rouge, ses yeux brillants, fixes et vides.

Toute la journée, la guerre frappa à la porte de l'abri où gisait le commandant malade. Presque toutes les liaisons téléphoniques avaient été coupées au cours de la nuit et seul, pour une raison mystérieuse, le téléphone dans l'abri de Beriozkine marchait toujours. Aussi tout le monde l'utilisait. On téléphonait de l'état-major d'armée, son voisin, le commandant du régiment de la division Gouriev lui téléphonait, lui téléphonaient ses deux subordonnés, les chefs de bataillon Podchoufarov et Dyrkine.

Des hommes entraient et sortaient sans cesse, la porte grinçait, la bâche, suspendue par Glouchkov, claquait. L'inquiétude et l'attente s'étaient emparées des hommes depuis le matin. Tous, en cette journée, marquée par de rares tirs d'artillerie, par des raids d'aviation imprécis et dépourvus de conviction, tous attendaient avec une certitude angoissée le déclenchement de l'offensive allemande. Cette certitude torturait aussi bien Tchouïkov que le commissaire Pivovarov, que les combattants de la maison « 6 bis », que le commandant de la compagnie disposée dans l'usine de tracteurs qui fêtait son anniversaire en buvant de la vodka toute la journée.

Chaque fois que la conversation, dans l'abri de Beriozkine, devenait particulièrement drôle ou intéressante, tout le monde se tournait vers le commandant du régiment, espérant chaque fois qu'au moins celle-là, il l'avait entendue.

A l'heure du dîner, l'abri se vida. Beriozkine restait allongé sans bouger et Glouchkov, à ses côtés, poussait de profonds soupirs : la lettre tant attendue est là et Beriozkine ne peut pas la lire. Pivovarov et le major, le remplaçant de Kochenkov, le chef d'état-major tué récemment, sont partis manger, ils doivent se régaler avec un bortsch de première, se descendre leur verre de vodka. Le cuistot a déjà fait goûter de ce bortsch à Glouchkov. Et le commandant du régiment, le patron, ne mange rien, il a tout juste bu une gorgée d'eau...

Glouchkov décacheta l'enveloppe et, s'approchant du lit de camp à le toucher, lut d'une voix basse, lente et distincte :

« Bonjour, mon Ivan, bonjour, mon chéri, mon adoré... »

Glouchkov se renfrogna et continua sa lecture à voix haute.

Il lisait à son commandant, étendu sans connaissance sur son lit, la lettre de sa femme. Une lettre qu'avait déjà lue le censeur de la censure militaire, un lettre triste, bonne et tendre, une lettre qu'un seul homme au monde pouvait lire : Beriozkine.

Glouchkov ne fut pas très étonné quand Beriozkine tourna la tête et tendit le bras en lui disant : « Donne-moi ça. »

Les mots et le feuillet tremblaient entre les gros doigts tremblants.

« ...Vania, ici, la nature est très belle, Vania, j'ai du mal à vivre sans toi. Liouba me demande tout le temps pourquoi papa n'est pas avec nous. Nous vivons au bord d'un lac, la maison est bien chauffée, la propriétaire a une vache, nous buvons du lait, nous avons l'argent que tu nous as envoyé ; le matin, je sors et je vois flotter sur l'eau froide du lac les feuilles rouges et jaunes des érables, et autour il y a déjà de la neige, et l'eau paraît encore plus bleue, et les feuilles d'un jaune extraordinaire, d'un rouge extraordinaire. Et Liouba me demande : Pourquoi tu pleures ? Vania, Vania, mon chéri, merci pour tout, pour tout, pour ta bonté, pour tout. Pourquoi je pleure ? Comment te dire ? Je pleure parce que je vis, je pleure de chagrin parce que Slava n'est plus et que je vis. Je pleure de bonheur, tu es en vie ; je pleure quand je pense à maman, à mes sœurs; je pleure à cause de la lumière du matin : tout est si beau autour et le malheur est si grand. Pour tous, et pour moi aussi. Vania, Vania, mon adoré, mon chéri, mon Vania... »

Et la tête vous tourne, et tout se mêle devant vos yeux, les mains tremblent et la lettre tremble avec l'air brûlant.

— Glouchkov, appela Beriozkine, il faut me remettre en état aujourd'hui (Tamara n'aimait pas cette expression). Est-ce que le réchaud n'a pas été endommagé ?

— Non, il n'a rien eu. Mais comment voulez-vous être sur pied en une journée ? Vous avez quarante degrés de fièvre, autant que la vodka, comment voulez-vous que tous ces degrés s'en aillent d'un coup ?

Les soldats firent rouler dans l'abri un fût d'essence vide. Ils remplirent à moitié le fût métallique avec l'eau trouble de la rivière qui, chauffée au préalable, remplit l'abri de vapeur.

Glouchkov aida Beriozkine à se déshabiller et le conduisit jusqu'à la baignoire improvisée.

— Elle est trop chaude, mon colonel, disait-il en touchant la paroi brûlante du fût et en retirant rapidement la main. Vous allez cuire là-dedans. J'ai demandé au commissaire de venir, mais il est à une réunion chez le commandant de la division. On ferait mieux d'attendre son retour.

— Pour quoi faire ?

— S'il vous arrive quelque chose, je me tuerai. Et si je n'y arrive pas tout seul, le commissaire Pivovarov s'en chargera.

— Aide-moi.

— Permettez-moi d'appeler au moins le chef d'état-major.

— Ça vient ?

Et bien que ce « ça vient » fût prononcé par un homme nu qui tenait à grand-peine sur ses jambes, Glouchkov cessa de discuter.

En entrant dans l'eau, Beriozkine poussa un cri et eut un mouvement de recul ; Glouchkov faisait le tour du fût en poussant des gémissements.

« Comme un accouchement », se dit-il bizarrement.

Beriozkine perdit connaissance ; tout, l'attente de l'offensive, la fièvre, se fondit en un épais brouillard. Soudain, son cœur s'arrêta et il ne sentit plus la brûlure de l'eau trop chaude. Puis il revint à lui et dit à Glouchkov :

— Faut essuyer par terre.

Mais Glouchkov ne remarqua pas l'eau qui débordait. Le visage pourpre du colonel blêmit soudain, sa bouche s'ouvrit, de grosses gouttes de sueur apparurent sur son crâne rasé. Beriozkine perdait à nouveau connaissance ; mais quand Glouchkov voulut le sortir, il dit d'une voix ferme :

— Pas encore.

Une quinte de toux l'interrompit. Quand elle cessa, il ordonna :

— Rajoute donc un peu d'eau bouillante.

Quand il sortit enfin de l'eau, sa vue fit perdre définitivement tout courage à Glouchkov. Il essuya Beriozkine, le coucha, l'emmitoufla dans tout ce qu'il put trouver dans l'abri : couverture, capotes, toiles de tente, vestes ouatinées, pantalons.

Au retour de Pivovarov, tout était rangé mais il régnait encore une atmosphère humide de bains publics. Beriozkine dormait paisiblement. Pivovarov resta un moment à le regarder.

« Il a un bon visage quand même, il n'a pas écrit de dénonciations, lui. »

Au cours de cette journée d'attente inquiète, Pivovarov était poursuivi par le souvenir de son camarade de promotion, son ami Chmelev, qu'il avait contribué à démasquer comme ennemi du peuple. Pendant cette accalmie sinistre, toutes sortes de bêtises vous passaient par la tête et Pivovarov revoyait Chmelev, son regard de côté, son visage malheureux et pitoyable. Chmelev en train d'écouter pendant la réunion publique la déclaration de son copain Pivovarov.

Aux environs de minuit, Tchouïkov téléphona directement, par-

dessus la tête de la division, au régiment qui tenait l'usine de tracteurs. Il se faisait beaucoup de souci pour ce régiment, le service de
renseignement lui avait annoncé que dans ce secteur les Allemands
procédaient à une concentration particulièrement importante en
troupes et en blindés.

— Et alors, qu'est-ce qui se passe chez vous ? dit-il d'un ton irrité.
Qui commande ce régiment, à la fin ? Batiouk me dit que le commandant a une congestion pulmonaire et qu'il s'apprête à le faire
évacuer sur l'autre rive.

Une voix enrouée lui répondit :

— C'est moi, le lieutenant-colonel Beriozkine, qui assure le commandement du régiment. J'ai pris froid mais maintenant tout est rentré dans l'ordre.

— J'entends ça, dit Tchouïkov avec une sorte de joie mauvaise.
Tu es drôlement enroué, les Allemands se chargeront de te donner du
lait chaud au miel. Il est prêt, ils vont bientôt te le servir, alors méfie-
toi.

— Compris, mon général.

— Ah, tu as compris, menaça Tchouïkov, alors il faut que tu
saches que s'il te venait à l'idée de reculer, je te réserve une tisane qui
vaudra bien le lait allemand.

22

Le vieux Poliakov s'était mis d'accord avec l'éclaireur Klimov
pour aller avec lui jusqu'au régiment au cours de la nuit : Poliakov
avait très envie de revoir Chapochnikov.

Poliakov fit part de son intention à Grekov qui se réjouit :

— Vas-y, vas-y, le père ; tu prendras un peu de force à l'arrière et
puis tu reviendras nous raconter comment ils vont là-bas.

— Avec Katia, vous voulez dire ? demanda Poliakov qui comprit
aussitôt pourquoi Grekov le laissait partir.

— Ils ne sont déjà plus au régiment, intervint Klimov. J'ai entendu
dire que le colonel les a envoyés de l'autre côté du fleuve. Ils ont dû
déjà se marier à Akhtouba.

Poliakov, qui avait l'esprit sarcastique, demanda :

— Peut-être qu'il faut ajourner mon départ, alors, ou bien
voulez-vous transmettre une lettre ?

Grekov lui jeta un regard rapide mais répondit paisiblement :

— C'était d'accord, alors vas-y.

Ils s'engagèrent dans le passage souterrain à 5 heures du matin. Poliakov heurtait sans cesse de la tête les soutènements et traitait de tous les noms Chapochnikov. Il avait un peu honte, en effet, de l'affection qu'il lui portait.

Le passage s'élargit. Ils s'assirent pour se reposer un instant. Klimov, l'œil rieur, demanda à Poliakov pourquoi il n'avait pas apporté de cadeau.

— Qu'il aille au diable, ce petit morveux. J'aurais dû prendre une brique pour lui en donner un coup sur la tête.

— Ah, oui, je comprends. C'est pour ça que tu viens avec moi et que tu es prêt à traverser la Volga à la nage. Ou bien peut-être que c'est Katia que tu veux voir, tu dois être jaloux, c'est ça ?

— Allons-y, dit Poliakov.

Ils sortirent à la surface et s'engagèrent dans le no man's land. Tout était silencieux.

« Peut-être bien que la guerre est finie ? » se dit Poliakov et il se représenta avec une acuité saisissante leur pièce : une assiette de soupe fume sur la table, sa femme prépare le poisson qu'il a pêché. Une bouffée de chaleur lui monta au visage.

Cette même nuit le général Paulus donna l'ordre de déclencher l'offensive dans le secteur de l'usine de tracteurs.

Deux divisions d'infanterie devaient pénétrer dans la brèche qu'ouvriraient l'artillerie et l'aviation. Depuis minuit, les bouts des cigarettes rougeoyaient à l'abri des paumes des soldats.

Une heure et demie avant l'heure H, les Junkers survolèrent l'usine des tracteurs. Il n'y avait, dans le bombardement, ni répit ni trêve ; la moindre pause dans cette avalanche de bruit était aussitôt remplie par les sifflements des bombes qui s'efforçaient de toutes leurs forces d'atteindre la terre au plus vite. Le fracas continu et compact pouvait, semblait-il, briser un crâne, casser la colonne vertébrale.

L'aube se levait, mais dans le secteur des usines la nuit restait totale. Il semblait que c'était la terre qui lançait les éclairs, la fumée et la poussière noire.

Le coup le plus violent porta sur le régiment de Beriozkine et sur la maison « 6 bis ».

Tout au long du dispositif du régiment, les hommes abasourdis se levaient en sursaut, comprenant que l'Allemand entreprenait là quelque chose de jamais vu encore.

Klimov et son compagnon, surpris par le bombardement, s'élancèrent en direction du no man's land où, en septembre, des bombes d'une tonne avaient creusé d'énormes cratères. Des soldats de Podchoufarov, qui avaient eu le temps de s'échapper des tranchées effondrées, couraient dans la même direction.

La distance qui séparait les premières lignes russe et allemande était si faible que le coup porta pour une part sur les tranchées allemandes ou les groupes d'assaut se préparaient à l'attaque.

A plusieurs reprises, Poliakov fut jeté à terre, il tombait, se relevait, courait, il ne savait plus où il se trouvait, s'il était vieux ou jeune, s'il y avait encore un haut et un bas. Mais Klimov l'entraînait à sa suite et ils finirent par se laisser tomber dans un profond trou de bombe, glissèrent jusqu'à son fond plein de boue. L'obscurité y était triple : l'obscurité de la nuit, l'obscurité de la fumée et de la poussière, l'obscurité d'une cave profonde.

Ils étaient allongés côte à côte ; dans les deux têtes, la jeune et la vieille, vivait une douce lumière : la soif de vivre. Cette lumière, cet espoir touchant étaient ceux qui vivent dans toutes les têtes, dans tous les cœurs, pas seulement ceux des hommes, mais aussi ceux des bêtes, des oiseaux.

Poliakov jurait à voix basse, il rejetait toute la faute sur Sérioja Chapochnikov, marmonnait : « Tout ça, c'est Sérioja. » Mais au fond de son âme, il lui semblait qu'il priait.

Cette explosion était trop violente pour pouvoir durer longtemps. Mais le temps passait et les hurlements et les déflagrations ne cessaient pas et la nuée de fumée noire ne s'éclaircissait pas mais s'épaississait, reliant toujours plus étroitement le ciel à la terre.

Klimov trouva à tâtons la grosse main du vieux soldat et la serra, et le geste amical qu'elle eut en réponse le consola pour un bref instant dans sa tombe découverte. Une explosion proche leur fit tomber dessus une pluie de mottes de terre, de pierres, de briques ; quelques morceaux frappèrent Poliakov dans le dos. Ils crurent leur fin arrivée, quand des pans de terre se décrochèrent des parois du trou. Le voilà, le trou où l'homme a été chassé et où il ne verra plus la lumière du jour ; l'Allemand recouvrira le trou de là-haut et en égalisera les bords.

D'habitude, quand il partait en mission de reconnaissance, Klimov n'aimait pas avoir de compagnon et il s'éloignait au plus vite tout seul. Mais ici, au fond de ce trou, il était content d'avoir Poliakov à ses côtés.

Le temps avait perdu son cours égal, il était devenu fou, se jetait en avant comme une onde de choc, s'enroulait sur lui-même comme une coquille d'escargot.

Mais les hommes dans le trou relevèrent la tête, une lumière blafarde les éclairait, le vent chassait la poussière et la fumée... La terre s'apaisait, le fracas continu se divisait en explosions distinctes. Leurs âmes étaient vides comme si l'on en avait pressé toutes les forces vives pour n'y laisser que l'angoisse.

Klimov se releva, un Allemand couvert de poussière, usé, mâché par la guerre du calot aux bottes était allonge à côté de lui. Klimov ne craignait pas les Allemands, il était sûr de sa force, de sa capacité à presser la détente, lancer la grenade, donner un coup de crosse ou de couteau une fraction de seconde avant l'adversaire.

Mais là, il ne savait que faire ; il était frappé par l'idée que, assourdi et aveuglé, il se consolait en sentant la présence d'un Allemand et qu'il avait confondu sa main avec celle de Poliakov. Ils se regardaient. Ils se taisaient, les deux habitants de la guerre. L'automatisme parfait et infaillible, l'automatisme de tuer qu'ils possédaient l'un et l'autre n'avait pas joué.

Quant à Poliakov, il était assis un peu plus loin et fixait, lui aussi, le soldat allemand. Poliakov n'aimait pas rester longtemps silencieux, mais là, il se taisait aussi.

La vie était horrible. Et ils eurent la prescience qu'une fois la guerre terminée, la force qui les avait jetés au fond de ce trou, leur avait enfoncé la gueule dans la boue, cette force opprimerait les vainqueurs aussi bien que les vaincus.

Comme par un muet accord, ils se mirent à grimper ensemble hors du trou, présentant leur dos, leur crâne à un coup de feu facile mais parfaitement sûrs, tous trois, d'être en sécurité.

Poliakov glissa mais l'Allemand, qui rampait à ses côtés, ne l'aida pas ; le vieux roula jusqu'en bas en jurant comme un forcené et maudissant le ciel, vers lequel il grimpa derechef. Klimov et l'Allemand arrivèrent en haut et regardèrent l'un et l'autre (le premier vers l'est, le second vers l'ouest) si leurs chefs n'avaient pas vu qu'ils sortaient du même trou et qu'ils ne se tiraient pas dessus. Sans se retourner, sans un au revoir ils partirent vers leurs tranchées par les monts et les plaines d'une terre labourée qui fumait encore.

— Notre maison n'est plus là, ils l'ont rasée, dit Klimov, épouvanté, à Poliakov qui marchait derrière. Dites, les frères, vous n'avez pas tous été tués tout de même ?

C'est alors que commença le tir des mitrailleuses et des canons. Les troupes allemandes montaient à l'attaque. Ce fut la journée la plus dure que connut Stalingrad.

— Tout ça, c'est ce maudit Sérioja, continuait à marmonner Poliakov qui ne se rendait pas encore compte de ce qui s'était passé, qu'il ne restait plus personne de la maison « 6 bis ». Et les sanglots et les cris de Klimov l'irritaient.

23

Une bombe avait atteint, pendant l'attaque aérienne, la pièce souterraine qui abritait le P.C. du bataillon et elle enterra Beriozkine qui s'y trouvait à ce moment-là, Dyrkine, le chef du bataillon, et le téléphoniste. Plongé dans le noir absolu, assourdi, étouffé par la poussière, Beriozkine croyait qu'il était déjà mort quand, pendant une brève accalmie, Dyrkine éternua et demanda :

— Vous êtes en vie, camarade colonel ?

Et Beriozkine répondit :

— Oui,

Dyrkine retrouva sa bonne humeur coutumière en entendant la voix de son colonel.

— Alors, tout va bien, dit-il en toussant et crachant, bien que les choses n'allassent pas si bien que cela.

Dyrkine et le téléphoniste étaient recouverts de gravats et ils ne pouvaient savoir s'ils avaient quelque chose de cassé ; ils étaient dans l'impossibilité de se tâter. Une poutrelle d'acier pendait au-dessus d'eux et les empêchait de se redresser ; mais, selon toute apparence, c'était justement cette poutrelle qui leur avait sauvé la vie. Dyrkine alluma une lampe de poche et ce qu'ils virent était, de fait, effrayant. Des pierres tenant à peine au-dessus de leurs têtes, des barres de fer tordues, des murs de béton gonflés, des câbles déchiquetés baignant dans des flaques d'huile. Il semblait qu'il suffirait d'un nouveau choc pour que le fer et le béton se referment sur eux.

Ils restèrent un moment silencieux, se recroquevillèrent, une force insensée frappait à coups redoublés sur les ateliers là-haut. Ces ateliers, même morts, se dit Beriozkine, continuaient à travailler pour la défense : pas facile de briser du béton, du fer, de déchirer une armature.

Ensuite, ils auscultèrent les murs et comprirent qu'ils ne pourraient se sortir par leurs propres forces. Le téléphone n'avait rien eu mais restait muet, le fil avait été coupé.

Ils ne pouvaient presque pas parler : le fracas des explosions couvrait leurs voix, la poussière les faisait tousser.

Beriozkine qui, vingt-quatre heures auparavant, délirait de fièvre, ne sentait maintenant aucune faiblesse. Sa force s'imposait dans le combat aux officiers et aux soldats. Mais ce n'était pas une force militaire et guerrière, c'était la force simple et raisonnable d'un homme. Rares étaient les hommes qui savaient la conserver dans l'enfer du combat, et c'étaient ces hommes, ceux qui possédaient cette force civile, familière et raisonnable, qui étaient les véritables maîtres de la guerre.

Mais le bruit du bombardement cessa et les hommes emmurés entendirent un grondement métallique. Beriozkine s'essuya le nez, toussa et dit :

— Les loups hurlent. Les tanks marchent sur l'usine de tracteurs. Et nous, nous sommes sur leur passage.

Et peut-être parce qu'il ne pouvait plus rien arriver de pire, Dyrkine se mit à chanter, à tousser, d'une voix forte, une chanson de film :

> *La vie est belle pour nous, les gars.*
> *Avec not' chef, on n' s'en fait pas.*

Le téléphoniste crut que son chef de bataillon était devenu fou, néanmoins il se joignit, toussant et crachant, à son officier :

> *Ma femme me pleurera, mais m'oubliera bien vite,*
> *M'oubliera vite et se remariera.*

Pendant ce temps, en surface, Glouchkov s'arrachait la peau des mains en déblayant pierres et morceaux de béton, en tordant les armatures de fer dans l'atelier plein de fumée, de poussière, du grondement des chars. Glouchkov travaillait avec frénésie et cela seul lui permettait de soulever des poutrelles, des pierres pour lesquelles dix hommes auraient été nécessaires.

Beriozkine revit la lumière poussiéreuse et sale, entendit le grondement des chars, les explosions des obus, les tirs de mitrailleuses. Et néanmoins c'était la lumière du jour, douce et claire, et à sa vue la première pensée de Beriozkine fut : « Tu vois, Tamara, tu as bien tort de t'inquiéter, je te disais bien que cela n'avait rien de terrible. »

Les bras de Glouchkov l'étreignirent.

D'une voix qui se brisait, Dyrkine s'adressa à Beriozkine :

— J'ai sous mes ordres un bataillon mort.

Il montra de la main autour de lui.

— Vania est mort, notre Ivan est mort.

Il montra le cadavre du commissaire du bataillon, gisant sur le côté dans une flaque de velours noir, de sang et d'huile mêlés.

Le P.C. du régiment n'avait pas trop souffert, seuls le lit et la table avaient disparu sous un tas de terre.

En voyant Beriozkine, Pivovarov jura de bonheur et se précipita vers lui. Beriozkine lui posa mille questions :

— Qu'en est-il de la liaison avec les bataillons ? Que devient la maison « 6 bis » ? Que fait Podchoufarov ? Avec Dyrkine, on s'est retrouvés dans une souricière, pas de lumière, pas de liaison. Je ne sais pas qui est en vie, qui est mort, où sont les Allemands, où sont les nôtres, je ne sais rien. Raconte, vite !

Pivovarov lui fit part des pertes subies, lui annonça la fin de la maison « 6 bis », tous avaient été tués avec ce sacré Grekov, seuls un éclaireur et un vieux soldat des milices en avaient réchappé.

Mais le régiment avait tenu le coup, ceux qui étaient encore en vie *vivaient*.

A ce moment-là, le téléphone sonna et les officiers comprirent, en voyant l'expression de l'agent de liaison, qu'à l'autre bout du fil se tenait le chef de Stalingrad.

Beriozkine prit le combiné ; dans l'abri soudain silencieux, on entendit distinctement la voix grave et forte de Tchouïkov :

— Beriozkine ? Le commandant de la division est blessé, le commandant en second et le chef d'état-major sont tués. Je vous ordonne de prendre le commandement de la division.

Puis il ajouta, d'une voix mesurée et pénétrée :

— Tu as assuré le commandement de ton régiment dans des conditions insensées, inouïes, mais tu as tenu. Je te dis merci. Je t'embrasse. Bonne chance.

Le combat dans les ateliers de l'usine de tracteurs commençait. Ceux qui étaient encore en vie vivaient.

La maison « 6 bis » se taisait. Pas un seul coup de feu ne provenait des ruines. Visiblement, la force principale de l'attaque aérienne était tombée sur la maison, les murs s'étaient effondrés, le monticule de pierres avait été égalisé. Les chars allemands tenaient sous leur feu le bataillon de Podchoufarov en s'abritant derrière les derniers restes de la maison morte.

Les ruines de la maison qui, il y a si peu de temps encore, était un danger terrible pour les Allemands, s'étaient transformées en un abri.

Vus de loin, les tas de briques ressemblaient à des lambeaux de chair crue, encore fumante, et les soldats gris-vert bourdonnaient parmi les blocs de briques de la maison abattue.

— Tu n'as qu'à prendre le commandement du régiment, dit Beriozkine à Pivovarov. Jamais, de toute la guerre, mes chefs n'ont été contents de moi, ajouta-t-il. Et là, je suis resté à ne rien faire sous terre, j'ai chanté quelques chansons, et voilà, j'ai les remerciements de Tchouïkov et, ce n'est quand même pas rien, le commandement d'une division. Maintenant, méfie-toi, je ne te laisserai rien passer.

Mais l'Allemand fonçait, ce n'était pas le moment de plaisanter.

24

Strum, sa femme et leur fille arrivèrent à Moscou en pleine période de neige et de froid. Alexandra Vladimirovna, qui ne voulait pas interrompre son travail à l'usine, était restée à Kazan, bien que Strum s'engageât à la faire entrer à l'Institut Karpov.

C'étaient des jours étranges, on se sentait le cœur joyeux et angoissé tout à la fois. Les Allemands paraissaient tout aussi menaçants, puissants, ils semblaient préparer de nouveaux coups terribles.

Rien n'indiquait encore, apparemment, que la guerre fût à un tournant. Mais le désir des gens de retrouver Moscou était naturel et compréhensible et la réévacuation de certains services à Moscou, entreprise par le gouvernement, paraissait bien fondée.

Les gens percevaient déjà les signes secrets de ce printemps de guerre. Et pourtant, la capitale, en ce second hiver de guerre, avait un air triste et morose.

Des monceaux de neige sale bordaient les trottoirs. Dans les faubourgs, des sentiers, comme à la campagne, reliaient les entrées des maisons aux arrêts de tramways et aux magasins d'alimentation. Souvent, on voyait fumer aux fenêtres les tuyaux métalliques de poêles de fortune, et les murs des immeubles étaient couverts d'une couche de suie jaune et gelée.

Avec leurs pelisses courtes et leurs fichus, les Moscovites avaient une allure provinciale, campagnarde.

Durant le trajet qui les éloignait de la gare, Victor Pavlovitch, assis sur les bagages, dans la benne du camion, fixait le visage renfrogné de Nadia, installée près de lui.

— Eh bien, mademoiselle, demanda Strum. Ce n'est pas ainsi que tu voyais Moscou, dans tes rêves de Kazan ?

Vexée que son père eût perçu son humeur, Nadia ne répondit rien.

Victor Pavlovitch entreprit de lui expliquer :

— L'homme ne comprend pas que les villes, créées par lui, ne sont pas partie intégrante de la nature. Il ne peut pas se permettre de lâcher son fusil, sa pelle ou son balai, s'il veut défendre sa culture contre les loups, les tempêtes de neige et les mauvaises herbes. Qu'il baye aux corneilles, qu'il se laisse distraire un an ou deux, et c'est terminé : les loups sortent des forêts, le chardon fleurit, la ville croule sous la neige, disparaît sous la poussière. Combien de grandes capitales ont péri sous la poussière, la neige ou les broussailles !

Strum eut soudain envie que Lioudmila, assise dans la cabine avec le chauffeur, profitât de ces considérations, et, se penchant par-dessus la ridelle, il demanda par la vitre à demi baissée :

— Tu es bien installée, Liouda ?

Nadia intervint :

— Que vient faire dans l'histoire la mort de la culture ? Les con
cierges ne balaient pas la neige, c'est tout !

— Petite idiote, répondit Strum. Regarde-moi ces banquises.

Une forte secousse ébranla le camion, tous les ballots et les valises
sautèrent dans la benne, et Strum et Nadia avec eux. Ils se regardèrent et éclatèrent de rire.

C'était étrange, étrange. Comment aurait-il pu imaginer qu'il
accomplirait sa grande œuvre, la principale, justement l'année de la
guerre, année de peines et d'errance, et d'évacuation à Kazan.

On eût pu croire qu'en approchant de Moscou, leur seul sentiment
aurait été un émoi solennel. On eût pu croire que leur chagrin pour
Anna Semionovna, Tolia et Maroussia, la pensée des victimes que
l'on comptait dans presque chaque famille, se mêleraient à la joie du
retour et empliraient leur âme.

Mais rien ne se passait comme prévu. Dans le train, Strum s'était
énervé pour des vétilles. Il était furieux que Lioudmila Nikolaïevna
dormît autant, qu'elle ne regardât pas, par la fenêtre, cette terre que
son fils avait défendue pied à pied. Elle ronflait fort dans son sommeil, et un blessé de guerre qui traversait le wagon s'était exclamé en
l'entendant :

— Oh oh ! Un vrai soldat de la garde !

Nadia aussi l'agaçait : elle laissait sa mère ranger les restes du
repas après avoir mangé, et, avec un égoïsme de sauvage, se choisissait, dans le sac, les galettes les plus dorées. Dans le train, elle affec-
tait, à l'égard de son père, un ton stupide, railleur. Strum l'avait
entendue déclarer, dans le compartiment voisin : « Mon cher papa
est grand amateur de musique et tâte même du piano. »

Leurs voisins de compartiment parlaient du plaisir qu'il y aurait de
retrouver à Moscou le chauffage central et le tout-à-l'égout, des locataires insouciants qui n'avaient pas pensé à payer leur loyer pendant
leur absence et qui avaient perdu leur logement, ou encore des den-
rées les plus avantageuses à emporter à Moscou. Strum ne supportait
pas les thèmes domestiques et pourtant, lui aussi parlait du gérant,
des conduites d'eau et, la nuit, quand il ne pouvait pas dormir, pensait qu'il faudrait se faire inscrire à l'économat de l'Académie des
Sciences et se demandait si le téléphone avait été coupé.

La responsable de wagon, une bonne femme hargneuse, découvrit
sous la banquette, en balayant le compartiment, un pilon de poule
abandonné par Strum et déclara :

— De vrais porcs ! Et ça joue les gens bien élevés !

A Mourom, Strum et Nadia s'étaient promenés sur le quai. Ils
avaient croisé des jeunes gens, vêtus de longs manteaux à col d'astra-

kan, et l'un d'eux s'était exclamé :

— Tiens, voilà un Lévy qui nous rentre d'évacuation !

Et l'autre avait précisé :

— Isaac est pressé de décrocher la médaille pour la défense de Moscou.

A l'arrêt de Kanach, le train se posta face à un convoi de prisonniers. Des sentinelles montaient la garde le long des wagons à bestiaux, et l'on voyait se presser contre les petites fenêtres grillagées les visages blêmes des prisonniers qui criaient : « Fumer », « du tabac ». Les sentinelles les insultaient, les forçaient à s'écarter des ouvertures.

Le soir, il avait fait un tour dans le wagon voisin, où voyageaient les Sokolov. La tête couverte d'un fichu de couleur, Maria Ivanovna préparait les lits : celui de Piotr Lavrentievitch sur la couchette du bas, et le sien au-dessus. Elle se demandait avec inquiétude si Piotr Lavrentievitch serait bien installé, et répondait tout de travers aux questions de Strum. Elle ne s'enquit même pas de la santé de Lioudmila Nikolaïevna.

Sokolov bâillait, se plaignait d'être accablé par la chaleur du wagon. Strum se sentit curieusement vexé de la distraction de Sokolov et du peu d'enthousiasme que suscitait sa visite.

— C'est la première fois de ma vie, commença Strum, que je vois un homme obliger sa femme à grimper sur la couchette supérieure et dormir au-dessous.

Il avait dit ces mots d'un ton irrité et il s'étonna qu'un fait de ce genre le mît à ce point en colère.

— Nous faisons toujours ainsi, répondit Maria Ivanovna. Piotr Lavrentievitch étouffe, là-haut, et moi, cela ne me gêne pas.

Et elle embrassa Sokolov sur la tempe.

— Bon, je vous laisse, dit Strum. Et de nouveau, il se sentit vexé que les Sokolov ne fissent pas un geste pour le retenir.

La nuit, dans le wagon, on étouffait littéralement. Les souvenirs affluaient : Kazan, Karimov, Alexandra Vladimirovna, les conversations avec Madiarov, le petit bureau exigu à l'Université... Quel charmant regard angoissé avait Maria Ivanovna, quand Strum, en visite, le soir, chez les Sokolov, se lançait dans des considérations politiques ! Ils étaient moins distraits, alors, moins distants que dans ce wagon.

« A-t-on jamais vu ça ? se dit-il. Dormir en bas, bien au frais ! Parlez d'un tyran domestique ! »

Puis, furieux contre Maria Ivanovna, qu'il considérait comme la meilleure des femmes, si douce, si bonne, il conclut : « Une lapine au nez rouge ! Un type pas facile, ce Piotr Lavrentievitch. Gentil, certes, réservé, et en même temps d'une présomption sans bornes, hypocrite et rancunier. Oui, elle en bave, la pauvre ! »

Il ne parvenait pas à s'endormir, essayait de penser aux amis qu'il allait revoir, à Tchepyjine ; beaucoup, déjà, connaissaient son travail. Comment l'accueillerait-on, là-bas ? Après tout, il rentrait victorieux. Que diraient Gourevitch et Tchepyjine ?

Il pensa que Markov, qui avait mis au point dans les moindres détails le nouveau montage, n'arriverait à Moscou que dans une semaine, et qu'il ne pouvait, sans lui, commencer le travail. Ennuyeux, que nous ne soyons, Sokolov et moi, que de petits rigolos, des théoriciens aux mains stupides, lourdaudes...

Oui, vainqueur ! Il était vainqueur !

Mais ses pensées se déroulaient paresseusement, avec des interruptions.

Il revoyait sans cesse ces gens qui voulaient du tabac, des cigarettes, et les beaux gars qui l'avaient traité de « Lévy ». Un jour, en sa présence, Postoïev avait dit à Sokolov une bien étrange phrase. Sokolov évoquait les travaux du jeune physicien Landesman et Postoïev avait répliqué : « Landesman, tu parles ! Victor Pavlovitch, voilà quelqu'un qui a étonné le monde par une découverte de premier ordre. » Et, prenant Sokolov par les épaules, il avait ajouté : « Mais l'essentiel, après tout, c'est que nous sommes tous russes, vous et moi. »

Le téléphone avait-il été maintenu ? Le gaz fonctionnait-il ? Était-il possible que les gens, rentrant à Moscou après la défaite de Napoléon, il y a un peu plus de cent ans, n'aient eu en tête que ce genre de bêtises !

Le camion s'arrêta tout près de la maison et les Strum revirent enfin les quatre fenêtres de leur appartement, avec les croix de papier bleu, collées sur les vitres durant l'été dernier, la porte d'entrée, les tilleuls au bord du trottoir, puis la pancarte : « Lait » et la petite plaque sur la porte du gérant.

— Bien sûr, l'ascenseur est en panne, grommela Lioudmila Nikolaïevna et, se tournant vers le chauffeur, elle demanda : Camarade, ne pourriez-vous pas nous aider à porter nos affaires jusqu'au second ?

Le chauffeur répondit :

— Pas de problème. Vous me paierez avec du pain.

On déchargea la voiture. On laissa Nadia pour garder les bagages, et Strum et sa femme montèrent à l'appartement. Ils grimpaient lentement, s'étonnant que rien n'eût changé : la porte tapissée de toile cirée noire, au second, les boîtes aux lettres, familières. Qu'il était curieux de penser que les rues, les maisons, les choses que l'on oubliait ne disparaissaient pas, et de les retrouver, de se retrouver parmi elles !

Autrefois, Tolia, sans avoir la patience d'attendre l'ascenseur,

grimpait quatre à quatre au second et, d'en haut, criait à Strum :
« Ah ah ! Je suis à la maison! »

— Arrêtons-nous sur le palier. Tu es tout essoufflée, proposa Victor Pavlovitch.

— Mon Dieu ! s'exclama Lioudmila Nikolaïevna. Dans quel état est l'escalier ! Dès demain, j'irai chez le gérant et j'obtiendrai de Vassili Ivanovitch qu'il entreprenne le nettoyage.

De nouveau, ils se tenaient devant la porte de leur maison, tous deux : le mari et la femme.

— Peut-être souhaites-tu ouvrir toi-même la porte ?

— Non, non, fais-le, tu es le maître de maison.

Ils entrèrent dans l'appartement, firent le tour des pièces, sans quitter leurs manteaux ; elle tâta le radiateur, décrocha le combiné du téléphone, souffla dedans et déclara :

— Eh bien, figure-toi qu'il marche !

Puis, elle passa à la cuisine, et dit :

— Il y a même de l'eau ; on pourra donc se servir des toilettes.

Elle s'approcha de la cuisinière, vérifia les robinets : le gaz avait été coupé.

Seigneur, Seigneur, c'était fini. L'ennemi avait été stoppé. Ils étaient de retour chez eux. Comme si ce fameux samedi 21 juin 1941 était hier. Tout était pareil, et tout avait changé ! Des gens nouveaux avaient franchi le seuil de la maison, ils avaient un cœur différent, un autre destin, ils vivaient dans une autre époque. Pourquoi était-ce si angoissant, si quotidien ? Pourquoi la vie enfuie d'avant-guerre leur semblait-elle si belle et si heureuse ? Pourquoi étaient-ils hantés par le souci du lendemain : le service des cartes de rationnement, l'autorisation de résidence, le terme pour l'électricité, l'ascenseur en panne ou en état de marche, les abonnements aux journaux ?... De nouveau entendre, la nuit, de son lit, la pendule sonner.

Il suivait sa femme et, soudain, se rappela sa venue à Moscou, l'été, la jolie Nina qui buvait du vin avec lui — la bouteille vide était encore à la cuisine, près de l'évier.

Il se rappela la nuit après la lettre de sa mère, apportée par le colonel Novikov, et son brusque départ pour Tcheliabinsk. C'est ici, tiens, qu'il avait embrassé Nina et qu'une épingle était tombée de ses cheveux. Ils ne l'avaient pas retrouvée. L'angoisse le saisit : l'épingle n'était-elle pas visible, sur le sol, Nina n'avait-elle pas oublié son bâton de rouge, son poudrier ?

Mais à cet instant, le chauffeur, haletant, posa une valise, parcourut la pièce des yeux, et demanda :

— Vous occupez tout ça à une famille ?

— Oui, répondit Strum, d'un ton coupable.

— Nous, on vit à six dans huit mètres carrés, reprit le chauffeur.

Ma vieille dort le jour, quand tout le monde est au travail. La nuit, elle la passe assise sur une chaise.

Strum s'approcha de la fenêtre : Nadia était plantée au milieu des bagages, près du camion, elle sautillait, en soufflant sur ses doigts.

Chère Nadia, pauvre fille Strum, c'était sa maison !

Le chauffeur monta le sac de vivres et le porte-plaid, puis, assis au bord d'une chaise, entreprit de se rouler une cigarette.

De toute évidence, le problème du logement le préoccupait vivement, il ne cessait d'évoquer, avec Strum, les normes sanitaires, et les employés de la Direction régionale du logement, tous des vendus !

Un bruit de casseroles se fit entendre dans la cuisine.

— Une bonne maîtresse de maison, constata le chauffeur, et il fit un clin d'œil à Strum.

Strum, de nouveau, regarda par la fenêtre.

— Tout va bien, quoi ! conclut le chauffeur. On va mettre la pâtée aux Allemands, à Stalingrad, les gens commenceront à rentrer d'évacuation et, question place, ça va être encore plus pénible. Chez nous, à l'usine, on a vu revenir un ouvrier, deux fois blessé ; sa maison, naturellement, a été réduite en poussière par les bombardements, alors il s'est installé avec sa famille dans une cave insalubre ; sa femme, bien sûr, était enceinte et ses deux gosses tuberculeux. Leur cave a été inondée, ils avaient de l'eau plus haut que le genou. Alors, ils ont posé des planches sur des tabourets, et ça leur permettait de se déplacer du lit à la table, de la table au réchaud. Et puis, il a essayé de décrocher un appartement : et que je me rende au comité local du parti, au *raïkom*[1], et que je t'écrive à Staline ! Ça, des promesses, il en avait ! Une nuit, il a pris sa femme, ses gosses et tout leur bazar, et le voilà qui s'installe au quatrième étage, réservé au conseil régional. Une pièce de huit mètres quarante-trois. L'histoire que ça a déclenchée ! Il a été convoqué chez le procureur : tu débarrasses les lieux dans les vingt-quatre heures, qu'on lui a dit, ou on te colle cinq ans de camp et on flanque tes gosses dans un orphelinat. Et qu'est-ce qu'il a fait ? Il avait eu des médailles, à la guerre, eh bien, il se les est plantées dans la poitrine, carrément dans la chair, et s'est pendu à l'atelier, pendant la pause déjeuner. Les copains s'en sont aperçus, et clac, que je te coupe la corde ! L'ambulance l'a conduit à l'hôpital. Et aussi sec, il a reçu un logement ; il n'avait pas quitté l'hôpital qu'il l'avait déjà. Il a eu de la chance : c'est petit, bien sûr, mais il y a tout le confort. En fin de compte, ça lui a réussi.

Nadia fit son entrée, au moment où le chauffeur achevait son récit.

— Et si on vous vole vos affaires, qui sera responsable ? demanda le chauffeur.

1. Comité de parti d'un arrondissement ou d'un district. *(N.d.T.)*

Nadia haussa les épaules et fit le tour des pièces, en soufflant sur ses doigts gelés.

Elle était à peine dans la maison qu'elle irritait déjà Strum.

— Tu pourrais au moins rabattre ton col, lui dit-il ; mais Nadia eut un geste insouciant et cria en direction de la cuisine :

— Maman, j'ai une faim terrible !

Lioudmila Nikolaïevna déploya ce jour-là une telle activité que Strum se dit que les Allemands auraient déjà reculé de cent kilomètres de plus si cette énergie était utilisée au front.

Le plombier mit le chauffage en marche. Les tuyaux étaient en bon état ; ils restaient tiédasses, il est vrai. Ce ne fut pas une mince affaire d'obtenir un gazier. Lioudmila Nikolaïevna parvint à joindre par téléphone le directeur du réseau, qui leur dépêcha un employé du service des réparations. Lioudmila Nikolaïevna alluma tous les brûleurs, posa des fers dessus et, bien que le gaz brûlât faiblement, on pouvait quitter son manteau. Après le passage du chauffeur, du plombier et du gazier, le sac de pain était devenu bien léger.

Jusque tard le soir, Lioudmila Nikolaïevna s'employa aux travaux ménagers. Enveloppant le balai d'un chiffon, elle essuya la poussière des plafonds et des murs. Elle nettoya le lustre, porta dans l'entrée de service les fleurs desséchées et rassembla quantité de vieilleries, de papiers, de chiffons : Nadia, à trois reprises, descendit la poubelle en râlant.

Lioudmila Nikolaïevna lava toute la vaisselle de la cuisine et de la salle à manger et, sous sa direction, Victor Pavlovitch essuya les assiettes, les fourchettes, les couteaux, mais elle ne lui confia pas le service à thé. Elle mit en train la lessive dans la salle de bains, fit dégeler l'huile sur la cuisinière, et tria les pommes de terre rapportées de Kazan.

Strum téléphona à Sokolov ; ce fut Maria Ivanovna qui répondit :

— J'ai mis Piotr Lavrentievitch au lit, le voyage l'a fatigué, mais si c'est urgent, je peux le réveiller.

— Non, non, je voulais juste bavarder avec lui, dit Strum.

— Je suis si heureuse, reprit Maria Ivanovna. J'ai sans cesse envie de pleurer.

— Venez nous voir, dit Strum. Êtes-vous libres, ce soir ?

— Mais non, voyons, ce soir c'est impossible, fit en riant Maria Ivanovna. Avec tout le travail que nous avons, Lioudmila Nikolaïevna et moi.

Elle se renseigna sur le délai pour l'électricité, la plomberie, et il l'interrompit soudain, assez grossièrement :

— J'appelle Lioudmila, elle poursuivra cette discussion de tuyaux.

Et aussitôt, il ajouta, sur le mode plaisant :

— Dommage, vraiment, que vous ne puissiez venir. Nous aurions lu *Félix Potin,* le poème de Flaubert.

Sans relever la plaisanterie, elle dit :

— Je vous rappellerai plus tard. Avec le travail que me donne une seule pièce, je peux imaginer tous les soucis de Lioudmila Nikolaïevna.

Strum comprit qu'elle avait été choquée par sa grossièreté. Et il eut soudain envie de se retrouver à Kazan. Décidément, l'homme est un étrange animal.

Strum voulut appeler les Postoïev, mais leur ligne était coupée.

Il téléphona à son collègue Gourevitch, mais les voisins lui répondirent que Gourevitch était chez sa sœur.

Il appela Tchepyjine, mais personne ne répondit.

Puis, le téléphone sonna et une voix de gamin demanda Nadia, qui, à ce moment-là, était en expédition aux poubelles.

— C'est de la part de qui ? demanda Strum, d'un ton sévère.

— Aucune importance. Une relation.

— Vitia, assez bavardé au téléphone, aide-moi à pousser l'armoire ! appela Lioudmila Nikolaïevna.

— Je ne bavarde pas ! Personne n'a besoin de moi, ici, protesta Strum. Si au moins tu me donnais quelque chose à manger. Sokolov s'est déjà rempli la panse, et il dort à l'heure qu'il est.

Lioudmila semblait avoir mis encore plus de désordre dans la maison, partout gisaient des monceaux de linge, la vaisselle, sortie des placards, était posée à même le sol, des casseroles, des cuvettes, des sacs gênaient le passage dans les pièces et le couloir.

Strum pensait que Lioudmila, les premiers temps, n'entrerait pas dans la chambre de Tolia, mais il se trompait.

Toute rouge, les yeux inquiets, elle lui dit :

— Vitia, Victor, pose le vase chinois dans la chambre de Tolia, sur la bibliothèque. J'ai tout nettoyé.

Le téléphone sonna encore et il entendit Nadia répondre :

— Salut ! Mais non, je n'étais pas sortie. C'est ma mère qui m'avait envoyée porter la poubelle.

Mais Lioudmila Nikolaïevna le pressait :

— Vitia, ne t'endors pas, aide-moi. J'ai encore tant de choses à faire.

Quel instinct puissant habitait les femmes, un instinct fort et simple !

Au soir, le désordre fut vaincu ; les pièces s'étaient réchauffées, elles avaient un peu repris leur aspect d'avant-guerre.

Ils dînèrent à la cuisine. Lioudmila Nikolaïevna avait mis des galettes au four et fait frire des boulettes avec la kacha, préparée dans l'après-midi.

— Qui t'a téléphoné ? demanda Strum à Nadia.

— Un copain, répondit Nadia, en éclatant de rire. Ça fait quatre jours qu'il appelle, il a fini par m'avoir.

— Tu lui écrivais, ou quoi ? Tu l'avais prévenu de notre arrivée ? demanda Lioudmila Nikolaïevna.

Irritée, Nadia fronça les sourcils et eut un haussement d'épaules.

— Si on pouvait m'appeler, moi ! Même un chien, ça me ferait plaisir ! déclara Strum.

Victor Pavlovitch s'éveilla au milieu de la nuit. Lioudmila, en chemise, était devant la porte de Tolia, grande ouverte, et elle disait :

— Tu vois, mon petit Tolia, j'ai eu le temps de tout nettoyer. Jamais, à voir ta chambre, on ne penserait à la guerre, mon tout petit...

25

Dans une des salles de l'Académie des Sciences s'étaient réunis les savants, retour d'évacuation. Tous ces gens, vieux et jeunes, blêmes, chauves, aux yeux grands ou petits et vifs, au front large ou étroit, ressentaient, une fois rassemblés, la forme de poésie la plus élevée qui fût jamais : la poésie de la prose.

Les draps mouillés et les pages humides des livres, trop longtemps restés dans des pièces sans chauffage, les conférences faites en manteau, le col relevé, les formules notées par les doigts rouges et gourds, la salade « moscovite », composée de pommes de terre gluantes et de feuilles de choux à moitié rongées, la bousculade aux distributions de tickets, l'obsession d'avoir à s'inscrire pour toucher du poisson salé et un supplément d'huile, tout cela, soudain, semblait très loin. A chaque connaissance qu'on rencontrait, c'étaient de bruyantes effusions.

Strum aperçut Tchepyjine, en compagnie de l'académicien Chichakov.

— Dmitri Petrovitch ! Dmitri Petrovitch ! répéta Strum, les yeux fixés sur le visage cher.

Tchepyjine le serra dans ses bras.

— Comment vont vos gosses, au front ? Vous avez de leurs nouvelles ? demanda Strum.

— Oui, oui, ils vont bien.

Et à la façon dont Tchepyjine s'assombrit, Strum comprit qu'il était au courant de la mort de Tolia.

— Victor Pavlovitch, dit-il, transmettez mes profondes salutations à votre épouse. Mes très profondes salutations. Les miennes et celles de Nadejda Fiodorovna.

Et aussitôt, il ajouta :

— J'ai lu votre travail, c'est très intéressant. Un ouvrage considérable, encore plus qu'il n'y paraît. Vous comprenez : cela présente plus d'intérêt qu'on ne peut l'imaginer actuellement.

Et il embrassa Strum sur le front.

— Mais non, voyons, ce n'est pas grand-chose, vraiment... balbutia Strum, heureux et confus.

En se rendant à la réunion, il ne cessait de se demander, assez vaniteusement, qui aurait lu son travail et ce qu'on en dirait. Et si personne ne l'avait lu ? Après la déclaration de Tchepyjine, il fut certain qu'on ne parlerait que de lui, de son travail.

Chichakov était là, tout près, et Strum avait encore à dire à Tchepyjine bien des choses impossibles à confier en présence d'un tiers, et surtout devant Chichakov.

En voyant Chichakov, Strum ne pouvait, d'ordinaire, s'empêcher de penser à l'expression facétieuse de Gleb Ouspenski : « Un buffle pyramidal. »

Le visage de Chichakov, carré, débordant de viande, sa bouche charnue, arrogante, ses gros doigts boudinés, aux ongles polis, sa brosse grise et drue, coulée d'argent, ses costumes à la coupe toujours impeccable, tout cela écrasait littéralement Strum. Chaque fois qu'il croisait Chichakov, il se surprenait à se demander : « Va-t-il me reconnaître ? », « Va-t-il me saluer ? », et, furieux contre lui-même, se sentait tout heureux, quand Chichakov laissait lentement échapper, de ses lèvres charnues, des mots qui semblaient, eux aussi, faits de viande, de hachis de bœuf.

— Un taureau arrogant ! Devant lui, je suis aussi intimidé qu'un Juif de shtetl devant un colonel de cavalerie.

— Et pourtant ! répondait Sokolov. Il est connu partout pour avoir été incapable de reconnaître un positon sur une photo. N'importe quel chercheur débutant est au courant ! L'erreur de l'académicien Chichakov !

Sokolov disait rarement du mal des gens, soit par prudence, soit que ses convictions religieuses lui interdisent de juger son prochain. Mais Chichakov l'énervait au dernier degré, et Piotr Lavrentievitch le dénigrait souvent, ironisait sur son compte. C'était plus fort que lui.

On parla de la guerre.

— On a stoppé l'avance allemande sur la Volga, dit Tchepyjine. C'est ça, la force de la Volga ! De l'eau vive, une force vive !

— Stalingrad, Stalingrad ! enchaîna Chichakov. Triomphe de notre stratégie et fermeté de notre peuple, en ce point confondus !

— Alexeï Alexeïevitch, avez-vous pris connaissance du dernier ouvrage de Victor Pavlovitch? demanda soudain Tchepyjine.

— J'en ai entendu parler, naturellement, mais je ne l'ai pas encore lu.

Impossible de lire sur le visage de Chichakov ce qu'il avait entendu dire, exactement, de l'ouvrage de Strum.

Strum fixa Tchepyjine dans les yeux, un long moment, afin que son vieil ami et maître comprît ce qu'il avait subi, afin qu'il connût ses sacrifices et ses doutes. Mais Strum ne vit lui-même en Tchepyjine que tristesse et lourdes pensées ainsi qu'une lassitude de vieillard.

Sokolov s'approcha et tandis que Tchepyjine lui serrait la main, le regard de l'académicien Chichakov glissait, dédaigneux, sur le petit veston vieillot de Piotr Lavrentievitch. Et quand Postoïev se montra, Chichakov sourit joyeusement, de toute la viande de son gros visage, et dit :

— Bonjour, bonjour, mon cher ! Voilà enfin quelqu'un que je suis heureux de revoir.

Ils évoquèrent leur santé, leurs femmes, leurs enfants, leurs maisons de campagne — en grands seigneurs magnifiques.

Strum demanda doucement à Sokolov :

— Comment êtes-vous installés ? Il fait chaud, chez vous ?

— Pour le moment, cela n'est guère mieux qu'à Kazan. Macha m'a instamment prié de vous saluer. Elle passera vous voir demain, dans la journée.

— Magnifique ! répondit Strum. Cela commençait à nous manquer. A Kazan, nous avions pris l'habitude de nous voir tous les jours.

— Tous les jours ! reprit Sokolov. Dis plutôt que Macha passait chez vous quelque trois fois par jour ! Je lui avais même proposé de s'installer chez vous.

Strum éclata de rire, mais il se dit que son rire sonnait faux. Le mathématicien Leontiev, membre de l'Académie, entra dans la salle ; il avait un gros nez, un crâne chauve imposant et portait d'énormes lunettes à monture jaune. Dans le temps, alors qu'ils séjournaient à Gaspra, ils s'étaient rendus à Yalta, avaient bu quantité de vin à la cave coopérative et avaient fait une entrée spectaculaire à la cantine de Gaspra, en chantant une chanson inconvenante, ce qui eut pour effet de semer la panique dans le personnel et d'amuser beaucoup les autres estivants. Apercevant Strum, Leontiev esquissa un sourire. Victor Pavlovitch baissa un peu les yeux, s'attendant à ce que Leontiev lui parle de ses travaux.

Mais Leontiev, visiblement, s'était souvenu de leur aventure de Gaspra, car il s'écria, balayant l'air de sa main :

— Eh bien, Victor Pavlovitch, si on chantait ?

Un jeune homme brun entra, vêtu d'un costume noir, et Strum remarqua que l'académicien Chichakov s'était empressé de le saluer.

Le jeune homme fut abordé par Souslakov, chargé d'affaires très importantes — quoique obscures — auprès du Praesidium de l'Académie ; une chose était sûre : son appui était préférable à çelui du président, il pouvait transférer un docteur ès science d'Alma-Ata à Kazan, vous aider à obtenir un appartement. C'était un homme au visage las de ceux qui travaillent la nuit, aux joues fripées, au teint terreux, mais tout le monde avait toujours besoin de lui.

Tous s'étaient habitués à ce que Souslakov, durant les assemblées, fumât des « Palmyre », tandis que les académiciens se contentaient de tabac ordinaire ou de gros gris, et l'on savait qu'en sortant de l'Académie, ce n'étaient pas les célébrités qui lui proposaient : « Je vous raccompagne », mais lui qui, en s'approchant de sa ZIS[1], proposait aux célébrités de les raccompagner.

Mais Strum voyait, cette fois, en observant Souslakov en grande conversation avec le jeune homme brun, que ce dernier ne lui demandait pas de faveur ; car aussi élégante que soit la façon de demander, il est toujours possible de deviner qui demande à qui. Là, au contraire, le jeune semblait désireux d'en terminer au plus vite avec Souslakov. Le jeune homme salua Tchepyjine, avec une déférence appuyée, mais ce respect était teinté d'un mépris imperceptible, et pourtant parfaitement sensible.

— Dites-moi, qui est ce jeune seigneur ? demanda Strum.

Postoïev lui répondit à mi-voix :

— Il travaille depuis peu à la section scientifique du Comité central.

— Vous savez, dit Strum, j'éprouve un curieux sentiment. Il me semble que notre ténacité, là-bas, à Stalingrad, est la même que celle de Newton ou d'Einstein ; que la victoire remportée sur la Volga marque le triomphe des idées d'Einstein, bref, vous voyez, une impression de ce genre.

Chichalov eut un petit rire perplexe et hocha légèrement la tête.

— Ne comprenez-vous pas, Alexeï Alexeïevitch ? demanda Strum.

— Obscures les eaux nébuleuses ! fit remarquer, en souriant, le jeune homme de la section scientifique, qui se trouvait tout à côté. Sans doute la prétendue théorie de la relativité permet-elle d'établir un lien entre la Volga russe et Albert Einstein.

— Pourquoi « prétendue » ? s'étonna Strum. Et il s'assombrit devant l'hostilité railleuse dont il était l'objet.

Cherchant un appui, il regarda Chichakov, mais le dédain tranquille du « pyramidal » Alexeï Alexeïevitch s'étendait, de toute évidence, à Einstein.

1. Voiture soviétique de luxe. *(N.d.T.)*

Un mauvais sentiment, un agacement douloureux envahirent Strum. Cela lui arrivait parfois : un affront le faisait bouillonner et il ne se retenait qu'au prix de gros efforts. Et ce n'est que le soir, de retour chez lui, qu'il se permettait de répondre à ses détracteurs, le cœur en déroute. Parfois, il s'oubliait, criait, gesticulait, défendant son amour dans ces discours imaginaires et ridiculisant ses ennemis. Lioudmila Nikolaïevna disait alors à Nadia :

— Voilà papa qui refait un discours.

Cette fois-ci, il n'était pas furieux seulement pour Einstein. Il lui semblait que tous les gens qu'il connaissait auraient dû lui parler de son travail, et qu'il aurait dû être le centre d'intérêt de l'assistance. Il se sentait humilié, blessé. Il comprenait qu'il était stupide de se vexer pour des choses pareilles, n'empêche qu'il se vexait. Tchepyjine avait été le seul à parler de ses travaux.

Strum dit d'une voix timide :

— Les fascistes ont banni le génial Einstein, et leur physique, de ce fait, est devenue une physique de singes. Mais, grâce à Dieu, nous avons stoppé l'avancée fasciste. Et tout cela va ensemble : la Volga, Stalingrad, le plus grand génie de notre temps, Albert Einstein, le village le plus obscur, la vieille paysanne illettrée, la liberté, aussi, dont chacun a besoin. Tout cela s'est trouvé uni. Ma façon de m'exprimer est sans doute embrouillée, mais je pense, qu'au fond, il n'est rien de plus clair que cet embrouillamini.

— J'ai l'impression, Victor Pavlovitch, que votre panégyrique d'Einstein est tout de même très outré, déclara Chichakov.

— Dans l'ensemble, renchérit Postoïev d'un ton enjoué, je suis d'accord : il y a outrance.

Quant au jeune homme de la section scientifique, il considéra Strum avec tristesse :

— Voyez-vous, camarade Strum, commença-t-il, et, de nouveau, Strum perçut du mépris dans sa voix, il vous semble normal, à un moment si important pour notre peuple, de réunir dans votre cœur Einstein et la Volga. Seulement, cette période éveille chez vos contradicteurs des sentiments bien différents. Bien sûr, nul n'est maître de son cœur et je ne discuterai donc pas. Mais pour ce qui est de votre appréciation d'Einstein, là, on peut discuter. Car il me semble inopportun de faire passer une théorie idéaliste pour le sommet de la science.

— Arrêtez, je vous prie ! coupa Strum.

Et d'un ton docte et dédaigneux, il poursuivit :

— Alexeï Alexeïevitch, la physique moderne sans Einstein n'est qu'une physique de singes. Nous n'avons pas le droit de rire des noms d'Einstein, de Galilée ou de Newton.

Levant un doigt, il mit en garde Alexeï Alexeïevitch et vit Chicha-kov battre des paupières.

Un instant plus tard, près de la fenêtre, tour à tour murmurant et parlant à voix haute, Strum informa Sokolov de cette prise de bec imprévue.

— Vous étiez tout près et n'avez même pas entendu, dit Strum.

— Et comme par un fait exprès, Tchepyjine s'était écarté et il n'a rien entendu.

Il se renfrogna et se tut. Comme il était puéril, naïf, le rêve de son jour de triomphe ! En fin de compte, l'assemblée avait été mise en émoi par l'arrivée d'un jeune homme d'une quelconque administration.

— Et savez-vous le nom de ce jeune damoiseau ? demanda soudain Sokolov, comme s'il eût saisi sa pensée. Savez-vous de qui il est parent ?

— Je n'en ai pas la moindre idée, répondit Strum.

Sokolov s'approcha de Strum et lui murmura à l'oreille.

— Que dites-vous ? s'exclama Strum. Et, se rappelant l'attitude incompréhensible de l'académicien pyramidal et de Souslakov à l'égard du jeune homme encore presque d'âge scolaire, il ajouta d'un ton traînant :

« Ah ! bo-o-o-on, c'était donc ça ! Je me disais aussi...

Sokolov dit à Strum, en riant :

— Dès le premier jour, vous vous faites des amis à la section scientifique du C.C. et dans les hautes sphères de l'Académie. Vous êtes comme ce personnage de Mark Twain qui se vante de ses revenus devant l'inspecteur des impôts.

Mais cet humour déplut à Strum, qui demanda :

— Vraiment, vous n'avez pas entendu notre discussion, alors que vous étiez tout à côté de moi ? Mais peut-être ne souhaitiez-vous pas vous mêler de cette conversation avec l'inspecteur des impôts ?

Les petits yeux de Sokolov sourirent à Strum, ils s'adoucirent, ce qui les rendit beaux.

— Victor Pavlovitch, dit-il, ne soyez pas chagriné. Croyez-vous sérieusement que Chichakov puisse apprécier votre travail ? Ah ! mon Dieu, mon Dieu, que de mesquine vanité, quand votre travail, lui, est si important !

Dans ses yeux et dans sa voix, il y avait ce sérieux, cette chaleur que Strum attendait de lui, en venant le trouver, un soir d'automne à Kazan. A l'époque, Victor Pavlovitch n'avait pas eu ce qu'il souhaitait.

La réunion commença. Les orateurs parlèrent des tâches de la science aux jours pénibles de la guerre, ils se dirent tous prêts à consacrer leurs forces à la cause du peuple, à aider l'armée dans sa lutte contre les fascistes allemands. On évoqua les travaux des instituts de l'Académie, l'aide qu'apporterait aux chercheurs le Comité central du parti, le camarade Staline qui, tout en dirigeant l'armée et le peuple, trouvait encore le temps de s'intéresser aux questions scientifiques, enfin, les savants qui se devaient d'honorer la confiance du parti et du camarade Staline personnellement.

Il fut aussi question de réformes pratiques, imposées par la situation nouvelle. A leur grand étonnement, les physiciens apprirent qu'ils étaient mécontents des projets scientifiques de leur Institut ; on accordait trop d'importance aux problèmes de théorie pure. Dans la salle, on se répétait, en murmurant, les paroles de Souslakov : « L'Institut est trop coupé de la vie. »

26

Au Comité central du parti, on examinait la question de l'état des recherches scientifiques dans le pays. On annonça que le parti, dorénavant, s'intéresserait principalement au développement de la physique, des mathématiques et de la chimie.

Le Comité central estimait que la science devait se tourner radicalement vers la production, se rapprocher de la vie, établir avec elle des liens étroits.

On racontait que Staline avait assisté à la séance : comme à l'accoutumée, il arpentait la salle, sa pipe à la main, interrompant parfois rêveusement sa promenade, pour écouter un orateur ou mieux saisir sa pensée.

L'assistance s'était vigoureusement élevée contre l'idéalisme et contre toute sous-estimation de la science et de la philosophie nationales.

Staline n'était intervenu qu'à deux reprises. Quand Chtcherbakov s'était prononcé pour une réduction du budget de l'Académie, Staline avait hoché négativement la tête, et déclaré :

— Faire la science, ça n'est pas faire des savonnettes. Nous ne ferons pas d'économies sur le dos de l'Académie.

Il avait prononcé sa seconde réplique au moment où l'assemblée évoquait le problème de l'admiration sans bornes que portaient certains savants à la science occidentale. Staline approuva de la tête et dit :

— Il nous faut, à la fin, protéger nos gens des émules d'Araktcheïev [1].

---

1. Ministre sous Alexandre 1er, symbole, ici, d'une bureaucratie étroite et bornée. (N.d.T.)

Les chercheurs, invités à l'assemblée, en parlèrent à leurs amis, après leur avoir fait jurer de tenir leur langue. Trois jours plus tard, le Tout-Moscou scientifique — des dizaines de familles et de cercles d'amis — discutait à mi-voix des détails de la réunion.

On chuchotait que Staline avait des cheveux blancs, que ses dents étaient noires, gâtées, qu'il avait de belles mains aux doigts fins et un visage grêlé par la petite vérole.

On prévenait les adolescents qui entendaient ces récits :

— Attention, si tu vas raconter ça, non seulement tu te perds, mais tu nous assassines tous.

Tous considéraient que la situation des chercheurs allait s'améliorer, les paroles de Staline sur les émules d'Araktcheïev soulevaient de grands espoirs.

Quelques jours plus tard, on arrêta un botaniste renommé, le généticien Tchetverikov. Les rumeurs les plus diverses couraient sur son arrestation : les uns affirmaient que c'était un espion, d'autres qu'au cours de ses voyages à l'étranger, il était en relations avec des émigrés russes, les troisièmes prétendaient que sa femme, une Allemande, correspondait, avant la guerre, avec sa sœur qui vivait à Berlin, les quatrièmes qu'il avait essayé d'imposer des variétés de blé de mauvaise qualité, afin de provoquer la famine, les cinquièmes liaient son arrestation à une phrase qu'il aurait dite sur le « doigt de Dieu », les sixièmes à une anecdote politique qu'il aurait racontée à un camarade d'enfance.

Depuis le début de la guerre, on entendait rarement parler, relativement, d'arrestations politiques, et beaucoup — et Strum était de ceux-là — commençaient à se dire que ces terribles pratiques avaient cessé pour de bon.

Soudain, on se rappelait l'année 37, où presque quotidiennement on citait des noms de personnes arrêtées au cours de la nuit. On se revoyait s'informer les uns les autres par téléphone : « Cette nuit, le mari d'Anna Andreïevna est tombé malade... [1] » On se souvenait des voisins qui, à propos des personnes arrêtées, vous répondaient au téléphone : « Il est parti et on ne sait pas quand il reviendra... » On se remémorait les récits des scénarios d'arrestation : ils étaient arrivés chez lui, au moment où il baignait son gosse ; on l'avait pris au travail, au théâtre, tard dans la nuit... Des phrases revenaient : « La perquisition a duré quarante-huit heures, ils ont tout retourné, ils ont même cassé le plancher... ils n'ont pratiquement rien fouillé, juste feuilleté quelques livres, histoire de dire... »

On se rappelait des dizaines de personnes, ainsi « parties » et jamais revenues : l'académicien Vavilov... Vizé... le poète Mandels-

_____

1. Allusion à l'arrestation du mari de la poétesse Anna Akhmatova. *(N.d.T.)*

tam, l'écrivain Babel... Boris Pilniak... Meyerhold... les bactériologistes Korchounov et Zlatogorov... le professeur Pletniov... le docteur Lévine...

Mais le fait qu'il s'agisse de gens éminents, de célébrités n'avait pas d'importance. Seul comptait le fait que, célèbres ou anonymes, modestes, discrets, tous étaient innocents, tous travaillaient honnêtement.

Est-ce que cela allait recommencer ? Est-ce qu'après la guerre, les cœurs devraient s'arrêter de battre chaque fois qu'on entendrait, la nuit, un bruit de pas ou l'avertisseur d'une voiture ?

Comme il était difficile de concilier dans son esprit la lutte pour la liberté et tout cela... oui, nous avons eu tort de tant bavarder à Kazan.

Une semaine après l'arrestation de Tchetverikov, Tchepyjine annonça qu'il quittait l'Institut de physique. Chichakov lui succéda.

Le président de l'Académie avait rendu visite à Tchepyjine chez lui ; on racontait que ce dernier avait été convoqué par Beria ou par Malenkov, mais qu'il avait refusé de modifier le plan de travail de l'Institut.

On prétendait qu'étant donné les services qu'il avait rendus à la science, on n'avait pas voulu, au début, prendre, à son encontre, des mesures extrêmes. On profita de l'occasion pour révoquer le directeur administratif, Pimenov, un jeune libéral, comme étant non conforme aux exigences de sa fonction.

On confia à l'académicien Chichakov la fonction de directeur et le rôle de responsable scientifique que jouait, jusqu'alors, Tchepyjine.

Le bruit courut que Tchepyjine, à la suite de ces événements, avait eu une attaque cardiaque. Strum s'apprêta aussitôt à lui rendre visite, mais, au téléphone, la femme de ménage lui expliqua qu'en effet, Dmitri Petrovitch, ces derniers temps, ne s'était pas senti très bien et que, sur les conseils de son docteur, il était parti aux environs de Moscou, en compagnie de Nadejda Fiodorovna et qu'il ne rentrerait que dans deux ou trois semaines.

Strum avait dit à Lioudmila :

— Et voilà : on vous fait un croche-pied, comme à un gamin, et on appelle cela protéger les gens contre les émules d'Araktcheïev. Quelle importance pour la physique que Tchepyjine soit marxiste, bouddhiste ou lamaïste ? Tchepyjine a créé une école. Tchepyjine est l'ami de Rutherford. N'importe quel concierge connaît l'équation de Tchepyjine.

— Pour les concierges, papa, tu pousses un peu, déclara Nadia.

Strum répliqua :

— Attention : si tu vas le raconter, non seulement tu te perds, mais tu nous assassines tous.

— Je sais bien que ce genre de discours n'est valable qu'à la maison.

Strum dit timidement :

— Hélas, ma petite Nadia, que puis-je faire pour modifier les décisions du C.C. ? Me taper la tête contre les murs ? Après tout, c'est Dmitri Petrovitch lui-même qui a exprimé le désir de partir. Et comme on dit : le peuple ne l'a pas bissé.

Lioudmila Nikolaïevna dit à son mari :

— Il ne faut pas, ainsi, te mettre dans tous tes états. D'ailleurs, tu n'étais pas toujours d'accord avec Dmitri Petrovitch.

— Sans discussions, il n'est pas de véritable amitié.

— C'est bien le problème, répliqua Lioudmila Nikolaïevna. Et avec ta langue, tu verras qu'on te retirera la direction du laboratoire.

— Ce n'est pas cela qui me tracasse, répondit Strum. Nadia a raison : tous mes discours ne sont qu'à usage interne, c'est comme si je crachais en l'air ! Tu devrais téléphoner à la femme de Tchetverikov, passer la voir. Tout de même, tu la connais !

— Cela ne se fait pas, et puis je ne la connais pas si bien que cela, fit Lioudmila Nikolaïevna. Je ne peux l'aider en rien. Tu parles comme elle doit avoir envie de me recevoir ! Et toi, tu as téléphoné à quelqu'un, après des événements de ce genre ?

— Moi, je trouve qu'il faut le faire, intervint Nadia.

Strum fronça les sourcils.

— En fait, les coups de téléphone, ça aussi, c'est cracher en l'air.

Il aurait voulu parler à Sokolov du départ de Tchepyjine, ce n'était pas un sujet pour sa femme et sa fille. Mais il se retenait de téléphoner à Piotr Lavrentievitch : on ne parlait pas de ces choses-là au téléphone.

Étrange, tout de même. Pourquoi Chichakov ? Il était évident que le dernier ouvrage de Strum était un événement scientifique. Tchepyjine avait dit, au Conseil scientifique, que c'était l'événement le plus important de ces dix dernières années, dans la théorie physique soviétique. Et voilà qu'on nommait Chichakov à la tête de l'Institut. Ce n'était pas rien. On avait nommé un homme qui avait eu la découverte du positon à portée de main. Il avait vu des centaines de photos avec des traces d'électrons déviant à gauche et voilà qu'un jour, on lui met sous le nez des photos avec les mêmes traces des mêmes particules mais cette fois déviant à droite. Le jeune Savostianov aurait compris, lui ! Mais Chichakov avait simplement fait la moue et rejeté les photos qu'il avait crues défectueuses. « Eh ! avait dit Selifane. — Mais c'est à droite. Tu ne distingues pas ta droite de ta gauche ? [1] »

---

1. Allusion à une célèbre réplique du cocher de Tchitchikov dans *les Ames mortes* de Gogol *(N.d.T.)*.

Mais le plus étonnant était que ces choses-là n'étonnaient personne. Elles étaient, en quelque sorte, devenues naturelles. Les amis de Strum, sa femme et Strum lui-même avaient fini par admettre que c'était légitime. Strum n'était pas valable comme directeur, Chichakov, si.

Comment avait dit Postoïev ? Ah ! ah ! oui... « L'essentiel est que nous sommes tous russes. »

Mais il semblait difficile d'être plus russe que Tchepyjine.

Le matin, en allant à l'Institut, Strum était persuadé que tous les collaborateurs, depuis les assistants de laboratoire jusqu'aux docteurs, ne parleraient que de l'affaire Tchepyjine.

Devant l'entrée, se tenait une ZIS, le chauffeur, un homme entre deux âges portant lunettes, lisait son journal.

Le vieux gardien, avec lequel Strum, l'été, buvait du thé au laboratoire, l'accueillit dans l'escalier par ces mots :

— Le nouveau chef est arrivé. Et il ajouta, désolé : Et notre pauvre Dmitri Petrovitch, hein ?

Dans la salle, les assistants de laboratoire parlaient de l'installation du matériel, arrivé la veille de Kazan. De volumineuses caisses encombraient la grande salle du labo. De nouveaux appareils, fabriqués dans l'Oural, s'étaient ajoutés à l'ancien matériel. Le visage hautain — c'est, du moins, ce qu'il sembla à Strum —, Nozdrine se tenait près d'une énorme caisse en bois.

Perepelitsyne sautait sur un pied autour de cette caisse, sa béquille sous le bras.

Anna Stepanovna dit en désignant les paquets :

— Vous voyez, Victor Pavlovitch !

— Un bazar pareil, même un aveugle le verrait, répondit Strum.

Mais Anna Stepanovna ne parlait pas des caisses.

— Je vois, bien sûr que je vois, reprit Strum.

— Les ouvriers arrivent dans une heure, intervint Nozdrine. Nous nous sommes entendus avec le professeur Markov.

Il prononça ces mots d'un ton calme, tranquille, de propriétaire. Désormais, c'était lui le patron.

Strum passa dans son cabinet. Markov et Savostianov étaient assis sur le divan, Sokolov debout près de la fenêtre. Svetchine, qui dirigeait le laboratoire magnétique voisin, avait pris place au bureau et se roulait une cigarette.

Quand Strum entra, Svetchine se leva et lui céda le fauteuil :

— La place du patron.

— Mais non, mais non, restez assis, dit Strum et il demanda aussitôt :

« Quel est le thème de cette réunion au sommet ? »

Markov répondit :

— Nous parlions des magasins fermés. Il semble que les académiciens aient droit à quinze cents roubles de marchandises par mois, alors que les simples mortels, comme les artistes du peuple et les grands poètes dans le genre de Lebedev-Koumatch [1], n'auront droit qu'à cinq cents roubles.

— On commence à installer le matériel, fit Strum, et Dmitri Petrovitch n'est plus à l'Institut. Comme on dit : la maison brûle et la pendule marche toujours.

Mais l'auditoire dédaigna le sujet de conversation suggéré par Strum.

Savostianov raconta :

— Hier, mon cousin est passé chez nous. Il sortait de l'hôpital et repartait au front. Il fallait boire un verre, alors j'ai acheté un demi-litre de vodka à ma voisine. J'en ai eu pour trois cent cinquante roubles.

— Inouï ! s'exclama Svetchine.

— Faire la science, ça n'est pas faire des savonnettes, fit gaiement remarquer Savostianov, mais il comprit, en regardant ses interlocuteurs, que sa plaisanterie n'était pas de mise.

— Le nouveau chef est déjà là, dit Strum.

— Un homme extrêmement énergique, enchaîna Svetchine.

— Avec quelqu'un comme Alexeï Alexeïevitch, on n'a pas à s'en faire, déclara Markov. Il a pris le thé chez le camarade Jdanov.

Markov était vraiment étonnant : apparemment, il connaissait peu de monde, mais il était toujours au courant de tout ; il savait qu'au labo d'à côté, la doctoresse de troisième cycle Gabritchevski était enceinte, que le mari de Lida, la femme de service, était de nouveau à l'hôpital militaire, et que la Commission centrale des thèses avait refusé le titre de docteur à Smorodintsev.

— Que voulez-vous, commença Savostianov. Nous connaissons tous la célèbre erreur de Chichakov. Mais cela mis à part, c'est plutôt le brave type. A propos, savez-vous la différence entre un brave type et un mauvais ? Le brave type fait des saloperies malgré lui.

— Une erreur est une erreur, enchaîna le responsable du labo magnétique. Mais bon, ce n'est pas pour une erreur qu'on nomme quelqu'un académicien.

Svetchine était membre du bureau du parti, à l'Institut. Il avait adhéré au cours de l'automne 1941, et, comme beaucoup de ceux qui avaient, depuis peu, intégré la vie du parti, il se montrait d'une droi-

---

1. Lebedev-Koumatch : poète très médiocre et officiel.

ture inébranlable et s'acquittait des missions du parti avec un sérieux quasi religieux.

— Victor Pavlovitch, dit-il, j'ai quelque chose à vous demander : le bureau du parti vous prie d'intervenir à la réunion à propos des nouvelles dispositions.

— Critiquer les erreurs de la direction et de Tchepyjine ? demanda Strum, agacé. (La conversation ne prenait pas le tour qu'il avait souhaité.) Je ne sais pas si je suis un brave type ou un mauvais, mais je n'aime pas faire des saloperies.

Et se tournant vers ses collègues du laboratoire, il demanda :

— Vous, par exemple, camarades, vous êtes d'accord avec le départ de Tchepyjine ?

Il était, à l'avance, sûr de leur soutien et se troubla quand Savostianov lui répondit par un vague haussement d'épaules.

— En vieillissant, on devient moins bon.

Svetchine ajouta :

— Tchepyjine avait annoncé qu'il n'entreprendrait rien de nouveau. Que pouvions-nous faire ? D'ailleurs, c'est lui qui a refusé, tout le monde lui demandait de rester.

— C'est lui l'Araktcheïev ? demanda Strum. Enfin, on en a trouvé un ?

Markov dit en baissant la voix :

— Victor Pavlovitch, on raconte, qu'à une époque, Rutherford avait juré de ne pas commencer à travailler sur les neutrons, craignant de créer, par là même, une gigantesque force explosive. C'est noble, bien sûr, mais c'est d'une intransigeance absolument ridicule. A ce qu'on raconte, Dmitri Petrovitch a tenu des discours dans le même style « évangéliste ».

« Seigneur, pensa Strum, comment sait-on tout cela ? »

Il intervint :

— Il apparaît, Piotr Lavrentievitch, que nous ne sommes pas en majorité.

Sokolov hocha la tête :

— Il me semble, Victor Pavlovitch, que l'individualisme et l'insubordination ne sont pas tolérables actuellement. Nous sommes en guerre. Tchepyjine n'aurait pas dû penser à soi, à ses intérêts personnels, quand les camarades placés au-dessus de lui l'ont convoqué.

— Ah ! Alors, toi aussi, tu joues les Brutus ? plaisanta Strum, pour masquer son désarroi.

Mais, curieusement, il était plus réjoui que perplexe. « Évidemment, je le savais », se dit-il. Mais pourquoi : « évidemment » ? Après tout, il ne pouvait prévoir que Sokolov lui répondrait de cette façon. Et même, en admettant qu'il l'eût soupçonné, il n'y avait pas de quoi se réjouir !

— Vous devez intervenir, insista Svetchine. Personne ne vous demande de critiquer Tchepyjine. Dites simplement quelques mots des perspectives de votre travail, en liaison avec la décision du C.C.

Avant la guerre, Strum rencontrait Svetchine aux concerts symphoniques du Conservatoire. On racontait que, dans sa jeunesse, Svetchine, alors étudiant en maths-physique, écrivait des poèmes complètement hermétiques et portait un chrysanthème à la boutonnière. Aujourd'hui, le même Svetchine parlait des décisions du bureau du parti, comme s'il s'agissait de vérités absolues.

Strum avait parfois envie de lui faire un clin d'œil, de le pousser légèrement du doigt et de lui dire :

— Hé, vieux, parlons simplement.

Mais il savait qu'avec Svetchine, c'était désormais impossible. Et cependant, très affecté par le discours de Sokolov, Strum se mit à parler tout simplement.

— L'arrestation de Tchetverikov, demanda-t-il, est-elle liée, elle aussi, aux nouvelles dispositions ? Est-ce également pour cela que le vieux Vavilov a fait de la prison ? Et si je me permettais d'affirmer que Dmitri Petrovitch fait, pour moi, plus autorité, en matière de physique, que le camarade Jdanov, qui dirige la section scientifique du C.C., ou même que...

Il vit le regard de ses interlocuteurs, qui attendaient qu'il lâchât le nom de Staline, et dit, avec un geste de renoncement :

— Bon, cela suffit, allons dans la salle du labo.

Les caisses de nouveau matériel, venues de l'Oural, avaient déjà été ouvertes et la pièce maîtresse du montage, qui pesait ses trois quarts de tonne, avait été soigneusement extraite des copeaux, du papier et des planches de bois brut arrachés à la caisse. Strum effleura la surface polie du métal.

Ce ventre métallique engendrerait un impétueux torrent de particules qui jaillirait comme la Volga sous la petite chapelle du lac Seliguer.

Beaux étaient les yeux des gens, à cet instant. Comme il était bon de sentir qu'il existait, au monde, une pareille géante. Que désirer de plus ?

Après le travail, Strum et Sokolov restèrent seuls dans le labo.

— Victor Pavlovitch, pourquoi vous dressez-vous sur vos ergots comme un coq ? Etes-vous donc incapable d'humilité ? J'ai raconté à Macha votre exploit de l'Académie, quand, en une demi-heure, vous avez réussi à gâcher vos rapports avec le nouveau directeur et ce gamin de la section scientifique. Macha en a été terriblement désolée, elle n'a pas fermé l'œil de la nuit. Vous savez, pourtant, quelle époque nous vivons. J'ai vu avec quels yeux vous la regardiez. Allez-vous sacrifier tout cela pour quelques mots sans intérêt ?

— Attendez, attendez, coupa Strum. Laissez-moi respirer.

— Ah ! Seigneur ! répliqua Sokolov. Personne ne vous dérangera dans votre travail. Respirez tant que vous voulez.

— Vous savez, mon cher, reprit Strum avec un sourire forcé, je vous dis merci de tout cœur pour vos reproches amicaux. Permettez-moi, à mon tour, par sincérité mutuelle, d'en formuler quelques-uns. Pourquoi, grand Dieu, avez-vous tenu ces propos sur Dmitri Petrovitch devant Svetchine ? Après la liberté de ton que j'ai constatée à Kazan, cela me fait mal. En ce qui me concerne, malheureusement, je ne suis pas si téméraire que cela. Je ne m'appelle pas Danton, comme on disait dans ma jeunesse.

— Heureusement que vous n'êtes pas Danton. A franchement parler, j'ai toujours estimé que tous ces ténors de la politique étaient des gens incapables de s'exprimer dans une œuvre de création. Nous, nous en sommes capables.

— Elle est bonne, celle-là ! s'exclama Strum. Et que faites-vous alors d'un petit Français nommé Galois ? Que faites-vous de Kibaltchitch [1] ?

Sokolov repoussa sa chaise et répondit :

— Kibaltchitch, vous savez, a fini sur le billot. Non, je parle de tous ces bavardages creux. Dans le style de Madiarov, par exemple.

Strum demanda :

— Autrement dit, je ne suis, moi aussi, qu'un bavard ?

Sokolov se contenta de hausser les épaules.

Cette brouille, semblait-il, serait vite oubliée, comme tant d'autres disputes ou conflits. Et pourtant, cette brève querelle ne s'effaça pas, elle lui resta en mémoire. Quand la vie d'un homme croise amicalement celle d'un autre, il arrive qu'ils se disputent, qu'ils soient injustes, mais les offenses subies disparaissent sans laisser de traces. Mais si des divergences profondes se font jour entre ces hommes, qui n'en ont pas encore conscience, alors, le moindre mot, la moindre parole imprudente deviennent un épieu mortel pour l'amitié.

Et souvent la cassure va se nicher si profondément que jamais elle n'apparaît à la surface, que jamais les personnes n'en prennent conscience. Alors, une dispute un peu vive pour un détail, un mot lâché imprudemment deviennent la cause funeste de la mort d'une longue amitié.

Non, ce n'est pas pour un jars que les deux Ivan se querellaient [2].

---

1. Savant ayant participé à un attentat contre Alexandre II *(N.d.T.)*.

2. Allusion à un récit de Gogol *N. d. T.)*.

27

Du nouveau sous-directeur de l'Institut, Kassian Terentievitch Kovtchenko, on disait : « C'est un des hommes de Chichakov. » Affable, émaillant son discours de mots ukrainiens, Kovtchenko parvint à décrocher, à une vitesse phénoménale, un appartement et une voiture de fonction.

Markov, qui connaissait quantité d'histoires sur les académiciens et le gratin de l'Académie, racontait que Kovtchenko s'était vu décerner le prix Staline pour un ouvrage qu'il n'avait lu que bien après sa publication ; sa participation au travail avait consisté à fournir le matériel introuvable sur le marché et à pousser l'ouvrage auprès des diverses instances.

Chichakov confia à Kovtchenko la tâche d'organiser un concours pour remplir les places vacantes. On annonça l'embauche de directeurs de recherches, les places de responsable des laboratoires de vide et des basses températures étaient disponibles.

Le département de la guerre fournit le matériel et les ouvriers, on rebâtit les ateliers de mécanique, on restaura la bâtiment de l'Institut, la centrale de Moscou accorda à l'Institut une énergie illimitée, des usines secrètes lui cédèrent les matières premières rares. Kovtchenko dirigeait tout cela allègrement.

D'ordinaire, quand un nouveau chef est nommé quelque part, on dit de lui, avec respect : « Il arrive au travail avant tout le monde et en repart bien après. » On le disait aussi de Kovtchenko. Mais on respecte bien plus encore un supérieur dont on peut dire : « Cela fait déjà deux semaines qu'il est nommé, et on ne l'a vu, en tout et pour tout, qu'une petite demi-heure. Il n'est jamais là. » Cela signifie que le nouveau chef élabore de nouvelles tables de la loi et qu'il plane dans les sphères gouvernementales.

C'est ce qu'on dit, les premiers temps, de l'acamédicien Chichakov.

Tchepyjine, lui, était parti travailler dans sa maison de campagne, ou, comme il disait lui-même : dans sa ferme-laboratoire. Le professeur Feingardt, un célèbre cardiologue, lui avait conseillé d'éviter tout mouvement brusque et de ne pas soulever de poids trop lourds. A la campagne, Tchepyjine fendait son bois, creusait des rigoles et se sentait en pleine forme ; il écrivit à Feingart que ce régime de vie très strict lui avait fait beaucoup de bien.

Dans Moscou, où régnaient le froid et la famine, l'Institut semblait une oasis chaude et bien pourvue. En arrivant le matin au travail, les chercheurs qui, la nuit, s'étaient gelés dans leurs appartements humides, posaient, avec délices, leurs mains sur les radiateurs brûlants.

La nouvelle cantine, installée à l'entresol, avait toutes les faveurs du public de l'Institut. Un buffet en dépendait, où l'on pouvait consommer du caillé, du café sucré et du saucisson. Et en vous délivrant la marchandise, l'employée du buffet ne vous prenait jamais vos tickets de viande ou de matières grasses sur les cartes de ravitaillement, ce que le public de l'Institut appréciait particulièrement.

Les repas de la cantine se divisaient en six catégories : pour les docteurs ès sciences, pour les chargés de recherches, pour les attachés de recherches, pour les assistants de laboratoires, pour le personnel technique et pour le personnel de service.

Les repas des catégories supérieures, qui avaient droit à un dessert composé de fruits au sirop ou de poudre de fruits en gelée, mettaient plus particulièrement les esprits en émoi. Mais beaucoup étaient également troublés par les colis de vivres livrés à domicile aux docteurs et aux chefs de laboratoires.

Savostianov affirmait que, de toute évidence, la théorie de Copernic avait suscité moins de commentaires que ces fameux colis de vivres.

On avait parfois l'impression que l'élaboration des règles irrationnelles de distribution n'était pas seulement le fait de la direction et du comité du parti, mais que des forces supérieures, mystérieuses y participaient.

Un soir, Lioudmila Nikolaïevna déclara :

— C'est étrange, tout de même, aujourd'hui j'ai reçu ton colis ; Svetchine, cette parfaite nullité sur le plan scientifique, a touché deux dizaines d'œufs, mais toi tu n'as droit qu'à quinze. J'ai même vérifié sur la liste. Sokolov et toi n'avez droit qu'à quinze.

Strum se lança dans un discours ironique :

— Nom d'une pipe ! Qu'est-ce que cela signifie ! Tout le monde sait, pourtant, que les savants, chez nous, se divisent en plusieurs catégories : les très grands, les grands, les éminents, les remarquables, enfin les très vieux. Dans la mesure où les très grands et les grands ne sont plus de ce monde, ils n'ont pas besoin d'œufs. Les autres reçoivent du chou, de la semoule et des œufs, en fonction de leur poids scientifique. Seulement, chez nous, on mélange tout : on regarde si vous militez ou non, si vous dirigez un séminaire de marxisme, si vous êtes dans les petits papiers de la direction. Et finalement, on fait n'importe quoi. Le responsable du garage de l'Académie est mis sur le même plan qu'un Zelinski : il touche ses vingt-cinq œufs. Hier, dans le laboratoire de Svetchine, une charmante jeune femme a même sangloté d'humiliation et refusé d'absorber toute nourriture, tout comme Gandhi.

Nadia riait aux éclats, en écoutant son père, puis elle dit :

— Tu sais, papa, je trouve étonnant que vous n'ayez pas honte de bâfrer vos côtelettes de mouton devant les femmes de ménage. Jamais grand-mère n'aurait fait cela.

— Vois-tu, expliqua Lioudmila Nikolaïevna, on se base sur le principe : à chacun selon son travail.

— Des blagues ! Toutes ces histoires de cantine ne sentent guère le socialisme, dit Strum, et il ajouta : D'ailleurs, cela suffit, je me moque de tout cela. Savez-vous ce que m'a raconté Markov, aujourd'hui ? Les gens de notre Institut, mais aussi ceux de l'Institut de mathématiques et de mécanique, font, à la machine à écrire, des copies de mon ouvrage et se les donnent à lire.

— Comme les poèmes de Mandelstam ? demanda Nadia.

— Ne te moque pas, répondit Strum. Les étudiants des dernières années demandent même une conférence spéciale à ce sujet.

— Hé ! reprit Nadia, Alka Postoïev me le disait bien : « Ton papa, à présent, fait partie des génies. »

— Je veux bien admettre que j'aie encore un bout de chemin à faire de ce côté-là, reconnut Strum.

Il partit dans sa chambre, mais revint bientôt et dit à sa femme :

— Je n'arrive pas à me faire sortir cette bêtise de l'esprit : octroyer deux dizaines d'œufs à Svetchine ! C'est incroyable comme chez nous on sait s'y prendre pour humilier les gens !

C'était lamentable, bien sûr, n'empêche que Strum était piqué au vif de savoir que Sokolov avait, sur la liste, le même rang que lui. « Il eût fallu, cela tombait sous le sens, reconnaître la supériorité de Strum, ne serait-ce que par un œuf supplémentaire. Je ne sais pas, moi, ils n'en auraient donné que quatorze à Sokolov. »

Il avait beau se tourner en ridicule, une irritation pitoyable le tenaillait : le fait d'être à égalité, sur la liste de vivres, avec Sokolov l'offensait plus que les privilèges de Svetchine. Pour ce dernier, c'était plus simple : il était membre du bureau du parti, ses avantages étaient politiques. Et cela laissait Strum parfaitement indifférent.

Mais avec Sokolov, sa valeur scientifique, ses mérites de chercheur étaient en jeu. A cela, Strum ne pouvait être indifférent. Une rage épuisante, venant du fond de l'âme, l'envahit soudain. Quelle manière ridicule, minable, ils avaient trouvée pour apprécier les gens ! Il le comprenait. Mais quoi ? Si l'homme n'est pas toujours grand, il lui arrive, aussi, d'être pitoyable.

En se couchant, Strum se rappela sa récente conversation avec Sokolov, à propos de Tchepyjine, et il dit à voix haute, avec colère :

— *Homo laqueus !*

— De qui parles-tu ? demanda Lioudmila Nikolaïevna, qui, déjà au lit, lisait.

— Mais de Sokolov, répondit Strum. C'est un laquais.

Marquant sa page avec un doigt, Lioudmila répondit, sans même tourner la tête vers son mari :

— Tout ce que tu vas récolter, c'est de te faire renvoyer de l'Institut pour le simple plaisir de dire un bon mot. Tu es irritable, tu fais la leçon à tout le monde... Tu es brouillé avec toutes tes connaissances et je vois, maintenant, que tu veux faire de même avec Sokolov. Bientôt, plus personne ne mettra les pieds chez nous.

Strum reprit :

— Mais non, mais non, Liouda, ma chérie. Ah ! comment t'expliquer ? Tu comprends, retrouver, comme avant la guerre, cette peur de chaque mot qu'on prononce, cette impuissance totale ! Tchepyjine ! Vraiment, Liouda, c'est un grand homme ! Je pensais que l'Institut serait en effervescence, et, en réalité, seul le vieux gardien était triste pour lui. Et Postoïev qui disait à Sokolov : « L'essentiel, c'est que nous soyons tous russes. » Pourquoi a-t-il dit cela ?

Il aurait voulu bavarder longuement avec Lioudmila, lui faire part de ses pensées. Il avait honte de se soucier, malgré lui, de ces histoires de distributions de vivres. Pourquoi ? Pourquoi, à Moscou, avait-il l'impression d'être devenu vieux, terne, pourquoi se préoccupait-il de ces détails mesquins, de ces problèmes petits-bourgeois, de ces histoires de service ? Pourquoi, en province, à Kazan, sa vie spirituelle était-elle plus profonde, plus importante, plus pure qu'ici ? Pourquoi le centre même de ses préoccupations de savant, pourquoi sa joie étaient-ils mêlés de petites pensées ambitieuses et mesquines ?

— C'est dur, Liouda, je suis mal. Pourquoi ne dis-tu rien ? Hein, Liouda ?

Lioudmila Nikolaïevna ne répondit pas. Elle dormait.

Il éclata doucement de rire ; il lui semblait comique que sur les deux femmes qui avaient appris ses ennuis, l'une n'eût pas fermé l'œil et l'autre se fût endormie. Puis, il se représenta le petit visage maigre de Maria Ivanovna et répéta les mots qu'il venait de dire à sa femme :

— Tu me comprends ? Hein, Macha ?

« Nom d'une pipe, il me vient de drôles d'idées », se dit-il en s'endormant.

De drôles d'idées, en effet.

Strum était incapable de rien faire de ses mains. D'ordinaire, quand le fer à repasser grillait, ou quand les plombs sautaient, Lioudmila Nikolaïevna se chargeait des réparations.

Durant les premières années de leur vie commune, la maladresse de Strum attendrissait Lioudmila Nikolaïevna. Mais depuis quelque temps, elle l'irritait et, un jour, elle s'exclama, en découvrant la bouilloire vide, posée sur le feu :

— Mais ce n'est pas possible d'être aussi empoté ! Non, mais vous parlez d'un Gribouille !

Depuis, chaque fois qu'à l'Institut on procédait à l'installation d'appareils, Strum se rappelait ce nom qui l'avait humilié et mis en colère.

Markov et Nozdrine étaient devenus les maîtres du laboratoire. Savostianov fut le premier à le ressentir et il déclara à la réunion de production :

— Il n'y a pas de dieu, sinon le professeur Markov, et Nozdrine est son prophète !

Markov perdit sa retenue et son air collet monté. Markov ravissait Strum par l'audace de sa pensée, par la facilité avec laquelle il réglait, comme cela, en passant, tous les problèmes qui surgissaient. Strum le voyait comme un chirurgien, maniant le scalpel au milieu d'un entrelacs de vaisseaux sanguins et de paquets de nerfs. On avait l'impression que naissait, entre ses mains, un être doué de raison, à l'intelligence puissante, incisive. Et le nouvel organisme métallique, le premier au monde, semblait doté d'un cœur, de sentiments, et capable de se réjouir ou de souffrir, au même titre que les hommes qui l'avaient créé.

Strum avait toujours été amusé de constater que Markov était fermement persuadé que son travail, les instruments qu'il créait avaient plus d'importance que les vaines occupations d'un Mahomet ou d'un Bouddha, ou que les livres de Tolstoï et de Dostoïevski.

Tolstoï doutait de l'utilité de son grand travail d'écrivain ! Le génie n'était pas persuadé de faire œuvre utile. Les physiciens, eux, en étaient sûrs. Et Markov était de ceux-là.

Mais aujourd'hui, l'assurance de Markov ne faisait plus rire Strum.

Strum aimait à voir Nozdrine travailler, maniant la lime, les pinces, le tournevis, ou examinant rêveusement des écheveaux de fils électriques, pour aider les électriciens à installer le circuit électrique des nouveaux appareils.

Sur le plancher, s'entassaient des rouleaux de fils électriques et des feuilles de plomb bleuté. Au milieu de la pièce, était posée sur une plaque de fonte la pièce maîtresse, apportée de l'Oural, et festonnée de découpes rondes et rectangulaires. Cette masse grossière de métal qui allait permettre une étude de la matière d'une finesse fantastique avait un charme émouvant, angoissant.

Au bord de la mer, il y avait quelque mille ou deux mille ans, une poignée d'hommes avait ainsi construit un radeau de robustes rondins, qu'ils avaient attachés avec des cordes et des crochets. Sur le rivage sablonneux, ils avaient disposé leurs treuils et leurs établis, et faisaient fondre sur des feux le goudron dans des pots... Bientôt, ils embarqueraient.

Le soir, les constructeurs rentraient chez eux, ils s'imprégnaient de l'odeur de leurs foyers, de la chaleur des braises, écoutaient les disputes et les rires des femmes. Parfois, ils se mêlaient aux querelles domestiques, criaient un peu, talochaient les gamins, se prenaient de bec avec les voisins. Puis, à la nuit tombée, dans la tiédeur des ténèbres, ils entendaient le bruit de la mer, et leur cœur se serrait à l'idée de leur prochain voyage vers l'inconnu.

D'ordinaire, Sokolov, en observant le travail, restait silencieux. Strum, le plus souvent, surprenait son regard, sérieux, attentif, et il lui semblait que cette chose importante, bonne, qui avait toujours existé entre eux, était encore bien vivante.

Strum souhaitait une franche conversation avec Piotr Lavrentievitch. Car tout était si étrange. Ces passions, par exemple, que déchaînaient les tickets, les normes de ravitaillement et qui étaient si humiliantes, ces petites pensées mesquines sur la façon de mesurer l'estime qu'on vous portait ou l'attention que vous témoignaient les autorités. Et aussitôt après, dans votre âme, continuaient de vibrer ces choses qui ne dépendaient pas de vos supérieurs, de vos succès professionnels, ou de vos échecs, ni d'une quelconque prime.

De nouveau les soirées de Kazan semblaient belles et jeunes, elles avaient quelque chose des rassemblements d'étudiants avant la révolution. Si seulement Madiarov pouvait se révéler un honnête homme ! C'était étrange : Karimov soupçonnait Madiarov. Et Madiarov Karimov... Tous deux étaient honnêtes ! Il en avait la certitude. Et puis, après tout, comme disait Heine : « *Die beiden stincken.* »

Il évoquait sa conversation avec Tchepyjine à propos du « magma [1] ». Pourquoi, depuis son retour à Moscou, remuait-il tou-

---

1. Allusion à une discussion qu'a eue Strum avec Tchepyjine (dans le premier roman *Pour une juste cause*), discussion au cours de laquelle Tchepyjine avait comparé l'humanité à un magma (littéralement à une pâte dans le pétrin) où entrent en lutte les éléments bons et mauvais mais qui, dans son ensemble, ne progresse pas *(N.d.T.)*.

tes ces choses mesquines, dérisoires ? Pourquoi ne voyait-il remonter, du fond de sa mémoire, que des gens qu'il n'estimait pas ? Pourquoi ceux qu'il croyait forts, talentueux, honnêtes, ne se montraient-ils d'aucun secours ? Car Tchepyjine avait parlé de l'Allemagne hitlérienne, et Tchepyjine avait tort.

— C'est étonnant, fit remarquer Strum à Sokolov. Les gens viennent de tous les laboratoires assister au montage de notre installation. Seul Chichakov n'a pas condescendu à se montrer.

— Il a tellement de choses à faire, répondit Sokolov.

— Bien sûr, bien sûr, s'empressa d'acquiescer Strum.

Allez donc, de retour à Moscou, essayer d'avoir avec Piotr Lavrentievitch une conversation sincère, amicale. On ne connaît jamais les siens.

Curieusement, il avait cessé de discuter les avis de Sokolov sous le moindre prétexte. Désormais il cherchait toujours à éviter les discussions.

Mais ce n'était pas non plus très facile. Parfois, les discussions surgissaient brusquement, au moment où Strum s'y attendait le moins.

Strum dit d'un ton traînant :

— Je pensais à nos conversations de Kazan... A propos, où en est Madiarov ? Vous écrit-il ?

Sokolov hocha la tête, en signe de dénégation.

— Je ne sais pas ce qu'il devient. Je croyais vous avoir dit que nous avions cessé de nous voir juste avant notre départ. Et il m'est de plus en plus désagréable de repenser à nos conversations de cette époque. Nous étions si déprimés que nous tentions d'expliquer les difficultés temporaires, liées à la guerre, par je ne sais quels vices inexistants de la vie soviétique. Tout ce que nous reprochions à l'État soviétique s'est révélé à son avantage.

— L'année 37, par exemple ? demanda Strum.

Sokolov répondit :

— Victor Pavlovitch, depuis quelque temps, vous transformez nos conversations les plus banales en polémiques.

Strum aurait voulu lui dire qu'il était, au contraire, d'humeur conciliante, et que lui, Sokolov, était irrité et que cette irritation intérieure le poussait à polémiquer sur tout.

Mais il se contenta de dire :

— Il est possible, Piotr Lavrentievitch, que cela soit lié à mon mauvais caractère, qui devient pire de jour en jour. Lioudmila Nikolaïevna l'a, comme vous, constaté.

Tout en prononçant ces paroles, il se disait : « Comme je suis seul. Partout, chez moi, avec mon ami, je suis seul. »

28

Une réunion devait avoir lieu chez le Reichsführer Himmler sur les mesures spéciales prises par la R.S.H.A., la Direction générale de la Sécurité du Reich. Cette réunion était particulièrement importante, puisque Himmler devait se rendre ensuite au Quartier général du Führer.

L'Obersturmbannführer Liss reçut de Berlin l'ordre de faire un rapport sur la construction de l'objectif spécial situé près de la direction du camp.

Avant de commencer la visite de cet objectif, Liss devait aller voir les usines de fabrications mécaniques de la firme Foss et l'usine chimique chargées d'exécuter les commandes de la Direction de la Sécurité. Après quoi, Liss devrait se rendre à Berlin pour faire son rapport à l'Obersturmbannführer Eichmann, responsable de la préparation de la réunion.

Liss se réjouit de cette mission, car l'atmosphère du camp, les relations constantes avec ces gens frustes et primitifs lui pesaient.

En montant dans la voiture, il repensa à Mostovskoï.

Le vieux, dans sa cellule, passait sûrement ses jours et ses nuits à essayer de deviner pourquoi Liss l'avait fait venir et à l'attendre avec impatience.

Or Liss ne voulait rien de plus que vérifier quelques hypothèses dans l'espoir d'écrire un travail sur « L'idéologie de l'adversaire et ses leaders ».

Quel caractère ! En pénétrant dans le noyau de l'atome, les forces centrifuges n'étaient plus les seules à agir sur lui, il y avait aussi les forces centripètes.

La voiture franchit les portes du camp et Liss oublia Mostovskoï.

Il arriva aux usines Foss le lendemain matin de bonne heure.

Après le petit déjeuner, Liss s'entretint dans le bureau de Foss avec le constructeur Praschke, puis avec les ingénieurs-chefs de production. Le directeur commercial lui communiqua l'estimation des prix des équipements commandés.

Il passa plusieurs heures dans les ateliers, circulant au milieu du fracas métallique : à la fin de la journée, il était exténué.

Les usines Foss exécutaient une part importante de la commande passée par la Direction de la Sécurité, et Liss fut satisfait de leur travail, que les dirigeants de l'entreprise prenaient très au sérieux, respectant scrupuleusement le cahier de charges. Les ingénieurs-mécaniciens avaient même perfectionné la construction des convoyeurs ; de leur côté, les thermo-techniciens avaient mis au point un plan de fonctionnement plus économique pour les fours.

Après cette pénible journée passée à l'usine, la soirée au sein de la famille Foss parut à Liss particulièrement agréable.

Liss fut déçu, en revanche, par sa visite des usines chimiques : la production atteignait à peine quarante pour cent de la quantité prévue.

Un grand nombre de gens se plaignaient de ce que cette production fût complexe et aléatoire, ce qui finit par agacer Liss. Au cours d'un raid aérien, la ventilation avait été détériorée et tout un atelier avait été victime d'une intoxication. Le kieselguhr, destiné à imprégner la production stabilisée, ne parvenait pas régulièrement ; le transport ferroviaire retardait l'arrivée des emballages hermétiques...

La direction de la société chimique était cependant parfaitement consciente de l'importance de la commande passée par la Direction de la Sécurité. Kirchgarten, ingénieur-chimiste en chef de la société d'actionnaires, assura Liss que la commande serait honorée dans les délais. Pour ce faire, la direction avait même pris la décision de freiner l'exécution des commandes passées par le ministère des Munitions, fait sans précédent depuis septembre 1939.

Liss refusa d'assister aux essais de laboratoire, mais vérifia les procès-verbaux signés par les physiologistes, les chimistes et les biochimistes.

Le même jour, Liss rencontra les chercheurs responsables de ces essais : c'étaient de jeunes chercheurs, deux femmes, l'une physiologiste et l'autre biochimiste, un médecin spécialiste d'anatomie pathologique, un chimiste spécialisé dans l'étude des combinaisons organiques à basse température d'ébullition, et, enfin, le professeur Fischer, toxicologue et chef du groupe.

Tous devaient participer à la réunion et firent sur Liss une excellente impression.

Ils avaient tous intérêt à ce que la méthode qu'ils avaient mise au point fût approuvée, mais ils n'en cachèrent pas les points faibles à Liss et lui firent part de leurs doutes.

Le troisième jour, Liss prit l'avion avec l'ingénieur de l'entreprise d'installation, Oberstein, pour gagner le chantier. Il se sentait bien, ce voyage le divertissait. Il avait encore devant lui la partie la plus agréable de sa mission, puisque, après la visite du chantier, il devait aller à Berlin avec les directeurs techniques du chantier pour présenter son rapport à la R.S.H.A.

Il faisait un temps détestable, avec cette pluie glaciale de novembre. L'avion fit un atterrissage difficile sur l'aérodrome central du camp : les ailes avaient commencé à se givrer à moyenne altitude et il y avait du brouillard au sol.

Au lever du jour, il neigeait ; par endroits, les mottes de terre argileuse étaient couvertes de plaques de neige glacée et grise qui avaient persisté malgré la pluie.

Les chapeaux de feutre des ingénieurs avaient leurs bords qui ployaient, imprégnés d'une pluie lourde comme du plomb.

Des rails conduisaient au chantier et reliaient celui-ci directement à la voie principale.

On commença la visite par les dépôts, situés le long de cette voie ferrée. Sous un premier hangar se faisait le tri des chargements, pièces détachées appartenant à divers mécanismes, gouttières de transporteurs, différentes parties des convoyeurs, tuyaux de tous calibres, souffleries et ventilateurs, broyeurs à boulets pour les os, appareillages de mesure électrique et analyseurs de gaz destinés à être montés sur pupitres, bobines de câbles, ciment, bennes basculantes, montagnes de rails, meubles de bureau.

Dans des locaux à part, munis d'innombrables bouches d'aération et de gros ventilateurs vrombissants, gardés par des gradés S.S., se trouvait le dépôt de la production qui commençait à parvenir de l'usine chimique : bouteilles de gaz aux robinets rouges, boîtes de quinze litres aux étiquettes rouges et ressemblant, de loin, à des bocaux de confiture bulgare.

En sortant de ces locaux à demi enfoncés dans le sol, Liss et ses compagnons tombèrent sur le professeur Stahlgang, ingénieur en chef du projet, arrivé en train de Berlin, et sur le chef de chantier von Reineke, géant en veste de cuir jaune.

Stahlgang avait une respiration sifflante : l'air humide lui avait provoqué une crise d'asthme. Les ingénieurs qui l'entouraient lui reprochèrent de ne pas se ménager : ils savaient tous que le répertoire des travaux de Stahlgang faisait partie de la bibliothèque personnelle de Hitler.

Le site ne se distinguait en rien de ces gigantesques chantiers caractéristiques du milieu du XXe siècle.

On entendait les sifflets des gardiens autour des excavations, le grincement des pelleteuses, le mouvement des grues, les cris d'oiseaux des locomotives.

Liss et ses compagnons se dirigèrent vers un édifice carré, gris et sans fenêtres. L'ensemble de tous ces bâtiments industriels, des fours en brique rouge, des larges cheminées, des tourelles de commande et des miradors sous leurs cloches de verre, tout tendait vers cet édifice gris, aveugle et sans visage.

Les cantonniers finissaient d'asphalter les allées, de dessous les rouleaux compresseurs montait une fumée grise et brûlante qui se mélangeait au brouillard gris et froid.

Reineke dit à Liss que les essais d'étanchéité de l'unité n° 1 n'avaient pas donné de résultats satisfaisants. De sa voix rauque et exaltée, oubliant son asthme, Stahlgang exposait à Liss l'idée architecturale de ce nouvel édifice.

Sous une apparente simplicité et de petites dimensions, la turbine hydraulique traditionnelle concentre en elle des forces, des masses et des vitesses énormes : en arrivant dans ses spires, la puissance géologique de l'eau se transforme en travail.

Le présent édifice était construit sur le principe de la turbine. Il transformait la vie et toutes les formes d'énergie qui lui appartiennent en matière inorganique. Cette turbine d'un type nouveau devait vaincre la force de l'énergie psychique, nerveuse, respiratoire, cardiaque, musculaire et circulatoire. Cette nouvelle installation réunissait à la fois les principes de la turbine, de l'abattoir et de l'usine d'incinération des ordures. Il avait fallu trouver une solution architecturale simple rassemblant toutes ces caractéristiques.

— On sait que notre cher Hitler, dit Stahlgang, lorsqu'il visite les installations industrielles les plus ordinaires, n'oublie jamais l'architecture.

Il baissa la voix, pour que seul Liss puisse l'entendre.

— Vous n'ignorez pas qu'il y a eu des errements mystiques dans la réalisation architecturale des camps près de Varsovie, qui ont causé de graves ennuis au Reichsführer. Il fallait absolument en tenir compte.

L'aspect intérieur de la chambre de béton correspondait tout à fait à cette époque d'industrie de masse et de vitesse.

En affluant par les canaux adducteurs, la vie ne pouvait plus ni s'arrêter ni refluer : sa vitesse d'écoulement le long du couloir de béton était déterminée par des formules analogues à celles de Stockes sur le mouvement d'un liquide dans un tube, lequel est fonction de sa densité, de son poids spécifique, de sa viscosité et du frottement. Des lampes électriques étaient encastrées dans le plafond et protégées par un verre épais et presque opaque.

Plus on approchait, plus la lumière devenait vive : à l'entrée de la chambre, que fermait une porte en acier poli, elle était d'une froide et aveuglante blancheur.

Près de l'entrée régnait cette exaltation particulière qui s'empare des constructeurs et des monteurs au moment de mettre en marche une installation nouvelle. Des manœuvres lavaient le sol avec des tuyaux d'arrosage. Un chimiste en blouse blanche, un homme d'un certain âge, effectuait près de la porte des mesures de pression. Reineke fit ouvrir la porte. En entrant dans la vaste salle au bas plafond de béton, plusieurs ingénieurs enlevèrent leur chapeau. Le sol était constitué de lourdes dalles mobiles à encadrement métallique parfaitement jointes. Un mécanisme commandé depuis la salle de contrôle permettait de faire basculer ces dalles en position verticale, de telle sorte que le contenu de la chambre était évacué dans les locaux souterrains. C'est là que la matière organique était soumise au traitement de brigades de dentistes qui en extrayaient les métaux précieux de prothèse. Après quoi on mettait en action le convoyeur conduisant aux fours crématoires, où la matière organique désormais exempte de pensée et de sensibilité subissait, sous l'effet de l'énergie thermique, une dégradation ultérieure pour se transformer en engrais minéraux phosphatés, en chaux et en cendres, en ammoniac, en gaz carbonique et sulfureux.

Un officier de liaison vint vers Liss et lui tendit un télégramme. Chacun put voir le visage de l'Obersturmbannführer s'assombrir à la lecture de celui-ci.

Le télégramme annonçait à Liss que l'Obersturmbannführer Eichmann le rencontrerait sur le chantier le soir même, où il arriverait en voiture par l'autoroute de Munich.

Pour Liss, cela signifiait que son voyage à Berlin tombait à l'eau. Lui qui espérait passer la nuit prochaine dans sa maison de campagne, où l'attendait sa femme malade. Avant de se coucher, il aurait passé une heure ou deux dans son fauteuil, les pieds dans ses pantoufles, dans la chaleur et l'intimité, et il aurait oublié la rigueur des temps. C'était si agréable d'écouter, la nuit, du fond de son lit campagnard, le grondement lointain des pièces de D.C.A. de Berlin.

Le soir encore, à Berlin même, après avoir fait son rapport à la Prinz-Albertstrasse et avant de partir pour la campagne, à l'heure tranquille où il n'y a ni alertes ni raids aériens, il s'apprêtait à rendre visite à une jeune rédactrice de l'Institut de philosophie : elle seule savait combien cette vie lui pesait et quel était son désarroi moral. Pour cette rencontre, il avait déjà préparé dans sa serviette une bouteille de cognac et une boîte de chocolats. Maintenant, tout tombait à l'eau.

Les ingénieurs, les chimistes et les architectes le regardaient en se demandant quelles pouvaient bien être les craintes qui assombrissaient l'inspecteur de la Direction générale de la Sécurité.

Ils avaient par moments l'impression que la chambre échappait déjà à ses créateurs et vivait de sa propre vie de béton, de sa propre avidité de béton, qu'elle allait se mettre à sécréter des toxines, à mâcher de sa mâchoire d'acier et à digérer.

Stahlgang fit un clin d'œil à Reineke et lui chuchota :

— Liss vient sans doute d'apprendre que le Gruppenführer entendra son rapport ici, mais moi je le savais depuis ce matin. Son repos en famille est fichu, sans compter, probablement, un rendez-vous avec une jolie femme.

<h1 style="text-align:center">29</h1>

Liss rencontra Eichmann de nuit.

Eichmann avait environ trente-cinq ans. Ses gants, sa casquette et ses bottes, incarnation matérielle de la poésie, de l'arrogance et de la supériorité de l'armée allemande, ressemblaient à ceux que portait le Reichsführer Himmler.

Liss connaissait la famille des Eichmann déjà avant la guerre, car ils étaient de la même ville. Lorsqu'il étudiait à l'université de Berlin, tout en travaillant successivement pour un quotidien puis pour une revue philosophique, il revenait de temps à autre dans sa ville natale et apprenait ce que devenaient ses compagnons de lycée. Les uns avaient été portés par la vague vers le faîte de la société, puis la vague refluait, la chance disparaissait et c'est à d'autres qu'allaient sourire la célébrité et la réussite matérielle. Le jeune Eichmann, lui, vivait invariablement la même vie terne et uniforme. Le fracas des armes de Verdun, la victoire peut-être imminente, la défaite et l'inflation, la lutte politique au Reichstag, le tourbillon des forces de gauche et d'extrême gauche en peinture, au théâtre, en musique, les modes et leurs naufrages, rien n'atteignait son régime de vie uniforme.

Il travailla comme agent d'une firme de province. En famille et avec les gens en général, il était à la fois modérément brutal et modérément attentionné. Il se heurtait, dans sa vie, à une foule bruyante, gesticulante et hostile. Il se voyait repoussé de partout par des gens vifs et lestes, aux yeux sombres et brillants, habiles et expérimentés, qui le considéraient tous avec un sourire condescendant...

A Berlin, après le lycée, il ne réussit pas à trouver de travail. Les chefs de service et les patrons d'entreprises lui répondaient que, malheureusement, le poste était déjà occupé, mais Eichmann apprenait par ailleurs que la place avait été offerte à je ne sais quel avorton pourri de nationalité indéfinie, polonaise ou italienne. Il tenta d'entrer à l'Université, mais l'injustice qui y régnait l'en empêcha. Il constatait que les examinateurs, en voyant son visage rond aux yeux clairs, ses cheveux blonds coiffés en brosse, son nez droit et court, se renfrognaient. Il avait l'impression que leur préférence allait aux étudiants à longue face, aux yeux sombres, aux épaules voûtées et étroites, bref, aux dégénérés. Il n'était du reste pas le seul à être ainsi rejeté vers la province. Ce fut le lot de bien d'autres. Cette race de gens qui régnait à Berlin se rencontrait à tous les niveaux de la société. Mais elle pullulait surtout dans cette intelligentsia cosmopolite ayant perdu tout caractère national et incapable de faire la différence entre un Allemand et un Italien, un Allemand et un Polonais.

C'était une race particulière, étrange, qui écrasait tous ceux qui tentaient de lui faire concurrence dans le domaine de l'esprit, de la culture et de l'indifférence ironique. Le pire, c'était de sentir leur intelligence supérieure, si pleine de vie et de joie ; cette puissance spirituelle s'exprimait dans les goûts étranges de ces gens, dans leur genre de vie, avec ce mélange de respect de la mode et de négligence ou même d'indifférence pour celle-ci, dans leur amour pour les animaux allié à un style de vie parfaitement citadin, dans leur don pour la spéculation abstraite allié à une passion pour le brut dans la vie et dans l'art...

C'étaient ces mêmes gens qui faisaient avancer pour l'Allemagne la chimie des colorants et la synthèse de l'azote, les recherches sur les rayons gamma et la production d'acier fin. C'était pour les voir, eux, que venaient en Allemagne des savants étrangers, des artistes, des philosophes et des ingénieurs. Et c'étaient pourtant eux qui ressemblaient moins que tout autre à des Allemands : ils circulaient à travers le monde entier, leurs amitiés n'étaient pas des amitiés allemandes et leurs origines allemandes très incertaines.

Dans ces conditions, quelle chance pouvait bien avoir un fonctionnaire de province de progresser vers une vie meilleure : encore heureux qu'il n'ait pas souffert de la faim.

Et le voici maintenant sortant de son bureau, après avoir enfermé dans son coffre des papiers dont seuls trois hommes au monde connaissent la teneur : Hitler, Himmler et Kaltenbrunner. Une grosse voiture noire l'attend à la porte. Les sentinelles le saluent, l'officier d'ordonnance lui ouvre grande la portière de la voiture : l'Obersturmbannführer Eichmann prend la route. Le chauffeur démarre en trombe et la puissante limousine de la Gestapo, respectueusement saluée par la police civile qui s'empresse de mettre le feu vert, après avoir franchi les rues de Berlin, s'élance sur l'autoroute. Pluie, brouillard, panneaux de signalisation, virages en douceur de l'autoroute.

A Smolévitchi, il y a des petites maisons paisibles parmi les jardins et l'herbe pousse sur les trottoirs. Dans les rues des bas quartiers de Berditchev, des poules sales courent dans la poussière, avec leurs pattes d'un jaune sulfureux marquées d'encre violette et rouge. A Kiev, dans le quartier du Podol et sur l'avenue Vassilievskaia, dans les grands immeubles aux fenêtres sales, les marches des escaliers sont usées par des millions de chaussures d'enfants et de savates de vieillards.

450

Dans les cours d'Odessa, il y a des platanes aux troncs écaillés, des draps, des chemises et des caleçons qui sèchent, des bassines de confiture de cornouilles qui fument sur les réchauds, des nouveau-nés vagissants dans des berceaux, dont la peau bistre n'a pas encore vu le soleil.

A Varsovie, dans les six étages d'un immeuble osseux et étroit d'épaules vivent des couturières, des relieurs, des précepteurs, des chanteuses de cabaret, des étudiants, des horlogers.

A Stalindorf, le soir, on allume le feu dans les isbas, le vent souffle de Pérékop, ça sent le sel et la poussière chaude et les vaches meuglent en secouant leurs lourdes têtes...

A Budapest comme à Fastov, à Vienne comme à Melitopol et à Amsterdam vivaient, dans des hôtels particuliers aux fenêtres étincelantes ou dans des maisons noyées dans les fumées d'usines, les hommes appartenant à la nation juive.

Les barbelés du camp, les murs de la chambre à gaz, la terre glaise du fossé antichar unissaient désormais des millions de gens d'âge, de profession, de langue, d'intérêts matériels et spirituels différents ; des croyants fanatiques et de fanatiques athées, des ouvriers, des parasites, des médecins et des marchands, des sages et des idiots, des voleurs, des idéalistes, des rêveurs, des bons vivants, des saints et des escrocs. Tous étaient promis à l'extermination.

La limousine de la Gestapo filait et virait le long des autoroutes d'automne.

30

Ils se rencontrèrent donc de nuit. Eichmann entra directement dans le bureau : avant même de s'asseoir dans le fauteuil, il avait déjà commencé à poser ses questions :

— J'ai peu de temps, je dois être à Varsovie demain au plus tard, dit-il.

Il avait déjà eu le temps de voir le commandant du camp et de parler au chef de chantier.

— Comment fonctionnent les usines, quelles sont vos impressions sur la personnalité de Foss, pensez-vous que les chimistes soient à la hauteur ? demanda-t-il avec précipitation.

Ses grands doigts blancs aux ongles roses retournaient les papiers sur la table et, de temps à autre, l'Obersturmbannführer inscrivait une remarque d'une main automatique. Liss avait l'impression qu'Eichmann ne voyait rien de particulier à cette entreprise, qui suscitait pourtant dans les cœurs les plus endurcis un secret sursaut d'horreur.

Liss avait beaucoup bu ces derniers jours. Il respirait plus difficilement et, la nuit, il sentait le poids de son cœur. Mais il lui semblait que l'alcool avait un effet moins néfaste sur sa santé que cette tension nerveuse dans laquelle il vivait constamment. Il rêvait de retourner à son étude sur les personnalités hostiles au national-socialisme et de chercher la solution à des problèmes certes cruels et complexes, mais qui pouvaient se résoudre sans effusion de sang. Il pourrait alors s'arrêter de boire et ne fumerait plus que deux ou trois cigarettes par jour. Quelque temps auparavant, il avait fait venir dans son bureau, la nuit, un vieux bolchevik russe avec lequel il fit une partie d'échecs politiques. Rentré chez lui, il dormit sans somnifères et ne se réveilla qu'après 9 heures du matin.

Une petite surprise attendait l'Obersturmbannführer et Liss pour leur visite nocturne de la chambre à gaz. Les ingénieurs avaient installé au milieu de la chambre une petite table avec du vin et des hors-d'œuvre et Reineke convia Eichmann et Liss à prendre un verre.

Eichmann rit de cette charmante idée et dit :

— C'est avec grand plaisir que je mangerais un morceau.

Il confia sa casquette à son garde et se mit à table. Son grand visage prit brusquement une expression de gravité bienveillante, celle de millions d'hommes aimant la bonne chère lorsqu'ils s'installent devant une table servie.

Reineke remplit les verres, chacun prit le sien et tous attendirent le toast d'Eichmann.

Il y avait dans ce silence de béton et dans ces verres pleins une telle tension que Liss crut que son cœur ne résisterait pas. Il aurait aimé qu'un bon gros toast à la gloire de l'idéal allemand vînt détendre l'atmosphère. Mais la tension persistait, croissait, pendant que l'Obersturmbannführer mâchait son sandwich.

— Eh bien, messieurs ? dit Eichmann. Le jambon est excellent.

— Nous attendons le toast du maître de maison, dit Liss.

L'Obersturmbannführer leva son verre.

— A notre réussite d'aujourd'hui et de demain, dit-il, je crois que nos services sont dignes d'un toast.

Il était le seul à ne presque rien boire et à beaucoup manger.

Le lendemain, Eichmann faisait sa gymnastique en caleçons devant la fenêtre grande ouverte. Les rangées régulières des baraquements du camp se profilaient dans le brouillard et on entendait les sifflets des locomotives.

Liss n'enviait pas Eichmann. Il jouissait lui-même d'une haute situation sans hautes fonctions : on le considérait comme un homme intelligent à la Direction de la Sécurité du Reich. Himmler aimait à converser avec lui. Les hauts dignitaires évitaient en général de lui faire sentir leur supériorité hiérarchique. Il était habitué à rencontrer l'estime, même en dehors de la Gestapo. La S.D. respirait et vivait partout, que ce soit à l'Université, dans la signature du directeur d'un aérium d'enfants, dans les auditions des futurs chanteurs d'opéra, dans les décisions du jury chargé de choisir les tableaux de l'exposition de printemps comme dans la liste des candidats aux élections du Reichstag. Toute vie tournait autour d'elle. C'était grâce au travail de la Gestapo que le parti avait toujours raison, que sa logique ou son illogisme triomphait de toute autre logique et sa philosophie de toute autre philosophie. Elle était la baguette magique ! Il suffisait de la faire tomber pour que toute magie disparaisse, pour que le grand orateur se transforme en simple bavard et que les pontes de la science ne soient plus que les vulgarisateurs des idées d'autrui. Il ne fallait la laisser échapper à aucun prix.

En regardant Eichmann, Liss ressentit ce matin-là pour la première fois de sa vie les impulsions d'une haine inquiète.

Quelques minutes avant son départ, Eichmann dit à Liss d'un ton pensif :

— Ne sommes-nous pas « pays », Liss ?

Ils se prirent à énumérer les noms des rues qu'ils aimaient dans leur ville, des restaurants, des cinémas.

— Il y a, bien sûr, des endroits où je ne suis jamais allé, dit Eichmann, et il nomma un club où les fils d'artisans n'étaient pas admis.

Liss changea de sujet de conversation en demandant :

— Dites-moi : peut-on avoir une idée approximative de la quantité de Juifs dont il s'agit ?

Il savait qu'il avait posé la question des questions, à laquelle trois hommes dans le monde peut-être, à part Himmler et le Führer, pouvaient répondre.

Mais après les souvenirs sur les dures années de jeunesse du temps de la démocratie et du cosmopolitisme, le moment était bien choisi pour Liss d'avouer son ignorance et d'interroger Eichmann.

Eichmann répondit à sa question.

— Vous avez dit : millions ? redemanda Liss stupéfait.

Eichmann haussa les épaules.

Ils se turent un moment.

— Je regrette beaucoup que nous ne nous soyons pas rencontrés au temps de nos études, dit Liss, au temps de nos années d'apprentissage, comme dit Goethe.

— Je n'ai pas fait mes études à Berlin, mais en province, ne regrettez rien, dit Eichmann. C'est la première fois que je prononce ce chiffre à haute voix. Il a peut-être été prononcé sept ou huit fois en comptant Berchtesgaden, la chancellerie du Reich et le service de notre Reichsführer.

— Si je comprends bien, ce n'est pas demain qu'on le lira dans les journaux.

— C'est bien cela que j'ai en vue, dit Eichmann.

Il regarda Liss d'un air ironique et ce dernier eut un vague sentiment d'inquiétude à l'idée que son interlocuteur était plus intelligent que lui.

Eichmann poursuivit :

— A part le fait que notre chère petite ville natale est noyée dans la verdure, il y a une autre raison qui me pousse à vous révéler ce chiffre. Je voudrais qu'il nous unisse dans notre futur travail commun.

— Je vous remercie, dit Liss. Je dois y réfléchir : c'est une affaire très sérieuse.

— Naturellement. La proposition ne vient pas que de moi, dit Eichmann, l'index dressé. Si vous partagez ce travail avec moi et que Hitler perde, nous serons pendus ensemble, vous et moi.

— Excellente perspective, elle vaut la peine qu'on y réfléchisse, dit Liss.

— Pouvez-vous vous imaginer que dans deux ans nous soyons à nouveau attablés ici, confortablement, et que nous nous disions : « En vingt mois, nous avons résolu le problème que l'humanité n'a pas pu résoudre en vingt siècles ! »

Ils se séparèrent. Liss regarda la voiture s'éloigner.

Il avait sa propre vision des relations humaines au sein d'un État. Dans un État national-socialiste, la vie ne pouvait pas se dérouler librement, il fallait diriger chacun de ses pas.

Et pour diriger les gens dans leur respiration, dans leur sentiment maternel, dans leurs cercles de lecture, dans leurs usines, dans leurs chants, dans leur armée, dans leurs randonnées d'été, il fallait des chefs. La vie ne pouvait plus se permettre de pousser comme l'herbe et d'onduler au vent comme la houle. Liss pensait qu'il y avait, en gros, quatre types de chefs.

Le premier type comportait des natures entières, le plus souvent sans intelligence ni finesse. Ils prenaient leurs slogans et leurs formules dans les journaux, dans les discours d'Hitler et les articles de Goebbels, dans les livres de Franck et de Rosenberg. Étant dépourvus de bases, ils étaient très vite perdus. Ils ne réfléchissaient pas à ce qui relie les différents phénomènes entre eux et se montraient cruels et intolérants à tout propos. Ils prenaient tout au sérieux, que ce soit la philosophie ou la science nationale-socialiste, de vagues découvertes ou les réalisations du théâtre moderne, la musique moderne ou la campagne électorale du Reichstag. Ils se réunissaient en groupes pour bûcher *Mein Kampf* et, comme des écoliers, mettaient en fiches exposés et brochures. Ils menaient, en général, une vie modeste, parfois difficile, et se laissaient plus facilement enrôler dans le parti et arracher à leurs familles que les autres catégories de chefs.

Liss avait eu l'impression, au premier abord, que c'était précisément à cette catégorie qu'appartenait Eichmann.

Le second type était celui des cyniques intelligents, qui connaissaient l'existence de la baguette magique. Entre amis sûrs ils se moquaient d'un tas de choses, de l'ignorance des professeurs et maîtres de conférences fraîchement émoulus, des bêtises et des mœurs des *Leiter* et des *Gauleiter*. La seule chose dont ils ne se moquaient pas était le Führer et les grands idéaux. Ils menaient, en général, grand train de vie et buvaient beaucoup. On rencontrait davantage de gens de ce type en haut de la hiérarchie du parti qu'en bas, où régnaient les caractères du premier type.

Tout en haut régnait le troisième type de chefs : il n'y avait place là que pour huit à dix personnes, qui en accueillaient quinze à vingt autres. C'est là que vivait un monde affranchi de tout dogme et jugeant de tout en toute liberté. Plus d'idéaux, rien d'autre qu'une certaine mathématique, les réjouissances et de grands maîtres parfaitement étrangers à la pitié.

Liss avait parfois l'impression que tout, en Allemagne, tournait autour d'eux et de leur bien-être.

Liss avait également remarqué que l'apparition au sommet de gens aux facultés limitées annonçait toujours des événements néfastes. Les maîtres du mécanisme social élevaient à des grades supérieurs des hommes du dogme afin de leur confier les tâches les plus sanglantes. Ces sots cédaient pour un temps à l'ivresse du pouvoir, mais, une fois leur tâche accomplie, ils disparaissaient, quand ils ne partageaient pas le destin de leurs propres victimes. Tout en haut, les joyeux maîtres demeuraient en place.

Les naïfs, appartenant au premier type, offraient un avantage inappréciable, celui de sortir du peuple. Ils savaient citer les classiques du national-socialisme, mais ils parlaient aussi la langue du peuple, dont leur grossièreté les rapprochait. Leurs plaisanteries faisaient rire les assemblées de paysans ou d'ouvriers.

Le quatrième type était celui des exécutants, parfaitement indifférents au dogme, aux idées, à la philosophie, étrangers à toute faculté d'analyse. Le national-socialisme les payait : ils le servaient. Leur unique grande passion était les services de vaisselle, les costumes, les maisons de campagne, les bijoux, les meubles, les voitures et les réfrigérateurs. Ils n'aimaient pas beaucoup l'argent, car ils ne croyaient pas à sa stabilité.

Liss aspirait à se trouver parmi les hauts dirigeants, il rêvait de leur compagnie et de leur intimité, de ce royaume de l'intelligence et de l'ironie, d'une logique élégante, où il se sentait si léger, si naturel, si à l'aise.

Mais il apercevait à une hauteur effrayante, au-dessus des plus hauts dirigeants, au-dessus de la stratosphère, un monde de brouillard, incompréhensible, d'un illogisme troublant, celui du Führer Adolf Hitler.

Ce qui effrayait Liss en Hitler, c'était cet inconcevable assemblage d'éléments opposés : il était le chef de tous les maîtres, le grand mécanicien, investi d'une cruauté mathématique supérieure à celle de tous ses compagnons les plus proches pris ensemble. Mais, en même temps, il avait cette frénésie du dogme, cette foi fanatique et aveugle, cet illogisme bovin que Liss n'avait rencontré qu'aux étages les plus bas, quasi souterrains, de la direction du parti. Créateur de la baguette magique, premier entre les prêtres, il était en même temps un fidèle obscur et frénétique.

Et voilà que maintenant, en regardant s'éloigner la voiture d'Eichmann, Liss s'apercevait que ce dernier lui inspirait brusquement ce sentiment terrifiant et inexplicable que n'avait provoqué jusque-là en lui qu'un seul homme au monde, le Führer du peuple allemand Adolf Hitler.

31

L'antisémitisme peut se manifester aussi bien par un mépris moqueur que par des pogromes meurtriers.

Il peut prendre bien des formes : idéologique, interne, caché, historique, quotidien, physiologique ; divers aussi sont ses aspects : individuel, social, étatique.

L'antisémitisme se rencontre aussi bien sur un marché qu'au Praesidium de l'Académie des sciences, dans l'âme d'un vieillard que dans les jeux d'enfants. L'antisémitisme est passé sans dommage pour lui de l'époque de la lampe à huile, de la navigation à voile et des quenouilles à l'époque des réacteurs, des piles atomiques et des ordinateurs.

L'antisémitisme n'est jamais un but, il n'est qu'un moyen, il est la mesure des contradictions sans issues. L'antisémitisme est le miroir des défauts d'un homme pris individuellement, des sociétés civiles, des systèmes étatiques. Dis-moi ce dont tu accuses les Juifs et je te dirai ce dont tu es, toi-même, coupable.

La haine contre le servage dans sa patrie se muait, même chez le détenu de Schliesselbourg, même chez ce combattant de la liberté qu'était le paysan Oleïnitchouk, en haine contre les Polacks et les Youpins. Et même le génie qu'était Dostoïevski a vu un usurier juif là où il aurait dû voir l'impitoyable entrepreneur, le propriétaire de serfs et le capitaine d'industrie russes.

Le national-socialisme, quand il prêtait à un peuple juif qu'il avait lui-même inventé des traits comme le racisme, la volonté de dominer le monde, l'indifférence cosmopolite pour sa patrie allemande, a doté les Juifs de ses propres caractéristiques. Mais ce n'est là qu'un des aspects de l'antisémitisme.

L'antisémitisme est l'expression du manque de talent, de l'incapacité de vaincre dans une lutte à armes égales ; cela joue dans tous les domaines, dans les sciences comme dans le commerce, dans l'artisanat comme en peinture. L'antisémitisme est la mesure du manque de talent dans l'homme. Les États cherchent des explications à leurs échecs dans les menées de la juiverie internationale. Mais ce n'est là qu'un des aspects de l'antisémitisme.

L'antisémitisme est aussi une manifestation de l'absence de culture dans les masses populaires, incapables d'analyser les causes de leurs souffrances. Les hommes incultes voient les causes de leurs malheurs dans les Juifs et non dans l'ordre social et étatique. Mais cet antisémitisme des masses n'est qu'un de ses aspects.

L'antisémitisme est la mesure des préjugés religieux qui couvent dans les bas-fonds de la société. Mais cela aussi n'est qu'un des aspects de l'antisémitisme.

L'aversion pour l'aspect extérieur du Juif, pour sa manière de parler, sa façon de se nourrir, n'est pas, bien évidemment, la cause réelle de l'antisémitisme physiologique. Car un homme qui parle avec aversion des cheveux crépus du Juif, de sa gesticulation excessive, s'extasie dans le même temps devant les enfants à la chevelure brune et crépue des enfants dans les tableaux de Murillo, ne prête pas attention à un accent chantonnant, à la gesticulation des Arméniens, et regarde sans animosité les grosses lèvres d'un Noir.

L'antisémitisme tient une place à part parmi les persécutions que subissent les minorités nationales. C'est un phénomène particulier parce que la destinée historique des Juifs a été particulière.

De même que l'ombre d'un homme nous donne une idée de ce qu'il est, de même l'antisémitisme nous donne une idée sur les chemins et la destinée historiques des Juifs. L'histoire du peuple juif s'est trouvée liée et mêlée à bien des problèmes politiques et religieux à travers le monde. Cela est le premier trait distinctif de la minorité nationale juive. Les Juifs habitent dans pratiquement tous les pays du monde. Une telle dispersion d'une minorité nationale dans les deux hémisphères constitue un deuxième trait distinctif des Juifs.

Au moment de l'apogée du capital marchand, des marchands et usuriers juifs firent leur apparition. A l'époque du plein développement de l'industrie, de nombreux Juifs se révélèrent dans les domaines techniques et industriels. A l'ère atomique, plus d'un Juif travaille dans le domaine de la physique nucléaire. Lors de luttes révolutionnaires, de nombreux Juifs furent d'éminents révolutionnaires. Les Juifs constituent une minorité nationale qui ne se marginalise pas mais s'efforce de jouer son rôle au centre du développement des forces idéologiques et productives. C'est là le troisième trait distinctif de la minorité nationale juive.

Une partie de la minorité juive s'assimile, elle se dissout dans la population autochtone, mais la base populaire conserve ses traits nationaux dans sa langue, sa religion, ses formes de vie. L'antisémitisme a adopté pour règle d'accuser les Juifs assimilés de projets nationalistes et religieux secrets. Il rend responsables les Juifs non assimilés, de petits artisans pour la plupart, de ce que font les autres Juifs, ceux qui prennent part à une activité révolutionnaire, qui dirigent l'industrie, qui créent des réacteurs nucléaires, qui siègent dans les conseils d'administration.

L'un des traits évoqués peut appartenir à telle ou telle minorité nationale, mais, me semble-t-il, seule la nation juive réunit tous ces traits.

L'antisémitisme, lui aussi, reflète ces particularités, lui aussi est lié aux grands problèmes politiques, économiques, idéologiques, religieux de l'histoire du monde. C'est une particularité funeste de l'antisémitisme dont les bûchers ont éclairé les périodes les plus terribles de l'Histoire.

Quand la Renaissance a fait irruption dans le Moyen Age catholique, les forces obscures ont allumé les bûchers de l'Inquisition. Leurs feux n'ont pas seulement éclairé la force du mal, ils ont aussi éclairé le spectacle de sa perte.

Au XXᵉ siècle, les formes nationales dépassées de régimes condamnés ont allumé les bûchers d'Auschwitz, les feux des fours crématoires de Treblinka et de Maïdanek. Leurs flammes ont éclairé le bref triomphe du fascisme, mais elles ont également indiqué au monde que le fascisme était condamné. Des époques historiques, mais aussi des gouvernements réactionnaires malchanceux, des particuliers qui cherchent à améliorer leur sort ont recours à l'antisémitisme pour tenter d'échapper à leur destin.

Y a-t-il eu, au cours de ces deux millénaires, des cas où la liberté, l'humanisme aient utilisé l'antisémitisme pour parvenir à leurs fins ? S'il y en a eu, je n'en ai pas eu connaissance.

L'antisémitisme quotidien est un antisémitisme qui ne fait pas couler de sang. Il atteste qu'il existe sur terre des idiots envieux et des ratés.

Un antisémitisme de la société peut prendre naissance dans des pays démocratiques ; il se manifeste dans la presse, qui représente certains groupes réactionnaires, dans les agissements de ces groupes, par exemple par le boycott de la main-d'œuvre ou de la marchandise juives ; il peut se manifester dans les systèmes idéologiques des réactionnaires.

Dans les États totalitaires, où la société civile n'existe pas, l'antisémitisme ne peut être qu'étatique.

L'antisémitisme étatique est le signe que l'État cherche à s'appuyer sur les idiots, les réactionnaires, les ratés, sur la bêtise des superstitions, la vindicte des affamés. A son premier stade, cet antisémitisme est discriminatoire : l'État limite les possibilités de choix du lieu d'habitation, de la profession, il limite l'accès des Juifs aux postes élevés, à l'Université, aux titres universitaires, etc.

Puis l'antisémitisme étatique passe à l'étape de l'extermination.

A une époque où la réaction entre dans une lutte fatale pour elle contre les forces de la liberté, l'antisémitisme devient pour elle une idéologie de parti et d'État : c'est ce qui s'est passé au XXᵉ siècle avec le fascisme.

32

Le mouvement des nouvelles unités en direction du front de Stalingrad se faisait en secret, de nuit.

Les forces du nouveau groupe d'armées se concentraient au nord-ouest de Stalingrad, sur le cours moyen du Don. Les convois se déchargeaient en pleine steppe, sur une voie nouvellement construite.

Les rivières de métal qui coulaient toute la nuit se figeaient dès l'aube, et seule une brume de poussière flottait au-dessus de la steppe. Les tubes des pièces d'artillerie se couvraient dans la journée d'herbes sèches et de bottes de paille, et on aurait pu croire qu'il n'y avait pas au monde d'êtres plus paisibles que ces canons fondus dans la steppe automnale. Les avions, écrasés au sol, tels des insectes desséchés, se dissimulaient sous les filets de camouflage.

Les ronds, triangles, losanges devenaient de jour en jour plus nombreux, le réseau de chiffres, les numéros des unités, devenaient de jour en jour plus serrés sur la carte que ne connaissaient que quelques hommes au monde ; c'étaient les nouvelles armées du nouveau groupe d'armées du sud-ouest qui se constituait sur sa base de départ.

Sur la rive gauche de la Volga, les corps blindés et les divisions d'artillerie, contournant un Stalingrad grondant et fumant, allaient vers le sud et s'arrêtaient au bord d'anses paisibles. Les troupes, franchissant la Volga, se fixaient dans les steppes kalmoukes... C'était la concentration du sud, sur l'aile droite des Allemands. Le haut commandement soviétique préparait l'encerclement des divisions de Paulus à Stalingrad.

Des bateaux, des bacs, des péniches faisaient passer les blindés de Novikov sur la rive droite, kalmouke, au sud de Stalingrad.

Des milliers d'hommes virent les noms de chefs de guerre russes, « Koutouzov », « Souvorov », « Alexandre Nevski », tracés à la peinture blanche sur les tourelles des chars.

Des millions d'hommes virent les pièces d'artillerie lourde, les mortiers, les colonnes de Ford et de Dodge obtenus grâce au *landlease* faire route vers Stalingrad.

Et malgré cela, bien que des millions d'hommes eussent vu cette concentration de forces militaires énormes, la préparation des offensives au nord-ouest et au sud de Stalingrad se menait en secret.

Comment cela a-t-il été possible ? Car les Allemands aussi avaient connaissance de ces mouvements. Il était impossible de les dissimuler comme il est impossible de dissimuler le vent de la steppe à un homme traversant la steppe.

Les Allemands étaient au courant des mouvements de troupes en direction de Stalingrad mais l'offensive de Stalingrad restait pour eux un secret. Le premier lieutenant allemand venu pouvait, en jetant un coup d'œil sur la carte où étaient portés les points de concentration présumés des troupes soviétiques, deviner sans grand mal le secret militaire le mieux gardé de l'Union soviétique, un secret que seuls Staline, Joukov et Vassilievski connaissaient.

Et malgré cela, l'encerclement des troupes allemandes à Stalingrad a été une surprise totale pour les lieutenants et les Feldmarschall allemands.

Comment cela a-t-il été possible ?

Stalingrad tenait toujours, les attaques allemandes continuaient à se briser alors que des forces considérables y participaient. Les régiments exsangues de l'Armée Rouge ne comptaient parfois que quelques dizaines de soldats. Ces rares soldats qui supportèrent toute la violence des attaques furent la force qui induisit les Allemands en erreur.

L'ennemi ne pouvait imaginer que toutes ses attaques étaient repoussées par une poignée d'hommes. Il lui semblait que les réserves soviétiques étaient destinées à renforcer la défense de Stalingrad. Les soldats qui repoussaient les attaques des divisions de Paulus sur les rives de la Volga furent les stratèges de l'offensive de Stalingrad.

Mais l'implacable malignité de l'Histoire se terrait encore plus profond ; dans ces profondeurs, la liberté qui faisait naître la victoire devenait, tout en restant le but de la guerre, un moyen de mener la guerre.

33

Une vieille, chargée d'une brassée de roseaux, s'approcha de la maison ; son visage renfrogné trahissait ses soucis ; elle passa devant une jeep couverte de poussière, devant le char de l'état-major sous sa bâche. Elle allait, osseuse et morne ; on aurait pu croire qu'il n'y avait rien de plus normal que cette femme qui passait devant un char accoté à sa maison. Mais il n'y avait rien de plus important au monde que le lien qui existait entre cette vieille, sa fille sans grâce en train de traire une vache sous un auvent, son petit-fils en train de se curer le nez et de surveiller le lait qui jaillissait du pis de la vache et les troupes cantonnées dans la steppe.

Tous ces hommes, les officiers des états-majors d'armées et de divisions, les généraux fumant sous les sombres icônes d'une isba, les cuisiniers des généraux qui font rôtir le gigot dans le four du poêle paysan, les téléphonistes qui enroulent leurs cheveux autour de cartouches ou de clous, le chauffeur qui se rase dans la cour, un œil sur le morceau de miroir et l'autre cherchant un avion allemand dans le ciel, tous ces hommes, et tout ce monde fait d'acier, d'électricité, d'essence, et tout ce monde de guerre faisaient partie intégrante de la longue vie des villages, hameaux, fermes de la steppe.

Il n'y avait pas rupture, dans l'esprit de la vieille femme, entre les gars d'aujourd'hui dans leurs chars et les gars épuisés qui, cet été, étaient arrivés à pied, lui avaient demandé la permission de passer la nuit chez elle, qui avaient peur, qui n'avaient pas dormi de la nuit et sortaient sans cesse voir si tout était tranquille.

Il n'y avait pas de rupture entre cette vieille dans son village de steppe et celle qui, dans l'Oural, apportait un samovar bouillant à l'état-major du corps blindé en formation, ou celle qui, en juin, étalait de la paille par terre pour installer le colonel et se signait en regardant par la fenêtre le halo rouge en direction de Voronej [1]. Mais ce lien allait à ce point de soi que la vieille portant son fagot ne le remarquait pas, pas plus que le colonel sur le seuil de la maison.

Un silence merveilleux régnait dans la steppe kalmouke. Savaient-ils, les gens qui parcouraient *Unter den Linden* ce matin-là, que la Russie s'était tournée vers l'Occident et qu'elle s'apprêtait à frapper et à avancer ?

— N'oublie pas les manteaux, le mien et celui du commissaire, cria Novikov au chauffeur Kharitonov. Nous rentrerons tard.

Guetmanov et Néoudobnov sortirent à leur tour de la maison.

— En cas de besoin, dit Novikov à Néoudobnov, vous pouvez me joindre chez Karpov et après quinze heures, vous pouvez téléphoner chez Belov ou Makarov.

— Que voulez-vous qu'il se passe ici ? dit Néoudobnov.

— Sait-on jamais, un supérieur qui nous tombe dessus, suggéra Novikov.

Deux petits points se détachèrent du soleil et plongèrent sur le village. Et leur vrombissement croissant, leur plongée firent voler en éclats la somnolence du village.

Kharitonov sortit d'un bond de la jeep et courut s'abriter derrière le mur d'une grange.

— Qu'est-ce qui te prend, espèce d'idiot ? cria Guetmanov. Tu as peur des nôtres maintenant ?

A cet instant, un des avions lâcha une rafale de mitrailleuse, et une bombe se détacha du second. Un hurlement monta, les vitres tintèrent, une femme poussa un cri perçant, un enfant se mit à pleurer, des mottes de terre, soulevées par l'explosion, martelèrent le sol.

Au bruit de la bombe, Novikov rentra la tête dans les épaules. Tout disparut pendant quelques instants et il ne put voir que Guetmanov, debout à côté de lui. Puis la silhouette de Néoudobnov émergea du nuage de poussière. Il était resté debout, la tête droite, la poitrine en avant ; il était le seul à ne pas s'être courbé.

Guetmanov, un peu pâle mais gai et excité, époussetait son pantalon.

— Ça va, se vanta-t-il avec une naïveté charmante. Les pantalons sont restés secs. Et notre général, il n'a même pas fait un mouvement.

Guetmanov et Néoudobnov examinèrent le trou de la bombe, cherchèrent jusqu'où étaient allées les mottes, s'étonnèrent en constatant que les vitres des maisons éloignées étaient tombées alors qu'elles étaient restées intactes dans la maison la plus proche.

Novikov regardait avec curiosité des hommes qui assistaient pour

---

1. Allusion à l'offensive allemande de juin 1942. *(N.d.T.)*

la première fois à une explosion de bombe. Visiblement, ils étaient frappés par le fait qu'on ait tourné cette bombe, qu'on l'ait emportée dans le ciel puis jetée sur terre dans un seul but : tuer le père des petits Guetmanov et tuer le père des petits Néoudobnov. Ainsi donc, c'était à cela qu'étaient occupés les hommes, à la guerre.

Une fois dans la voiture, Guetmanov parlait toujours du raid aérien. Il s'interrompit soudain :

— Ça doit te faire rire de m'entendre, tu as dû en essuyer des milliers, alors que moi, c'est ma première.

Et soudain, se coupant lui-même :

— Dis-moi, ce Krymov, il a été fait prisonnier par les Allemands ?

— Krymov ? Qu'est-ce que ça peut bien te faire ?

— Comme ça ; j'ai entendu à son sujet une conversation intéressante à l'état-major du groupe d'armées.

— Je crois qu'il a été pris dans un encerclement, mais il n'a pas été fait prisonnier. Qu'est-ce que c'était, cette conversation ?

Guetmanov n'écoutait pas. Il frappa l'épaule de Kharitonov :

— Tu prends ce chemin de terre, le long du ravin, ça mène à l'état-major de la 1re brigade. Je sais me repérer, hein ?

Novikov savait déjà que Guetmanov ne suivait jamais le fil d'une conversation : il racontait une histoire, posait soudain une question, se lançait dans un nouveau récit qu'il coupait d'une nouvelle question. On aurait dit que sa pensée allait en zigzag sans aucune logique. Mais ce n'était qu'une apparence.

Guetmanov parlait souvent de sa femme et de ses enfants, il avait constamment sur lui un épais paquet de photos de famille, il avait envoyé à deux reprises un homme à Oufa leur porter des colis. Mais à peine arrivé, il tomba amoureux de la brune doctoresse du poste de secours, et ce n'était pas une simple passade. Un matin, Verchkov annonça à Novikov d'une voix tragique :

— Camarade colonel, la doctoresse a passé la nuit chez le commissaire, elle n'est repartie qu'à l'aube.

— Ce ne sont pas vos oignons, répondit Novikov. Vous feriez mieux de ne pas me prendre des sucreries en cachette.

Guetmanov ne faisait pas mystère de sa liaison avec Tamara Pavlovna. Et là encore, dans la steppe, il se pencha vers Novikov :

— Y a un petit gars qu'est tombé amoureux de la doctoresse, dit-il d'une voix douce, tendre et plaintive.

— Ça c'est un commissaire, dit Novikov en montrant du regard le chauffeur.

— Les bolcheviks ne sont pas des moines, que diable ! se justifia Guetmanov à voix basse. Tu comprends, je l'aime, espèce de vieil idiot que je suis.

Ils roulèrent en silence pendant quelques minutes.

Guetmanov reprit la parole, et c'était comme s'il n'avait pas fait de confidences quelques secondes auparavant.

— Et toi, dis donc, tu ne maigris pas. On peut dire que tu te retrouves dans ton élément ici. Moi, par exemple, je suis fait pour le travail dans le parti. Je suis arrivé dans mon obkom au moment le plus dur, un autre que moi en serait crevé : le plan des livraisons de blé n'est pas rempli, Staline m'a parlé à deux reprises au téléphone. Et moi, pas de problème, je grossissais comme pendant les vacances. Toi, c'est pareil.

— Je voudrais bien savoir pour quoi je suis fait. Peut-être bien pour la guerre, après tout.

Il éclata de rire.

— Je me suis aperçu que chaque fois qu'il m'arrive quelque chose d'intéressant, je me dis aussitôt qu'il ne faut pas que j'oublie d'en parler à Evguénia Nikolaïevna. Vous avez reçu votre première bombe, Néoudobnov et toi, et je me suis dit : faut que je lui raconte ça.

— Tu rédiges des rapports, quoi ? fit Guetmanov.

— En quelque sorte.

— C'est ta femme, c'est normal. C'est ce que nous avons de plus proche.

Ils arrivèrent à la 1re brigade, descendirent de voiture.

La tête de Novikov était toujours pleine de noms, de noms de lieux, de problèmes, de difficultés, de détails à résoudre ou déjà résolus, d'ordres à donner ou à reporter.

Parfois, il se réveillait au milieu de la nuit et il commençait à s'interroger : fallait-il ouvrir le feu à une distance supérieure à l'échelle de hausse, le tir en marche se justifiait-il, les commandants des unités sauront-ils apprécier vite et bien les changements de situation en cours de combat, sauront-ils prendre des décisions de manière autonome ?

Puis il s'imaginait ses chars, échelon après échelon, en train de briser les positions défensives des Allemands et des Roumains. Ils pénètrent dans la trouée, ils passent à l'exploitation, soutenus par l'aviation d'assaut, les canons automoteurs, les sapeurs, l'infanterie motorisée ; ils foncent toujours plus à l'ouest, ils s'emparent des passages de rivière, de ponts, ils débordent les champs de mines, ils réduisent les centres de résistance. Gagné par une émotion joyeuse, il s'asseyait sur le lit, posait ses pieds nus par terre, et restait assis dans le noir, le souffle coupé par le bonheur qui l'attendait.

Il n'avait jamais envie de parler de ces instants à Guetmanov. Maintenant, dans la steppe, il se sentait plus irrité qu'auparavant par Néoudobnov et Guetmanov. « Ils arrivent pour le dessert », se disait-il.

Il n'était plus le même qu'en 1941. Il buvait plus, jurait plus souvent, s'irritait à tout propos ; un jour il avait failli frapper le responsable du ravitaillement en carburant. Il avait remarqué qu'on le craignait.

— Je ne sais pas si je suis fait pour la guerre, poursuivit-il. Le mieux, ce serait de vivre avec la femme qu'on aime dans une isba, au fond de la forêt. Tu vas chasser, tu reviens le soir. Elle te fait à manger et vous allez vous coucher. Ce n'est pas la guerre qui nourrit un homme.

La tête penchée, Guetmanov le regarda avec attention.

Le commandant de la brigade, le colonel Karpov, était un homme aux joues rondes, aux cheveux roux et aux yeux de ce bleu lumineux propre aux rouquins. Il accueillit Novikov et Guetmanov auprès du poste radio de campagne.

Karpov avait combattu pendant un temps sur le front nord-ouest où il avait plus d'une fois enterré ses chars pour les transformer en pièces de feu fixes.

Il accompagnait Novikov et Guetmanov dans leur inspection du 1er régiment, et l'on aurait pu croire, à voir ses gestes posés, que c'était lui le chef.

En conformité avec sa corpulence, il aurait dû être un brave homme, porté sur la bière et aimant la bonne chère. Or, c'était un homme taciturne, froid, soupçonneux, mesquin. Il recevait mal ses hôtes, avait une réputation d'avarice.

Guetmanov le félicita pour le sérieux avec lequel avaient été creusés les abris, les emplacements pour les pièces d'artillerie, les abris pour les chars.

Le commandant de la brigade avait tenu compte de tous les facteurs : les terrains praticables pour une attaque des chars ennemis, la possibilité d'une attaque sur ses flancs ; il n'avait pas tenu compte d'une seule chose : qu'il lui fallait mener sa brigade dans des combats offensifs, créer une rupture du front, mener la poursuite.

Les hochements de tête approbateurs de Guetmanov irritaient de plus en plus Novikov. Karpov, par ses discours, semblait vouloir rajouter de l'huile sur le feu.

— Je voudrais raconter comme nous nous étions magnifiquement retranchés à Odessa. Le soir, nous avons lancé une contre-attaque, tapé un bon coup sur les Roumains ; la nuit, on s'est embarqués et les Roumains, à leur réveil, ont trouvé des tranchées vides, alors que nous, nous étions déjà en pleine mer Noire.

— Je vous souhaite de ne pas rester ici devant des lignes de défense roumaines vides, dit Novikov.

Il se demandait si Karpov saurait, pendant l'offensive, foncer de l'avant, laisser derrière lui des poches de résistance. Saurait-il foncer de l'avant en découvrant sa tête, sa nuque, ses flancs ? Était-il un homme à être habité par la passion de la poursuite ? Non, sûrement non, ce n'était pas dans sa nature.

Les tankistes, autour d'eux, vaquaient aux occupations ordinaires du soldat : l'un, assis sur le char, se rasait en se regardant dans un miroir appuyé contre la tourelle ; un autre nettoyait son arme ; un troisième écrivait une lettre, quelques-uns jouaient aux dominos sur une toile de tente ; tout un groupe faisait cercle autour de l'infirmière. Et ce tableau banal, sous le ciel immense, sur cette terre immense s'emplissait d'une mélancolie vespérale.

Pendant ce temps, le chef de bataillon accourait tout en vérifiant sa tenue et lançait un perçant :

— Bataillon, garde à vous !

Et comme pour le contredire, Novikov répondit :

— Repos, repos.

Là où le commissaire passait, lançant des phrases de part et d'autre, les rires fusaient, les visages devenaient joyeux, les soldats se lançaient des regards animés. Le commissaire demandait comment ils supportaient la séparation d'avec les jeunes filles de l'Oural, s'ils avaient noirci beaucoup de papier à leur écrire des lettres, s'ils recevaient régulièrement l'Etoile Rouge [1].

Le commissaire s'en prit à l'intendant :

— Qu'est-ce qu'il y avait aujourd'hui au repas ? Et hier ? Et avant-hier ? Et toi aussi t'as mangé trois jours de suite de la soupe d'orge perlé et de tomates vertes ?

« Qu'on fasse venir le cuistot, ordonna-t-il, soulevant le rire des tankistes. Qu'il nous dise ce qu'il a préparé aujourd'hui pour le déjeuner de l'intendant.

Par ses questions sur le côté matériel de leur vie, Guetmanov semblait dire aux commandants des unités : « Pourquoi donc ne pensez-vous qu'au matériel et jamais aux hommes ? »

L'intendant, un homme maigre chaussé de vieilles bottes poussiéreuses, aux mains rouges de lavandière, restait debout sans bouger devant Guetmanov et se raclait la gorge en guise de réponse.

Novikov eut pitié de lui et changea la conversation :

— Camarade commissaire, on va ensemble chez Belov ?

Avant-guerre déjà, on voyait en Guetmanov, et à juste titre, un homme de masse, qui savait gagner la sympathie et entraîner les hommes. A peine avait-il ouvert la bouche que les auditeurs souriaient ; son discours direct et vivant, les mots d'argot, les jurons

---

1. Journal de l'Armée Rouge (N.d.T.).

avaient vite fait de gommer la distance qui sépare le secrétaire de l'obkom et un manœuvre en bleu de travail graisseux.

Il commençait toujours par poser des questions sur la matérielle : Y a-t-il pas de retards dans les salaires ? Le magasin du village ou de l'usine est-il bien approvisionné ? Le foyer est-il bien chauffé ?

Il savait particulièrement bien parler aux ouvrières et kolkhoziennes d'un certain âge ; tout le monde se réjouissait de voir que le secrétaire était un serviteur du peuple, qu'il s'en prenait avec virulence aux intendants, aux directeurs de foyers, et le cas échéant aux directeurs d'usines ou de M.T.S. [1] quand ils ne tenaient pas suffisamment compte des intérêts de l'homme ouvrier. Il était fils de paysan, il avait lui-même travaillé en usine et les ouvriers le sentaient. Mais quand il était dans son bureau de secrétaire d'obkom, il ne pensait qu'à sa responsabilité devant l'État ; les préoccupations de Moscou étaient ses seules préoccupations ; et les directeurs d'usines, aussi bien que les secrétaires de raïkom ruraux, le savaient.

— Tu mets en danger le plan, est-ce que tu es capable de comprendre cela ? Sais-tu pourquoi le parti t'a confié ce poste, oui ou non ? Peut-être qu'il faut que je te fasse un dessin ?

Dans son cabinet, les plaisanteries et le rire n'étaient plus de mise ; on n'y parlait pas de l'eau chaude dans les foyers ou des plantes vertes dans les ateliers. On y fixait des plans de production tendus, on discutait de l'augmentation des normes, de la nécessité de reporter à plus tard la construction de logements ; on y disait qu'il fallait se serrer la ceinture, baisser les coûts de production, augmenter les prix de détails.

La force de cet homme se sentait plus particulièrement pendant les réunions qu'il tenait à l'obkom. Les gens entraient dans son bureau non pour y exposer leurs idées ou leurs exigences mais pour aider Guetmanov. Il semblait que toute la réunion était déterminée à l'avance par la volonté et l'intelligence de Guetmanov.

Il parlait toujours doucement, sans se presser, sûr qu'il était de l'obéissance de ses auditeurs.

« Parle-nous de ton district, donnons la parole, camarades, à l'agronome. Ce serait bien si tu nous exposais ton point de vue, Piotr Mikhaïlovitch. Que Lazko dise ce qu'il a à dire, il a des problèmes à ce niveau. Je vois que toi aussi, camarade Rodionov, t'as envie de nous tenir un discours ; à mon avis tout est clair, camarades, il est temps de conclure, je pense que personne n'y trouvera à redire. Il y a un projet de résolution, je propose que le camarade Rodionov nous le lise. » Et Rodionov, qui avait l'intention d'exprimer quelques doutes ou même des arguments contraires, lit consciencieusement la résolution en regardant le président de séance pour savoir si sa lec-

_____
1. Station de matériel agricole *(N.d.T.)*.

ture est bien audible. « Eh bien voilà, les camarades n'ont pas d'objections. »

Mais le plus étonnant était que Guetmanov semblait toujours parfaitement sincère. Il restait lui-même quand il exigeait des secrétaires de raïkom qu'ils remplissent le plan, quand il retirait aux kolkhoziens les derniers grammes de blé qu'on leur devait, diminuait les salaires des ouvriers, exigeait un abaissement des coûts, et augmentait les prix de détails, mais aussi quand, tout ému, il discutait avec des paysannes de leurs difficultés ou se désolait de la promiscuité dans les foyers ouvriers.

Ce n'est pas facile à comprendre, mais est-ce que tout est facile à comprendre, dans la vie ?

Quand Novikov et Guetmanov s'installèrent dans la voiture, Guetmanov dit, rieur, à Karpov qui les accompagnait :

— On est forcés d'aller manger chez Belov, pas la peine d'espérer un repas de vous et de votre intendant.

— Camarade commissaire, dit Karpov, notre intendant n'a encore rien obtenu des services d'intendance de l'armée. Quant à lui, faut que je vous dise, il ne mange rien, il est malade de l'estomac.

— Il est malade ? Quel malheur ! fit Guetmanov. Puis il étouffa un bâillement et fit signe au chauffeur de démarrer.

La brigade de Belov était stationnée nettement plus à l'ouest que celle de Karpov.

Belov, avec ses jambes torses de cavalier, sa maigreur, son esprit vif et sa parole rapide, plaisait à Novikov ; il voyait en lui l'homme des attaques soudaines, des trouées dans le front ennemi. Il était estimé bien qu'il n'eût que fort peu d'actions de guerre à son actif : il avait effectué un raid dans les arrières de l'ennemi en décembre 1941 devant Moscou.

Mais maintenant, inquiet, Novikov ne remarquait que les défauts de Belov : il buvait comme un trou, il courait le jupon, il était distrait, il n'était pas aimé de ses subordonnés. Belov n'avait pas préparé de position défensive. La logistique ne semblait pas l'intéresser. Il ne s'était préoccupé que du ravitaillement en carburant et en munitions. Il n'avait pas suffisamment préparé l'organisation de l'évacuation des chars endommagés sur le champ de bataille et de leur remise en état.

— Et alors, camarade Belov, dit Novikov, nous ne sommes quand même plus dans l'Oural, mais dans la steppe.

— Oui, ajouta Guetmanov, on dirait un campement tzigane.

— J'ai pris des mesures contre les attaques aériennes, répondit du tac au tac Belov, et je ne crains pas d'attaques terrestres ; elles me semblent, si loin du front, peu vraisemblables.

Il poursuivit en soupirant :

— Pas envie de défensive, ce qu'il nous faudrait, c'est une bonne percée ; je pleure après.

— Bravo, bravo, un vrai Souvorov soviétique, dit Guetmanov. Et passant soudain au « tu », il ajouta, sur un ton de confidence :

« Le responsable politique m'a dit que tu avais une aventure avec l'infirmière, c'est vrai, ça ?

Le ton bon enfant de Guetmanov empêcha Belov de comprendre la question et son danger :

— Pardon, qu'est-ce qu'il a dit ?

Mais le sens de la question lui parvint avant que Guetmanov ne répète sa phrase :

— On est tous des hommes, dit-il, nous sommes en campagne.

— Tu as une femme, un enfant.

— Trois enfants, corrigea Belov, l'air sombre.

— Eh bien, tu vois, trois enfants. Tu sais que dans la deuxième brigade, on a relevé de son commandement Boulanovitch, un bon chef d'escadron pourtant, on l'a remplacé par Kobyline, et tout ça pour une histoire comme la tienne. Quel exemple donnes-tu à tes subordonnés ? Un officier russe, un père de trois enfants.

Belov prit la mouche et dit d'une voix forte :

— Ça ne regarde personne, je ne l'ai pas forcée. Quant à l'exemple, on l'a montré avant moi, et avant vous, et avant votre père.

Guetmanov repassa au « vous » et dit, sans élever la voix :

— Camarade Belov, pensez à votre carte du parti. Tenez-vous correctement quand un supérieur vous parle.

Belov se redressa, se figea dans un garde-à-vous impeccable :

— Je regrette, camarade commissaire de brigade, je comprends mon erreur.

— Je suis sûr que tu sauras bien combattre, ton commandant a confiance en toi. Ne te déshonore pas sur le plan personnel.

Guetmanov regarda sa montre, se tourna vers Novikov :

— Piotr Pavlovitch, je dois me rendre à l'état-major. Je n'irai pas avec vous chez Makarov. J'emprunterai une jeep à Belov.

Quand ils sortirent de l'abri, Novikov n'y tint pas et demanda :

— Alors, tu as hâte de retrouver ta doctoresse ?

Des yeux froids le fixèrent avec étonnement et une voix irritée lui répondit :

— Je suis convoqué à l'état-major du groupe d'armées par le membre du Conseil d'armée.

Avant de rentrer, Novikov décida de passer chez son favori, le commandant de la première brigade, Makarov.

Ils allèrent vers le lac sur la rive duquel était stationné un des bataillons de la brigade. Makarov, dont les yeux tristes ne correspondaient pas à l'image qu'on se fait d'un commandant d'une brigade de chars lourds, demanda à Novikov s'il se souvenait des marécages biélorusses où les Allemands les avaient pourchassés.

Novikov se souvenait des marécages biélorusses.

Il pensa à Karpov et à Belov. Ce n'était pas seulement une question d'expérience mais de nature. L'expérience, ils pourront l'acquérir, mais il ne faut pas aller contre la nature. On ne peut transférer un pilote de chasse chez les bombardiers. Tout le monde ne peut pas être comme Makarov, aussi bon dans la défensive que dans la poursuite.

Guetmanov disait qu'il était fait pour le travail dans le parti. Makarov, lui, c'était un soldat. On ne pouvait pas le changer, il resterait toujours un soldat de première.

Novikov n'avait pas envie de lui demander conseil, de partager avec lui ses soucis.

Ils arrivèrent au P.C. du bataillon.

Il se trouvait dans un ravin peu profond. Fatov, le chef du bataillon, à la vue de Novikov et Makarov, ne savait que faire ; il lui semblait que son abri ne convenait pas à ces hôtes de marque.

— Nous ne devons pas oublier une chose, dit Novikov ; notre corps aura à remplir une mission décisive et je confierai la part la plus dure de cette mission à Makarov ; et j'ai comme l'impression que Makarov confiera la part la plus difficile de sa mission au bataillon de Fatov. Et ça sera à vous de résoudre vos problèmes, je n'irai pas vous imposer mes décisions pendant le combat.

Il interrogea Fatov sur l'organisation de la liaison avec l'état-major du régiment et les commandants des escadrons, sur la radio, sur les réserves en munitions, sur la qualité du carburant.

Avant de partir, Novikov demanda :

— Alors, Makarov, vous êtes prêt ?

— Pas encore tout à fait, camarade colonel.

— Vous aurez assez de trois jours ?

— Oui, camarade colonel.

Sur le chemin du retour, Novikov dit au chauffeur :

— Alors, Kharitonov, on dirait que tout va bien chez Makarov, hein ?

— Comment donc, répondit Kharitonov en louchant du côté de Novikov, tout est parfait. Le responsable de l'approvisionnement s'est saoulé et il est parti en fermant tout à clef ; un bataillon est venu chercher ses rations et s'est cassé le nez. Un sergent m'a raconté que le chef de son escadron a bu à son anniversaire toute la ration de vodka de ses soldats. J'ai voulu leur demander une roue de secours, je voulais réparer une chambre à air, ils n'avaient même pas de rustines.

34

Néoudobnov se réjouit quand, se penchant à la fenêtre de l'isba, il vit arriver la jeep de Novikov dans un nuage de poussière. Il avait déjà éprouvé ce sentiment un jour, dans son enfance. Ses parents sortaient et il se faisait une sorte de fête à l'idée de rester seul à la maison, mais à peine la porte d'entrée s'était-elle refermée qu'il voyait des voleurs dissimulés dans les coins, qu'il s'imaginait la maison en feu ; il allait de la porte à la fenêtre, tendait l'oreille, reniflait à la recherche d'une odeur de fumée.

Sans Novikov, il s'était senti désemparé. Ses méthodes de commandement ne servaient à rien. Et si l'ennemi arrivait ? Il n'y a que soixante kilomètres du front jusqu'ici. Et alors, que faire ? Il ne suffit plus de menacer de destitution ou d'accuser de liaison avec des ennemis du peuple. Si les chars vous foncent dessus, comment faire pour les arrêter ? Une idée d'une évidence aveuglante frappa Néoudobnov : le courroux de l'État, qui faisait se courber des millions d'hommes, ici, au front, ne valait plus tripette. On ne pouvait obliger les Allemands à remplir des questionnaires, à raconter leur vie devant une assemblée, à trembler d'avoir à avouer quelle était la position sociale de père et mère avant 1917.

Tout ce qu'il aimait, ce dont il ne pouvait se passer, ses enfants, n'était plus sous la protection de son État, si grand, si terrible, si proche. Et pour la première fois, il pensa à Novikov avec un sentiment mêlé de crainte et d'admiration.

Le colonel, entrant dans l'isba de l'état-major, lança aussitôt :

— Pour moi, c'est clair maintenant : Makarov ! Il sait prendre des décisions rapides en toutes circonstances. Belov va tout le temps foncer de l'avant, il ne connaît rien d'autre. Et il faudra pousser au cul Karpov, il est lent, un vrai cheval de labour.

— Les hommes décident de tout, étudier les hommes sans relâche, c'est ce que nous a appris Staline, commenta Néoudobnov. Je me dis tout le temps, ajouta-t-il brusquement, qu'il doit y avoir un agent allemand dans le village ; c'est lui, le salaud, qui a donné la position de notre état-major.

Néoudobnov mit au courant Novikov de ce qui s'était passé en son absence et lui annonça que les commandants des unités de soutien allaient leur rendre visite, comme ça, en voisins, pour faire connaissance.

— Dommage que Guetmanov ne soit pas là, dit Novikov. Qu'est-ce qu'il est allé y faire ?

Ils convinrent de manger ensemble et Novikov alla chez lui pour faire sa toilette et se changer. La rue du village était déserte ; seul, un vieux paysan se tenait devant le cratère creusé par la bombe. Les bras écartés, il semblait mesurer quelque chose, comme si c'était lui qui venait de creuser ce trou pour des besoins personnels. Arrivé à sa hauteur, Novikov lui demanda :

— Qu'est-ce que tu fabriques, le père ?

Le vieillard salua avant de répondre ;

— J'ai été prisonnier des Allemands en 1915, mon colonel ; et je travaillais chez une fermière. Alors je me dis comme ça (il montra le trou) que c'est mon fiston, ce petit con, qui est venu me rendre visite.

Novikov éclata de rire :

— Sacré vieux !

Il passa devant la maison où était cantonné Guetmanov, c'était justement celle du vieux, regarda les volets fermés et de nouveau il se demanda ce que Guetmanov était allé faire à l'état-major du groupe d'armées. Et soudain, un doute se glissa dans son esprit : « Il est faux comme un jeton quand même ; il engueule Belov pour sa conduite immorale et il a suffi que je lui parle de sa doctoresse pour qu'il se glace. »

Mais aussitôt ces pensées lui semblèrent futiles et injustifiées ; Novikov n'était pas de nature soupçonneuse.

Il tourna le coin de la maison et vit sur la place herbeuse quelques dizaines de jeunes gens, sûrement des mobilisés, qui se rendaient au commissariat militaire local et se reposaient autour du puits. Le soldat qui les accompagnait, fatigué, s'était endormi ; des sacs, des baluchons s'empilaient à côté de lui. Les garçons avaient dû marcher longtemps dans la steppe, ils avaient des ampoules et plusieurs d'entre eux s'étaient déchaussés. On ne leur avait pas encore coupé les cheveux et vus ainsi, de loin, on aurait dit les élèves d'une école de village bavardant pendant la récréation. Leurs visages maigres, leurs cous fins, leurs longs cheveux blonds, leurs vêtements rapiécés, taillés dans les pantalons et les vestes paternels, tout cela appartenait encore au monde de l'enfance. Quelques-uns jouaient à un vieux jeu de cour de récréation, Novikov y avait joué, lui aussi, en son temps ; ils jetaient des grosses pièces de cinq kopecks dans un trou. Les autres observaient le jeu, seuls les yeux n'avaient rien d'enfantin : ils étaient tristes et inquiets.

Ils avaient remarqué le colonel et ils regardaient du côté du soldat endormi ; visiblement, ils auraient eu envie de lui demander s'ils pouvaient rester assis à jouer en présence d'un officier.

— Ne vous arrêtez pas, dit Novikov, la voix douce, soudain. Et il passa en leur faisant un petit signe amical.

Le sentiment de pitié qu'ils éveillèrent en lui était d'une violence qui l'étonna lui-même. Ces visages aux yeux trop grands, ces pauvres vêtements de petits paysans lui avaient rappelé avec une acuité étonnante qu'il avait affaire à des enfants, à des adolescents... Une fois dans l'armée, tout cela disparaissait sous le casque, la discipline, le grincement des bottes, dans les gestes et les phrases obligatoires. Alors que là, tout était clair.

Il rentra chez lui et de toutes les pensées, impressions, inquiétudes de la journée, c'est cette rencontre avec les recrues qui resta fichée dans son esprit.

« Les hommes, se répétait sans cesse Novikov, les hommes, les hommes. »

Toute sa vie de soldat, il avait connu la peur d'avoir à rendre compte d'une perte de matériel ou de munitions, d'avoir à se justifier pour avoir abandonné sans ordre un sommet ou un carrefour... Mais il n'avait jamais vu qu'un chef se mette en colère parce qu'une opération avait coûté cher en hommes. Et parfois, un officier envoyait ses hommes sous le feu ennemi pour éviter la colère de ses supérieurs, pour pouvoir dire : « Je n'ai pas pu, j'y ai laissé la moitié de mes hommes, mais je n'ai pas pu occuper l'objectif. »

Les hommes, les hommes.

Il avait vu mener les hommes sous un feu meurtrier juste par bravade, par entêtement. Le mystère des mystères dans la guerre, son caractère tragique était dans ce droit qu'avait un homme d'envoyer d'autres hommes à la mort. Ce droit reposait sur le fait que les hommes allaient au feu au nom d'une cause commune.

Mais un officier que connaissait Novikov, un homme raisonnable et lucide, n'avait pas voulu, alors qu'il se trouvait à un poste d'observation avancé, renoncer à son habitude de boire du lait frais chaque matin. De temps en temps les Allemands tuaient le soldat du second échelon qui lui apportait du lait dans une bouteille thermos ; ces jours-là, cet officier devait se passer de lait. Mais le lendemain, un nouveau planton lui apportait, sous le feu ennemi, sa bouteille de lait. Et ce lait, c'était un homme juste, soucieux de ses subordonnés — « notre père », disaient les soldats — qui le buvait. Pas facile de s'y retrouver.

Néoudobnov passa chercher Novikov. Et Novikov, tout en se peignant rapidement, lui dit :

— Oui, camarade général, c'est quand même une chose terrible que la guerre ! Vous avez vu les recrues ?

— Ouais, du matériel humain de seconde zone, des morveux. J'ai réveillé le soldat qui les escortait et je lui ai promis de l'envoyer dans un bataillon disciplinaire. Quel laisser-aller, pas croyable !

Les romans de Tourguéniev aiment nous raconter comment les voisins rendent visite à une châtelaine qui vient de se retirer sur ses terres. Le soir, deux jeeps s'arrêtèrent devant l'état-major et les maîtres de maison sortirent pour accueillir leurs invités : le commandant de la division d'artillerie lourde, le commandant du régiment d'obusiers et celui de la brigade de lance-roquettes.

« ... Donnez-moi la main, cher lecteur, et nous allons nous rendre chez Tatiana Borissovna, ma voisine... »

Novikov avait entendu parler de Morozov, le colonel d'artillerie qui commandait la division ; et même, il se le représentait parfaitement : la tête ronde, sanguin... Mais, comme il se doit, c'était en fait un homme âgé au dos voûté.

Il semblait que ses yeux rieurs ne se trouvaient que par hasard sur ce visage renfrogné. Mais, parfois, leur intelligence joyeuse se faisait si vive qu'il semblait que c'étaient eux, les yeux, qui constituaient l'essentiel du colonel, alors que tout le reste, les rides, le dos voûté, n'était que des rajouts accidentels.

Lopatine, le commandant du régiment d'obusiers, aurait pu passer pour le fils ou même le petit-fils de Morozov.

Le troisième, Magid, un brun aux moustaches fines au-dessus d'une lèvre retroussée, se révéla un joyeux convive, aimant la plaisanterie et la conversation.

Novikov convia ses invités à table. Verchkov lui chuchota à l'oreille :

— Bien sûr, servez-la, on ne va pas la garder, cette vodka.

Morozov montra du doigt qu'il ne voulait pas plus d'un quart de verre :

— Pas plus, le foie.

— Et vous, lieutenant-colonel ?

— Pas de problème de foie, jusqu'en haut.

— Notre Magid ne mollit pas.

— Et vous, major, votre foie vous permet de boire ?

Lopatine, le commandant du régiment d'obusiers, couvrit son verre de la main :

— Non, merci, pas d'alcool.

Et, retirant sa main, il ajouta :

— Une goutte symbolique, juste pour trinquer.

— Lopatine va encore à la maternelle, dit Magid, il préfère les bonbons.

Ils levèrent leur verre au succès de leur travail commun. Puis, comme toujours dans ces cas-là, ils se trouvèrent des amis communs du temps des écoles militaires ou de l'Académie.

Ils parlèrent de leurs chefs, du désagrément de se retrouver en automne dans la steppe.

— Alors, c'est pour bientôt, la noce ? demanda Lopatine.

— Ça ne va plus tarder, maintenant, répondit Novikov.

— Quand il y a des « Katioucha », la noce est assurée, fit Magid.

Magid avait une haute opinion du rôle que jouaient ses lance-roquettes. Après le premier verre, il se fit condescendant, ironique, sceptique et distrait, et il déplut fortement à Novikov.

Novikov avait tendance, ces derniers temps, à essayer d'imaginer quelle aurait été l'attitude d'Evguénia Nikolaïevna à l'égard des hommes qu'il rencontrait, et réciproquement comment se comporteraient ses connaissances en présence de Génia.

« Magid, se dit Novikov, commencerait aussitôt à raconter des blagues, à se vanter, à faire le joli cœur. » Novikov éprouva soudain de la jalousie à l'égard de Magid, comme si Génia était en train d'écouter les astuces de ce beau parleur.

Il voulut montrer à Génia que lui aussi il pouvait briller, et il se mit à discourir sur la nécessité qu'il y avait à comprendre et connaître les gens avec qui on allait combattre, d'être capable de prévoir comment ils se comporteraient pendant le combat. Il parla de Karpov, qu'il faudrait pousser, de Belov, qu'il faudrait retenir et de Markov, qui savait prendre les bonnes décisions dans n'importe quelle situation.

De ces propos assez vides naquit une discussion qui était, bien qu'animée, tout aussi vide.

— Certes, dit Morozov, il faut corriger un peu, donner une orientation aux gens, mais il ne faut en aucun cas aller contre leur volonté.

— Il faut exercer une direction ferme, dit Néoudobnov. Il ne faut pas avoir peur des responsabilités.

Lopatine changea le cours de la conversation :

— Qui n'a pas été à Stalingrad ne sait pas ce qu'est la guerre.

— Pardon, rétorqua Magid, qu'est-ce que c'est Stalingrad ? De l'héroïsme, une résistance farouche, je ne le conteste pas et ce serait ridicule de vouloir le contester. Mais je n'ai pas été à Stalingrad, moi, et pourtant j'ai la prétention de savoir ce qu'est la guerre. Je suis un officier d'offensive. J'ai pris part à trois offensives, et j'ai pris part à des percées du front allemand et j'ai pénétré dans les brèches ; eh bien, je peux vous dire que l'artillerie a montré ce dont elle était capable, nous avons dépassé l'infanterie, mais aussi les chars, et même, si vous voulez savoir, nous précédions l'aviation.

— Allons, n'insistez pas, dit Novikov d'une voix hargneuse ; tout le monde sait que le char est le maître de la guerre de mouvement. Ça ne se discute même pas.

— Il y a aussi un autre procédé, dit Lopatine, poursuivant sa pensée. En cas de succès, on se l'approprie ; et en cas d'échec, on rejette la faute sur les voisins.

— Parlons-en, des voisins, dit Morozov. Un jour, le commandant d'une unité d'infanterie, un général, me demande de le soutenir. « Dis, mon vieux, arrose-moi donc un peu les hauteurs, là-bas. » « Quels calibres ? » je lui demande. Il me traite de tous les noms et répète sa phrase : « Ouvre le feu, que je te dis, et pas d'histoire ! » Après j'ai découvert qu'il ne connaissait pas les calibres des tubes, la portée, et que finalement il savait à peine lire une carte. « Tire, fils de pute » ; et à ses subordonnés : « En avant, ou je te fais sauter toutes tes dents ! En avant, ou je te fais fusiller ! » ; après cela, il est sûr qu'il est un grand stratège. On peut aussi avoir un voisin dans ce genre-là, et on peut se retrouver sous ses ordres, il est général, après tout.

— Vos propos, excusez-moi, ne sont pas ceux d'un soldat soviétique, dit Néoudobnov. Il n'y a pas de chefs comme cela, et qui plus est de généraux, dans les forces armées soviétiques !

— Comment ça, il n'y en a pas ? s'étonna Morozov. Mais j'en ai vu des tas, en une année de guerre, de gars de cet acabit. Je peux encore donner un exemple récent. Le chef de bataillon en pleurait : « Comment je peux mener mes hommes droit sur les mitrailleuses ? » Et moi je le soutiens : « Il a raison, laissez d'abord l'artillerie réduire leurs emplacements de tir. » Mais le commandant de la division, un général, lui aussi, se jette à coups de poing sur le chef de bataillon : « Ou tu montes à l'attaque, ou je te fais fusiller comme un chien ! » Que voulez-vous, il a mené ses hommes comme du bétail à l'abattoir.

— Oui, oui, et ça s'appelle « car tel est mon bon plaisir », dit Magid. Et je dois ajouter que ces généraux ne se multiplient pas par bourgeonnement, mais qu'ils mettent la main sur les petites jeunes filles des transmissions.

— Et ils ne peuvent pas écrire deux mots sans faire cinq fautes, ajouta Lopatine.

— Tout juste, dit Morozov qui n'avait pas entendu. Alors vous pouvez toujours essayer de ménager vos hommes après cela. Toute leur force, à ces gens-là, c'est qu'ils n'ont pas pitié des hommes.

Novikov se sentait en plein accord avec ce que disait Morozov. Lui aussi avait eu tout loisir de se heurter à des histoires du même genre.

Et il dit :

— Et comment voulez-vous ménager les hommes ? Si vous voulez ménager vos hommes, il ne faut pas faire la guerre.

Il avait été profondément ému par les jeunes recrues de ce matin, il avait envie d'en parler. Mais au lieu de laisser parler ce qu'il y avait de bon en lui, il répéta avec une rage et une grossièreté soudaines qui le laissèrent lui-même étonné :

— Et comment voulez-vous les ménager, les hommes ? A la guerre, on ne se ménage pas, et l'on ne ménage pas les autres. Le pire, c'est qu'on nous envoie des bleus à peine dégrossis et il faut leur confier un matériel précieux. Alors, je me demande, qu'est-ce qu'il faut ménager ?

Néoudobnov avait, pendant toute la conversation, suivi les interlocuteurs du regard. Néoudobnov avait fait périr plus d'un homme du genre de ceux qui étaient assis à cette table. Novikov se dit, et cette pensée l'étonna, que le malheur qui attendait cet homme au front serait le même que celui de Morozov, que le sien, que celui de Magid, de Lopatine, des jeunes paysans qui se reposaient ce matin sur la place du village.

— Ce n'est pas ce que nous dit le camarade Staline, commença Néoudobnov d'un ton sentencieux. Le camarade Staline nous dit que le bien le plus précieux, c'est l'homme. Notre capital le plus précieux est l'homme et il faut y veiller comme à la prunelle de nos yeux.

Novikov remarqua que tout le monde écoutait avec sympathie les paroles de Néoudobnov et il se dit : « C'est quand même bizarre. Maintenant, nos voisins vont me prendre pour une brute alors que Néoudobnov, paraît-il, ménage les hommes. Dommage que Guetmanov ne soit pas là, lui, c'est carrément le petit saint. »

Et, coupant Néoudobnov, il lança encore plus méchamment et grossièrement :

— Les hommes, ça ne manque pas chez nous, ce qui manque, c'est le matériel. N'importe quel crétin peut te faire un homme, ce n'est pas un char ou un avion. Si tu as pitié des hommes, ne te mêle pas de commander !

35

Le commandant du groupe d'armées de Stalingrad, le général Eremenko, avait fait venir le commandement du corps blindé, Novikov, Guetmanov, Néoudobnov. La veille, Eremenko avait inspecté les brigades mais n'était pas passé à l'état-major du corps d'armée. Tous les trois jetaient des regards à la dérobée, se demandant ce qui les attendait. Tout le monde se taisait.

— En gros, dit Eremenko, votre corps est prêt. Vous avez su trouver le temps pour le préparer.

Tout en parlant, il regardait du côté de Novikov, mais ce dernier ne semblait pas particulièrement se réjouir du compliment. Eremenko fut étonné par l'indifférence du commandant du corps d'armée car il savait qu'il avait la réputation d'être avare en compliments.

— Camarade général, dit Novikov, je vous ai déjà fait un rapport sur des unités de notre aviation d'assaut qui ont bombardé deux jours de suite la 137e brigade de chars dans le secteur des ravins.

Eremenko, les yeux plissés, se demandait quel but poursuivait Novikov : cherchait-il à se couvrir ou bien voulait-il couler le chef de l'aviation ?

— Heureusement encore, poursuivit Novikov, qu'ils n'ont pas atteint leurs objectifs. Ils n'ont pas appris à bombarder.

— Ce n'est rien, finit par répondre Eremenko. Vous aurez encore besoin d'eux. Ils sauront effacer leur faute.

— Bien sûr, camarade général, intervint à son tour Guetmanov. Nous n'avons pas l'intention de nous disputer avec les faucons de Staline.

— Très bien alors, dit Eremenko. Avez-vous pu voir le camarade Khrouchtchev comme vous le désiriez, camarade Guetmanov ?

— Nikita Sergueïevitch m'a ordonné de me présenter demain.

— Vous l'avez connu à Kiev ?

— Oui. J'ai travaillé deux ans avec Nikita Sergueïevitch.

— Dis-moi, général, s'adressa soudain Eremenko à Néoudobnov, c'est bien toi que j'ai vu un jour chez Tizian Petrovitch ?

— Oui, oui, ce jour-là, Tizian Petrovitch vous avait convoqué avec le maréchal Voronov.

— Ah oui, c'est juste.

— Et moi, à la demande de Tizian Petrovitch, j'ai rempli pendant un temps les fonctions de commissaire du peuple. C'est pour cela qu'il m'arrivait d'être invité chez lui.

— C'est donc cela. Je me disais bien que je vous avais déjà vu quelque part.

Et, désirant manifester une marque d'attention, il demanda :

— Tu ne t'ennuies pas dans la steppe, général ? J'espère que tu t'es bien installé ?

Et il hocha la tête en signe de satisfaction sans même attendre la réponse.

Les trois hommes sortaient déjà quand Eremenko rappela Novikov :

— Attends une seconde, colonel.

Novikov revint sur ses pas. Eremenko se pencha au-dessus du

bureau, soulevant son corps de paysan alourdi, et dit d'un ton hargneux :

— Ecoute un peu. Y en a un qui a travaillé avec Khrouchtchev, l'autre avec Tizian Petrovitch ; mais toi, tripe de soldat, mon enfant de salaud, n'oublie pas : c'est toi qui mèneras tes blindés dans la brèche.

36

Par une froide et sombre matinée, Krymov fut autorisé à quitter l'hôpital militaire. Sans même passer chez lui, il alla trouver le chef du service politique du groupe d'armées, le général Tochtcheïev, afin de lui rendre compte de son voyage à Stalingrad.

Il eut de la chance : Tochtcheïev était arrivé au bureau — une maison habillée de planches grises — de très bon matin, et il reçut Nikolaï Grigorievitch sans plus de délai.

Le chef du service politique, dont le nom correspondait à la silhouette [1] et qui ne cessait de loucher sur l'uniforme de général qu'il avait endossé depuis peu, fronça le nez, incommodé par l'odeur de phénol qui émanait de son visiteur.

— Je n'ai pu remplir la mission de la maison « 6 bis », pour cause de blessure, commença Krymov. Mais je peux, dès à présent, retourner là-bas.

Tochtcheïev lui lança un regard agacé, mécontent, et répondit :

— Inutile. Rédigez-moi une note de service.

Il ne posa pas la moindre question, ne critiqua ni n'approuva le rapport de Krymov.

Comme toujours, l'uniforme de général et les décorations détonnaient dans cette humble isba villageoise.

Mais ce n'était pas la seule chose étonnante.

Nikolaï Grigorievitch ne parvenait pas à comprendre d'où venait l'humeur morose de son supérieur.

Krymov se rendit dans la partie administrative du service politique afin d'y demander des tickets repas, d'y faire enregistrer son certificat de ravitaillement, et de régler diverses formalités concernant son retour de mission et les journées passées à l'hôpital.

Tandis qu'on s'occupait de ses papiers, Krymov, assis sur un tabouret, détaillait les visages des employées et collaborateurs.

---

1. Tochtcheïev est formé sur l'adjectif « Tochtchi » : maigre, émacié.. *(N.d.T.)*

Personne ne semblait s'intéresser à lui ; son retour de Stalingrad, sa blessure, rien de ce qu'il avait vu ou vécu n'avait le moindre sens, la moindre importance. Les gens des bureaux avaient autre chose à faire. Les machines à écrire crépitaient, on brassait du papier, les yeux des employés glissaient sur Krymov, puis replongeaient dans leurs dossiers, revenaient aux feuilles de papier éparpillées sur les tables.

Que de fronts plissés, que de tension dans les regards et les sourcils froncés, comme les gens semblaient absorbés par leur travail, avec quelle aisance ces mains triaient et classaient les papiers !

Seuls un bâillement convulsif, un coup d'œil furtif à la pendule — bientôt l'heure du déjeuner ? —, une expression hagarde, grise et ensommeillée, glissant dans le regard des uns ou des autres, témoignaient de l'ennui mortel éprouvé par ces gens, confits dans la chaleur des bureaux.

Un instructeur de la septième section, que Krymov avait déjà rencontré, vint jeter un coup d'œil. Krymov sortit avec lui dans le couloir pour fumer une cigarette.

— De retour ? demanda l'instructeur.

— Comme vous voyez.

Et comme l'instructeur ne demandait pas à Krymov ce qu'il avait vu à Stalingrad, Nikolaï Grigorievitch s'enquit :

— Quoi de neuf au service politique ?

La nouvelle la plus importante était la promotion du chef au rang de général.

Rigolard, l'instructeur raconta que Tochtcheïev, attendant son nouveau grade, était malade d'inquiétude — hé ! on ne rigole pas avec ces choses-là —, qu'il s'était commandé un uniforme chez le meilleur tailleur de l'armée, seulement voilà, Moscou tardait à envoyer la nomination. Des bruits alarmants couraient, selon lesquels on s'apprêtait à transférer des commissaires de régiment et de bataillon, et à les nommer capitaines ou lieutenants d'active.

— Vous imaginez ? conclut l'instructeur. Servir comme moi huit ans dans l'armée, en tant que politique, et me retrouver lieutenant d'active ?

Il y avait d'autres nouvelles. L'adjoint au chef de la section d'information avait été appelé à Moscou, à la Direction politique générale, où on l'avait fait monter en grade, puis nommé adjoint au chef du service politique pour le groupe d'armées de Kalinine.

Un membre du Conseil d'armée avait enjoint aux instructeurs de ne plus prendre leurs repas au mess du personnel d'encadrement, mais au réfectoire commun. On avait reçu l'ordre de retirer leurs tickets repas aux gens envoyés en mission, sans pour autant compenser par une ration de campagne.

Les poètes de la rédaction du front, Katz et Talalaïevski, avaient été proposés pour l'ordre de l'« Étoile Rouge », mais d'après les nouvelles instructions du camarade Chtcherbakov, les demandes de décorations pour les collaborateurs de la presse devaient passer par la Direction politique générale ; aussi les dossiers des deux poètes avaient-ils été envoyés à Moscou, mais, pendant ce temps, Eremenko avait signé la liste des propositions au niveau des groupes d'armées et tous ceux qui y étaient inscrits arrosaient déjà leurs décorations.

— Vous n'avez pas déjeuné ? demanda l'instructeur. Allons-y ensemble.

Krymov répondit qu'il attendait que ses papiers fussent prêts.

— Alors, j'y vais, dit l'instructeur, et en guise d'adieu, il eut cette plaisanterie un peu frondeuse : Il faut se dépêcher, sinon ils finiront par nous servir au réfectoire de l'économat militaire avec les salariés et les dactylos.

Ses papiers en règle, Krymov se retrouva bientôt dans la rue ; il s'emplit les poumons de l'air humide d'automne.

Pourquoi le chef du service politique l'avait-il accueilli avec aussi peu d'enthousiasme ? Pourquoi était-il fâché ? Parce que Krymov n'avait pas rempli sa mission ? Peut-être le chef n'avait-il pas cru à sa blessure, peut-être le soupçonnait-il de couardise ? Etait-il vexé que Krymov soit venu directement le voir, sans passer par les échelons intermédiaires, et à une heure où, d'ordinaire, il ne recevait pas ? Peut-être en voulait-il à Krymov de l'avoir appelé, à deux reprises, « camarade commissaire de brigade », au lieu de : « camarade général d'armée » ? Ou encore, allez savoir, peut-être Krymov n'avait-il rien à voir dans tout cela ? Il suffisait que Tochtcheïev n'ait pas été proposé pour l'ordre de Koutouzov. Ou qu'il ait reçu une lettre lui annonçant que sa femme était malade. Qui pouvait savoir pourquoi, ce matin-là, le chef du service politique du groupe d'armées était d'aussi mauvaise humeur ?

Au cours des semaines passées à Stalingrad, Krymov avait oublié les habitudes d'Akhtouba, oublié le regard indifférent des chefs du service politique, de ses collègues instructeurs ou des femmes de service à la cantine. A Stalingrad, tout était différent !

Au soir, il regagna sa chambre. Le chien de sa logeuse, qui semblait fait de deux morceaux distincts — un derrière roux tout hérissé de poils, et une gueule noire et blanche, toute en longueur — fut très heureux de le revoir. Ses deux parties manifestaient leur joie : son arrière-train roux, au crin embroussaillé, frétillait, tandis que sa gueule noire et blanche venait s'enfouir dans les mains de Krymov, et que ses bons yeux bruns le regardaient avec tendresse. Dans la pénombre crépusculaire, on eût dit que deux chiens faisaient des grâces à Krymov. Le chien l'accompagna jusque dans l'entrée. La logeuse apparut et lui cria d'un ton mauvais : « Veux-tu bien t'en aller, sale bête ! » Puis, tout aussi morose que le chef de la direction politique, elle salua Krymov.

Qu'elle lui parut froide, solitaire, cette chambre paisible, avec son lit, son oreiller à housse blanche et ses rideaux de dentelle aux fenêtres, après ses chères tranchées de Stalingrad, leurs tanières camouflées par des toiles de tente, leurs abris enfumés et humides !

Krymov prit place à la table et entreprit de rédiger son rapport. Il écrivait vite, jetant de rapides coups d'œil sur les notes prises à Stalingrad. Le plus pénible fut de parler de la maison « 6 bis ». Il se leva, arpenta la pièce, reprit sa place à la table, se releva, passa dans l'entrée, toussa, tendit l'oreille : cette maudite vieille n'allait-elle pas, enfin, lui proposer du thé ? Puis, avec le puisoir, il prit un peu d'eau dans le petit tonneau ; l'eau était bonne, meilleure qu'à Stalingrad. Il revint dans sa chambre, se rassit et se mit à réfléchir, la plume à la main. Pour finir, il s'étendit sur sa couche et ferma les yeux.

Comment était-ce possible ? Grekov avait tiré sur lui !

A Stalingrad, il avait eu le sentiment croissant d'un lien avec les gens, il s'était senti proche d'eux. A Stalingrad, il respirait plus librement. Les gens, là-bas, n'avaient pas ces regards vides, indifférents. Tout permettait de penser que, dans la maison « 6 bis », il percevrait, encore plus fort, le souffle de Lénine. Mais à peine en avait-il franchi le seuil qu'il avait ressenti une hostilité railleuse ; lui-même s'était mis à s'énerver, à tenter de leur redresser la cervelle, à les menacer. Pourquoi leur avait-il parlé de Souvorov ? Et Grekov qui avait tiré sur lui ! Aujourd'hui sa solitude, l'arrogance à son égard des « politiques » (des novices dans le parti et des ignares selon lui) étaient particulièrement pénibles. Quelle barbe d'avoir à se traîner chez un Tochtcheïev ! De sentir son regard tour à tour agacé, ironique et méprisant. Car Tochtcheïev, avec tous ses grades et ses médailles, n'arrivait pas à la cheville d'un Krymov, si on le mesurait vraiment à l'aune du parti. Ils n'étaient, pour le parti, que des gens de hasard, ils n'avaient rien à voir avec la tradition léniniste ! Beaucoup étaient entrés dans la carrière en 1937, en écrivant des dénonciations, en démasquant les ennemis du peuple. Et il se rappela cet extraordinaire sentiment de foi, de légèreté et de force qu'il avait éprouvé en marchant dans le passage, vers la tache de lumière.

La haine l'étouffait : Grekov l'avait chassé de cette vie qu'il désirait tant. En se rendant à cette maison, il se réjouissait de son nouveau destin. Il lui semblait que la vérité de Lénine vivait dans cette maison. Et Grekov avait tiré sur un bolchevik-léniniste ! Il avait rejeté Krymov dans les bureaux d'Akhtouba, dans cette vie de naphtaline ! Le salaud !

Krymov se rassit à la table. Il n'y avait rien, dans ce qu'il avait écrit, qui ne fût pas la vérité.

Il relut ses notes. Tochtcheïev, bien sûr, transmettrait son rapport à la Section spéciale. Grekov avait piétiné, détruit, politiquement, la hiérarchie militaire : il avait tiré sur un délégué du parti, un commissaire militaire. Krymov serait convoqué pour témoigner, sans doute même serait-il confronté avec le prévenu Grekov.

Il s'imaginait Grekov, pas rasé, le visage blême et jaunâtre, sans ceinturon, dans le bureau du juge d'instruction.

Comment Grekov avait-il dit ? « Vous avez eu un malheur, ça ne peut pas se mettre dans un rapport... »

Le secrétaire général du parti marxiste-léniniste avait été déclaré infaillible, presque divin ! En 1937, Staline n'avait pas épargné la vieille garde léniniste. Il avait trahi l'esprit de Lénine qui conciliait la démocratie qui régnait dans le parti avec une discipline de fer.

Etait-il pensable, légitime, d'avoir réglé leur compte aux membres du parti de Lénine avec tant de cruauté ? Grekov serait fusillé devant son régiment rassemblé. C'était terrible de frapper les siens ; mais Grekov n'était pas des nôtres, Grekov était un ennemi.

Krymov ne déniait pas au parti le droit de manier le glaive de la dictature. Il n'avait jamais eu de sympathie pour l'opposition. Il n'avait jamais considéré que Boukharine, Rykov, Zinoviev et Kamenev suivaient la voie léniniste. Trotski, malgré toute son intelligence et sa fougue révolutionnaire, n'était jamais parvenu à liquider son passé menchevique, il ne s'était pas élevé jusqu'à Lénine. Staline, oui, c'était une force ! C'est pour cela, d'ailleurs, qu'on l'appelait le Patron ! Jamais sa main n'avait tremblé, il n'avait pas la mollesse intellectuelle d'un Boukharine. Foudroyant ses ennemis, le parti de Lénine suivait Staline. Les mérites militaires de Grekov n'avaient rien à voir dans l'histoire. On ne discutait pas avec les ennemis, on ne prêtait pas l'oreille à leurs raisonnements.

Mais Nikolaï Grigorievitch eut beau faire, il n'éprouvait plus de haine à l'égard de Grekov.

Il se rappela la phrase : « Vous avez eu un malheur... »

« Aurais-je écrit, se demanda Krymov, une dénonciation ? Bien sûr, ce n'est pas mensonger, mais c'est tout de même une dénonciation... Rien à faire, mon cher, tu es membre du parti... Tu dois remplir ton devoir. »

Au matin, Krymov remit son rapport au service politique du groupe d'armées de Stalingrad.

Deux jours plus tard, il fut convoqué par le responsable de la section d'agitation et de propagande, le commissaire Oguibalov. Tochtcheïev ne pouvait recevoir Krymov, il était occupé avec un commissaire des blindés, rentrant du front.

Tout en nez, le visage blafard, méthodique et réfléchi, le commissaire Oguibalov dit à Krymov :

— Il vous faudra prochainement retourner sur la rive droite, camarade Krymov, mais cette fois à la 64ᵉ armée, chez Choumilov. A propos, une de nos voitures se rendra au P.C. de l'obkom du parti. De là, vous vous débrouillerez pour rejoindre Choumilov. Les secrétaires de l'obkom iront à Beketovka pour les fêtes de la Révolution d'Octobre.

Sans hâte, il dicta à Krymov tout ce qu'il serait chargé de faire au service politique de la 64ᵉ armée ; on lui confiait des missions insignifiantes et inintéressantes au point d'en être humiliantes, qui consistaient toutes à recueillir des renseignements écrits, dont on avait besoin, non pour de vraies actions, mais pour la paperasse des bureaux.

— Mais, et mon exposé ? demanda Krymov. A votre demande, j'ai préparé un exposé que je devais lire, pour les fêtes d'Octobre, dans les différentes unités.

— Nous nous en abstiendrons pour le moment, répondit Oguibalov, et il entreprit d'expliquer pourquoi Krymov devait s'en abstenir.

Alors que Krymov s'apprêtait à prendre congé, le commissaire de régiment lui dit :

— Pour ce qui est de votre rapport, le chef du service politique m'a mis au courant.

Le cœur de Krymov se serra : l'affaire Grekov était en cours. Le commissaire reprit :

— Notre fringant Grekov a eu de la veine ; le chef du service politique de la 62ᵉ armée nous a informés, hier, qu'il avait péri, avec tout son détachement, quand les Allemands ont donné l'assaut de l'usine de tracteurs.

Pour consoler Krymov, il ajouta :

— Son commandant l'avait proposé pour devenir héros de l'Union soviétique à titre posthume. Il est clair que nous enterrerons cette proposition.

Krymov écarta les bras, comme pour dire : « Bon, tant mieux pour lui s'il a eu de la veine. »

Baissant la voix, Oguibalov poursuivit :

— Le chef de la Section spéciale estime qu'il est peut-être encore en vie. Il se pourrait qu'il soit passé à l'ennemi.

Un billet attendait Krymov chez lui : on le priait de venir à la Section spéciale.

Apparemment, l'affaire Grekov n'était pas terminée.

Krymov décida de reporter cette désagréable conversation à son retour : l'homme était mort, il n'y avait donc pas urgence.

37

Au sud de Stalingrad, à l'usine « Chantiers navals » du hameau de Beketovka, l'obkom du parti décida d'organiser une séance solennelle, consacrée au vingt-cinquième anniversaire de la Révolution d'Octobre.

De bon matin, le 6 novembre, au P.C. souterrain de l'obkom de Stalingrad, dans le petit bois de chênes sur la rive gauche de la Volga, se réunirent les responsables régionaux du parti. Le premier secrétaire de l'obkom, les secrétaires de sections, les membres du bureau avalèrent un petit déjeuner bien chaud, de première catégorie, et quittèrent en voiture le petit bois de chênes, pour gagner la grand-route qui menait à la Volga.

C'était la route qu'empruntaient, de nuit, les chars et l'artillerie, pour se rendre au passage de Toumansk-sud. La steppe, défoncée par la guerre, hérissée de mottes de terre, brune, gelée et parsemée de flaques couleur de plomb, soudées par la glace, était d'une tristesse qui vous vrillait l'âme. La Volga charriait de la glace qu'on entendait crisser à plusieurs dizaines de mètres de la rive. Un vent fort soufflait en aval ; la traversée de la Volga, sur un chaland de fer découvert, n'avait, ce jour-là, rien de drôle.

Attendant la traversée, des soldats, aux manteaux battus par le vent glacial de la Volga, avaient pris place sur le chaland, collés les uns aux autres, évitant de toucher le métal imprégné de froid. Les hommes jouaient un bien triste air de claquettes, ils ramenaient leurs pieds sous eux ; mais vint le vent glacial et puissant d'Astrakhan, ils n'eurent plus la force de souffler sur leurs doigts, de se battre les flancs, ni même de se moucher : les hommes étaient gelés. Au-dessus de la Volga planaient des lambeaux de fumée, provenant de la cheminée d'un bateau à vapeur. Sur la glace, la fumée semblait particulièrement noire, et la glace paraissait encore plus blanche sous le bas rideau de fumée. La glace apportait la guerre des rives de Stalingrad.

Un corbeau à grosse tête s'était posé sur un bloc de glace et réfléchissait. Il y avait, en effet, matière à réflexion. A côté, sur un autre bloc, gisait un pan de capote brûlée. Sur un troisième pointait une botte de feutre dure comme la pierre, et une carabine se dressait dont le canon tordu était pris dans la glace. Les voitures des secrétaires et des membres du bureau grimpèrent sur le chaland. Les secrétaires et les membres du bureau en descendirent et, debout près du bastingage, contemplèrent la glace qui voguait lentement et prêtèrent l'oreille à son crissement.

Un vieux soldat aux lèvres bleuies, coiffé d'une toque de l'Armée Rouge et vêtu d'une courte pelisse — visiblement le responsable sur le chaland —, s'approcha du secrétaire chargé des transports, Laktionov, et, d'une voix rendue incroyablement rauque par l'humidité du fleuve et des années de vodka et de tabac, déclara :

— Voilà, camarade secrétaire : on est parti ce matin, dans la première fournée, y avait un petit matelot, là, sur la glace, les gars l'ont repêché, ils ont bien failli s'y noyer, il a fallu dégager à la pioche. Il est là-bas, sur la rive, sous la bâche.

De sa mitaine sale, le vieillard indiqua la berge. Laktionov regarda, mais il ne vit pas le corps arraché à la glace, et, pour cacher son malaise, il demanda, abrupt, presque grossier, en indiquant le ciel :

— Ils pilonnent beaucoup par ici ? A quels moments, surtout ?

Le vieil homme eut un geste de dénégation :

— On les bombarde, en ce moment.

Et il envoya un juron à l'adresse de l'ennemi affaibli ; sa voix, pour débiter ces insultes, avait perdu son enrouement, elle sonnait gaie et claire.

Le remorqueur tirait doucement le chaland en direction de Beketovka, vers la rive de Stalingrad, qui semblait bien paisible, bien banale, avec son amoncellement d'entrepôts, de guérites, de baraques.

Les secrétaires et les membres du bureau qui se rendaient à la fête en eurent bientôt assez de rester dans le vent et ils réintégrèrent les voitures. Les soldats les regardaient à travers les vitres, comme des poissons nageant bien au chaud dans leur aquarium.

Les dirigeants du parti de la région de Stalingrad, installés dans leurs voitures, fumaient, s'agitaient, bavardaient...

La séance solennelle eut lieu dans la nuit.

Les invitations ne se distinguaient de celles qu'on recevait en temps de paix que par le papier, gris, mou, de vraiment mauvaise qualité, et par le fait que le lieu de rendez-vous n'y figurait pas.

Les dirigeants du parti de Stalingrad, les invités de la 64e armée, les ingénieurs et ouvriers des entreprises voisines, se rendirent à l'assemblée, en compagnie de guides connaissant parfaitement la route : « On tourne ici, et là encore, attention, un trou d'obus, des rails, encore plus de prudence ici, il y a une fosse pleine de chaux... »

Partout, dans l'obscurité, résonnaient des voix, des bruits de bottes.

Krymov qui, dans la journée, avait eu le temps, après la traversée, de passer un moment au service politique de l'armée, se rendit à la fête avec les délégués de la 64e armée.

Il y avait, dans le mouvement secret, dispersé, de ces hommes, à travers le labyrinthe de l'usine, dans les ténèbres de la nuit, quelque chose qui évoquait les fêtes révolutionnaires de l'ancienne Russie.

Krymov haletait d'émotion, il sentait qu'il pourrait, là, au pied levé, prononcer un discours et savait, en tribun expérimenté, que les gens auraient éprouvé la même émotion, la même joie, en comprenant que l'exploit de Stalingrad était cousin du combat révolutionnaire des ouvriers russes.

Oui, oui, oui ! La guerre, qui avait soulevé de gigantesque forces nationales, était une guerre pour la révolution. Et il n'avait pas trahi la cause de la révolution, en évoquant Souvorov, dans la maison cernée. Stalingrad. Sébastopol, le destin de Radichtchev, la puissance du *Manifeste* de Marx, l'appel lancé par Lénine sur son automitrailleuse, près de la gare de Finlande, tout cela ne faisait qu'un.

Il aperçut Priakhine qui, comme toujours, cheminait d'un pas tranquille, sans hâte. C'était tout de même incroyable : Nikolaï Grigorievitch ne parvenait jamais à parler à Priakhine.

A peine arrivé au P.C. souterrain, il était allé trouver Priakhine [1] ; il avait tant de choses à lui raconter. Mais il n'avait pas pu, car le téléphone sonnait sans cesse et les gens se succédaient dans le bureau du premier secrétaire. Priakhine avait soudain demandé à Krymov :

— Tu connaissais un certain Guetmanov ?

— Oui, avait dit Krymov. C'était en Ukraine, au C.C. du parti. Il était membre du bureau du C.C. Pourquoi ?

Mais Priakhine n'avait pas répondu. Puis il y avait eu l'agitation du départ. Krymov était vexé : Priakhine ne lui avait pas proposé de prendre place dans sa voiture. A deux reprises, ils s'étaient, ensuite, trouvés nez à nez, mais Priakhine, comme s'il ne reconnaissait pas Nikolaï Grigorievitch, l'avait regardé dans les yeux avec froideur et indifférence.

Les militaires longeaient le couloir éclairé : il y avait là le commandant d'armée Choumilov, mou, avec sa grosse poitrine et son gros ventre, et le général Abramov, membre du Conseil d'armée, petit Sibérien aux yeux bruns, exorbités. Dans cette foule masculine, en vareuses, pelisses et vestes molletonnées, où marchaient des généraux et qui fleurait le tabac et la démocratie bon enfant, Krymov avait l'impression de retrouver l'esprit des premières années de la révolution, l'esprit de Lénine. Krymov l'avait éprouvé dès qu'il avait mis le pied sur la rive de Stalingrad.

Les membres de la présidence s'installèrent à leurs places et le pré-

---

1. Secrétaire du parti, vieil ami de Krymov. *(N.d.T.)*

sident du soviet de Stalingrad, Piksine, les mains appuyées sur la table, comme tous les présidents, toussa lentement du côté où le bruit était le plus fort et déclara ouverte la séance solennelle que le soviet de Stalingrad et les organisations du parti de la ville, en liaison avec les représentants des unités militaires et les ouvriers des usines de la ville, entendaient consacrer au vingt-cinquième anniversaire de la Grande Révolution d'Octobre.

Le bruit sec des applaudissements indiquait qu'ils provenaient de mains d'hommes, d'ouvriers et de soldats.

Puis, Priakhine, le premier secrétaire — lourd, lent, tout en front — commença son rapport. Et il n'y eut plus de commune mesure entre la journée d'hier et celle d'aujourd'hui.

On eût dit que Priakhine avait engagé une polémique avec Krymov, qu'il réfutait son inquiétude par ses propos calmes et posés.

Les entreprises de la région remplissaient le plan. Malgré un léger retard, les districts agricoles de la rive gauche avaient, dans l'ensemble, assuré l'approvisionnement de l'État de façon satisfaisante.

Les entreprises situées dans la ville, ou un peu au nord, n'avaient pu remplir leurs obligations envers l'État, puisque se trouvant en pleine zone d'opérations militaires.

C'était le même homme qui, un jour, debout à côté de Krymov à un meeting du front, avait arraché son bonnet en s'écriant :

— Camarades soldats, frères, à bas la guerre sanglante ! Vive la liberté !

A présent, les yeux braqués sur la salle, il racontait que la chute constatée dans la région pour les livraisons de céréales s'expliquait par le fait que les districts de Zimovni et de Kotelni étaient le théâtre des opérations militaires, et que ceux de Kalatch et de Kourmoïarsk étaient partiellement ou totalement tombés aux mains de l'ennemi.

Puis le rapporteur indiqua que la population, tout en continuant de travailler à remplir ses obligations envers l'État, avait pris une large part aux combats menés contre l'envahisseur fasciste. Il donna les chiffres sur la participation des travailleurs de la ville aux unités de milice populaire, et, précisant que ses renseignements étaient incomplets, il lut la liste des habitants de Stalingrad, décorés pour s'être acquittés de façon exemplaire des missions confiées par le haut commandement, et pour le courage et la vaillance dont ils avaient fait preuve.

Par sa froideur de pierre, le discours de Priakhine confirmait le triomphe absolu de l'État, que les hommes avaient défendu par leurs souffrances et leur passion de la liberté.

Les visages des soldats et des ouvriers étaient sérieux, graves.

Comme il était étrange, pénible d'évoquer ceux qu'il avait connus à Stalingrad, Tarassov, Batiouk, ses conversations avec les combattants de la maison « 6 bis » encerclée. Comme il était difficile, désagréable, de penser à Grekov, qui avait péri dans les ruines de la maison encerclée.

Après tout, que lui était-il, ce Grekov, qui avait prononcé ces paroles si troublantes ? Grekov avait tiré sur lui. Pourquoi lui semblaient-elles si froides, si étrangères, les paroles de Priakhine, ce vieux camarade, premier secrétaire du comité régional de Stalingrad ? Quel sentiment étrange, complexe !

Priakhine disait, près de conclure :

— Nous sommes heureux de rapporter au grand Staline que les travailleurs de la région ont rempli leurs obligations envers l'État soviétique...

Le rapport terminé, Krymov, se frayant un passage vers la sortie parmi la foule, chercha Priakhine des yeux. Ce n'était pas ainsi qu'il aurait dû faire son rapport, en ces jours où les combats faisaient rage à Stalingrad.

Soudain, Krymov l'aperçut : Priakhine avait quitté l'estrade et, debout à côté du commandant de la 64e armée, le fixait, lui, Krymov, d'un regard immobile, pesant. Puis, remarquant que Krymov regardait dans sa direction, Priakhine détourna lentement les yeux.

« Qu'est-ce que cela veut dire ? » se demanda Krymov.

38

Durant la nuit, après la séance solennelle, Krymov trouva une voiture qui se rendait à la centrale électrique.

La centrale avait, cette nuit-là, un air particulièrement lugubre. La veille, elle avait subi l'attaque des bombardiers lourds allemands. Les obus avaient creusé des cratères, élevé des remparts de mottes de terre. Par endroits, les ateliers, aveugles, sans vitres, s'étaient affaissés sous le choc, le bâtiment à deux étages de l'administration était déchiqueté.

Les transformateurs à huile fumaient, brûlant paresseusement d'une petite flamme dentelée.

La sentinelle, un jeune Géorgien, conduisit Krymov à travers la cour éclairée par la flamme. Krymov remarqua que les doigts de son guide tremblaient, lorsqu'il alluma sa cigarette : les immeubles de pierre n'étaient pas les seuls à brûler et à crouler sous les tonnes de bombes ; les hommes aussi brûlaient, rejoignaient le chaos.

Depuis l'instant où Krymov avait reçu l'ordre de se rendre à Beketovka, l'idée de rencontrer Spiridonov ne le quittait pas.

Et si Génia se trouvait là, à la centrale ? Peut-être Spiridonov [1] avait-il des nouvelles, peut-être lui avait-elle envoyé une lettre, en ajoutant ce post-scriptum : « Savez-vous quelque chose de Nikolaï Grigorievitch ? »

Il était inquiet et heureux. Peut-être Spiridonov lui dirait-il : « Evguénia Nikolaïevna était toute triste. » Ou mieux encore : « Vous savez, elle pleurait. »

Depuis le matin, son impatience de se rendre à la centrale ne faisait que croître. Dans la journée, il avait eu très envie de passer chez Spiridonov, ne serait-ce que quelques instants.

Mais il s'était dominé, s'était rendu au Q.G. de la 64e armée, bien qu'un instructeur du service politique lui eût murmuré à l'oreille :

— Inutile de vous presser de rendre visite au membre du Conseil d'armée. Il est saoul depuis ce matin.

Et en effet, Krymov avait eu tort de préférer le général à Spiridonov. Attendant d'être reçu dans le Q.G. souterrain, il avait entendu, derrière la cloison en contre-plaqué, le membre du Conseil d'armée dicter à la dactylo une lettre de félicitations à son voisin Tchouïkov.

Il avait commencé, solennellement, par un :

— Vassili Ivanovitch, soldat et ami !

Sur ce, le général avait fondu en larmes et répété plusieurs fois, en reniflant : « Soldat et ami, soldat et ami ! »

Puis il avait sévèrement demandé :

— Qu'est-ce que tu as écrit ?

— Vassili Ivanovitch, soldat et ami, lut la dactylo.

Sans doute son ton ennuyé lui avait-il paru inconvenant, car il l'avait corrigée, en répétant, d'un ton noble :

— Vassili Ivanovitch, soldat et ami.

Puis, de nouveau, il avait versé dans la sentimentalité et marmonné : « Soldat et ami, soldat et ami ».

Enfin, surmontant ses larmes, le général avait demandé d'un ton sévère :

— Qu'est-ce que tu as écrit ?

— Vassili Ivanovitch, soldat et ami, avait répondu la dactylo.

Krymov comprit qu'il aurait pu ne pas se dépêcher.

La flamme trouble embrouillait le chemin plus qu'elle ne l'éclairait. Elle semblait sortir des profondeurs de la terre ; mais peut-être était-ce la terre elle-même qui brûlait, tant cette flamme basse était humide et lourde.

---

1. Directeur de la centrale, mari de la sœur d'Evguénia Nikolaïevna, Maroussia. *(N.d.T.)*

Ils se rendirent au P.C. souterrain du directeur de la centrale. Des bombes, tombées tout près, avaient formé de hautes collines de terre, et l'on distinguait à peine le sentier vaguement tracé par les pas qui menaient jusqu'à l'abri.

La sentinelle déclara :

— Vous arrivez juste pour la fête.

Krymov se dit qu'il ne pourrait confier ni demander à Spiridonov tout ce qu'il voulait, en présence d'autres personnes. Il ordonna au garde de faire venir le directeur à la surface, en lui annonçant qu'un commissaire souhaitait le voir. Il se retrouva seul et une angoisse insurmontable s'empara de lui.

« Qu'est-ce qui m'arrive ? se dit-il. Je me croyais pourtant guéri. Est-il possible que la guerre ne m'ait pas guéri ? Que vais-je faire ? »

— File, file, file, tire-toi, sinon tu vas y laisser ta peau ! marmonnait-il.

Mais il n'avait pas la force de partir, de filer d'ici.

Spiridonov sortit de l'abri.

— Je vous écoute, camarade, dit-il, d'une voix mécontente.

Krymov demanda :

— Tu ne me reconnais pas, Stépan Fiodorovitch ?

Spiridonov reprit, alarmé :

— Qui est là ?

Et, fixant le visage de Krymov, il s'exclama soudain :

— Nikolaï, Nikolaï Grigorievitch !

Ses bras entourèrent convulsivement le cou de Krymov.

— Mon cher Nikolaï ! dit-il, avec un reniflement.

Et Krymov, saisi par cette rencontre au milieu des ruines, sentit qu'il pleurait. Seul, il était complètement seul... La confiance, la joie de Spiridonov lui montraient comme il était proche de la famille d'Evguénia Nikolaïevna et cette proximité lui faisait mesurer, de nouveau, la souffrance de son âme. Pourquoi, pourquoi était-elle partie, pourquoi avait-elle causé tant de souffrances ? Comment avait-elle pu faire cela ?

Spiridonov dit :

— Tu sais ce qu'a fait cette guerre ? Elle a ruiné ma vie. Ma Maroussia n'est plus.

Il parla de Vera, raconta que, quelques jours auparavant, elle avait enfin quitté la centrale et gagné la rive gauche de la Volga. Il conclut :

— C'est une sotte.

— Et son mari, où est-il ? demanda Krymov.

— Il y a sans doute longtemps qu'il n'est plus de ce monde. Tu parles, pilote de chasse...

Incapable de se retenir plus longtemps, Krymov demanda :

— Et Evguénia Nikolaïevna ? Est-elle toujours en vie ? Où est-elle ?

— Elle est vivante, à Kouïbychev ou à Kazan, je ne sais plus.

Et regardant Krymov, il ajouta :

— Elle est vivante, c'est l'essentiel !

— Oui, oui, bien sûr, c'est l'essentiel, répondit Krymov.

Mais il ne savait plus ce qui était l'essentiel. Il ne savait qu'une chose : cette douleur, là, dans son âme, existait toujours. Il savait que tout ce qui avait trait à Evguénia Nikolaïevna lui faisait mal. Qu'il apprît qu'elle était bien et vivait tranquillement ou qu'elle souffrait et avait connu le malheur, de toute façon il aurait aussi mal.

Stépan Fiodorovitch parla d'Alexandra Vladimirovna, de Sérioja, de Lioudmila, et Krymov hochait la tête, en balbutiant tout bas :

— Oui, oui, oui... Oui, oui, oui...

— Entrons, Nikolaï, dit Stépan Fiodorovitch. Entrons chez moi. Désormais, je n'ai pas d'autre maison. Il ne me reste que celle-ci.

Les petites flammes vives des torches ne parvenaient pas à éclairer le souterrain, empli de paillasses, d'armoires, d'appareils, de bouteilles, de sacs de farine.

Le long des murs, des gens avaient pris place sur des lits de camp, des bancs, des caisses. Les conversations faisaient vibrer l'air étouffant.

Spiridonov versa l'alcool dans des verres, des quarts, des couvercles de gamelles. Le silence se fit, tous le regardaient étrangement. C'était un regard profond et sérieux, dénué d'angoisse, où on ne lisait que foi dans la justice.

Détaillant les visages des gens assis là, Krymov pensa :

« C'est Grekov qui aurait été bien, ici. Voilà quelqu'un à qui il eût fallu servir un verre. » Mais Grekov avait déjà vidé son compte de verres, il ne lui serait plus donné de boire sur cette terre.

Spiridonov se leva, un verre à la main, et Krymov se dit :

« Il va tout gâcher. Il va nous balancer un discours dans le genre de Priakhine. »

Mais Stépan Fiodorovitch décrivit dans l'air un huit avec son verre et déclara :

— Eh bien, les gars, buvons. Je vous souhaite de bonnes fêtes.

Les verres et les quarts de fer-blanc s'entrechoquèrent, les buveurs se raclèrent le gosier, en hochant la tête.

Il y avait là les gens les plus divers ; l'État, avant la guerre, les avait tous répartis à des places différentes, et jamais ils ne se trouvaient à la même table, jamais ils ne se tapaient sur l'épaule, en disant : « Si, écoute voir un peu, j'ai quelque chose à te dire. »

Mais là, dans ce souterrain au-dessus duquel se trouvait la centrale en ruine, où brûlait l'incendie, était née cette fraternité toute simple pour laquelle on donnerait sa vie tant on l'apprécie.

Un vieillard aux cheveux gris, le gardien de nuit, entonna une vieille chanson qu'aimaient à chanter, avant la révolution, les gars de l'usine française, à Tsaritsyne [1].

Il chantait d'une voix aiguë, fine, celle de sa jeunesse, et elle lui semblait à lui-même étrangère, et il l'écoutait avec cet étonnement amusé que suscite d'ordinaire la ritournelle d'un inconnu en goguette.

Un second vieillard, aux cheveux bruns, sérieux, le sourcil froncé, écoutait cette chanson sur l'amour, sur la souffrance amoureuse.

Et c'est vrai qu'il était plaisant d'écouter ce chant, c'est vrai qu'il était terrible et magnifique cet instant qui réunissait le directeur et le planton de la boulangerie, le gardien de nuit et la sentinelle, qui mêlait le Kalmouk, le Russe, le Géorgien.

Quand le gardien eut fini sa chanson d'amour, le vieillard brun se renfrogna encore plus et se mit à chanter, faux et sans voix :

— « Du passé, faisons table rase... »

Le délégué du C.C. du parti s'esclaffa, en hochant la tête, et Spiridonov fit de même.

Krymov s'esclaffa lui aussi et demanda à Spiridonov :

— Le vieux a dû être menchevik, fut un temps, non ?

Spiridonov connaissait tout d'Andreïev et il l'aurait bien volontiers raconté à Krymov, mais il craignait que Nikolaïev n'entendît, et le sentiment de fraternité toute simple disparut un instant ; interrompant le chant, Spiridonov s'écria :

— Pavel Andreïevitch, vous vous trompez de chant !

Andreïev se tut aussitôt, le regarda, puis dit :

— Ah ! tiens, je n'aurais pas cru. J'ai dû rêver.

La sentinelle, un Géorgien, montra à Krymov sa main, à la peau arrachée.

— J'ai déterré un ami, Vorobiov Sérioja qu'il s'appelait.

Ses yeux noirs étincelèrent, il dit, un peu essoufflé, et ce fut comme un cri perçant :

— Le Sérioja, je l'aimais plus qu'un frère.

Le gardien de nuit aux cheveux gris, un peu ivre, tout en sueur, ne lâchait pas le délégué du C.C., Nikolaïev :

— Non, écoute-moi plutôt ; Makouladzé affirme qu'il aimait Sérioja Vorobiov plus que son propre frère, s'il vous plaît ! Tu sais, j'ai travaillé dans une mine d'anthracite. Si tu avais vu comme le propriétaire m'aimait, me respectait ! On vidait une bouteille ensemble,

---

1. Nom de Stalingrad avant la révolution. *(N.d.T.)*

et je lui chantais des chansons. Il me le disait carrément : T'es comme mon frère, bien que tu ne sois qu'un mineur. On bavardait, on déjeunait ensemble.

— Un Géorgien, sans doute ? demanda Nikolaïev.

— Qu'est-ce que tu viens me parler de Géorgiens ! C'était Monsieur Voskressenski, qui possédait toutes les mines. Tu ne peux pas comprendre combien il me respectait. Un homme qui avait un capital d'un million ! Voilà quel homme c'était ! Tu piges ?

Nikolaïev échangea un regard avec Krymov, ils eurent tous deux un clin d'œil ironique, hochèrent la tête.

— Dites donc ! fit Nikolaïev. En effet ! On en apprend tous les jours.

— C'est ça, instruis-toi, rétorqua le vieillard, sans paraître remarquer les moqueries.

Ce fut une étrange soirée. Tard dans la nuit, quand les gens commencèrent à partir, Spiridonov dit à Krymov :

— Nikolaï, inutile de remettre votre manteau, je ne vous laisserai pas partir. Vous passerez la nuit chez moi.

Il fit un lit à Krymov, sans hâte, s'appliquant à bien disposer les choses : la couverture, le couvre-pieds doublé d'ouate, la toile de tente. Krymov sortit de l'abri ; il resta un moment dans l'obscurité, à regarder les flammes dansantes, puis redescendit. Spiridonov n'avait toujours pas terminé d'installer le lit.

Quand Krymov retira ses bottes et se coucha, Spiridonov lui demanda :

— Alors, bien installé ?

Il caressa les cheveux de Krymov et le gratifia d'un bon sourire, un peu ivre.

Curieusement, le feu qui brûlait là-haut avait rappelé à Krymov les feux de janvier 1924, à l'Okhotny Riad, quand on avait enterré Lénine.

Tous ceux qui passaient la nuit dans le souterrain semblaient s'être endormis. Les ténèbres étaient impénétrables.

Krymov était étendu, les yeux ouverts ; il ne remarquait pas l'obscurité, il pensait, pensait, se souvenait...

Il avait fait, tous ces jours-là, un froid terrible. Le ciel sombre d'hiver au-dessus des coupoles du monastère Strastny, des centaines de personnes en toques à oreillettes, en bonnets pointus, en capotes militaires et vestes de cuir. La place Strastnaïa était soudain devenue toute blanche, couverte de milliers de tracts : une proclamation du gouvernement.

La dépouille de Lénine avait été transportée de Gorki jusqu'à la gare sur un traîneau de paysan. Les patins crissaient, les chevaux s'ébrouaient. Kroupskaïa suivait le cercueil, coiffée d'une petite toque ronde et emmitouflée dans un châle ; elle était accompagnée par les sœurs de Lénine, Anna et Maria, des amis et des paysans de Gorki. C'est ainsi que l'on conduit à leur dernière demeure les instituteurs, les médecins de campagne, les agronomes.

Le silence était tombé sur Gorki. Les carreaux de faïence des poêles hollandais brillaient ; près du lit avec sa couverture de coton blanc, comme en été, il y avait une petite armoire, pleine de fioles aux goulots ceints d'une étiquette. Il flottait une odeur de médicaments. Une femme entre deux âges, vêtue d'une blouse d'infirmière, pénétra dans la pièce vide. Par habitude, elle marchait sur la pointe des pieds. Passant devant le lit, elle prit, sur une chaise, une ficelle où pendait un morceau de journal, et un jeune chat qui dormait sur un fauteuil, entendant le son familier de son jouet, leva brusquement la tête, regarda le lit déserté et, en bâillant, se recoucha.

Les parents et les camarades proches qui suivaient le cercueil évoquaient le défunt. Les deux sœurs se rappelaient le petit garçon blond, son caractère difficile ; il se faisait parfois railleur, exigeant jusqu'à la cruauté, mais il était toujours gentil, aimait sa mère, ses sœurs, ses frères.

Son épouse se le rappelait à Zurich, accroupi, en grande conversation avec la petite-fille de Tilly, leur logeuse ; cette dernière avait dit, avec cet accent suisse qui amusait tant Vladimir :

— Il vous faut avoir des enfants.

Il avait alors lancé un regard rapide et malicieux à Nadejda Konstantinovna.

Les ouvriers de « Dynamo » étaient venus à Gorki. Vladimir était allé à leur rencontre, avait oublié son état, avait voulu leur parler ; il n'avait proféré qu'un pitoyable mugissement et avait eu un geste de découragement. Les ouvriers l'avaient entouré et s'étaient mis à pleurer en le regardant pleurer. Et ce regard qu'il avait eu à la fin, effrayé, pitoyable, comme d'un gosse à sa mère.

On distinguait au loin les bâtiments de la gare. sur la neige la locomotive se détachait plus noire encore, avec sa haute cheminée.

Les amis politiques du grand Lénine, qui, la barbe couverte de givre, marchaient derrière le traîneau — Rykov, Kamenev, Boukharine — regardaient distraitement un homme grêlé, au visage mat, vêtu d'une longue capote militaire et chaussé de bottes en cuir souple. D'ordinaire, ils ne manifestaient qu'ironie condescendante à l'égard du costume de cet homme du Caucase. Si Staline avait eu plus de tact, il ne se serait pas rendu à Gorki où s'étaient réunis les plus proches parents et amis du grand Lénine. Ils ne pouvaient comprendre qu'il deviendrait le seul héritier de Lénine, qu'il les évincerait tous, même les plus proches, même sa femme.

Boukharine, Rykov, Zinoviev n'avaient pas la vérité léniniste de leur côté. Ni Trotski. Ils s'étaient trompés. Aucun d'eux n'était devenu le continuateur de Lénine. Mais Lénine lui-même, jusqu'à la fin de sa vie, n'avait pas compris, avait ignoré que l'œuvre de Lénine deviendrait celle de Staline.

Deux dizaines d'années environ s'étaient écoulées, depuis le jour où l'on avait transporté, sur un traîneau de campagne qui crissait sur la neige, le corps de l'homme qui avait déterminé le destin de la Russie, de l'Europe, de l'Asie, de l'humanité.

La pensée de Krymov revenait obstinément à cette époque, il évoquait ces jours glacés de janvier 1924, le crépitement des feux nocturnes, les murs givrés du Kremlin, les centaines de milliers de personnes en larmes, le hurlement des sirènes d'usines qui vous déchirait le cœur, la voix forte d'Evdokimov, lisant, juché sur l'estrade de bois, un message à l'humanité laborieuse, le petit groupe compact portant le cercueil jusqu'au mausolée de bois, édifié à la hâte.

Krymov gravissait l'escalier couvert d'un tapis de la Maison des Syndicats, il passait devant les miroirs masqués de rubans rouges et noirs ; une musique déchirante emplissait l'air tiède, qui sentait les aiguilles de pin. En entrant dans la salle, il aperçut les têtes inclinées de ceux qu'il avait coutume de voir à la tribune du Smolny ou sur la Vieille-Place. Il devait les revoir par la suite, ces têtes inclinées, ici même, à la Maison des Syndicats, en 1937. Et sans doute les prévenus, en écoutant la voix sonore, inhumaine de Vychinski[1], évoquaient-ils ces jours où ils avaient marché derrière le traîneau, avaient monté la garde près du cercueil de Lénine, tandis qu'une marche funèbre tintait à leurs oreilles.

Pourquoi repensait-il soudain, ici, à la centrale, en cette soirée de fête, à ces jours de janvier ? Des dizaines de personnes qui, aux côtés de Lénine, avaient fondé le parti bolchevique, s'étaient avérées être des provocateurs, des agents à la solde des services secrets étrangers, et seul un homme, qui jamais n'avait occupé de poste en vue dans le parti, qui n'était pas connu comme théoricien, avait pu sauver la cause du parti, s'était révélé détenteur de la vérité. Pourquoi avouaient-ils ?

Mieux valait ne pas y penser. Mais cette nuit-là, justement, Krymov y pensait. Pourquoi avouent-ils ? Et pourquoi est-ce que je me tais ? Car je me tais, se disait-il, je n'ai pas la force de dire : « Je doute que Boukharine soit un saboteur, un assassin, un provocateur. » Au moment du vote, j'ai levé la main. Et puis j'ai signé. Ensuite, j'ai même fait un discours, rédigé un article. Et je crois moi-même à la sincérité de mon ardeur. Mais, dans ces moments-là, où

---

1. Procureur pendant les procès de Moscou.

sont mes doutes, mon désarroi ? Qu'est-ce que cela veut dire ? Serais-je un homme à deux consciences ? Ou y aurait-il en moi deux hommes, avec chacun sa conscience ? Comment le comprendre ? Mais il en a toujours été ainsi, et pas seulement chez moi, chez les gens les plus différents. »

Grekov n'avait fait qu'exprimer ce que beaucoup ressentaient sans se l'avouer. Il exprimait ces choses cachées qui angoissaient, intéressaient et, parfois, attiraient Krymov. Mais à peine ces choses affleuraient-elles que Krymov éprouvait de la haine et de l'hostilité, le désir de faire plier, de briser Grekov. Et s'il l'avait fallu, il eût, sans hésiter, fusillé Grekov.

Priakhine, lui, parlait avec des mots de bureaucrate, des mots froids de fonctionnaire, il dévidait, au nom de l'État, des pourcentages de réalisation du plan, parlait de livraisons, d'obligations. Ces discours sans âme de fonctionnaires sans âme, avaient toujours été étrangers à Krymov, ils lui déplaisaient ; mais il marchait main dans la main avec ces hommes, ils étaient à présent ses chefs et ses camarades. L'œuvre de Lénine avait produit Staline, elle s'était incarnée dans ces gens, avait pris le visage de l'État. Et Krymov était prêt, sans hésiter, à donner sa vie pour la renforcer et assurer sa gloire.

Et ce vieux bolchevik, Mostovskoï ! Pas une seule fois il n'avait pris la défense d'individus dont il ne mettait pas en doute l'honnêteté révolutionnaire. Il s'était tu. Pourquoi ?

Et celui qui fréquentait les cours de journalisme où Krymov enseignait autrefois, Koloskov, un brave gars intègre ? En débarquant de sa campagne, il avait raconté à Krymov un tas de choses sur la collectivisation, les salauds qui inscrivaient sur la liste des koulaks des gens dont ils lorgnaient la maison ou le jardin, bref, leurs ennemis personnels. Il lui avait parlé de la famine qui régnait dans les villages, et de la cruauté impitoyable avec laquelle on réquisitionnait jusqu'au dernier grain de blé... Il avait évoqué un vieux villageois fantastique, qui avait sacrifié sa vie pour sauver sa vieille et sa petite-fille ; et il avait versé des larmes. Mais peu après, Krymov avait lu, dans le journal mural, un récit de Koloskov sur les koulaks qui enterraient leur blé et dont l'haleine fétide n'exhalait que haine à l'égard de tout ce qui était nouveau.

Pourquoi avait-il écrit cela, ce Koloskov qui pleurait tant son cœur souffrait ? Pourquoi Mostovskoï s'était-il tu ? Était-ce simple poltronnerie ? Et combien de fois Krymov avait-il dit certaines choses, alors que son cœur lui soufflait le contraire ? Mais quand il les disait ou les écrivait, il lui semblait que c'était bien ce qu'il pensait, il était convaincu d'exprimer ses idées. Parfois, aussi, il se disait : « Rien à faire, c'est la révolution qui le veut ».

Il s'en était passé des choses, toutes sortes de choses. Krymov avait bien mal défendu ses amis, dont il ne doutait pas qu'ils fussent innocents. Parfois il se taisait, parfois il bredouillait vaguement. Parfois, c'était pis encore : on le convoquait au parti ou aux organes de sécurité et on lui demandait son avis sur telle ou telle personne qu'il connaissait, sur des membres du parti. Il ne disait jamais de mal de ses amis, ne calomniait jamais personne, il n'écrivait pas de dénonciations, de déclarations...

Et Grekov ? Grekov était un ennemi. Avec les ennemis, Krymov ne faisait pas de manières, il n'éprouvait aucune pitié à leur endroit.

Mais pourquoi avait-il cessé tout contact avec les familles de ses camarades victimes de la répression ? Il n'allait plus les voir, ne leur téléphonait plus. Oui, mais lorsqu'il les rencontrait, il ne changeait pas de trottoir et, au contraire, les saluait.

N'empêche qu'il y avait des gens — le plus souvent, de vieilles femmes, des ménagères, petites-bourgeoises sans-parti — qui s'arrangeaient pour faire passer des colis dans les camps. A leur adresse, on pouvait se faire expédier des lettres des camps. Curieusement, elles n'avaient pas peur. Ces vieilles, parfois employées de maison, nourrices illettrées, bourrées de préjugés religieux, prenaient chez elles des gosses restés tout seuls après l'arrestation de leurs parents, elles les sauvaient des maisons de l'enfance et des orphelinats. Les membres du parti, eux, craignaient ces gosses comme le feu. Ces vieilles bourgeoises, ces bonnes femmes, ces nourrices ignares étaient-elles, en fin de compte, plus honnêtes et plus courageuses que les bolcheviks-léninistes, que Mostovskoï ou Krymov ?

Les gens savent vaincre la peur. Les gosses se résolvent à marcher dans le noir, les soldats vont au combat, de jeunes gars sautent dans le vide en parachute.

Mais cette peur, particulière, pesante, insurmontable pour des millions de personnes, cette peur d'État...

Non, non ! La peur seule n'était pas en mesure d'accomplir un tel travail. Au nom de la morale, la cause révolutionnaire nous avait délivrés de la morale, au nom de l'avenir elle justifiait les pharisiens d'aujourd'hui, les délateurs, les hypocrites, elle expliquait pourquoi, au nom du bonheur du peuple, l'homme devait pousser à la fosse des innocents. Au nom de la révolution, cette force permettait de se détourner des enfants dont les parents étaient en camp. Elle expliquait pourquoi la révolution exigeait que l'épouse qui n'avait pas dénoncé son mari innocent fût arrachée à ses enfants et envoyée pour dix ans en camp de concentration.

La force de la révolution s'était alliée à la peur de la mort, à la terreur des tortures, à l'angoisse qui étouffait ceux qui sentaient peser sur eux le souffle des camps lointains.

Dans le temps les gens savaient, en épousant la cause de la révolution, qu'ils allaient connaître la prison, le bagne, des années d'errance et de vie sans abri, le billot, peut-être.

Mais le plus terrible, le plus déroutant, le pire, aujourd'hui, était que la révolution payait ses fidèles, ceux qui servaient sa grande cause, en rations supplémentaires, en déjeuners à la cantine du Kremlin, en colis de vivres, en voitures particulières, en bons de séjour à Barvikha, en billets de wagon-lit.

— Vous ne dormez pas, Nikolaï Grigorievitch ? demanda Spiridonov dans l'obscurité.

Krymov répondit :

— Presque, je m'endors.

— Oh ! Excusez-moi. Je ne vous dérangerai plus.

39

Plus d'une semaine s'était écoulée depuis la nuit où Mostovskoï avait été convoqué par l'Obersturmbannführer Liss. Une pesanteur morne avait succédé à l'attente fiévreuse du début. Par moments, Mostovskoï avait l'impression qu'il était oublié de tous, aussi bien de ses amis que de ses ennemis ; les uns et les autres devaient le prendre pour un vieillard gâteux, un crevard inutile.

On le conduisit au bain par une matinée claire et sans vent. Cette fois, le S.S. qui l'escortait resta devant le block, s'assit sur les marches, posa sa mitraillette à côté de lui et alluma une cigarette. Le soleil commençait à chauffer et, visiblement, le S.S. n'avait pas envie d'aller s'enfermer dans le block humide des bains.

Le détenu qui travaillait aux bains s'approcha de Mostovskoï :

— Bonjour, cher camarade Mostovskoï.

Mostovskoï poussa un cri d'étonnement : l'homme en veste d'uniforme, bandeau du Revier au bras, était le commissaire Ossipov.

Ils s'étreignirent.

— J'ai réussi à obtenir ce travail, dit Ossipov d'une voix précipitée ; je fais un remplacement car je voulais absolument vous voir. Kotikov, le général, Zlatokrylets vous saluent. D'abord, comment allez-vous ? La santé ? Qu'est-ce qui se passe ? Qu'est-ce qu'on vous veut ? Dites-moi tout ça en vous déshabillant.

Mostovskoï lui parla de l'interrogatoire nocturne. Ossipov le fixait de ses yeux sombres, à fleur de tête :

— Ils veulent vous retourner.

— Mais pour quoi faire ? Quel est leur but ?

— Peut-être qu'ils veulent obtenir de vous des renseignements d'ordre historique, sur les fondateurs et les dirigeants du parti, par exemple. Ou, peut-être, c'est lié à des déclarations, des proclamations, des lettres ouvertes...

— C'est insensé, dit Mostovskoï.

— Ils vous tortureront.

— C'est insensé et idiot, répéta Mostovskoï. Et chez vous, qu'est-ce qui se passe ?

— Mieux qu'on ne pouvait espérer. On a réussi l'essentiel : nous sommes en contact avec les prisonniers qui travaillent à l'usine et ils commencent à nous fournir des armes, des grenades et des mitraillettes. Ils les apportent en pièces détachées et nous les remontons la nuit dans les blocks. Bien sûr, nous n'en avons que très peu pour l'instant.

— C'est Erchov qui a arrangé cela, bravo ! dit Mostovskoï.

— Je dois vous dire, comme à mon aîné dans le parti, qu'Erchov n'est plus ici.

— Comment cela ?

— Il a été transféré à Buchenwald.

— Qu'est-ce que vous dites ? s'écria Mostovskoï. Quel gars merveilleux c'était !

— Il restera un gars merveilleux à Buchenwald.

— Mais... pourquoi ? Qu'est-ce qui s'est passé ?

— Nous avons eu affaire à un double pouvoir. Beaucoup de gens se sentaient attirés par Erchov. Cela lui tourna la tête. Il n'aurait jamais voulu se soumettre au centre. C'est un homme au passé pas très net, il n'est pas des nôtres. La situation devenait inextricable. Comme vous le savez, le premier commandement dans la clandestinité est de maintenir une discipline de fer. Et nous, nous nous étions retrouvés avec deux centres : les communistes et les sans-parti. Nous avons discuté de la situation et pris une décision. Un camarade tchèque, qui travaillait dans l'administration du camp, a classé la fiche d'Erchov pour le « transport » de Buchenwald et il a été inscrit automatiquement dans la liste.

— En effet, quoi de plus simple ? dit Mostovskoï.

— Telle a été la décision unanime des communistes, fit Ossipov.

Il était debout devant Mostovskoï, habillé de loques, une serpillière à la main, dur, inébranlable, sûr de son bon droit, de son droit terrible, supérieur à Dieu, d'ériger la cause qu'il servait en juge suprême des destinées humaines.

Quant au vieillard nu et émacié, un des fondateurs de ce grand parti, il était resté assis, tête baissée, et il se taisait.

Le cabinet nocturne de Liss surgit de nouveau devant lui. Et de nouveau, il eut peur. Et si Liss n'avait pas menti ? Et s'il ne poursuivait pas un but policier mais avait eu envie tout simplement de discuter ?

Il se redressa ; et comme toujours, comme dix ans auparavant, pendant la collectivisation, comme cinq ans auparavant, pendant les procès politiques qui menèrent à l'échafaud tous ses amis de jeunesse, il prononça :

— Je me soumets à cette décision, je l'accepte comme membre du parti.

Et il sortit de la doublure de sa veste posée sur le banc quelques bouts de papiers : les tracts qu'il avait rédigés.

Il pensa tout à coup à Ikonnikov, à son visage et à ses yeux de vache, il eut envie d'entendre la voix de l'apôtre de la bonté.

— Je voulais vous demander des nouvelles d'Ikonnikov, dit Mostovskoï. Le Tchèque n'aurait pas déplacé sa carte ?

— Ah ! le fol en Dieu, la vieille chiffe molle, comme vous l'appeliez. Il a été exécuté. Il a refusé de participer à la construction du camp d'extermination. Käse a reçu l'ordre de le tuer.

Cette même nuit, les tracts sur la bataille de Stalingrad rédigés par Mostovskoï furent collés sur les murs des blocks.

40

Après la guerre, on découvrit, dans les archives de la Gestapo à Munich, le dossier concernant une organisation clandestine dans un camp de concentration en Allemagne occidentale. Le document qui fermait le dossier annonçait que le verdict à l'encontre des membres de l'organisation avait été mis à exécution. Les corps avaient été incinérés dans un four crématoire. Le nom de Mostovskoï était le premier de la liste.

L'étude des documents ne permit pas d'établir qui, du groupe, les avait dénoncés. La Gestapo l'avait probablement exécuté avec ceux qu'il avait dénoncés.

41

Il faisait bon dans le block du Sonderkommando qui desservait la chambre à gaz, le dépôt de Zyklon et les fours crématoires.

Les détenus qui travaillaient de façon permanente à l'unité n° 1 vivaient, eux aussi, dans de bonnes conditions. Il y avait une table de nuit auprès de chaque lit, des carafes d'eau, un tapis couvrait le passage entre les châlits.

Les ouvriers qui travaillaient au four crématoire étaient libérés de l'escorte et mangeaient dans un réfectoire particulier. Les Allemands du Sonderkommando pouvaient établir leur menu. Ils bénéficiaient d'un traitement hors catégorie, ils recevaient presque trois fois plus, à grade égal, que leurs homologues combattants. Leurs familles avaient droit à de meilleurs logements, aux rations alimentaires des catégories supérieures, à l'évacuation prioritaire hors des zones soumises aux bombardements.

Le soldat Rosé était de surveillance devant le judas ; quand l'action était terminée, il donnait le signal de procéder au déchargement de la chambre à gaz. Il devait également surveiller si les dentistes faisaient consciencieusement leur travail. Il avait dû plus d'une fois faire un rapport au responsable de l'action spéciale, le Sturmbannführer Kaltluft, sur la difficulté qu'il y avait à mener simultanément cette double tâche à bien ; pendant que Rosé surveillait le gazage en haut, ceux qui travaillaient en bas, les dentistes et les ouvriers qui chargeaient les corps sur les glissières, pouvaient voler et tirer au flanc.

Rosé s'était habitué à son travail ; il n'était plus, comme dans les premiers temps, ému par le spectacle qu'il observait par le judas. Son prédécesseur avait été un jour surpris en train de se livrer à une occupation qui aurait plus convenu à un gamin de douze ans qu'à un S.S. en train de remplir une action spéciale. Au début, Rosé ne comprenait pas pourquoi ses camarades lui faisaient des allusions sur certaines choses qui se passeraient pendant l'action, il ne comprit que plus tard ce qu'ils voulaient dire.

Son nouveau travail ne plaisait pas à Rosé, bien qu'il y fût habitué maintenant. Rosé était sensible au respect inhabituel dont on l'entourait. Au réfectoire, les serveurs lui demandaient pourquoi il était pâle. Toujours, aussi loin qu'il pouvait s'en souvenir, il avait vu sa mère pleurer. Son père était sans cesse renvoyé de son travail, il semblait qu'il était licencié plus souvent qu'embauché. Rosé avait comme ses parents une démarche douce et effacée, qui ne devait en aucun cas déranger quelqu'un, il avait le même sourire amène et inquiet, adressé aux voisins, au propriétaire de l'immeuble, au chat du propriétaire, au directeur de l'école et à l'agent qui se tenait au carrefour. En apparence, affabilité et douceur étaient les traits fondamentaux de son caractère et il s'étonnait lui-même de la quantité de haine qui vivait en lui, et il se demandait comment il avait pu ne pas la manifester pendant de longues années.

Il avait été affecté au Sonderkommando ; un profond connaisseur de l'âme humaine, son chef, avait su comprendre sa nature douce et féminine.

Il n'y avait rien de plaisant à observer les Juifs en train de se contorsionner dans la chambre à gaz. Rosé n'éprouvait qu'antipathie pour les soldats qui aimaient leur travail ici. Le détenu Joutchenko qui travaillait à la fermeture des portes dans l'équipe du matin lui était particulièrement désagréable. Le visage de ce détenu souriait tout le temps d'une sorte de sourire enfantin et pour cette raison spécialement désagréable. Rosé n'aimait pas son travail, mais il en connaissait tous les avantages, évidents ou cachés.

Chaque soir, à la fin de la journée de travail, un dentiste à l'air important transmettait à Rosé un petit paquet contenant quelques couronnes en or. Ces petits paquets ne constituaient qu'une part infime de la masse de métaux précieux que recevait quotidiennement la direction du camp et, néanmoins, Rosé avait déjà été en mesure de transmettre à deux reprises près d'un kilo d'or à sa femme. C'était leur avenir radieux, la réalisation de leur rêve : une vieillesse paisible. En effet, dans sa jeunesse, il avait été faible et craintif et il n'avait pu lutter pour la vie. Il n'avait jamais douté que le parti avait pour seul but le bonheur des petites gens, des faibles. Et maintenant, il sentait déjà les conséquences heureuses de la politique de Hitler ; car il était, lui, un de ces petits hommes faibles et, maintenant, sa vie, celle de sa famille étaient devenues bien meilleures, bien plus faciles.

42

Anton Khmelkov était parfois horrifié par son travail et le soir, couché, écoutant le rire de Trofime Joutchenko, il restait plongé dans une stupeur froide et lourde.

Les mains aux doigts longs et forts de Joutchenko, ces mains qui refermaient les portes étanches, semblaient toujours sales, et il était désagréable de prendre du pain dans le même panier que Joutchenko.

Quand, le matin, Joutchenko allait à son travail et attendait la venue de la colonne de détenus en provenance du quai de débarquement, il éprouvait une émotion joyeuse. Le mouvement de la colonne lui semblait d'une lenteur insupportable, sa gorge émettait une note plaintive et sa mâchoire inférieure tremblait, comme celle d'un chat en train de guetter des moineaux de derrière la vitre.

Cet homme était à l'origine de l'inquiétude qu'éprouvait Khmelkov. Bien sûr, Khmelkov, lui aussi, était capable, après un verre de trop, de prendre un peu de bon temps avec une femme dans la file. Il existait un passage qu'utilisaient les membres du Sonderkommando pour pénétrer dans le vestiaire et se choisir une femme. Un homme reste un homme. Khmelkov choisissait une femme ou une fillette, l'emmenait dans un box vide et la ramenait une demi-heure plus tard. Il se taisait et la femme aussi. Il n'était pas ici pour les femmes ou l'alcool, ni pour les culottes de cheval en gabardine ou des bottes en box.

Il avait été fait prisonnier un jour de juillet 1941. On l'avait battu à coups de crosse sur la tête et le cou ; il avait souffert de dysenterie ; on lui avait donné à boire une eau jaunâtre, couverte de taches de mazout ; on l'avait fait marcher sur la neige en bottes déchirées ; il avait arraché de ses mains des morceaux de viande noire et puante sur un cadavre de cheval, il avait bouffé des rutabagas pourris et des épluchures de pommes de terre. Il avait choisi une seule chose : vivre, il ne désirait rien d'autre ; il s'était débattu contre dix morts : il ne voulait pas mourir de froid ou de faim, il ne voulait pas mourir de dysenterie, il ne voulait pas s'écrouler avec neuf grammes de plomb dans le crâne, il ne voulait pas enfler et mourir d'un œdème. Il n'était pas un criminel, il était coiffeur dans la ville de Kertch et personne n'avait jamais eu mauvaise opinion de lui : ni ses proches, ni ses voisins, ni ses amis avec lesquels il buvait du vin et jouait aux dominos. Et il pensait qu'il n'y avait rien de commun entre lui et Joutchenko. Mais parfois il lui semblait que ce qui le séparait de Joutchenko n'était qu'une broutille insignifiante ; et quelle importance avaient, après tout, pour Dieu et pour les hommes, les sentiments qui les animaient quand ils se rendaient à leur travail ? L'un était gai, l'autre ne l'était pas, mais ils faisaient le même travail.

Mais il ne comprenait pas que Joutchenko lui faisait peur non pas parce qu'il était plus coupable que lui, mais parce que sa monstruosité innée le disculpait. Alors que lui, Khmelkov, n'était pas un monstre, il était un homme.

Il savait confusément qu'un homme qui veut rester un homme sous le fascisme peut faire un choix plus facile que de sauver sa vie : la mort.

43

Le chef du Kommando, le Sturmbannführer Kaltluft, avait obtenu du poste de régulation qu'il lui fournisse vingt-quatre heures à l'avance le graphique d'arrivée des convois. Kaltluft pouvait ainsi donner des instructions sur le travail à fournir : nombre total de wagons, nombre de personnes ; suivant le pays d'origine, on faisait appel à divers Kommandos de détenus, coiffeurs, escorteurs, manutentionnaires.

Kaltluft ne tolérait pas le laisser-aller ; il ne buvait pas et était mécontent quand ses subordonnés s'enivraient. On ne l'avait vu qu'une seule fois gai et animé ; il devait partir rejoindre sa famille pour les congés de Pâques, il était déjà assis dans la voiture quand il appela le Sturmführer Hahn et lui montra des photos de sa fille qui, avec son visage large et ses grands yeux, ressemblait beaucoup à son père.

Kaltluft aimait travailler, se désolait quand il perdait son temps ; il ne venait jamais faire un tour au club après dîner, il ne jouait jamais aux cartes, il n'assistait pas aux projections de films. On avait, cet hiver, organisé un sapin de Noël pour le Sonderkommando, une chorale avait chanté et l'on avait donné une bouteille de cognac français pour deux. Kaltluft était venu passer une demi-heure au club et tout le monde put voir qu'il avait des traces d'encre fraîche sur les doigts, il avait travaillé le soir de Noël.

Il avait vécu dans la ferme de ses parents et il avait cru qu'il y passerait toute sa vie : il aimait le silence de la campagne et le travail ne lui faisait pas peur. Il avait rêvé d'étendre la ferme familiale, mais il pensait que, si grands que fussent les revenus que lui apporteraient l'élevage du porc et la vente du blé, jamais il ne quitterait la paisible et chaude maison de ses parents. Mais la vie en décida autrement. Vers la fin de la Première Guerre mondiale, il s'était retrouvé au front et il suivit le chemin que le destin lui avait tracé. Le destin semblait avoir décidé pour lui son passage de la condition de paysan à celle de soldat, son passage des tranchées à la protection de l'état-major, du secrétariat au poste d'officier d'ordonnance, du travail dans l'administration centrale du R.S.H.A. à la direction des camps et pour finir à ce poste de chef d'un Sonderkommando dans un camp de la mort.

Si Kaltluft avait eu à répondre devant un tribunal céleste il aurait, pour justifier son âme, raconté en toute sincérité au juge comment le destin avait fait de lui un bourreau qui avait tué cinq cent quatre-vingt-dix mille personnes. Que pouvait-il faire devant des forces aussi puissantes que des guerres mondiales, un gigantesque mouvement national, un parti implacable, une contrainte étatique ? Qui aurait pu nager à contre-courant ? Il est un homme, lui ; il aurait voulu vivre tranquillement dans la maison de ses pères. Il n'avait rien voulu, on l'avait poussé, il n'y était pas allé, on l'avait mené, le destin l'avait conduit par la main. Et c'est ainsi, ou presque ainsi, que se justifiaient face à Dieu ceux qui avaient envoyé Kaltluft à son travail et ceux que Kaltluft envoyait travailler.

Kaltluft n'a pas eu à justifier son âme face à un tribunal divin, aussi Dieu n'eut-il pas à lui confirmer qu'il n'y a pas de coupables.

Il existe un jugement divin, il existe le jugement de l'État et celui de la société, mais il existe un jugement suprême : le jugement d'un pécheur par un autre pécheur. L'homme qui a péché connaît toute la puissance d'un État totalitaire : elle est incommensurable. Cette force énorme emprisonne la volonté de l'homme, au moyen de la propagande, de la solitude, du camp, d'une mort paisible, de la faim, du déshonneur... Mais dans chaque pas que fait l'homme sous la menace de la misère, de la faim, du camp et de la mort, se manifeste, en même temps que la nécessité, le libre arbitre de l'homme. Dans le chemin parcouru par le chef du Sonderkommando, on sentait toujours et partout, du village à la tranchée, de la condition de l'homme de la rue à celle de membre conscient du parti national-socialiste, toujours et partout on sentait la marque de sa volonté. Le destin mène l'homme, mais l'homme le suit parce qu'il veut et il est libre de ne pas vouloir. Le destin mène l'homme, l'homme devient un instrument des forces de destruction, mais lui, en l'occurrence, n'y perd pas mais y gagne. Il le sait et il va là où l'attendent des avantages ; le terrible destin et l'homme poursuivent des buts différents mais leur chemin est commun.

Ce ne sera pas un juge céleste miséricordieux et parfait, ce ne sera pas une cour suprême de l'État ayant pour but le bien de l'État et de la société, ce ne sera pas le saint ou le juste qui rendent leur verdict, mais un être pitoyable, un homme écrasé par le fascisme, un pécheur qui a lui-même ressenti toute la terrible puissance de l'État totalitaire, un homme qui lui aussi est tombé, qui s'est courbé, qui a eu peur et qui s'est soumis.

Il dira :

— Il y a des coupables en ce monde terrible ! Coupable !

44

Et voilà, c'était le dernier jour du voyage. Les wagons grincèrent, les freins crissèrent et tout devint silencieux ; puis les verrous claquèrent, les portes s'ouvrirent, des voix crièrent :

— *Alle herraus !*

Des gens se mirent à descendre sur le quai encore mouillé après la pluie.

Qu'ils semblaient étranges ces visages familiers, à la lumière du jour. Les manteaux, les fichus avaient moins changé que les êtres ; les vestes, les robes rappelaient la maison où on les avait mis, les miroirs devant lesquels on les avait ajustés.

En sortant des wagons ils se serraient les uns contre les autres ; se retrouver ainsi en troupeau avait quelque chose de familier et d'apaisant ; la chaleur familière, l'odeur familière, les yeux et les visages épuisés, la densité de l'énorme foule descendue de quarante-deux wagons à bestiaux.

Deux soldats S.S. dans leur longues capotes passèrent sur le quai en faisant sonner sur l'asphalte leurs bottes ferrées. Rêveurs et hautains, ils passèrent sans un regard pour des jeunes Juifs qui sortaient d'un wagon le corps d'une vieille femme dont les cheveux blancs s'étaient répandus sur son blanc visage ; pour un homme-caniche crépu en train de laper à quatre pattes l'eau dans une flaque ; pour une bossue qui avait retroussé sa jupe pour arranger l'élastique de sa culotte.

De temps à autre, les deux S.S. échangeaient quelques mots. Ils se déplaçaient sur le quai comme le soleil se déplace dans le ciel. Le soleil ne surveille pas le vent, les nuages, la tempête ou le bruit des feuilles, mais dans son mouvement régulier, il sait que tout sur terre existe grâce à lui.

Des hommes en combinaisons bleues, coiffés de képis à longues visières, un bandeau blanc à la manche, pressaient les arrivants en une langue étrange : mélange de russe, d'allemand, de yiddish, de polonais et d'ukrainien.

Les gaillards en bleu ont vite fait d'organiser la foule sur le quai, ils sélectionnent ceux qui ne peuvent plus marcher, ils obligent les plus solides à charger les mourants dans des camions, ils construisent dans ce chaos de mouvements désordonnés une colonne, lui donnent une direction et un sens. La colonne se met en rangs par six, et une nouvelle court les rangs : « Les douches, d'abord les douches ! »

Même un Dieu de miséricorde n'aurait pas pu mieux trouver.

— Alors, les Juifs, on va y aller ! crie un homme en képi, le chef de l'équipe de déchargement.

Les hommes et les femmes ramassent leurs sacs, les enfants s'agrippent aux jupes des mères et aux vestons des pères.

« Les douches... les douches... », ces mots ont un pouvoir hypnotique sur les consciences.

Le solide gaillard en képi a quelque chose de familier, d'attirant, il semble proche de ce pauvre monde, pas comme ceux-là en capotes grises et casques. Une vieille caresse du bout des doigts avec une délicatesse religieuse la manche de sa combinaison et demande :

— *Ir sind a yid, a Litvek, mein kind ?*

— Oui, mémé, bien sûr.

Et soudain, unissant dans une seule phrase les langues des deux armées ennemies, il cria d'une voix rauque mais forte :

— *Die Kolonne marsch ! Chagome march !*

Le quai est vide, les hommes en combinaisons bleues balaient des chiffons, des bouts de bandages, une chaussure abandonnée, un cube en bois qu'un enfant a laissé tomber, ils referment avec fracas les portes des wagons. Le convoi démarre, il va être désinfecté.

Ayant terminé son travail, le Kommando regagne le camp par le portail de service. Les convois de l'Est sont les pires. C'est là qu'il y a le plus de morts, de malades ; on peut attraper des poux, les wagons puent. On ne trouve pas dans ces convois, à la différence de ceux qui viennent de Hongrie ou de Hollande, un flacon de parfum, un paquet de cacao ou une boîte de lait concentré.

45

Une grande ville s'ouvrit aux yeux des voyageurs. Son extrémité occidentale se perdait dans le brouillard. La fumée noire qui sortait des lointaines cheminées d'usine se mêlait au brouillard ; le damier des blocks était couvert d'une brume et cette association du brouillard avec la géométrie des rues semblait étrange.

Au nord-est, un halo noir et rouge montait dans le ciel, on aurait dit que le ciel humide de l'automne s'était embrasé. De temps en temps une flamme lente, sale, rampante en sortait.

Les arrivants débouchèrent sur une vaste place. Une dizaine de personnes se tenaient sur une estrade dressée au milieu de la place. C'était un orchestre ; les hommes se différenciaient fortement les uns des autres, comme leurs instruments. Quelques-uns se tournaient du côté de la colonne qui arrivait. Mais l'homme aux cheveux blancs prononça quelques mots et les hommes sur l'estrade prirent leurs instruments. Et soudain, le cri craintif et insolent d'un oiseau retentit : l'air, déchiré par les fils de fer barbelés et les hurlements des sirènes, empuanti par les immondices et gras de suie, l'air s'emplit de musique. C'était comme si une pluie chaude d'été s'était abattue, étincelante, sur le sol.

Les hommes dans les prisons, les hommes dans les camps, les hommes échappés des prisons, les hommes qui vont à la mort connaissent la force de la musique. Personne ne ressent la musique comme ceux qui ont connu la prison et le camp, comme ceux qui vont à la mort.

En touchant l'homme en train de périr, la musique ne fait pas renaître en lui la pensée ou l'espoir, mais seulement le sentiment aveugle et aigu du miracle de la vie. Un sanglot parcourut la colonne. Tout ce qui s'était émietté, la maison, le monde, l'enfance, le voyage, le bruit des roues, la soif, la peur et cette ville surgie du brouillard, et cette aube d'un rouge terne, tout se réunit soudain ; ce n'était pas dans la mémoire ni dans un tableau, mais dans le sentiment aveugle, douloureux et brûlant d'une vie écoulée. C'est ici, à la lumière des fours, sur la place du camp, que les hommes sentirent que la vie est plus que le bonheur : elle est aussi malheur. La liberté n'est pas qu'un bien ; la liberté est difficile, elle est parfois malheur, elle est la vie.

La musique avait su exprimer le dernier ébranlement de l'âme qui a réuni dans ses profondeurs aveugles tout ce qu'elle a ressenti dans sa vie, ses joies et ses malheurs, avec ce matin brumeux et ce halo au-dessus des têtes. Mais peut-être n'en était-il pas ainsi. Peut-être que la musique n'était qu'une clef qui donnait accès aux sentiments de l'homme : elle avait ouvert son intérieur en cet instant terrible, mais ce n'était pas elle qui avait empli l'homme.

Il arrive qu'une chanson enfantine fasse pleurer un vieillard. Mais le vieillard ne pleure pas sur cette chanson ; la chanson n'est qu'une clef qui ouvre son âme.

Alors que la colonne traçait lentement un demi-cercle dans la cour, une voiture couleur crème sortit du portail du camp. Un officier S.S. en sortit, il eut un geste impatient et le chef d'orchestre, qui le suivait du regard, abaissa aussitôt les bras, la musique s'interrompit.

De nombreuses voix crièrent : « *Halt !* »

L'officier marchait le long de la colonne. L'officier montrait un homme du doigt et le chef de la colonne le faisait sortir des rangs. L'officier fixait la personne qui se tenait devant lui d'un œil indifférent pendant que le chef de colonne posait des questions à voix basse pour ne pas troubler les pensées du S.S.

— Age ? Profession ?

Une trentaine de personnes furent ainsi choisies.

Une question courut les rangs :

— Les médecins, les chirurgiens !

Personne ne répondit.

— Les médecins et les chirurgiens, sortez des rangs !

Personne ne répondit.

L'officier perdit tout intérêt pour la foule sur la place et regagna sa voiture.

Les sélectionnés furent alignés en rangs par cinq face à l'inscription au-dessus du portail du camp : « *Arbeit macht frei !* »

Un bébé cria, des femmes poussèrent des cris perçants et sauvages. Les hommes sélectionnés restaient silencieux, tête baissée.

Comment faire pour rendre ce qui se passe chez un homme qui desserre la main de sa femme, qui jette un dernier, un rapide regard sur le visage aimé. Comment faire pour vivre quand une mémoire impitoyable te rappelle qu'à l'instant des adieux silencieux tes yeux se sont, pendant une fraction de seconde, détournés pour dissimuler la joie grossière d'avoir sauvé ton existence ?

Comment noyer le souvenir de la femme tendant à son mari un petit sac avec l'alliance, un morceau de pain et quelques morceaux de sucre ? Peut-on continuer à vivre quand on a vu la lueur rouge flamboyer avec une force nouvelle ? Dans les fours brûlent les mains qu'il a embrassées, les yeux qui s'éclairaient à sa venue, les cheveux dont il reconnaissait l'odeur dans le noir, ce sont ses enfants, sa femme, sa mère. Peut-on demander dans le block une place auprès du poêle, peut-on mettre sa gamelle sous la louche qui verse un litre d'un liquide grisâtre, peut-on rafistoler la semelle de chaussure qui se décolle ? Peut-on manier la barre à mine, respirer, boire ? Dans les oreilles résonnent les cris des enfants, le hurlement de la mère.

On mène ceux qui continueront à exister en direction du portail. Des cris parviennent jusqu'à eux, eux-mêmes poussent des cris, déchirent les chemises sur leurs poitrines. Mais une nouvelle vie vient à leur rencontre : les barbelés électrifiés, les miradors avec des mitrailleuses, les blocks, les visages blêmes de femmes et de jeunes filles qui les regardent passer, les colonnes de travailleurs avec des triangles rouges, jaunes, bleus cousus sur la poitrine.

L'orchestre se remet à jouer. Les hommes qui sont sélectionnés pour le travail entrent dans la ville construite sur des marécages. L'eau sombre se fraie un chemin entre les dalles gluantes de béton, entre les rochers pesants. Cette eau d'un noir roussâtre sent la pourriture, des plaques d'écume verte, des lambeaux sanglants provenant des salles d'opérations, des chiffons sales flottent à sa surface. L'eau s'enfoncera dans la terre du camp, ressortira à sa surface, s'en ira à nouveau. Elle fera son chemin, car dans cette eau sinistre des camps vivent la vague de la mer et la rosée du matin.

Les condamnés allèrent à la mort.

46

Sofia Ossipovna marchait d'un pas lourd et régulier, le garçon la tenait par la main. De son autre main, le petit garçon tenait dans sa poche la boîte d'allumettes où, dans du coton sale, il avait une chrysalide qui venait de sortir de son cocon. A leurs côtés marchaient le serrurier Lazare Yankélévitch, sa femme Déborah Samouilovna, portant leur enfant dans ses bras. Rébecca Buchmann marmonnait : « Oh, mon Dieu, oh, mon Dieu, oh, mon Dieu. » La cinquième dans leur rangée était Moussia Borissovna. Elle était bien coiffée, son col de dentelles semblait blanc. Pendant le voyage elle avait cédé à plusieurs reprises sa ration de pain contre un peu d'eau. Cette Moussia Borissovna était toujours prête à tout donner ; dans son wagon, on la prenait pour une sainte et les vieilles, qui connaissaient la vie et les hommes, lui baisaient le bas de sa robe. La rangée qui marchait devant eux ne comptait que quatre personnes : pendant la sélection, l'officier avait fait sortir deux personnes d'un coup, le père et le fils Slepoï ; quand on leur avait demandé leur profession, ils avaient crié *Zahnarzt*. Et l'officier avait fait oui de la tête, les Slepoï avaient deviné juste, ils avaient gagné leur vie. Sur les quatre restants, trois marchaient en balançant des bras, leurs bras avaient été jugés inutiles ; le quatrième avait relevé le col de son veston, il marchait les mains dans les poches, l'air indépendant, la tête haute. A quatre ou cinq rangs devant eux, un vieillard, coiffé d'un bonnet de l'Armée Rouge, dépassait tous les autres d'une tête.

Moussia Vinokour marchait juste derrière Sofia Ossipovna, elle avait eu ses quatorze ans pendant le voyage.

La mort ! Elle était devenue apprivoisée, familière, elle passait voir les gens sans façon, elle entrait dans les cours, dans les échoppes ; elle rencontrait la ménagère sur le marché et l'emmenait avec son cabas ; elle se mêlait au jeu des enfants, elle se faufilait dans l'atelier où le tailleur pour dames mettait la dernière main à un manteau ; elle prenait sa place dans les queues devant les boulangeries ; elle s'asseyait aux côtés d'une vieille en train de ravauder un bas.

La mort faisait son travail, les gens faisaient le leur. Parfois, elle laissait finir la cigarette, avaler la bouchée ; mais parfois, elle surprenait en vieux copain, grossièrement, avec un grand rire et des claques dans le dos.

Les hommes commençaient à la comprendre, elle leur avait révélé son caractère banal, sa simplicité enfantine. Car le passage était devenu bien simple, comme franchir un ruisseau avec quelques planches en guise de pont, la fumée des isbas sur une rive, les prés de l'autre côté ; quatre, cinq pas et c'est tout. Qu'y a-t-il d'effrayant à cela ? Un veau vient de passer, des gamins courent sur le pont, les talons de leurs pieds nus résonnent sur les planches.

Sofia Ossipovna entendit la musique. Elle l'avait entendue pour la première fois alors qu'elle n'était qu'une enfant, elle l'avait entendue quand elle était étudiante, puis jeune médecin ; cette musique lui avait toujours donné comme le pressentiment d'un avenir qui s'ouvrait devant elle. La musique la trompait. Sofia Ossipovna n'avait pas d'avenir, elle n'avait qu'une vie passée.

Et le sentiment de sa vie à elle, de la vie qu'elle, et personne d'autre, avait vécue, dissimula un bref instant le présent : le bord du gouffre.

Le plus terrible des sentiments ! On ne peut le transmettre, on ne peut le faire partager à l'être le plus proche, femme, mère, frère, fils, ami, père, il est le secret de l'âme, et l'âme ne peut, même si elle le désire ardemment, révéler son secret. L'homme emporte avec lui le sentiment de sa vie, il ne le partagera avec personne. Le miracle d'un individu dont la conscience, dont l'inconscient réunissent tout le bien et tout le mal, le risible, l'attendrissant, le honteux, le pitoyable, le timide, le craintif, le tendre, l'étonné, tout ce qu'il a vécu depuis l'enfance et jusqu'à la vieillesse est dans ce sentiment unique, muet et secret de son unique vie.

Quand la musique se mit à jouer, David voulut sortir la boîte de sa poche, l'entrouvrir un instant, pour que la chysalide ne prenne pas froid, et la montrer aux musiciens. Mais, quelques pas plus tard, il ne pensait plus aux hommes sur l'estrade, il ne restait plus que la lueur dans le ciel et la musique. La musique puissante et triste emplit son âme jusqu'au bord du désir douloureux de revoir sa mère. Pas sa mère forte et calme mais sa mère honteuse d'avoir été abandonnée par son mari. Elle lui avait fait une chemise et les autres locataires se moquaient des petites fleurs et des manches cousues de travers. Sa mère était son unique défense, son unique espoir. Il avait toujours compté sur elle de façon aveugle et inébranlable. Mais, peut-être, la musique avait-elle eu pour effet qu'il ne comptait plus sur sa mère. Il l'aimait, mais elle était aussi désarmée et faible que les gens qui marchaient à ses côtés. La musique douce et rêveuse lui semblait des vagues dans la mer ; il les avait vues dans son délire, quand il faisait de fortes fièvres, et il se laissait glisser de son oreiller brûlant sur le sable tiède et humide.

L'orchestre hurla, une gorge desséchée s'ouvrit, énorme, dans un cri.

Le mur noir, qui se dressait hors de l'eau pendant ses angines, le dominait maintenant, couvrant tout le ciel.

Tout, tout ce qui faisait peur à son cœur d'enfant s'était maintenant fondu en un. Et sa peur à la vue de l'image où le chevreau joue dans la clairière sans remarquer l'ombre du loup qui le guette de derrière les sapins, et les têtes de veaux aux yeux bleus sur les étals du marché, et sa grand-mère morte, et la petite fille de Rébecca Buchmann étranglée par sa mère, et sa première angoisse nocturne qui l'avait levé de son lit appelant sa mère. La mort se dressait de toute la hauteur du ciel immense et regardait : le petit David allait vers elle de ses petites jambes. Tout autour, il n'y avait que la musique, on ne pouvait pas s'y cramponner, on ne pouvait pas se briser la tête contre elle.

T'es juif et ça suffit.

La chrysalide n'a ni ailes, ni pattes, ni antennes, elle est dans sa boîte et elle attend, confiante, cette sotte.

Il hoquetait, le souffle coupé. S'il avait pu, il se serait étranglé lui-même. La musique cessa. Ses petites jambes, comme des dizaines d'autres, se dépêchaient, couraient. Il n'avait plus de pensées, il ne pouvait ni crier ni penser. Ses doigts moites de sueur serraient, dans sa poche, la boîte d'allumettes ; mais il avait même oublié le cocon. Seules ses petites jambes marchaient, marchaient, se dépêchaient, couraient.

Si la terreur qui s'était emparée de lui avait duré encore quelques minutes, il serait tombé, le cœur éclaté.

Quand la musique cessa, Sofia Ossipovna essuya ses larmes et dit :
— Eh bien, voilà.

Puis elle regarda le visage de l'enfant ; il était si effroyable que, même ici, il se distinguait par son expression particulière.

— Qu'est-ce que tu as ? Qu'est-ce qui te prend ? s'écria Sofia Ossipovna en le tirant brutalement par la main. Qu'est-ce qui te prend ? Nous allons au bain, c'est tout.

Quand on demanda s'il y avait des médecins, elle ne répondit pas, s'opposant à cette force qu'elle haïssait.

Dans les bras de sa mère, le bébé malingre, à la tête trop grosse, regardait autour de lui d'un regard songeur. La femme du serrurier avait, au cours d'une des nuits du voyage, volé une pincée de sucre pour son bébé. La victime du vol était très faible, et un vieillard, du nom de Lapidus (personne ne le voulait pour voisin car il faisait sous lui), prit sa défense.

Et maintenant, Déborah, la femme du serrurier, avançait, pensive, son bébé dans les bras. Et le bébé, qui avait crié jour et nuit, se taisait maintenant. Les yeux tristes et sombres de la mère éclipsaient la laideur de son visage sale, de ses lèvres fripées et exsangues.

« La Vierge à l'enfant », pensa Sofia Ossipovna.

Un jour, c'était deux ans avant le début de la guerre, elle était dans les monts T'ien-Shan et regardait le soleil levant qui éclairait les pins et les écureuils dans leurs branches, alors que le lac, dont le bleu dense avait le poli de la pierre, était encore plongé dans la pénombre ; elle avait pensé en cet instant qu'il n'était d'homme au monde qui n'aurait voulu être à sa place et, au même instant, elle sentit, avec une violence qui brûla son cœur de quinquagénaire, qu'elle sacrifierait tout pour que les bras d'un enfant l'étreignent quelque part dans une chambre sombre et misérable.

David avait éveillé en elle une tendresse particulière, comme elle n'en avait jamais éprouvé jusqu'alors, bien qu'elle eût toujours aimé les enfants. Pendant le voyage, dans le wagon, elle lui donnait une part de son pain ; il tournait sa tête vers elle, et elle avait envie de pleurer, de le serrer dans ses bras, de le couvrir de ces baisers rapides et rapprochés que les mères donnent à leurs enfants. Elle répétait, à voix basse pour qu'il ne puisse entendre :

— Mange, mon fils chéri, mange.

Elle lui parlait peu, un sentiment étrange de honte la forçait à dissimuler le sentiment maternel qui était né en elle. Mais elle avait remarqué qu'il la suivait du regard quand elle changeait de place dans le wagon et qu'il s'apaisait quand elle se trouvait à côté de lui.

Elle ne voulait pas s'avouer à elle-même pourquoi elle n'avait pas répondu quand on avait appelé les médecins et chirurgiens, pourquoi elle était restée dans la colonne et pourquoi elle avait un sentiment d'exaltation en le faisant.

La colonne passait devant des barbelés, des miradors avec des mitrailleuses au sommet, des fossés, et il semblait à ces êtres qui avaient oublié ce qu'est la liberté que les barbelés et les mitrailleuses étaient là non pour empêcher les détenus de fuir mais pour que les condamnés à la mort ne puissent se dissimuler à l'intérieur du camp de travaux forcés.

Puis la route s'écarta des barbelés pour mener vers des bâtiments bas, aux toits plats ; de loin, ces parallélépipèdes gris et sans fenêtres rappelaient à David ses cubes, d'énormes cubes dont on aurait détaché les images.

La colonne tourna et le garçon aperçut par le jour qui s'était ouvert entre les rangs les bâtiments aux portes grandes ouvertes ; sans savoir pourquoi, il sortit la boîte d'allumettes et, sans même dire adieu à la chrysalide, il la jeta sur le côté. Tu peux vivre !

— Ils savent construire, ces Allemands, dit l'homme qui marchait devant eux, comme s'il espérait que les gardes entendent et apprécient sa flatterie.

L'homme au col relevé esquissa un mouvement étrange des épaules, jeta un coup d'œil de part et d'autre, sembla devenir plus grand, plus fort et soudain, d'un bond léger, il fut sur le S.S. et le fit tomber à terre d'un coup de poing. Sofia Ossipovna se lança à sa suite avec un cri de haine mais trébucha, tomba. Aussitôt, des mains la relevèrent. Les rangées de derrière avançaient toujours, et David regarda derrière lui, craignant de se faire jeter à terre, et il vit les gardiens du camp traîner l'homme sur le côté.

Sofia Ossipovna avait oublié l'enfant pendant le bref instant où elle avait tenté de se jeter sur le gardien ; maintenant, elle le tenait de nouveau par la main. David avait pu voir ce qu'est la beauté, la colère, la clarté dans les yeux d'un être qui a, le temps d'une seconde, senti la liberté.

Pendant ce temps, les premiers rangs avaient déjà atteint la place asphaltée devant l'entrée des bains ; le bruit des pas changeait quand les gens passaient par les portes largement ouvertes.

47

Une pénombre tranquille et chaude régnait dans les vestiaires éclairés par de petites ouvertures rectangulaires.

Des bancs faits de grosses planches brutes portaient des numéros tracés à la peinture blanche. La salle était coupée en deux par une cloison à mi-hauteur qui allait de l'entrée jusqu'au mur opposé ; les hommes devaient se déshabiller d'un côté, les femmes et les enfants de l'autre.

Cette séance de déshabillage n'inquiéta pas les gens car ils continaient à se voir, à se parler : « Mania, Mania, tu es là ? », « Oui, oui, je te vois. » Une voix cria : « Mathilde, apporte un gant pour me frotter le dos ! » La détente était générale.

Des hommes à l'air compétent, en blouses, marchaient dans les travées et tenaient des propos raisonnables sur la nécessité de mettre les chaussettes et les bas à l'intérieur des chaussures, de retenir le numéro de la travée et du portemanteau.

Les voix étaient faibles, comme assourdies.

Quand un être humain se met nu, il se rapproche de lui-même. Seigneur, que les poils sur la poitrine sont devenus raides et épais, et que de poils blancs ! Que ces ongles des orteils sont laids ! Quand un homme nu se regarde, il ne tire pas de conclusions si ce n'est « c'est moi ». Il reconnaît son moi, toujours le même. Gamin, il regarde son corps de grenouille et se dit : « c'est moi » et, cinquante ans après, il examine les veines gonflées sur les jambes, la poitrine grasse et tombante, et il se dit « c'est moi ».

Mais un autre sentiment frappa Sofia Ossipovna. Le maigre gamin au nez proéminent dont une vieille dit en hochant la tête : « Oï, mon pauvre hassid. » La jeune fille de quatorze ans que, même ici, des centaines d'yeux regardaient avec admiration ; la laideur et la faiblesse des vieux et des vieilles qui éveillaient un respect religieux ; la force des dos poilus des hommes ; les jambes nerveuses et les fortes poitrines des femmes ; avec ces corps jeunes et vieux, le corps d'un peuple se débarrassait de ses guenilles. Sofia Ossipovna pensa le « c'est moi » non à l'égard d'elle-même mais à l'égard d'un peuple. C'était le corps dénudé d'un peuple, jeune et vieux, vivant, florissant, robuste, fané, beau et disgracieux. Elle regarda ses épaules fortes et blanches, personne ne les avait jamais embrassées, si ce n'est sa mère il y a bien longtemps ; puis elle reporta son regard sur le garçon. Était-ce vraiment elle qui avait, quelques instants auparavant, oublié le garçon pour se jeter ivre de rage sur le S.S. ? « Ce jeune bêta de Juif et son vieux disciple russe prônaient la non-violence, pensa-t-elle, mais ils ne connaissaient pas le fascisme. » Elle n'avait plus honte, maintenant, du sentiment maternel qu'elle éprouvait, elle, la vieille fille, et elle prit dans ses mains fortes de manuelle le petit visage de David ; il lui sembla qu'elle tenait ses yeux tièdes dans ses mains, et elle le baisa.

— Et voilà, mon petit, dit-elle, nous sommes arrivés aux bains.

Il lui sembla qu'elle avait entrevu, dans la pénombre du vestiaire, les yeux d'Alexandra Vladimirovna Chapochnikov. Est-elle encore en vie ? Elles s'étaient dit adieu et Sofia Ossipovna était partie, et la voilà arrivée maintenant, et Ania Strum était arrivée, elle aussi [1].

Une femme voulut montrer à son mari leur petit garçon tout nu, mais le mari était de l'autre côté de la cloison et elle tendit le bébé à Sofia Ossipovna :

— Il suffisait de le déshabiller, dit-elle toute fière, et il ne pleure déjà plus.

Un homme, le visage mangé par une barbe noire, avec un pantalon de pyjama déchiré en guise de caleçon, cria dans un éclair de ses yeux et de ses dents couronnées d'or :

---

1. La mère de Victor Strum, amie de Sofia Ossipovna *(N.d.T.)*.

— Mania, il y a un maillot de bain en vente, j'achète ?

Moussia Borissovna sourit à la plaisanterie. Elle cachait d'une main sa poitrine que découvrait sa chemise.

Sofia Ossipovna savait déjà que ces plaisanteries de condamnés n'étaient pas signe de force ; les craintifs et les faibles ont moins peur de leur peur quand ils en rient.

Rébecca Buchmann, le visage tiré, torturé et merveilleux, détournait ses yeux brûlants et immenses ; elle défaisait ses tresses puissantes pour y dissimuler bagues et boucles d'oreilles.

Elle était la proie de la force aveugle et cruelle de la vie. Le fascisme l'avait rabaissée à son niveau, bien qu'elle fût malheureuse et désemparée ; plus rien ne pouvait l'arrêter dans ses efforts pour sauver sa vie. Alors qu'elle cachait ses bagues, elle ne se rappelait pas qu'elle avait de ces mêmes mains serré le cou de son enfant de peur qu'il ne révèle par ses pleurs leur cachette.

Mais au moment où elle poussait un profond soupir, le soupir d'un animal qui vient enfin de se mettre à l'abri dans des fourrés, elle vit une femme en blouse qui coupait à grands coups de ciseaux les nattes sur la tête de Moussia Borissovna. Une autre tondait une jeune fille et la soie noire des cheveux ruisselait sur le sol en béton. Les cheveux recouvraient le sol et l'on aurait pu croire que les femmes se lavaient les pieds dans des eaux sombres et claires.

La femme en blouse écarta d'un geste tranquille la main de Rébecca, saisit les cheveux à la hauteur de la nuque, l'extrémité des ciseaux heurta une bague cachée dans les cheveux et la femme, sans s'interrompre, passa rapidement la main et défit les bagues prises dans les cheveux ; elle se pencha à l'oreille de Rébecca et lui glissa : « Tout vous sera rendu », puis, encore plus doucement : « L'Allemand est là, il faut *ganz ruhig*. » Rébecca ne retint pas le visage de la femme, la femme en blouse n'avait pas d'yeux, de lèvres, elle n'était que des mains à la peau jaune veinée de bleu.

Un homme aux cheveux blancs, les lunettes de travers sur un nez de travers, se montra de l'autre côté de la cloison, il ressemblait à un diable malade et triste. Il parcourut du regard les bancs et dit d'une voix forte et distincte, articulant chaque syllabe comme quelqu'un d'habitué à parler à un sourd :

— Maman, maman, maman, comment te sens-tu ?

Une petite vieille ridée entendit la voix de son fils dans le brouhaha de centaines de voix, lui sourit tendrement et, devinant la question familière, répondit :

— Ça va, le pouls est bon, bien frappé, t'inquiète pas.

Une voix aux côtés de Sofia Ossipovna fit :

— C'est Guelman, un médecin célèbre.

Une jeune femme nue, qui tenait par la main une fillette en culotte blanche, se mit à crier :

— On va nous tuer, nous tuer, nous tuer !

— Faites taire cette folle, disaient les femmes.

Elles regardèrent autour d'elles, on ne voyait pas de gardes. Les yeux, les oreilles se reposaient dans l'ombre et le silence. Quelle volupté, oubliée depuis des mois, de pouvoir ôter les vêtements durcis par la sueur et la crasse, les chaussettes et les bas à moitié désagrégés. La tonte terminée, les femmes coiffeuses s'éloignèrent et les gens respirèrent encore plus librement. Les uns sommeillaient, d'autres examinaient les coutures de leurs vêtements, d'autres encore conversaient à voix basse.

— Dommage qu'on n'ait pas de cartes, lança une voix, on pourrait se taper un carton.

Mais en cet instant le chef du Sonderkommando, tirant sur son cigare, décrochait le téléphone ; le magasinier chargeait sur le chariot automoteur les boîtes métalliques contenant le « Zyklon B » dont les étiquettes rouges rappellent des pots de confiture ; le responsable du groupe spécial attendait le signal de la lampe rouge.

L'ordre « debout ! » retentit à différentes extrémités du vestiaire. Là où s'arrêtaient les bancs se tenaient des Allemands en uniforme noir. Les gens pénétrèrent dans un large couloir faiblement éclairé par des lampes protégées par des verres épais. On voyait la puissance du béton qui en une courbe progressive aspirait en lui le flot humain. On entendait seulement le bruissement des pieds nus sur le sol.

Au cours d'une conversation qu'elle avait eue avant la guerre avec Evguénia Nikolaïevna Chapochnikov, Sofia Ossipovna lui avait dit : « Si un homme doit être tué par un autre homme, il serait curieux de pouvoir suivre leurs vies, de voir leurs chemins se rapprocher. Au début, ils sont très éloignés l'un de l'autre : moi, je suis dans les montagnes du Pamir, je ramasse des roses alpestres, et je mitraille avec mon Leica ; et lui, ma mort, se trouve pendant ce temps à huit mille verstes de là, il pêche, après l'école, des gardons dans la rivière. Je m'habille pour aller au concert, et lui, il achète un billet à la gare pour aller chez sa belle-mère ; mais de toute façon nous nous rencontrerons, l'affaire aura lieu. » Et maintenant, Sofia Ossipovna se rappela cette conversation étrange. Elle regarda le plafond ; à travers cette épaisseur de béton elle ne pourra plus voir la casserole renversée de la Grande Ourse, elle ne pourra plus entendre un orage... Elle allait pieds nus à la rencontre d'une nouvelle courbe du couloir et le couloir s'ouvrait doucement et complaisamment devant elle ; le mouvement se faisait sans violence, de lui-même, une sorte de glissement à mi-chemin entre le sommeil et le réel, comme si tout, autour d'elle, et tout en elle était enduit de glycérine et glissait de lui-même.

L'entrée apparut malgré tout progressivement et, soudainement. Le flot humain glissait lentement. Le vieux et la vieille qui avaient cinquante ans de vie commune derrière eux, séparés pendant la séance de déshabillage, marchaient à nouveau côte à côte ; la mère portait son enfant réveillé dans ses bras ; la mère et le fils regardaient par-dessus les têtes, ils regardaient le temps et non l'espace. Passa le visage du médecin, tout à côté il y avait les yeux emplis de bonté de Moussia Borissovna, le regard empli d'effroi de Rébecca Buchmann. Voici Lioussia Sterentahl, il est impossible d'assourdir, d'étouffer la beauté de ces jeunes yeux, de ce nez, de ce cou, de ces lèvres entrouvertes ; à côté, marchait le vieux Lapidus, aux lèvres bleues, à la bouche fripée. Sofia Ossipovna serra de nouveau les épaules du garçon contre elle. Jamais encore son cœur n'avait connu une telle tendresse pour les gens.

Soudain Rébecca cria, son cri était plein d'une épouvante insupportable, le cri d'un homme qui se transforme en cendres.

A l'entrée de la chambre à gaz, se tenait un homme avec un tuyau de plomb à la main. Il portait une chemise marron à manches courtes, la fermeture éclair du col était ouverte. C'est en voyant son sourire trouble, insensé, enfantin et enivré que Rébecca Buchmann avait poussé son hurlement de terreur.

Les yeux de l'homme glissèrent sur le visage de Sofia Ossipovna : c'était bien lui, ils avaient donc fini quand même par se rencontrer !

Elle sentit que ses doigts devaient serrer ce cou qui rampait hors du col ouvert. Mais l'homme souriant leva d'un geste bref sa matraque. Et elle entendit à travers le tintement du verre brisé et les cloches qui sonnaient dans sa tête : « Tiens-toi tranquille, la Youpine. »

Elle parvint à rester debout sur ses jambes et d'un pas lourd et régulier elle franchit avec David le seuil d'acier de la porte.

48

David passa la paume sur le châssis en acier de la porte et en sentit son froid lisse. Il vit dans le miroir d'acier une tache gris clair aux contours imprécis : le reflet de son visage. Ses plantes de pieds lui dirent que le sol dans la pièce était plus froid que dans le couloir, on l'avait récemment lavé et arrosé.

Il traversait à petits pas lents la boîte en béton gris, au plafond bas. Il ne voyait pas les lampes mais il régnait une lumière grise, comme si le soleil pénétrait ici à travers un ciel recouvert de béton, la lumière de béton ne semblait pas faite pour des êtres vivants.

Des hommes qui avaient été jusque-là tout le temps ensemble se perdirent de vue. David entrevit le visage de Lioussia Sterentahl. Quand, dans le wagon, David la regardait, il éprouvait pour elle un sentiment amoureux, doux et triste. Mais un instant après, à la place de Lioussia, il y avait une petite femme sans cou. Et aussitôt, un vieillard aux yeux bleus, un léger duvet sur le crâne. Et aussitôt, le regard fixe et les yeux écarquillés d'un jeune homme.

C'était un mouvement qui n'était pas un mouvement propre à des êtres humains. Ce n'était pas un mouvement propre à des êtres vivants. Il n'avait pas de sens ni de but ; il n'était pas le résultat de la volonté d'êtres vivants. La foule s'écoulait dans la chambre à gaz, les arrivants poussaient ceux qui étaient déjà entrés, ceux-ci poussaient leurs voisins ; et de tous ces petits heurts du coude, de l'épaule, du ventre, naissait un mouvement en tout point semblable au mouvement moléculaire qu'a découvert le botaniste Robert Brown.

David avait l'impression qu'on le menait, il fallait donc avancer. Il arriva jusqu'au mur, toucha le froid brut du béton, d'abord du genou, puis de la poitrine, il ne pouvait plus avancer. Sofia Ossipovna s'adossa au mur.

Ils regardaient les hommes qui continuaient à affluer. La porte était loin et on ne pouvait la situer qu'à la plus grande densité de corps qui se serraient à l'entrée de la chambre à gaz.

David voyait les visages des gens. Depuis ce matin, depuis la descente du train, il n'avait vu que des dos ; mais maintenant, tout le convoi, semblait-il, était face à lui. Sofia Ossipovna était devenue autre ; sa voix avait changé dans l'espace de béton, elle-même avait changé depuis qu'elle était entrée. Quand elle lui dit : « Tiens-moi bien fort, mon petit gars », il avait senti qu'elle avait peur de le lâcher parce qu'elle avait peur de rester seule. Mais ils ne purent rester contre le mur ; ils s'en écartèrent et marchèrent à petits pas. David sentit qu'il se déplaçait plus rapidement que Sofia Ossipovna. Sa main le tenait par la main, le serrait contre elle. Mais une force douce et insensible entraînait David, les doigts de Sofia Ossipovna s'ouvraient.

La foule devenait de plus en plus dense, les mouvements de plus en plus lents, les pas de plus en plus courts. Personne ne dirigeait les mouvements à l'intérieur de la boîte en béton. Les Allemands ne s'inquiétaient pas de savoir ce que faisaient les hommes dans la chambre à gaz, s'ils restaient immobiles ou s'ils faisaient des boucles et des cercles insensés. Et le petit garçon nu faisait des petits pas sans but ni signification. La courbe du mouvement qu'effectuait son petit corps léger ne coïncida plus avec la courbe du mouvement qu'effectuait le grand corps pesant de Sofia Ossipovna, et ils se séparèrent. Il ne fallait pas le tenir par la main, mais comme ça, comme ces deux femmes, la mère et sa fille, convulsivement, avec le sombre entêtement de l'amour, se serrer joue contre joue, poitrine contre poitrine. devenir un seul corps.

La foule continuait à augmenter, et le mouvement des corps, de plus en plus serrés, n'obéissait plus à la loi d'Avogadro. Quand le garçon perdit Sofia Ossipovna, il se mit à crier. Mais aussitôt, Sofia Ossipovna se perdit dans le passé ; seul l'instant présent existait. Les bouches respiraient côte à côte, les corps se touchaient, les pensées et les sentiments s'unissaient.

David se trouva pris dans un tourbillon qui, se heurtant au mur du fond, repartait vers la porte. David vit trois personnes réunies : deux hommes et une vieille femme ; elle protégeait ses enfants, ils soutenaient leur mère. Et soudain, un nouveau mouvement se produisit à côté de David. Le bruit aussi était nouveau, il ne se confondait pas avec le bruissement et les murmures.

— Laissez passer !

Un homme, tête baissée, le cou épais, ses bras puissants tendus, se frayait un passage à travers la masse des corps. Il voulait échapper au rythme hypnotique entre les murs de béton ; son corps se révoltait, comme le corps du poisson sur la table de cuisine, aveugle et vide de pensées. Il se calma rapidement, suffoqua et reprit la marche à petits pas, la marche de tout le monde.

Le désordre que son corps avait produit dans le mouvement général rapprocha David de Sofia Ossipovna. Elle serra contre elle le petit garçon avec cette force que purent mesurer les membres des Sonderkommandos dans les camps de la mort : quand ils vidaient les chambres à gaz, ils ne cherchaient jamais à défaire l'étreinte de proches qui étaient restés enserrés.

Des cris parvinrent du côté de la porte ; les gens qui arrivaient, à la vue de la masse compacte qui emplissait la chambre, refusaient de passer la porte.

David vit la porte se fermer : l'acier de la porte se rapprocha doucement, progressivement, de l'acier du châssis, puis ils se fondirent, ne firent plus qu'un.

David remarqua que quelque chose de vivant avait bougé derrière le grillage, en haut du mur ; il crut d'abord à un rat, puis il comprit que c'était un ventilateur qui s'était mis en marche. Il sentit une faible odeur douceâtre.

Le bruissement des pas s'interrompit, on n'entendait plus que quelques paroles indistinctes, des plaintes, des cris rares et brefs. Ils n'avaient plus besoin de paroles et les actes n'avaient plus de sens ; les actes sont orientés vers l'avenir et il n'y avait pas d'avenir dans la chambre à gaz. Les mouvements de la tête et du cou chez David ne firent pas naître en Sofia Ossipovna le désir de regarder ce que regardait un autre être.

Ses yeux, qui avaient lu Homère, la *Pravda, les Aventures de Huckleberry Finn,* Mayne Reid, la *Logique* de Hegel, ses yeux qui avaient vu des hommes bons et mauvais, des oies dans la campagne de Koursk, des étoiles à l'Observatoire de Poulkovo, l'éclat de l'acier chirurgical, *la Joconde* au Louvre, des tomates et des navets sur les étalages des marchés, les eaux bleues du lac Issyk-Koul, ses yeux ne lui étaient plus d'aucune utilité.

Elle respirait, mais respirer était devenu un dur travail et elle s'épuisait à faire le dur travail de respirer. Elle aurait voulu se concentrer sur sa dernière pensée malgré les cloches qui sonnaient dans sa tête ; mais elle n'avait pas de pensée. Sofia Ossipovna, les yeux grands ouverts, était aveugle et muette.

Le mouvement de l'enfant l'emplit de pitié. Son sentiment pour David était si simple qu'elle n'avait plus besoin de paroles et de regards. L'enfant respirait encore mais l'air qu'on lui donnait n'apportait pas la vie, il la chassait. Sa tête se tournait, il voulait encore regarder. Il voyait les corps s'affaisser par terre, il voyait les bouches ouvertes, des bouches édentées, des dents blanches, des dents couronnées d'or, il voyait un filet de sang qui coulait du nez. Il vit des yeux curieux qui observaient l'intérieur de la chambre à gaz par un judas ; les yeux contemplatifs de Rosé avaient croisé le regard de David. Et il aurait eu besoin aussi de sa voix, il aurait demandé à tatie Sofia ce qu'étaient ces yeux de loup. Et il avait besoin aussi de ses pensées. Il n'avait eu le temps que de faire quelques pas dans la vie ; il avait vu les traces de pieds nus dans la poussière chaude, à Moscou il y avait maman, la lune regardait d'en haut et les yeux la voyaient d'en bas, l'eau dans la bouilloire chauffait sur le gaz ; le monde où courait une poule décapitée, le monde où il y avait le lait du matin et les grenouilles qu'il faisait danser en les tenant par les pattes de devant, le monde l'intéressait encore.

Pendant tout ce temps des mains fortes et chaudes étreignaient David, l'enfant ne sentit pas ses yeux devenir aveugles, son cœur vide et creux, son cerveau morne et noir. On l'avait tué et il avait cessé d'être.

Sofia Ossipovna sentit le corps de l'enfant s'affaisser dans ses bras. Elle était à nouveau séparée de lui. Dans les mines, les animaux témoins, les oiseaux et les souris, meurent sur-le-champ en présence de gaz dangereux. Ils ont de petits corps et le garçon au petit corps d'oiseau était mort avant elle.

« Je suis mère », pensa-t-elle.

Ce fut sa dernière pensée.

Mais son cœur vivait encore : il se serrait, souffrait, vous plaignait, vous, les vivants et les morts ; des vomissements jaillirent, Sofia Levintone serra contre elle David, poupée sans vie, et elle devint morte, poupée.

49

L'homme meurt et passe du royaume de la liberté à celui de l'esclavage. La vie, c'est la liberté, aussi le processus de la mort est-il le processus de l'anéantissement progressif de la liberté ; la conscience faiblit puis s'éteint ; les processus vitaux de l'organisme continuent un certain temps après la disparition de la conscience ; la circulation sanguine, la respiration, les échanges cellulaires continuent à s'effectuer. Mais c'est un recul irréversible vers l'esclavage : la conscience s'est éteinte, la flamme de la liberté s'est éteinte.

Les étoiles se sont éteintes dans le ciel nocturne, la Voie lactée a disparu, le soleil s'est éteint, Vénus, Mars et Jupiter se sont éteints ; les océans se sont figés, les millions de feuilles se sont figées, et le vent a cessé de souffler, et les fleurs ont perdu leurs couleurs et leurs parfums, le pain a disparu, et l'eau a disparu, la fraîcheur et la chaleur de l'air ont disparu. L'Univers qui existait en l'homme a cessé d'être. Cet Univers ressemblait de manière étonnante à l'autre, l'unique, celui qui existe en dehors des hommes. Cet Univers ressemblait de manière étonnante à l'Univers que continuent de refléter des millions de cerveaux vivants. Mais cet Univers avait ceci de particulièrement étonnant qu'il y avait en lui quelque chose qui distinguait le parfum de ses fleurs, le ressac de son océan, le frémissement de ses feuilles, les couleurs de ses granits, la tristesse de ses champs sous une pluie d'automne, de l'Univers qui vivait et qui vit en chaque homme, et de l'Univers qui existe éternellement en dehors des hommes. Son unicité et son originalité irréductible constituent l'âme d'une vie, sa liberté. Le reflet de l'Univers dans la conscience d'un homme est le fondement de la force de l'homme, mais la vie ne devient bonheur, liberté, valeur suprême, que lorsque l'homme existe en tant que monde que personne, jamais, ne répétera dans l'infini des temps. Ce n'est qu'à cette condition qu'il éprouve le bonheur de la liberté et de la bonté, en trouvant chez les autres ce qu'il a trouvé en lui-même.

50

Semionov, le chauffeur qui avait été fait prisonnier en même temps que Mostovskoï et Sofia Ossipovna à Stalingrad, avait passé dix semaines, mourant de faim, dans un camp proche du front avant d'être envoyé, avec un fort groupe d'autres prisonniers de guerre, en direction de la frontière occidentale.

Il n'avait reçu, dans le premier camp, pas le moindre coup de poing, coup de crosse ou coup de botte.

Dans le camp, régnait la famine.

La faim, comme l'eau, est liée naturellement à la vie, et soudain, comme l'eau, elle se transforme en une force qui détruit le corps, qui brise et mutile l'âme, qui extermine des masses humaines.

Le manque de nourriture, la neige, les sécheresses, les inondations, les épizooties emportent les troupeaux de brebis et de chevaux, les oiseaux et les renards, les abeilles sauvages, les chameaux, les truites et les vipères. Les êtres humains, pendant les catastrophes naturelles, deviennent par leurs souffrances les égaux des bêtes.

L'État peut décider d'enserrer artificiellement la vie dans des digues et alors, telle l'eau prise entre des rives trop étroites, la force terrible de la faim mutile, brise, extermine l'homme, une race, un peuple.

Molécule après molécule, la faim élimine des cellules les protéines et les graisses ; la faim ramollit les os, tord les jambes rachitiques des enfants, liquéfie le sang, dessèche les muscles, mange les cellules nerveuses ; la faim écrase l'âme, chasse la gaieté et la foi, détruit la pensée, fait naître soumission, bassesse, cruauté, désespoir et indifférence.

L'humain peut alors disparaître en l'homme, et l'être affamé est capable de meurtre, de cannibalisme.

L'État est capable de construire un barrage qui sépare le blé et l'orge de ceux qui les ont semés et provoquer ainsi des morts massives comparables à celles des Léningradois pendant le blocus allemand, à celles de millions de prisonniers de guerre dans les camps hitlériens.

Nourriture ! Aliment ! Bouffe ! Vivres ! Pâtures ! Tortore ! Mangeaille ! Chère ! Pitance ! Un repas copieux, raffiné, modeste, de régime, campagnard ! Mets ! Nourriture...

Pelures de pommes de terre, chiens, grenouilles, feuilles de choux pourries, betteraves moisies, cheval crevé, viande de chat, de corbeau et de choucas, graines crues, cuir de ceinturons, tiges de bottes, colle, terre imbibée des eaux grasses du mess, tout cela est de la nourriture. C'est ce qui passe le barrage.

Cette nourriture, on cherche à se la procurer, on la partage, on l'échange, on se la vole.

Au onzième jour de route, quand le convoi s'était arrêté à la gare de Khoutor Mikhaïlovski, les gardes sortirent du wagon Semionov inconscient et le transmirent aux autorités de la gare.

Le commandant de la gare, un vieil Allemand, regarda quelques instants le soldat agonisant et dit à l'interprète :

— Laissons-le se traîner au village. Si je l'enferme, il mourra dans vingt-quatre heures, et il n'y a pas de raison pour le fusiller.

Semionov parvint jusqu'au village voisin de la gare.

On ne le laissa pas entrer dans la première maison.

— Nous n'avons plus rien, va-t'en, dit une voix de vieille de derrière la porte.

Il frappa longuement à la porte de la deuxième maison mais personne ne répondit. La maison était vide ou alors fermée de l'intérieur.

La porte de la troisième isba était entrouverte ; il entra, personne ne se manifesta et il pénétra dans la pièce. Il sentit la bonne chaleur du poêle, la tête lui tourna et il s'étendit sur le banc, près de la porte. Sa respiration était rapide et entrecoupée. Il regardait autour de lui les murs passés à la chaux, les icônes, la table, le poêle qui occupait la moitié de la pièce. Tout cela le stupéfiait, après le camp.

Une ombre passa devant la fenêtre et une femme entra dans la pièce, vit Semionov et s'exclama :

— Qui êtes-vous ?

Il ne répondit pas. C'était clair, qui il était.

Ce jour-là, ce ne furent pas les forces impitoyables d'États puissants qui décidèrent de la vie et du destin de Semionov, mais un être humain, la vieille Krysta Tchouniak.

La femme tendit à Semionov un quart de lait qu'il se mit à boire difficilement mais avec avidité. Il but le lait et le rendit. Les vomissements le déchiraient, ses yeux pleuraient, il aspirait de l'air avec un râle de mourant, et vomissait encore et encore.

Il essayait de se retenir, il ne pensait qu'à une chose : il était sale, souillé, et la vieille allait le chasser. Il vit qu'elle apportait un chiffon, essuyait par terre. Il voulait lui dire qu'il ne fallait pas qu'elle essuie, qu'il allait tout nettoyer et laver lui-même, pourvu qu'elle ne le chasse pas. Mais il ne put que murmurer des sons indistincts en montrant quelque chose d'un doigt tremblant. Le temps passait. La vieille sortait de la maison, entrait à nouveau. Elle ne chassait pas Semionov. Peut-être qu'elle avait demandé à une voisine d'aller chercher une patrouille allemande ou de prévenir le politsaï ?

La vieille mit à chauffer un chaudron d'eau. Il faisait chaud, la vapeur s'élevait au-dessus de l'eau. Le visage de la vieille paraissait dur, renfrogné.

« Elle va me chasser, puis elle va tout désinfecter », se dit Semionov.

La vieille sortit du linge et un pantalon du coffre. Elle aida Semionov à se déshabiller, fit un paquet du linge sale. Il sentit l'odeur de son corps, de son caleçon imbibé d'urine et d'excréments sanglants.

Elle aida Semionov à s'asseoir dans un baquet, et il sentit sur son corps mangé par les poux le contact des mains fortes et rugueuses de la vieille ; une eau savonneuse et chaude coula sur ses épaules, sur son dos. Soudain, il suffoqua, se mit à trembler de tout son corps, il glapit en avalant la morve qui coulait, il cria : « Maman, maman, maman... »

Elle essuya avec un torchon de toile bise ses yeux larmoyants, ses cheveux, ses épaules. Elle attrapa Semionov sous les bras, l'assit sur le banc et se mit à genoux pour lui essuyer ses jambes semblables à des cannes ; elle lui mit une chemise et des caleçons, boutonna les petits boutons blancs, recouverts de tissu.

Elle vida dehors l'eau noire et souillée du baquet. Elle étendit sur le haut du poêle une peau de mouton, la recouvrit d'une toile rayée, prit sur le lit un gros oreiller et le disposa à la tête de la couche. Puis elle souleva Semionov sans effort, comme un poulet, et l'aida à grimper en haut du poêle.

Semionov gisait dans une sorte de demi-délire. Son corps ressentait un changement insensé ; la volonté du monde impitoyable qui cherchait à anéantir une bête mourante avait cessé d'agir.

Mais il n'avait jamais autant souffert que maintenant, ni dans le camp ni pendant le convoi ; ses jambes lui faisaient mal, une douleur sourde lui brisait les doigts, ses os étaient douloureux, il avait mal au cœur, sa tête s'emplissait d'une bouillie noire et liquide, ou, au contraire, vide et légère, se mettait à tourner, ses yeux le piquaient, un hoquet le déchirait, ses paupières le démangeaient. Par moments, son cœur se serrait, s'arrêtait, son corps s'emplissait de fumée et il lui semblait qu'il allait mourir.

Quatre jours passèrent. Semionov descendit du poêle, marcha dans la pièce. Il était stupéfait de voir que le monde était plein de nourriture. Dans le camp, il n'y avait que des betteraves pourries. Dans le camp, il lui semblait que la seule chose qui existât en ce monde était le brouet, la soupe du camp, une eau tiédasse sentant la pourriture.

Alors que maintenant il pouvait voir du millet, des pommes de terre, du chou, du lard, il entendait un coq chanter.

Il lui semblait, comme à un enfant, que deux magiciens se partageaient le monde, et il vivait dans la crainte que le méchant reprenne le dessus sur le bon, et que le monde chaud, bon et rassasié disparaisse et qu'il soit à nouveau obligé de mâcher un morceau de son ceinturon.

Il s'intéressa au moulin à blé de la vieille, son efficacité était nulle, on avait le front en sueur avant d'avoir pu moudre une poignée de farine grise et humide. Semionov nettoya la transmission avec une lime et de la toile émeri, resserra le boulon qui reliait le mécanisme aux meules faites de pierres plates. Il avait tout fait selon les règles, comme il convient à un mécanicien qualifié de Moscou ; il avait réparé le travail grossier d'un artisan de village, mais le moulin se mit à marcher encore plus mal.

Allongé sur le poêle, Semionov cherchait un moyen pour mieux moudre le blé. Le matin, il démonta une nouvelle fois le moulin, utilisa les rouages d'une pendulette hors d'usage.

— Regardez un peu, dit-il, tout faraud, en montrant à Krysta comment marchait l'engrenage qu'il avait adapté au moulin.

Ils ne se parlaient presque pas. Elle ne lui parlait pas de son mari, mort en 1930, de ses fils disparus, de sa fille, partie pour Prilouki et qui avait oublié sa mère. Elle ne lui demandait pas comment il avait été fait prisonnier, d'où il était, de la ville ou de la campagne.

Il avait peur de sortir dans la rue, regardait longtemps par la fenêtre avant de se risquer dans la cour et rentrait aussitôt. Il suffisait que la porte claquât ou qu'une gamelle tombât par terre pour qu'il prît peur. Il lui semblait que c'en était fini de son bonheur, que la force de la vieille Krysta Tchouniak avait cessé d'agir.

Quand une voisine venait rendre visite à Krysta, Semionov se réfugiait sur le poêle où il restait allongé, sans un mouvement, ayant peur de respirer trop fort, d'éternuer. Mais les voisines passaient rarement chez Krysta.

Il n'y avait pas d'Allemands dans le village, ils étaient cantonnés dans une cité de cheminots, près de la gare.

Semionov n'avait pas de remords à la pensée qu'il vivait bien au chaud pendant que la guerre faisait rage autour de lui. Il avait très peur d'être entraîné à nouveau dans le monde de la faim et des camps.

Le matin, au réveil, il restait un moment sans ouvrir les yeux. Il lui semblait que le charme avait été rompu pendant la nuit et qu'il allait voir devant lui les barbelés et les gardiens, entendre le tintement des gamelles vides. Il écoutait, les yeux fermés, vérifiant si Krysta était là.

Il pensait rarement au passé récent ; il ne pensait pas à Krymov, à Stalingrad, au camp, au convoi. Mais il pleurait et criait chaque nuit dans son sommeil. Une nuit, il descendit du poêle, se terra sous un banc et y dormit jusqu'au matin. A son réveil, il ne pouvait plus se souvenir de ce qu'il avait vu dans son sommeil.

Il put voir à plusieurs reprises passer des camions chargés de pommes de terre, de sacs de blé ; il vit un jour une Opel Kapitan. Le moteur était bon, les roues ne patinaient pas dans la boue du village.

Son cœur s'arrêtait quand il se représentait la scène : des voix rauques crient dans l'entrée, une patrouille allemande fait irruption dans l'isba.

Il interrogeait Krysta sur les Allemands.

— Il y en a des pas mauvais, répondait-elle. Quand le front passait ici, j'en ai eu deux chez moi, un étudiant et un peintre. Ils jouaient avec les enfants. Après, j'ai eu un chauffeur, il avait toujours un sac sur lui ; quand il revenait, le soir, il avait du lard, du beurre. Il ne le lâchait jamais, même à table. Et il a été très bon pour moi, il m'a donné du bois, une fois il m'a donné un sac de farine. Mais il y a des Allemands, ils tuent les enfants, ils ont tué un voisin, un vieux grand-père ; on n'est pas des hommes, pour eux, ils se promènent tout nus devant les femmes, ils font dans l'isba. Et il y a les nôtres, aussi, du village, les politsaï, ils font de ces choses...

— Chez les nôtres, il n'y a pas de sauvages comme chez les Allemands, dit Semionov.

Et il demanda :

— Mais vous, vous n'avez pas peur de me garder ici ?

Elle secoua la tête et lui expliqua qu'il y avait dans le village beaucoup de prisonniers relâchés. C'étaient, bien sûr, des Ukrainiens, des gens du village, qui étaient rentrés chez eux. Mais elle pouvait toujours dire que Semionov était son neveu, le fils de sa sœur qui avait quitté le village pour suivre son mari en Russie.

Semionov connaissait déjà de vue tous les voisins. Il connaissait la vieille qui ne l'avait pas laissé entrer chez elle le premier jour. Il savait que les jeunes filles allaient le soir au cinéma, à la gare, qu'il y avait bal tous les samedis. Il avait très envie de savoir quels films projetaient les Allemands. Mais Krysta ne voyait que des vieux et il n'avait personne à qui le demander.

Une voisine apporta une lettre de sa fille qui avait été enrôlée en Allemagne. Certains passages restèrent obscurs pour Semionov et on dut les lui expliquer. La jeune fille écrivait : « Gricha et Vania sont venus, on a remplacé les vitres. » Gricha et Vania étaient dans l'aviation. Donc l'aviation soviétique avait bombardé la ville allemande où se trouvait la jeune fille.

Ce même soir, un grand vieillard sec passa chez Krysta. Il regarda Semionov et demanda sans la moindre trace d'accent ukrainien :

— D'où viens-tu, le gars ?

— Je suis un prisonnier, répondit Semionov.

— Nous sommes tous des prisonniers.

Le vieux avait servi dans l'artillerie sous Nicolas II et il se souvenait avec une précision étonnante des commandements. Il les répéta pour Semionov, en prenant une voix rauque pour donner les ordres et une voix jeune, vibrante, pour annoncer leur exécution. Visiblement il avait retenu l'intonation de son chef et celle qu'il avait, lui, il y avait bien des années.

Puis il se mit à injurier les Allemands.

Il expliqua à Semionov que les gens, au début, espéraient que les Allemands liquideraient les kolkhozes, mais les Allemands eurent vite fait de comprendre que les kolkhozes étaient une bonne chose pour eux aussi. Ils mirent en place des « quintes » et des « dizains » qui ne changeaient pas beaucoup des « équipes » et « brigades » des kolkhozes. La vieille Krysta répéta d'une voix morne et triste :

— Oh, les kolkhozes, les kolkhozes !

— Eh bien quoi, les kolkhozes ? s'étonna Semionov. Normal, on a partout des kolkhozes, chez nous.

— Tais-toi, dit soudain Krysta. Tu te souviens comment t'étais quand t'es arrivé ici de ton convoi ? Eh bien, toute l'Ukraine était comme ça en 1930. On a mangé des orties, quand il n'y a plus eu d'orties, on a mangé de la terre. Ils ont pris le grain jusqu'à la dernière petite graine. Mon homme est mort, et moi, ce que j'ai souffert ! J'ai enflé, j'ai perdu la voix, je ne pouvais plus marcher.

Semionov fut frappé à l'idée que la vieille Krysta avait souffert de la faim tout comme lui. Il avait cru que la faim, la famine étaient impuissantes devant la maîtresse de la bonne isba.

— Peut-être que vous étiez des koulaks ? demanda-t-il.

— Tu parles de koulaks. Tout le monde y passait. Pire que pendant la guerre.

— Et toi, t'es de la campagne ou de la ville ? demanda le vieux.

— Je suis de Moscou, répondit Semionov, et mon père aussi est né à Moscou.

— Je peux te dire alors que si tu avais été ici au moment de la collectivisation, tu aurais crevé. Un gars de la ville. Moi, dit le vieux tout fier, si je suis encore en vie, c'est que je connais les plantes. Tu penses aux glands, aux feuilles de tilleul, aux orties ? Ils ont tout de suite été mangés. Mais moi, je connais cinquante-six plantes, pas moins, que l'homme peut manger. C'est pour ça que je suis encore ici. C'était le tout début du printemps, pas une feuille dans les arbres, mais moi, je déterrais déjà des racines. Je sais tout, moi, mon vieux :

toutes les racines, les écorces, les fleurs, les herbes, je les comprends toutes. Une vache, une brebis ou un cheval, ils seraient crevés, mais pas moi, je suis plus herbivore qu'eux.

— De Moscou ? répéta Krysta. Et moi, je ne savais pas que tu étais de Moscou.

Le voisin parti, Semionov s'était couché, mais la vieille Krysta restait assise, la tête dans les mains, et fixait le ciel noir de la nuit.

Ils avaient eu une belle récolte, cette année-là. Les blés se dressaient comme un mur ; les épis arrivaient à l'épaule de Vassili, quant à elle, elle aurait pu s'y cacher debout.

Le village était empli de gémissements doux et plaintifs ; de petits squelettes, les enfants, rampaient par terre, dans les isbas, en geignant. Les hommes, les pieds gonflés d'eau, erraient dans les cours, incapables du moindre effort. Les femmes cherchaient quelque chose à cuire, tout avait été cuit, tout avait été mangé : orties, glands, feuilles de tilleul, sabots, vieux os, cornes qui traînaient dans les arrière-cours, peaux de mouton... Et les gaillards venus de la ville allaient de maison en maison, passant devant les morts et les agonisants, ouvraient les caves, creusaient des trous dans les granges, sondaient le sol avec des tiges de fer : ils cherchaient et réquisitionnaient « le grain que cachaient les koulaks ».

Par une journée d'été étouffante, Vassili Tchouniak cessa de respirer. Juste à ce moment-là, les gars de la ville étaient de nouveau entrés chez eux ; et un garçon aux yeux bleus, roulant les « r » à la russe, tout comme Semionov, dit en regardant le mort :

— Ils résistent, ces koulaks, jusqu'à en crever.

Krysta soupira, se signa et alla dormir.

51

Strum estimait que seul un petit cercle de théoriciens serait en mesure d'apprécier ses travaux. Mais il n'en fut rien. Depuis quelque temps, il recevait des coups de téléphone de physiciens qu'il connaissait, mais aussi de mathématiciens et de chimistes. Certains lui demandaient des éclaircissements : ses déductions mathématiques étaient complexes.

Des délégués d'une association étudiante étaient venus le trouver, à l'Institut, pour le prier de faire un exposé pour les étudiants en dernière année de physique et de mathématiques. A deux reprises, il avait fait une conférence à l'Académie. Markov, Savostianov lui avaient raconté qu'on discutait de ses travaux dans maints laboratoires de l'Institut.

Lioudmila Nikolaïevna avait même entendu, au magasin réservé, une femme de savant demander à une autre : « Vous faites la queue derrière qui ? » Et l'autre avait répondu : « Derrière la femme de Strum. » La première s'était alors exclamée : « Le fameux Strum ? »

Victor Pavlovitch s'efforçait de dissimuler combien cet intérêt subit pour ses travaux le réjouissait. Mais la gloire ne le laissait pas indifférent. Au Conseil scientifique de l'Institut, on décida de proposer son ouvrage pour le prix Staline. Strum ne s'était pas rendu à cette séance, mais, dans la soirée, il ne quitta pas le téléphone des yeux, attendant le coup de fil de Sokolov. Le premier à l'appeler, après la séance, fut Savostianov.

D'ordinaire railleur, voire cynique, Savostianov, cette fois, avait un autre ton.

— C'est un triomphe ! répétait-il. Un véritable triomphe !

Il lui raconta l'intervention de l'académicien Prassolov. Le vieux avait déclaré que depuis l'époque de son défunt ami Lebedev, qui avait étudié la pression lumineuse, les murs de l'Institut n'avaient pas connu de travaux de cette importance.

Le professeur Svetchine avait évoqué la méthode mathématique de Strum, en démontrant que cette méthode elle-même présentait des éléments novateurs. Il avait dit que seuls les Soviétiques étaient capables, en période de guerre, de consacrer leurs forces, avec autant de dévouement, à servir le peuple.

Beaucoup avaient pris la parole, et parmi eux Markov, mais le discours le plus brillant et le plus fort avait été celui de Gourevitch.

— Drôlement costaud ! avait dit Savostianov. Il a su trouver les mots qu'il fallait, a parlé sans restrictions ; il a dit que votre ouvrage était désormais un classique, à placer au niveau de ceux des fondateurs de la physique atomique, Planck, Bohr, Fermi.

« Fortiche ! » pensa Strum.

Peu après Savostianov, Sokolov appela :

— Impossible de vous avoir, aujourd'hui. J'appelle depuis vingt minutes, c'est toujours occupé, dit-il.

Sokolov, lui aussi, était excité et content.

Strum dit :

— J'ai oublié de demander à Savostianov comment s'était passé le vote.

Sokolov expliqua que le professeur Gavronov, spécialisé dans l'histoire de la physique, avait voté contre Strum ; d'après lui, les travaux de Strum n'étaient pas fondés scientifiquement, ils découlaient directement des conceptions idéalistes des physiciens occidentaux et n'ouvraient, pratiquement, aucune perspective.

— C'est même plutôt bien que Gavronov soit contre, fit remarquer Strum.

— Peut-être, acquiesça Sokolov.

Gavronov était un homme étrange, qu'on avait surnommé. manière de plaisanterie : « Nos frères slaves. » Il s'entêtait à démontrer que toutes les grandes découvertes en physique étaient liées aux travaux des savants russes. Il mettait en avant les noms, presque inconnus, de Petrov, Oumov, Iakovlev, qu'il plaçait plus haut que ceux de Faraday, Maxwell, Einstein.

Sokolov plaisanta :

— Vous voyez, Victor Pavlovitch, Moscou a reconnu l'importance de vos travaux. Nous festoierons bientôt chez vous.

Maria Ivanovna s'empara du téléphone et dit :

— Compliments ! Félicitez pour moi Lioudmila Nikolaïevna. Je suis si heureuse pour vous et pour elle !

Strum répondit :

— Tout cela n'est que vanité.

Mais cette vanité l'émouvait et le réjouissait.

Durant la nuit, alors que Lioudmila Nikolaïevna s'apprêtait à dormir, Markov appela. Il était toujours très au fait de la conjoncture officielle, et il fit un récit du Conseil scientifique, très différent de ceux de Savostianov et de Sokolov. Après l'intervention de Gourevitch, Kovtchenko avait dit, suscitant l'hilarité générale :

— A l'Institut de mathématiques, les cloches sonnent aussi pour célébrer les travaux de Victor Pavlovitch. On n'a pas encore prévu de procession, mais les gonfalons sont tout prêts.

Dans la plaisanterie de Kovtchenko, Markov, soupçonneux, avait flairé une certaine hostilité. Ses autres remarques avaient trait à Chichakov. Alexeï Alexeïevitch n'avait pas donné son avis sur l'ouvrage de Strum. Écoutant les orateurs, il opinait du bonnet, mais était-il approbateur, ou était-ce une façon de dire : « Cause toujours, gars, tu m'intéresses ! »

Chichakov faisait en sorte que le prix fût décerné au jeune professeur Molokanov ; ses travaux étaient consacrés à l'analyse radiographique de l'acier. Ils présentaient un intérêt strictement pratique pour quelques usines, qui se devaient de produire un métal de qualité.

Puis, Markov raconta qu'après la séance, Chichakov était allé parler à Gavronov.

Strum dit :

— Viatcheslav Ivanovitch, vous devriez travailler dans la diplomatie.

Markov, qui ne savait pas plaisanter, répondit :

— Non, je suis physicien.

Strum passa dans la chambre où se trouvait Lioudmila et annonça :

— On me propose pour le prix Staline. On dit un tas de choses agréables sur mon compte.

Et il lui fit part des interventions des membres du Conseil.

— Bien sûr, tous ces succès officiels n'ont aucun intérêt. Mais tu sais, j'en ai par-dessus la tête de cet éternel complexe d'infériorité. Admettons que j'entre dans la salle de réunions. Eh bien, tu peux être sûre que même s'il y a de la place au premier rang, je n'oserai jamais m'y asseoir et que j'irai me poser au diable. Chichakov et Postoïev, eux, sans hésiter, vont s'installer au Praesidium. Tu comprends, ce fauteuil, je m'en fiche, mais j'aimerais, intérieurement, être convaincu que j'y ai droit.

— Tolia aurait été si content, fit remarquer Lioudmila Nikolaïevna.

— Je ne pourrai pas en parler à maman.

Lioudmila Nikolaïevna reprit :

— Vitia, il est déjà 11 heures passées, et Nadia n'est toujours pas là. Hier, elle est déjà rentrée à 11 heures.

— Et alors ?

— Elle dit qu'elle va chez une amie, mais cela m'inquiète. Elle prétend que le père de Maïka a un laissez-passer pour circuler en voiture la nuit et qu'il l'a reconduite jusqu'au coin de l'immeuble.

— Alors, pourquoi s'inquiéter ? dit Victor Pavlovitch, en pensant à part soi : « Seigneur, comment peut-on ramener ces petits problèmes quotidiens au milieu d'une conversation où l'on parle d'un grand succès et du prix Staline ! »

Il se fit taciturne, eut un bref soupir.

Deux jours après l'assemblée du Conseil scientifique, Strum téléphona au domicile de Chichakov. Il voulait lui demander d'accepter la candidature du jeune physicien Landesman. La direction et le service du personnel faisaient traîner les choses. Il voulait également prier Alexeï Alexeïvitch d'accélérer les formalités, afin qu'Anna Nahumovna Weispapier pût rentrer de Kazan. Puisque à présent, on embauchait à l'Institut, il n'avait aucune raison de laisser à Kazan des travailleurs qualifiés.

Il y avait bien longtemps qu'il voulait en parler à Chichakov, mais il avait l'impression que ce dernier n'était pas très bien disposé à son égard, et qu'il lui répondrait : « Adressez-vous à mon adjoint. » Alors, Strum repoussait cette conversation.

Mais aujourd'hui, le succès le portait. Il y a seulement dix jours, il eût à peine osé demander un entretien à Chichakov durant ses heures de réception. Et voilà qu'il lui semblait tout naturel et tout simple de lui téléphoner chez lui.

Une voix de femme s'enquit :

— C'est de la part de qui ?

Strum se présenta. Il eut plaisir à entendre sa voix, si calme, si posée, tandis qu'il se nommait.

La femme marqua un temps d'arrêt à l'autre bout du fil, puis elle dit affectueusement : « Un petit moment », et un bref instant plus tard, elle reprit sur le même ton gentil :

— Soyez aimable de rappeler demain à 10 heures à l'Institut.

— Veuillez m'excuser, répondit Strum.

De tout son corps, de toute sa peau, il éprouvait une honte cuisante.

Il devinait tristement que ce sentiment ne le quitterait pas même dans son sommeil et qu'au réveil, il se demanderait : « Pourquoi suis-je si mal ? » et aussitôt, se souviendrait : « Ah oui ! ce stupide coup de téléphone ! »

Il alla trouver sa femme, dans la chambre, pour lui raconter sa conversation manquée avec Chichakov.

— Je vois, je vois. T'as misé sur le mauvais cheval, comme disait ta mère en parlant de moi.

Il se mit à insulter la femme qui lui avait répondu.

— Nom de nom, quelle ordure ! Je ne supporte pas cette odieuse façon de se renseigner, pour vous répondre ensuite : Monsieur est occupé.

D'ordinaire, en pareils cas, Lioudmila Nikolaïevna était indignée, et il avait envie de l'écouter parler.

— Tu te souviens, dit-il, je pensais que la froideur de Chichakov s'expliquait par le fait que mes travaux ne pouvaient rien lui rapporter. Seulement, aujourd'hui, il s'aperçoit que cela peut lui rapporter gros, mais d'une façon particulière : en me discréditant. Tu comprends, il le sait : Sadko ne m'aime pas [1].

— Seigneur, que tu es donc soupçonneux ! s'exclama Lioudmila Nikolaïevna. Quelle heure est-il ?

— 9 heures et quart.

— Tu vois, Nadia n'est toujours pas là.

— Seigneur, répliqua Strum. Que tu es donc soupçonneuse !

— A propos, reprit Lioudmila Nikolaïevna, aujourd'hui, j'ai entendu dire, au magasin réservé, que Svetchine était également proposé pour le prix.

— Elle est bonne, celle-là ! Il ne m'en a rien dit ! Et en quel honneur ?

— Pour sa théorie de la diffusion, apparemment.

_____

1. Allusion à l'opéra de Rimski-Korsakov. Strum a en vue Staline et le pouvoir suprême. *(N.d.T.)*.

— C'est inouï. Elle date d'avant la guerre, sa théorie.

— Et alors ? Le passé, ça compte aussi. Tu verras qu'il aura le prix, et pas toi. Tu fais d'ailleurs tout pour cela.

— Tu es stupide, Liouda. Sadko ne m'aime pas, c'est tout !

— Ta maman te manque. Elle aurait fait chorus avec toi.

— Je ne comprends pas ton agacement. Si, à une époque, tu avais témoigné à maman l'affection que j'ai toujours eue pour Alexandra Vladimirovna...

— Anna Semionovna n'aimait pas Tolia, répondit Lioudmila Nikolaïevna.

— C'est faux, c'est faux, reprit Strum.

Et sa femme lui parut étrangère. Elle l'effrayait par son entêtement injuste.

52

Au matin, à l'Institut, Sokolov apprit la nouvelle à Strum. La veille au soir, Chichakov avait invité chez lui plusieurs chercheurs de l'Institut. Kovtchenko était passé prendre Sokolov en voiture.

On trouvait, parmi les convives, le responsable de la section scientifique du C.C., le jeune Baldine.

Strum se recroquevilla de honte : de toute évidence, il avait téléphoné à Chichakov au moment même où il recevait ses hôtes.

Il eut un petit rire et dit à Sokolov :

— On notait la présence du comte de Saint-Germain. Et de quoi ces messieurs ont-ils parlé ?

Il se rappela soudain, qu'au téléphone, il avait dit son nom d'un ton velouté, persuadé qu'en entendant le mot « Strum », Alexeï Alexeïevitch se jetterait sur le téléphone. Ce souvenir lui arracha un gémissement. Il se dit que seul un chien essayant de chasser une puce particulièrement maligne pouvait gémir aussi lamentablement.

— Je dois dire, reprit Sokolov, que question ravitaillement, on ne se serait jamais cru en guerre. Du café, du vin géorgien. Nous n'étions pas très nombreux, une dizaine.

— C'est bizarre, fit remarquer Strum, et Sokolov comprit que cette réflexion « rêveuse » s'adressait à lui. Il répondit, sur le même ton :

— Oui, je ne comprends pas très bien. Ou plutôt, je n'y comprends rien du tout.

— Nathan Samsonovitch était invité ? demanda Strum.

— Gourevitch n'était pas là. Il semble qu'on lui ait téléphoné, mais il avait un cours avec les étudiants de troisième cycle.

— Oui, oui, oui, fit Strum en pianotant sur la table. Puis, à sa grande stupéfaction, il s'entendit demander :

— Piotr Lavrentievitch n'a pas parlé de mes travaux ?

Sokolov hésita :

— J'ai le sentiment, Victor Pavlovitch, que vos admirateurs, vos inconditionnels vous jouent, en fin de compte, un sale tour : les chefs commencent à être agacés.

— Pourquoi vous taisez-vous ? Continuez !

Sokolov lui rapporta cette remarque de Gavronov : les travaux de Strum allaient à l'encontre des théories de Lénine sur la nature de la matière.

— Bon, fit Strum. Et alors ?

— Vous comprenez, Gavronov n'est rien. L'ennuyeux, c'est que Baldine l'a appuyé. En disant quelque chose comme quoi votre travail, bien que brillant, contredisait les grandes orientations définies lors de leur fameuse réunion.

Il jeta un coup d'œil à la porte, puis au téléphone, et ajouta à mi-voix :

— Vous comprenez, je me suis demandé si les huiles de l'Institut n'avaient pas l'intention de vous faire jouer les boucs émissaires, dans la campagne montée pour renforcer l'esprit de parti dans la recherche scientifique. Vous savez comment on déclenche les campagnes chez nous. On choisit une victime et on s'acharne sur elle. Ce serait horrible. D'autant que vos travaux sont remarquables, exceptionnels !

— Personne n'a pris ma défense ?

— Je ne crois pas.

— Et vous, Piotr Lavrentievitch ?

— Je jugeai absurde d'engager une dispute. On ne réfute pas la démagogie.

Strum sentit la gêne de son ami, et se troubla lui aussi :

— Oui, oui, bien sûr. Vous avez raison, naturellement.

Ils se turent, mais leur silence était pesant. Le froid de la peur effleura Strum, cette peur qui vivait secrètement au fond de son cœur, la peur de la colère de l'État, la peur d'être victime de cette colère qui réduisait les hommes en poussière.

— Oui, oui, oui, fit-il rêveusement. La gloire ne sert pas à grand-chose quand on est mort.

— Comme je voudrais que vous le compreniez, fit Sokolov à mi-voix.

— Piotr Lavrentievitch, reprit Strum, en baissant lui aussi la voix.

Comment va Madiarov ? Ça marche ? Il vous écrit ? Parfois, je me fais du souci, je ne sais trop pourquoi.

Ce dialogue imprévu, chuchoté, était une façon de montrer que les gens avaient des relations bien à eux, humaines, qui ne relevaient pas de l'État.

Sokolov répondit tranquillement, distinctement :

— Non, aucune nouvelle de Kazan.

Il avait parlé d'une voix forte et paisible, comme pour démontrer que ces relations humaines, privilégiées, ne relevant pas de l'État, n'avaient pas lieu d'être, en ce qui les concernait.

Markov et Savostianov entrèrent dans le cabinet et la conversation changea du tout au tout. Markov entreprit de citer des exemples de femmes qui empoisonnaient la vie de leurs maris.

— Chacun a la femme qu'il mérite, dit Sokolov, en jetant un coup d'œil à la pendule. Et il quitta la pièce.

Rigolard, Savostianov lui lança :

— Quand il n'y a qu'une place libre dans le trolley, Maria Ivanovna reste debout et Piotr Lavrentievitch s'assied. Si quelqu'un téléphone la nuit, pas question qu'il quitte son lit ! C'est la petite Macha qui court, en robe de chambre, demander qui appelle. C'est clair, non ? Voilà une épouse qui est vraiment la compagne de son mari.

— J'ai moins de veine, répliqua Markov. Moi, on me dit : « Tu es sourd, ou quoi ? Va ouvrir la porte ! »

Strum, soudain hargneux, intervint :

— Qu'allez-vous comparer ? Piotr Lavrentievitch est un astre, un époux dans toute sa splendeur !

— De quoi vous plaignez-vous, Viatcheslav Ivanovitch ? dit Savostianov. Maintenant, vous êtes jour et nuit dans votre laboratoire : vous êtes hors d'atteinte.

— Figurez-vous que je le paie cher ! répondit Markov.

— Je vois le genre, fit Savostianov. Et il se pourlécha les lèvres, savourant, à l'avance, un nouveau trait d'esprit :

« Reste à la maison ! Comme on dit : Ma maison est ma forteresse... Pierre-et-Paul [1] !

Markov et Strum éclatèrent de rire, puis Markov, craignant que ces joyeux propos ne s'éternisent, se leva, en se disant à lui-même :

— A l'ouvrage, Viatcheslav Ivanovitch ! Il est l'heure !

Quand il fut sorti, Strum fit remarquer :

— Lui qui était si guindé, lui qui avait des gestes si mesurés ! A présent, on dirait qu'il est ivre. C'est vrai qu'il est jour et nuit dans son laboratoire.

---

1. Prison politique de Saint-Pétersbourg, sous l'ancien régime. *(N.d.T.)*

— Exactement, appuya Savostianov. On dirait un oiseau qui bâtit son nid. Il est complètement absorbé par son travail.

Strum s'esclaffa :

— Il ne fait même plus attention aux potins. Il a cessé de les colporter. Oui, oui, cela me plaît : un oiseau qui bâtit son nid !

Savostianov se tourna brusquement vers Strum. Son jeune visage aux sourcils blonds devint sérieux.

— A propos de potins. Je dois vous dire, Victor Pavlovitch, que la soirée d'hier chez Chichakov, où vous n'aviez pas été invité, était assez révoltante, inadmissible...

Strum se renfrogna. Cette compassion lui semblait humiliante.

— Allons, je vous en prie, cessez cela, dit-il sèchement.

— Victor Pavlovitch, reprit Savostianov. Bien sûr, quelle importance que Chichakov ne vous ait pas invité ? Mais Piotr Lavrentievitch a dû vous raconter la saloperie de Gavronov ! Il faut être sacrément culotté, pour aller déclarer que vos travaux fleurent le judaïsme et que Gourevitch ne considère votre ouvrage comme un classique que parce que vous êtes juif. Et le pire, c'est qu'il a dit toutes ces ignominies, soutenu par le silence ricanant des autorités. Les voilà « nos frères slaves ».

Au déjeuner, Strum n'alla pas à la cantine. Il resta à arpenter son cabinet. Aurait-il pu penser que les gens pouvaient être aussi minables ? Sympa, le Savostianov ! Lui qui avait l'air d'un gamin assez creux, uniquement préoccupé de faire de l'esprit et de contempler des photos de filles en costumes de bain. D'ailleurs, tout cela ne comptait pas. Les bavardages de Gavronov étaient sans importance, c'était un psychopathe, un misérable petit envieux. Et personne ne lui avait répliqué, parce que ses déclarations avaient paru trop absurdes, trop ridicules.

N'empêche que ces bêtises sans importance l'angoissaient, le tourmentaient. Comment Chichakov avait-il pu ne pas inviter Strum ? C'est vrai, quoi, c'était grossier, stupide. Le plus vexant était que Strum se moquait bien de cette nullité de Chichakov et de ses sauteries. Et pourtant, Strum souffrait, comme si un malheur irréparable était brusquement arrivé. Il comprenait que c'était idiot, mais il n'y pouvait rien. Oui, c'était cela : il voulait avoir droit à un œuf de plus que Sokolov ! Voyez-vous cela !

Une chose, pourtant, lui déchirait vraiment le cœur. Il eût voulu dire à Sokolov : « Comment n'avez-vous pas honte, mon ami ? Comment avez-vous pu me cacher que Gavronov m'avait couvert de boue ? Piotr Lavrentievitch, par deux fois vous vous êtes tu : là-bas, et devant moi. C'est honteux, honteux ! »

Mais son trouble ne l'empêcha pas de penser : « Toi aussi, tu te tais. Tu n'as pas dit à ton ami Sokolov de quoi Karimov soupçonne son parent Madiarov ! Tu n'as rien dit ! Par gêne ? Par délicatesse ? Mensonges ! Une peur de Juif, voilà ce que c'était ! »

De toute évidence, il était écrit que cette journée serait pénible.

Anna Stepanovna entra dans le cabinet et Strum, en voyant son visage défait, lui demanda :

— Anna Stepanovna, ma chère, que vous arrive-t-il ? « Aurait-elle eu vent de mes ennuis ? »

— Victor Pavlovitch, qu'est-ce que cela signifie ? commença-t-elle. Agir comme cela, dans mon dos ! En quoi ai-je mérité cela ?

On avait prié Anna Stepanovna de passer au service du personnel, pendant la pause déjeuner, et on lui avait suggéré de donner sa démission. La direction avait donné l'ordre de licencier les assistants de laboratoire sans formation supérieure.

— Quelle blague ! Je ne suis pas au courant, répondit Strum. Mais faites-moi confiance, je vais arranger tout cela.

Anna Stepanovna avait été particulièrement choquée par les paroles de Doubenkov, qui avait affirmé que l'administration n'avait rien à lui reprocher personnellement.

— Victor Pavlovitch, que pourrait-on avoir contre moi ? Pardonnez-moi, je vous en supplie, je vous ai empêché de travailler.

Strum jeta son manteau sur ses épaules et traversa la cour, en direction du bâtiment à un étage qui abritait le service du personnel.

« Bon, bon, se disait-il. Bon, bon. » Il était incapable de penser autre chose. Mais ce « bon, bon » avait de multiples sens.

Doubenkov salua Strum et dit :

— Je m'apprêtais justement à vous téléphoner.

— A propos d'Anna Stepanovna ?

— Non, pourquoi ? Certaines circonstances nous conduisent à demander aux collaborateurs les plus en vue de notre Institut de remplir cette enquête.

Strum regarda la liasse de feuilles et s'exclama :

— Oh ! oh ! Il y en a pour une semaine de travail !

— Allons donc, Victor Pavlovitch ! Un point encore : en cas de réponse négative, ne mettez pas un trait, mais écrivez en toutes lettres : « Non, je ne suis pas allé à l'étranger ; non, je n'ai pas été membre d'autres partis ; non, je n'ai pas de parents émigrés. »

— Mon cher, voici ce qui m'amène, commença Strum. Il faut absolument annuler l'ordre de licenciement de l'assistante de laboratoire, Anna Stepanovna Lochakova.

— Lochakova ? Voyons, Victor Pavlovitch, comment puis-je annuler un ordre de la direction ?

— Mais c'est effarant ! Elle a sauvé l'Institut, elle a monté la garde sous les bombes ! Et on la met dehors, pour des raisons purement administratives !

— Justement on ne licencie pas les gens sans raisons administratives chez nous ! repartit dignement Doubenkov.

— Non seulement Anna Stepanovna est une femme extraordinaire, mais elle est aussi une des meilleures collaboratrices de notre laboratoire.

— Si elle est à ce point irremplaçable, adressez-vous à Kassian Terentievitch, répondit Doubenkov. D'ailleurs, il a deux petites questions à régler avec vous, à propos de votre laboratoire.

Et il tendit à Strum deux papiers attachés ensemble :

— C'est à propos de la nomination d'un chercheur scientifique sur concours (il jeta un coup d'œil sur le papier et lut lentement) : Landesman Émile Pinkassovitch.

— C'est moi qui ai écrit cela, dit Strum, reconnaissant le papier que Doubenkov avait en main.

— Vous avez là la résolution de Kassian Terentievitch : « N'a pas les qualités requises. »

— Comment cela ? s'étonna Strum. Pas les qualités requises ? Je suis tout de même mieux placé pour le savoir. Comment Kovtchenko saurait-il ce dont j'ai besoin ?

— Voyez cela avec Kassian Terentievitch, rétorqua Doubenkov.

Il jeta un coup d'œil au second papier et dit :

— Et voici, avec votre requête, la demande de nos collaborateurs restés à Kazan.

— Oui ?

— Kassian Terentievitch écrit que c'est inopportun. Dans la mesure où ils effectuent un travail productif à l'université de Kazan, nous remettrons à la fin de l'année scolaire l'étude de cette question.

Il parlait bas, d'une voix douce, comme s'il souhaitait adoucir, par la gentillesse de son ton, la mauvaise nouvelle qu'il annonçait à Strum. Mais dans ses yeux, on ne lisait aucune gentillesse, rien qu'une curiosité peu amène.

— Je vous remercie, camarade Doubenkov, dit Strum.

Strum se retrouva dans la cour, à se répéter, encore et encore : « Bon, bon. » Il n'avait pas besoin du soutien de ses chefs, de l'affection de ses amis, de la compréhension de sa femme ; il pouvait lutter seul. Il atteignit le bâtiment principal et monta au premier étage.

Kovtchenko, en veston noir et chemise ukrainienne brodée, sortit de son cabinet, sur les talons de sa secrétaire qui l'avait informé de la venue de Strum. Il lui dit :

— Je vous en prie, Victor Pavlovitch, entrez dans ma chaumière.

Strum pénétra dans la chaumière, meublée de fauteuils et canapés rouges. Kovtchenko le fit asseoir sur un canapé et prit place à côté de lui.

Il souriait en écoutant Strum, et son amabilité rappelait un peu celle de Doubenkov. Sans doute Gavronov avait-il le même sourire, tandis qu'il prononçait son discours sur la découverte de Strum.

— Que voulez-vous... dit Kovtchenko, désolé, avec un geste d'impuissance. Nous n'avons pas voulu cela. Elle est restée ici sous les bombes ? Actuellement, Victor Pavlovitch, cela n'a rien d'un exploit. Tous les citoyens soviétiques sont prêts à supporter les bombes, si la patrie le leur commande.

Kovtchenko resta un instant perdu dans ses réflexions et reprit :

— Il y a un moyen, mais cela fera des histoires. On peut nommer Lochakova à un poste de préparatrice. Nous lui laisserons sa carte pour les magasins réservés, cela, je vous le promets.

— Non, ce serait humiliant pour elle, répondit Strum.

Kovtchenko demanda :

— Victor Pavlovitch, souhaiteriez-vous que l'État soviétique soit régi par certaines lois, et le laboratoire de Strum par d'autres ?

— Au contraire, je désire justement que les lois soviétiques soient appliquées dans mon laboratoire. Si l'on s'en réfère à la loi soviétique, on n'a pas le droit de renvoyer Lochakova.

Puis il demanda :

— Et puisqu'on parle de loi, Kassian Terentievitch, pourquoi n'avez-vous pas nommé, dans mon laboratoire, le jeune et talentueux Landesman ?

Kovtchenko se mordilla les lèvres.

— Voyez-vous, Victor Pavlovitch, peut-être considérez-vous, pour votre part, qu'il peut fournir chez vous un travail fructueux. Mais il est d'autres critères. Et la direction de l'Institut doit tenir compte de tout.

— Parfait, répondit Strum. Parfait.

Puis, dans un murmure, il demanda :

— Sa fiche de renseignements, c'est cela ? Il a des parents à l'étranger ?

Kovtchenko eut un geste vague.

— Je prolongerai un peu cette agréable conversation, Kassian Terentievitch, en vous demandant pourquoi vous tardez à rappeler de Kazan ma collaboratrice Anna Nahumovna Weispapier ? Je vous signale qu'elle a une thèse de troisième cycle. Il n'y a donc, apparemment, aucune contradiction, ici, entre l'État et mon laboratoire ?

Kovtchenko prit un air de martyr et déclara :

— Victor Pavlovitch, pourquoi cet interrogatoire ? Comprenez donc que je suis responsable du personnel.

— Parfait, parfait, reprit Strum, sentant qu'il allait bientôt devenir grossier.

« Le problème, sauf votre respect, commença-t-il, est que je ne peux plus travailler dans ces conditions. La science n'est pas au service de Doubenkov, ni même au vôtre. De la même façon, je ne suis ici que pour travailler, et non pour défendre les intérêts assez fumeux de je ne sais quel service du personnel. Je vais donc écrire à Alexeï Alexeïevitch de nommer Doubenkov à la tête du laboratoire nucléaire.

— Victor Pavlovitch, voyons, calmez-vous !

— Non, je ne travaillerai pas dans ces conditions.

— Vous n'imaginez pas, Victor Pavlovitch, combien la direction et moi en particulier estimons votre travail.

— Je me fiche bien de votre estime, fit Strum, mais loin de discerner de l'humiliation dans le regard de Kovtchenko, il n'y lut qu'un vif plaisir.

— Victor Pavlovitch, reprit Kovtchenko, nous ne permettrons en aucun cas que vous quittiez l'Institut.

Il se renfrogna et ajouta :

— Non que vous soyez irremplaçable. Auriez-vous la prétention de croire qu'on ne peut remplacer Victor Pavlovitch Strum ?

Et il termina, presque tendrement :

— N'y aurait-il, en Russie, personne pour vous succéder, si vous ne pouvez travailler à la science sans Landesman ni Weispapier ?

Il regarda Strum, et Victor Pavlovitch sentit qu'il allait lâcher les mots qui, telle une brume invisible, planaient entre eux, effleurant leurs yeux, leurs mains, leur cerveau.

Strum courba la tête. Le professeur, docteur d'État, l'éminent savant, auteur d'une remarquable découverte, l'homme qui savait être hautain et condescendant, indépendant et cassant, n'existait plus.

Il ne restait qu'un homme voûté, étriqué, au nez recourbé et aux cheveux crépus, battant des cils, comme s'il craignait de recevoir une gifle ; il regardait l'homme en chemise brodée ukrainienne, et attendait.

Kovtchenko dit doucement :

— Allons, Victor Pavlovitch, ne vous en faites pas. Ne vous en faites pas, voyons ! Que de bruit, grands dieux, pour une bêtise !

53

Dans la nuit, quand sa femme et sa fille furent couchées, Strum entreprit de remplir le questionnaire qu'on lui avait remis. Les questions étaient pratiquement les mêmes qu'avant la guerre. Et parce qu'elles étaient identiques, elles semblaient étranges à Victor Pavlovitch, porteuses d'angoisses nouvelles.

L'État ne s'inquiétait guère de savoir si l'outil mathématique dont Strum disposait pour son travail était suffisant, si le montage installé au laboratoire correspondait aux expériences complexes qui y étaient tentées, si les chercheurs étaient correctement protégés contre les rayons, si l'amitié et les relations de travail entre Strum et Sokolov étaient assez développées, si les chercheurs subalternes étaient préparés à effectuer des calculs épuisants, s'ils comprenaient que de leur patience, de leur tension et concentration permanentes dépendaient bien des résultats.

C'était un questionnaire magistral, le questionnaire des questionnaires ! Il voulait tout savoir du père de Lioudmila, de sa mère, du grand-père et de la grand-mère de Victor Pavlovitch, des lieux où ils avaient vécu, de la date de leur décès et de l'endroit où ils étaient enterrés. En quel honneur le père de Victor Pavlovitch, Pavel Iossifovitch, s'était-il rendu à Berlin, en 1910 ? La curiosité de l'État était sérieuse, sinistre. Strum parcourut l'enquête et se prit à douter de lui-même ! était-il vraiment un homme sûr ?

1. Nom, prénom, patronyme... Qui était-il, l'homme qui remplissait cette enquête, à une heure avancée de la nuit ? Strum Victor Pavlovitch ? Après tout, sa mère n'avait contracté, avec son père, qu'un mariage civil. Ne s'étaient-ils pas séparés, alors que le petit Victor n'avait que deux ans ? Il se rappelait que, sur les papiers de son père, figurait le prénom Pinkas et non Pavel. Pourquoi serais-je Victor Pavlovitch ? Qui suis-je ? Est-ce que je me connais ? Et si, en fait, je m'appelais Goldman, ou Sagaïdatchny. Si j'étais le Français Desforges, alias Doubrovski ?

Et dévoré par le doute, il passa à la seconde question.

2. Date de naissance... année... mois... jour... suivant l'ancien et le nouveau calendrier. Que savait-il de cet obscur jour de décembre ? Pouvait-il vraiment affirmer qu'il était bien né ce jour-là ? Peut-être devrait-il ajouter, pour dégager sa responsabilité : « Selon les déclarations de... »

3. Sexe... Strum nota avec assurance : « Homme ». Puis il se dit : « Drôle d'homme ! Un homme, un vrai, n'aurait pas gardé le silence, lorsqu'on a évincé Tchepyjine. »

4. Lieu de naissance, en indiquant les anciennes (« gouvernement, district, canton, village) et les nouvelles (région, arrondissement, communauté urbaine ou rurale) divisions administratives... Strum inscrivit : Kharkov. Sa mère lui avait raconté qu'il était né à Bakhmouta, mais qu'elle avait rectifié son acte de naissance quand elle s'était installée à Kharkov, deux mois après sa venue au monde. Fallait-il le préciser ?

5. Nationalité... Pas mal, le cinquième point ! Une question toute simple, insignifiante avant la guerre, mais qui prenait, aujourd'hui, une résonance particulière.

Appuyant sur sa plume, Strum inscrivit, d'une écriture ferme : « Juif. » Il ne pouvait deviner ce qu'il en coûterait bientôt d'avoir répondu à la cinquième question : « Kalmouk, Balkarets, Tchétchène, Tatare de Crimée, Juif... »

Il ne pouvait prévoir que, d'année en année, d'obscures passions allaient se déchaîner autour de ce cinquième point, que la peur, la haine, le désespoir, le sang, allaient passer, se déplacer du sixième point (« origine sociale ») au cinquième, que dans quelques années, de nombreuses personnes rempliraient le cinquième point avec le même sentiment de fatalité que lorsque répondaient à la question suivante les enfants d'officiers cosaques, de nobles, de propriétaires d'usines, de prêtres, au cours des précédentes décennies.

Pourtant, il percevait déjà, il pressentait que les lignes de force se concentraient autour de la cinquième question. La veille au soir, Landesman lui avait téléphoné, et Strum lui avait dit qu'il ne parvenait pas à arranger sa nomination. « J'en étais sûr », avait dit Landesman d'un ton mauvais, chargé de reproches à l'adresse de Strum. « Quelque chose ne va pas dans votre fiche de renseignements ? » avait demandé Strum. Landesman avait eu un soupir méchant et déclaré : « Ce qui ne va pas, c'est mon nom. »

Et Nadia avait raconté, au thé du soir :
— Tu sais, papa, le père de Maïka a dit que, l'année prochaine, on ne prendrait aucun Juif à l'Institut des Relations extérieures.

« Bref, se dit Strum. Quand on est juif, on est juif, et il faut bien l'écrire ! »

6. Origine sociale... C'était le tronc d'un arbre puissant dont les racines plongeaient loin dans la terre, et dont les branches s'étendaient bien au-dessus des larges feuilles de l'enquête : origine sociale de la mère et du père, des parents de la mère et du père... origine sociale de la femme, des parents de la femme... si vous êtes divorcé, origine sociale de votre ex-femme ; que faisaient ses parents avant la révolution ?

La Grande Révolution avait été une révolution sociale, celle des pauvres. Pour Strum, la sixième question était l'expression, parfaitement naturelle, d'une juste méfiance des pauvres, née de la tyrannie millénaire des riches.

Il écrivit : « Petite-bourgeoisie. » Petite-bourgeoisie ! Comment cela ! Soudain, sans doute était-ce l'effet de la guerre, il se dit qu'au fond, la différence n'était peut-être pas si grande, entre la question soviétique légitime de l'origine sociale et le sanglant problème de la nationalité, tel qu'il se posait pour les Allemands. Il se rappela les discussions nocturnes de Kazan, le discours de Madiarov sur l'attitude de Tchekhov à l'égard du genre humain.

Il se dit : « La distinction sociale me semble juste, morale. Mais, pour les Allemands, les différences de nationalités sont tout aussi morales. Une chose me paraît évidente : il est horrible de tuer les Juifs sous prétexte qu'ils sont juifs. Ils sont des hommes comme les autres, ils peuvent être bons, mauvais, doués, stupides, bornés, gais, sensibles, généreux ou avares. Hitler dit, lui : aucune importance ! Ils sont juifs, le reste ne compte pas. Naturellement, je proteste de tout mon être. Mais finalement, nous suivons le même principe : ce qui compte, c'est qu'on soit ou non d'origine noble, fils de koulak ou de marchand. Et quelle importance que les gens soient bons, mauvais, doués, généreux, stupides ou gais ? Le pire, c'est qu'il ne s'agit même pas de nobles, de prêtres ou de marchands ! Il s'agit de leurs fils, ou de leurs petits-enfants. Que voulez-vous, ils ont la noblesse dans le sang, comme le judaïsme, à croire qu'on est marchand ou prêtre héréditairement ! C'est ridicule ! Sophie Perovskaïa [1] était fille de général, bien plus, de gouverneur ! Faut-il la jeter aux orties ? Et Komissarov, le larbin policier qui a capturé Karakozov, aurait répondu à la sixième question : « Petit-bourgeois. » Et on l'aurait pris à l'Université. Car Staline a dit : « Le fils n'a pas à répondre de son père. » Mais il a également dit : « La pomme ne tombe jamais loin du pommier. » Bref, puisque petit-bourgeois il y a... »

7. Situation sociale... Fonctionnaire ? Un fonctionnaire, c'est un comptable, un officier de l'état civil... Le fonctionnaire Strum avait démontré, par les mathématiques, le mécanisme de désintégration des noyaux atomiques. Et à l'aide d'un nouveau dispositif expérimental, le fonctionnaire Markov s'apprêtait à prouver les déductions théoriques du fonctionnaire Strum.

« C'est exactement cela, se dit-il. Fonctionnaire ! »

Il haussait les épaules, arpentait la pièce, semblait, du geste, écarter quelqu'un au passage. Puis il se rasseyait au bureau et continuait à répondre aux questions.

29. Avez-vous, vous ou l'un de vos proches, fait l'objet d'une enquête judiciaire ou d'un jugement ? Avez-vous été arrêté ? Avez-vous fait l'objet d'une condamnation, pénale ou administrative ? Quand, où et pourquoi exactement ? Au cas où la peine aurait été levée, indiquez depuis quand...

La même question était posée pour la femme de Strum. Il se sentit le cœur glacé. Visiblement, on ne faisait pas de quartier ! C'était du sérieux ! Des noms défilaient dans sa tête... « Untel, je suis sûr qu'il est innocent... il n'est pas de ce monde... elle a été arrêtée parce

_____

1. Militante révolutionnaire avant 1917. *(N.d.T.)*

qu'elle n'avait pas dénoncé son mari. Elle a eu droit à huit ans, ou quelque chose d'approchant, je ne sais pas exactement, je ne lui écris pas. Envoyée à Temniki, semble-t-il, je l'ai appris par hasard, en rencontrant sa fille dans la rue... Lui, je ne me rappelle plus très bien, je crois que c'est au début de 1938 qu'on l'a arrêté, oui, c'est cela, dix ans, sans droit de correspondance...

« Le frère de ma femme était membre du parti ; je le voyais rarement. Ni ma femme ni moi ne lui écrivons. Je crois que la mère de ma femme est allée le voir, oui, oui, c'était bien avant la guerre. Sa seconde femme a été envoyée en camp, parce qu'elle ne l'a pas dénoncé ; elle est morte pendant la guerre, son fils s'est porté volontaire pour la défense de Stalingrad... Ma femme est séparée de son premier mari. Elle avait un fils de lui. Mon beau-fils est mort au front, à Stalingrad... Son premier mari a été arrêté, mais depuis le divorce, ma femme n'a plus eu de nouvelles... pour quelle raison a-t-il été jugé, je ne sais pas exactement, j'ai vaguement entendu parler d'une quelconque appartenance à l'opposition trotskiste, mais je n'en suis pas sûr, cela ne m'intéressait pas... »

Un sentiment désespérant de culpabilité, d'impureté s'empara de Strum. Il se souvint de ce membre du parti qui, se repentant de ses fautes, s'était écrié, à la réunion : « Camarades, je ne suis pas des nôtres ! »

Et soudain, il s'insurgea. « Je ne suis pas de ceux qui se soumettent et se résignent ! Sadko ne m'aime pas ! Et alors ? Je suis seul, ma femme a cessé de s'intéresser à moi ? Tant pis ! Je ne renierai pas tous ces malheureux, morts, alors qu'ils étaient innocents.

« Vous devriez avoir honte, camarades, de remuer tout cela. Ces gens sont innocents, et leurs femmes, leurs gosses le sont d'autant plus ! Il vous faut vous repentir devant ces gens, leur demander pardon. Or, vous cherchez à prouver que je suis défaillant, à me retirer votre confiance, sous prétexte que des liens familiaux m'unissent à vos victimes ! Si je suis coupable, c'est uniquement de les avoir bien peu aidés dans leur malheur. »

Mais dans le cerveau de cet homme, d'autres pensées coulaient, suivant un cours exactement inverse.

« Après tout, je ne suis pas resté en rapport avec eux. Je ne suis pas en correspondance avec ces ennemis, je ne reçois pas de lettres des camps, je ne leur ai apporté aucun soutien matériel et ne les ai rencontrés que rarement, par hasard... »

30. Avez-vous un parent à l'étranger (où, depuis combien de temps ? Raisons de son départ) ? Êtes-vous toujours en relation avec lui ?

Cette nouvelle question augmenta son cafard.

« Ne comprenez vous donc pas, camarades, que dans les conditions de la Russie tsariste, l'émigration était inévitable ? Qui émigrait : les pauvres, les gens épris de liberté ! Après tout, Lénine a bien vécu à Londres, à Zurich, à Paris ! Pourquoi vous faites-vous des clins d'œil entendus en lisant que tel ou tel de mes oncles ou tantes et leurs enfants se trouvent à New York, Paris ou Buenos Aires... »

En fait, la liste de ses parents à l'étranger était presque aussi longue que celle de ses travaux scientifiques. Et si on ajoutait la liste des victimes de la répression...

Voilà comment on étendait un homme raide ! Jetez-le aux ordures, cet étranger ! Mais tout cela n'était que mensonges ! C'est de lui qu'avait besoin la science, pas de Gavronov ni de Doubenkov. Il était prêt à donner sa vie pour son pays ! Ils ne devaient pas manquer, les gens irréprochables sur le papier et capables de tromper, de trahir ! Ni ceux qui avaient noté sur leurs fiches de renseignements : « Père : truand, ou ancien propriétaire terrien », et étaient morts au combat, étaient entrés dans la résistance, acceptant de finir sur l'échafaud.

Qu'est-ce que cela voulait dire ? Il le savait : c'était la méthode statistique ! les probabilités ! On avait plus de chances de découvrir un ennemi parmi les gens qui n'appartenaient pas à la classe laborieuse que dans le prolétariat. Mais les nazis se fondaient sur les mêmes probabilités pour anéantir des peuples, des nations entières. Ce principe était inhumain. Inhumain et aveugle. Une seule démarche était admissible à l'égard des gens : une approche humaine.

Pour embaucher des gens au laboratoire, Victor Pavlovitch élaborerait une autre enquête, humaine, elle.

Il se moquait bien d'avoir à travailler avec un Russe, un Juif, un Ukrainien, un Arménien, avec un petit-fils d'ouvrier, de propriétaire d'usine ou de koulak ! Ses relations avec ses camarades de travail n'allaient pas changer sous prétexte que l'un d'entre eux avait un frère arrêté par le N.K.V.D. Il se moquait bien de savoir si leurs sœurs vivaient à Kostroma ou à Genève.

Il leur demanderait, par contre, depuis quel âge ils s'intéressaient à la physique théorique, ce qu'ils pensaient de la critique faite au vieux Planck par Einstein, s'ils étaient uniquement portés sur les raisonnements mathématiques ou s'ils étaient aussi attirés par le travail expérimental, leur opinion sur Heisenberg, et s'ils croyaient qu'il était possible de créer une équation unifiée du champ. L'essentiel était le talent, la flamme, l'étincelle divine.

Il demanderait, à condition, bien sûr, que son camarade de travail accepte de répondre, s'il aimait les promenades à pied, s'il buvait du vin, s'il allait aux concerts symphoniques, si les livres pour enfants de Setton-Thompson lui plaisaient dans sa jeunesse, s'il se sentait plus proche de Tolstoï ou Dostoïevski, s'il se passionnait pour le jardinage ou la pêche à la ligne, ce qu'il pensait de Picasso et quelle nouvelle de Tchekhov il préférait.

Il aimerait savoir si son futur collègue était taciturne ou volontiers bavard, s'il aimait faire de l'esprit, s'il était rancunier, irritable, ambitieux, s'il risquait de nouer une intrigue avec la charmante Vera Ponomariova.

Curieux comme Madiarov avait bien exprimé tout cela. A se demander s'il n'était pas un provocateur !

Seigneur Dieu...

Strum prit sa plume et inscrivit : « Esther Semionovna Dachevskaïa, ma tante du côté de ma mère, vit à Buenos Aires depuis 1909 ; professeur de musique. »

54

Strum entra dans le cabinet de Chichakov, bien décidé à rester calme, à ne pas prononcer un seul mot agressif.

Il comprenait qu'il était stupide de s'énerver, de se vexer, sous prétexte que lui, Strum, et ses travaux occupaient, dans la tête du fonctionnaire-académicien, une des dernières places.

Mais à peine Strum aperçut-il le visage de Chichakov qu'il éprouva une insurmontable irritation.

— Alexeï Alexeïevitch, commença-t-il. Bien sûr, on ne peut aller contre sa nature, mais vous ne vous êtes pas une seule fois intéressé à la mise en place des nouveaux appareils.

Conciliant, Chichakov répondit :

— Je vous promets que je passerai chez vous dans les plus brefs délais.

Dans sa grande bonté, le chef promettait à Strum de lui accorder le plaisir d'une visite.

Chichakov ajouta :

— Il me semble, d'ailleurs, que la direction est assez attentive à vos besoins.

— Surtout le service du personnel.

Toujours conciliant, Chichakov demanda :

— Voyons, en quoi le service du personnel peut-il vous gêner ? Vous êtes le premier chef de laboratoire à faire cette remarque.

— Alexeï Alexeïvitch, je vous demande instamment de rappeler de Kazan Weispapier ; elle est irremplaçable dans le domaine de la photographie nucléaire. Je proteste également, avec la dernière énergie, contre le licenciement de Lochakova. C'est une personne et une employée remarquable. Je n'arrive pas à concevoir qu'on puisse la renvoyer. C'est inhumain. Enfin, je vous prie d'accepter la demande du docteur de troisième cycle Landesman. C'est un garçon brillant. Je crois que vous sous-estimez l'importance de notre laboratoire. Sinon, je n'aurais pas à perdre mon temps en discussions de ce genre.

— En l'occurrence, je perds aussi le mien, fit remarquer Chichakov.

Ravi qu'il abandonne enfin ce petit ton pacifique qui empêchait Strum d'exprimer son agacement, Victor Pavlovitch reprit :

— Il est tout de même déplaisant de constater que ces conflits tournent tous autour de personnes possédant un nom juif.

— Ah ! c'était donc cela ! répliqua Alexeï Alexeïevitch, et il engagea les hostilités.

« Victor Pavlovitch, dit-il, l'Institut a à effectuer des tâches à très grande responsabilité. Nul besoin de vous dire dans quel contexte difficile s'inscrivent ces tâches. J'estime que votre laboratoire ne peut, à l'heure actuelle, contribuer à résoudre tous ces problèmes. Par ailleurs, votre travail, certes intéressant, mais également parfaitement discutable, a fait beaucoup trop de bruit.

Il ajouta, d'un ton pénétré :

— Et je ne suis pas le seul à le penser. Les camarades considèrent que tout ce bazar désorganise les chercheurs scientifiques. Tenez, hier, on m'a abondamment parlé de cette question. On a émis l'opinion qu'il vous faudrait réfléchir, de nouveau, à vos conclusions. Elles contredisent les théories matérialistes sur la nature de la matière. Vous devez personnellement faire une mise au point à ce sujet. Pour des raisons qui m'échappent, certaines personnes ont intérêt à faire de théories discutables la ligne directrice de la science, et cela au moment même où il faudrait concentrer nos efforts sur les problèmes posés par la guerre. Tout cela est extrêmement grave. Vous venez me trouver avec de terribles insinuations concernant une certaine Lochakova. A première vue, ça n'a pas l'air d'être une Juive.

Strum était désarçonné. Personne ne lui avait ainsi jeté à la face cette hostilité à l'égard de ses travaux. Il la percevait, pour la première fois, chez l'académicien qui dirigeait l'Institut où il travaillait.

Et, sans penser aux conséquences, il déversa tout ce qu'il avait sur le cœur et que, de ce fait même, il aurait fallu taire.

Il dit que la physique n'avait pas à s'occuper de correspondre à une philosophie. Il dit que la logique mathématique était supérieure à celle d'Engels ou de Lénine ; que c'était à Baldine, le délégué de la section scientifique du C.C., d'adapter les théories de Lénine aux mathématiques et à la physique, et non aux physiciens et mathématiciens de s'adapter aux points de vue de Lénine. Il dit qu'un trop grand pragmatisme tuait la science, fût-il commandé par « Dieu le Père lui-même » ; que seule une grande théorie pouvait engendrer une grande pratique. Qu'il était convaincu que les principaux problèmes techniques — et pas seulement techniques — seraient résolus, dès le XXe siècle, grâce à la théorie des processus nucléaires. Enfin, qu'il ferait volontiers une mise au point de ce genre, si les camarades, dont Chichakov lui taisait les noms, estimaient que cela était nécessaire.

— Quant à la question des noms juifs, Alexeï Alexeïevitch, vous ne pouvez, si vous êtes vraiment un intellectuel russe, compter vous en tirer par une plaisanterie. Si vous opposiez un refus à mes diverses demandes, je me verrais contraint de quitter l'Institut sans délai. Je ne peux travailler dans ces conditions.

Il reprit son souffle, regarda Chichakov, réfléchit et reprit :

— Il m'est pénible de travailler dans ces conditions. Je ne suis pas seulement un physicien. Je suis aussi un homme. J'ai honte devant ces gens qui attendent de moi aide et protection contre l'injustice.

Il se contenta de dire, cette fois, qu'il n'aimerait pas travailler dans ces conditions, le courage lui manqua pour réitérer sa menace de départ immédiat. Strum vit, sur le visage de Chichakov, que ce dernier avait remarqué la nuance.

Sans doute est-ce pour cela que Chichakov insista :

— Il est parfaitement absurde de continuer à parler en termes d'ultimatum. Je suis, bien entendu, obligé de tenir compte de vos desiderata.

Un sentiment étrange, à la fois triste et joyeux, emplit, toute la journée, le cœur de Strum. Les appareils au laboratoire, le nouveau montage qui serait bientôt terminé, tout cela lui paraissait le bonheur de sa vie, de son corps et de son cerveau. Comment pourrait-il vivre sans cela ?

Le souvenir des paroles hérétiques qu'il avait prononcées devant le directeur l'emplissait d'effroi. D'un autre côté, il se sentait fort. Son impuissance faisait sa force. Aurait-il pu penser que, de retour à Moscou, aux jours mêmes de son triomphe, il aurait à entamer pareille conversation ?

Personne ne pouvait être au courant de son heurt avec Chichakov, mais il avait l'impression que ses collaborateurs avaient, à son égard, une attitude particulièrement chaleureuse.

Anna Stepanovna lui prit la main et la serra.

— Victor Pavlovitch, je ne veux pas avoir l'air de vous remercier, mais je sais une chose : vous, c'est vous...

Il resta debout à côté d'elle, silencieux, ému et presque heureux.

« Maman, maman, pensa-t-il soudain. Tu vois, tu vois... »

En rentrant chez lui, il résolut de ne rien dire à sa femme, mais il avait tellement l'habitude de lui faire part de ce qui lui arrivait, que dès l'entrée, en ôtant son manteau, il déclara :

— Eh bien ! voilà, Lioudmila, je quitte l'Institut.

Lioudmila Nikolaïevna en fut désolée pour lui, mais elle s'arrangea pour trouver les mots qu'il ne fallait pas.

— Tu te conduis exactement comme si tu t'appelais Lomonossov ou Mendeleïev. Si tu pars, on mettra à ta place Sokolov ou Markov. (Elle leva la tête de son ouvrage.) Et pourquoi Landesman n'irait-il pas au front ? Autrement, les gens qui ont des idées préconçues pourront effectivement se dire que les Juifs s'arrangent entre eux pour se trouver des planques à l'Institut.

— Bon, bon, ça va, fit-il. Tu te souviens de ce qu'écrivait Nekrassov : « Le pauvre hère pensait se retrouver au temple de la gloire, bienheureux encore qu'il ne soit qu'à l'hôpital. » J'estimais, moi, avoir mérité le pain que je mange, et voilà qu'on me demande de me repentir de mes fautes, de mes hérésies. Non mais franchement, tu imagines : une confession publique ! C'est délirant ! Et dans le même temps, on me propose pour le prix, les étudiants viennent me trouver... Tout ça, c'est à cause de Baldine ! Même pas, d'ailleurs ! Sadko ne m'aime pas.

Lioudmila Nikolaïevna s'approcha de lui, arrangea sa cravate, tira le pan de son veston et demanda :

— Tu n'as sûrement pas déjeuné, tu es tout pâle ?

— Je n'ai pas faim.

— Mange une tartine, pour commencer, je vais te faire réchauffer ton repas.

Mais elle lui versa ses gouttes pour le cœur et dit :

— Bois. Je n'aime pas ta mine. Fais voir ton pouls.

Ils allèrent à la cuisine. Strum mâchonnait son pain en se regardant dans le petit miroir suspendu par Nadia près du compteur à gaz.

— C'est tout de même étrange, fou, dit-il. Aurais-je pu penser, à Kazan, que j'aurais à remplir des questionnaires à tiroirs et à entendre ce que j'ai entendu aujourd'hui. Quelle puissance ! L'État et l'homme... Tantôt il l'élève, tantôt il le jette dans le gouffre, et le tout sans aucun effort.

— Vitia, je voudrais te parler de Nadia, fit Lioudmila Nikolaïevna. Elle rentre presque tous les jours après le couvre-feu.

— Tu m'en as déjà parlé, ces jours-ci, répondit Strum.

— Je m'en souviens parfaitement. Mais, hier soir, je me suis, par hasard, approchée de la fenêtre. Je soulève légèrement le rideau de camouflage, et qu'est-ce que je vois ? Nadia s'arrête, en compagnie d'un militaire, près de chez le laitier, et les voilà qui s'embrassent.

— Ça alors ! dit Strum et, d'étonnement, il cessa de manger.

Nadia embrassait un militaire. Strum resta silencieux quelques instants, puis il se mit à rire. Seule cette nouvelle stupéfiante pouvait peut-être le distraire de ses pénibles réflexions, l'éloigner de ses soucis. Leurs yeux se rencontrèrent l'espace d'un éclair, et Lioudmila Nikolaïevna fut la première surprise de s'entendre rire à son tour. Durant quelques secondes, ils furent liés par cette complicité totale, qui ne peut exister qu'à de rares minutes et n'a nul besoin de s'exprimer en mots ni en pensées.

Et Lioudmila Nikolaïevna ne fut pas étonnée d'entendre Strum demander, apparemment hors de propos :

— Pas mal, pas mal, mais reconnais que je lui ai rivé son clou, au Chichakov !

Ses pensées suivaient un cours extrêmement simple, mais il n'était pas si facile de le comprendre. Plusieurs idées se mêlaient : le souvenir de la vie passée, le destin de Tolia et d'Anna Semionovna, la guerre, le fait que l'homme, aussi riche et célèbre soit-il, finit toujours par partir, mourir, cédant la place à de plus jeunes et que l'essentiel était, peut-être, de vivre sa vie en restant honnête.

Strum demanda à sa femme :

— Hein, je lui ai rivé son clou ?

Lioudmila Nikolaïevna hocha négativement la tête. Des dizaines d'années de vie commune, d'union, pouvaient aussi séparer.

— Tu sais, Liouda, dit Strum humblement. Dans la vie, ceux qui ont raison sont le plus souvent incapables de se conduire correctement : ils ont des sautes d'humeur, jurent, se montrent intolérants et dépourvus de tact. Et, d'ordinaire, on les rend responsables de tout ce qui ne va pas dans le travail ou la famille. Ceux qui ont tort, qui vous offensent, savent, eux, se comporter comme il faut, ils sont logiques, font preuve de doigté et ont toujours l'air d'avoir raison.

Nadia rentra vers les 11 heures. En entendant la clef dans la serrure, Lioudmila Nikolaïevna souffla à son mari :

— Parle-lui, toi.

— Cela t'est plus facile. Je préfère que tu commences, répondit Victor Pavlovitch ; mais dès que Nadia entra, décoiffée, le nez rouge, dans la salle à manger, il demanda :

— Qui embrasses-tu ainsi devant la porte de l'immeuble ?

Nadia se retourna brusquement, comme si elle eût voulu s'enfuir, puis, la bouche entrouverte, elle regarda son père.

Au bout de quelques secondes, elle haussa les épaules et dit, avec indifférence :

— An... Andreï Lomov, il est lieutenant, à l'école militaire.

— Tu as l'intention de l'épouser, ou quoi ? reprit Strum, décontenancé par le ton assuré de Nadia. Il regarda sa femme, se demandant si elle voyait aussi leur fille.

Comme une adulte, Nadia, plissant les yeux, lâchait parcimonieusement ses mots, avec agacement.

— L'épouser ? répéta-t-elle (et Strum fut stupéfait d'entendre ce mot par rapport à sa fille). Possible, j'y pense sérieusement !

Mais elle ajouta :

— Et peut-être pas, je n'ai pas encore décidé.

Lioudmila Nikolaïevna, jusque-là silencieuse, demanda :

— Nadia, pourquoi as-tu raconté ces histoires sur le père de je ne sais quelle Maïka et inventé ces leçons ? Je n'ai jamais menti à ma mère.

Strum se souvint qu'à l'époque où il courtisait Lioudmila, elle lui disait, quand elle venait le rejoindre :

— J'ai laissé Tolia à maman, j'ai raconté que je devais aller à la bibliothèque.

Redevenant la gamine qu'elle était, Nadia s'écria soudain, d'une voix hargneuse et pleurnicharde :

— Et tu trouves ça bien, de m'espionner ? Ta mère le faisait, avec toi ?

Furieux, Strum brailla :

— Idiote ! Cesse d'être insolente avec ta mère !

Elle lui jeta un regard ennuyé et patient.

— Ainsi, Nadejda Victorovna, vous n'avez pas encore décidé si vous alliez vous marier ou devenir la concubine d'un jeune colonel ?

— Non, je n'ai pas décidé. Par ailleurs, il n'est pas colonel, répondit Nadia.

Était-il pensable qu'un jeune gars en uniforme ait embrassé sa fille ? Comment pouvait-on tomber amoureux de cette gamine, Nadia, cette petite idiote, à la fois comique et intelligente ? Qui pouvait s'intéresser à ses yeux de chiot ?

Bref, c'était l'éternelle histoire.

Lioudmila Nikolaïevna ne disait mot ; elle comprenait que Nadia allait se fâcher, garder le silence. Elle savait que lorsqu'elles se retrouveraient toutes les deux, elle caresserait les cheveux de sa fille, Nadia se mettrait à renifler, pour Dieu sait quelle raison, et Lioudmila Nikolaïevna, sans bien savoir pourquoi elle non plus, se sentirait transpercée de pitié. Au fond, qu'y avait-il de si terrible à ce qu'une jeune fille embrassât un jeune gars ? Nadia lui raconterait tout sur ce Lomov, et elle lui caresserait les cheveux, en se rappelant ses premiers baisers ; et elle penserait à Tolia, car elle reliait à lui tous les événements de sa vie. Tolia n'était plus.

Qu'il était triste, cet amour de jeune fille, suspendu au-dessus du gouffre de la guerre ! Tolia, Tolia...

Victor Pavlovitch, saisi par l'angoisse paternelle, s'agitait et faisait du bruit.

— Et où fait-il son service, ton grand nigaud ? demanda-t-il. J'irai trouver son commandant. Il lui apprendra à chanter des romances à des petites morveuses.

Nadia restait silencieuse, et Strum, fasciné par sa morgue, se tut malgré lui, puis demanda :

— Qu'est-ce que tu as à me regarder comme un être d'une race supérieure considérerait une amibe ?

Curieusement, le regard de Nadia lui rappelait sa conversation avec Chichakov : Alexeï Alexeïevitch, tranquille, sûr de lui, avait contemplé Strum du haut de sa magnificence d'académicien reconnu par l'État. Face aux yeux clairs de Chichakov, Strum avait instinctivement compris qu'il était inutile de protester, de s'indigner, de poser des ultimatums. La puissance de l'État se dressait devant lui comme un bloc de basalte, Chichakov observait, avec une tranquille indifférence, les protestations de Strum : le basalte était solide.

Assez étrangement, la gamine qui se tenait devant lui paraissait savoir, elle aussi, que, par son inquiétude et sa colère insensées, il voulait réaliser l'impossible : arrêter le cours de la vie.

Durant la nuit, Strum se dit qu'en rompant avec l'Institut, il gâchait irrémédiablement sa vie. On donnerait à son départ un caractère politique, on raconterait qu'il était à l'origine, depuis quelque temps, de tendances oppositionnelles assez malsaines. Ajoutez à cela la guerre, le fait que l'Institut avait la faveur de Staline. Et cette enquête terrifiante...

Et par-dessus tout cela, cette conversation insensée avec Chichakov. Plus les discussions de Kazan, Madiarov...

Soudain, il eut si peur qu'il eut envie d'envoyer une lettre d'excuses à Chichakov et d'effacer tous les événements de la journée.

55

Dans la journée, en rentrant du ravitaillement, Lioudmila Nikolaïevna aperçut, dans la boîte aux lettres, la tache blanche d'une enveloppe. Les battements de son cœur, déjà accélérés par la montée de l'escalier, augmentèrent encore. La lettre à la main, elle se rendit dans la chambre de Tolia, ouvrit toute grande la porte : la pièce était vide. Aujourd'hui non plus, il n'était pas rentré.

Lioudmila Nikolaïevna parcourut rapidement les pages, couvertes de cette écriture qu'elle connaissait depuis l'enfance : celle de sa mère. Elle aperçut les noms de Génia, Vera, Stépan Fiodorovitch, mais le nom de son fils n'était pas dans la lettre. Son espoir reflua une fois de plus, mais ne s'éteignit pas.

Alexandra Vladimirovna ne parlait pratiquement pas de sa vie, se bornant à constater, en quelques mots, que depuis le départ de Lioudmila, Nina Matveïevna, leur logeuse de Kazan, avait montré de très mauvais côtés. Elle n'avait aucune nouvelle de Sérioja, de Stépan Fiodorovitch ni de Vera. Génia inquiétait beaucoup Alexandra Vladimirovna. De toute évidence, des événements importants bouleversaient sa vie. Dans une lettre adressée à Alexandra Vladimirovna, Génia faisait allusion à des ennuis et au fait qu'il lui faudrait, peut-être, se rendre à Moscou.

Lioudmila Nikolaïevna ne savait pas être triste. Elle n'était capable que de se lamenter. Tolia, Tolia, Tolia.

Stépan Fiodorovitch était veuf... Vera était orpheline et sans foyer. Sérioja était-il toujours vivant, gisait-il, mutilé, dans un hôpital militaire ? Son père avait été fusillé ou était mort en camp. Sa mère avait péri en exil... La maison d'Alexandra Vladimirovna avait brûlé, elle vivait seule, sans nouvelles de son fils ni de son petit-fils.

Sa mère ne disait rien de sa vie à Kazan, de sa santé, de sa chambre — était-elle bien chauffée ? — ni de l'approvisionnement — s'était-il amélioré ?

Lioudmila Nikolaïevna savait pourquoi sa mère n'en faisait pas mention, et elle souffrait encore plus.

La maison de Lioudmila était, aujourd'hui, froide et vide. Comme si des bombes invisibles, terribles, l'avaient atteinte, détruisant tout à l'intérieur. La chaleur l'avait quittée. Elle était en ruine.

Ce jour-là, elle pensa beaucoup à Victor Pavlovitch. Leurs relations s'étaient détériorées. Victor était fâché contre elle, froid, et elle constatait avec tristesse que cela lui était indifférent. Elle le connaissait trop bien. Vu de l'extérieur, bien sûr, tout paraît romantique et élevé. Elle n'avait pas ce rapport poétique et exalté à l'égard des individus. Maria Ivanovna, elle, voyait en Victor Pavlovitch un être sage, ayant le goût du sacrifice, une nature noble. Macha aimait la musique, elle devenait toute pâle quand elle entendait du piano, et Victor Pavlovitch jouait, parfois, à sa demande. Elle avait besoin, semblait-il, d'une idole à adorer, et elle s'était créé une image, avait inventé un Strum qui n'existait pas. Si Macha avait pu voir le Victor de tous les jours, elle eût été vite déçue. Lioudmila Nikolaïevna savait que l'égoïsme était le grand moteur de Victor, qu'il n'aimait personne. Et voilà qu'à présent, évoquant le conflit avec Chichakov, terriblement angoissée et inquiète pour son mari, elle ne pouvait s'empêcher de ressentir son habituel agacement : il était prêt à sacrifier la science et la tranquillité de ses proches, pour le simple plaisir de faire le malin, de poser au défenseur des faibles.

Pourtant, la veille, inquiet pour Nadia, il avait oublié son égoïsme. Mais Victor aurait-il pu, oubliant ses propres soucis, s'angoisser de la même façon pour Tolia ? Hier, elle s'était trompée. Nadia ne s'était pas vraiment ouverte à elle. Comment comprendre ce qui arrivait : était-ce un simple caprice d'enfant, ou le destin de Nadia se jouait-il vraiment ?

Nadia lui avait raconté dans quel milieu elle avait fait la connaissance de ce Lomov. Elle lui avait abondamment parlé des copains qui récitaient des poèmes classiques, de leurs discussions sur l'art ancien et moderne, de leur mépris railleur pour certaines choses qui, selon Lioudmila Nikolaïevna, n'auraient dû susciter ni raillerie ni mépris.

Nadia avait de bonne grâce répondu aux questions de Lioudmila et, apparemment, elle avait dit la vérité : « Mais non, on ne boit pas, bon, c'est arrivé une fois, un copain partait au front » ; « on parle politique, de temps à autre. Bien sûr, pas comme dans les journaux, mais c'est rare, cela s'est produit une ou deux fois tout au plus. »

Mais à peine Lioudmila Nikolaïevna posait-elle une question sur Lomov que Nadia retrouvait son ton agacé : « Non, il n'écrit pas de poèmes. » « Comment veux-tu que je sache qui sont ses parents ; bien sûr que je ne les ai jamais vus ! Qu'est-ce que cela a de bizarre ? Qu'est-ce que tu crois : il ne sait rien de papa ! Il pense qu'il travaille dans un magasin d'alimentation. »

Comment comprendre : était-ce le destin de Nadia qui se jouait, ou une petite histoire qu'on aurait oubliée dans un mois ?

En préparant le repas, en faisant la lessive, elle pensait à sa mère, à Vera, Génia et Sérioja. Elle téléphona à Maria Ivanovna, mais personne ne répondit. Elle appela les Postoïev, mais la femme de ménage lui expliqua que sa patronne était partie faire les courses. Elle fit le numéro du gérant pour qu'on lui envoie le plombier — il y avait le robinet à réparer —, mais le plombier n'était pas venu travailler.

Elle entreprit d'écrire à sa mère. Elle pensait écrire une longue lettre, où elle exprimerait le regret de n'avoir pas su créer de bonnes conditions de vie à Alexandra Vladimirovna, et déplorerait que cette dernière préférât vivre seule à Kazan. Bien avant la guerre, déjà, aucun membre de la famille ne venait jamais passer quelque temps chez Lioudmila Nikolaïevna. Et aujourd'hui, c'était pareil : personne ne venait lui rendre visite dans son grand appartement de Moscou. Elle ne parvint pas à écrire la lettre, ne réussit qu'à gâcher quatre feuilles de papier.

Avant la fin de l'après-midi, Victor Pavlovitch téléphona pour l'avertir qu'il resterait assez tard à l'Institut : les techniciens de l'usine militaire qu'il avait convoqués devaient venir dans la soirée.

— Tu as du nouveau ? demanda Lioudmila Nikolaïevna.

— A quel propos ? répondit-il. Non, rien de neuf.

Le soir, Lioudmila Nikolaïevna relut la lettre de sa mère. Elle s'approcha de la fenêtre.

La lune brillait, la rue était déserte. Et de nouveau, elle aperçut Nadia, bras dessus bras dessous avec son militaire ; ils marchaient sur la chaussée, en direction de leur immeuble. Puis Nadia se mit à courir et le jeune gars en capote militaire resta planté au milieu de la rue déserte, à regarder de tous ses yeux. Le cœur de Lioudmila Nikolaïevna semblait réunir les sentiments les plus incompatibles : son amour pour Victor Pavlovitch, son inquiétude pour lui et sa rancune envers lui. Tolia, qui s'en était allé sans avoir connu les lèvres d'une fille, et ce lieutenant, debout au milieu de la rue ; Vera, heureuse, grimpant l'escalier de sa maison de Stalingrad, et Alexandra Vladimirovna qui n'avait plus de gîte...

Et la sensation de la vie, unique joie de l'homme et aussi son chagrin, emplit soudain son âme.

56

A l'entrée de l'Institut, Strum se heurta à Chichakov qui descendait de voiture.

Chichakov leva son chapeau, pour le saluer, mais ne manifesta aucun désir de s'arrêter pour lui parler.

« Mauvais pour moi », se dit Strum.

Au déjeuner, le professeur Svetchine, assis à la table voisine, évita de le regarder et ne lui adressa pas la parole. En quittant la cantine, le gros Gourevitch lui parla, ce jour-là, avec une gentillesse appuyée, il lui serra longuement la main, mais quand la porte de la direction s'entrouvrit, Gourevitch, sur un bref adieu, fila le long du couloir.

Au labo, Markov, avec lequel Strum discutait des appareils à préparer pour photographier des particules nucléaires, leva la tête de son cahier de notes et dit :

— Victor Pavlovitch, on m'a raconté qu'il y avait eu, au bureau du parti, une discussion assez dure vous concernant. Kovtchenko vous a fait un tour en vache, en déclarant : « Strum ne veut pas travailler dans notre collectif. »

— Ça, il m'a drôlement arrangé ! répliqua Strum, et il sentit qu'une de ses paupières tressautait nerveusement.

Durant son entretien avec Markov à propos des photos nucléaires, Strum eut l'impression qu'il ne dirigeait plus le laboratoire, que Markov avait pris le relais. Markov parlait tranquillement, en patron, et, à deux reprises, Nozdrine vient lui poser des questions concernant le montage des appareils.

Puis, brusquement, le visage de Markov se fit plaintif, suppliant, et il dit doucement à Strum :

— Victor Pavlovitch, je vous en prie, ne faites pas allusion à moi, si vous parlez à cette réunion du comité du parti. Sinon, j'aurai des ennuis, pour avoir révélé un secret du parti.

— Voyons, cela va de soi, répondit Strum.

Markov reprit :

— Tout cela va se tasser.

— Eh ! s'exclama Strum. De toute façon on se débrouillera bien sans moi. Les équivoques autour de l'opérateur ψ sont complètement délirantes.

— Je crois que vous faites erreur, répliqua Markov. J'en parlais justement, hier, avec Kotchkourov. Vous le connaissez, ce n'est pas un type qui plane dans les nuages. Il m'a dit : « Dans l'ouvrage de Strum, les mathématiques l'emportent sur la physique, mais, curieusement, elles m'éclairent, sans que je comprenne bien pourquoi. »

Strum comprit à quoi Markov faisait allusion : le jeune Kotchkourov était un fanatique des travaux liés à l'action des neutrons lents sur le noyau des atomes lourds ; il prétendait que les recherches de ce genre ouvraient des perspectives pratiques.

— Les Kotchkourov n'ont aucun pouvoir de décision, fit remarquer Strum. Ceux qui décident, ce sont les Baldine, or Baldine considère que je dois me repentir d'avoir entraîné les physiciens dans des abstractions talmudiques.

Tout le laboratoire semblait au courant du conflit qui opposait Strum à la direction et de la séance du comité du parti qui s'était tenue la veille. Anna Stepanovna jetait à Strum des regards douloureux.

Strum aurait voulu bavarder avec Sokolov, mais ce dernier était à l'Académie depuis le matin ; il téléphona qu'il risquait d'y rester encore et qu'il n'aurait sans doute pas le temps de passer à l'Institut.

Savostianov, lui, avait l'humeur au beau fixe et ne cessait de faire le pitre :

— Victor Pavlovitch, dit-il, vous avez devant vous le vénérable Gourevitch, éminent et brillant savant. Et, ce disant, il se passa la main sur le crâne et le ventre, faisant allusion à la calvitie et à la petite brioche de Gourevitch.

Dans la soirée, en rentrant à pied de l'Institut, Strum rencontra par hasard Maria Ivanovna, rue de Kalouga.

Elle le vit la première et le héla. Elle portait un manteau que Victor Pavlovitch n'avait jamais vu et il ne la reconnut pas tout de suite.

— C'est incroyable, dit-il. Comment vous êtes-vous retrouvée rue de Kalouga ?

Elle resta sans mot dire quelques instants, à le regarder. Puis elle secoua la tête et répondit :

— Ce n'est pas un hasard. Je voulais vous rencontrer, c'est pour cela que je suis ici.

Il se troubla, écarta légèrement les bras.

Un instant, son cœur cessa de battre. Il avait l'impression qu'elle allait lui apprendre une chose terrible, le prévenir d'un danger.

— Victor Pavlovitch, reprit-elle. Je souhaitais vous parler. Piotr Lavrentievitch m'a tout raconté.

— Ah ! Il vous a dit mes fantastiques succès, railla Strum.

Ils marchèrent côte à côte. On eût pu croire qu'ils ne se connaissaient pas.

Strum était gêné par le silence de Maria Ivanovna. Il la regarda de biais et dit :

— Lioudmila m'en veut de toute cette histoire. Je suppose que vous êtes fâchée, vous aussi.

— Non, répondit-elle. Je sais ce qui vous a poussé à agir de la sorte.

Il lui jeta un bref regard.

Elle ajouta :

— Vous pensiez à votre mère.

Il acquiesça.

Elle reprit :

— Piotr Lavrentievitch ne voulait pas vous le dire... Il a appris que la direction et le parti se sont montés contre vous... Il a entendu Baldine déclarer : « Ce n'est pas simplement de l'hystérie. C'est de l'hystérie politique et antisoviétique. »

— Ah ! Ah ! Voilà donc la nature de mon hystérie ! dit Strum. Je sentais bien que Piotr Lavrentievitch ne voulait pas me raconter ce qu'il savait.

— Exactement. Et j'ai mal pour lui.

— Il a peur ?

— Oui. En outre, il considère qu'en général, vous avez tort.

Elle ajouta, à voix basse :

— Piotr Lavrentievitch n'est pas un mauvais homme. Il a eu beaucoup de malheurs.

— Oui, oui, acquiesça Strum. Et cela aussi fait mal : un savant si brillant, si audacieux, et une âme aussi craintive !

— Il a eu beaucoup de malheurs, répéta Maria Ivanovna.

— Et même ! rétorqua Strum. Ce n'était pas à vous, mais à lui de me raconter tout cela.

Il lui prit le bras.

— Ecoutez, Maria Ivanovna, dit-il. Expliquez-moi ce qu'il en est de Madiarov. Je ne comprends pas ce qui a pu se passer.

Le souvenir de leurs discussions de Kazan ne cessait de le hanter ; il se rappelait bien souvent certaines phrases isolées, des mots, le sinistre avertissement de Karimov, les soupçons de Madiarov. Il lui semblait que les nuages qui, à Moscou, s'amoncelaient au-dessus de sa tête, finiraient par être liés à leurs bavardages de Kazan.

— Je ne comprends pas moi-même ce qui a pu se passer, répondit Maria Ivanovna. La lettre recommandée que nous avions envoyée à Leonid Sergueïevitch est revenue à Moscou. A-t-il changé d'adresse ? Est-il parti ? Le pire est-il arrivé ?

— Oui, oui, oui, bredouilla Strum, et il fut un instant désemparé.

De toute évidence, Maria Ivanovna était persuadée que Sokolov lui avait raconté l'histoire de la lettre retournée. Strum n'avait aucune idée de l'existence de cette lettre, Sokolov ne lui avait rien dit. En posant sa question, Strum pensait à la dispute entre Madiarov et Piotr Lavrentievitch.

— Si nous faisions une pause au Jardin des Plaisirs, proposa-t-il.

— Mais nous n'allons pas dans la bonne direction.

— Il y a une entrée rue de Kalouga.

Il avait très envie d'en savoir plus sur Madiarov, sur ses soupçons à l'égard de Karimov et inversement. Dans le jardin désert, personne ne viendrait les déranger. Maria Ivanovna comprendrait tout de suite l'importance de cette conversation. Il sentait qu'il pouvait lui parler librement, en toute confiance, de ses préoccupations, et qu'elle serait franche avec lui.

La veille, déjà, le dégel avait commencé. Dans le Jardin des Plaisirs, on voyait pointer, sous la neige qui fondait sur les pentes des collines, des feuilles humides, mais dans les petites combes, la neige était encore dure. Au-dessus de leurs têtes s'étendait un ciel maussade, nuageux.

— Quelle belle soirée, dit Strum en aspirant l'air humide et froid.

— Oui, on est bien. Il n'y a pas un chat, on se croirait à la campagne.

Ils suivaient les sentiers boueux. Quand ils rencontraient une flaque, Strum tendait la main à Maria Ivanovna et l'aidait à sauter.

Ils marchèrent longtemps en silence. Strum n'avait pas envie de parler de la guerre, de l'Institut, de Madiarov, de ses craintes, de ses pressentiments, de ses soupçons. Il avait envie de marcher sans mot dire, aux côtés de cette petite femme au pas leste et maladroit, et de garder ce sentiment de légèreté et de paix qu'il éprouvait soudain.

Elle ne parlait pas non plus. Elle marchait, tête baissée. Ils débouchèrent sur le quai, le fleuve était encore couvert de glace sombre.

— On est bien, dit Strum.

— Oui, très, répondit-elle.

Le sentier goudronné qui suivait le quai était sec, ils marchèrent plus vite, comme deux compagnons partis pour un lointain voyage. Ils rencontrèrent un blessé de guerre, un lieutenant et une jeune fille, petite et râblée, en tenue de ski. Tous deux marchaient enlacés et s'embrassaient de temps à autre. Parvenus à la hauteur de Strum et de Maria Ivanovna, ils s'embrassèrent de nouveau, se retournèrent et éclatèrent de rire.

« Nadia est peut-être venue ici, avec son lieutenant », pensa Strum.

Maria Ivanovna se retourna sur le couple et dit :

— Que c'est triste ! et elle ajouta, en souriant : Lioudmila Nikolaïevna m'a parlé de Nadia.

— Oui, oui, fit Strum. C'est tout à fait étrange.

Puis il ajouta :

— J'ai décidé de téléphoner au directeur de l'Institut d'électromécanique, afin de proposer mes services. S'il refuse de me prendre, je partirai à Novossibirsk ou à Krasnoïarsk.

— C'est sans doute la meilleure chose à faire. Vous ne pouviez pas agir autrement.

— Comme tout cela est triste, dit-il.

Il avait envie de lui raconter quel amour il éprouvait pour son travail, son laboratoire, de lui expliquer qu'en voyant les nouvelles installations où l'on effectuerait bientôt les premières expériences, il se sentait heureux et triste à la fois, et qu'il avait l'impression qu'il reviendrait, la nuit, à l'Institut, jeter un coup d'œil par la fenêtre. Il se dit que Maria Ivanovna percevrait dans ses paroles un côté un peu artificiel et se tut.

Ils arrivèrent à l'exposition de trophées. Ralentissant le pas, ils regardèrent les tanks allemands peints en gris, les canons, les mortiers, l'avion avec sa croix gammée noire sur les ailes.

— Même comme cela, ils font peur, déclara Maria Ivanovna.

— Ce n'est rien, répondit Strum. Il faut se consoler en se disant que dans la prochaine guerre, tout cela aura l'air aussi innocent qu'un mousquet ou une hallebarde.

Alors qu'ils approchaient des grilles du parc, Victor Pavlovitch reprit :

— Notre promenade est terminée. Dommage que le Jardin des Plaisirs soit si petit. Vous n'êtes pas fatiguée ?

— Non, non, dit-elle, j'ai l'habitude. Je marche beaucoup.

Peut-être n'avait-elle pas compris ses paroles, ou peut-être faisait-elle mine de ne pas comprendre.

— Vous savez, ajouta-t-il, c'est tout de même curieux que nos rencontres dépendent de vos rendez-vous avec Lioudmila et des miens avec Piotr Lavrentievitch.

— Oui, fit-elle, mais peut-il en être autrement ?

Ils quittèrent le parc et le bruit de la ville les agressa, rompant le charme de leur promenade silencieuse. Ils arrivèrent sur une place, non loin de l'endroit où ils s'étaient rencontrés.

Le regardant de bas en haut, comme une petite fille, elle dit :

— Vous devez aimer plus que jamais votre travail, votre laboratoire, vos appareils. Mais vous ne pouviez agir autrement. Un autre l'aurait fait, mais pas vous. Je vous ai raconté des choses bien déplaisantes, mais il me semble qu'il vaut toujours mieux savoir la vérité.

— Je vous remercie, fit Strum en lui serrant la main. Et pas seulement pour cela.

Il eut l'impression que ses doigts tremblaient dans sa main.

— C'est étrange, dit-elle. Nous nous séparons presque à l'endroit où nous nous sommes rencontrés.

Il plaisanta :

— Les anciens disaient bien que la fin est contenue dans le commencement.

Elle plissa le front, réfléchissant visiblement à ces paroles, puis elle éclata de rire en disant :

— Je ne comprends pas.

Strum la suivit du regard : une petite femme maigrichonne, de celles sur lesquelles les hommes, dans la rue, ne se retournent jamais.

57

Darenski avait rarement connu de semaines aussi mornes que celles qu'il avait passées en mission dans les steppes kalmoukes. Il envoya un télégramme au Q.G. du groupe d'armées pour annoncer que sa présence à l'extrême de l'aile gauche, où régnait un calme total, n'était plus nécessaire et qu'il avait rempli sa mission. Mais le commandement, avec un entêtement incompréhensible, persistait à ne pas vouloir le rappeler.

Les heures de travail allaient encore, mais le plus dur, c'étaient les heures de repos.

Le sable était partout, sec, mouvant, rugueux. Bien sûr, là aussi, la vie était présente. Un lézard, une tortue faisaient crisser le sable et laissaient derrière eux la trace de leur queue dans la poussière ; des épineux, couleur sable, poussaient par endroits ; des milans tournoyaient dans le ciel, à la recherche de charognes ; des araignées couraient sur leurs hautes pattes dans le sable.

La misère de cette nature austère, la monotonie froide d'un novembre sans neige dans le désert avaient, semblait-il, non seulement appauvri la vie des gens, mais même vidé leurs pensées : elles étaient uniformes, plates, mornes.

Darenski s'était peu à peu soumis à cette uniformité morne du désert. Alors qu'il avait toujours été indifférent à ce qu'il mangeait, ici, il pensait sans cesse au dîner. La soupe faite d'orge perlé, dit « shrapnel », et de tomates vertes marinées était devenue le cauchemar de sa vie. Quand il était assis dans le hangar, avec devant lui une table (quelques planches mal rabotées) maculée de soupe, et qu'il entendait les hommes en train d'avaler leur brouet dans des gamelles de fer-blanc, l'envie le prenait de fuir le tintement des cuillers, l'odeur écœurante. Mais dès qu'il quittait le réfectoire, de nouveau, il ne pensait qu'à lui et calculait le nombre d'heures qui le séparaient du prochain repas.

Il faisait froid la nuit dans les cahutes et Darenski dormait mal : il avait froid au dos, aux pieds, aux oreilles. Il dormait sans se déshabiller, enfilait plusieurs paires de chaussettes et s'enveloppait la tête dans une serviette.

Il s'étonnait, au début, en constatant que tous les hommes ici semblaient ne jamais penser à la guerre et avaient la tête bourrée d'histoires de bouffe, de tabac, de lessive. Mais bientôt il remarqua que lui aussi, tout en discutant avec les commandants de divisions ou de régiments de la préparation des pièces pour l'hiver, d'huile hivernale, de ravitaillement en munitions, pensait constamment aux petits problèmes de la vie courante.

L'état-major du groupe d'armées semblait hors de portée. Ses rêves étaient plus modestes, il aurait voulu passer une journée à l'état-major de l'armée, près d'Elista. Mais quand il rêvait à ce voyage, il ne se représentait pas ses retrouvailles avec la belle Alla Serguéïevna. Il aspirait à un bon bain, à une soupe au vermicelle et à du linge propre.

Même la nuit qu'il avait passée chez Bova lui apparaissait maintenant comme un moment agréable. Sa cabane n'était pas si mal et ils avaient parlé d'autre chose que de nourriture et de lessive.

Il souffrait particulièrement des poux.

Il fut long à comprendre pourquoi il avait des démangeaisons de plus en plus fréquentes ; il ne remarquait pas les sourires entendus de ses interlocuteurs quand, au cours d'une discussion de travail, il se grattait furieusement les aisselles ou la cuisse. De jour en jour, il se grattait avec une ardeur accrue. Il s'habituait aux sensations de brûlure à la hauteur des clavicules et des aisselles.

Il pensait qu'il faisait de l'eczéma et il l'expliquait par la sécheresse et le sable qui irritaient la peau.

Les démangeaisons se faisaient particulièrement fortes la nuit. Darenski se réveillait et se grattait la poitrine avec frénésie, jusqu'au sang. Un jour, couché sur le dos, il leva ses jambes en l'air et se mit à gratter ses mollets en gémissant. Il avait noté que la chaleur accentuait l'eczéma. Sous la couverture, son corps le grattait et le brûlait à la limite du supportable. Quand il sortait dans l'air glacé de la nuit, la démangeaison se calmait. Il pensait faire un tour au poste de soins et demander une pommade contre l'eczéma.

Un matin, il écarta le col de sa chemise et vit, le long de la couture, une file de poux de bonne taille. Il y en avait beaucoup. Darenski jeta un coup d'œil plein de honte et d'appréhension sur le capitaine qui dormait à côté de lui ; le capitaine, déjà éveillé, était assis sur son lit de camp et faisait la chasse aux poux sur ses caleçons étalés devant lui. Les lèvres du capitaine bougeaient : visiblement, il tenait le compte de son tableau de chasse.

Darenski enleva sa chemise et se mit, lui aussi, au travail.

La matinée était calme et brumeuse. Il n'y avait ni tirs ni passages d'avions, aussi le craquement que faisaient les poux en périssant sous l'ongle du capitaine était-il on ne peut plus net.

Le capitaine regarda de biais Darenski et marmonna :

— Oh, une costaude celle-là, une vraie truie, c'est une femelle reproductrice, sûr et certain.

— On ne donne donc pas de poudre ? demanda Darenski sans quitter son col de chemise du regard.

— Si, mais à quoi ça sert ? Il faudrait des bains-douches, mais ici il n'y a même pas assez d'eau pour boire. On ne lave presque pas la vaisselle au réfectoire, on économise l'eau. Alors, les bains...

— Et les étuves ?

— Ça ne sert à rien, les uniformes reviennent brûlés, et les poux, ils en sortent bronzés et c'est tout. Ah ! parlez-moi de Penza [1], on y était cantonné, ça c'était la belle vie ! Je n'allais même pas au réfectoire. C'était la maîtresse de maison qui me donnait à manger, une bonne femme pas vieille encore, bien juteuse. Les bains deux fois par semaine, la bière tous les jours.

— Que voulez-vous, dit Darenski, il y a loin d'ici à Penza.

---

1. Ville du centre de la Russie. *(N.d.T.)*

Le capitaine prit l'air sérieux de quelqu'un qui va révéler un secret :

— Il y a un moyen, camarade colonel. Le tabac à priser. Vous prenez un peu de brique en poudre, vous la mélangez à du tabac à priser. Vous saupoudrez votre linge. Le poux éternue, il saute et se brise le crâne contre la brique.

Le sérieux du capitaine était tel que Darenski mit un moment à comprendre que le capitaine lui servait une des nombreuses blagues qui circulaient sur ce sujet.

En quelques jours, Darenski entendit raconter de nombreuses autres blagues du même type. Le folklore pouilleux était riche.

Maintenant, il pensait jour et nuit à de multiples problèmes : nourriture, lessive, change, poudre contre les poux, extermination des poux par le chaud, à l'aide d'une bouteille en guise de fer à repasser, et par le froid. Il en avait oublié les femmes et il aimait se rappeler l'adage qu'il avait entendu dire par les droit commun quand il était dans les camps :

— Pour vivre, tu vivras, mais femme ne voudras.

58

Darenski avait passé la journée sur les positions de la division d'artillerie. De toute la journée, il n'avait entendu le moindre coup de feu, le moindre avion.

Le commandant de la division, un jeune Kazakh, lui dit en prononçant chaque mot distinctement et sans accent :

— Je me dis que pour l'an prochain, je vais planter des melons, revenez les goûter.

Le commandant de division, lui, ne souffrait pas dans le désert. Il plaisantait, découvrant ses dents blanches dans un sourire, il marchait rapidement et sans effort dans le sable profond, il regardait amicalement les chameaux qui se tenaient attelés près des masures recouvertes d'un bout de tôle ondulée.

Mais la bonne humeur du jeune Kazakh irritait Darenski ; il décida, pour trouver la solitude, de retourner aux positions de tir de la première batterie, bien qu'il y fût déjà passé le jour même.

Une lune énorme, plus noire que rouge, venait de se lever. Rougissant sous l'effort, elle montait dans la noire transparence du ciel et dans sa lumière courroucée, le désert nocturne, les longs tubes des canons, les mortiers, les fusils antichars prenaient un tout autre aspect, inquiet et menaçant. Une caravane de chameaux s'étirait sur la route ; les chariots grinçants transportaient des caisses d'obus et du foin ; l'inconciliable se conciliait : les tracteurs, le camion contenant la typographie du journal d'armée, le matériel de la radio et les longs cous des chameaux, leur démarche mouvante qui créait l'illusion d'un corps sans os, fondu dans du latex.

Les chameaux s'éloignèrent, seule resta dans l'air l'odeur rustique du foin. La même lune, plus noire que rouge, énorme, montait dans le ciel au-dessus de la plaine déserte où allait combattre l'ost d'Igor [1]. La même lune se figeait dans le ciel quand les armées perses marchaient sur l'Hellade, quand les légions romaines faisaient irruption dans les forêts germaniques, quand les régiments du Premier consul campaient au pied des Pyramides.

Quand la conscience humaine se tourne vers le passé, elle ne garde dans le tamis de la mémoire qu'un concentré des grands événements du passé, et laisse échapper les souffrances et les angoisses du soldat, son désarroi et sa tristesse. Il ne reste en mémoire qu'un récit vide sur le dispositif de l'armée qui a remporté la victoire et sur le dispositif de l'armée qui a subi une défaite, sur le nombre de catapultes, de balistes, d'éléphants ou sur le nombre de canons, de blindés et de bombardiers ayant pris part à la bataille. La mémoire gardera le récit sur le sage et heureux stratège qui sut immobiliser le centre et frapper le flanc, sur les réserves qui, surgissant de derrière les collines au moment propice, décidèrent de l'issue du combat. C'est tout, si ce n'est l'histoire banale sur le chef de guerre qui, de retour au pays, fut soupçonné de vouloir renverser son souverain et paya sa victoire et le salut de sa patrie de sa tête ou, s'il a eu de la chance, de l'exil.

Mais voilà le tableau du champ de bataille que peint l'artiste : une lune énorme et terne est suspendue au-dessus du champ de gloire, les preux gisent, les bras en croix, des quadriges brisés ou des tanks incendiés traînent sur le champ de bataille, et voilà les vainqueurs, en tenue de camouflage et mitraillette en bandoulière, en casque romain avec l'aigle de bronze, en bonnet à poils du grenadier.

Darenski, la tête dans les épaules, était assis sur une caisse de munitions et écoutait la discussion de deux soldats couchés près d'une pièce. Le commandant de la batterie était parti au Q.G. de la division avec l'instructeur politique, le lieutenant-colonel envoyé par l'état-major du groupe d'armées (les soldats s'étaient déjà renseignés sur le compte de Darenski) semblait dormir. Les soldats fumaient avec délice du gros gris et laissaient échapper des volutes de fumée.

---

1. Le prince Igor livra bataille contre les Polovtses au XIIᵉ siècle. Un poème épique, *le Dit de la bataille d'Igor*, chante sa campagne malheureuse.

C'étaient, selon toute apparence, deux vrais amis, liés par ce sentiment qui caractérise l'amitié : la certitude que le moindre événement dans la vie de l'un semblera important à l'autre.

— Et alors ? demandait un des soldats d'un ton faussement ironique et indifférent.

— Et alors, répondait l'autre comme à contrecœur, on dirait que tu ne le connais pas. On a mal aux pieds, on ne peut pas marcher dans des chaussures pareilles.

— Et alors ?

— Eh bien, je suis resté avec ces chaussures, j'allais quand même pas marcher pieds nus.

— Donc, finalement, il t'a pas donné de bottes. Et sa voix n'était plus ironique ou indifférente mais pleine d'intérêt pour l'événement.

Puis ils parlèrent de chez eux.

— Alors, ta femme, elle t'écrit ? Qu'est-ce qu'elle raconte ?

— Qu'est-ce que tu veux que raconte une bonne femme ? Il manque ci et il manque ça, le gamin est malade, ou bien c'est la fille. Une bonne femme, quoi !

— La mienne, c'est encore mieux, elle m'écrit comme ça, direct : vous n'avez pas de problèmes au front, nourris tous les jours, alors que nous on ne sait plus que faire tellement c'est dur.

— Raisonnement de bonne femme, dit le premier ; elle est à l'arrière et elle est incapable de comprendre ce que c'est que d'être en première ligne. Elle n'est capable que de voir tes rations.

— Tout juste, approuva le second. Elle n'a pas trouvé de pétrole et elle croit déjà qu'il n'y a rien de plus terrible sur terre.

— Sûr, faire la queue pour du pétrole, c'est plus dur que de repousser les chars allemands dans les sables à coups de bouteilles d'essence.

Il parlait de chars et de bouteilles bien qu'il sût, tout comme son interlocuteur, que les Allemands n'avaient jamais lancé leurs chars ici.

Et, brusquement, l'un d'eux coupa l'éternelle discussion des couples — qui a la part la plus dure, l'homme ou la femme ? — et dit d'une voix hésitante :

— La mienne, elle est malade, quelque chose dans les reins ; si elle soulève quelque chose de lourd elle en a pour une semaine à se remettre.

Et de nouveau, la conversation sembla changer complètement de cours, les deux artilleurs parlèrent du désert, de ces lieux maudits et sans eau.

Celui qui était le plus proche de Darenski prononça :

— Elle dit pas ça par méchanceté, elle comprend pas, c'est tout.

Et le premier artilleur ajouta, pour effacer les paroles mauvaises qu'il avait eues sur les femmes de soldats, mais sans les effacer tout à fait :

— Tu as raison. Je disais ça par bêtise.

Ils fumèrent en silence, puis parlèrent des avantages respectifs que présentaient les rasoirs mécaniques et les coupe-choux, de l'uniforme neuf du commandant de la batterie et de ce que, si dure que soit la vie, on avait envie de vivre.

— Regarde-moi cette nuit. Tu sais, quand j'étais à l'école, on nous a montré un tableau : une lune au-dessus de la plaine, et partout les corps des preux tués pendant la bataille.

— Je vois pas en quoi ça ressemble, dit le second en éclatant de rire. Des preux, alors que nous, nous sommes des moineaux.

59

Rompant le silence, une explosion retentit à la droite de Darenski. « Cent trois millimètres », détermina-t-il immédiatement. Aussitôt les pensées habituelles lui traversèrent l'esprit : « Un tir isolé ? Un tir de réglage ? Un tir de harcèlement ? Et si on était pris en fourchette ? Une attaque de blindés qui se prépare ? »

Tous les hommes habitués à la guerre se posaient les mêmes questions que Darenski.

Les hommes habitués à la guerre savent reconnaître, parmi des centaines de bruits, le bruit qui annonce un véritable danger. Le soldat pouvait tenir une cuiller, nettoyer son fusil, se gratter le nez, lire le journal, ou être plongé dans cette absence totale de pensées qui s'empare parfois du soldat en ses instants de liberté, il redresse la tête et tend une oreille avide et intelligente.

Et la réponse ne tarda pas. Plusieurs déflagrations retentirent sur la droite de Darenski, puis sur sa gauche, et tout gronda, explosa, fuma, bougea.

C'était un tir d'artillerie en règle.

Les flammes des explosions perçaient à travers la fumée, la poussière, le sable et la fumée montaient des flammes.

Les hommes couraient, tombaient.

Un hurlement déchira le désert. Des obus de mortiers tombèrent à côté des chameaux et les bêtes, renversant les piquets, couraient en traînant derrière elles les harnais rompus. Darenski, sans se soucier des explosions d'obus, se redressa de toute sa taille, frappé par l'horreur du spectacle.

Une pensée d'une extraordinaire évidence traversa son esprit : il assistait aux derniers moments de sa patrie. Un sentiment de fatalité le gagna. Ce cri terrifiant des chameaux affolés, ces voix russes pleines d'inquiétude, ces hommes courant vers des abris. La Russie mourait ! Elle était en train de mourir ici, chassée dans les sables gelés, aux abords de l'Asie, elle était en train de mourir sous une lune sombre et indifférente et la parole russe, qu'il chérissait si tendrement, se mêlait aux cris de peur et de désespoir des chameaux en fuite.

En cet instant amer, il n'éprouvait ni colère ni haine, mais un sentiment de fraternité à l'égard de tout ce qui vit de faible et de pauvre en ce monde ; il pensa — pourquoi, il n'aurait pas su le dire —, il pensa au vieux Kalmouk au visage foncé, rencontré naguère dans la steppe, et il lui sembla proche, depuis longtemps familier.

« Eh bien ! le sort en est jeté », pensa-t-il et il comprit qu'il n'aurait plus le désir de vivre sur cette terre si la défaite était consommée.

Il regarda les soldats qui se dissimulaient dans des fentes du terrain, se redressa, prêt à prendre le commandement de la batterie dans ce combat sans espoir, et cria :

— Eh ! le téléphoniste, par ici !

Mais le fracas des explosions s'interrompit brusquement.

Cette même nuit, sur indication de Staline, les trois commandants de groupes d'armées, Vatoutine, Rokossovski et Eremenko, donnèrent l'ordre de déclencher l'offensive qui allait décider dans les cent heures de l'issue de la bataille de Stalingrad, du sort des trois cent mille hommes de l'armée de Paulus, qui allait marquer un tournant dans le cours de la guerre.

Un télégramme attendait Darenski à l'état-major : il devait rejoindre le corps de blindés du colonel Novikov et tenir informé le Grand Quartier général des opérations menées par le corps d'armée.

60

Peu après les cérémonies commémoratives de la Révolution d'Octobre, dix-huit bombardiers allemands effectuèrent un nouveau raid sur la centrale électrique de Stalingrad.

Des nuages de fumée recouvrirent les ruines ; les destructions provoquées par l'aviation allemande interrompirent totalement la marche de la centrale.

Après ce raid, les mains de Spiridonov furent prises de tremblements ; quand il portait une tasse à ses lèvres, il en renversait le thé ou même il était obligé de la reposer sur la table, conscient que ses mains n'auraient pas la force de la tenir plus longtemps. Ses mains cessaient de trembler seulement quand il avait bu de la vodka.

La Direction commença à laisser partir les ouvriers, qui passaient la Volga et s'en allaient par la steppe jusqu'à Akhtouba et Leninsk.

Les dirigeants demandèrent à Moscou la permission d'abandonner la centrale, leur présence sur la ligne du front dans une centrale détruite n'ayant plus de sens. Moscou tardait à répondre et Spiridonov était très inquiet. Nikolaïev, le responsable du parti, avait été convoqué par le C.C. après le raid et était parti en Douglas pour Moscou.

Spiridonov et Kamychov erraient toute la journée parmi les ruines et se démontraient l'un à l'autre qu'ils n'avaient plus rien à faire ici, qu'il était temps de plier bagage. Mais Moscou se taisait toujours.

Le sort de Vera inquiétait tout particulièrement Spiridonov. Une fois passée sur la rive gauche, Vera s'était sentie mal et ne put partir pour Leninsk. Faire près de cent kilomètres à l'arrière d'un camion roulant et sautant sur les chemins défoncés et les ornières gelées aurait été pour elle, en fin de grossesse, une folie.

Des ouvriers qu'elle connaissait l'emmenèrent dans une péniche immobilisée par la glace auprès de la rive, et que l'on avait transformée en foyer.

Peu après le bombardement, Spiridonov reçut un petit mot qu'elle lui fit transmettre par le mécanicien de la vedette. Elle lui disait de ne pas se faire de souci pour elle ; on lui avait trouvé un bon recoin dans la cale, derrière une cloison. Parmi les réfugiés de la péniche, il y avait une infirmière et une vieille sage-femme ; un hôpital de campagne était installé à quatre kilomètres de la péniche et, en cas de complications, il était toujours possible de faire appel à un médecin. Il y avait de l'eau chaude, un poêle, on faisait à manger en commun avec les provisions qu'envoyait l'obkom du parti.

Bien que Vera demandât à son père de ne pas se faire de souci, chaque mot dans sa lettre l'emplissait d'inquiétude. Une seule chose le consolait un peu : Vera disait que leur péniche n'avait pas été une seule fois bombardée pendant les combats. Si Stépan Fiodorovitch avait pu passer sur l'autre rive, il aurait bien sûr trouvé un moyen pour se procurer une voiture ou une ambulance et emmener Vera, ne serait-ce qu'à Akhtouba.

Mais Moscou se taisait et n'autorisait toujours pas le départ du directeur et du directeur technique, bien qu'il n'y eût besoin maintenant, dans la centrale détruite, que d'un petit groupe de surveillance armé. Les ouvriers et le personnel technique ne tenaient pas à traîner sans rien faire dans la centrale et tous, dès que Spiridonov leur en donnait l'autorisation, partaient à la recherche d'un moyen de passer la Volga.

Seul le vieil Andreïev ne voulut pas du papier officiel avec le cachet rond du directeur. Quand Stépan Fiodorovitch proposa à Andreïev de partir pour Leninsk où se trouvaient sa belle-fille et son petit-fils, le vieux lui répondit :

— Non, je resterai ici.

Il lui semblait qu'en restant sur la rive de Stalingrad il préservait un lien avec sa vie d'antan. Peut-être qu'il pourrait bientôt parvenir jusqu'à la cité de l'usine de tracteurs ; il marcherait parmi les maisons brûlées ou détruites, il arriverait dans le jardin planté par sa femme, il relèverait, étayerait les jeunes arbres brisés, vérifierait si les affaires enterrées étaient à leur place, puis il s'assiérait sur la pierre à côté de la palissade renversée.

— Donc, Varvara, la machine à coudre est toujours là, même pas rouillée, le pommier, celui qui est à côté de la palissade, est fichu, un éclat d'obus l'a coupé net, le chou mariné, dans le tonneau à la cave, a un peu de moisissure sur le dessus, c'est tout.

Stépan Fiodorovitch aurait voulu discuter de ses affaires avec Krymov ; mais, depuis les fêtes d'Octobre, Krymov ne s'était plus montré à la centrale.

Spiridonov et Kamychov décidèrent d'attendre le 17 novembre et ensuite de s'en aller, il n'y avait vraiment plus rien à faire à la centrale. Mais les Allemands continuaient à tirer de temps à autre dessus, et Kamychov, après un raid particulièrement sévère, dit à Spiridonov :

— Leur service de renseignements ne doit pas valoir grand-chose, s'ils continuent à nous bombarder. Ils peuvent remettre ça d'un moment à l'autre. Vous connaissez les Allemands, ils vont taper et taper dans le vide comme un taureau.

Le 18 novembre, Stépan Fiodorovitch dit au revoir aux gardiens, embrassa Andreïev, contempla pour la dernière fois les ruines de la centrale et partit sans avoir obtenu l'autorisation de Moscou.

Il avait travaillé honnêtement, il avait travaillé dur pendant les combats de Stalingrad. Et son travail avait été d'autant plus dur et il était d'autant plus digne de respect que Spiridonov avait peur de la guerre, qu'il n'avait pu s'habituer aux conditions de vie du front, vivait dans la crainte des raids, se liquéfiait pendant les bombardements, mais travaillait.

Il allait, une valise à la main, un baluchon sur l'épaule, et se retournait pour faire signe de la main à Andreïev, debout devant le portail détruit, pour regarder l'immeuble aux vitres brisées où avait habité le personnel d'encadrement, les murs sinistres de la salle des turbines, la fumée qui continuait à se dégager des isolateurs à huile.

Il quitta la centrale de Stalingrad quand il n'y fut plus utile, vingt-quatre heures avant le début de l'offensive des troupes soviétiques.

Mais ces vingt-quatre heures qu'il n'avait pas pu attendre effacèrent aux yeux de beaucoup son travail honnête et difficile ; ils étaient prêts à voir en lui un héros, et ils le traitèrent de lâche et de déserteur.

Et il garda pour longtemps le souvenir torturant du moment où il s'éloignait, se retournait, agitait la main, et le vieil homme solitaire, debout devant le portail, le regardait.

61

Vera mit au monde un garçon.

Elle était allongée sur une couche faite de planches brutes clouées ensemble ; les femmes, pour qu'elle ait moins froid, avaient entassé des chiffons sur son lit ; le bébé, enveloppé dans un bout de drap, était couché à côté d'elle. Quand quelqu'un écartait le rideau pour entrer chez elle, elle voyait les gens, hommes et femmes, les affaires qui pendaient des couchettes du haut, elle entendait les cris des enfants, les allées et venues, le bourdonnement incessant des voix. Sa tête était pleine de brouillard, l'air empuanti était plein de brouillard.

Il faisait étouffant dans la cale, mais en même temps très froid, du givre se formait par endroits sur les cloisons de planches. Les gens ne se déshabillaient pas pour dormir et passaient la nuit en bottes de feutre et en manteaux ; les femmes s'emmitouflaient toute la journée dans des fichus, des lambeaux de couvertures, elles soufflaient sur leurs doigts gourds pour les réchauffer.

La lumière ne pénétrait qu'à grand-peine par une ouverture découpée pratiquement au niveau de la glace, et même dans la journée la cale était plongée dans la pénombre. Le soir, on s'éclairait à l'aide de lampes à pétrole sans verre et les visages des gens étaient noirs de suie. Des nuages de vapeur faisaient irruption dans la cale quand on ouvrait la trappe qui donnait sur le pont.

Des vieilles coiffaient à longueur de journée leurs chevelures défaites ; des vieux étaient assis par terre, un quart d'eau chaude dans les mains, parmi les oreillers, les baluchons, les valises de contre-plaqué sur lesquels grimpaient des enfants qui jouaient.

Vera avait l'impression que le bébé, couché contre son sein, avait modifié ses pensées, son attitude à l'égard des autres, qu'il avait modifié son corps.

Elle pensait à son amie Zina Melnikov, à la vieille Sergueïevna qui s'occupait d'elle ici, elle pensait au printemps, à sa mère, au trou dans sa chemise, à la couverture ouatinée, à Sérioja et à Tolia, au savon noir, aux avions allemands, à son abri dans la centrale électrique, à ses cheveux pas lavés, et tout ce qui lui passait par l'esprit était pénétré par le sentiment qu'elle éprouvait pour l'enfant qu'elle avait mis au monde, tout était lié à lui, tout prenait un sens ou perdait son sens en fonction de lui.

Elle regardait ses mains, ses jambes, sa poitrine, ses doigts. Ce n'étaient plus les mains qui jouaient au volley-ball, qui écrivaient des devoirs, qui tournaient les pages des livres ; ce n'étaient plus les pieds qui montaient en courant les marches du lycée, les jambes piquées par les orties qui battaient l'eau tiède de la rivière, les jambes qui faisaient se retourner les passants.

Et quand elle pensait à son enfant, elle pensait en même temps à Viktorov.

Les aérodromes se trouvent sur la rive gauche de la Volga, Viktorov doit être à côté d'elle, la Volga ne les sépare plus.

Un lieutenant allait entrer dans la cale et elle lui demanderait :

— Vous connaissez le lieutenant Viktorov ?

Et le pilote dirait : « Oui », et elle dirait : « Dites-lui que son fils est ici, et que sa femme est ici. »

Les femmes venaient la voir dans son recoin, hochaient la tête, souriaient, soupiraient, certaines parfois pleuraient, penchées au-dessus du bébé.

Elles pleuraient sur leur sort et souriaient à l'enfant et il n'était pas besoin de mots pour les comprendre.

Les questions que l'on posait à Vera avaient un seul sens : en quoi la mère pouvait être utile à l'enfant, avait-elle du lait ? n'avait-elle pas de gerçures aux seins, ne souffrait-elle pas de l'air humide ?

Son père arriva deux jours après l'accouchement. Avec sa petite valise et son baluchon, pas rasé, le manteau noué à la taille par une cravate, le nez et les joues brûlés par le vent glacial, ce n'était plus le directeur de la centrale électrique de Stalingrad.

Quand Stépan Fiodorovitch s'approcha du lit, elle remarqua que son premier regard n'avait pas été pour elle, mais pour l'être qui était à ses côtés.

Il se détourna et elle comprit, en voyant son dos et ses épaules, qu'il pleurait, qu'il pleurait parce que sa femme ne verrait jamais son petit-fils, qu'elle ne se pencherait jamais au-dessus de lui comme il venait de le faire.

Et ce n'est qu'après, mécontent et honteux d'avoir pleuré — des dizaines de personnes l'avaient vu —, qu'il dit d'une voix enrouée par le froid :

— Et voilà que tu m'as fait grand-père maintenant.

Il se pencha sur Vera, l'embrassa sur le front, lui caressa la joue d'une main froide et sale.

Puis il dit :

— Krymov est venu à la centrale pour les fêtes d'Octobre. Il ne savait pas que maman n'était plus. Il m'a interrogé sur Evguénia.

Un vieillard, vêtu d'une veste bleue qui laissait échapper des lambeaux d'ouate, s'approcha.

— On donne l'ordre de Koutouzov ou de Lénine, pour tuer le plus de gens, dit-il d'une voix entrecoupée par l'asthme. Combien qu'on en a descendu et des nôtres et des leurs. Alors, je me dis comme ça, quelle médaille il faudrait donner à votre fille, une médaille de deux kilos au moins, pour avoir donné une nouvelle vie dans ce bagne.

Ce fut la première personne qui, après la naissance du bébé, parla de Vera.

Stépan Fiodorovitch décida de rester sur la péniche, d'y attendre que Vera reprenne des forces pour aller avec elle à Leninsk. C'était sur le chemin de Kouïbychev, où il lui fallait se rendre pour obtenir une nouvelle affectation. Ayant constaté que le ravitaillement sur la péniche était en dessous de tout, Spiridonov décida, après s'être réchauffé, de partir à la recherche du P.C. de l'obkom, qui devait se trouver quelque part dans la forêt, pas très loin de la péniche. Il comptait s'y procurer un peu de sucre et de matières grasses auprès de ses relations.

62

Ce fut une dure journée dans la péniche. Les nuages pesaient sur la Volga. Les enfants ne jouaient pas sur la glace sale, couverte d'ordures et de déchets, les femmes ne lavaient pas le linge dans les trous creusés dans la glace, le vent, soufflant bas, se frayait un chemin dans la péniche par les fentes des parois, emplissait la cale de grincements et de hurlements.

Les hommes engourdis restaient assis sans bouger, s'enveloppaient dans des fichus, des couvertures, des vestes ouatinées. Les plus bavardes s'étaient tues et écoutaient le hurlement du vent, les planches qui grinçaient.

Le jour tombait et il semblait que l'obscurité naissait de la tristesse des hommes, du froid exténuant, de la faim, de la crasse, des interminables souffrances de la guerre.

Vera, enfoncée jusqu'au menton sous une couverture, sentait sur ses joues les courants d'air froid qui pénétraient dans la cale quand le vent se faisait plus fort.

Tout allait mal, se disait-elle ; son père ne pourrait pas la sortir d'ici, la guerre ne finirait jamais, les Allemands passeraient l'Oural au printemps et se répandraient dans toute la Sibérie, leurs avions voleraient toujours dans le ciel, leurs bombes exploseraient toujours.

Pour la première fois, elle douta de la présence de Viktorov dans les parages. Il y en a des aérodromes sur toute l'étendue du front et peut-être n'est-il plus ni au front ni à l'arrière.

Elle écarta le drap, regarda le visage du bébé. Pourquoi pleurait-il ? Elle devait sûrement lui passer sa tristesse comme elle lui passait son lait et sa chaleur.

Tous, ce jour-là, étaient oppressés par la cruauté du froid, la violence implacable du vent, la monstruosité de la guerre dans les gigantesques étendues russes.

Est-ce que l'homme est capable de supporter une vie aussi terrible, faite de froid et de faim ?

La vieille Sergueïevna, qui l'avait aidée à accoucher, s'approcha.

— Tu ne me plais pas, aujourd'hui, dit-elle. Tu étais mieux le premier jour.

— Ça ne fait rien, dit Vera, papa revient demain et apportera à manger.

Et bien que Sergueïevna fût contente à l'idée que la jeune mère recevrait du sucre et des matières grasses, elle lança d'une voix rude et méchante :

— Vous, les chefs, vous trouvez toujours à bouffer, il y en a toujours pour vous ; mais nous, tout ce qu'on a, c'est de la patate gelée.

— Silence ! cria quelqu'un. Taisez-vous !

On entendait confusément une voix à l'autre bout de la cale. Et soudain, la voix sonna haut et clair, étouffant tous les autres bruits.

Une voix lisait à la lumière d'une lampe qui fumait :

« Au cours des dernières heures... Une offensive réussie dans la zone de Stalingrad... Quelques jours plus tôt, nos troupes disposées aux abords de Stalingrad sont passées à l'offensive contre les forces germano-fascistes. L'offensive se déroule sur deux axes : au nord-ouest et au sud de Stalingrad [1]... »

Les hommes écoutaient debout et pleuraient. Un lien merveilleux s'était établi entre eux et les gars qui, protégeant leur visage du vent, marchaient en ce moment même dans la neige et ceux qui, le regard

_____

1. Le communiqué annonçant l'offensive n'est paru que le 22 novembre. *(N.d.T.)*

obscurci, couchés dans la neige et dans leur sang, disaient adieu à la vie.

Tous pleuraient, les vieux et les vieilles, les ouvriers, les enfants qui écoutaient la lecture avec des expressions qui n'avaient rien d'enfantin.

« Nos troupes ont pris la ville de Kalatch sur la rive est du Don, la gare de Krivomouzguinskaïa, la gare et la ville d'Abganérovo... » continuait le lecteur du communiqué.

Vera pleurait avec tous les autres. Elle aussi ressentait le lien existant entre les hommes qui marchaient dans l'obscurité froide de la nuit, tombaient, se relevaient pour tomber à nouveau, et cette cale de péniche où des êtres sans forces écoutaient le communiqué de l'offensive.

C'était pour elle, pour son fils, pour les femmes aux mains gercées par l'eau froide, pour les vieillards, pour les enfants enveloppés dans les fichus déchirés de leurs mères que là-bas on allait à la mort.

Et, tout en pleurant, elle s'imaginait avec ravissement comment son mari entrerait dans la cale, et les femmes, les vieux ouvriers l'entoureraient et lui diraient : « Fiston. »

L'homme qui lisait le communiqué termina : « L'offensive se poursuit. »

63

L'officier de permanence à l'état-major fit son rapport au commandant de la 8e armée de l'air sur les sorties des régiments de chasse pendant la journée écoulée.

— Il n'a pas de veine, Zaklabouka, dit le général en parcourant le rapport posé devant lui. Hier, c'était son commissaire qui se faisait abattre et aujourd'hui il se fait abattre encore deux pilotes.

— J'ai téléphoné à l'état-major du régiment, mon général. On enterrera le camarade commissaire Berman demain. Le membre du Conseil d'armée a promis d'y aller prononcer un discours.

— Notre membre aime beaucoup les discours, dit le général en souriant.

— Pour les pilotes, cela s'est passé ainsi : le lieutenant Korol a été abattu au-dessus des lignes tenues par la 38e division, quant au chef de patrouille, le lieutenant Viktorov, il a été touché par des Messer au-dessus d'un terrain allemand, il n'a pas pu rentrer et est tombé sur une hauteur, juste dans le no man's land. L'infanterie l'a vu, a essayé de s'approcher mais l'Allemand l'en a empêchée.

— Ouais, ce sont des choses qui arrivent, dit le général en se grattant le nez avec son crayon. Voilà ce que vous allez faire : téléphonez au Q.G. du groupe d'armées et rappelez-leur que Zakharov nous a promis une nouvelle jeep, sinon on ne pourra bientôt plus se déplacer.

Le pilote mort était étendu sur un monticule de neige ; la nuit était très froide et les étoiles brillaient d'un éclat extraordinaire. A l'aube, la colline devint toute rose et le pilote était étendu maintenant sur une colline rose. Puis le vent se leva et la neige recouvrit le corps.

TROISIÈME PARTIE

1

Quelques jours avant le début de l'offensive de Stalingrad, Krymov arriva au Q.G. souterrain de la 64e armée. Assis au bureau, l'ordonnance du membre du Conseil d'armée Abramov mangeait un bouillon de poule, qu'il accompagnait d'un pâté en croûte.

L'ordonnance laissa sa cuiller. Le soupir qu'il poussa indiquait clairement que la soupe était bonne. Les yeux de Krymov se mouillèrent : il eut soudain terriblement envie d'un petit pâté aux choux.

L'ordonnance l'annonça et le silence se fit de l'autre côté de la cloison. Puis une voix rauque retentit, que Krymov reconnut ; mais on parlait assez bas, et Krymov ne put distinguer un seul mot.

L'ordonnance revint et dit :

— Le membre du Conseil d'armée ne peut vous recevoir.

Krymov s'étonna :

— Je n'ai pas demandé à être reçu. Le camarade Abramov m'a fait appeler.

Perdu dans la contemplation de sa soupe, l'ordonnance ne répondit pas.

— Alors, c'est annulé ? Je n'y comprends rien, reprit Krymov.

Il remonta à la surface et chemina dans la petite combe, en direction de la Volga ; il savait que la rédaction du journal des armées se trouvait non loin de là.

Il marchait, furieux de cette absurde convocation, de cette envie soudaine qu'il avait eue en voyant l'autre manger son pâté. Il écoutait le tir des canons, paresseux et désordonné, du côté du ravin de Koupoross.

Il vit passer, en direction du bureau-opérations, une jeune fille vêtue d'une capote militaire et coiffée d'un calot. Krymov la regarda et pensa : « Drôlement mignonne. »

Comme chaque fois, son cœur se serra mélancoliquement : le souvenir de Génia lui revint. Comme chaque fois, il se morigéna : « Chasse-la, chasse-la donc ! » Et il se rappela le bivouac, à la stanitsa, et la jeune Cosaque.

Puis il pensa à Spiridonov : « Un brave type. Ah ! bien sûr, il n'avait rien d'un Spinoza. »

Ces pensées, ces tirs paresseux, sa rancœur contre Abramov, ce ciel d'automne, il devait longtemps s'en souvenir, avec une netteté douloureuse.

Il fut hélé par un homme de l'état-major, dont la capote s'ornait de barrettes de capitaine et qui l'avait suivi depuis le Q.G.

Krymov le regarda, perplexe.

— Par ici, par ici, je vous en prie, dit doucement le capitaine en indiquant la porte d'une isba.

Krymov passa devant la sentinelle et franchit le seuil.

Ils entrèrent dans une pièce où se trouvaient un bureau et, punaisé sur le mur de planches, un portrait de Staline.

Krymov s'attendait à ce que le capitaine lui tînt en gros ce discours : « Excusez-moi, camarade commissaire, vous ne refuserez sans doute pas de transmettre notre rapport à Tochtcheïev, sur la rive gauche ? »

Mais le capitaine eut un autre langage.

Il dit :

— Remettez-moi votre arme et vos papiers.

Désemparé, Krymov prononça ces paroles qui déjà n'avaient plus de sens :

— De quel droit ? Montrez-moi d'abord vos papiers, avant d'exiger les miens.

Puis, convaincu que c'était absurde, ridicule, et pourtant la vérité, il dit les mots que des milliers de personnes avaient, en pareil cas, prononcés avant lui :

— C'est effarant, je ne comprends pas, c'est un malentendu.

Mais ce n'étaient déjà plus les paroles d'un homme libre.

2

— Arrête de faire l'imbécile. Réponds : qui t'a recruté au moment où tu t'es trouvé encerclé ?

On l'interrogeait sur la rive gauche de la Volga, à la Section Spéciale du groupe d'armées.

Le plancher peint, les pots de fleurs à la fenêtre, la pendule accrochée au mur, tout respirait le calme de la vie provinciale. Le tressaillement des vitres, le grondement qui venait de Stalingrad — apparemment, sur la rive droite, les bombardiers larguaient des bombes —, tout cela semblait familier, sympathique.

Qu'il cadrait mal avec le fantasme du juge d'instruction aux lèvres blêmes, ce lieutenant-colonel d'active, assis à cette table de cuisine campagnarde !

Ce fut pourtant lui qui, l'épaule marquée d'une trace crayeuse laissée par le poêle blanchi à la chaux, s'approcha de l'humble tabouret de campagne, où se tenait le spécialiste du mouvement ouvrier pour les pays de l'Orient colonial. Il marcha sur l'homme qui portait un uniforme et, sur sa manche, une étoile de commissaire, sur cet homme, enfin, qu'une mère douce et affectueuse avait mis au monde, et il lui flanqua son poing dans la gueule.

Nikolaï Grigorievitch passa sa main sur ses lèvres et son nez ; il regarda sa paume et y vit du sang, mêlé de salive. Puis il essaya de mâcher. Sa langue était comme paralysée, ses lèvres refusaient de bouger. Il regarda le plancher peint, qu'on venait de laver, et avala son sang.

Durant la nuit, il sentit naître en lui de la haine pour l'homme de la Section Spéciale. Mais, dans les premiers instants, il n'éprouva ni haine ni douleur physique. Ce coup au visage n'était que le signe tangible d'une catastrophe morale, il ne pouvait susciter que la stupeur, il ne pouvait que le paralyser.

Krymov regarda autour de lui, gêné de la présence de la sentinelle. Le soldat avait vu un communiste se faire frapper ! On battait le communiste Krymov, on le battait devant un de ces gars pour lesquels la Grande Révolution avait été accomplie, cette révolution à laquelle Krymov avait participé.

Le lieutenant-colonel regarda la pendule. C'était l'heure du dîner, au mess des chefs de bureaux.

Tandis qu'on emmenait Krymov à travers la cour tapissée du grésil poudreux de la neige, vers une prison de fortune bâtie en rondins, le fracas du bombardement aérien en provenance de Stalingrad se fit particulièrement net.

Lorsqu'il revint de sa stupeur, sa première pensée fut que les bombes allemandes pourraient détruire cette prison... Et cette idée lui parut simple et odieuse.

Dans la cellule étouffante, le désespoir et la fureur le submergèrent : il perdit tout contrôle de lui-même. C'était lui qui criait de cette voix rauque, lui encore qui courait vers l'avion pour accueillir son ami Dimitrov, lui qui portait le cercueil de Clara Zetkine, lui qui, d'un regard furtif, cherchait à savoir si l'homme de la Section Spéciale le frapperait à nouveau. C'était lui qui sauvait de l'encerclement des hommes qui l'appelaient « camarade commissaire ». Mais c'était lui, aussi, que le kolkhozien-soldat avait regardé avec mépris, lui, ce communiste, rossé au cours d'un interrogatoire mené par un communiste...

Il était encore incapable de saisir l'importance colossale des mots : « privation de liberté ». Il devenait autre, tout en lui devait changer : il n'était plus un homme libre.

Il eut un vertige... Il irait trouver Chtcherbakov au Comité central, il avait la possibilité de s'adresser à Molotov, il n'aurait de cesse que ce salaud de lieutenant-colonel soit fusillé. Mais qu'attendez-vous pour décrocher le téléphone ? Appelez Krassine. Staline lui-même a entendu parler de moi, il connaît mon nom. Le camarade Staline avait, un jour, demandé à Jdanov : « Quel Krymov ? Celui qui travaillait au Komintern ? »

Nikolaï Grigorievitch sentit un gouffre s'ouvrir sous ses pieds. Il le savait : ce marécage sans fond, obscur, colloïdal, noir et gluant comme la poix, allait l'engloutir.... Une chose s'était abattue sur lui, invincible, plus forte, semblait-il, que les panzers allemands. Il n'était plus un homme libre.

Génia ! Génia ! Est-ce que tu me vois ? Génia ! Regarde-moi, il m'arrive un malheur épouvantable ! Je suis seul, abandonné. Toi aussi, tu m'as laissé.

Cet avorton l'avait frappé. Il perdait l'esprit, il voulait à toute force se jeter sur l'homme de la Section Spéciale. Ses doigts en tremblaient.

Jamais il n'avait éprouvé tant de haine envers la police du tsar, les mencheviks, ou même l'officier S.S. qu'il avait interrogé.

Car dans l'homme qui le piétinait, Krymov ne voyait pas un étranger, il se voyait lui-même, ce gosse qui pleurait de bonheur, en lisant les mots époustouflants du Manifeste communiste : « Prolétaires de tous les pays, unissez-vous ! » Et cette proximité était vraiment terrible.

3

La nuit tomba. La rumeur de la bataille de Stalingrad déferlait parfois, emplissant l'air, rare et vicié, de la prison. Les Allemands, défendant leur juste cause, frappaient peut-être Batiouk ou Rodimtsev.

De temps à autre, le couloir s'animait. On ouvrait les portes de la cellule commune, où voisinaient déserteurs, traîtres à la Patrie, maraudeurs, violeurs. Ils demandaient, parfois, à se rendre aux toilettes, et le garde, avant d'ouvrir la porte, discutait longuement.

Lorsqu'on amena Krymov des berges de Stalingrad, on le mit temporairement dans la cellule commune. Personne ne prêta attention au commissaire à l'étoile rouge, on lui demanda seulement s'il avait du papier pour rouler une cigarette de miettes de gros gris. Ces gens ne songeaient qu'à manger, fumer, satisfaire leurs besoins naturels.

Qui ? Qui avait manigancé toute cette affaire ? Quel tourment !

Savoir qu'on est innocent et éprouver, en même temps, l'impression glaciale d'avoir commis une faute irréparable ! L'égout de Rodimtsev, les ruines de la maison « 6 bis », les marais de Biélorussie, l'hiver de Voronej, les passages de rivières, toutes ces choses légères, faciles, étaient mortes pour lui.

Il avait envie de sortir dans la rue, de se promener, en regardant le ciel. D'acheter un journal. De se raser. D'écrire à son frère. Il avait envie de boire du thé. Il eût fallu rendre le livre emprunté pour la soirée. Savoir l'heure. Aller aux bains. Prendre un mouchoir dans sa valise. Mais il ne pouvait rien. Il n'avait plus de liberté.

Bientôt, on fit sortir Krymov de la cellule commune dans le couloir. Le commandant passa un savon à la sentinelle :

— Je t'avais pourtant dit, nom de nom, de ne pas le fourrer dans cette cellule ! Je ne parle pas chinois, que je sache ! Continue comme ça, et tu te retrouves en première ligne ! C'est ça que tu veux ?

Le commandant partit et le garde se plaignit à Krymov :

— C'est toujours la même chose. La cellule individuelle est déjà prise ! C'est lui-même qui a ordonné de mettre au secret ceux qui doivent être fusillés. Si je vous expédie là-bas, où est-ce que je vais caser l'autre ?

Nikolaï Grigorievitch vit bientôt le peloton emmener le condamné de la cellule individuelle pour l'exécution. Les cheveux blonds du condamné s'étaient collés à sa nuque étroite et maigre. Il pouvait avoir vingt ans, comme il pouvait en avoir trente-cinq.

La cellule étant libre, on y transféra Krymov. Dans la demi-obscurité, il distingua sur la table une gamelle et, à côté, il reconnut en tâtonnant un petit lièvre façonné en mie de pain. Sans doute, le condamné venait-il de le terminer : le pain était encore mou, seules les oreilles du lièvre avaient durci.

Le silence tomba... La bouche entrouverte, Krymov était assis sur son châlit. Il ne pouvait dormir, il avait trop à réfléchir. Mais sa tête, tout étourdie, refusait de fonctionner, ses tempes étaient comme prises dans un étau. Son crâne semblait balayé par une lame de fond, tout tournait, vacillait, clapotait, et rien pour se raccrocher, rien pour dérouler le fil d'une pensée.

Durant la nuit, le silence du couloir fut à nouveau troublé. Les gardes appelaient le gradé. Il y eut un grand bruit de bottes. Le commandant — Krymov reconnut sa voix — ordonna :

— Envoyez-moi au diable ce commissaire de bataillon. Qu'il aille dans la cellule commune. Et il ajouta :

« Quelle histoire ! Je vous le garantis, ça ira jusqu'au commandant ! »

La porte s'ouvrit, un soldat cria :

— Sors d'ici !

Krymov sortit. Un homme pieds nus, en linge de corps, se tenait debout dans le couloir.

Au cours de sa vie, Krymov avait vu un tas de choses moches. Mais à peine eut-il jeté un coup d'œil au visage de l'homme, il comprit qu'il n'avait jamais rien vu de pire. C'était un petit visage d'un jaune sale. Tout en lui pleurait lamentablement : ses rides, ses joues tremblotantes, ses lèvres. Seuls ses yeux ne pleuraient pas, mais leur expression était si atroce qu'il eût mieux valu ne pas les voir.

— Pressons, pressons. Le soldat bouscula Krymov.

Au poste de garde, la sentinelle lui raconta « l'histoire ».

— Ils veulent me faire peur en me menaçant de m'envoyer en première ligne ; mais ça ne peut pas être pire qu'ici. Ici, les nerfs n'y résistent pas... On emmène le type, un mutilé volontaire, pour le fusiller. Il s'était tiré un coup de feu dans la main gauche, à travers une miche de pain. On le fusille, on le recouvre de terre, et voilà qu'à la nuit, il se ranime et revient chez nous !

Il s'adressait à Krymov, en évitant soigneusement de le tutoyer ou de le vouvoyer.

— Ils salopent tellement le boulot, que ça vous bousillerait les derniers nerfs qui vous restent ! Le bétail, ils l'abattent plus proprement ! Tout ça parce qu'ils bossent par-dessus la jambe ! La terre est gelée, alors on écarte quelques broussailles, un peu de terre par-dessus et le tour est joué ! Alors, bien sûr, il est revenu à la surface ! Si on l'avait enterré conformément aux instructions, jamais il ne serait remonté.

Et Krymov, qui toute sa vie avait répondu aux questions et remis en place la cervelle des gens, ne put s'empêcher de demander, dans son trouble :

— Mais pourquoi est-il revenu ?

Le garde eut un petit rire.

— Et l'adjudant qui l'a emmené dans la steppe, qui prétend maintenant lui donner du pain et du thé le temps qu'on arrange son histoire ! Seulement, l'intendant n'a pas l'air d'accord ! C'est vrai, quoi, comment il pourrait lui donner du thé, puisqu'on a fait sa sortie ! Moi je trouve qu'il a raison. C'est pas parce que l'adjudant salope le boulot que l'intendance doit porter le chapeau !

Krymov demanda soudain :

— Vous faisiez quoi, avant la guerre ?

— Dans le civil, je m'occupais d'abeilles, dans une exploitation d'État.

— Je vois, dit Krymov, car tout, autour de lui et en lui, était devenu obscur et fou.

A l'aube, on ramena Krymov dans la cellule individuelle. Le petit lièvre en mie de pain était toujours debout près de la gamelle. Mais il était devenu dur, rugueux. Une voix cajoleuse se faisait entendre dans la cellule collective :

— Garde, eh ! garde, sois chic, quoi, emmène-moi pisser.

A ce moment-là, dans la steppe, un soleil brun rouge se leva, une betterave sale, gelée, monta dans le ciel, parsemée de mottes de terre et de glaise collantes.

On mit bientôt Krymov à l'arrière d'un camion. Un lieutenant sympathique — son convoyeur — prit place à ses côtés. Le caporal lui remit la valise de Krymov et le camion, en grinçant et tressautant dans la boue d'Akhtouba prise par le gel, s'en fut vers Leninsk et l'aérodrome.

4

Nikolaï Grigorievitch descendit de la voiture et regarda l'étroit passage gris qui menait à la Loubianka. Il avait la tête pleine, après ces longues heures d'avion, du vrombissement des moteurs, de l'alternance des champs, moissonnés ou non, des rivières, des forêts, des moments de désespoir, de confiance et de doute.

La porte s'ouvrit et il pénétra dans ce royaume « radiographique », dans l'air suffocant des bureaux, dans leur lumière enragée ; il pénétra dans un monde situé hors de la guerre, à côté d'elle, au-dessus d'elle.

Dans la pièce vide et étouffante, vivement éclairée par un projecteur, on lui ordonna de se mettre entièrement nu ; et tandis qu'un homme pensif en blouse blanche tâtait son corps, Krymov se disait, en se raidissant, que le fracas et toute la ferraille de la guerre ne pouvaient empêcher le mouvement méthodique de ces doigts impudiques.

L'image d'un soldat soviétique mort, avec, dans son masque à gaz, ce billet rédigé avant l'attaque : « Je meurs pour défendre le bonheur soviétique, je laisse derrière moi une femme et six gosses » ; un conducteur de char, brûlé, noir comme du goudron, des touffes de cheveux collées à sa jeune tête ; une armée populaire de plusieurs millions, à travers marais et forêts, tirant au canon, à la mitrailleuse...

Mais les doigts continuaient leur œuvre, tranquilles, sûrs, tandis que sous le feu le commissaire Krymov braillait : « Alors, camarade Guénéralov, on ne veut pas défendre la patrie soviétique ? »

— Tournez-vous, baissez-vous, écartez les jambes.

Il se rhabilla et on le photographia, avec le col de sa vareuse ouvert, le visage mobile et fixe, de face et de profil.

Avec un zèle indécent, il apposa ses empreintes sur une feuille de papier. Puis on lui ôta les boutons de son pantalon et on lui retira sa ceinture.

Il prit un ascenseur violemment éclairé, suivit le tapis d'un long couloir désert, bordé de portes aux yeux ronds. De vraies chambres de clinique chirurgicale, spécialité : cancer. L'air était chaud, confiné, tout dégoulinait de folle lumière. Un institut radiologique pour traiter la société...

— Qui a bien pu me faire arrêter ?

Dans cette atmosphère étouffante, aveugle, il était difficile de réfléchir. Il y perdait le sentiment de sa propre existence... Ai-je eu une mère ? Peut-être pas. Génia lui était devenue indifférente. Les étoiles entre la cime des pins, le passage du Don, la fusée verte des Allemands ; prolétaires de tous les pays, unissez-vous ; derrière chaque porte, des hommes ; je mourrai en communiste ; où peut bien être, en ce moment, Mikhaïl Sidorovitch Mostovskoï ; ma tête bourdonne ; est-il possible que Grekov ait tiré sur moi ; Grigori Evseïevitch, le président du Komintern [1], l'homme aux cheveux bouclés, avait emprunté ce couloir ; que l'air était donc lourd, pénible, maudits projecteurs... Grekov m'a tiré dessus ; l'homme de la Section Spéciale m'a envoyé son poing dans les gencives ; les Allemands aussi m'ont tiré dessus ; que me réserve-t-on, maintenant ; je suis innocent, je le jure ; envie de pisser ; ces braves vieux qui chantaient chez Spiridonov, pour l'anniversaire d'Octobre ; la Tchéka, la Tchéka, la Tchéka ; Dzerjinski était le maître de cette maison ; Genrikh Iagoda, Menjinski, puis Nikolaï Ivanovitch, petit prolétaire de Piter, avec ses yeux verts, et aujourd'hui, Lavrenti Pavlovitch, intelligent, affectueux ; on se voyait, bien sûr, que chantions-nous déjà ? « Lève-toi, prolétaire, pour défendre ta cause » ; je suis innocent ; vont-ils me fusiller...

Qu'il était donc étrange de suivre ce couloir tout droit, comme tracé par une flèche, alors que la vie était si embrouillée, toute de sentiers, de ravins, de marécages, de ruisseaux, de steppes poussiéreuses, de champs de blé abandonnés ; il fallait contourner, se frayer un passage, mais le destin était droit, on marchait comme sur un fil, des couloirs, encore des couloirs, et dans ces couloirs, des portes.

Krymov avançait d'un pas régulier, ni trop rapide ni trop lent, comme si le garde marchait devant lui, et non derrière.

Une chose nouvelle s'était produite, dès l'instant de son arrivée à la Loubianka.

---

1. Zinoviev *(N.d.T.)*.

« La disposition géométrique des points », s'était-il dit, quand on avait pris ses empreintes. Il ne savait pas pourquoi cette idée lui était venue, mais elle traduisait exactement ce fait nouveau apparu en lui.

Tout venait, en fait, de ce qu'il n'avait plus conscience de lui-même. S'il avait demandé à boire, on lui eût apporté de l'eau. Si brusquement son cœur avait lâché, le médecin lui eût fait la piqûre nécessaire. Mais il n'était plus Krymov, il le sentait, même s'il ne le comprenait pas. Il n'était plus le camarade Krymov, qui, lorsqu'il s'habillait, déjeunait, prenait une place de cinéma, réfléchissait ou se couchait, avait toujours conscience de lui-même. Le camarade Krymov se distinguait de tous les autres par son cœur, son intelligence, son ancienneté dans le parti (il avait adhéré avant la révolution), ses articles parus dans la revue *l'Internationale communiste*, ses habitudes, ses manies, ses façons, ses intonations lors des discussions avec les jeunesses communistes, les secrétaires de raïkom à Moscou, les ouvriers, les vieux membres du parti, ses amis, les gens qui le sollicitaient. Son corps était à l'image du corps humain, ses mouvements, ses pensées étaient, eux aussi, humains, mais tout ce qui était le camarade, l'homme Krymov, ses mérites, sa liberté, tout cela avait disparu.

On le mena à une cellule rectangulaire, bien entretenue, avec quatre couchettes aux couvertures bien tendues, sans le moindre pli, et aussitôt il eut conscience que trois hommes en regardaient un quatrième avec intérêt.

C'étaient des hommes ; bons, mauvais, hostiles ou indifférents, il l'ignorait, mais la bonté, la méchanceté ou l'indifférence qui émanaient d'eux étaient humaines.

Il s'assit sur son châlit et les trois autres, assis eux aussi sur leurs lits, un livre ouvert sur les genoux, le regardèrent sans mot dire. Et cette chose étonnante, précieuse qu'il lui semblait avoir perdue, lui revint soudain.

L'un d'eux était massif, le front bombé, le visage raviné ; une masse de cheveux gris et noirs, emmêlés à la Beethoven, surmontait son front bas, mais charnu.

Le second était un vieillard. Ses mains avaient la blancheur du papier, son crâne était chauve, osseux, et son visage semblait un bas-relief sculpté dans le métal. On eût dit que dans ses veines et ses artères coulait de la neige, et non du sang.

Le troisième occupait la couche voisine de celle de Krymov. Il avait l'air gentil ; ses lunettes, qu'il venait d'enlever, avaient laissé une marque en haut de son nez. Il paraissait bon et malheureux. Il désigna la porte, sourit imperceptiblement, hocha la tête et Krymov comprit que le garde regardait à l'œilleton et qu'il fallait se taire.

Le premier à parler fut l'homme aux cheveux en broussailles.

— Bon, fit-il d'un ton paresseux et débonnaire. Je me permets, au nom de la société ici réunie, de saluer l'arrivée des forces armées. D'où venez-vous, cher camarade ?

Krymov eut un petit rire confus et répondit :

— De Stalingrad.

— Oh ! oh ! Qu'il est donc plaisant de contempler un de nos héroïques défenseurs ! Bienvenue dans notre modeste demeure !

— Vous fumez ? demanda le vieillard au visage blême.

— Oui, répondit Krymov.

Le gentil voisin myope intervint :

— Vous comprenez, j'ai joué un sale tour à mes camarades. J'ai dit à l'administration que je ne fumais pas, et, du coup, on ne me donne pas de tabac.

Il demanda :

— Il y a longtemps que vous avez quitté Stalingrad ?

— J'y étais encore ce matin.

— Oh ! oh ! répéta le géant. Vous avez voyagé en Douglas ?

— Précisément, répondit Krymov.

— Parlez-nous de Stalingrad. Nous n'avons pas eu le temps de nous abonner aux journaux.

— Vous avez faim, j'imagine ? demanda le gentil myope. Ici, on a déjà dîné.

— Non, dit Krymov. Quant à Stalingrad, les Allemands ne le prendront pas. Maintenant, c'est certain.

— Je n'en ai jamais douté, reprit le géant. La synagogue fut et la synagogue sera.

Le vieux referma son livre et demanda à Krymov :

— Vous êtes membre du parti communiste, on dirait ?

— Oui, je suis communiste.

— Moins fort, moins fort, parlez en chuchotant, dit le gentil myope.

— Même quand il s'agit de votre appartenance au parti, renchérit le géant.

Son visage semblait familier à Krymov. Et il comprit soudain pourquoi : c'était un présentateur de spectacles bien connu à Moscou. Un jour, Krymov s'était rendu, en compagnie de Génia, à une soirée à la salle des Colonnes, et il l'avait vu sur la scène. Et voilà qu'ils se retrouvaient !

La porte s'ouvrit, le garde passa la tête pour demander :

— Qui a un nom commençant par « K » ?

Le géant répondit :

— Moi. Katzenelenbogen.

Il se leva, aplatit un peu la masse de ses cheveux et se dirigea sans hâte vers la porte.

— Interrogatoire, murmura le gentil voisin.

— Pourquoi spécialement un « K » ?

— C'est la règle. Avant-hier, le garde l'a appelé : « Qui a nom Katzenelenbogen commençant par un « K » ? Marrant, non ? Un toqué !

— Oui, on a bien rigolé, renchérit le vieux.

« Et toi, avec tes airs de vieux comptable, comment es-tu arrivé ici ? se demanda Krymov. Mon nom aussi commence par un « K ».

Les détenus s'installèrent pour la nuit. La lumière était toujours aussi forte, et Krymov sentait qu'on l'observait par l'œilleton, tandis qu'il déroulait ses bandes molletières, serrait son caleçon, se grattait la poitrine. C'était une lumière particulière. Elle ne brillait pas pour les habitants de la cellule, mais pour permettre de mieux les voir. S'il avait été plus commode de les surveiller dans l'obscurité, ils n'eussent pas eu de lumière du tout.

Le vieux comptable était couché, le visage tourné vers le mur. Krymov et son voisin myope bavardaient en chuchotant, sans se regarder, cachant leur bouche de la main, afin que le garde ne pût voir leurs lèvres bouger.

De temps à autre, leur regard se portait sur la couchette vide : pas facile de faire de l'esprit à l'interrogatoire, même pour un comédien !

Le voisin murmura :

— Dans cette cellule, on est tous devenus froussards comme des lapins. Exactement comme dans le conte : le magicien touche les gens, et les voilà avec de grandes oreilles !

Il se mit à parler de leurs voisins de cellule.

Le vieux était un S.R., un S.D., ou un menchévik. Il s'appelait Dreling. Nikolaï Grigorievitch avait déjà entendu ce nom. Dreling avait passé plus de vingt ans en prison, en camp ou au cachot, pour raisons politiques. Il n'était pas loin de battre le record des prisonniers de Schliesselbourg : Morozov, Novorusski, Frolenko et Figner [1]. On venait de le transférer à Moscou, sous un nouveau chef d'accusation : au camp, il avait eu l'idée de faire des conférences aux « dékoulakisés », sur la question agraire.

Le présentateur avait une aussi longue pratique de la Loubianka que Dreling. Plus de vingt ans auparavant, du temps de Dzerjinski, il avait commencé à travailler pour la Tchéka, puis dans la guépéou sous les ordres de Iagoda, au N.K.V.D. avec Ejov, au M.G.B. avec Beria. Il était soit dans l'appareil central, soit à la tête de gigantesques chantiers de camps.

---

1. Révolutionnaires, arrêtés et emprisonnés sous l'ancien régime... (N.d.T.)

Krymov s'était également trompé au sujet de Bogoleïev, son interlocuteur. Il était critique d'art, expert à la direction des musées, avait écrit un recueil de poèmes jamais publié : ce qu'il écrivait n'était pas en conformité avec l'époque.

De nouveau, Bogoleïev murmura :

— Seulement maintenant, comprenez-vous, tout cela est fini. Terminé ! Je suis devenu un petit-lapin-trouillard.

Comme tout cela était étrange ! Pouvait-il exister autre chose que le franchissement du Boug et du Dniepr, l'encerclement de Piriatinsk et des marais d'Ovroutch, Mamaev Kourgan, la maison « 6 bis », les exposés politiques, le manque de munitions, les instructeurs politiques blessés, les attaques nocturnes, le travail politique au combat et pendant les marches, les raids de la cavalerie, les mortiers, les états-majors, les mitrailleuses !

Mais il s'avérait que ce même monde n'était composé que d'interrogatoires nocturnes, de réveils, de fouilles, d'excursions aux toilettes sous bonne garde, de cigarettes distribuées aux compte-gouttes, de perquisitions, de confrontations, de juges d'instruction, de décisions du Osso.

Il y avait l'un et l'autre.

Mais pourquoi lui semblait-il normal, inévitable, que ses voisins, privés de liberté, fussent enfermés dans une cellule de la prison politique ? Et pourquoi jugeait-il scandaleux, absurde, impensable, de se retrouver, lui, Krymov, dans la même cellule, sur ce châlit ?

Krymov eut une envie irrésistible de parler un peu de lui. Il n'y tint plus et dit :

— Ma femme m'a quitté. Je n'ai donc pas de colis à attendre de qui que ce soit.

Le lit du géant tchékiste resta vide jusqu'au matin.

5

Autrefois, avant la guerre, il arrivait souvent à Krymov de passer, la nuit, devant la Loubianka et de se demander ce qui se tramait derrière les fenêtres toujours éclairées de cette maison. Les détenus restaient dans cette prison huit mois, un an, un an et demi, le temps que durait l'instruction. Puis, leurs proches recevaient une lettre des camps. On découvrait des noms nouveaux : Komi, Salekhard,

Norilsk, Kotlas, Magadan, Vorkouta, la Kolyma, Kouznetsk, Krasnoïarsk, Karaganda...

Mais des milliers de personnes, incarcérées dans la prison intérieure de la Loubianka, disparaissaient à tout jamais. Le procureur informait les familles que ces gens avaient été condamnés à dix ans « sans droit de correspondance ». Mais on ne trouvait pas ces condamnés dans les camps. Dix ans « sans droit de correspondance », cela signifiait, de toute évidence, que la personne avait été fusillée.

Des camps, les gens écrivaient qu'ils se portaient bien, qu'ils vivaient au chaud et demandaient si l'on pouvait leur faire parvenir de l'ail et de l'oignon. La famille expliquait que l'ail et l'oignon étaient excellents contre le scorbut. Personne n'évoquait jamais, dans ces lettres, les heures passées, durant l'instruction, dans la prison provisoire.

Il était particulièrement angoissant de passer dans le quartier de la Loubianka ou dans la ruelle Komsomolski, la nuit, au cours de l'été 1937.

Les rues sombres et étouffantes étaient désertes. Les immeubles se dressaient, noirs, fenêtres ouvertes, à la fois calmes et grouillants de vie. Leur tranquillité n'avait rien de paisible. Aux fenêtres éclairées, tendues de rideaux blancs, se profilaient des ombres ; à l'entrée, les portières des voitures claquaient, les phares vous éblouissaient. L'énorme ville semblait fascinée par le regard glauque et brillant de la Loubianka. On évoquait des gens que l'on avait connus. La distance qui vous séparait d'eux ne se mesurait pas en kilomètres ; ils existaient dans une autre dimension. Ni sur la terre ni au ciel, il n'y avait de force assez grande pour franchir ce précipice, semblable au gouffre de la mort. Pourtant, ces gens n'étaient pas dans la terre, ils ne reposaient pas sous le couvercle scellé d'un cercueil, ils étaient là, tout près, vivants, ils respiraient, pensaient, pleuraient, ils n'étaient tout de même pas morts !

Les voitures ne cessaient d'apporter leur cargaison de nouveaux détenus ; par centaines, par milliers, par dizaines de milliers les gens disparaissaient derrière les portes des prisons de la Loubianka, de la Boutyrka ou de Lefortovo.

Des nouveaux remplaçaient les détenus dans les raïkom, les ministères, le parquet, les complexes industriels, les polycliniques, les bureaux des usines, les syndicats, les sections agricoles, les laboratoires bactériologiques, les théâtres, les usines de construction aéronautique, les instituts qui élaboraient les projets de gigantesques centres chimiques ou métallurgiques.

Assez rapidement, parfois, ceux qui avaient remplacé les ennemis du peuple, les saboteurs et autres terroristes, devenaient, à leur tour, de dangereux ennemis qui avaient joué un double jeu, et on les arrêtait.

Un camarade de Leningrad avait confié à Krymov, en chuchotant, qu'il y avait eu avec lui, dans sa cellule, trois secrétaires du même comité d'arrondissement de Leningrad. Chacun d'eux, à peine nommé, avait dénoncé les manigances de son prédécesseur, ennemi et terroriste. Ils vivaient côte à côte dans la cellule, sans éprouver de haine les uns envers les autres.

A une époque, Mitia Chapochnikov, le frère d'Evguénia Nikolaïevna, était entré dans cet immeuble, avec un maigre baluchon blanc préparé par sa femme : une serviette de toilette, du savon, deux changes de linge, une brosse à dents, des chaussettes, trois mouchoirs. Il avait franchi cette porte, gardant en mémoire le numéro à cinq chiffres de sa carte du parti, son bureau d'attaché commercial à Paris, le wagon-lit où, en route pour la Crimée, il avait tiré au clair ses relations avec sa femme, bu de l'eau gazeuse et feuilleté, en bâillant, l'Ane d'or.

Mitia, bien sûr, était innocent. Pourtant, on l'avait mis en prison, alors que Krymov n'avait pas été inquiété.

A une époque, Abartchouk, le premier mari de Lioudmila Chapochnikov, avait suivi ce couloir fortement éclairé qui menait de la liberté à la non-liberté. Abartchouk se rendait à l'interrogatoire, pressé de dissiper l'affreux malentendu... Cinq, sept, huit mois avaient passé, puis Abartchouk avait écrit : « L'idée de tuer le camarade Staline me fut soufflée, pour la première fois, par un « résident » des services secrets allemands avec lequel j'avais été mis en rapport par un des chefs de l'opposition clandestine... Cette conversation eut lieu après la parade du 1er mai, boulevard de la Iaouza ; je promis de donner ma réponse définitive cinq jours plus tard, et nous convînmes d'un nouveau rendez-vous... »

Un travail fantastique s'accomplissait derrière ces fenêtres. Fantastique, en effet ! Bien entendu, Abartchouk, ce véritable communiste, solide, de la génération de Lénine, était innocent. Pourtant, il avait été arrêté, avait avoué... Krymov, lui, à la même époque, n'avait pas été inquiété, on ne l'avait pas arrêté, pas contraint d'avouer...

Krymov savait, par ouï-dire, comment ces choses-là se passaient. Il avait quelques renseignements par des gens qui disaient, dans un souffle : « Je te préviens, si tu le racontes à qui que ce soit, à ta femme ou à ta mère, je suis perdu. »

Il obtenait quelques informations de ceux qui, échauffés par le vin et furieux de la bêtise suffisante de leur interlocuteur, lâchaient brusquement une parole imprudente, s'interrompaient aussitôt, et, le lendemain, mine de rien, demandaient : « Au fait, hier, je n'ai pas raconté trop de bêtises ? Tu ne t'en souviens pas ? Eh bien, tant mieux ! »

Il y avait aussi les récits des femmes d'amis, qui étaient allées dans les camps, profitant de leur droit de visite.

Mais tout cela n'était que rumeurs, commérages. Après tout, Krymov n'avait pas eu de ces ennuis.

Oui, mais cette fois, il était en prison. C'était incroyable, absurde, inouï, mais cela s'était produit. Du temps où on arrêtait les mencheviks, les S.R., les blancs, les prêtres, les chefs koulaks, pas un instant il n'avait réfléchi à ce que pouvaient éprouver ces gens, en perdant la liberté et en attendant la sentence. De même qu'il n'avait jamais pensé à leurs femmes, leurs mères, leurs enfants.

Bien sûr, quand le point de mire s'était rapproché et que les coups avaient atteint, non plus des ennemis, mais les « siens », il n'avait plus été aussi indifférent : on n'arrêtait plus des ennemis, mais de vrais Soviétiques, des membres du parti.

Et quand on avait arrêté des personnes qui lui étaient particulièrement proches, des gens de sa génération qu'il considérait comme de vrais bolcheviks-léninistes, il avait reçu un choc, n'avait pas fermé l'œil de la nuit, se demandant, pour la première fois, si le camarade Staline avait vraiment le droit de priver ainsi les gens de liberté, de les tourmenter et de les fusiller. Il avait pensé à leurs souffrances, à celles de leurs femmes et de leurs mères. Car il ne s'agissait plus de koulaks ou de Blancs, mais d'authentiques bolcheviks-léninistes.

Et pourtant, il se rassurait : après tout, on ne l'avait pas arrêté, lui, Krymov, ni envoyé en camp : il n'avait rien signé, n'avait pas reconnu de crimes imaginaires.

Seulement voilà, Krymov, cet authentique bolchevik-léniniste, était maintenant en prison. Plus moyen, à présent, de se rassurer, de trouver des explications, des justifications. C'était arrivé

Il avait eu le temps d'apprendre quelques petites choses. Les dents, les oreilles, les narines, le pli de l'aine faisaient, chez un homme nu, l'objet d'une fouille. Puis, l'individu en question, pitoyable, risible, empruntait le couloir, retenant son pantalon qui glissait et ses caleçons aux boutons arrachés. On retirait leurs lunettes aux myopes et ils plissaient les yeux, se les frottaient, inquiets. L'homme entrait dans une cellule et devenait, en quelque sorte, un rat de laboratoire : de nouveaux réflexes apparaissaient en lui, il parlait en chuchotant, se levait de sa couchette, s'allongeait, satisfaisait ses besoins, dormait et rêvait sous constante surveillance. Tout était effroyablement cruel, absurde, inhumain. Pour la première fois, il comprit vraiment quelles choses terribles s'effectuaient à la Loubianka. On tourmentait un bolchevik, un léniniste, le camarade Krymov.

6

Les jours passaient, Krymov n'était toujours pas convoqué.

Il connaissait déjà les heures des repas et ce qu'on vous donnait à manger, les heures de promenade, et les jours où il y avait bain. Il connaissait l'odeur du tabac des prisons, les heures d'appel, avait, en gros, fait le tour de ce que contenait la bibliothèque, s'était familiarisé avec le visage des gardiens, s'inquiétait en attendant que ses voisins reviennent de l'interrogatoire. Katzenelenbogen était le plus fréquemment convoqué. Bogoleïev était toujours appelé dans la journée.

Vivre sans liberté ! C'était une maladie. Perdre la liberté revient à perdre la santé. La lumière brûlait, il y avait de l'eau au robinet et de la soupe dans la gamelle, mais la lumière, l'eau, le pain étaient particuliers, on vous les distribuait car c'était prévu. Mais si l'intérêt de l'instruction l'exigeait, on privait les détenus de lumière, de nourriture, de sommeil. Car tout cela n'était pas fait pour eux, mais dans l'intérêt de l'instruction.

Le vieillard osseux ne fut appelé qu'une fois. Il revint en disant, avec hauteur :

— En trois heures de silence, le citoyen juge d'instruction a réussi à se convaincre que mon nom était bien Dreling.

Bogoleïev était toujours aussi gentil, il s'adressait respectueusement à ses voisins de cellule, s'inquiétait de leur santé, leur demandait s'ils avaient bien dormi.

Un jour, il récita des vers à Krymov, mais s'interrompit soudain, en disant :

— Pardonnez-moi, cela ne vous intéresse sans doute pas.

Krymov s'esclaffa et répondit :

— A dire vrai, je n'en ai pas compris un traître mot. Quand je pense qu'à une époque je lisais Hegel sans problèmes !

Bogoleïev craignait terriblement les interrogatoires. Il perdait tous ses moyens quand le garde entrait dans la cellule et demandait : « Qui a un nom commençant par « B » ? Et quand il revenait de chez le juge d'instruction, il avait l'air tout maigre, petit, vieux.

Les récits de ses interrogatoires étaient toujours confus ; il dansait d'un pied sur l'autre, plissait les yeux. Impossible de comprendre de quoi on l'accusait : avait-il attenté aux jours de Staline ou, simplement, lui reprochait-on de ne pas aimer les œuvres écrites dans l'esprit du réalisme socialiste ?

Le géant tchékiste dit un jour à Bogoleïev :

— Aidez donc ce brave gars à formuler votre chef d'accusation. Je vous conseille quelque chose du genre : « Nourrissant une haine féroce contre tout ce qui est nouveau, j'ai dénigré, sans aucune raison, les œuvres d'art qui s'étaient vu décerner le prix Staline. » On vous collera dix ans. Et puis, dénoncez un peu moins vos relations. Ce n'est pas ainsi que vous sauverez votre peau ; au contraire, on vous accusera d'avoir mis sur pied une organisation et vous vous farcirez un camp à régime sévère.

— Allons donc, répondit Bogoleïev. Comment pourrais-je les aider ? Ils savent tout.

Il lui arrivait souvent de philosopher, en chuchotant, sur les sujets les plus variés : nous sommes tous des personnages de conte. Que nous soyons commandants de division, parachutistes, disciples de Matisse ou Pissarev, membres du parti, géologues, tchékistes, édificateurs des plans quinquennaux, pilotes, bâtisseurs de complexes métallurgiques géants... voilà que sûrs de nous, orgueilleux, nous franchissons le seuil de la maison fantastique et qu'une baguette magique nous transforme en serins, en porcelets, en écureuils. Nous n'avons plus besoin que de moucherons ou d'œufs de fourmis.

Sa pensée était originale, étrange, visiblement profonde, mais son esprit était étriqué pour les choses quotidiennes ; il avait toujours peur d'avoir moins que les autres, ou des produits de moins bonne qualité, se plaignait que son temps de promenade lui était rogné ou que, pendant qu'il était dans la cour, quelqu'un avait mangé son pain séché.

Sa vie était pleine d'événements, mais elle restait vide, illusoire. Dans la cellule, les gens vivaient comme dans le lit asséché d'un ruisseau. Le juge d'instruction étudiait cet ancien cours d'eau, les galets, les fissures, les inégalités de la berge. Mais l'eau, qui avait autrefois creusé ce lit, n'existait plus.

Dreling se mêlait rarement aux conversations. S'il lui arrivait de discuter, c'était le plus souvent avec Bogoleïev, du fait, sans doute, qu'il n'était pas au parti.

Mais, même avec Bogoleïev, il s'énervait souvent.

— Vous êtes un drôle de type, lui dit-il un jour. Vous êtes très respectueux et gentil avec des gens que vous méprisez. Par ailleurs, vous me demandez, chaque jour, des nouvelles de ma santé, alors que vous vous moquez bien de savoir si je vais crever ou rester en vie.

Bogoleïev leva les yeux au plafond, écarta les bras et répondit :
— Ecoutez cela.

Et il se mit à chanter :

> *A la tortue j'ai demandé :*
> *— En quoi est donc ta carapace ?*
> *— Elle est en peurs accumulées,*
> *Il n'y a rien de plus tenace.*

— Un couplet de votre composition ? demanda Dreling.

Bogoleïev écarta de nouveau les bras, mais ne répondit rien.

— Le vieux a peur, il a accumulé un tas de peurs, déclara Katzenelenbogen.

Après le petit déjeuner, Dreling montra un livre à Bogoleïev et demanda :

— Vous aimez ?

— A dire vrai, non, répondit Bogoleïev.

Dreling eut un hochement de tête approbateur.

— Moi non plus, je ne suis pas fana de cette œuvre. Plekhanov a dit : « Le personnage de la mère, créé par Gorki, est une icône, et la classe ouvrière n'a pas besoin d'icônes. »

— Les générations se succèdent et lisent *la Mère,* intervint Krymov. Je ne vois pas ce que ces histoires d'icônes viennent faire ici ?

D'un ton de monitrice de jardin d'enfants, Dreling répondit :

— Ceux qui veulent assujettir la classe ouvrière ont besoin des icônes. Prenez les autels communistes : vous y trouvez une icône de Lénine et du bienheureux Staline. Nekrassov, lui, n'avait nul besoin d'icônes.

Furieux — Krymov n'avait jamais vu cet homme timide, gentil, toujours écrasé, dans un état pareil —, Bogoleïev répliqua :

— Pour vous, la poésie s'arrête à Nekrassov. Seulement depuis, il y a eu Blok, Mandelstam, Khlebnikov.

— Mandelstam, connais pas, rétorqua Dreling. Quant à Khlebnikov, c'est vraiment n'importe quoi ! La décadence !

— Allez vous faire voir ! reprit Bogoleïev, sèchement, et, pour une fois, à voix haute. Vos discours à la Plekhanov, j'en ai jusque-là ! Dans cette cellule, vous représentez diverses tendances du marxisme, mais vous avez un point commun : vous êtes sourds à la poésie, vous n'y comprenez rien.

Etrange histoire. Krymov supportait particulièrement mal l'idée qu'aux yeux des sentinelles, des gardiens de jour et de nuit, il ne valait pas mieux, lui, un bolchevik, un commissaire politique de l'armée, que ce vieux Dreling.

Lui qui n'avait jamais pu souffrir le symbolisme, la décadence, lui qui toute sa vie avait aimé Nekrassov, voilà qu'il se sentait prêt à soutenir Bogoleïev.

Et si le vieux sac d'os avait dit quoi que ce fût contre Ejov, il eût, d'un ton ferme, justifié l'exécution de Boukharine, les condamnations à des peines de camps des femmes qui n'avaient pas dénoncé leurs maris, les terribles interrogatoires et les terribles sentences.

Mais le sac d'os se tut.

La sentinelle entra pour conduire Dreling aux toilettes.

Katzenelenbogen dit à Krymov :

— Nous sommes restés, quatre ou cinq jours, tous deux, seuls dans cette cellule. Il était muet comme une carpe. J'ai fini par lui dire : « C'est tout de même ridicule ! Deux Juifs, en gros du même âge, qui passent leurs « veillées du hameau à la Loubianka », et qui sont là sans rien se dire ! » Je t'en fiche ! Il a continué à se taire. Ça rime à quoi, ce mépris ? Pourquoi ne veut-il pas parler avec moi ? C'est une vengeance ? Ou alors il nous joue la grande scène du trois ? Ça rime à quoi ? Vieux collégien, va !

— Un ennemi, lança Krymov.

Visiblement, Dreling était un mystère pour le tchékiste.

— Il est ici parce qu'il a réellement fait quelque chose, vous comprenez ! dit-il. C'est tout de même fantastique ! Un type qui a déjà fait du camp, et qui a comme avenir un manteau en sapin. Et lui, toujours en pleine forme ! Je l'envie ! On le convoque à l'interrogatoire : qui a un nom commençant par « D » ? Il reste là, sans répondre, comme une souche. Il a fini par obtenir qu'on l'appelle par son nom. Les gradés entrent dans la cellule, mais ils pourraient le tuer sur place, qu'il ne se lèverait pas.

Quand Dreling revint des toilettes, Krymov dit à Katzenelenbogen :

— Face au jugement de l'Histoire, tout cela ne compte guère. Même ici, nous continuons, vous et moi, à haïr les ennemis du communisme.

Dreling jeta à Krymov un regard de curiosité amusée.

— De quel jugement parlez-vous ? dit-il, sans paraître s'adresser à personne. C'est l'Histoire qui rend une justice sommaire.

Katzenelenbogen avait bien tort d'envier la force de cet homme tout en os. Car cette force n'avait plus rien d'humain. Un fanatisme aveugle, bestial, réchauffait, de sa chaleur artificielle, son cœur desséché et indifférent.

La guerre qui faisait rage en Russie et tous les événements qui étaient liés à elle ne le touchaient guère : il ne demandait jamais de nouvelles du front, ne parlait pas de Stalingrad. Il ignorait qu'il existait des villes nouvelles, une puissante industrie. Sa vie n'était plus celle d'un homme. Il jouait en prison une interminable partie d'échecs, abstraite, où il était seul concerné.

Katzenelenbogen intéressait vivement Krymov. Krymov sentait, voyait qu'il était intelligent. Il plaisantait, s'excitait, baratinait, mais ses yeux étaient intelligents, paresseux, las. Il avait le regard de ces gens qui connaissent tout, qui sont fatigués de vivre et ne redoutent pas la mort.

Un jour, à propos de la construction de la voie ferrée en bordure de l'océan Glacial, il dit à Krymov :

— Un projet vraiment magnifique. Et il ajouta : Il est vrai que sa réalisation aura coûté des dizaines de milliers de vies humaines.

— Assez effrayant, répondit Krymov.

Katzenelenbogen haussa les épaules :

— Si vous aviez vu les colonnes de zeks se rendre au travail ! Un silence de mort. Au-dessus de leurs têtes, l'aurore boréale, verte et bleue. Alentour, la glace, la neige et le mugissement de l'océan tout noir. C'est là qu'on sent la puissance !

Il donnait des conseils à Krymov :

— Il faut aider le juge d'instruction. C'est un nouveau, il a du mal à s'en sortir... Alors, si tu l'aides en lui soufflant quelques petits trucs, tu t'aideras toi-même : tu éviteras au moins les centaines d'heures d'interrogatoire à la chaîne. Et pour le reste, ça ne change rien, l'Osso te donnera ton dû.

Krymov tentait de discuter, mais Katzenelenbogen répondait :

— L'innocence personnelle est un vestige du Moyen Age. C'est de l'alchimie ! Tolstoï a dit qu'il n'y avait pas, sur terre, d'hommes coupables. Nous autres, tchékistes, avons mis au point une thèse supérieure : il n'y a pas, sur terre, de gens innocents. Chaque individu mérite le tribunal. Est coupable toute personne qui fait l'objet d'un ordre d'arrestation. Et on peut en signer pour n'importe qui. Chaque homme a droit à un ordre d'arrestation. Y compris ceux qui ont passé leur vie à en signer pour les autres. Le Maure a accompli son œuvre, le Maure peut partir.

Il connaissait de nombreux amis de Krymov. En 1937, il avait même instruit l'affaire de quelques-uns. Il avait une étrange façon de parler de ces gens dont il avait été le juge d'instruction : il n'éprouvait à leur égard aucune haine, aucune émotion. L'un était « un type intéressant », l'autre « un toqué », un troisième « un gars sympa ».

Il évoquait souvent Anatole France, aimait à citer le Benia Krik [1] de Babel, appelait par leurs prénoms et patronymes les chanteurs et les danseuses du Bolchoï. Il collectionnait les livres rares, parlait d'une édition extrêmement précieuse de Radichtchev, qu'il avait dénichée peu de temps avant son arrestation.

— J'aimerais bien, disait-il, que ma collection soit transférée à la bibliothèque de Leningrad. Sinon, ces imbéciles disperseront les livres au petit bonheur, sans comprendre leur valeur.

Il avait épousé une ballerine. Mais, de toute évidence, le destin du livre de Radichtchev le préoccupait plus que le sort de sa femme. Et quand Krymov lui en fit la remarque, le tchékiste répondit :

— Mon Angelina a de la cervelle. Je ne me fais pas de souci : elle s'en sortira.

---

1. Héros des *Contes d'Odessa* de I. Babel. *(N.d.T.)*

On eût dit qu'il comprenait tout, mais qu'il n'éprouvait rien. Des notions simples — la séparation, la souffrance, la liberté, l'amour, la fidélité d'une femme, le chagrin — lui étaient parfaitement étrangères. Sa voix ne vibrait d'émotion que lorsqu'il se mettait à parler de ses premières années de travail à la Tchéka. « Quelle époque ! Quels hommes ! » disait-il. Tout ce qui constituait la vie de Krymov ne lui paraissait que baratin de propagande.

De Staline, il disait :

— J'ai plus d'admiration pour lui que pour Lénine. Il est le seul être que j'aime vraiment.

Mais comment cet homme, qui avait participé à l'élaboration des procès des leaders de l'opposition, qui avait dirigé, sous Beria, un gigantesque chantier du Goulag au-delà du cercle polaire, pouvait-il admettre tranquillement, avec résignation, de se rendre, dans sa propre maison, aux interrogatoires nocturnes, en maintenant sur son ventre son pantalon sans boutons ? Comment pouvait-il s'angoisser, souffrir du silence par lequel Dreling le punissait ?

Parfois Krymov se mettait à douter lui-même. Pourquoi s'indignait-il, s'enflammait-il, en rédigeant ses lettres à Staline, pour se couvrir ensuite d'une sueur glacée ? Le Maure avait fait son œuvre. La même chose s'était produite en 1937, avec des dizaines de milliers de membres du parti, semblables à lui, meilleurs même. Le Maure avait fait son œuvre. Pourquoi le mot « dénonciation » lui était-il aujourd'hui si insupportable ? Uniquement parce qu'il avait été arrêté sur une dénonciation. Il en recevait, pourtant, de ces rapports que lui envoyaient les informateurs politiques des différentes subdivisions. Cela se faisait couramment. Des dénonciations toutes bêtes. Le soldat Riabochtan porte une croix. Il traite les communistes de mécréants. Avait-il survécu longtemps, le soldat Riabochtan, lorsqu'il s'était retrouvé dans un bataillon disciplinaire ? Le soldat Gordeïev a déclaré qu'il ne croyait pas en la puissance de l'armement soviétique, et que la victoire de Hitler était inévitable. A-t-il survécu longtemps, lui aussi, dans son corps disciplinaire ? Le soldat Markievitch a déclaré : « Tous les communistes sont des voleurs, un jour viendra où nous les descendrons à coups de baïonnettes et le peuple sera libre. » Le tribunal avait condamné Markievitch à la peine capital. Lui-même était un délateur. N'avait-il pas dénoncé Grekov à la Direction politique ? Si Grekov n'avait pas été tué par une bombe allemande, il serait passé devant le peloton d'exécution. Qu'éprouvaient les gens, que pensaient-ils, quand on les envoyait dans les bataillons disciplinaires, quand on les jugeait, quand on les interrogeait dans les Sections spéciales ?

Que de fois, avant-guerre, il avait été mêlé à des affaires de ce type, que de fois il avait entendu, très tranquillement, ses amis dire :

« J'ai rapporté au comité du parti ma conversation avec Piotr » ;
« Avec la plus grande honnêteté, il a révélé, à l'assemblée du parti, le
contenu de la lettre d'Ivan » ; « Il a été convoqué et, en vrai communiste, il a dû tout raconter, parler de l'état d'esprit des copains et de
la lettre de Volodia. »

Tout cela s'était produit, et plus d'une fois.

Et puis, à quoi bon... Toutes ces explications qu'il donnait oralement ou par écrit n'avaient aidé personne à sortir de prison. Elles
n'avaient, au fond, qu'une raison d'être : lui éviter de tomber dans le
gouffre, le protéger.

Krymov avait bien mal défendu ses amis, même s'il n'aimait pas,
s'il redoutait et évitait ce genre d'histoires. Pourquoi se sentait-il,
tour à tour, brûlant et glacé ? Que voulait-il ? Que le maton de service à la Loubianka connaisse sa solitude ? Que les juges d'instruction se mettent à soupirer sous prétexte que la femme qu'il aimait
l'avait quitté ? Qu'ils soient plus indulgents, sous prétexte que, la
nuit, il appelait Génia, et se mordait la main jusqu'au sang et que,
pour sa maman, il était toujours resté le petit Nikolaï ?

Une nuit, Krymov s'éveilla et vit Dreling près du châlit de Katzenelenbogen. La lumière infernale éclairait le dos du vieux routier des
camps. Bogoleïev, réveillé lui aussi, était assis sur sa couchette, les
jambes dissimulées sous sa couverture.

Dreling s'élança vers la porte, la frappa de ses poings osseux, en
criant :

— Garde ! Garde ! Vite, un médecin ! Un détenu a une crise
cardiaque !

— Silence ! Cessez immédiatement ce chahut ! répondit le garde,
qui était accouru regarder à l'œilleton.

— Comment cela, silence ! Un homme est en train de mourir !
hurla Krymov et, sautant à bas de son lit, il se mit, comme Dreling, à
frapper la porte à coups redoublés. Il remarqua que Bogoleïev s'était
recouché, qu'il avait disparu sous sa couverture, comme s'il eût
craint d'être mêlé à cet événement nocturne.

La porte s'ouvrit bientôt et plusieurs hommes entrèrent.

Katzenelenbogen était dans le coma. Il fut extrêmement difficile de
loger son corps immense sur le brancard.

Au matin, Dreling demanda soudain à Krymov :

— Dites-moi, vous est-il arrivé souvent, en tant que commissaire
politique, de vous heurter, au front, à des manifestations de
mécontentement ?

Krymov demanda :

— Comment cela de mécontentement ? Pourquoi ?

— Par exemple, des gens mécontents des kolkhozes bolcheviques,

602

ou de la conduite générale de la guerre, bref, un mécontentement d'ordre politique.

— Jamais. Je n'ai même jamais perçu quoi que ce soit de ce genre, répondit Krymov.

— Je vois, c'est bien ce que je pensais, répliqua Dreling, et il eut un hochement de tête satisfait.

7

Deux masses, l'une au nord, l'autre au sud, des millions de tonnes de métal et de chair attendaient le signal.

Ce furent les forces disposées au nord-ouest de Stalingrad qui, les premières, lancèrent l'offensive. Le 19 novembre 1942, à 7 h 30 du matin, une puissante préparation d'artillerie commença sur les fronts du sud-ouest et du Don, elle devait durer quatre-vingts minutes. Un déluge de feu s'abattit sur les positions que tenait la troisième armée roumaine.

Les blindés et l'infanterie passèrent à l'attaque à 8 h 50. Le moral des troupes soviétiques était extraordinairement élevé. La 62e division partit à l'attaque au son de sa fanfare.

Dès l'après-midi, le 1er échelon de la défense ennemie était percé sur toute sa profondeur. Les combats se déroulaient sur un immense territoire.

Le 4e corps d'armée roumain était écrasé. La 1re division de cavalerie roumaine était coupée et isolée des autres unités de la 4e armée dans la zone de Kraïnaïa.

L'offensive de la 5e armée de blindés soviétique partit des hauteurs à trente kilomètres au sud-ouest de Sérafimovitch, fit une brèche dans les dispositifs du 2e corps d'armée roumain, et, marchant vers le sud, avait occupé, dès le milieu de la journée, les hauteurs situées au nord de Perelazovsk. Puis, obliquant vers le sud-est, les unités de blindés soviétiques avaient atteint au soir de la première journée les villes de Goussynki et Kalmykov, pénétrant ainsi à l'intérieur du dispositif roumain.

Vingt-quatre heures après le début de l'offensive, à l'aube du 20 novembre, ce fut au tour des forces concentrées dans les steppes kalmoukes, au sud de Stalingrad, de passer à l'attaque.

8

Novikov se réveilla longtemps avant l'aube. Son angoisse était si grande qu'il ne la sentait pas.

— Vous prendrez du thé, camarade colonel ? demanda Verchkov d'un ton à la fois discret et solennel.

— Oui, dis au cuisinier de me préparer des œufs.

— Comment, camarade colonel ?

Novikov resta un moment songeur et Verchkov pensa que son commandant, plongé dans ses pensées, n'avait pas entendu sa question.

— Des œufs au plat, dit Novikov en regardant sa montre. Va voir si Guetmanov est levé, on démarre dans une demi-heure.

Il ne pensait pas, lui semblait-il, à la préparation d'artillerie qui commencerait dans une heure et demie, aux avions d'assaut et bombardiers qui empliraient le ciel de leur grondement, aux sapeurs qui ramperaient pour couper les barbelés et déminer les champs de mines, à l'infanterie qui, traînant les mitrailleuses, courrait vers les hauteurs brumeuses qu'il avait si souvent examinées à la jumelle. Il lui semblait qu'il n'était pas lié, en cet instant, à Belov, Makarov et Karpov. Il ne pensait pas, semblait-il, aux chars soviétiques qui, pénétrant dans la brèche ouverte par l'artillerie et l'infanterie dans le front allemand, marchaient sur Kalatch et au fait que lui aussi, dans quelques heures, allait faire mouvement à la rencontre de ceux du nord pour encercler l'armée de Paulus.

Il ne pensait pas au commandant du groupe d'armées et à la possibilité d'avoir son nom cité dans l'ordre du jour de Staline dès le lendemain. Il ne pensait pas à Evguénia Nikolaïevna, n'évoquait pas le lever du jour à Brest-Litovsk, quand il courait vers le terrain d'aviation et que les premiers feux de la guerre allumée par les Allemands flamboyaient dans le ciel.

Mais tout cela, qu'il y pensât ou non, était en lui.

Il pensait : « Est-ce que je mets les bottes neuves ou les vieilles ? Faut pas que j'oublie les cigarettes ; il m'a encore apporté du thé refroidi, cet enfant de salaud. » Il mangeait ses œufs au plat et sauçait soigneusement le beurre fondu dans la poêle avec un morceau de pain.

— Vos ordres ont été exécutés, camarade colonel, annonça Verchkov.

Puis il ajouta en confidence :

— Je demande au soldat : « Il est là ? » Et l'autre me répond : « Où qu'il pourrait être encore ? Il dort avec sa bonne femme. »

Le soldat avait employé un mot plus expressif que « bonne femme » mais Verchkov jugea qu'il ne pouvait le répéter au colonel.

Novikov se taisait et ramassait les miettes sur la table du bout de l'index.

Guetmanov arriva.

— Du thé ? proposa Novikov.

La voix brève, Guetmanov prononça :

— Il est temps, Piotr Pavlovitch. Ni thé ni sucre, mais battre l'Allemand.

« Il est fort », pensa Verchkov.

Novikov passa dans la partie de la maison qui servait d'état-major, discuta avec Néoudobnov de la liaison, de la transmission des ordres, jeta un coup d'œil sur la carte.

Le calme trompeur de la nuit rappela à Novikov son enfance dans le Donbass. C'était ce même calme qui régnait dans les corons quelques minutes avant que les sirènes et les sifflets retentissent et que les hommes sortent de chez eux et se dirigent vers les mines et les usines. Mais le petit Petia Novikov, réveillé avant le signal de la sirène, savait que des centaines de mains cherchaient à tâtons les bottes dans le noir, que les pieds nus des femmes claquaient sur le plancher, que la vaisselle tintait.

— Verchkov, dit Novikov, approche mon char du poste d'observation ; j'en aurai besoin aujourd'hui.

— A vos ordres, dit Verchkov, je vais y mettre tout le barda, le vôtre et celui du commissaire.

— N'oublie pas le cacao, ordonna Guetmanov.

Néoudobnov, sa capote jetée sur les épaules, sortit de la maison.

— Tolboukhine vient de téléphoner, il voulait savoir si notre commandant avait rejoint le poste d'observation.

Novikov hocha la tête, tapa sur l'épaule du chauffeur :

— Vas-y, Kharitonov.

La route sortit du village, laissa derrière elle la dernière maison, tourna à gauche, tourna à droite, et partit droit vers l'ouest, parmi les plaques de neige et les herbes sèches de la steppe.

Ils longèrent le pli de terrain où étaient concentrés les chars de la première brigade.

Soudain, Novikov ordonna à Kharitonov de s'arrêter, sauta de la jeep et se dirigea vers les tanks dont les silhouettes se dessinaient confusément dans l'obscurité.

Il marchait sans s'arrêter, sans adresser la parole, en fixant les visages des soldats.

Il pensa aux jeunes recrues qu'il avait vues naguère sur la place du village. C'étaient bien des enfants, et tout dans le monde était fait pour les envoyer au feu, et les plans du G.Q.G., et l'ordre du commandant du front, et l'ordre qu'il allait lui-même donner dans une heure aux commandants des brigades, et les discours que leur tenaient les commissaires, et les articles, les récits, les vers que publiaient les écrivains dans les journaux. A l'attaque ! En avant ! Et à l'ouest, dans le noir, on n'attendait qu'une chose : les frapper, les battre, les écraser sous les chenilles.

Il semblait à Novikov qu'il marchait parmi ses frères cadets, ses neveux, les fils des voisins, et que des milliers de femmes, de filles, de vieilles, les regardaient invisibles.

Les mères récusent le droit d'envoyer à la mort. Et même à la guerre, on peut rencontrer des gens qui font partie de la résistance clandestine des mères. Ces gens disent : « Reste ici petit, où veux-tu aller ? Tu n'entends donc pas comment ça tire dehors. Mon rapport peut attendre encore un peu, mets plutôt la bouilloire sur le feu. » Ces hommes disent au téléphone : « A vos ordres, mon colonel, nous allons avancer la mitrailleuse » et, après avoir raccroché, disent : « Pourquoi l'avancer, ça n'a pas de sens, et ils me tueront un bon gars. »

Novikov regagna sa voiture. Son visage était sombre et dur, comme s'il avait absorbé l'obscurité humide de cette aube de novembre. Quand la voiture démarra, Guetmanov lui jeta un regard plein de sympathie et dit :

— Tu sais, Piotr Pavlovitch, ce que j'ai envie de te dire, là maintenant : je t'aime bien, tu comprends, et j'ai confiance en toi.

9

Le silence était dense, sans partage, et il semblait qu'il n'existait ni steppe, ni brouillard, ni Volga, mais le silence et rien d'autre. Une lueur parcourut les nuages sombres, puis le brouillard, de gris qu'il était, devint pourpre et soudain le tonnerre s'empara de la terre et du ciel...

Les canons lointains et les canons proches unirent leur voix, et l'écho renforçait leur lien, élargissait l'entremêlement des sons qui emplissaient tout le volume de l'énorme espace de la bataille.

Les maisons de pisé tremblaient, des morceaux d'argile se détachaient des murs, les portes des maisons s'ouvraient et se fermaient d'elles-mêmes, la glace encore fine sur les lacs craquait.

Balançant sa queue lourde de poils soyeux, le renard prit la fuite, et le lièvre ne le fuyait pas mais courait à sa suite ; oiseaux de nuit et oiseaux de jour, réunis pour la première fois, montèrent dans le ciel... Des mulots mal réveillés surgissaient de leurs trous comme des grands-pères ébouriffés sortant d'une isba en feu.

On voyait distinctement, depuis le poste d'observation, les explosions des obus soviétiques, les fumées d'un noir huileux qui montaient ; les geysers de terre et de neige, la blancheur laiteuse du feu d'acier.

L'artillerie se tut. Les nuages de fumée brûlante se mêlaient à l'humidité froide du brouillard sur la steppe.

Et aussitôt, la steppe s'emplit d'un nouveau bruit, tendu, large, modulé : les avions soviétiques volaient vers l'ouest. Leur grondement, vrombissement, hurlement rendait tangible la hauteur du ciel aveugle ; les chasseurs et les avions d'assaut blindés volaient au ras du sol, pressés contre la terre par le plafond bas des nuages, mais on entendait dans les nuages et au-dessus les basses profondes des bombardiers invisibles.

Les Allemands dans le ciel au-dessus de Brest, le ciel russe au-dessus des steppes de la Volga... Novikov n'y pensait pas, n'évoquait pas, ne comparait pas. Ce qui se passait en lui était plus important que les comparaisons, les souvenirs, les pensées.

Le silence revint. Les hommes qui attendaient le silence pour donner le signal de l'attaque et les hommes prêts, à ce signal, à s'élancer en direction des positions roumaines suffoquèrent dans le silence.

Durant ces quelques secondes de silence, Thétis primitive, mer trouble et muette, se déterminait le point où la courbe de l'humanité allait basculer. Quel bonheur de prendre part à la bataille qui décide le sort de ta patrie. Quelle horreur, quel effroi, de se lever de toute sa taille face à la mort, ne pas fuir la mort mais courir à sa rencontre. Que c'est effrayant de mourir jeune. Envie de vivre. Il n'est pas au monde de désir plus fort que le désir de sauver une vie, une vie jeune, une vie qui a encore si peu vécu. Ce désir ne vit pas dans les pensées, il est plus fort que la pensée, il vit dans la respiration, dans les narines, les yeux, les muscles, l'hémoglobine avide d'oxygène. Ce désir est si grand que rien ne peut lui être comparé, il ne peut être mesuré. La peur. La peur avant l'attaque.

Guetmanov soupira bruyamment, regarda Novikov, puis le téléphone de campagne, puis la radio.

Le visage de Novikov frappa Guetmanov : ce n'était plus le visage que Guetmanov avait connu tous ces mois, et pourtant il l'avait connu soucieux, en colère, hautain, triste, gai, sombre.

Les batteries roumaines qui n'avaient pas été réduites reprenaient vie l'une après l'autre, et tiraient de l'arrière sur la ligne du front. Les puissantes pièces de la défense antiaérienne avaient ouvert le feu sur des objectifs terrestres.

— Il est temps, Piotr Pavlovitch, dit Guetmanov, énervé. Comme on fait son lit, on se couche.

La nécessité de sacrifier des hommes à la cause lui avait toujours semblé naturelle et indiscutable, et ce, pas seulement en temps de guerre.

Mais Novikov traînait, il se fit passer Lopatine, le commandant du régiment d'artillerie lourde, dont les pièces tiraient dans l'axe que devaient prendre les chars de Novikov.

— Méfie-toi, dit Guetmanov en montrant sa montre, Tolboukhine va te bouffer tout cru.

Novikov ne voulait pas s'avouer à lui-même, et encore moins à Guetmanov, un sentiment ridicule, presque honteux. Aussi se contenta-t-il de dire :

— J'ai peur pour les chars, on risque d'en perdre beaucoup. Nos T-34, des vraies merveilles, c'est une question de quelques minutes : on va réduire les batteries antichars et antiaériennes, on les a devant nous comme sur la paume de la main.

La steppe fumait, les hommes qui étaient à ses côtés au poste d'observation ne le quittaient pas des yeux ; les commandants des brigades attendaient son ordre par radio.

Sa passion pour la guerre, celle d'un bon colonel artisan, le tenait ; sa vanité était à vif, Guetmanov le poussait et il craignait ses chefs.

Et il savait parfaitement que ce qu'il dirait à Lopatine n'entrerait pas dans les manuels d'histoire et ne serait pas étudié à l'état-major général, que ses paroles ne lui vaudraient pas les compliments de Staline et de Joukov, qu'elles ne rendraient pas plus proche l'ordre de Souvorov qu'il convoitait.

Il existe un droit plus grand que celui d'envoyer les hommes à la mort sans se poser de questions, c'est celui de se poser des questions en envoyant les hommes à la mort. Novikov avait pleinement exercé cette responsabilité.

10

Au Kremlin, Staline attendait le rapport du général Eremenko, le commandant du groupe d'armées de Stalingrad.

Il regarda sa montre ; la préparation d'artillerie venait de s'arrêter, c'était maintenant le tour de l'infanterie : les groupements de choc allaient s'élancer dans la brèche créée par l'artillerie. Les avions bombardaient les arrières, les routes, les terrains d'aviation.

Il avait parlé dix minutes plus tôt avec Vatoutine : la progression des unités de blindés et de cavalerie au nord de Stalingrad avait été plus rapide que prévue.

Il prit un crayon, regarda le téléphone qui se taisait toujours. Il avait envie de porter sur la carte le mouvement de la branche du sud. Mais une crainte superstitieuse l'obligea à reposer son crayon. Il sentait que Hitler devait, en cet instant, penser à lui et qu'il savait que lui, Staline, pensait à Hitler.

Churchill et Roosevelt lui faisaient confiance, mais il comprenait que leur confiance n'était pas totale. Ils l'irritaient parce qu'ils aimaient conférer avec lui mais que, auparavant, ils se mettaient d'accord entre eux.

Ils savaient que les guerres venaient et partaient mais que la politique restait. Ils admiraient son esprit logique, ses connaissances, la clarté de ses raisonnements ; mais malgré tout il savait qu'ils voyaient en lui un potentat oriental et non le leader d'un pays européen, et cela lui déplaisait.

Soudain, il revit les yeux perçants de Trotski, leur intelligence impitoyable, le plissement méprisant des paupières, et il regretta pour la première fois que Trotski fût mort : il aurait entendu parler de ce jour.

Staline se sentait heureux, plein de force ; il n'avait plus ce goût de plomb dans la bouche, son cœur ne le faisait pas souffrir. Le sentiment de la vie, chez lui, se confondait avec le sentiment de sa force. Depuis les premiers jours de la guerre, une angoisse physique étreignait Staline. Elle ne le lâchait pas même quand les maréchaux, voyant sa colère, se figeaient de peur devant lui, ou quand les foules l'acclamaient, debout au Bolchoï. Il avait constamment l'impression que son entourage se moquait secrètement de lui en pensant à son désarroi au cours de l'été 1941.

Un jour, en présence de Molotov, il s'était pris la tête entre les mains en marmonnant : « Que faire... que faire... » Sa voix s'était brisée pendant une réunion du conseil d'État à la Défense et tous avaient détourné le regard. Il avait, à plusieurs reprises, donné des ordres absurdes et il avait vu que leur absurdité était évidente pour tout le monde... Il était à bout de nerfs quand il avait prononcé son discours du 3 juillet à la radio, il buvait de l'eau minérale et les ondes avaient transmis son émotion... Joukov l'avait contredit grossièrement en juin, et il était resté désarmé, se contentant de dire : « Faites pour le mieux. » Il avait parfois eu envie de céder ses responsabilités à ceux qu'il avait exterminés en 1937, à Rykov, Kamenev, Boukharine, ils n'avaient qu'à diriger l'armée, le pays, à sa place.

Parfois, un sentiment étrange et effrayant naissait en lui : il lui semblait que ses ennemis du jour n'étaient pas les seuls à le battre sur les champs de bataille. Il lui semblait voir marcher, à la suite des chars de Hitler, dans la poussière et la fumée, tous ceux que, croyait-il, il avait à jamais châtiés, pacifiés, calmés. Ils sortaient de la toundra, ils faisaient sauter la carapace de glace qui les enfermait, déchiraient les barbelés. Des convois chargés de morts ressuscités venaient de la Kolyma et de la région de Komi. Les paysannes et leurs enfants sortaient de dessous terre, le visage exténué, douloureux, effroyable, ils allaient, allaient toujours, le cherchaient de leurs yeux tristes et sans haine. Il savait, mieux que personne, que l'Histoire n'est pas la seule à juger les vaincus.

Beria lui était, par moments, insupportable, parce que, visiblement, il comprenait ce qui se passait dans l'esprit de Staline.

Cette faiblesse n'avait pas duré longtemps, quelques jours, elle n'affleurait que par moments. Mais il restait abattu, sa nuque le faisait souffrir, il avait des brûlures d'estomac, il était parfois pris de vertiges qui l'effrayaient.

Il regarda de nouveau le téléphone : Eremenko aurait dû lui annoncer l'offensive des blindés.

L'heure de sa puissance avait sonné. Ce qui se jouait en ces instants, c'était le sort de l'État fondé par Lénine : le parti centralisé recevait la possibilité de se réaliser dans la construction d'usines géantes, de centrales atomiques, d'avions à réaction, de fusées cosmiques et intercontinentales, de gratte-ciel, de palais de la science, de nouveaux canaux, de routes et de villes au-delà du cercle polaire.

Ce qui se jouait, c'était le sort de la France et de la Belgique occupées par les Allemands, le sort de l'Italie, des États scandinaves et des Balkans ; ce qui se jouait, c'était la fin d'Auschwitz et de Buchenwald, l'ouverture des neuf cents camps de concentration et de travail créés par les nazis.

Ce qui se jouait, c'était le sort des prisonniers de guerre allemands qui partiraient pour la Sibérie, et le sort des prisonniers de guerre soviétiques détenus dans les camps allemands qui iraient, par la volonté de Staline, rejoindre, après leur libération, les Allemands en Sibérie.

Ce qui se jouait, c'était le sort des Kalmouks, des Tatars de Crimée, des Tchétchènes et des Balkares exilés, sur ordre de Staline, en Sibérie et au Kazakhstan, ayant perdu le droit de se souvenir de leur histoire, d'enseigner à leurs enfants dans leur langue maternelle.

Ce qui se jouait, c'était le sort de Mikhoels et de son ami l'acteur Zouskine, des écrivains Bergelson, Markish, Féfer, Kvitko, Noussinov, dont les exécutions devaient précéder le sinistre procès des médecins juifs, avec en tête le professeur Vovsi. Ce qui se jouait, c'était le sort des Juifs, que l'Armée Rouge avait sauvés, et sur la tête desquels Staline s'apprêtait à abattre le glaive qu'il avait repris des mains de Hitler, commémorant ainsi le dixième anniversaire de la victoire du peuple à Stalingrad.

Ce qui se jouait, c'était le sort de la Pologne, de la Tchécoslovaquie et de la Roumanie.

Ce qui se jouait, c'était le sort des paysans et ouvriers russes, la liberté de la pensée russe, de la littérature et de la science russes.

Staline était ému. En cet instant, la puissance future de l'Etat se confondait avec sa volonté.

Sa grandeur, son génie n'existaient pas par eux-mêmes, indépendamment de la grandeur de l'Etat et des Forces armées. Les livres qu'il avait écrits, ses travaux scientifiques, sa philosophie ne prenaient un sens, ne devenaient objet d'étude et d'admiration de la part des millions de gens que lorsque l'Etat était victorieux.

On lui passa Eremenko.

— Alors, qu'est-ce qui se passe chez toi ? demanda Staline sans préambule. L'attaque de chars a commencé ?

En attendant la voix irritée de Staline, il éteignit sa cigarette.

— Non, camarade Staline, Tolboukhine termine la préparation d'artillerie. L'infanterie a nettoyé la première ligne. Mais les chars attendent encore.

Staline jura et raccrocha.

Eremenko ralluma une cigarette et téléphona au commandant de la 51e armée.

— Qu'attendent les blindés ? demanda-t-il.

Tolboukhine tenait le combiné d'une main, et de l'autre un mouchoir qui lui servait à essuyer la sueur qui coulait sur sa poitrine. Sa veste était ouverte, par le col de sa chemise d'une blancheur immaculée dépassaient les lourds plis de graisse à la base du cou.

Surmontant son asthme, il répondit avec la lenteur d'un homme très gros dont non seulement l'esprit mais même le corps savent que toute agitation lui serait néfaste :

— Le commandant du corps blindé vient de me dire qu'il reste sur son axe des batteries ennemies qui n'ont pas été réduites. Il a demandé quelques minutes de délai pour les écraser au moyen de l'artillerie lourde.

— Annulez, dit brutalement Eremenko. Qu'ils attaquent immédiatement ! Vous m'informez sur l'exécution de l'ordre dans trois minutes.

— A vos ordres, dit Tolboukhine.

Eremenko eut envie d'injurier Tolboukhine mais au lieu de cela il lui demanda soudain :

— Pourquoi vous haletez comme ça, vous êtes malade ?

— Non, non, ça va, merci Andreï Nikolaïevitch, je viens de déjeuner, c'est tout.

— Alors allez-y, dit Eremenko en raccrochant.

Puis il lança une série de jurons imagés et dit :

— Il a déjeuné, il ne peut pas respirer...

Quand le téléphone sonna au P.C., Novikov comprit que le commandant de l'armée allait exiger de lancer immédiatement ses chars.

« J'ai vu juste », se dit-il en écoutant Tolboukhine et il répondit :

— A vos ordres, camarade général.

Puis il eut un petit sourire en direction de Guetmanov :

— Ça ne fera pas de mal quand même d'attendre encore quatre minutes.

Trois minutes plus tard, le téléphone sonna à nouveau :

— Qu'est-ce que c'est que ces plaisanteries ? dit Tolboukhine d'une voix qui ne haletait plus. Pourquoi j'entends encore des tirs d'artillerie ? Vous allez exécuter mes ordres, oui ou non ?

Novikov ordonna au téléphoniste de le relier à Lopatine. Il entendait la voix de Lopatine mais ne répondait pas ; l'œil sur l'aiguille des secondes, il attendait la fin de la quatrième minute.

— Il est fort, notre papa ! s'exclama Guetmanov avec une admiration sincère.

Et, une minute plus tard, quand l'artillerie lourde se tut, il mit sur les oreilles les écouteurs, appela le commandant de la brigade qui devait la première créer la percée.

— Belov ? dit-il.

— Je vous écoute, camarade colonel.

Novikov tordit la bouche dans un cri d'ivresse enragée :

— Belov, fonce !

Les gaz bleus épaissirent encore le brouillard, l'air frémissait du grondement des moteurs, le corps de blindés se lançait dans la brèche.

11

Les objectifs de la contre-offensive soviétique devinrent évidents pour le commandement du groupe d'armées « B » quand, à l'aube du 20 novembre, les canons tonnèrent dans la steppe kalmouke et que les groupements de choc entamèrent l'offensive, au sud de Stalingrad, contre la 4e armée roumaine disposée sur le flanc droit de Paulus.

Le corps de blindés en action sur l'aile gauche du groupement de choc soviétique pénétra dans la trouée entre le lac Tsatsa et le lac Barmantsak, puis il obliqua vers le nord-ouest, en direction de Kalatch, à la rencontre des unités de blindés et de cavalerie des groupes d'armées du Don et du sud-ouest.

Vers le milieu de la journée du 20 novembre, les unités d'assaut venant de Sérafimovitch étaient parvenues au nord de Sourovikino, menaçant les lignes de communications de l'armée de Paulus.

Mais la 6e armée n'avait pas encore compris qu'elle était menacée d'encerclement. L'état-major de Paulus communiquait le 19 novembre à 18 heures au baron von Weichs, le commandant du groupe « B », qu'il avait l'intention de poursuivre le 20 novembre les activités des éléments de reconnaissance dans Stalingrad.

Le soir, Paulus reçut l'ordre de von Weichs de cesser immédiatement toutes les opérations offensives, de détacher des unités de chars et d'infanterie ainsi que des moyens antichars et de les concentrer en les échelonnant derrière son flanc gauche dans le but de porter un coup en direction du nord-ouest.

Cet ordre, reçu par Paulus à 22 heures, marquait la fin de l'offensive allemande à Stalingrad.

Le développement fulgurant des événements rendit caduc cet ordre.

Le 21 novembre, les groupements de choc soviétiques, venant de Sérafimovitch et Klétskaïa, opérèrent leur jonction et, effectuant un tournant de quatre-vingt-dix degrés, marchèrent sur le Don dans la région de Kalatch sur les arrières de l'armée de Paulus.

Ce jour-là, quarante chars soviétiques apparurent sur la rive gauche du Don, à quelques kilomètres de Goloubinskaïa, où était disposé le Q.G. de Paulus. Un autre groupe de chars s'empara sans coup férir d'un pont sur le Don : les troupes de couverture allemandes prirent les chars soviétiques pour un détachement d'entraînement, équipé de prises de guerre russes, et qui empruntait souvent ce pont. Les blindés soviétiques entrèrent dans Kalatch. Ainsi s'esquissait l'encerclement de deux armées allemandes : la 6e de Paulus et la 4e blindée de Hoth. Une des meilleures unités de Paulus, la 384e division d'infanterie, se mit en position défensive, tournant le front de son dispositif vers le nord-ouest.

Et pendant ce temps, les forces de Eremenko balayèrent la 29e division mécanisée allemande, écrasèrent le 6e corps d'armée roumain et marchèrent vers la voie ferrée Kalatch-Stalingrad.

Les chars de Novikov s'approchèrent à la tombée de la nuit d'un môle de résistance roumain.

Mais cette fois-ci, Novikov ne traîna pas, il ne chercha pas à profiter de l'obscurité pour procéder à une concentration cachée des chars avant l'attaque.

Sur ordre de Novikov, tous les chars, mais aussi tous les cànons automoteurs, les véhicules de transport blindés, les camions de l'infanterie portée, tous mirent pleins phares. Des centaines de phares aveuglants firent voler la nuit en éclats. Une énorme masse était lancée dans la steppe, ses tirs de canons et de mitrailleuses, le grondement de ses moteurs assourdissaient, les poignards des lumières aveuglaient la défense roumaine, la paralysant, semant la panique.

Après de brefs combats, les chars poursuivirent leur mouvement.

Les chars venant du sud, de la steppe kalmouke, firent irruption dans Bouzinovka dans la première moitié de la journée du 22 novembre. Le soir même, les chars des échelons d'attaque venant du sud et du nord firent leur jonction à l'ouest de Kalatch, dans les arrières des deux armées allemandes de Paulus et Hoth. En prenant position le 23 novembre sur les rives des rivières Tchir et Aksaï, de grandes unités de fusiliers couvrirent efficacement les flancs des groupements de choc.

L'objectif qu'avait défini le Commandement suprême était atteint : il avait fallu cent heures pour encercler les forces allemandes de Stalingrad.

Quel fut le cours ultérieur des événements ? Par quoi fut-il déterminé ? Quelle volonté humaine se fit l'instrument de la fatalité historique ?

Le 22 novembre à 18 heures, Paulus communiquait par radio à l'état-major du groupement d'armées « B » :

« L'armée est encerclée. Toute la vallée de Tsaritsa, la voie ferrée de Sovetskaïa à Kalatch, le pont sur le Don, les hauteurs sur la rive ouest du Don sont, malgré une résistance héroïque, aux mains des Russes... La situation en ce qui concerne les munitions est critique. Il reste pour six jours de vivres. Je demande que me soit accordée la liberté de décision au cas où nous ne parviendrions pas à établir une défense circulaire de Stalingrad. Nous pouvons être alors contraints d'abandonner Stalingrad et le secteur nord du front. »

Dans la nuit du 22 au 23 novembre, Paulus reçut l'ordre de Hitler de donner le nom de « citadelle » à la zone que tenait son armée.

L'ordre précédent avait été : « Ordre au commandant de l'armée de se rendre à Stalingrad avec son état-major. Ordre à la 6e armée d'adopter un dispositif de défense circulaire et d'attendre les indications ultérieures. »

Après une conférence entre Paulus et les commandants des corps d'armée, le baron von Weichs télégraphiait au haut commandement :

« ... je dois dire que je soutiens la proposition de Paulus de retirer la 6ᵉ armée... »

Le chef de l'état-major général des forces terrestres, le général Zeitzler, qui était en liaison constante avec von Weichs, partageait entièrement l'opinion de Paulus et Weichs sur la nécessité d'abandonner Stalingrad ; il estimait qu'il serait parfaitement impossible de ravitailler par air les énormes forces prises dans l'encerclement.

Zeitzler communiqua à Weichs le 24 novembre à 2 heures du matin qu'il était enfin parvenu à convaincre Hitler de laisser Stalingrad. Ordre serait donné par Hitler à la 6ᵉ armée de sortir de l'encerclement le 24 novembre au matin.

L'unique liaison téléphonique entre le groupe d'armées « B » et la 6ᵉ armée fut coupée peu après 10 heures.

On attendait l'ordre de Hitler d'une minute à l'autre et, comme il fallait faire vite, Weichs décida de prendre sur lui la responsabilité de donner l'ordre de forcer l'encerclement.

. Quand les transmissions s'apprêtaient déjà à envoyer le radio de Weichs, le chef du centre de transmissions entendit le radio en provenance du Quartier Général du Führer à destination du général Paulus : « La 6ᵉ armée est temporairement encerclée par les Russes. J'ai décidé de concentrer l'armée dans la zone : nord-Stalingrad, Kotlouban, cote 137, cote 135, Marinovka, Tsybenko, sud-Stalingrad. L'armée peut me croire, je ferai tout ce qui est en mon pouvoir pour assurer son ravitaillement et la rupture de l'encerclement. Je connais la valeureuse 6ᵉ armée et son commandant, et je sais qu'ils accompliront leur devoir. Adolf Hitler. »

La volonté de Hitler fut l'instrument de la destinée funeste du IIIᵉ Reich, elle devint le destin de l'armée de Paulus. Hitler écrivit une nouvelle page de l'histoire militaire des Allemands, il la fit écrire par Paulus, Weichs, Zeitzler, par les commandants des corps d'armée et de régiments, par les soldats, par tous ceux qui ne voulaient pas remplir sa volonté mais qui l'exécutèrent jusqu'au bout.

12

Après cent heures de combats, la jonction des unités des groupes d'armées de Stalingrad, du Don et du sud-ouest était chose faite.

La rencontre des chars des échelons d'attaque se fit aux abords de Kalatch, sous un ciel sombre d'hiver. La neige sur la steppe était coupée par des centaines de chenilles, brûlée par les explosions des obus. Les lourds engins fonçaient dans des nuages de neige, un voile de neige flottait en l'air. Là où les chars prenaient brutalement leurs virages, ils soulevaient, en même temps que la neige, un nuage de poussière d'argile gelée.

Les chasseurs et avions d'assaut qui assuraient le soutien des chars volaient très bas au-dessus de la steppe. Les pièces d'artillerie lourde grondaient au nord-est et des lueurs indécises éclairaient le ciel sombre et fumant.

Deux T-34 s'étaient arrêtés côte à côte auprès d'une petite maison en bois. Les tankistes, sales, excités par le succès et la mort toujours proche, respiraient avec bruit, avec délices, l'air froid du dehors, qui leur semblait si gai après la puanteur d'huile et de gaz d'échappement à l'intérieur du char. Les tankistes avaient repoussé en arrière leurs casques de cuir noir et entrèrent dans la maison. Là, le chef du char venant du lac Tsatsa sortit de la poche de sa combinaison une bouteille de vodka... La femme qui habitait la maison sortit les verres qui tintaient dans ses mains tremblantes.

— Oh ! là ! là ! dit-elle en avalant ses larmes, on ne croyait pas en sortir vivant quand les nôtres ont commencé à tirer ; ils tiraient, tiraient... J'ai passé deux jours dans la cave.

Deux autres tankistes, petits et larges d'épaules, deux cubes, entrèrent dans la pièce.

— Dis donc, Valeri, t'as vu ce qu'on nous offre ? Je crois qu'on a quelque chose pour accompagner la vodka, dit le chef du char qui venait du groupe d'armées du Don.

Le dénommé Valeri plongea sa main dans la poche profonde de sa combinaison et en sortit un saucisson fumé, enveloppé dans une feuille de journal graisseuse. Il le cassa en morceaux, remettant soigneusement les morceaux de lard blanc qui s'en échappaient.

Ils burent et ils se sentirent heureux. Un des tankistes sourit, la bouche pleine, et dit :

— Ce que c'est que d'avoir fait notre jonction, vous avez la vodka et nous, le saucisson.

L'idée plut à tout le monde et les tankistes répétaient la phrase en riant, mâchaient le saucisson, débordant de sympathie les uns à l'égard des autres.

13

Le chef du char venant du sud communiqua par radio à son chef d'escadron que la jonction avait été opérée dans la zone de Kalatch. Il ajouta que ceux du nord avaient l'air d'être des gars bien et qu'ils avaient vidé une bouteille en commun.

Le rapport monta à toute vitesse et quelques minutes plus tard le commandant de brigade Karpov annonçait à Novikov que la jonction était faite.

Novikov sentait l'atmosphère d'amour admiratif qui l'entourait à l'état-major du corps blindé.

Leur corps n'avait presque pas subi de pertes, il avait atteint dans les délais les objectifs qui lui avaient été fixés.

Après avoir envoyé son rapport au commandant du front, Néoudobnov serra longuement la main de Novikov ; ses yeux, habituellement bilieux et méfiants, s'étaient adoucis.

— Vous voyez, dit-il, les miracles que peuvent accomplir nos hommes quand on a éliminé les ennemis et les saboteurs.

Guetmanov étreignit Novikov, regarda les officiers, les chauffeurs, les plantons, les agents de liaison, les radios, renifla et, d'une voix forte, afin que tous l'entendent, prononça :

— Merci à toi, Piotr Pavlovitch, un grand merci. Reçois le merci russe, le merci soviétique du communiste Guetmanov. Je m'incline.

Et il embrassa un Novikov ému.

— Tu as tout préparé, tout prévu, tu as étudié les hommes ; et maintenant tu recueilles le fruit de ton travail.

— Prévu, tu parles, dit Novikov, que les paroles de Guetmanov emplissaient de bonheur et de confusion.

Il agita une liasse de rapports.

— Les voilà, mes prévisions. Je comptais surtout sur Makarov, et Makarov n'a pas tenu le rythme, puis il a dévié de l'axe d'effort prévu, a perdu une heure et demie dans une escarmouche sur son flanc. J'étais sûr que Belov foncerait droit devant sans assurer ses flancs et ses arrières, qu'il arriverait le premier ; et en fait, le deuxième jour, au lieu de déborder un centre de résistance, Belov s'est embourbé dans une opération contre des unités d'infanterie et il est même passé à la défensive ; finalement, il a perdu onze heures à ces bêtises. Quant à Karpov, il a été le premier à atteindre Kalatch, il a filé pleins gaz, sans s'occuper de ce qui se passait sur ses flancs, il a été le premier à couper les lignes de communications allemandes. Et voilà ma connaissance des hommes, et voilà mes prévisions. Moi qui pensais qu'il faudrait le faire avancer à coups de trique.

— Bon, bon, d'accord, dit Guetmanov en souriant. La modestie nous embellit, nous savons tous cela. Le grand Staline nous apprend à être modestes.

Novikov était heureux. Il devait vraiment aimer Evguénia Nikolaïevna ; toute la journée il pensa à elle, il lui semblait qu'elle allait soudain se montrer et il la cherchait tout le temps du regard.

— Ce que je n'oublierai jamais, dit Guetmanov en baissant sa voix jusqu'au chuchotement, c'est comment tu as retardé le débouché de l'attaque de huit minutes. Le commandant de l'armée attend. Le commandant du groupe d'armées exige que tu lances tes chars immédiatement. On m'a dit que Staline a téléphoné à Eremenko pour savoir pourquoi tes tanks n'attaquaient pas. Tu as fait attendre Staline. Mais, en effet, on a créé la percée sans perdre un seul char, un seul homme. Ça, je m'en souviendrai toute ma vie.

Et la nuit, quand Novikov partit sur son char pour Kalatch, Guetmanov passa chez le chef de l'état-major et lui dit :

— J'ai rédigé une lettre, camarade général, sur le comportement du chef du corps de blindés qui a, de son propre chef, retardé de huit minutes le déclenchement d'une opération décisive, capitale, d'une opération qui devait déterminer le sort de la Grande Guerre patriotique. Prenez connaissance, je vous prie, de ce document.

14

Staline avait à ses côtés son secrétaire, Poskrebychev, quand Vassilievski lui annonça par radio l'encerclement des armées allemandes. Staline, sans regarder Poskrebychev, resta quelques instants les yeux clos, comme assoupi. Poskrebychev retint sa respiration, évitant le moindre mouvement.

C'était l'heure de son triomphe. Il n'avait pas seulement vaincu son ennemi présent, il avait vaincu son passé. L'herbe se fera plus épaisse sur les tombes de 1930 dans les villages. Les neiges et les glaces au-delà du cercle polaire resteront silencieuses.

Il savait mieux que personne au monde qu'on ne juge pas les vainqueurs.

Staline aurait aimé avoir auprès de lui ses enfants, sa petite-fille, la fille de son malheureux Iakov. Calme, apaisé, il caresserait les cheveux de sa petite-fille, sans un regard pour le monde aplati au seuil de sa chaumière. Une fille gentille, une petite-fille douce et maladive, les souvenirs d'enfance, la fraîcheur du jardin, le bruit lointain de la rivière. Quelle importance a tout le reste ? Sa force n'est pas dans ses régiments, ni dans la puissance de l'État.

Il prononça, sans ouvrir les yeux, avec une intonation particulièrement douce :

— *Mon petit oiseau, te voilà bien pris,*
Tous les deux toujours nous serons unis.

Poskrebychev regardait Staline, les cheveux blancs et rares, le visage marqué par la petite vérole, les yeux fermés, et soudain il sentit les bouts de ses doigts devenir froids.

15

La réussite de l'offensive dans la zone de Stalingrad avait comblé les trous dans la ligne de défense soviétique. Ils avaient été comblés non seulement entre les gigantesques fronts de Stalingrad et du Don, non seulement entre l'armée de Tchouïkov et les divisions du nord, non seulement entre les bataillons et les compagnies coupés de leurs arrières, non seulement entre les groupes d'assaut embusqués dans les maisons de Stalingrad. Le sentiment d'être coupé, encerclé, avait également disparu dans la conscience des gens ; lui avait succédé un sentiment d'unité et d'union. Et c'est dans ce sentiment de sa propre fusion avec la masse militaire que réside ce qu'on appelle un moral de vainqueur.

Et, bien sûr, les âmes et les esprits des soldats allemands pris dans l'encerclement de Stalingrad connurent une évolution inverse. Un énorme morceau de chair, fait de centaines de milliers de cellules douées de raison et sentiment, avait été détaché du corps des forces armées allemandes.

L'idée, exprimée en son temps par Tolstoï, selon laquelle il est impossible d'encercler totalement une armée, se fondait sur l'expérience militaire du temps de Tolstoï.

La guerre de 1941-1945 a démontré qu'on peut encercler une armée, la clouer au sol, l'étreindre dans un anneau de fer. L'encerclement a été une réalité impitoyable pour de nombreuses armées soviétiques et allemandes au cours de la guerre de 1941-1945.

La pensée exprimée par Tolstoï avait sûrement été juste en son temps. Comme la majorité des pensées sur la guerre ou la politique exprimées par les grands hommes, elle n'était pas éternelle.

Les encerclements ont été possibles à cause de l'extraordinaire mobilité des troupes et de l'extrême lenteur et de l'énormité des arrières sur lesquels s'appuie la mobilité.

Une armée encerclée ne fait pas que perdre ses capacités technico-militaires en perdant sa mobilité. Les soldats et les officiers des armées encerclées sont comme exclus du monde moderne et renvoyés dans le monde du passé. Les soldats et les officiers des armées encerclées réévaluent les forces des armées en présence, les perspectives de la guerre, mais aussi la politique des États, la séduction des chefs de partis, les codes, la constitution, le caractère national, le passé et l'avenir de leur peuple.

Les mêmes réévaluations, mais bien sûr avec le signe inverse, se passent dans l'esprit de ceux qui planent au-dessus de la victime clouée au sol.

Le triomphe de Stalingrad détermina l'issue de la guerre, mais l'opposition muette entre le peuple victorieux et l'État victorieux se poursuivait. Et le destin de l'homme, sa liberté, en dépendaient.

16

A la frontière de la Prusse orientale et de la Lituanie, une petite pluie fine tombait sur la forêt automnale de Görlitz ; un homme de taille moyenne, en imperméable gris, marchait sur un sentier dans la futaie. Les sentinelles, à la vue de Hitler, retenaient leur souffle, se figeaient dans une immobilité parfaite et les gouttes de pluie couraient sur leur visage.

Il avait eu envie de rester seul et de prendre un peu d'air. La petite pluie froide était bien agréable. Qu'ils étaient beaux, ces arbres silencieux. Qu'il est plaisant de marcher sur le tapis souple des feuilles mortes.

Les gens, au Q.G. de campagne, lui étaient aujourd'hui insupportables... Il n'avait jamais eu de respect pour Staline. Tout ce que faisait Staline avant la guerre lui semblait bête et grossier. Ses ruses et ses trahisons avaient la simplicité du moujik. Son État était absurde. Un jour, Churchill comprendrait le rôle tragique joué par le Reich : il avait protégé de son corps l'Europe contre le bolchevisme asiatique. Il évoqua ceux qui avaient insisté sur l'évacuation de Stalingrad : ils vont être particulièrement réservés et respectueux. Ceux qui lui faisaient une confiance absolue l'irritaient ; ils allaient tenir des discours verbeux pour l'assurer de leur fidélité. Il avait constamment envie de penser avec mépris à Staline, de l'humilier, et il comprenait que ce désir venait d'avoir perdu le sentiment de sa supériorité... ce boutiquier caucasien rancunier et cruel. Son succès d'aujourd'hui ne changeait rien... N'y avait-il pas aujourd'hui de l'ironie cachée dans le regard de ce vieil hongre de Zeitzler ? L'idée que Goebbels allait se faire un plaisir de lui rapporter les bons mots du Premier ministre anglais sur ses talents de chef militaire lui était insupportable. « Admets que c'est spirituel », lui dira Goebbels en riant, et au fond de ses yeux se montrera un bref instant la lueur de triomphe de l'envieux, qu'on aurait pu croire à jamais étouffée.

Les ennuis de la 6e armée le distrayaient, l'empêchaient d'être lui-même. L'essentiel n'était pas dans la perte de Stalingrad, l'encerclement de l'armée, mais dans le fait que Staline avait pris le dessus sur lui.

Il redresserait cela.

Il avait toujours eu des pensées ordinaires et des faiblesses charmantes. Mais tant qu'il était grand et tout-puissant, tout cela attendrissait les gens et les emplissait d'admiration. Il incarnait l'élan national du peuple allemand. Mais sa sagesse se ternissait, il perdait son génie dès que la puissance de la Nouvelle Allemagne et de ses forces armées vacillait.

Il n'enviait pas Napoléon. Il ne supportait pas les hommes dont la grandeur ne s'évanouissait pas dans la solitude, l'impuissance, la misère, les hommes qui conservaient leur force dans une cave ou dans un grenier.

Il n'avait pas su, au cours de sa promenade solitaire dans la forêt, se détacher du quotidien pour trouver au fond de son âme la solution sincère et juste, inaccessible aux tâcherons de l'état-major général et de la direction du parti. Une angoisse douloureuse montait du sentiment d'être redevenu l'égal des autres hommes.

Pour devenir le fondateur de la Nouvelle Allemagne, pour allumer la guerre et les fours d'Auschwitz, pour créer la Gestapo, un homme ne faisait pas l'affaire. Le fondateur et Führer de la Nouvelle Allemagne devait sortir hors de l'humanité. Ses sentiments, ses pensées, son quotidien ne pouvaient exister qu'au-dessus des hommes, en dehors des hommes.

Les chars russes l'avaient ramené au point d'où il était parti. Ses pensées, ses décisions, sa jalousie n'étaient pas tournées vers Dieu et le destin du monde. Les chars russes l'avaient ramené parmi les hommes.

Sa solitude au milieu de la forêt, qui avait commencé par lui plaire, lui faisait peur maintenant. Tout seul, sans gardes du corps, sans ses aides de camp, il lui semblait qu'il était le petit garçon du conte perdu dans l'obscurité de la forêt ensorcelée.

C'est ainsi que marchait le Petit Poucet, c'est ainsi que s'était perdu le chevreau, qui marchait sans savoir que le loup le guettait dans les fourrés obscurs. Et, franchissant les ténèbres des décennies écoulées, ses frayeurs enfantines remontèrent à la surface. Il revit l'image dans son livre de contes : un chevreau qui gambade sur la clairière ensoleillée et, entre les troncs gris des arbres, les yeux rouges et les dents blanches du loup.

Et il eut envie, comme dans son enfance, de crier, d'appeler sa mère, de fermer les yeux et de courir.

Dans la forêt, parmi les arbres, se dissimulait le régiment de sa garde personnelle, des milliers d'hommes entraînés, aux réflexes instantanés. Le but de leur vie était d'empêcher que le moindre souffle vienne déranger un cheveu sur sa tête. Les téléphones bourdonnaient discrètement, transmettant de zone en zone, de secteur en secteur, le moindre mouvement du Führer, qui avait décidé d'effectuer une promenade solitaire en forêt.

Il fit demi-tour, et, réfrénant son envie de courir, il se dirigea en direction des bâtiments vert sombre qui abritaient son quartier général de campagne.

Les gardes virent le Führer presser le pas, il avait sûrement des affaires urgentes à régler ; pouvaient-ils imaginer que la pénombre naissante avait éveillé chez le guide de l'Allemagne le souvenir du loup dans son livre de contes ?

Il voyait les lumières de l'état-major à travers les arbres. Pour la première fois, en pensant aux fours crématoires des camps, il éprouva un effroi humain.

17

Une sensation étrange s'était emparée des hommes dans les abris et les P.C. de la 62e armée : on avait envie de se palper le visage, de se tâter les vêtements, de bouger les orteils au fond des bottes. Les Allemands ne tiraient pas. Tout était silencieux.

Le silence donnait le vertige. Les gens avaient l'impression d'être devenus vides, que leurs cœurs s'engourdissaient, que leurs bras et leurs jambes n'avaient pas les mêmes mouvements que d'habitude. C'était étrange, inconcevable de manger la kacha dans le calme, d'écrire une lettre, de se réveiller la nuit dans le calme. Le silence avait ses propres bruits. Le silence avait fait naître une multitude de bruits, des bruits nouveaux et étranges : le bruit d'un couteau qu'on pose sur la table, le bruit d'une page qu'on tourne, le grincement d'une lame de parquet, le bruit de pieds nus, le tic-tac de la pendulette sur le mur de l'abri, le grincement d'une plume.

Le chef d'état-major Krylov entra dans l'abri de Tchouïkov ; le commandant de la 62e armée était assis sur le lit de camp, en face de lui était assis Gourov. Krylov voulait annoncer la dernière nouvelle : le groupe d'armées de Stalingrad était passé à l'offensive, l'encerclement de Paulus était une question d'heures. Il regarda Tchouïkov et Gourov et s'assit aux côtés de Tchouïkov. Krylov avait dû voir quelque chose de très important sur les visages de ses camarades pour ne pas leur communiquer son information : elle n'était pas dénuée d'importance.

Les trois hommes se taisaient. Le silence avait fait naître de nouveaux sons, effacés jusqu'alors, à Stalingrad. Le silence allait faire naître de nouvelles pensées, de nouvelles passions, de nouvelles inquiétudes, inutiles pendant les combats.

Mais, en ces instants, ils ne connaissaient pas encore ces nouvelles pensées ; les inquiétudes, vexations, rancunes, jalousies n'étaient pas encore nées. Ils ne pensaient pas au fait que leurs noms étaient liés à jamais à une page glorieuse de l'histoire de leur pays.

Ces minutes de silence étaient les plus belles de leur vie. C'étaient des minutes où seuls régnaient des sentiments humains ; et personne d'entre eux ne put par la suite s'expliquer pourquoi ils avaient connu durant ces quelques minutes un tel bonheur et une telle tristesse, un tel amour et un tel apaisement.

Faut-il poursuivre le récit sur les généraux de Stalingrad après que la défense eut pris fin ? Faut-il parler du spectacle pitoyable qu'ont offert certains des chefs de Stalingrad ? Des scènes incessantes d'ivrognerie, des disputes autour de la gloire à partager ? Comment un Tchouïkov ivre s'est jeté sur Rodimtsev et a essayé de l'étrangler pour la seule raison qu'au cours du meeting en l'honneur de la victoire de Stalingrad, Nikita Khrouchtchev a embrassé Rodimtsev sans un regard pour Tchouïkov, debout juste à côté ?

Faut-il raconter que Tchouïkov et son état-major ont quitté pour la première fois la « petite terre » sacrée de Stalingrad à l'occasion de la commémoration solennelle du vingt-cinquième anniversaire de la Tchéka-Guépéou ? Et faut-il raconter comment, à l'issue de cette fête, ivres morts, lui et ses compagnons d'armes ont failli se noyer dans la Volga et ont été retirés des glaces par des soldats ? Faut-il parler des reproches, des soupçons, de l'envie ?

La vérité est une. Il n'y a pas deux vérités. Il est dur de vivre sans vérité, ou avec des bribes de vérité, avec une vérité tondue et raccourcie. Une vérité partielle n'est pas une vérité. En cette nuit calme, disons toute la vérité, sans restrictions. En cette nuit, portons au crédit des hommes ce qu'ils ont fait de bien, leurs journées de dur labeur.

Tchouïkov sortit de son abri et monta lentement au sommet du coteau qui domine la Volga, les marches en bois grinçaient sous ses pieds. Il faisait nuit. L'est et l'ouest se taisaient. Les silhouettes des usines, les ruines des bâtiments de la ville, les tranchées, les abris s'étaient fondus dans l'obscurité calme et silencieuse de la terre, du ciel, de la Volga...

Ce fut cela l'expression de la victoire du peuple. Non dans les défilés des troupes au son de l'orchestre, ni dans les feux d'artifice et les salves d'artillerie, mais dans ce calme d'une campagne par une nuit humide.

Tchouïkov était ému, il entendait son cœur battre à grands coups dans sa poitrine. Il tendit l'oreille : le silence n'était pas total. On entendait chanter du côté de l'usine « Octobre rouge ». D'en bas, du bord de la Volga, montaient des voix assourdies, des sons de guitare.

Tchouïkov rentra dans son abri. Gourov l'attendait pour dîner :

— Ce n'est pas croyable, dit-il à Tchouïkov, tout est calme.

Tchouïkov renifla sans répondre.

Puis, quand ils étaient déjà à table, Gourov dit :

— Eh, camarade, toi aussi tu as dû en voir des malheurs pour pleurer en entendant une musique joyeuse.

Tchouïkov lui lança un regard étonné.

18

Dans un abri, creusé sur la pente qui descendait vers la Volga, quelques soldats étaient assis autour d'une table faite de quelques planches, un « calot » les éclairait.

L'adjudant versait de la vodka dans les quarts et les hommes surveillaient le précieux liquide qui montait jusqu'à l'ongle tordu de l'adjudant, qui marquait le niveau sur le verre servant de mesure.

Ils burent et les mains se tendirent vers la miche de pain.

Un des soldats avala le morceau de pain et dit :

— Ouais, il nous en a fait voir, mais on a été les plus forts.

— Il s'est calmé, le Frisé, on ne l'entend plus.

— C'est fini pour lui.

— L'apoupée de Stalingrad est terminée.

— Il en a fait des malheurs avant. Il a brûlé la moitié de la Russie.

Ils mâchaient leur pain longuement, sans se presser, ils retrouvaient, dans cette lenteur, le sentiment d'hommes qui, après un long et dur travail, se reposent en mangeant et buvant.

Leurs têtes s'embrumaient, mais d'une brume particulière, qui leur laissait la tête claire. Le goût du pain, le craquement de l'oignon sous la dent, et les armes rangées contre le mur d'argile de l'abri, et la Volga, et le souvenir de la maison, et la victoire sur un ennemi puissant, victoire acquise de ces mains qui caressaient les cheveux des enfants, saisissaient les femmes, brisaient le pain, roulaient une cigarette, tout cela se ressentait avec une acuité particulière.

19

Les Moscovites qui se préparaient à rentrer de l'évacuation chez eux se réjouissaient peut-être plus d'être enfin libérés de la vie d'évacué que de retrouver Moscou. Les rues et les maisons, les étoiles dans le ciel d'automne et le goût du pain, à Sverdlovsk, Omsk, Tachkent ou Krasnoïarsk, étaient devenus insupportables.

Quand le communiqué du *Sovinformburo* était bon, on disait :

— Il n'y en a plus pour longtemps.

Quand il était alarmant, on disait :

— Sûr qu'ils vont interrompre le rapatriement des familles.

Des récits sur des Moscovites qui seraient parvenus à rejoindre Moscou sans laissez-passer naissaient sans cesse. Il fallait changer plusieurs fois de train, passer des grandes lignes aux trains locaux, puis prendre un train de banlieue où il n'y avait pas de contrôle.

Les gens avaient oublié qu'en octobre 1941 chaque jour de plus passé à Moscou paraissait une torture. Avec quelle envie on regardait alors les Moscovites qui pouvaient échanger le dangereux ciel natal contre les cieux paisibles de la Tatarie ou de l'Ouzbekistan.

Les gens avaient oublié que certains, ne pouvant monter dans les convois au cours des funestes journées d'octobre, abandonnaient valises et baluchons pour rejoindre Zagorsk à pied, prêts à tout pour ne pas rester dans la capitale. Mais maintenant, les gens étaient prêts à abandonner leurs affaires, leur travail, une vie bien arrangée et partir à pied pour Moscou ; tout plutôt que de rester dans l'évacuation.

La raison principale de ces états d'esprit opposés (une volonté farouche de quitter Moscou et une volonté farouche de regagner

Moscou) réside dans la transformation qu'ont subie les esprits en un an de guerre ; à une peur quasi mystique des Allemands a succédé une confiance totale dans la supériorité des forces soviétiques.

Le *Sovinformburo* annonça dans la seconde moitié de novembre qu'un coup avait été porté aux forces germano-fascistes dans la région de Vladicaucase (Orjonikidze), puis qu'une offensive victorieuse avait été menée dans la région de Stalingrad. En deux semaines le speaker annonça à neuf reprises que : « L'offensive de nos troupes continue... Un nouveau coup porté à l'ennemi... Nos forces armées ont, dans le secteur de Stalingrad, brisé la résistance de l'ennemi, rompu ses nouvelles lignes de défense sur la rive est du Don... nos troupes, poursuivant leur offensive, ont franchi 10-20 kilomètres... Nos troupes disposées sur le cours moyen du Don sont passées à l'offensive... L'offensive de nos troupes sur le cours moyen du Don se poursuit... Notre offensive dans le Nord-Caucase... Un nouveau coup porté par nos forces armées au sud-ouest de Stalingrad... L'offensive au sud de Stalingrad... »

Le *Sovinformburo* publia, à la veille du 1er janvier 1943, un communiqué qui s'intitulait : « Bilan de six semaines d'offensives dans la zone de Stalingrad » et qui exposait comment avaient été encerclées les armées allemandes à Stalingrad.

Tout aussi secrètement qu'on avait préparé l'offensive de Stalingrad, la conscience s'apprêtait à considérer autrement les événements de la vie. Cette transformation qui se déroulait dans l'inconscient des hommes devint manifeste après l'offensive de Stalingrad.

Ce qui se passa à ce moment-là différait de ce qui s'était passé au moment de l'issue victorieuse de la bataille de Moscou, même si, en apparence, les deux phénomènes furent identiques.

La victoire de Moscou, elle, a essentiellement changé l'attitude à l'égard des Allemands. La crainte mystique de l'armée allemande a pris fin en décembre 1941.

Stalingrad, l'offensive de Stalingrad, ont contribué à créer une nouvelle conscience de soi dans l'armée et la population. Les Soviétiques, les Russes, avaient maintenant une autre vision d'eux-mêmes, une autre attitude à l'égard des autres nationalités. L'histoire de la Russie devenait l'histoire de la gloire russe au lieu d'être l'histoire des souffrances et des humiliations des ouvriers et paysans russes. Le national changeait de nature ; il n'appartenait plus au domaine de la forme mais au contenu, il était devenu un nouveau fondement de la compréhension du monde.

Au moment de la victoire de Moscou, les gens pensaient encore selon les anciennes catégories, les anciennes normes, les représentations d'avant la guerre.

La réinterprétation des événements de la guerre, la prise de conscience de la force des armes et de l'État russe faisaient partie d'un processus long et complexe.

Ce processus a pris naissance longtemps avant la guerre et.il s'est déroulé bien plus au niveau de l'inconscient du peuple qu'au niveau conscient.

Trois événements grandioses ont été à la base d'une nouvelle vision de la vie et des rapports humains : la collectivisation des campagnes, l'industrialisation, l'année 1937.

Ces événements, tout comme la révolution de 1917, ont provoqué des déplacements et des mouvements d'énormes masses de gens ; ces mouvements s'accompagnaient d'exterminations physiques supérieures en nombre à celles qui eurent lieu au moment de la liquidation de la noblesse, de la bourgeoisie industrielle et commerçante.

Ces événements, qui avaient à leur tête Staline, ont marqué le triomphe économique des bâtisseurs du nouvel État soviétique, du socialisme dans un seul pays. Ces événements furent la continuation logique de la Révolution d'Octobre.

Mais le nouvel ordre social qui avait triomphé au moment de la collectivisation, de l'industrialisation, du remplacement quasi total des cadres de la nation, n'a pas voulu abandonner les anciennes formules et les représentations idéologiques, bien qu'elles eussent perdu, à ses yeux, tout contenu réel. Le nouvel ordre avait recours à l'ancienne phraséologie qui prenait sa source au début du XXᵉ siècle, au moment de la formation de l'aile bolchevique dans le parti social-démocrate. Mais ce nouvel ordre avait comme caractéristique fondamentale d'être étatico-national.

La guerre accéléra le processus jusqu'alors souterrain, elle permit l'éclosion du sentiment national ; le mot « russe » retrouva son sens.

Au départ, pendant la retraite, le mot « russe » s'associait principalement à des phénomènes négatifs : le retard russe, le désordre russe, le fatalisme russe... Mais, une fois né, le sentiment national attendait le jour du triomphe militaire.

De la même manière, l'État prenait conscience de lui-même à l'intérieur de catégories nouvelles.

Le sentiment national est une force puissante et merveilleuse quand un peuple est dans le malheur. Le sentiment national est merveilleux non pas parce qu'il est national, mais parce qu'il est humain. Il est la manifestation de la dignité humaine, de l'amour de l'homme pour la liberté, de sa foi dans le bien.

Mais, après s'être éveillé dans les années de souffrances, le sentiment national peut par la suite prendre des formes bien diverses.

Il est hors de doute que le sentiment national se manifeste différemment chez le chef de personnel qui protège son entreprise contre la contamination des « cosmopolites » et « nationalistes bourgeois » et chez le soldat qui défend Stalingrad.

La vie de l'Union soviétique relia l'éveil du sentiment national aux tâches que s'était fixées l'État après la guerre : la lutte pour la souveraineté nationale, l'affirmation du soviétique, du russe dans tous les domaines de la vie.

Toutes ces tâches n'apparurent pas brutalement pendant la guerre et l'après-guerre ; elles apparurent quand les événements qui se déroulèrent à la campagne, la création d'une industrie lourde nationale et la venue de nouveaux cadres dirigeants marquèrent le triomphe d'un régime que Staline définit comme « le socialisme dans un seul pays ».

Les taches de naissance de la social-démocratie russe étaient effacées, supprimées.

Et ce processus devint manifeste au moment précis où la flamme de Stalingrad était le seul signal de liberté dans le royaume des ténèbres.

Ainsi, la logique des événements a fait que, au moment où la guerre populaire atteignit son plus haut point pendant la défense de Stalingrad, cette guerre permit à Staline de proclamer ouvertement l'idéologie du nationalisme étatique.

20

Dans le journal mural affiché dans le vestibule de l'Institut de physique, parut un article intitulé : *Toujours avec le peuple*.

On y racontait que l'Union soviétique, guidée à travers la tempête de la guerre par le grand Staline, accordait une énorme importance à la science, que le parti et le gouvernement entouraient les hommes de science, comme nulle part au monde, d'honneurs et de respect, que même durant la difficile période des hostilités, l'État soviétique offrait aux savants toutes les conditions d'un travail normal et fructueux.

On évoquait, plus loin, les tâches grandioses qui attendaient l'Institut, les constructions nouvelles, l'agrandissement des anciens laboratoires, le lien entre la théorie et la pratique, et le rôle joué par les travaux des chercheurs dans l'industrie de la défense.

On mentionnait l'enthousiasme patriotique, qui soulevait le collectif des chercheurs scientifiques et les poussait à justifier les soins et la confiance, dont les entouraient le parti et le camarade Staline en personne, à ne pas décevoir l'espoir que le peuple fondait sur cette glorieuse avant-garde de l'intelligentsia soviétique : les hommes de science.

La dernière partie de l'article était consacrée au fait que, malheureusement, on trouvait, dans ce collectif sain et fraternel, des individus isolés qui n'avaient pas le sens de leurs responsabilités à l'égard du peuple et du parti, des gens coupés de la grande famille soviétique. Ils s'opposaient à la collectivité, plaçaient leurs intérêts personnels au-dessus des tâches que le parti confiait aux savants, ils étaient enclins à grossir leurs mérites scientifiques, réels ou illusoires. Volontairement ou non, certains se faisaient les porte-parole de points de vue et d'opinions non soviétiques, étrangers, ils prônaient des théories politiquement nuisibles. Ces gens, d'ordinaire, exigeaient une attitude neutre à l'égard des théories idéalistes, réactionnaires et obscurantistes des savants idéalistes étrangers, se targuaient de leurs liens avec eux, rabaissant, par là même, la fierté nationale des savants russes, et les mérites de la science soviétique.

Il leur arrivait de poser aux défenseurs de la justice bafouée, afin de s'assurer à bon compte la reconnaissance de gens confiants, imprévoyants et naïfs. Mais en réalité, ils semaient, dans la science soviétique, des graines de discorde, de méfiance, d'irrespect pour son passé et ses noms les plus glorieux. L'article appelait à liquider toute forme de pourriture, tout ce qui était étranger et hostile, tout ce qui empêchait la réalisation des grandes tâches confiées aux savants, durant la Grande Guerre patriotique, par le parti et le peuple. L'article s'achevait par ces mots : « En avant, vers de nouvelles conquêtes de la science ! Suivons la voie glorieuse, brillamment éclairée par le phare de la philosophie marxiste, la voie sur laquelle nous guide le grand parti de Lénine et Staline ! »

L'article ne donnait pas de nom, mais chacun comprit, au laboratoire, qu'il s'agissait de Strum.

Savostianov informa Strum de cet article. Strum n'alla pas le lire ; il se trouvait, à ce moment-là, avec les chercheurs qui mettaient la dernière main au montage des nouveaux appareils. Strum entoura de son bras les épaules de Nozdrine, et dit :

— Quoi qu'il arrive, ce géant fera son œuvre.

Nozdrine lança soudain une bordée d'injures et Victor Pavlovitch ne comprit pas tout de suite à qui elles s'adressaient.

A la fin de la journée, Sokolov vint le trouver.

— Je vous admire, Victor Pavlovitch, vous avez passé toute votre journée à travailler, comme si de rien n'était. Il y a en vous la force d'un Socrate.

— Si un homme est né blond, il ne deviendra pas brun sous prétexte qu'on parle de lui dans le journal mural, répondit Strum.

Il s'était habitué à l'idée d'en vouloir à Sokolov et, du coup, ce sentiment avait presque disparu. Il ne reprochait plus à Sokolov sa dissimulation, ses attitudes timorées. Il se disait même, parfois : « Il a beaucoup de qualités. Et quant à ses défauts, après tout, qui n'en a pas ? »

— Il y a article et article, reprit Sokolov. Quand Anna Stepanovna l'a lu elle s'est sentie mal. On l'a envoyée à l'infirmerie, puis expédiée chez elle.

Strum se dit alors : « Que peut-on avoir écrit de si épouvantable ? » Mais il ne posa pas la question à Sokolov et personne n'évoqua devant lui le contenu de l'article. Ainsi cesse-t-on, sans doute, de parler à un cancéreux de la maladie incurable qui le ronge.

Dans la soirée, Strum fut le dernier à quitter le labo. Alexeï Mikhaïlovitch, le vieux gardien muté au vestiaire, dit à Strum, en lui tendant son manteau :

— C'est comme ça, Victor Pavlovitch. On ne laisse pas, en ce bas monde, les braves gens tranquilles.

Strum enfila son manteau, puis reprit l'escalier et s'arrêta devant le panneau du journal mural.

Il lut l'article, puis se retourna, tout désemparé : un instant, il eut l'impression qu'on s'apprêtait à l'arrêter. Mais le vestibule était calme et désert.

Il ressentit physiquement la différence de poids entre le corps fragile de l'homme et la puissance colossale de l'État. Il lui sembla que l'État le fixait de ses immenses yeux clairs, qu'il allait s'abattre sur lui. Il craquerait, gémirait, crierait et disparaîtrait.

Dans la rue, il y avait foule. Mais Strum avait l'impression qu'une sorte de no man's land s'étendait entre les passants et lui.

Dans le trolley, un homme, coiffé de la toque d'hiver des soldats, dit à son compagnon d'un ton tout excité :

— Tu as entendu le dernier bulletin d'informations ?

A l'avant, quelqu'un cria :

— Stalingrad ! L'ennemi est écrasé.

Une femme d'un certain âge regarda Strum, comme si elle lui reprochait son silence.

Il évoqua Sokolov avec une certaine tendresse : les hommes sont pleins de défauts, j'en ai et il en a.

Mais l'idée que les hommes sont égaux par leurs faiblesses et leurs défauts n'est jamais complètement sincère. Et il rectifia aussitôt : « Ses opinions dépendent de l'amour que lui porte l'État, de la réussite de sa vie. Si la situation semble évoluer vers le printemps, la victoire, il n'osera plus broncher. Je ne suis pas ainsi : que l'État soit content ou non, qu'il me frappe ou me cajole, mes rapports avec lui ne changent pas. »

Chez lui, il raconterait à Lioudmila Nikolaïevna l'histoire de l'article. Cette fois, on s'occupait de lui sérieusement. Il dirait :

— Et voilà pour le prix Staline, ma petite Liouda ! D'ordinaire, quand on écrit des articles de ce genre, c'est qu'on se prépare à arrêter les gens.

« Nos destinées sont unies, se dit-il. Si demain, on m'invite à la Sorbonne pour un cycle de conférences, elle viendra avec moi ; si on m'envoie dans un camp de la Kolyma, elle me suivra, là aussi. »

— Tu as tout fait pour en arriver là, dirait Lioudmila Nikolaïevna.

Il répondrait sèchement :

— Je n'ai pas besoin de critiques, j'ai besoin de compréhension et d'affection. Question critiques, j'ai ce qu'il faut à l'Institut.

Nadia lui ouvrit la porte.

Dans la pénombre du couloir, elle le serra dans ses bras, colla sa joue contre sa poitrine.

— J'ai froid, je suis mouillé. Laisse-moi retirer mon manteau. Que se passe-t-il ? demanda-t-il.

— Tu n'es pas au courant ? Stalingrad ! C'est une immense victoire. Les Allemands sont encerclés. Entre, entre vite !

Elle l'aida à ôter son manteau et le tira hors du couloir par le bras.

— Par ici, par ici. Maman est dans la chambre de Tolia.

Elle ouvrit tout grand la porte. Lioudmila Nikolaïevna était assise au bureau. Elle tourna lentement la tête et lui sourit, triste, solennelle.

Ce soir-là, Strum ne raconta pas à Lioudmila ce qui s'était passé à l'Institut.

Ils restèrent assis au bureau de Tolia. Lioudmila Nikolaïevna dessina, sur une feuille de papier, la position des Allemands encerclés à Stalingrad. Elle expliqua à Nadia son propre plan d'opérations militaires.

Durant la nuit, dans sa chambre, Strum ne cessa de se répéter : « Ô ! Seigneur ! Il faudrait que j'écrive une lettre de repentir. Tout le monde fait ça, dans ce genre de situation. »

.

21

Plusieurs jours s'étaient écoulés depuis la parution de l'article dans le journal mural. Au laboratoire, le travail suivait son cours. Strum avait des moments d'abattement, puis l'énergie lui revenait, il était actif, arpentait le laboratoire, jouant, de ses doigts agiles, ses airs préférés sur l'appui des fenêtres ou les tambours métalliques.

Il disait, en riant, que l'Institut était visiblement frappé d'une épidémie de myopie, car les personnes qu'il connaissait s'éloignaient rêveusement, sans le saluer, quand il leur arrivait de tomber nez à nez avec lui. Gourevitch qui, de loin, avait repéré Strum, prit, lui aussi, un air pensif, changea de trottoir et se perdit dans la contemplation d'une affiche. Strum se retourna pour l'observer, et Gourevitch se retourna au même moment. Leurs regards se croisèrent. Gourevitch eut un geste étonné, ravi, et le salua. Mais tout cela n'était guère drôle.

Svetchine saluait Strum quand il le rencontrait ; il marquait soigneusement le pas, mais son visage était le même que s'il eût accueilli l'ambassadeur d'une puissance ennemie.

Victor Pavlovitch tenait les comptes : tant s'étaient détournés, tant avaient eu un signe, tant lui serraient la main.

De retour chez lui, il commençait par demander à sa femme :

— Personne n'a téléphoné ?

Et d'ordinaire Lioudmila répondait :

— Non, sauf, bien entendu, Maria Ivanovna.

Et, sachant à l'avance quelle question viendrait ensuite, elle ajoutait :

— Toujours pas de lettre de Madiarov.

— Tu comprends, expliquait-il, ceux qui téléphonaient chaque jour téléphonent maintenant de temps en temps ; et ceux qui n'appelaient que rarement ont, à présent, complètement cessé.

Il avait l'impression que, chez lui aussi, on avait à son égard une attitude différente. Une fois, Nadia était passée devant son père occupé à boire son thé, sans lui dire bonjour.

Strum lui avait crié assez grossièrement :

— On ne dit plus bonjour, maintenant ! Je suis quoi ? Un objet !

Son visage devait être si pitoyable, si douloureux, que Nadia comprenant son état d'esprit, au lieu de lui répondre par une grossièreté, se hâta de dire :

— Excuse-moi, mon petit papa chéri.

Le même jour, il lui demanda :

— Écoute, Nadia, tu continues à voir ton grand stratège ?

Nadia se contenta de hausser les épaules.

— Je veux t'avertir d'une chose, reprit-il. Ne t'avise surtout pas d'avoir, avec lui, des discussions politiques. Il ne manquerait plus qu'on me piège aussi de ce côté-là.

Et Nadia, au lieu de répondre par une insolence, lui avait dit :

— Tu peux être tranquille, papa.

Le matin, en approchant de l'Institut, Strum jetait des regards autour de lui et, suivant les circonstances, ralentissait ou accélérait le pas. Convaincu que le couloir était désert, il marchait rapidement, tête basse, et si d'aventure une porte s'ouvrait, le cœur de Victor Pavlovitch cessait de battre. Une fois dans le laboratoire, il exhalait enfin un profond soupir, tel un soldat ayant regagné sa tranchée sous les balles ennemies.

Un jour, Savostianov vint trouver Strum et lui dit :

— Victor Pavlovitch, je vous en prie, nous vous en prions tous : écrivez une lettre, repentez-vous ; je vous assure, cela vous aidera beaucoup. Voyons, réfléchissez : tout faire foirer, à un moment où une tâche... oh ! et puis pourquoi cette fausse modestie... alors qu'une grande œuvre vous attend et que les forces vives de notre science tournent vers vous des regards pleins d'espoir ! Ecrivez une lettre, reconnaissez vos fautes.

— Mais me repentir de quoi ? Reconnaître quelles fautes ? demanda Strum.

— Quelle importance ! Tout le monde agit ainsi. Les littéraires, les scientifiques, les dirigeants du parti ; tenez, Chostakovitch, lui-même, reconnaît ses erreurs dans cette musique que vous aimez tant ; il écrit des lettres de repentir et ensuite, comme si de rien n'était, il continue son travail.

— Oui, mais de quoi devrais-je me repentir ? Et devant qui ?

— Écrivez à la direction, écrivez au C.C. Le destinataire n'a aucune importance. L'essentiel est que vous vous repentiez. Quelque chose du genre : « Je reconnais mon erreur, je reconnais avoir déni-gré, j'en ai pris conscience et je promets de m'amender. » Vous voyez le style ? D'ailleurs, vous êtes au courant, ce sont des lettres standard. Mais en tout cas, ça marche ; ça ne peut que vous aider.

Les yeux de Savostianov, d'ordinaire gais, rieurs, étaient parfaite-ment sérieux. On eût dit qu'ils avaient changé de couleur.

— Merci, merci, mon cher, répondit Strum. Votre amitié me tou-che.

Une heure plus tard, Sokolov lui dit :

— Victor Pavlovitch, il y aura, la semaine prochaine, un Conseil scientifique élargi. J'estime que vous devez intervenir.

— En quel honneur ? demanda Strum.

— Il me semble que vous devez apporter quelques éclaircisse-ments, autrement dit, vous repentir de vos fautes.

Strum se mit à arpenter la pièce ; il s'arrêta brusquement devant la fenêtre, et dit, en regardant dehors :

— Peut-être vaudrait-il mieux, Piotr Lavrentievitch, que j'écrive une lettre ? C'est tout de même plus facile que de se cracher sur la gueule devant tout le monde !

— Non, je crois que vous devez faire une intervention. J'ai discuté, hier, avec Svetchine, et il m'a laissé entendre que là-bas (il eut un geste vague vers la corniche de la porte), on souhaitait une intervention plutôt qu'une lettre.

Strum se tourna brutalement vers lui :

— Je ne ferai pas d'intervention et n'écrirai pas de lettre.

Sur le ton patient d'un psychiatre discutant avec un malade, Sokolov répliqua :

— Victor Pavlovitch, vous taire, dans la situation où vous êtes, équivaut à vous suicider en toute conscience. Des accusations d'ordre politique vous pendent au nez.

— Savez-vous ce qui m'est le plus pénible ? demanda Strum. Je ne comprends pas pourquoi cela m'arrive au moment où tout le monde se réjouit, au moment de la victoire. Penser que n'importe quel fils de salaud puisse déclarer que j'ai combattu ouvertement les principes du léninisme, parce que j'étais persuadé que c'était la fin du pouvoir soviétique ! Un peu dans le style : monsieur aime cogner les faibles !

— J'ai en effet entendu une opinion de ce genre, reprit Sokolov.

— Eh bien, je m'en fiche ! rétorqua Strum. Non et non, je ne ferai pas mon *mea culpa* !

Mais la nuit suivante, enfermé dans sa chambre, il entreprit d'écrire la lettre. Saisi de honte, il la déchira et se mit aussitôt à rédiger le texte de son intervention au Conseil scientifique. Il le relut, frappa du poing sur la table et mit son papier en pièces.

— Terminé, ça suffit comme ça ! dit-il à voix haute. Advienne que pourra ! Qu'ils m'arrêtent s'ils veulent !

Il resta immobile un certain temps à remâcher sa dernière décision. Puis il eut l'idée d'écrire la lettre qu'il eût envoyée, s'il avait décidé de se repentir. Cela n'avait rien d'humiliant. Personne ne verrait ce texte. Personne.

Il était seul, la porte était fermée à clé, dans la maison tout le monde dormait, dehors c'était le silence, on n'entendait ni avertisseur ni bruit de voitures.

Mais une force invisible pesait sur lui. Il sentait son pouvoir, elle le forçait à penser comme elle le désirait, à écrire sous sa dictée. Elle se trouvait en lui, pouvait faire cesser les battements de son cœur, réduisait à néant sa volonté, s'immisçait dans ses rapports avec sa femme et sa fille, dans son passé, dans ses souvenirs d'enfance. Il avait fini par se sentir lui-même trop bavard, terne, indigent, ennuyeux, fatigant pour son entourage. Son travail, lui aussi, avait perdu de son éclat, comme s'il s'était couvert de cendre, de poussière, il ne l'emplissait plus de lumière et de joie.

Seuls les gens qui n'ont jamais éprouvé cette force peuvent s'étonner que d'autres s'y soumettent. Ceux, au contraire, qui en ont fait l'expérience s'étonneront qu'il existe des individus capables, ne serait-ce qu'un instant, de faire un éclat, de lâcher un mot de colère, d'esquisser, même timidement, un geste de protestation.

Strum écrivit pour lui sa lettre de repentir. Il la cacherait, ne la montrerait à personne, mais il savait aussi, en son for intérieur, qu'elle pourrait lui servir. Alors, autant qu'elle existe !

Au matin, il but son thé, regarda sa montre : il était l'heure d'aller au laboratoire. Un sentiment glacial de solitude l'envahit. Il lui semblait que jusqu'à la fin de ses jours, personne ne viendrait plus le voir. Car la peur ne suffisait pas à expliquer la fin des coups de téléphone. On ne l'appelait plus, parce qu'il était ennuyeux, inintéressant, sans talent.

— Bien entendu, hier, personne ne m'a demandé ? fit-il à Lioudmila Nikolaïevna. Et il déclama : « Je suis seul à la fenêtre, je n'attends ni hôte ni ami... »

— J'ai oublié de te dire : Tchepyjine est de retour, il a téléphoné, il voudrait te voir.

— Oh ! dit Strum. Comment as-tu pu oublier ?

Et il joua, sur la table, une musique solennelle.

Lioudmila Nikolaïevna s'approcha de la fenêtre. Strum marchait sans hâte, grand, voûté, balançant de temps à autre son cartable. Elle savait qu'il pensait à sa rencontre avec Tchepyjine, qu'il en était heureux et bavardait déjà avec lui.

Elle plaignait beaucoup son mari depuis quelque temps, s'inquiétait pour lui, mais elle ne pouvait oublier ses défauts, surtout le principal : son égoïsme.

N'avait-il pas déclamé : « Je suis seul à la fenêtre, je n'attends pas d'ami », alors qu'il se rendait à son laboratoire où il était entouré de gens, où l'attendait son travail. Dans la soirée, il irait voir Tchepyjine, ne rentrerait sans doute pas avant minuit, sans penser un instant qu'elle serait restée tout le jour à la fenêtre, seule dans l'appartement vide, sans personne auprès d'elle, sans attendre ni hôte ni ami.

Lioudmila Nikolaïevna partit faire la vaisselle à la cuisine. Ce matin-là, elle avait le cœur particulièrement lourd. Maria Ivanovna ne téléphonerait pas de la journée, elle irait chez sa sœur aînée, à la Chabolovka.

Comme elle était inquiète pour Nadia ! Elle ne disait rien, mais, naturellement, en dépit des interdictions, continuait ses promenades nocturnes. Quant à Victor, il était trop absorbé par ses propres soucis pour s'occuper de Nadia.

La sonnette se fit entendre. C'était sans doute le menuisier auquel, la veille, elle avait demandé de réparer la porte de la chambre de Tolia. Lioudmila Nikolaïevna en fut tout heureuse. Enfin un être vivant ! Elle ouvrit la porte : dans la pénombre du couloir, se tenait une femme en toque d'astrakan gris, une valise à la main.

— Génia ! s'écria Lioudmila, si fort, si plaintivement qu'elle en fut elle-même surprise. Elle embrassa sa sœur, lui caressa les épaules, en disant : « Tolia est mort, mort, mort. »

22

Un petit filet d'eau chaude coulait faiblement dans la baignoire. Si l'on augmentait un tant soit peu le débit, l'eau devenait froide. La baignoire s'emplit lentement, mais les deux sœurs avaient l'impression que, depuis leurs retrouvailles, elles n'avaient pas eu le temps d'échanger deux paroles.

Et tandis que Génia prenait son bain, Lioudmila Nikolaïevna venait, de temps à autre, à la porte de la salle de bains, et demandait :

— Ça va ? Tu n'as pas besoin qu'on te frotte le dos ? Surveille le gaz, qu'il ne s'éteigne pas...

Quelques instants plus tard, elle frappait du poing sur la porte, en demandant avec colère :

— Alors ? Tu t'es endormie ?

Génia sortit de la salle de bains, vêtue du peignoir en éponge de sa sœur.

— Sorcière, va ! dit Lioudmila Nikolaïevna.

Et Evguénia Nikolaïevna se souvint que Sofia Ossipovna l'avait appelée ainsi, quand Novikov était arrivé, une nuit, à Stalingrad.

Le couvert était mis.

— C'est bizarre, dit Evguénia Nikolaïevna. Après deux jours de voyage dans un wagon sans places réservées, j'ai enfin pris un bain ; je devrais être au comble de la félicité, et pourtant, dans mon âme...

— Qu'est-ce qui t'amène à Moscou ? Une mauvaise nouvelle ? demanda Lioudmila Nikolaïevna.

— Plus tard, plus tard.

Elle eut un geste évasif.

636

Lioudmila lui raconta les problèmes de Victor Pavlovitch, l'histoire d'amour de Nadia, aussi inattendue qu'amusante ; elle lui parla de leurs amis qui ne téléphonaient plus et faisaient mine de ne plus reconnaître Strum quand ils le rencontraient.

Evguénia Nikolaïevna lui raconta la venue de Spiridonov à Kouïbychev. Il était très brave et pitoyable. On ne lui donnerait pas de nouvelle affectation, tant que son affaire ne serait pas réglée. Vera et l'enfant étaient à Leninsk et Stépan Fiodorovitch pleurait quand il parlait de son petit-fils. Puis elle raconta à Lioudmila la déportation de Jenny Guenrikhovna, lui dit combien le vieux Chargorodski était gentil et comment Limonov l'avait aidée à obtenir son droit de séjour.

La tête de Génia était pleine de fumée de tabac, pleine du martèlement des roues, des conversations du wagon, et elle trouvait étrange de voir le visage de sa sœur, de sentir sur sa peau mouillée le doux contact du peignoir, d'être assise dans une pièce où il y avait un piano et un tapis.

Et dans tout ce que se racontaient les sœurs, les événements gais ou tristes, comiques ou émouvants de ces derniers temps, elles sentaient la présence des amis ou des proches qui n'étaient plus, mais restaient liés à elles pour toujours. Chaque fois qu'elles parlaient de Victor Pavlovitch, elles voyaient derrière lui l'ombre d'Anna Semionovna, derrière Sérioja se tenaient son père et sa mère détenus en camp, et, jour et nuit, à côté de Lioudmila Nikolaïevna, résonnaient les pas d'un jeune homme timide, large d'épaules, aux lèvres proéminentes. Mais de tous ces gens, elles ne parlaient pas.

— Aucune nouvelle de Sofia Ossipovna. A croire qu'elle a disparu, fit remarquer Génia.

— La Levintonnette ?

— Oui, oui, bien sûr.

— Je ne l'aimais pas, dit Lioudmila Nikolaïevna. Tu dessines toujours ?

— Pas à Kouïbychev. A Stalingrad, oui.

— Tu peux être fière. Lorsque nous avons été évacués, Victor a emporté deux de tes dessins.

Génia sourit :

— Cela me fait plaisir.

Lioudmila Nikolaïevna reprit :

— Alors, madame la Générale, on ne me raconte pas l'essentiel ? Tu es heureuse ? Tu l'aimes ?

Serrant le peignoir sur sa poitrine, Génia répondit :

— Oui, oui, je suis heureuse, contente ; je l'aime, je suis aimée...

Et après un bref regard à Lioudmila, elle ajouta : Tu sais pourquoi je suis à Moscou ? Nikolaï Grigorievitch a été arrêté. Il est à la Loubianka.

— Seigneur Dieu ! Mais pourquoi ? Il était sûr à cent pour cent !

— Et notre Mitia ? Et ton Abartchouk ? Celui-là, sûr, il l'était à deux cents pour cent !

Lioudmila Nikolaïevna fut un instant pensive, puis déclara :

— Mais Dieu qu'il était dur, ton Nikolaï ! Il n'avait guère pitié des paysans, au moment de la collectivisation. Je me souviens, je lui ai demandé : « Voyons, que se passe-t-il ? » Tu sais ce qu'il m'a répondu ? « Que les koulaks aillent se faire voir ! » Il avait beaucoup d'influence sur Victor.

Génia lui dit avec reproche :

— Ah ! Liouda, tu ne te souviens que des mauvais côtés des gens et tu en parles ouvertement, juste au moment où il faudrait les taire.

— Que veux-tu que j'y fasse, répliqua Lioudmila Nikolaïevna. Je dis les choses comme elles sont.

— Bon, bon, seulement, il n'y a pas de quoi en être fière.

Puis Génia ajouta, dans un murmure :

— Liouda, j'ai été convoquée.

Elle prit sur le divan le foulard de sa sœur, et en couvrit le téléphone :

— On dit que, même raccrochés, les téléphones peuvent servir de micro pour les écoutes.

— Mais, autant que je sache, tu n'as jamais été mariée officiellement à Nikolaï ?

— Et alors ? On m'a interrogé, comme si j'étais sa femme. Je te raconterai. J'ai reçu l'ordre de me présenter, munie de mon passeport. En voyant cela, j'ai pensé à tout le monde : à Mitia, Ida, même à ton Abartchouk, j'ai passé en revue tous nos amis et connaissances qui ont fait de la prison, mais je dois dire que je n'ai pas songé un seul instant à Nikolaï. J'étais convoquée à 5 heures. Un bureau tout à fait ordinaire. Au mur, d'immenses portraits de Staline et Beria. Un jeune type, ordinaire, normal, mais avec le regard perçant de quelqu'un qui sait tout. Il n'y est pas allé par quatre chemins : « Vous connaissez les activités contre-révolutionnaires de Nikolaï Grigorievitch Krymov ? » A plusieurs reprises, j'ai eu l'impression que je n'en sortirais pas. Imagine-toi qu'il a même laissé entendre que Novikov... bref, une saloperie effarante, comme quoi je serais entrée en rapport avec Novikov, pour lui soutirer des renseignements et les rapporter à Nikolaï Grigorievitch. Je me sentais complètement paralysée à l'intérieur. Je lui dis : « Vous savez, Krymov est un tel fanatique qu'avec lui on a toujours l'impression d'être à une réunion du parti. Et lui : « Ce qui revient à dire, si je ne m'abuse, que Novikov, lui, n'est pas un vrai Soviétique ? » « Vous faites un drôle de boulot, je lui dis. Les gens se battent au front contre les fascistes, et vous, jeune homme, vous restez à l'arrière, pour traîner ces gens dans la boue. » J'étais sûre qu'après cela il allait me frapper, mais non, il s'est troublé, a rougi. Bref, Nikolaï a été arrêté. Des accusations complètement folles : trotskisme et liens avec la Gestapo.

— Tu n'as vraiment pas de chance. Mais il fallait s'attendre à ce que cela t'arrive.

— Pourquoi moi ? demanda Evguénia Nikolaïevna. Il aurait pu t'arriver la même chose.

— Pas du tout. Tu en quittes un pour vivre avec l'autre, et tu fais au second des confidences sur le premier.

— Mais tu as bien quitté le père de Tolia ! J'imagine que tu as raconté un tas de choses à Victor Pavlovitch.

— Tu te trompes, répliqua Lioudmila Nikolaïevna d'un ton convaincu. Cela n'a rien à voir.

— Pourquoi cela ? demanda Génia, soudain irritée par sa sœur aînée. Reconnais-le : ce que tu viens de dire est parfaitement stupide.

Lioudmila Nikolaïevna répondit tranquillement :

— Je ne sais pas. Oui, c'est peut-être stupide.

Evguénia Nikolaïevna demanda :

— Tu n'as pas l'heure ? Il faut que j'aille au 24, Kouznetski Most.

Et donnant libre cours à son agacement, elle déclara : « Tu as un sacré caractère, Liouda. Je comprends pourquoi, alors que tu as quatre pièces, maman préfère vivre misérablement à Kazan. »

Elle regretta aussitôt ces paroles cruelles et, pour faire comprendre à Lioudmila que leurs liens, fondés sur la confiance, étaient plus forts que leurs rares disputes, elle ajouta :

— Je veux croire en Novikov. Mais tout de même, tout de même... Pourquoi, comment ces mots sont-ils parvenus à la Sécurité ? Je nage en plein brouillard. C'est affreux !

Elle eût tellement voulu que sa mère fût près d'elle ! Elle aurait posé sa tête sur son épaule, en disant : « Maman, je suis si fatiguée ! »

Lioudmila Nikolaïevna reprit :

— Tu sais ce qui a pu se passer ? Ton général a peut-être rapporté cette conversation à quelqu'un qui aura envoyé une dénonciation.

— Oui, oui, acquiesça Génia. C'est étrange : cette idée ne m'a pas effleurée.

Dans le silence et le calme de la maison de Lioudmila, elle ressentait, plus vivement encore, le trouble qui avait envahi son âme...

Tout ce qu'elle n'avait pas achevé de régler, tous ces sentiments refoulés au moment où elle avait quitté Krymov, tout ce qui l'angoissait, la tourmentait depuis qu'elle était partie, sa tendresse envers lui, toujours aussi grande, ses inquiétudes à son égard, l'habitude qu'elle avait de le voir, tout cela était revenu, s'était renforcé ces dernières semaines.

Elle pensait à lui au travail, dans le tramway, ou en faisant la queue devant les magasins. Elle rêvait de lui presque chaque nuit, gémissait, criait, se réveillait.

Ses rêves étaient terribles, il y avait le feu, la guerre, un danger qui menaçait Nikolaï Grigorievitch, et elle était toujours impuissante à lever ce danger.

Au matin, se hâtant de s'habiller, de faire sa toilette, craignant d'arriver en retard au travail, elle continuait de penser à lui.

Il lui semblait qu'elle ne l'aimait pas. Mais pouvait-on penser ainsi, constamment, à un être qu'on n'aimait pas, souffrir autant pour lui de ce malheureux coup du sort ? Pourquoi avait-elle envie, chaque fois que Limonov et Chargorodski plaisantaient sur la nullité des poètes et des artistes qu'il préférait, de voir Nikolaï, de caresser ses cheveux, de le cajoler, de le plaindre ?

Elle avait oublié son fanatisme, son indifférence à l'égard des victimes de la répression, la haine avec laquelle il parlait des koulaks, au moment de la collectivisation forcée.

Elle ne voyait plus que ses bons côtés, son romantisme, sa tristesse, tout ce qu'il avait de touchant. Sa faiblesse actuelle lui donnait un pouvoir sur elle. Il avait des yeux d'enfant, un sourire désemparé, des gestes maladroits.

Elle l'imaginait, les pattes d'épaules arrachées, pas rasé, couché, la nuit, sur un châlit, elle voyait son dos durant les promenades dans la cour de la prison... Il devait croire qu'elle avait prévu son destin et que cela expliquait leur séparation. Il était couché sur son châlit et pensait à elle... Madame la Générale...

Elle n'aurait su dire si c'était de la pitié, de l'amour, un reste de conscience, un sentiment de devoir.

Novikov lui avait envoyé un laissez-passer et, par le téléphone des armées, s'était entendu avec un ami aviateur qui avait promis de conduire Génia en Douglas à l'état-major du groupe d'armées. Ses chefs l'avaient autorisée à prendre trois semaines pour aller voir Novikov.

Elle se répétait, pour se rassurer :

— Il comprendra, il comprendra que je ne pouvais agir autrement. Elle savait qu'elle s'était affreusement mal conduite envers Novikov : il était là-bas, à l'attendre.

Impitoyablement, elle lui avait tout raconté dans une lettre. La lettre envoyée, elle s'était dit que la censure militaire la lirait et que cela pouvait causer un tort terrible à Novikov.

« Non, non, il comprendra », se répétait-elle.

Elle le savait : il comprendrait, en effet, et la quitterait pour toujours.

L'aimait-elle vraiment, ou n'aimait-elle que l'amour qu'il avait pour elle ?

Un sentiment de peur, de tristesse, d'horreur l'envahit, lorsqu'elle pensa que leur séparation était inévitable.

L'idée qu'elle avait elle-même, de son plein gré, ruiné son bonheur, lui paraissait particulièrement insupportable.

Mais l'idée qu'elle n'y pouvait plus rien changer, que leur séparation complète et définitive dépendait, à présent, de Novikov, lui était tout aussi odieuse.

Quand il lui devenait trop douloureux, insupportable de penser à Novikov, elle se représentait Nikolaï Grigorievitch. Elle était convoquée pour une confrontation... Bonjour, mon pauvre chéri.

Novikov était grand, fort, large d'épaules, il disposait d'un grand pouvoir. Il n'avait pas besoin de son soutien, il se débrouillerait tout seul. Elle le surnommait : le « cuirassier ». Elle n'oublierait jamais son beau, son cher visage, toujours elle regretterait ce bonheur qu'elle avait elle-même détruit. Tant pis, après tout ! Elle n'avait pas pitié d'elle-même. Elle ne redoutait pas ses propres souffrances.

Mais elle savait Novikov moins solide qu'il ne paraissait. Son visage, parfois, prenait une expression timide. Il semblait sans défense...

Et puis, elle n'était pas, non plus, si intransigeante pour elle-même, ni si indifférente à ses propres souffrances.

Comme si elle avait deviné les pensées de sa sœur, Lioudmila demanda :

— Que va-t-il se passer, pour ton général ?

— Je préfère ne pas y penser.

— Tu mériterais une fessée !

— Je ne pouvais agir autrement ! protesta Evguénia Nikolaïevna.

— Tes hésitations perpétuelles ne me plaisent pas. Quand on part, on part. C'est pour de bon ! Pourquoi, toujours, ces situations doubles, pourquoi se mettre ainsi dans la mélasse ?

— Oui, je sais. Eloigne-toi du mal et fais le bien ! Je n'ai jamais su vivre selon ce principe.

— Je ne te parle pas de cela. Je respecte Krymov, même s'il ne me plaît pas. Quant à ton général, je ne l'ai jamais vu. Mais puisque tu as décidé de devenir sa femme, tu as, envers lui, une responsabilité. Or, tu es irresponsable. Un homme qui occupe des fonctions importantes, qui fait la guerre ! Et pendant ce temps-là, sa femme porte des colis à un détenu. Tu sais comment cela peut se terminer pour lui ?

— Je sais.

— En fin de compte, est-ce que tu l'aimes ?

— Arrête, pour l'amour du ciel ! dit Génia, d'une voix lamentable. Et elle pensa : « Allez savoir qui j'aime ! »

— C'est trop facile ! Réponds !

— Je ne pouvais pas agir autrement. Ce n'est pas pour leur plaisir que les gens franchissent le seuil de la Loubianka.

— Il ne faut pas penser qu'à soi.

— Je ne pense pas à moi.

— Victor raisonne comme toi. Mais à la base de tout cela, il n'y a que de l'égoïsme.

— Tu es d'une logique stupéfiante. Déjà, quand nous étions enfants, cela me frappait. Qu'est-ce que tu appelles « égoïsme » ?

— Mais réfléchis : comment peux-tu l'aider ? Tu ne changeras rien à sa condamnation.

— Je te souhaite d'aller en prison. Peut-être sauras-tu, alors, en quoi tes proches peuvent t'aider.

Lioudmila Nikolaïevna demanda, pour changer de sujet :

— Dis-moi, fille perdue, as-tu des photos de Maroussia ?

— Une seule. Tu sais, on l'avait prise à Sokolniki.

Elle mit sa tête sur l'épaule de Lioudmila et, plaintive, avoua :

— Je suis si fatiguée.

— Repose-toi, dors un peu, ne sors pas aujourd'hui, conseilla Lioudmila Nikolaïevna. J'ai préparé ton lit.

Les yeux mi-clos, Génia hocha la tête en signe de dénégation :

— Non, non, ce n'est pas la peine. Je suis fatiguée de vivre.

Lioudmila Nikolaïevna apporta une grande enveloppe et fit tomber sur les genoux de sa sœur un paquet de photographies.

Génia les regarda l'une après l'autre, en s'exclamant : « ... Mon Dieu, mon Dieu... Celle-ci, je m'en souviens. On l'a prise à la datcha... Que Nadia est drôle !... Une photo de papa, après son exil... Mitia en collégien... Serioja lui ressemble énormément, surtout le haut du visage... Et voici maman, tenant Maroussia dans ses bras. Je n'étais pas encore née... »

Elle remarqua qu'il n'y avait pas une seule photographie de Tolia, mais n'en dit rien à sa sœur.

— Eh bien, madame, dit Lioudmila, il va falloir que je te fasse à manger.

— J'ai bon appétit, répondit Génia. Comme quand j'étais petite. Les soucis n'y changent rien.

— Tant mieux ! répliqua Lioudmila Nikolaïevna, en embrassant sa sœur.

23

Génia quitta le trolley près du Bolchoï sous son camouflage, et remonta le Kouznetski Most, longeant les salles d'exposition de l'Union des Peintres. Avant la guerre, on y exposait des peintres qu'elle connaissait, on y avait même présenté ses tableaux ; mais elle n'y pensa pas.

Un sentiment étrange l'envahit. Sa vie semblait un jeu de cartes battues par une Tzigane. Elle avait brusquement tiré la carte « Moscou ».

De loin, elle aperçut le mur de granit gris foncé du puissant immeuble de la Loubianka.

« Bonjour, Kolia », se dit-elle. Peut-être Nikolaï Grigorievitch sentait-il qu'elle se rapprochait de lui. Peut-être était-il ému, sans comprendre la raison de cette émotion.

Son ancienne destinée était devenue son nouveau destin. Ce qui semblait être englouti dans le passé était devenu son avenir.

Le nouveau bureau de réception, vaste, dont les fenêtres miroitantes donnaient sur la rue, était fermé. Les visiteurs devaient se rendre dans l'ancien.

Elle entra dans la cour sale, longea un mur décrépi, se dirigea vers une porte entrouverte. Dans le bureau de réception, tout paraissait étrangement normal : des tables semées de taches d'encre, des banquettes de bois le long des murs, des guichets à accoudoirs de bois, où l'on donnait des renseignements.

Il ne semblait y avoir aucun rapport entre le bâtiment énorme, aux nombreux étages, qui donnait sur la place de la Loubianka, la Sretenka et la rue Fourkassov, et cette pièce.

Il y avait foule dans le bureau ; les visiteurs, des femmes pour la plupart, faisaient la queue aux guichets. Certains avaient pris place sur les banquettes ; à une table, un vieillard, portant des verres épais, remplissait un papier. Génia regarda ces visages d'hommes et de femmes, jeunes et vieux, et se dit que leurs yeux, le pli de leur bouche, exprimaient tous les mêmes choses. Elle aurait pu, en les rencontrant dans le tram ou dans la rue, deviner qu'ils fréquentaient le 24, Kouznetski Most.

Elle s'adressa à un jeune planton qui, malgré son uniforme, ne faisait guère penser à un soldat. Il lui demanda :

— Vous venez pour la première fois ? Et il lui indiqua un guichet dans le mur.

Génia rejoignit la queue, son passeport à la main. Ses doigts, ses mains étaient moites d'émotion. Une femme en béret, qui se trouvait devant elle, lui dit à mi-voix :

— S'il n'est pas dans cette prison, il faut aller à Matrosskaïa Tichina, puis à la Boutyrka ; mais ils ne reçoivent que certains jours, par ordre alphabétique. Ensuite, il faut essayer la prison militaire de Lefortovo, et enfin revenir ici. J'ai cherché mon fils pendant un mois et demi. Vous êtes déjà allée chez le procureur militaire ?

La queue avançait vite et Génia se dit que c'était mauvais signe : sans doute donnait-on des réponses vagues, laconiques. Mais quand vint le tour d'une femme entre deux âges, coquettement vêtue, il y eut un moment d'interruption. Les gens se racontaient, en chuchotant, que l'employé de service était allé, lui-même, éclaircir certains points de son affaire, une conversation téléphonique s'étant avérée insuffisante. La femme était à demi tournée vers la file d'attente ; ses yeux, légèrement plissés, semblaient indiquer qu'elle n'entendait pas être mise sur le même plan que la foule misérable des parents des victimes de la répression.

La queue s'ébranla de nouveau et une jeune femme dit doucement en s'éloignant du guichet :

— Toujours la même réponse : impossible de rien faire passer.

La voisine expliqua à Evguénia Nikolaïevna : « Cela veut dire que l'instruction n'est pas terminée. »

— Et les visites ? demanda Génia.

— Voyons, réfléchissez ! répondit la femme, et elle sourit de sa naïveté.

Jamais Evguénia Nikolaïevna n'aurait pensé qu'un dos pût exprimer tant de choses, qu'il pût aussi nettement refléter un état d'âme. En s'approchant du guichet, les gens avaient une façon particulière de tendre le cou, et leurs dos, avec leurs épaules relevées, leurs omoplates tendues, semblaient crier, pleurer, sangloter.

Quand Génia se trouva à la septième place, le guichet se referma et on annonça une pause de vingt minutes. La file d'attente se dispersa sur les chaises et les banquettes.

Il y avait là des femmes, des mères ; il y avait un homme d'un certain âge, ingénieur, dont la femme avait été arrêtée ; une interprète des Relations culturelles, une élève de terminale dont on avait arrêté la mère et dont le père avait été condamné, en 37, à dix ans de camp « sans droit de correspondance » ; il y avait une vieille femme aveugle, amenée par une voisine d'appartement, et qui venait prendre des nouvelles de son fils ; il y avait une étrangère qui parlait mal le russe, la femme d'un communiste allemand, vêtue à l'occidentale d'un manteau à carreaux, un sac de toile bariolée à la main. Ses yeux ressemblaient à ceux des vieilles femmes russes.

Il y avait là des Russes, des Arméniennes, des Ukrainiennes, des Juives, une kolkhozienne des environs de Moscou. Le vieil homme qui remplissait un questionnaire était, en fait, professeur à l'académie Timiriazev. On avait arrêté son petit-fils, un écolier, qui avait eu le tort, selon toute vraisemblance, de se montrer trop bavard au cours d'une soirée.

En vingt minutes, Génia apprit et entendit une foule de choses.

Aujourd'hui, l'employé a l'air sympathique... A la Boutyrka, ils ne prennent pas les conserves ; il faut absolument apporter de l'ail et de l'oignon, c'est bon pour le scorbut... Mercredi dernier, un homme est venu chercher ses papiers ; on l'avait gardé trois ans à la Boutyrka, sans l'interroger une seule fois, et puis on l'a libéré... En général, il s'écoule une année entre l'arrestation et le camp... Il ne faut pas leur faire passer de trop bonnes choses : au transit de la Krasnaïa Presnia, les « politiques » sont mélangés avec les droit commun et ces derniers leur prennent tout... L'autre jour, il y avait une femme dont le mari, un homme âgé, un ingénieur de premier ordre, avait été arrêté ; figurez-vous que, dans sa jeunesse, il avait eu une brève liaison avec une femme. Depuis, il lui versait une pension pour un gosse qu'il n'avait jamais vu, et ce gosse, devenu adulte, est passé, au front, dans le camp des Allemands. L'ingénieur a eu droit à dix ans, en tant que père d'un traître à la patrie... La plupart sont jugés d'après l'article 58-10 : propagande contre-révolutionnaire. Des gens qui parlent trop, qui ne savent pas tenir leur langue... On l'a pris juste avant le 1er Mai, il y a toujours plus d'arrestations avant les fêtes... Il y avait une femme : le juge d'instruction téléphone chez elle et, tout à coup, elle entend la voix de son mari...

C'était étrange, mais là, dans le bureau de réception du N.K.V.D., Génia se sentait plus légère, plus tranquille que chez Lioudmila, même après son bain.

Qu'elles lui semblaient avoir de la chance, les femmes dont on acceptait les colis !

Quelqu'un, tout près, disait d'une voix étouffée :

— Pour les gens arrêtés en 37, ils vous répondent ce qui leur passe par la tête. Ils ont dit à une femme : « Il est vivant, il travaille. » Elle revient une seconde fois, et le même employé lui donne une attestation : « Mort en 39 ».

L'homme du guichet leva les yeux sur Génia. Il avait un visage ordinaire d'employé de bureau. Hier encore, il travaillait peut-être au service d'incendie et demain, si ses chefs le lui ordonnaient, il s'occuperait aussi bien des demandes de décorations.

— Je voudrais des nouvelles d'un détenu : Krymov Nikolaï Grigorievitch, dit Génia et il lui sembla que ces gens, qui ne la connaissaient pas, se rendaient compte qu'elle n'avait pas sa voix habituelle.

— Quand a-t-il été arrêté ? demanda l'employé.

— En novembre, répondit-elle.

Il lui donna un questionnaire et expliqua :

— Remplissez-le et rapportez-le-moi directement, sans faire la queue. Vous reviendrez demain chercher la réponse.

En lui tendant la feuille, il la regarda de nouveau, et ce coup d'œil rapide n'était pas celui d'un employé ordinaire : c'était le regard intelligent d'un tchékiste qui fixait tout dans sa mémoire.

Elle remplit le formulaire d'une main tremblante, comme le vieil homme de l'académie Timiriazev qui, peu avant, occupait cette chaise.

A la question : degré de parenté avec le détenu, elle répondit : « Épouse », puis biffa ce mot d'un trait gras.

Elle rendit le questionnaire et s'assit sur une banquette pour ranger son passeport dans son sac. Elle le changea plusieurs fois de compartiment et comprit qu'elle n'avait pas envie de quitter ces gens qui faisaient la queue.

Elle ne désirait qu'une chose, en cet instant : faire savoir à Krymov qu'elle était là, que, pour lui, pour venir à lui, elle avait tout laissé.

S'il pouvait savoir qu'elle était là, tout près.

Elle se retrouva dans la rue. Le soir tombait. Elle avait passé, dans cette ville, la plus grande partie de sa vie. Mais cette vie-là, avec ses expositions, ses théâtres, ses déjeuners au restaurant, ses séjours dans la maison de campagne, ses concerts symphoniques, était si loin qu'elle ne semblait plus faire partie de sa vie. Stalingrad aussi était loin, et Kouïbychev, et le visage de Novikov qui lui semblait, par instants, avoir la beauté d'un dieu. Il ne restait que le bureau de réception, 24, Kouznetski Most, et elle avait l'impression de marcher dans les rues d'une ville inconnue.

24

Strum retira ses caoutchoucs dans l'entrée, salua la vieille employée de maison en jetant un coup d'œil vers la porte entrouverte du bureau de Tchepyjine.

Aidant Strum à retirer son manteau, la vieille Natalia Ivanovna lui dit :

— Va, va, il t'attend.

— Nadejda Fiodorovna est à la maison ? s'enquit Strum.

— Non, elle est partie hier, à la datcha, avec ses nièces. Vous ne savez pas, Victor Pavlovitch, si la guerre finira bientôt ?

Strum répondit :

— On raconte que des gens avaient persuadé le chauffeur de Joukov de lui demander quand la guerre finirait. Or, Joukov monte dans sa voiture et dit à son chauffeur : « Quand cette guerre finira-t-elle, tu peux me le dire ? »

Tchepyjine vint accueillir Strum et dit :

— De quel droit, ma vieille, monopolises-tu mes invités ? Invite tes amis !

D'ordinaire, en arrivant chez Tchepyjine, Strum sentait son moral remonter en flèche. Cette fois encore, malgré son cafard, il éprouva cette légèreté dont il avait perdu l'habitude.

En entrant dans le cabinet de Tchepyjine, Strum avait coutume de regarder les rayons de livres et de reprendre, pour plaisanter, ces mots de *Guerre et Paix* : « Oui, les gens écrivaient, ils ne perdaient pas leur temps. »

Cette fois encore, il dit : « Oui, ils écrivaient... »

Le désordre des livres ressemblait au chaos apparent qui régnait dans les ateliers des usines de Tcheliabinsk.

Strum demanda :

— Vous avez reçu des lettres de vos gars ?

— Une de l'aîné, le plus jeune est en Extrême-Orient.

Tchepyjine saisit la main de Strum et, sans rien dire, la serra, exprimant par là même tout ce qu'on ne pouvait traduire en mots. La vieille Natalia Ivanovna s'approcha de Strum et lui embrassa l'épaule.

— Quoi de neuf, Victor Pavlovitch ? s'enquit Tchépyjine.

— La même chose que pour tout le monde. Stalingrad. Maintenant, c'est sûr : Hitler est kaputt ! En ce qui me concerne, je n'ai guère de bonnes nouvelles, tout va mal, au contraire.

Strum raconta ses malheurs à Tchepyjine.

— Mes amis et ma femme me conseillent de me repentir. De me repentir d'avoir raison !

Strum parla longuement, avidement de lui, ce grand malade préoccupé, jour et nuit, de sa maladie.

Il fit la grimace, haussa les épaules :

— Je n'arrête pas de repenser à notre conversation sur le magma et toutes les saletés qui remontent à la surface... Je n'ai jamais été entouré de tant d'ordures... Et c'est d'autant plus vexant, insupportablement vexant, que cela correspond avec la victoire.

Il fixa le visage de Tchepyjine et demanda :

— A votre avis, ce n'est pas un hasard ?

Tchepyjine avait un visage étonnant : simple, grossier même ; des pommettes saillantes, un nez retroussé, un visage de paysan et en même temps si fin, si intellectuel, que les Anglais et lord Kelvin pouvaient le lui envier !

Tchepyjine répondit, maussade :

— Quand la guerre sera terminée, on pourra discuter de ce qui est un hasard et de ce qui n'en est pas.

— Si d'ici là les petits cochons ne m'ont pas mangé. Demain, on doit régler mon sort au Conseil scientifique. Cela signifie que tout est déjà décidé par la direction et le comité du parti. Le Conseil scientifique n'est là que pour la forme : c'est la voix du peuple, l'expression de l'opinion publique.

En bavardant avec Tchepyjine, Victor Pavlovitch avait un sentiment étrange : ils parlaient des événements angoissants de sa vie, mais il se sentait l'âme légère.

— Et moi qui pensais qu'on vous offrirait tout sur un plateau d'argent, d'or même ! fit remarquer Tchepyjine.

— Pourquoi cela ? J'ai entraîné la science dans le marais de l'abstraction talmudiste, je l'ai coupée de la pratique.

Tchepyjine reprit :

— Oui, oui, c'est fantastique ! Un homme, disons, aime une femme. Elle est tout le sens de sa vie, son bonheur, sa joie, sa passion. Mais il doit le dissimuler ; ce sentiment, Dieu sait pourquoi, n'est pas convenable. Il doit dire qu'il couche avec cette bonne femme parce qu'elle lui prépare ses repas, lui reprise ses chaussettes et lui lave son linge.

Il plaça ses mains, doigts écartés, devant son visage. Il avait des mains étonnantes : des mains d'ouvrier, des pinces solides, mais qui avaient quelque chose d'aristocratique.

Tchepyjine se déchaîna soudain :

— Eh bien, moi, je n'ai pas honte ! Je n'ai pas besoin de l'amour pour me préparer mes repas ! La science n'a de valeur que si elle apporte du bonheur aux gens ! Nos aigles de l'Académie affirment tous en chœur : la science est la servante de la pratique. Elle fonctionne selon le principe de Chtchédrine : « Qu'y a-t-il pour votre service ? » C'est pour cela que nous la tolérons ! Non ! Les découvertes scientifiques portent en elles-mêmes leur suprême valeur ! Elles contribuent bien plus au perfectionnement de l'homme que les locomotives à vapeur, les turbines, l'aviation et toute la métallurgie, depuis Noé jusqu'à nos jours. Elles perfectionnent l'âme ! L'âme !

— Je suis bien d'accord avec vous, Dmitri Petrovitch, mais je ne suis pas sûr que ce soit l'avis du camarade Staline.

— Et c'est dommage ! Dommage ! Car il faut voir le second

aspect de la chose. Telle abstraction de Maxwell peut devenir, demain, le signal de la radio militaire. Les théories d'Einstein sur les champs magnétiques, la mécanique ondulatoire de Schrödinger et les conceptions de Bohr peuvent donner les résultats les plus concrets. C'est ce qu'il faudrait comprendre. C'est tellement simple qu'une oie le comprendrait !

Strum répondit :

— Mais vous savez pertinemment que nos dirigeants refusent de voir, dans les théories d'aujourd'hui, la pratique de demain. Cela vous a coûté votre place.

— Non, c'est l'inverse, dit lentement Tchepyjine. Je ne voulais pas diriger l'Institut parce que je savais, justement, que la théorie d'aujourd'hui deviendrait la pratique de demain. Mais c'est bizarre, vraiment bizarre : j'étais persuadé que Chichakov avait été mis en avant, en vue de l'étude des processus nucléaires. Or, dans ce domaine, ils ne peuvent pas se passer de vous... C'est en tout cas ce que je pensais, et je continue à le penser.

Strum reprit :

— Je ne comprends pas les raisons qui vous ont poussé à quitter l'Institut. Je ne saisis pas très bien. Tout ce que je sais, c'est que nos chefs ont confié à l'Institut des tâches qui vous ont alarmé. Ça, c'est clair. Mais il arrive aux autorités de se tromper pour des choses plus évidentes. Prenez le Patron : il n'avait de cesse de renforcer nos liens d'amitié avec les Allemands. Quelques jours avant le début de la guerre, il envoyait encore à Hitler, à pleins wagons, du caoutchouc et un tas de matières premières stratégiques. Alors, dans notre domaine... les plus grands politiques peuvent y perdre leur latin. Dans ma vie, tout s'est fait à l'inverse. Mes travaux d'avant-guerre étaient directement pratiques. J'allais à l'usine de Tcheliabinsk, j'aidais à mettre en place les installations électroniques. Et pendant la guerre...

Il eut un geste de désespoir amusé :

— Je me suis perdu dans le labyrinthe. Par moments, cela me fait peur, je me sens mal à l'aise. Ma parole !... J'essaie de mettre sur pied la physique des interactions nucléaires, et voilà que me tombent dessus la gravitation, la masse, le temps ; l'espace se dédouble, il n'a pas d'existence, n'a qu'un sens magnétique. J'ai chez moi, au labo, un type efficace, doué, le jeune Savostianov; un jour, on en vient à parler de mon travail. Il me pose un tas de questions. Je lui explique que ce n'est pas encore une théorie, juste quelques petites idées, une direction de recherches. L'espace parallèle n'est qu'un paramètre dans une équation, et non une réalité. La symétrie n'est possible que dans une équation mathématique; j'ignore si elle correspond à la symétrie des particules. Les solutions mathématiques ont devancé la physique, et je ne sais si la physique des particules s'insérera dans mes équations. Savostianov m'écoute sans mot dire, puis il m'explique : « Cela me rappelle un camarade d'études. Il s'était complètement embrouillé dans ses équations et il a fini par me dire : tu sais, ce n'est pas de la science, on dirait deux aveugles en train de s'accoupler dans un buisson d'orties... »

Tchepyjine éclata de rire.

— En effet, il est curieux que vous ne parveniez pas à donner à vos mathématiques une valeur physique. On dirait le chat au Pays des Merveilles : on voit d'abord apparaître un sourire, puis vient le chat lui-même.

Strum reprit :

— Mon Dieu ! Et pourtant, j'en suis profondément persuadé : nous touchons là l'axe central de la vie humaine. Je ne modifierai pas mon point de vue. Je ne suis pas un renégat.

Tchepyjine répondit :

— Je comprends ce que cela représente pour vous d'abandonner votre labo, au moment même où vous tenez peut-être le lien entre vos mathématiques et la physique. C'est dur, mais j'en suis heureux pour vous : l'honnêteté ne peut être réduite à néant.

— Espérons que je ne serai pas, moi-même, réduit à néant ! fit remarquer Strum.

Natalia Ivanovna apporta le thé ; elle poussa les livres pour faire de la place sur le bureau.

— Oh oh ! Du citron ! s'exclama Strum.

— Vous êtes un hôte cher, répondit Natalia Ivanovna.

— Dites plutôt : un double zéro ! répliqua Strum.

— Allons, allons ! intervint Tchepyjine. Pourquoi parler ainsi ?

— Mais c'est la vérité, Dmitri Petrovitch. Demain, on va me régler mon compte. Que vais-je faire, après-demain ?

Il approcha son verre de thé et, jouant avec sa cuiller sur le bord de sa soucoupe la marche de son désespoir, il reprit d'un ton distrait :

— Oh oh ! Du citron.

Et aussitôt, il se sentit confus d'avoir, à deux reprises, sur le même ton, prononcé ces paroles. Il y eut un silence, que rompit Tchepyjine :

— Je voudrais vous faire part de quelques idées.

— Toujours prêt à vous écouter, fit Strum, assez distrait.

— Oh ! c'est trois fois rien... Savez-vous qu'aujourd'hui, c'est un truisme de parler de l'infini de l'Univers ? Un jour la métagalaxie ne sera rien de plus que le petit morceau de sucre que rongera, en buvant son thé, n'importe quel lilliputien économe, et l'électron ou le neutron un monde peuplé de Gulliver. Tous les écoliers le savent.

Strum acquiesça, en pensant : « Effectivement, c'est trois fois rien. Le vieux n'est pas en forme, aujourd'hui. » Parallèlement, il se représentait Chichakov à la réunion du lendemain. « Non, non, je n'irai pas. Y aller signifierait se repentir, ou discuter de problèmes politiques, autrement dit courir au suicide... »

Il étouffa un bâillement et pensa : « Insuffisance cardiaque. C'est le cœur qui fait bâiller. »

Tchepyjine poursuivit :

— On pourrait croire que seul Dieu est en mesure de limiter l'infini... Car au-delà de la barrière cosmique, il nous faut bien admettre une puissance divine. N'est-ce pas ?

— Oui, oui, bien sûr, acquiesça Strum, en pensant : « Dmitri Petrovitch, je ne suis pas d'humeur à philosopher. Je peux être arrêté n'importe quand ! C'est presque couru ! J'en ai trop dit, à Kazan, à ce Madiarov. Ou c'est un mouchard, ou on le mettra en prison et on l'obligera à parler. Bref, je suis coincé de tous les côtés. »

Il regardait Tchepyjine, et ce dernier, épiant son regard faussement attentif, continuait à parler :

— Il me semble qu'il existe une barrière, limitant l'infini de l'Univers : la vie. Cette limite n'existe pas dans la courbure d'Einstein, elle se trouve dans l'opposition « vie / matière inerte ». J'ai le sentiment qu'on peut définir la vie comme étant la liberté. La vie est la liberté. La liberté est le grand principe de vie. Et vous avez là votre barrière : d'un côté la liberté, de l'autre l'esclavage ; d'un côté la matière inerte, de l'autre la vie.

« Puis je me suis dit que la liberté, une fois apparue, avait commencé à évoluer. Elle a suivi deux voies. L'homme jouit d'une plus grande liberté que les protozoaires. Toute l'évolution du monde vivant va d'une liberté minimum à une liberté maximum. Telle est la nature de l'évolution des formes vivantes. Les formes supérieures sont celles qui atteignent le plus haut degré de liberté. C'est la première ramification de l'évolution.

Plongé dans ses réflexions, Strum regardait Tchepyjine. Tchepyjine hocha la tête, comme s'il approuvait l'attention de son auditeur.

— Mais je me suis dit qu'il existait une seconde branche de l'évolution, importante numériquement. Si l'on considère que le poids moyen d'un homme est de cinquante kilos, l'humanité pèse aujourd'hui cent millions de tonnes. Autrement dit, beaucoup plus, par exemple, qu'il y a mille ans. La masse de la matière vivante ne peut aller qu'en s'accroissant, au détriment de la matière inerte. Peu à peu, le globe terrestre prend vie. Après avoir peuplé les déserts, l'Arctique, l'homme ira s'installer sous terre, repoussant sans cesse l'horizon de ses villes et territoires souterrains. La masse vivante de la terre finira par l'emporter. Puis les diverses planètes prendront vie, elles aussi. Si l'on essaie d'imaginer l'évolution de la vie dans l'infini du temps, on s'aperçoit que la transformation de la matière inerte en matière vivante se fera à l'échelle galactique. La matière, inerte au départ, deviendra vivante, libre. L'Univers s'animera, tout, dans le monde, prendra vie, donc deviendra libre. La liberté, la vie vaincront l'esclavage.

— Oui, oui, acquiesça Strum, en souriant. On peut aller comme cela jusqu'à intégrer.

— C'est là le hic, répondit Tchepyjine. Je me suis intéressé à l'évolution des étoiles et j'ai compris qu'on ne pouvait pas se permettre de plaisanter avec le moindre mouvement de la moindre tache grise de mucus vivant. Réfléchissez à la première branche de l'évolution : celle qui va du degré le plus bas au degré suprême. Vous arrivez à un homme qui présentera toutes les caractéristiques de Dieu : omniprésent, omnipotent, omniscient. Le siècle qui vient apportera la solution au problème de la transformation de la matière en énergie et de la création de la matière vivante. Parallèlement, un mouvement se fera dans le sens de la conquête de l'espace et de l'acquisition d'une extrême rapidité. Dans les millénaires à venir le progrès s'attachera à maîtriser une forme suprême d'énergie : l'énergie psychique.

Soudain, tout ce que racontait Tchepyjine ne semblait plus à Strum du simple bavardage. Il s'aperçut qu'il n'était pas d'accord avec lui.

— L'homme sera capable de matérialiser, par ses appareils, le contenu, le rythme de l'activité psychique des êtres doués de raison, dans toute la métagalaxie. Le mouvement de l'énergie psychique, dans cet espace que la lumière met des millions d'années à franchir, se fera instantanément. La caractéristique de Dieu — son omniprésence — sera une conquête de l'esprit. Mais une fois égal à Dieu, l'homme ne s'arrêtera pas pour autant. Il entreprendra de résoudre des problèmes pour lesquels Dieu lui-même n'est pas de taille. Il établira des liens, dans d'autres temps, d'autres espaces, avec des êtres doués de raison, au plus haut degré de l'évolution, et pour lesquels l'histoire de l'humanité ne sera qu'une vague et fugitive étincelle. Il établira un lien conscient avec la vie du microcosmos, dont l'évolution se fait, pour l'homme, en un clin d'œil. Le gouffre de l'espace-temps n'existera plus. L'homme pourra regarder Dieu de haut.

Strum hocha la tête et dit :

— Dmitri Petrovitch, au début je vous ai écouté, en me disant que j'avais autre chose en tête que la philosophie. Pouvais-je philosopher, alors qu'on risquait de m'arrêter ? Et soudain, j'ai oublié l'existence de Kovtchenko, de Chichakov, du camarade Beria, oublié que demain on me virerait de mon labo par la peau du cou et qu'après-demain je pouvais parfaitement me retrouver dans une cellule. Et pourtant, en vous écoutant, je n'ai pas ressenti de joie, du désespoir, plutôt. Nous sommes sages et nous considérons Hercule comme le dernier des rachitiques. Mais pendant ce temps, les Allemands tuent des vieillards et des enfants juifs, comme s'ils étaient des chiens enragés ; et nous avons, nous, connu l'année 37, la collectivisation forcée, la déportation de millions de malheureux paysans, la famine, le cannibalisme... Autrefois, savez-vous, tout me paraissait clair et simple. Mais après tous ces malheurs, après ces pertes terribles, tout me semble compliqué, embrouillé. Vous dites que l'homme regardera Dieu de haut. Mais ne risque-t-il pas de considérer le Diable de la même manière ? Ne risque-t-il pas de le dépasser, lui aussi ? Vous dites que la vie est la liberté. Croyez-vous que les détenus des camps partagent votre opinion ? Répandue dans tout l'Univers, cette vie n'est-elle pas susceptible d'employer sa puissance à instaurer un esclavage, plus terrible encore que celui de la matière inerte dont vous parliez à l'instant ? L'homme du futur dépassera-t-il le Christ en bonté ? Car tout est là ! Qu'apportera au monde la puissance de cet être omniprésent et ominiscient, s'il garde en lui la fatuité et l'égoïsme zoologiques qui sont les nôtres aujourd'hui : égoïsme de classe, de race, d'État ou simplement individuel ? Cet homme ne risque-t-il pas de transformer le monde en un camp de concentration à l'échelle galactique ? Croyez-vous vraiment, dites-moi, à l'évolution de la bonté, de la morale, de la générosité ? Croyez-vous l'homme capable d'une telle évolution ?

Strum prit l'air coupable.

— Ne m'en veuillez pas d'insister sur cette question qui paraît encore plus abstraite que ces équations dont nous parlions.

— Elle n'est pas si abstraite que cela, répondit Tchepyjine. Et de ce fait, elle a eu, sur ma vie, une certaine influence. J'ai décidé de ne pas participer aux travaux ayant à voir avec la fission nucléaire. Vous le dites vous-même, l'homme n'est pas assez bon, il ignore trop ce qu'est le bien pour vivre raisonnablement. Alors, que se passera-t-il, si l'énergie contenue dans l'atome lui tombe entre les pattes ? L'énergie spirituelle se trouve aujourd'hui à un niveau lamentable. Mais j'ai foi en l'avenir ! Je crois que l'homme ne développera pas seulement sa puissance, mais aussi son amour, son âme.

Il s'interrompit, troublé par l'expression de Strum.

— J'ai pensé, réfléchi à tout cela, dit Strum. Et un jour, j'ai été saisi d'horreur. L'imperfection de l'homme nous tourmente. Mais qui, pour ne prendre que l'exemple de mon laboratoire, se préoccupe de tout cela ? Sokolov ? Un type brillant, mais timoré, qui courbe la tête devant la puissance de l'État, et qui estime qu'il n'existe pas de pouvoir qui ne vienne de Dieu. Markov ? Il reste parfaitement extérieur à tous les problèmes du bien, du mal, de l'amour et de la morale. Un talent efficace. Il résout les problèmes scientifiques comme une partie d'échecs. Savostianov, que je mentionnais tout à l'heure ? Il est gentil, a de l'esprit, c'est un excellent physicien, mais c'est, comme on dit, un brave gars sans cervelle. Il est arrivé à Kazan avec, dans ses bagages, une montagne de photos de filles en maillots de bain ; il adore bien s'habiller, il aime boire, danser. Pour lui, la science est un sport, résoudre un problème, comprendre un phénomène revient à établir un record sportif. L'essentiel étant de ne pas se faire doubler ! Moi non plus, d'ailleurs, je n'ai pas réfléchi sérieusement à tout cela ! A notre époque, la science devrait être confiée à des gens à l'âme élevée, des prophètes, des saints ! Or, elle est entre les mains de gens doués et efficaces, de joueurs d'échecs et de sportifs. Ils ne savent pas ce qu'ils font. Vous, bien sûr... Mais vous, c'est vous ! Le Tchepyjine qui travaille, en ce moment, à Berlin, ne refusera pas, lui, de travailler sur les neutrons ! Et alors ? Et moi, voyez ce qui m'arrive ! Tout me paraissait simple, et aujourd'hui plus du tout... Savez-vous que Tolstoï considérait ses œuvres les plus géniales comme un petit jeu sans importance ? Nous autres, physiciens, nous ne sommes pas des génies, et nous n'arrêtons pas de la « ramener ».

Les cils de Strum battirent plus rapidement.

— Où puis-je trouver la foi, la force, la solidité ? dit-il précipitamment, et sa voix prit des intonations juives. Que puis-je vous dire ? Vous savez le malheur qui m'a frappé ; et aujourd'hui on me persécute, uniquement parce que je suis...

Il n'acheva pas, se leva soudain. Sa cuiller tomba sur le sol. Il tremblait, ses mains tremblaient.

— Victor Pavlovitch, calmez-vous, je vous en conjure, dit Tchepyjine. Parlons d'autre chose, voulez-vous ?

— Non, non, pardonnez-moi, je m'en vais. Je n'ai pas ma tête à moi. Excusez-moi.

Il fit ses adieux.

— Merci, merci, répéta Strum, sans regarder Tchepyjine. Il sentait qu'il ne pourrait maîtriser son émotion.

Strum descendit l'escalier : des larmes coulaient sur ses joues.

25

Quand Strum rentra, tous dormaient. Il avait le sentiment qu'il passerait le reste de la nuit à son bureau, à relire et à réécrire son discours de repentir, à se demander, pour la centième fois, s'il irait, le lendemain, à l'Institut.

Durant tout le trajet de retour, il n'avait pensé à rien, ni à ses larmes dans l'escalier, ni à sa conversation avec Tchepyjine, brusquement interrompue par cette crise nerveuse, ni au lendemain qui allait être si terrible pour lui, ni à la lettre de sa mère qu'il gardait dans la poche de son veston. Le silence nocturne de la ville le subjugua, sa tête était vide, ouverte à tous les vents, comme les trouées des rues de Moscou. Il ne s'inquiétait pas, n'avait pas honte de ses larmes, ne redoutait pas son destin ; il ne souhaitait pas que tout finît bien.

Au matin, Strum voulut passer à la salle de bains, mais la porte en était fermée.

— C'est toi, Lioudmila ? demanda-t-il.

Il eut une exclamation de surprise, en entendant la voix de Génia.

— Mon Dieu, Génia, par quel hasard ? s'exclama-t-il, puis il demanda stupidement : Liouda sait que vous êtes ici ?

Elle sortit de la salle de bains et ils s'embrassèrent.

— Vous avez une mine épouvantable, dit Strum, et il ajouta : C'est ce qu'on appelle un compliment à la juive.

Sans plus attendre, dans le couloir, elle lui raconta l'arrestation de Krymov et le but de son voyage.

Il fut stupéfait. Mais après cette nouvelle, la venue de Génia lui sembla d'autant plus précieuse. Si Génia était arrivée, heureuse, uniquement préoccupée de sa nouvelle vie, elle ne lui eût pas semblé si chère et si proche.

Il bavarda avec elle, lui posa des questions, sans cesser de regarder l'heure.

— Comme tout cela est stupide, absurde, dit-il. Rappelez-vous mes disputes avec Nikolaï. Il voulait toujours me remettre les idées en place. Et maintenant... ! Moi, l'hérétique, je me promène en liberté, et lui, un communiste éprouvé, il est en prison.

Lioudmila Nikolaïevna fit remarquer :

— Attention, Vitia, la pendule de la salle à manger retarde de dix minutes.

Il bredouilla vaguement quelques mots et regagna sa chambre. Il eut le temps, à deux reprises, en traversant le couloir, de regarder l'heure.

La séance du Conseil scientifique était fixée à 11 heures du matin. Entouré de ses livres, d'objets familiers, il ressentait, avec une intensité particulière proche de l'hallucination, l'agitation et la tension qui devaient régner à l'Institut. 10 heures et demie. Sokolov doit quitter sa blouse. Savostianov murmure à Markov : « Visiblement, ce dingue a décidé de ne pas venir. » Gourevitch gratte son gros derrière, en regardant par la fenêtre : une voiture officielle s'approche de l'Institut, Chichakov en descend, coiffé d'un chapeau et vêtu d'un long manteau de pasteur. Une seconde voiture arrive : celle de Baldine. Kovtchenko marche dans le couloir. Il y a déjà une quinzaine de personnes dans la salle de réunion ; elles parcourent les journaux. Elles sont venues à l'avance, pour trouver une bonne place, sachant qu'il y aurait foule. Svetchine et Ramskov, le secrétaire du parti à l'Institut, qui semble « porter sur le front le sceau du secret », sont postés à la porte du Comité. Le vieil académicien Prassolov, avec ses boucles grises, semble voguer, le nez en l'air, dans le couloir : à ce genre d'assemblées, il tient des discours particulièrement odieux. Les jeunes attachés de recherche forment des groupes bruyants.

Strum regarda l'heure, prit son texte dans son bureau, le mit dans sa poche, et regarda l'heure une fois encore.

Il pouvait se rendre au Conseil scientifique, sans pour autant se repentir, simplement pour y assister... Non... S'il y allait, il ne pouvait rester muet ; et tant qu'à parler, autant se repentir. Mais ne pas y aller signifiait couper les ponts...

Ils diront que je n'ai « pas eu le courage »..., que j'ai « défié la collectivité »..., ils parleront de « provocation politique »..., insisteront sur la « nécessité de me tenir, désormais, un autre langage »... Il tira son texte de sa poche et l'y remit aussitôt, sans y jeter un coup d'œil. Ces lignes, il les avait relues des dizaines de fois : « Je reconnais avoir fait preuve de défiance à l'égard de la direction du parti et commis ainsi un acte incompatible avec les règles de conduite de l'homme soviétique. Aussi, sans en avoir conscience, je me suis écarté, dans mes recherches, de la voie royale de la science soviétique et me suis involontairement opposé... »

Il avait sans cesse envie de relire cette déclaration. Mais à peine prenait-il le papier qu'il avait l'impression que chaque lettre lui en était familière jusqu'à l'insupportable... Le communiste Krymov avait été arrêté, il se trouvait à la Loubianka. Quant à Strum, avec ses doutes, sa répulsion devant la cruauté de Staline, ses discours sur la liberté, le bureaucratisme, et, aujourd'hui, son histoire très nettement marquée politiquement, il y a belle lurette qu'il eût fallu l'envoyer quelque part sur la Kolyma...

Ces derniers jours, il avait des accès de peur de plus en plus fréquents : on allait l'arrêter. D'ordinaire, on ne se limitait pas à renvoyer les gens de leur travail. On commençait par leur faire la leçon, ensuite on les renvoyait et, pour finir, on les jetait en prison.

Une nouvelle fois, il regarda l'heure. La salle devait être pleine. Les gens jetaient des regards furtifs vers la porte et murmuraient : « Strum n'est toujours pas là... » Quelqu'un disait : « Il est presque midi et Victor n'est pas encore arrivé. » Chichakov avait pris place dans son fauteuil de président et posé sa serviette sur la table. A côté de Kovtchenko, se tenait une secrétaire venue lui demander quelques signatures urgentes.

L'attente impatiente, agacée, des dizaines de personnes réunies dans la salle pesait terriblement sur Strum. A la Loubianka, sans doute, l'homme qui s'intéressait plus spécialement à lui devait aussi attendre, en se demandant : « Est-il possible qu'il ne vienne pas ? » Il imaginait, voyait le visage renfrogné de l'homme du Comité central : « Monsieur n'a pas daigné venir ! » Il se représentait ses collègues disant à leurs femmes : « Un dingue ! » Au fond de son cœur, Lioudmila lui en voulait : Tolia avait donné sa vie pour un État que Victor contestait en pleine guerre.

Quand il songeait au nombre de personnes victimes de la répression, parmi les siens et les parents de Lioudmila, il se consolait d'ordinaire en pensant : « Si on me pose des questions, je répondrai : je ne suis pas entouré que de gens comme ceux-là. Prenez Krymov, un ami très proche, un communiste connu, un vieux membre du parti qui a travaillé dans la clandestinité... »

Pour Krymov, c'était raté ! On allait sans doute lui demander, là-bas, s'il se rappelait les propos hérétiques de Strum. D'ailleurs, Krymov n'était pas à ce point un ami : Génia n'avait-elle pas divorcé ? Et puis, il n'avait pas tenu devant lui des discours si dangereux. Avant la guerre, Strum n'était pas tellement rongé par le doute. Par contre, si on posait des questions à Madiarov...

Des dizaines, des centaines d'efforts, de pressions, de poussées, de coups formaient une résultante qui lui brisait les côtes, lui fendait le crâne.

Elle était absurde, la phrase du docteur Stockmann : « Est fort celui qui est seul... » Parlez s'il était fort ! Jetant derrière lui, tel un voleur, des regards furtifs, avec des grimaces pitoyables, il se hâta de nouer sa cravate, fourra ses papiers dans la poche de son veston des grands jours, chaussa ses nouvelles bottines jaunes.

Alors qu'il se tenait, tout prêt, à côté de sa table, Lioudmila entra dans la pièce. Elle vint à lui sans mot dire, l'embrassa et sortit.

Non, il ne lirait pas une déclaration de repentir aussi banale ! Il leur dirait la vérité, du fond du cœur ! Camarades, mes amis, je vous ai écoutés très douloureusement et, avec la même souffrance, je me suis demandé comment il se pouvait qu'aux jours heureux du grand tournant de Stalingrad, résultat d'une lutte acharnée, je sois là, seul, à écouter les reproches furieux de mes camarades, de mes amis, de mes frères... Je vous le jure : tout mon cerveau, mon sang, toutes mes forces... Oui, oui, oui, il savait, à présent, ce qu'il leur dirait... Vite, vite, il avait encore le temps... Camarades... Camarade Staline, je n'ai pas vécu comme il fallait ; j'ai dû atteindre le bord du gouffre, pour percevoir mes fautes dans toute leur profondeur. Il leur dirait des choses qui viendraient du plus profond de son âme ! Camarades, mon fils est mort à Stalingrad...

Il se dirigea vers la porte.

Il venait enfin de tout décider, de trancher ; il ne lui restait plus qu'à se rendre au plus vite à l'Institut, à laisser son manteau au vestiaire, à entrer dans la salle, à entendre les murmures excités de ces dizaines de personnes, à repérer les visages connus et à dire : « Je demande la parole. Je voudrais, camarades, vous faire part des réflexions, des sentiments qui ont été les miens ces derniers jours... »

Mais, au même instant, il retira lentement sa veste et la suspendit au dossier d'une chaise ; il défit sa cravate, la roula, la posa sur un coin de table et s'assit pour délacer ses chaussures.

Une impression de légèreté, de pureté l'envahit. Il resta assis à remuer de calmes pensées. Il ne croyait pas en Dieu, mais il lui semblait que Dieu, en cet instant, le regardait. Jamais, au cours de sa vie, il n'avait éprouvé un tel bonheur, une telle humilité aussi. Il n'y avait pas, désormais, de force susceptible de démontrer qu'il avait tort.

Il pensa à sa mère. Peut-être s'était-elle trouvée à ses côtés quand il était, inconsciemment, revenu sur sa décision. Une minute plut tôt, il voulait, très sincèrement, exprimer ce repentir hystérique. Il n'avait pensé ni à Dieu ni à sa mère au moment où il avait senti naître en lui cette décision définitive. Mais peut-être étaient-ils, sans qu'il le sût, auprès de lui.

« Comme je suis bien et heureux ! » se dit-il.

Il imagina, de nouveau, la réunion, les visages des gens, les voix des orateurs.

« Comme je suis bien, comme tout est lumineux ! » s'exclama-t-il encore.

Jamais, semblait-il, ses réflexions sur la vie, ses proches, sa perception de lui-même, de son destin n'avaient été aussi sérieuses.

Lioudmila et Génia entrèrent dans sa chambre. En le voyant sans veston, en chaussettes, le col de chemise ouvert, Lioudmila eut une exclamation de vieille femme.

— Mon Dieu, tu n'y es pas allé ! Que va-t-il se passer, à présent ?

— Je ne sais pas, répondit-il.

— Peut-être n'est-il pas trop tard ? dit-elle, puis elle le regarda et ajouta : Je ne sais pas, je ne sais pas. Après tout, tu es majeur. Mais quand on prend de telles décisions, il ne faut pas penser seulement à ses principes.

Il ne répondit rien, puis soupira.

Génia intervint :

— Lioudmila !

— Bon, bon, cela ne fait rien ! reprit Lioudmila. Advienne que pourra.

— Oui, ma petite Liouda, ajouta-t-il. « Nous reprendrons le lourd fardeau. »

Il couvrit son cou de sa main et dit en souriant :

— Pardonnez-moi, Geneviève, d'être sans cravate.

Il regardait Lioudmila et Génia, et il avait l'impression de comprendre vraiment, pour la première fois, combien dure et sérieuse était la vie terrestre, quel rôle important jouaient les proches.

Il comprenait que la vie reprendrait son cours, que, de nouveau, il s'énerverait, s'inquiéterait pour des bêtises, se fâcherait contre sa femme et sa fille.

— Vous savez quoi ? Assez parlé de moi ! dit-il. Génia, si on faisait une partie d'échecs ? Vous vous souvenez, quand vous m'avez mis mat deux fois de suite ?

Ils disposèrent les pièces et Strum, qui jouait avec les blancs, avança le pion du roi. Génia fit remarquer :

— Nikolaï commençait toujours ainsi, quand il avait les blancs. Croyez-vous qu'on me donnera une réponse, aujourd'hui, à Kouznetski Most ?

Lioudmila Nikolaïevna se pencha et passa des pantoufles à Strum. Sans regarder, il tenta d'y glisser ses pieds. Lioudmila Nikolaïevna eut un soupir rageur, elle s'agenouilla sur le sol et l'aida à se chausser. Il lui déposa un baiser sur la tête, en disant d'un ton distrait :

— Merci, ma petite Liouda, merci.

Génia, qui n'avait pas commencé à jouer, secoua violemment la tête :

— Non, je ne comprends pas. Le trotskisme, c'est une vieille histoire. Il a dû se produire quelque chose. Mais quoi ? Quoi ?

Lioudmila Nikolaïevna fit remarquer, en arrangeant soigneusement les pièces blanches :

— Je n'ai pratiquement pas dormi de la nuit. Un communiste aussi dévoué, aussi convaincu !

— Je crois que tu as passé une excellente nuit, rétorqua Génia. Je me suis réveillée à plusieurs reprises et, chaque fois, je t'ai entendue ronfler.

Lioudmila Nikolaïevna se mit en colère :

— C'est faux ! Je n'ai pour ainsi dire pas fermé l'œil.

Et, répondant à voix haute à la question qui la tourmentait, elle dit à son mari :

— Cela ne fait rien. Du moment qu'on ne t'arrête pas ! Et même si on te prive de tout, je ne m'inquiète pas : nous vendrons des affaires, nous irons à la datcha, je vendrai des fraises au marché. Ou j'enseignerai la chimie à l'école.

— On vous reprendra la datcha, dit Génia.

— Mais ne comprenez-vous pas que Nikolaï est innocent ? demanda Strum. C'est une autre génération. Avec des critères différents.

Ils étaient là, devant le jeu, à contempler l'unique pion qui avait été joué, et bavardaient :

— Génia, ma chérie, dit Victor Pavlovitch, vous avez agi selon votre conscience. Croyez-moi, c'est ce que l'homme a de meilleur. Je ne sais pas ce que vous réserve la vie, mais je suis persuadé d'une chose : vous avez agi selon votre conscience. Tout notre drame vient de ce que nous refusons ce que nous dicte notre conscience. Nous ne disons pas ce que nous pensons. Nous sentons les choses d'une façon, mais nous agissons d'une autre. Rappelez-vous ce que Tolstoï disait, à propos des exécutions : « Je ne peux me taire ! » Mais nous nous sommes tus, quand, en 37, on a exécuté des milliers d'innocents. Et encore, ce sont les meilleurs d'entre nous qui se sont tus ! Mais il s'en est trouvé pour applaudir bruyamment. Nous nous sommes tus au moment des horreurs de la collectivisation. Nous avons trop vite clamé que le socialisme était arrivé. Le socialisme n'est pas seulement l'industrie lourde. C'est, avant tout, le droit à la conscience. Priver un homme de ce droit, c'est terrible ! Et quand un homme trouve la force d'agir selon sa conscience, il éprouve brusquement une telle joie ! Je suis heureux pour vous : vous avez agi selon votre conscience.

— Vitia, arrête un peu tes sermons. Cesse de désorienter cette petite sotte ! intervint Lioudmila Nikolaïevna. Que vient faire ici la conscience ? Elle ruine sa vie, elle tourmente un brave homme, et tout cela pourquoi ? En quoi cela peut-il aider Krymov ? Je ne crois pas qu'il puisse être heureux si on le relâche. Il allait parfaitement bien, quand ils se sont séparés. Elle n'a rien à se reprocher à son égard.

Evguénia Nikolaïevna prit le roi, le fit tournoyer en l'air, regarda le petit bout de feutre collé dessous, et le remit à sa place.

— Liouda, dit-elle, de quel bonheur parles-tu ? Je ne pense pas au bonheur.

Strum regarda la pendule. Le cadran lui parut paisible, les aiguilles calmes, endormies.

— La discussion doit battre son plein. On doit me maudire à tour de bras. Mais je ne ressens ni haine ni humiliation.

— Moi, je te casserais la gueule à ces sans-pudeur ! rétorqua Lioudmila. Un jour, on dit que tu es l'espoir de la science et le lendemain on te crache à la figure ! Quand dois-tu aller à Kouznetski Most, Génia ?

— Vers 4 heures.

— Je vais te faire à manger. Tu iras ensuite.

— Qu'aurons-nous pour le déjeuner ? s'enquit Strum, et il ajouta en souriant : Savez-vous, mesdames, ce que je vais vous demander ?

— Je sais, je sais, tu veux travailler, fit Lioudmila Nikolaïevna en se levant.

— Un autre se cognerait la tête contre les murs, un jour pareil, dit Génia.

— C'est une faiblesse, chez moi, pas une force, répondit Strum. Hier, D.P. m'a tenu un grand discours sur la science. Mais j'ai une autre théorie, un autre point de vue sur la question. Un peu comme Tolstoï : il doutait, se tourmentait, se demandait si la littérature, les livres qu'il écrivait pouvaient servir aux gens.

— Tu sais quoi ? rétorqua Lioudmila. Commence donc par écrire le *Guerre et paix* de la physique.

Strum eut l'air terriblement gêné.

— Oui, oui, ma petite Liouda, tu as raison, assez de bafouillages, bredouilla-t-il en jetant malgré lui à sa femme un regard chargé de reproches. Seigneur ! Comment peut-on, en un moment pareil, souligner chaque mot que je dis de travers !

Il resta seul de nouveau. Il relut les notes qu'il avait prises la veille, tout en pensant à sa situation présente.

Pourquoi se sentait-il mieux, depuis que Lioudmila et Génia avaient quitté la pièce ? Devant elles, il se sentait dans une situation fausse. Sa proposition de faire une partie d'échecs, son désir de travailler, tout cela était faux. Lioudmila l'avait sans doute perçu quand elle lui avait reproché ses sermons. Il avait lui-même remarqué, en faisant son éloge de la conscience, combien sa voix semblait de bois, combien elle sonnait faux. Redoutant d'être soupçonné d'auto-admiration, il s'était efforcé de parler de choses anodines, mais, là encore, comme dans ses sermons, son ton sonnait faux.

Une vague inquiétude l'avait envahi, il n'arrivait pas à comprendre ce qui lui manquait.

A plusieurs reprises, il se leva, se dirigea vers la porte, tendit l'oreille aux conversations de sa femme et d'Evguénia Nikolaïevna.

Il n'avait pas envie de savoir ce qu'on avait pu dire à la réunion, qui avait parlé avec le plus d'intolérance, ni à quelle résolution on était parvenu. Il écrirait un petit mot à Chichakov : sa santé le tiendrait éloigné de l'Institut pendant quelques jours. Par la suite, ce ne serait plus nécessaire. Il était toujours disposé à se rendre utile, dans la mesure où cela lui était possible. Voilà, c'était tout.

Pourquoi redoutait-il tant d'être arrêté, ces derniers jours ? Après tout, il n'avait rien fait de si grave. Bon, il avait eu la langue un peu longue. Et encore ! Pas tellement, en fin de compte. Ils le savaient, là-bas.

Un bref coup de sonnette retentit dans l'entrée. Strum bondit hors de sa chambre, criant en direction de la cuisine :

— J'ouvre, Lioudmila.

Il ouvrit tout grand la porte et, dans la pénombre du couloir, il vit, fixés sur lui, les yeux inquiets de Maria Ivanovna :

— Bien sûr, dit-elle doucement. Je savais que vous n'iriez pas.

En l'aidant à quitter son manteau, en sentant, sur ses mains, la chaleur de son cou et de sa nuque sur le col du vêtement, Strum comprit soudain qu'il l'attendait. Il pressentait sa venue et c'est pour cela qu'il tendait l'oreille, jetait sans cesse des coups d'œil vers la porte.

Il en eut la révélation par le sentiment de légèreté, de joie toute naturelle qu'il éprouva en la voyant. C'était donc elle qu'il souhaitait rencontrer le soir, quand il rentrait, le cœur lourd, de l'Institut, quand il détaillait anxieusement les passants, dévisageait les femmes derrière les vitres des tramways et des trolleybus. Et lorsque, de retour chez lui, il demandait à sa femme si personne n'était venu, il voulait en fait savoir si *elle* n'était pas venue. Cela remontait à loin... Elle venait, ils bavardaient, plaisantaient, puis elle repartait et il avait l'impression de l'oublier. Elle lui revenait en mémoire, quand il discutait avec Sokolov, ou quand Lioudmila Nikolaïevna lui transmettait un salut de sa part. On eût dit qu'elle n'existait que lorsqu'il la voyait, ou disait quelle femme charmante c'était. Parfois, pour taquiner Lioudmila, il racontait que son amie n'avait lu ni Pouchkine ni Tourgueniev.

Il se promenait avec elle au Jardin des Plaisirs, il aimait à la regarder, il était heureux qu'elle le comprît facilement, d'emblée, sans jamais se tromper ; elle le touchait, par cette façon enfantine qu'elle avait d'être attentive, de l'écouter. Puis, ils se séparaient et il cessait de penser à elle. Parfois, elle lui revenait en mémoire, tandis qu'il marchait dans les rues et, de nouveau, il l'oubliait.

Il comprit soudain qu'elle était constamment à ses côtés, il avait seulement eu l'impression qu'elle n'était pas là. Elle était toujours avec lui, même s'il ne pensait pas à elle. Il ne la voyait pas, ne s'en souvenait pas, mais elle continuait d'être là. Quand il n'y pensait pas, il avait l'impression qu'elle était ailleurs ; il ne s'apercevait pas qu'il souffrait constamment de son absence. Mais aujourd'hui, il se comprenait bien lui-même, et comprenait les gens dont la vie se déroulait tout près de la sienne et, en la regardant, il eut la révélation de ses sentiments pour elle. En l'apercevant, il se sentit tout heureux que la sensation épuisante de son absence se fût enfin évanouie. Il se sentit léger, parce qu'elle était avec lui, parce qu'il avait cessé de souffrir, inconsciemment, de son éloignement. Ces derniers temps, il s'était senti tellement seul. Il avait eu cette impression de solitude en discutant avec sa fille, ses amis, Tchepyjine, sa femme. Et il lui avait suffi de voir Maria Ivanovna pour que sa solitude disparût comme par enchantement.

Mais cette découverte ne le surprenait point : elle était naturelle, indéniable. Comment avait-il pu, un ou deux mois plus tôt, à Kazan, ne pas comprendre une chose aussi simple, indiscutable ?

Et, tout naturellement, en ce jour où il avait si fortement ressenti son absence, les sentiments dissimulés au plus profond de son âme remontèrent à la surface, affleurèrent à sa pensée.

Et comme il lui était impossible de lui cacher quoi que ce fût, il lui déclara dans l'entrée, en la fixant, les yeux mi-clos :

— J'avais l'impression d'avoir une faim de loup, je ne cessais de regarder la porte en me demandant si nous déjeunerions bientôt ; mais, en fait, j'attendais impatiemment la venue de Maria Ivanovna.

Elle ne répondit rien — on eût dit qu'elle n'avait pas entendu — et entra dans la salle de séjour.

Elle était assise sur le divan, à côté de Génia, qui lui avait été présentée, et les yeux de Victor Pavlovitch passaient de Génia à Maria Ivanovna, puis à Lioudmila.

Que les deux sœurs étaient donc belles ! Ce jour-là, le visage de Lioudmila Nikolaïevna était particulièrement attirant. La dureté qui, bien souvent, l'enlaidissait, avait presque disparu. Ses grands yeux clairs étaient doux et tristes.

Sentant sur elle le regard de Maria Ivanovna, Génia arrangea ses cheveux.

— Pardonnez-moi, Evguénia Nikolaïevna, mais je n'imaginais pas qu'il pût exister une femme aussi belle. Je n'ai jamais vu un visage comme le vôtre.

Et en disant ces mots, elle rougit.

— Macha, regardez ses mains, ses doigts, renchérit Lioudmila Nikolaïevna, et son cou, ses cheveux !

— Et ses narines, ses narines ! dit Strum.

— Vous me prenez pour une jument, ou quoi ? protesta Génia. Si vous saviez comme je m'en moque !

— Le cheval ne nourrit pas son homme, reprit Strum. Et ces paroles, bien que sibyllines, déclenchèrent les rires.

— Tu as faim, Vitia, c'est ça ? demanda Lioudmila Nikolaïevna.

— Mais non, pas du tout, répondit-il, et il vit que Maria Ivanovna rougissait à nouveau. Elle avait donc entendu ce qu'il avait dit dans l'entrée.

Elle était assise, toute grise comme un moineau, maigre, avec sa coiffure d'institutrice, son petit front bombé, son tricot rapiécé aux coudes ; chaque parole qu'elle prononçait semblait à Strum un sommet d'intelligence, de tact, de bonté, chacun de ses gestes était doux et gracieux.

Elle ne parla pas du Conseil scientifique, elle demanda des nouvelles de Nadia, se fit prêter par Lioudmila Nikolaïevna *la Montagne magique* de Mann, pria Génia de lui raconter ce que devenaient Vera et son petit garçon, et ce qu'écrivait, de Kazan, Alexandra Vladimirovna.

Strum mit un certain temps à comprendre que Maria Ivanovna avait donné à la conversation le tour qu'il fallait. Elle semblait démontrer qu'il n'y avait pas de force au monde capable d'empêcher les gens de rester des gens, que l'État le plus puissant ne pouvait faire irruption dans le cercle des pères, des enfants, des sœurs, et qu'en ce jour fatal, son admiration pour les êtres parmi lesquels elle se trouvait, s'exprimait dans le fait que leur victoire leur donnait le droit de parler, non de ce qu'on leur imposait de l'extérieur, mais de ce qui existait à l'intérieur.

Elle avait deviné juste, et, tandis que les femmes parlaient de Nadia et de l'enfant de Vera, il resta silencieux, sentant que la lumière qui avait jailli en lui continuait de brûler, chaude et régulière, qu'elle ne vacillait pas, ne pâlissait pas.

Il avait l'impression que le charme de Maria Ivanovna subjuguait Génia. Lioudmila Nikolaïevna partit à la cuisine et Maria Ivanovna l'y rejoignit pour l'aider.

— Quelle femme délicieuse, dit rêveusement Strum.

Génia le rappela, en riant, à la réalité :

— Vitka, hé, Vitka !

Il en fut tout interloqué : il y avait bien vingt ans qu'on ne l'avait appelé Vitka.

— Cette petite dame est amoureuse de vous, cela saute aux yeux ! dit Génia.

— Quelles fadaises ! répliqua-t-il. Et pourquoi cette « petite dame » ? Elle n'a rien d'une dame. Lioudmila n'a jamais eu d'amie. Mais avec Maria Ivanovna, c'est une véritable amitié.

— Et pour vous ? demanda Génia, amusée.

— Je parle sérieusement, répondit Strum.

Voyant qu'il était en colère, elle le regarda, moqueuse.

— Vous savez quoi, ma petite Génia ? Allez au diable ! dit-il.

Nadia arriva à ce moment-là. Elle demanda aussitôt, du couloir :

— Papa est allé se repentir ?

Elle entra dans la pièce. Strum la prit dans ses bras et l'embrassa.

Evguénia Nikolaïevna, les yeux humides, regarda sa nièce.

— Elle n'a pas une goutte de sang slave, dit-elle. Une vraie fille de Judée.

— Les gènes de papa, rétorqua Nadia.

— Tu es mon point faible, Nadia, reprit Evguénia Nikolaïevna. Comme Sérioja pour sa grand-mère.

— Ne t'inquiète pas, papa, nous ne te laisserons pas mourir de faim, dit Nadia.

— Qui ça, nous ? demanda Strum. Ton lieutenant et toi ? Lave-toi les mains, en rentrant de l'école.

— Avec qui maman parle-t-elle ?

— Avec Maria Ivanovna.

— Tu aimes Maria Ivanovna ? demanda Evguénia Nikolaïevna.

— Pour moi, il n'y a pas meilleure femme au monde, dit Nadia. Je l'épouserais sans hésiter.

— Elle est bonne, c'est un ange, renchérit Evguénia Nikolaïevna, railleuse.

— Elle ne vous plaît pas, tante Génia ?

— Je n'aime pas les saints. Leur sainteté cache souvent de l'hystérie, répondit Evguénia Nikolaïevna. Je préfère une franche garce.

— De l'hystérie ? demanda Strum.

— Je vous assure, Victor, je ne parlais pas d'elle, c'était en général.

Nadia s'en fut à la cuisine et Evguénia Nikolaïevna dit à Strum :

— Quand je vivais à Stalingrad, Vera avait un lieutenant. Et Nadia, à présent, qui a le sien. Mais il disparaîtra ! Ils périssent si facilement ! Vitia, c'est tellement triste.

— Ma petite Génia, Geneviève, reprit Strum. Vraiment, vous n'aimez pas Maria Ivanovna ?

— Je ne sais pas, franchement, s'empressa-t-elle de répondre. Il y a des femmes qui ont ainsi un caractère accommodant, qui semblent avoir le goût du sacrifice. Une femme de ce genre ne dira jamais : « Je couche avec ce bonhomme, parce que j'en ai envie. » Elle expliquera : « C'est mon devoir, il me fait de la peine, je me sacrifie. » Les bonnes femmes de ce type couchent avec des hommes, vivent avec eux ou les laissent tomber, parce qu'elles en ont envie ; mais elles l'expriment toujours autrement : « C'était nécessaire, c'était mon devoir ; ma conscience l'exigeait ; j'ai refusé ; je me suis sacrifiée. » En fait, elles n'ont rien sacrifié, elles n'ont fait que ce qu'elles voulaient ; et le plus répugnant est que ces dames croient sincèrement être prêtes à se sacrifier. Je ne peux supporter ce genre de bonnes femmes ! Et savez-vous pourquoi ? Parce que j'ai souvent l'impression d'être moi-même de cette race.

Durant le déjeuner, Maria Ivanovna dit à Génia :

— Si vous le permettez, Evguénia Nikolaïevna, je vous accompagnerai. J'ai, hélas, l'expérience de ces choses. Et puis, à deux, c'est plus facile.

Génia se troubla et dit :

— Non, non, merci beaucoup, ce sont des choses qu'il faut faire seule. Impossible de partager ce fardeau.

Lioudmila Nikolaïevna jeta à sa sœur un coup d'œil en coin et, comme pour lui expliquer que Maria Ivanovna et elle ne se cachaient rien, elle dit :

— Cette chère Macha s'est mis dans la tête que tu ne l'aimais pas.

Evguénia Nikolaïevna ne répondit rien.

— Oui, oui, reprit Maria Ivanovna. Je le sens. Mais pardonnez-moi d'en avoir parlé. C'est stupide. Qu'avez-vous à faire de moi ? Lioudmila Nikolaïevna a eu tort d'aborder ce sujet. A présent, on dirait que je veux vous forcer à modifier votre impression. J'ai dit cela sans réfléchir. D'ailleurs...

Evguénia Nikolaïevna, à sa grande surprise, dit en toute sincérité :

— Mais non, ma chère, mais non. Je suis tellement désemparée, pardonnez-moi. Vous êtes très bien.

Puis elle se leva précipitamment, en s'exclamant :

— Eh bien ! mes enfants, comme dit maman : « Il faut que j'y aille ! »

26

Dans la rue, il y avait foule.

— Vous êtes pressée ? demanda-t-il. On pourrait retourner aux Plaisirs.

— Voyons, les gens sortent du travail. Il faut que je sois rentrée pour accueillir Piotr Lavrentievitch.

Il se dit qu'elle l'inviterait à l'accompagner, pour que Sokolov lui raconte la réunion du Conseil scientifique. Mais elle ne dit rien, et il soupçonna Sokolov d'avoir peur de le rencontrer.

Il lui en voulait de se hâter de rentrer, et pourtant c'était bien naturel.

Ils passèrent devant un square, non loin de la rue qui menait au monastère Donskoï.

Elle s'arrêta soudain et proposa :

— Asseyons-nous un instant, ensuite je prendrai le trolley.

Ils ne disaient rien, mais il sentait son trouble. La tête légèrement penchée, elle regardait Strum dans les yeux.

Ils ne disaient toujours rien. Ses lèvres étaient closes, mais il lui semblait entendre sa voix. Tout était clair, tellement clair, comme s'ils s'étaient déjà tout dit. D'ailleurs, que pouvaient les mots ?

Il comprenait qu'il se produisait une chose extrêmement sérieuse, qu'une nouvelle empreinte allait marquer sa vie, qu'il devait s'attendre à une période troublée, particulièrement pénible. Il ne souhaitait pas causer de souffrances aux autres. Il vaudrait mieux que personne ne sût leur amour ; peut-être, alors, ne se l'avoueraient-ils pas. Mais peut-être aussi... Ils étaient incapables de dissimuler ce qui leur arrivait, leur joie et leur peine, et cela entraînait des changements inévitables, des bouleversements. Tout ce qui arrivait dépendait d'eux, mais il leur semblait que c'était la fatalité et qu'ils ne pouvaient que s'y résigner. Tout ce qui naissait entre eux était vrai, naturel — ils n'en étaient pas plus responsables que l'homme ne l'est de la lumière du jour —, mais cette vérité engendrait le mensonge, les faux semblants, la cruauté à l'égard de leurs proches. Il ne dépendait que d'eux d'éviter ce mensonge et cette cruauté, il suffisait de refuser cette lumière claire et naturelle.

Une chose lui semblait évidente : il perdait à jamais la paix de l'âme. Quoi qu'il pût lui arriver désormais, il ne connaîtrait plus jamais le repos. Qu'il dissimule ses sentiments à la femme assise près de lui ou que ces sentiments s'expriment et deviennent son nouveau destin, il ignorerait la paix.

Elle le regardait toujours avec une expression insupportable de bonheur et de désespoir.

Il ne s'était pas incliné, avait tenu bon lorsqu'il avait fait front à une force immense et impitoyable, et voilà que sur ce banc il se sentait tout faible.

— Victor Pavlovitch, dit-elle, il faut que je parte. Piotr Lavrentievitch m'attend.

Elle lui prit la main et dit :

— Nous ne nous reverrons plus. J'ai donné ma parole à Piotr Lavrentievitch de ne plus vous fréquenter.

Il ressentit les troubles qu'éprouvent les gens malades du cœur : son cœur, dont le fonctionnement ne dépendait pas de la volonté humaine, cessa de battre ; le monde vacilla, se renversa, la terre et l'air disparurent.

— Pourquoi, Maria Ivanovna ? demanda-t-il.

— Piotr Lavrentievitch m'a fait promettre que je cesserais de vous voir. Je lui ai donné ma parole. C'est sans doute terrible, mais il est dans un tel état ! C'est un homme malade, je crains pour sa vie.

— Macha, dit-il.

Dans sa voix, sur son visage, il découvrait une force invincible, semblable à celle qu'il avait tenté de contrer tous ces derniers temps.

— Macha, répéta-t-il.

— Mon Dieu, mais vous comprenez, vous voyez que je ne dissimule pas. Pourquoi parler de tout cela ? Je ne peux pas, je ne peux pas. Piotr Lavrentievitch en a déjà tellement supporté. Vous savez tout cela. Et pensez aux souffrances qu'a endurées Lioudmila Nikolaïevna. Cela est impossible.

— Oui, oui, nous n'avons pas le droit, renchérit-il.

— Mon chéri ! Mon pauvre, pauvre ami ! dit-elle.

Il avait laissé tomber son chapeau sur le sol. Les gens devaient les regarder.

— Oui, oui, nous n'avons pas le droit, répéta-t-il.

Il lui embrassait les mains, et, tandis qu'il tenait ses doigts petits et froids, il lui sembla que la force invincible de sa décision était liée à sa faiblesse, sa soumission, son impuissance...

Elle se leva et partit sans se retourner. Il resta assis à se dire que, pour la première fois, il avait vu son bonheur en face, la lumière de sa vie, et que tout cela l'avait quitté. Il lui semblait que cette femme, dont il venait d'embrasser les doigts, aurait pu remplacer tout ce qu'il souhaitait dans la vie, tout ce dont il rêvait : la science, la gloire, la joie d'être reconnu universellement.

27

Au lendemain de la réunion du Conseil scientifique, Strum reçut un coup de téléphone de Savostianov, qui s'enquit de sa santé et de celle de Lioudmila Nikolaïevna.

Strum lui demanda comment s'était passée la réunion, et Savostianov répondit :

— Je ne voudrais pas vous affliger, Victor Pavlovitch, mais il apparaît qu'il existe plus de minables que je ne pensais.

« Sokolov aurait-il pris la parole ? » se demanda Strum, mais il dit :

— Une résolution a été adoptée ?

— Oui, et dure ! On considère que certaines choses sont incompatibles... On a décidé de prier la direction de réexaminer la question de l'avenir de...

— Je vois, coupa Strum. Et bien qu'il fût persuadé qu'une telle résolution serait adoptée, il resta muet de surprise.

« Je suis innocent, se dit-il, et pourtant on va m'arrêter. Ils savaient, là-bas, que Krymov n'avait rien fait et ils l'ont mis en prison. »

— Quelqu'un a-t-il voté contre ? demanda Strum, mais il ne reçut, en réponse, qu'un silence gêné de Savostianov.

— Non, Victor Pavlovitch, je crois qu'il y a eu unanimité, dit enfin Savostianov. Vous vous êtes fait beaucoup de tort en ne venant pas.

La voix de Savostianov n'était pas très nette, il devait appeler d'une cabine.

Le même jour, Anna Stepanovna appela, elle aussi. Elle ne figurait plus sur la liste des collaborateurs, n'allait plus à l'Institut et ignorait tout de la séance du Conseil scientifique. Elle dit qu'elle partait pour deux mois chez sa sœur, à Mourom, et Strum fut très touché par son amitié : elle l'invita à venir la voir.

— Merci, merci, dit-il. Quitte à aller à Mourom, autant ne pas s'y tourner les pouces. Mieux vaut enseigner la physique dans une école d'instituteurs.

— Seigneur, Victor Pavlovitch ! s'exclama Anna Stepanovna. Pourquoi avez-vous fait tout cela ? Je suis au désespoir. Tout est de ma faute. Est-ce que je valais cela ?

De toute évidence, elle avait pris ses paroles sur l'école d'institu- teurs comme un reproche à son adresse. On l'entendait très mal, elle aussi, elle devait appeler d'une cabine.

« Sokolov aurait-il pris la parole ? » se demandait Strum.

Tard le soir, Tchepyjine appela. Toute la journée, tel un grand malade, Strum ne s'était animé que lorsqu'on lui parlait de sa mala- die. Tchepyjine le sentit.

— Sokolov aurait-il pris la parole ? demandait Strum à Lioudmila Nikolaïevna, mais, bien entendu, elle n'en savait pas plus que lui sur la question.

Une sorte de voile s'était tissé entre ses proches et lui.

De toute évidence, Savostianov craignait de parler de ce qui inté- ressait Victor Pavlovitch, il ne voulait pas être son informateur. Il devait se dire : « Strum rencontrera bien des gens de l'Institut et il leur expliquera : je suis au courant, Savostianov m'a fait un compte rendu détaillé. »

Anna Stepanovna était très chaleureuse, mais en pareil cas, elle aurait dû ne pas se contenter d'un coup de téléphone et venir lui ren- dre visite.

Quant à Tchepyjine, il aurait dû, pensait Victor Pavlovitch, lui proposer de collaborer aux travaux de l'Institut d'astrophysique, ou au moins envisager cette question.

« Ils m'en veulent, je leur en veux, ils auraient mieux fait de ne pas appeler. »

Il attendit toute la journée des coups de téléphone de Gourevitch, Markov, Pimenov.

Puis il se mit en colère contre les techniciens et les électriciens qui installaient les nouveaux appareils.

« Bandes de salauds, se disait-il. Ils n'ont rien à craindre, eux, des ouvriers ! »

La pensée de Sokolov lui était insupportable ; Piotr Lavrentievitch avait enjoint à Maria Ivanovna de ne plus appeler Strum ! Il pouvait pardonner à tous, à ses vieilles connaissances, ses parents, ses collègues. Mais un ami ! La pensée de Sokolov éveillait en lui une telle haine, une rancœur si douloureuse, qu'il avait peine à respirer. Mais tout en pensant à la trahison de son ami, Strum, sans en avoir conscience, cherchait à justifier sa propre trahison.

Sa nervosité l'amena à écrire à Chichakov une lettre absolument inutile, le priant de l'informer de la décision prise par la direction de l'Institut, sa santé l'empêchant, durant quelques jours, de venir travailler au laboratoire.

La journée du lendemain se passa tout entière sans coup de téléphone.

« Bon, de toute façon, ils m'arrêteront », se disait Strum.

Mais cette idée, désormais, ne le tourmentait plus, elle le consolait, au contraire. De la même façon, les malades se consolent en se disant : « Maladie ou pas, il faut bien mourir. »

Victor Pavlovitch dit à Lioudmila Nikolaïevna :

— La seule personne qui nous apporte des nouvelles, c'est Génia. Remarque, des nouvelles qui viennent directement du N.K.V.D...

— A présent, je suis persuadée, répondit Lioudmila Nikolaïevna, que Sokolov a pris la parole au Conseil scientifique. Le silence de Maria Ivanovna ne s'explique pas autrement. Après cela, elle a honte de téléphoner. Cela dit, je peux l'appeler moi-même, dans la journée, quand il sera au travail.

— En aucun cas ! s'écria Strum. Tu m'entends, Liouda, en aucun cas !

— Mais je n'ai rien à voir dans tes relations avec Sokolov, s'insurgea Lioudmila Nikolaïevna. Par contre, je suis amie avec Macha.

Il ne pouvait expliquer à Lioudmila pourquoi elle ne devait pas téléphoner à Maria Ivanovna. Il était gêné de penser que Lioudmila pourrait, sans le savoir, devenir un lien entre Maria Ivanovna et lui.

— Liouda, nous ne pouvons, désormais, avoir avec les gens que des relations à sens unique. Quand un homme est arrêté, sa femme ne peut plus rendre visite qu'aux gens qui acceptent de l'inviter. Elle n'a pas le droit de dire d'elle-même : j'ai envie de venir vous voir. Ce serait humiliant pour elle et son mari. Nous sommes entrés, toi et moi, dans une ère nouvelle. Nous ne pouvons plus écrire de lettres, nous ne pouvons que répondre. Nous n'avons plus le droit de téléphoner ; il ne nous reste que la possibilité de répondre quand on nous appelle. Nous n'avons plus le droit de saluer nos amis les premiers, car ils peuvent ne pas souhaiter nous dire bonjour. S'ils le font, ils peuvent, en revanche, ne pas désirer bavarder. N'importe qui est en droit de me faire un signe de tête mais de refuser de me parler. Par contre, si on engage la conversation, je répondrai. Nous faisons maintenant partie de la caste des parias.

Il fit une pause.

— Heureusement pour les parias, il y a quelques exceptions. Il y a une ou deux personnes — je ne parle pas de nos proches, de ta mère, de Génia — qui méritent la confiance des parias. A eux, on peut téléphoner, écrire, sans attendre le signal. Tiens, prends Tchepyjine...

— Tu as raison, Vitia, tout cela est vrai, répondit Lioudmila Nikolaïevna, et il fut étonné d'entendre ces paroles. Il y avait bien longtemps qu'elle n'avait admis qu'il disait vrai. Mais moi aussi, j'ai une amie : Maria Ivanovna !

— Liouda ! s'écria-t-il. Liouda ! Sais-tu que Maria Ivanovna a promis à Sokolov de ne plus nous revoir ? Va donc l'appeler, après cela ! Eh bien ! vas-y, appelle !

Il décrocha le téléphone et tendit l'écouteur à Lioudmila Nikolaïevna.

A cet instant, il se prit à espérer, dans un recoin de sa conscience, que Lioudmila téléphonerait... et qu'elle entendrait, elle, la voix de Maria Ivanovna.

Mais Lioudmila Nikolaïevna dit seulement :

— Ah ! c'est comme cela !

Et elle raccrocha.

— Comment se fait-il que Geneviève ne rentre pas ? demanda Strum. Le malheur nous réunit. Je n'ai jamais éprouvé à son égard autant de tendresse qu'aujourd'hui.

Quand Nadia revint, Strum lui dit :

— Nadia, j'ai parlé avec ta mère, elle t'expliquera tout en détail. Il ne faut plus, maintenant que je suis devenu un épouvantail, que tu fréquentes les Postoïev.

[. . . .][1]

---

1. Passage manquant dans l'édition originale.

28

Étranges, complexes, étaient les sentiments qu'éveillait en Darenski la vue des chars et des camions allemands abandonnés dans la steppe enneigée, la vue des cadavres gelés, des files d'hommes qui avançaient vers l'est sous escorte.

C'était l'expiation.

Il se rappelait les récits sur les Allemands qui se moquaient de la misère de l'isba russe, qui regardaient avec un étonnement dégoûté les berceaux rudimentaires, les grands poêles paysans, les pots de terre, les images fixées au mur, les baquets, les coqs d'argile, tout ce monde merveilleux et touchant où étaient nés et avaient grandi les garçons qui fuyaient devant les chars allemands.

— Regardez, camarade colonel, dit le chauffeur.

Quatre Allemands portaient un camarade dans une capote. Leurs visages, leurs cous tendus montraient clairement que, eux aussi, ils allaient tomber d'une seconde à l'autre. Ils chancelaient, balancés de part en part. Les chiffons dont ils s'étaient emmaillotés leur battaient les pieds, la neige sèche cinglait leurs yeux déments, les doigts gelés s'agrippaient aux coins de la capote.

— Les voilà bien, les Boches, dit le chauffeur.

— Pas nous qui les avons appelés, répondit Darenski.

Et soudain un sentiment violent de bonheur le submergea. Dans un brouillard de neige, droit à travers la steppe, les chars soviétiques marchaient vers l'ouest.

Sortis à moitié hors du char, les tankistes, casques de cuir noir, peaux de mouton noir, filaient à travers l'océan de la steppe, à travers le brouillard de neige, laissant derrière eux une écume de neige sale. Fierté et bonheur coupaient le souffle.

Une Russie d'acier, terrible et sombre, allait vers l'ouest.

Un bouchon les arrêta à l'entrée d'un village. Darenski descendit de voiture, passa devant une double file de camions, devant des « Katioucha » recouvertes de bâches... On faisait traverser la route à un groupe de prisonniers. Un colonel, descendu de voiture lui aussi, regardait les prisonniers ; il portait un de ces bonnets d'astrakan argenté que l'on ne peut se procurer qu'en commandant une armée ou en entretenant des liens d'amitié avec un intendant. Les soldats de l'escorte criaient en levant les crosses :

— Allez, allez, plus vite.

Un mur invisible séparait les prisonniers des chauffeurs et soldats, un froid plus fort que celui de la steppe empêchait les yeux de se rencontrer.

— Regarde, regarde, il a une queue celui-là, dit une voix rieuse.

Un soldat allemand traversait la route à quatre pattes. Un lambeau de couverture d'où s'échappait de l'ouate traînait derrière lui. L'Allemand marchait le plus vite qu'il pouvait, sans lever la tête ; il ressemblait à un chien cherchant une trace. Il allait droit sur le colonel et un chauffeur, qui était à côté de lui, dit en riant :

— Attention, camarade colonel, il va vous mordre.

Le colonel fit un pas de côté et, quand le prisonnier arriva à sa hauteur, le poussa d'un coup de botte. Il suffit de ce faible coup pour briser l'Allemand. Il s'étala en croix sur la route.

Il leva les yeux sur celui qui l'avait frappé. Dans ses yeux, comme dans les yeux d'une brebis qu'on égorge, il n'y avait pas de reproche ni même de souffrance, mais seulement de la résignation.

— C'est qu'il vous toucherait, ce conquérant de merde ! dit le colonel en essuyant sa botte dans la neige.

Un léger rire parcourut l'assistance.

Darenski sentit sa tête s'embrumer ; quelqu'un d'autre, qu'il connaissait sans connaître, quelqu'un qui ignorait le doute, dirigeait ses actes.

— Un Russe ne frappe pas un homme à terre, camarade colonel.

— Et moi, qu'est-ce que je suis, pas un Russe peut-être ?

— Vous, vous êtes un salaud.

Et, voyant le colonel marcher vers lui, il prit les devants et cria, coupant court aux colères et menaces de son supérieur :

— Mon nom est Darenski. Lieutenant-colonel Darenski, inspecteur du 3e bureau de l'état-major du groupe d'armées de Stalingrad. Je suis prêt à répéter ce que je viens de dire devant le commandant du groupe d'armées et devant la Cour martiale.

Le colonel lui jeta un regard chargé de haine.

— Bien, bien, lieutenant-colonel Darenski, ça ne se passera pas comme ça, vous entendrez encore parler de moi, dit-il en s'éloignant.

Quelques prisonniers tirèrent leur camarade sur le côté et, chose étrange, Darenski buttait maintenant sans cesse sur les regards des prisonniers serrés en tas, il semblait les attirer.

Il regagna lentement sa voiture et entendit une voix moqueuse qui lança :

— Ça y est, les Boches se sont trouvé un défenseur.

La voiture roulait à nouveau vers le front, et, à nouveau, les foules grises des Allemands et les foules vertes des Roumains marchaient à leur rencontre, entravant la circulation.

Le chauffeur regarda de biais les mains de Darenski qui tremblaient alors qu'il allumait une cigarette et dit :

— Moi, je n'éprouve pas de pitié pour eux, je tirerais sur le premier venu.

— D'accord, d'accord, dit Darenski ; tu n'avais qu'à leur tirer dessus en 1941 quand tu te sauvais, tout comme moi, à toute vitesse devant eux.

Il resta silencieux tout le reste du chemin.

Mais l'incident avec le prisonnier n'avait pas ouvert son cœur à la bonté. On aurait dit qu'il avait dépensé toute la réserve de bonté qui lui avait été allouée.

Quelle différence entre la route dans la steppe kalmouke quand il allait à Jachkoul et la route d'aujourd'hui !

Était-ce lui l'homme qui s'était dressé dans le brouillard de sable, sous la lune énorme, voyait les soldats en fuite, les chameaux aux cous de serpents, et réunissait tendrement en son âme tous les faibles et tous les pauvres qu'il chérissait à ces confins de la terre russe ?

29

L'état-major du corps blindé s'était installé dans une maison à l'entrée du village. La voiture de Darenski s'arrêta devant l'isba. La nuit tombait. Visiblement, l'état-major venait juste d'arriver dans le village : des soldats déchargeaient des valises, des matelas, d'autres installaient les lignes téléphoniques.

La sentinelle entra à contrecœur dans l'isba, appela l'aide de camp. L'aide de camp sortit à contrecœur sur le perron de l'isba.

— Camarade lieutenant-colonel, dit-il après avoir regardé comme tous les aides de camp les pattes d'épaule au lieu du visage, le commandant du corps d'armée revient juste d'une brigade, il prend un peu de repos. Passez voir au 3e bureau.

— Dites au commandant du corps d'armée que le lieutenant-colonel Darenski est arrivé. Compris ? dit d'un air hautain le nouveau venu.

L'aide de camp soupira et rentra dans la maison.

Une minute plus tard, il sortait en appelant :

— Je vous en prie, camarade lieutenant-colonel.

Darenski montait les quelques marches quand Novikov sortit à sa rencontre. Ils s'examinèrent un instant en riant de plaisir.

— Et voilà, nous nous sommes retrouvés, dit Novikov.

Ce fut une bonne rencontre.

Deux têtes sages, comme dans le temps, se penchèrent sur la carte.

— Je progresse aussi vite que l'on décampait il n'y a pas si longtemps que ça, dit Novikov. Et même encore plus vite, dans ce secteur.

— C'est l'hiver, que donnera l'été ?

— Je n'ai pas de doutes.

— Moi non plus.

C'était un plaisir pour Novikov de montrer la carte à Darenski Une compréhension immédiate, un intérêt pour des détails que Novikov croyait être le seul à remarquer...

Baissant la voix, comme s'il lui confiait quelque chose d'intime, Novikov dit :

— Bien sûr, bien sûr, il y a l'éclairage dans la zone d'action des chars, il y a la combinaison des forces, le repérage du terrain, etc., mais, dans la zone d'action des chars, les opérations militaires de toutes les armes sont subordonnées à un seul dieu, au char, à notre T-34, notre reine !

Darenski connaissait la carte des opérations militaires ailleurs que sur l'aile sud du front de Stalingrad. Il apprit à Novikov les détails de l'opération du Caucase, le contenu des discussions, interceptées par les Soviétiques, entre Hitler et Paulus.

— On voit déjà l'Ukraine par la fenêtre, dit Novikov.

Il montra la carte :

— Et même, il semblerait bien que c'est moi qui en suis le plus proche. Il n'y a que le groupement de Rodine qui me talonne.

Puis, écartant la carte, il déclara :

— Bon, maintenant, il y en a marre de discuter tactique et stratégie.

— Alors, sur le plan personnel, rien de nouveau ? demanda Darenski.

— Tout est nouveau.

— Vous seriez-vous marié ?

— Ça va se faire d'un jour à l'autre, j'attends sa venue.

— Encore un bon gars de fichu, dit Darenski. Je vous félicite de tout mon cœur. Moi, je reste toujours à marier.

— Et comment va Bykov ?

— Bykov ? Il est chez Vatoutine maintenant.

— Il est fortiche, le cochon.

— Un roc.

— Qu'il aille se faire fiche, dit Novikov, et il cria en direction de la pièce voisine :

« Eh, Verchkov, tu as décidé de nous faire crever de faim. Appelle le commissaire, nous allons dîner ensemble.

Mais il ne fut pas nécessaire d'appeler Guetmanov ; il vint de lui-même et, debout dans l'embrasure de la porte, il dit d'un ton chagrin :

— Alors, qu'est-ce qui se passe, Piotr Pavlovitch, on dirait bien que Rodine nous a dépassés. Tu vas voir, il va arriver en Ukraine avant nous.

Et, se tournant vers Darenski, il ajouta :

— C'est comme ça, maintenant, on craint plus son voisin que l'ennemi. Vous ne seriez pas un voisin, par hasard ? Non, non, c'est clair, vous êtes un vieux camarade.

Guetmanov tira vers lui une boîte de conserve et dit sur un ton de menace plaisante :

— Bon, d'accord, mais méfie-toi, colonel, ton Evguénia Nikolaïevna va arriver, mais je ne vous marierai qu'une fois sur la terre ukrainienne. Je prends le lieutenant-colonel à témoin.

Il leva son verre et, montrant Novikov, prononça :

— Je propose que l'on boive à son cœur de Russe.

— Vous avez trouvé de bonnes paroles, dit Darenski, touché.

Connaissant l'inimitié que portait Darenski aux commissaires, Novikov dit :

— Eh oui, cela fait longtemps que nous ne nous sommes pas vus.

Jetant un coup d'œil sur la table, Guetmanov commenta :

— Rien à offrir à notre invité, rien que des conserves. Le cuistot commence à peine à allumer le poêle que nous changeons déjà de P.C. En mouvement jour et nuit. Vous auriez dû venir nous voir avant l'offensive. Mais maintenant, une heure d'arrêt pour vingt-quatre heures de route. On veut se dépasser nous-mêmes.

— Tu aurais pu donner au moins une fourchette de plus, dit Novikov à l'officier d'ordonnance.

— Vous aviez ordonné de ne pas décharger la vaisselle, rétorqua l'officier.

Guetmanov raconta ce qu'il avait vu en traversant les territoires libérés.

— Les Russes et les Kalmouks, c'est le jour et la nuit, commença-t-il. Les Kalmouks, ils ont embouché la trompette des Allemands. On leur a donné des uniformes verts. Ils parcouraient la steppe pour attraper des Russes. Et pourtant, ils ont reçu des choses du pouvoir soviétique ! Qu'est-ce que c'était avant ? Des nomades miséreux, rongés par la syphilis, analphabètes. Pour paraphraser le proverbe : Apprivoise le loup, il rêvera toujours à la steppe. Et pendant la guerre civile ils étaient tous du côté des Blancs... Et tout cet argent qu'on a dépensé à organiser des semaines de l'amitié entre les peuples ! On aurait mieux fait d'utiliser cet argent à construire une usine de chars en Sibérie ! Une femme, une jeune cosaque du Don, m'a raconté ce qu'elle a enduré. Non, c'est clair, les Kalmouks ont trahi la confiance des Russes. C'est d'ailleurs ce que je vais mettre dans mon rapport au Conseil militaire.

Il poursuivit, en s'adressant à Novikov :

— Tu te souviens, je t'avais mis en garde contre Bassangov, mon flair de communiste ne m'a pas trompé. Ne te vexe pas, ce n'est pas un reproche. Tu penses que moi, je ne me suis pas trompé dans la vie ? L'appartenance nationale, tu sais, ce n'est pas rien. Elle aura un rôle déterminant, c'est la pratique qui nous l'a montré pendant la guerre. Et tu sais quel est le critère de la vérité, pour nous, bolcheviks ? La pratique.

— Pour ce qui est des Kalmouks, je suis d'accord avec vous, dit Darenski. J'en viens, des steppes kalmoukes, de tous ces Chebener et Kitchener.

Pourquoi avait-il dit cela ? Il avait longuement parcouru la Kalmoukie, et jamais il n'avait éprouvé de haine contre les Kalmouks, au contraire il ressentait un intérêt très vif pour leur vie et leurs coutumes.

Mais, semblait-il, le commissaire possédait un pouvoir magnétique. Darenski éprouvait le besoin d'être toujours d'accord avec lui.

Novikov le regardait avec un sourire moqueur. Il connaissait bien, lui, cette force qui vous poussait à approuver tout ce que disait Guetmanov.

— Je vois bien que vous êtes de ceux qui ont souffert injustement en leur temps, dit soudain Guetmanov à Darenski. Mais ne gardez pas rancune contre le parti bolchevique, il veut le bien du peuple.

Et Darenski, qui avait toujours pensé que les commissaires ne servaient qu'à mettre la pagaille dans l'armée, répondit :

— Mais bien sûr, bien sûr, comme si je ne comprenais pas.

— Voilà, poursuivit Guetmanov, bien sûr, il y a eu de la casse mais le peuple nous le pardonnera. Il nous pardonnera, vous dis-je. Car nous sommes des gars bien, et, dans le fond, pas mauvais bougres. C'est vrai ce que je dis ?

Novikov regarda tendrement ses convives et dit :

— Il n'est peut-être pas bien, notre commissaire ?

— Très, très bien, approuva Darenski.

— Tout juste, dit Guetmanov et tous trois éclatèrent de rire.

Guetmanov sembla deviner le désir de Novikov et Darenski, et dit, après avoir regardé sa montre :

— Bon, je vais aller me reposer. Tout le temps sur les routes, pour une fois je vais essayer de passer une nuit normale. Ça fait dix jours que je ne retire pas mes bottes, un vrai tzigane. Je parie que le chef d'état-major est déjà en train de dormir ?

— Oh non, pas question de dormir ! Il est parti reconnaître les positions que nous devons occuper demain matin.

Quand Novikov et Darenski restèrent seuls, Darenski dit :

— Vous savez, Piotr Pavlovitch, il y a quelque chose que, toute ma vie, je n'arrive pas à comprendre jusqu'au bout. Il n'y a pas long-

temps j'étais encore dans les sables de la Caspienne ; j'étais profon
dément déprimé, j'avais l'impression que c'était la fin. Et regardez ce
qui se passe maintenant : nous avons pu mettre sur pied cette force
fantastique. Le reste n'est rien.

— Et moi, je comprends de mieux en mieux ce que c'est que
l'homme russe ; nous sommes des loups forts et braves.

— Une force fantastique, répéta Darenski. Je vais vous dire
l'essentiel, l'essentiel c'est que les Russes conduits par les bolcheviks
prendront la tête de l'humanité. Le reste... des détails insignifiants.

— Écoutez, dit Novikov, voulez-vous que je repose le problème de
votre mutation dans notre corps ? Vous seriez sous-chef d'état-
major. On se battrait ensemble. Ça vous va ?

— Merci. Mais je serais l'adjoint de qui ?

— Du général Néoudobnov. C'est logique : un lieutenant-colonel
est l'adjoint du général.

— Néoudobnov ? Il n'aurait pas été à l'étranger avant la guerre ?
En Italie ?

— Tout juste. C'est bien lui. Cela n'en a pas fait un Souvorov,
mais enfin, on peut faire avec.

Darenski se taisait. Novikov le regarda.

— Alors, on fait affaire ?

Darenski mit un doigt dans sa bouche et retroussa sa lèvre supérieure.

— Vous voyez les couronnes ? demanda-t-il. C'est Néoudobnov
qui m'a fait sauter deux dents pendant un interrogatoire en 1937.

Ils se regardèrent, se turent, se regardèrent à nouveau.

Darenski brisa le silence :

— Bien sûr, c'est un homme compétent.

— Certes, certes, ce n'est pas un Kalmouk, c'est un Russe quand
même, dit Novikov avec un sourire mauvais.

Et soudain il s'écria :

— Soûlons-nous la gueule, et cette fois-ci, ça sera vraiment à la
russe !

C'était la première fois de sa vie que Darenski buvait autant ; mais,
vu de l'extérieur, si ce n'était les deux bouteilles de vodka vides, on
n'aurait jamais pu penser que ces deux hommes avaient vraiment bu.
Ils étaient cependant passés au « tu ».

Novikov pour la énième fois remplit les verres à dents.

— Bois, ne traîne pas.

Mais Darenski, qui ne buvait jamais, cette fois-ci ne traînait pas.

Ils parlèrent de la retraite, des premiers jours de la guerre. Ils évoquèrent Toukhatchevski et Blücher [1]. Ils parlèrent de Joukov.

---

1. Généraux fusillés en 1937. *(N.d.T.)*

Darenski raconta ce qu'on attendait de lui pendant l'interrogatoire.

Novikov raconta comment il avait retardé le début de l'offensive. Mais il ne raconta pas comment il s'était trompé sur le caractère de ses chefs de brigade. Ils parlèrent des Allemands et Novikov dit qu'il pensait avoir été aguerri par l'été 1941, mais que, ayant vu les premiers convois de prisonniers, il avait ordonné de les nourrir un peu mieux et d'emmener les prisonniers blessés ou souffrant d'engelures en camions.

— Nous avons dit du mal des Kalmouks avec ton commissaire et nous avions raison, dit Darenski. Dommage que ton Néoudobnov ne soit pas là, j'aurais bien aimé lui dire quelques mots. Oh oui, je lui aurais dit quelques mots !

— Comme s'il n'y avait pas de collabos chez les Russes de Koursk ou d'Orel. Vlassov n'est pas un Kalmouk, que je sache. Quant à mon Bassangov, c'est un bon soldat. Néoudobnov, lui, c'est un tchékiste, pas un soldat. Notre commissaire m'a parlé de lui. Nous, les Russes, nous irons jusqu'à Berlin. Je le sens, l'Allemand ne pourra plus nous arrêter.

— Tu vois, dit Darenski, il y a les Néoudobnov, les Ejov, tout ça, mais il n'y a qu'une seule Russie maintenant, la Russie soviétique. Et je sais que même si l'on me fait sauter toutes les dents, mon amour pour la Russie ne faiblira pas. Je l'aimerai jusqu'à mon dernier souffle. Mais aller comme adjoint de cette pute, vous m'avez regardé, camarade ?

Novikov remplit les verres :

— Bois, ne traîne pas.

Puis, après avoir vidé le verre, il ajouta :

— Je sais qu'il s'en passera encore des choses, un jour, moi aussi, je serai parmi les méchants.

Puis, changeant de conversation :

— Il nous est arrivé un truc horrible : un conducteur de char a eu la tête arrachée mais il continuait à appuyer sur l'accélérateur, et le char continuait à avancer. En avant, toujours en avant !

— Nous avons dit du mal des Kalmouks avec ton commissaire, et moi, j'ai un vieux Kalmouk qui ne me sort pas de l'esprit en ce moment. Et quel âge il a, ce Néoudobnov ? Peut-être que ça vaudrait la peine qu'on se voie ?

La langue pâteuse, Novikov prononça lentement :

— Moi, j'ai un grand bonheur. Il n'y en a pas de plus grand.

Il sortit une photo de sa poche, la tendit à Darenski. Celui-ci la regarda longtemps sans mot dire. Puis la rendit en disant :

— Une vraie beauté, rien à dire.

— Une beauté ? répéta Novikov. La beauté ce n'est rien ; tu comprends, on n'aime pas comme je l'aime seulement pour la beauté.

Verchkov apparut et resta sur le seuil de la porte en regardant d'un œil interrogateur Novikov.

— Fiche-moi le camp d'ici, dit Novikov d'une voix pâteuse.

— Pourquoi donc tu le traites ainsi ? Il voulait savoir si t'avais besoin de quelque chose, dit Darenski.

— Bon, bon, je te disais que je ferais partie des méchants ; je serais grossier, j'en serais capable, pas besoin de me faire la leçon. Mais toi, tu es lieutenant-colonel, pourquoi tu me tutoies ? C'est contraire au règlement.

— Ah, c'est comme ça ! dit Darenski.

— Laisse tomber, tu ne comprends donc pas la plaisanterie, dit Novikov tout en se félicitant de ne pas être vu dans cet état par Génia.

— Je ne comprends pas les plaisanteries idiotes, répondit Darenski.

Ils se disputèrent longuement et se réconcilièrent quand Novikov proposa de partir à la recherche de Néoudobnov et de le faire passer par les verges. Bien sûr, ils n'allèrent nulle part mais vidèrent encore une bouteille.

30

Alexandra Vladimirovna reçut trois lettres le même jour : deux de ses filles et la troisième de sa petite-fille, Vera.

Avant même d'avoir décacheté les lettres, mais ayant reconnu leurs auteurs aux écritures, Alexandra Vladimirovna savait que les lettres ne lui apporteraient pas de bonnes nouvelles. Son expérience lui avait appris qu'on n'écrit pas aux mères pour partager des joies.

Toutes trois lui demandaient de venir : Lioudmila à Moscou, Génia à Kouïbychev, Vera à Leninsk. Et ces invitations confirmèrent à Alexandra Vladimirovna que la vie n'était pas facile pour ses filles et sa petite-fille.

Vera parlait de son père ; il était à bout à cause d'ennuis qu'il avait dans son travail et au parti. Il revenait d'un voyage à Kouïbychev où il avait été convoqué par son ministère. Vera disait que ce voyage l'avait plus épuisé que son travail à Stalingrad pendant les combats. Le cas de Stépan Fiodorovitch n'avait pas été réglé à Kouïbychev, on lui avait dit de retourner en attendant à Stalingrad pour y travailler à la reconstruction de la centrale, mais on l'avait prévenu qu'il n'était pas sûr qu'il serait maintenu dans le cadre du ministère de l'Energie.

Vera avait décidé de rentrer à Stalingrad avec son père ; les Allemands ne tiraient plus, le centre de la ville était libéré. Des gens qui y étaient retournés racontaient que tout ce qui restait de la maison d'Alexandra Vladimirovna, c'était une carcasse avec un toit effondré. Par contre, l'appartement de fonction de Stépan Fiodorovitch était resté intact, si ce n'était les plâtres qui étaient tombés et qu'il n'y avait plus de vitres aux fenêtres. C'est là que comptaient s'installer Stépan Fiodorovitch et Vera avec son fils.

Vera parlait de son fils et cela faisait un drôle d'effet à Alexandra Vladimirovna de voir sa petite-fille, sa Vera, une gamine encore, parler comme une adulte, comme une femme, des maux de ventre, des éruptions, du mauvais sommeil de son bébé. C'est à son mari ou à sa mère que Vera aurait dû écrire tout cela mais elle l'écrivait à sa grand-mère. Elle n'avait pas de mari, pas de mère.

Vera parlait aussi du vieil Andreïev et de sa belle-fille Natacha, de tante Génia que Stépan Fiodorovitch avait vue à Kouïbychev. Elle ne parlait pas d'elle-même, comme si sa vie ne pouvait pas intéresser Alexandra Vladimirovna.

Et dans la marge du dernier feuillet elle avait écrit : « Grand-mère, notre appartement est grand, il y aura de la place pour tout le monde. Je t'en prie, viens. » Et dans cet appel soudain s'exprimait tout ce que Vera n'avait pas mis dans sa lettre.

La lettre de Lioudmila était brève. Lioudmila disait : « Ma vie n'a plus de sens. Tolia n'est plus, quant à Vitia et Nadia, ils n'ont pas besoin de moi, ils se passeront très bien de moi. »

Jamais encore Lioudmila n'avait écrit de telles lettres à sa mère. Alexandra Vladimirovna comprit que cela n'allait plus du tout entre Lioudmila et son mari. Lioudmila invitait sa mère à Moscou et poursuivait : « Vitia a constamment des ennuis, et tu sais qu'il te les confie plus volontiers qu'à moi. »

Puis elle écrivait : « Nadia est devenue refermée, elle ne se confie plus à moi, c'est comme ça que notre famille vit maintenant... »

La dernière lettre, celle de Génia, était parfaitement incompréhensible. Evguénia passait son temps à faire de vagues allusions à des difficultés, des malheurs. Elle priait sa mère de venir la rejoindre à Kouïbychev mais elle annonçait un peu plus loin qu'elle devait partir toutes affaires cessantes pour Moscou. Elle parlait de Limonov qui chantait des panégyriques en l'honneur d'Alexandra Vladimirovna. Elle disait qu'Alexandra Vladimirovna aurait plaisir à le rencontrer, que c'était un homme intelligent et original, mais, un peu plus loin, elle annonçait que Limonov était parti pour Samarkand, et Alexandra Vladimirovna ne voyait pas comment elle ferait pour le rencontrer à Kouïbychev.

Une seule chose était claire ; et, ayant lu la lettre, Alexandra Vladimirovna se dit : « Ma pauvre petite fille. »

Les lettres bouleversèrent Alexandra Vladimirovna. Toutes trois s'enquéraient de sa santé, demandaient s'il ne faisait pas trop froid chez elle.

Cette sollicitude touchait Alexandra Vladimirovna, mais elle comprenait que les jeunes ne se demandaient pas si Alexandra Vladimirovna avait besoin d'eux.

Ils avaient besoin d'elle.

Mais il aurait pu en être autrement. Pourquoi ne demandait-elle pas l'aide de ses filles ? Pourquoi étaient-ce ses filles qui lui demandaient de les aider ?

Et pourtant, elle vivait seule, elle était vieille, elle n'avait pas de foyer, elle avait perdu son fils, sa fille aînée, elle n'avait aucune nouvelle de Sérioja.

Elle avait de plus en plus de mal à travailler, son cœur la faisait souffrir, elle était prise de vertiges.

Elle avait même demandé au directeur technique de la transférer au laboratoire ; elle n'en pouvait plus d'aller chaque jour d'atelier en atelier pour effectuer les prélèvements de contrôle.

Après le travail, elle faisait la queue dans les magasins et, de retour à la maison, elle allumait le poêle, se faisait à manger.

Et la vie était si pauvre, si dure! Faire la queue n'était pas le plus terrible. Le pire, c'était quand il n'y avait pas de queue devant les étals vides. Le pire, c'était quand, de retour chez elle, elle n'allumait pas le poêle, ne se faisait pas à manger et allait se coucher, affamée, dans un lit humide et froid.

Tous, autour d'elle, souffraient. Une évacuée de Leningrad, médecin, lui avait raconté comment elle avait passé l'hiver dernier avec ses deux enfants dans un village à cent kilomètres d'Oufa. Elle logeait dans une isba inhabitée qui avait appartenu à un paysan dékoulakisé et où il n'y avait ni vitres ni toit. Elle avait six kilomètres de forêt à traverser pour se rendre à son travail, et parfois, à l'aube, elle voyait briller des yeux de loups entre les arbres. Le village vivait dans la misère, les kolkhoziens travaillaient à contrecœur car, disaient-ils, ils pouvaient travailler tant qu'ils voudraient, de toute façon on leur prendrait tout le blé. Le kolkhoze, en effet, ne remplissait pas le plan et était endetté vis-à-vis de l'État. Le mari de sa voisine était parti au front et elle était seule avec six enfants affamés; pour tous les six, il n'y avait qu'une seule paire de bottes de feutre déchirées. La doctoresse raconta à Alexandra Vladimirovna qu'elle avait acheté une chèvre et qu'elle allait, au milieu de la nuit, par une neige profonde, vers des champs éloignés pour y voler un peu de sarrasin et prendre du foin pourri dans les meules qu'on avait laissées sous la neige. Elle raconta que ses enfants avaient appris à jurer en écoutant parler les habitants du village et que la maîtresse d'école, à Kazan, lui avait dit : « C'est la première fois que je vois des enfants de cours préparatoire jurer comme des ivrognes ; et ça se dit encore de Leningrad. »

Alexandra Vladimirovna vivait dans la petite chambre qui avait été, auparavant, celle de Strum. Les locataires officiels, qui avaient vécu dans un appentis tant que les Strum avaient été là, avaient repris la grande pièce. C'étaient des gens agités qui se disputaient souvent pour des bêtises.

Alexandra Vladimirovna leur en voulait non pas à cause de leurs disputes ni du bruit qu'ils faisaient, mais parce qu'ils lui demandaient, à elle qui avait perdu son appartement dans les incendies de Stalingrad, un loyer très élevé pour une pièce minuscule. Elle payait deux cents roubles par mois, le tiers de son salaire. Il lui semblait que les cœurs de ces gens étaient faits de contre-plaqué et de fer-blanc. Ils ne savaient penser qu'à la nourriture, qu'aux choses. Toute la sainte journée, ils discutaient de pommes de terre, salaisons, huile, de ce qu'on pouvait vendre et acheter au marché aux puces. La nuit, ils se parlaient à voix basse. Nina Matveïevna, la logeuse, racontait à son mari que leur voisin, un contremaître à l'usine, avait rapporté de la campagne des graines de tournesol et un sac entier de maïs, que le miel n'était pas cher aujourd'hui au marché.

Nina Matveïevna était une belle femme : grande, bien faite, les yeux gris. Elle avait travaillé en usine avant son mariage, y faisait partie d'une chorale, jouait dans une troupe de théâtre amateur. Son mari, Semion Ivanovitch, travaillait dans une usine de guerre, il était chaudronnier. Dans sa jeunesse, il avait servi sur un contre-torpilleur, il avait été champion mi-lourd de la flotte du Pacifique. Ce passé lointain de ses logeurs paraissait invraisemblable à Alexandra Vladimirovna. Semion Ivanovitch nourrissait les canards et préparait la nourriture du goret avant de partir au travail ; à son retour, il faisait à manger, réparait les chaussures, aiguisait les couteaux, lavait des bouteilles, parlait des chauffeurs de l'usine qui partaient pour de lointains kolkhozes et qui ramenaient de la farine, des œufs, du chevreau... Nina Matveïevna l'interrompait pour lui parler de ses innombrables maladies, de ses visites chez des sommités médicales, de la voisine qui avait acheté une veste en poulain et cinq soucoupes chez une évacuée, pour lui raconter comment elle avait échangé une serviette de toilette contre des haricots.

Ce n'étaient pas de méchantes gens, mais pas une fois ils n'avaient parlé à Alexandra Vladimirovna de la guerre, de Stalingrad, des communiqués du *Sovinformburo*.

Ils plaignaient et méprisaient Alexandra Vladimirovna parce que, après le départ de sa fille qui avait droit aux cartes de rationnement des académiciens, elle ne mangeait pas à sa faim. Elle n'avait pas de sucre, pas de beurre, buvait de l'eau chaude en guise de thé, elle mangeait la soupe de la cantine publique, une soupe qu'un jour le goret avait refusé de manger. Elle n'avait rien à vendre. Sa misère dérangeait ses logeurs. Alexandra Vladimirovna entendit un soir la logeuse dire à son mari : « J'ai dû donner une galette à la vieille ; ce n'est pas agréable de manger quand elle est là : elle est là à vous regarder d'un air affamé. »

Alexandra Vladimirovna dormait mal. Pourquoi n'avait-elle pas de nouvelles de Sérioja ? Elle restait allongée sur le lit-cage où avait dormi Lioudmila, et on aurait pu croire que sa fille lui avait transmis ses appréhensions et ses pensées nocturnes.

Que la mort anéantit facilement les êtres ! Que c'est dur pour ceux qui restent en vie ! Elle pensait à Véra. Le père du bébé avait été tué ou bien il l'avait oubliée ; Stépan Fiodorovitch vivait dans l'angoisse... Mais les malheurs, les morts n'avaient pas rapproché Lioudmila et Victor.

Le soir même, Alexandra Vladimirovna écrivait à Génia : « Ma chère petite fille... » Et la nuit, elle pensait à sa fille, la plaignait. La pauvre, dans quelle situation s'était-elle mise ? Qu'est-ce qui l'attendait ?

Ania Strum, Sofia Levintone, Sérioja... Comment c'était déjà chez Tchekhov : « Missious, où es-tu ? »

Deux voix parvenaient de la chambre d'à côté.

— Faudrait tuer le canard pour les fêtes d'Octobre, dit Semion Ivanovitch.

— Je l'ai peut-être nourri avec des pommes de terre pour qu'on le tue ? Tu sais, je voudrais peindre le plancher quand la vieille sera partie, sinon j'ai peur qu'il pourrisse.

Ils parlaient toujours de choses et de nourriture ; le monde qu'ils habitaient était peuplé d'objets. Il n'y avait pas, dans ce monde, de sentiments humains, mais seulement des planches, de la peinture, du beurre, des billets de trente roubles. C'étaient des gens honnêtes et durs au travail, les voisins disaient d'eux qu'ils ne prendraient jamais quelque chose qui ne leur appartenait pas. Mais ils n'étaient pas concernés par la famine de 1921 sur la Volga, par les blessés dans les hôpitaux, les invalides aveugles, les enfants sans foyer.

Ils étaient à l'opposé d'Alexandra Vladimirovna. Leur indifférence à l'égard des hommes, de la chose publique, des souffrances d'autrui était d'un naturel total. Tandis qu'Alexandra Vladimirovna était capable de penser aux autres, de s'inquiéter pour eux, d'entrer en rage à propos de choses qui ne la touchaient pas directement, ni elle ni sa famille... la collectivisation totale, l'année 1937, le sort des femmes envoyées dans les camps pour la seule raison que leur mari y était déjà, le sort des enfants dont les parents avaient été arrêtés et qui échouaient dans les internats et orphelinats... les exécutions sommaires des prisonniers par les Allemands, les malheurs de la guerre, tout cela la torturait, la privait de repos tout autant que les malheurs de sa propre famille.

Ce n'étaient pas les bons livres qui le lui avaient appris, pas plus que les traditions révolutionnaires et populistes de la famille où elle avait grandi, pas plus que la vie, ses amis, son mari. Elle était tout simplement ainsi et aurait été incapable de se changer. Il ne lui restait plus d'argent six jours avant la paie. Elle avait faim, on aurait pu faire tenir toutes ses affaires dans un mouchoir de poche. Mais jamais, depuis qu'elle était à Kazan, elle n'avait pensé à tout ce qu'elle avait perdu quand son appartement de Stalingrad avait brûlé : meubles, piano, service à thé, argenterie. Elle ne regrettait même pas ses livres.

Et il y avait quelque chose d'étrange dans le fait qu'elle vivait loin de ses proches qui avaient besoin d'elle, et sous le même toit que des gens dont l'existence chosifiée lui était totalement étrangère.

Karimov vint rendre visite à Alexandra Vladimirovna le surlendemain du jour où elle avait reçu les lettres.

Elle était heureuse de le voir et lui proposa de partager la tisane d'églantier qui lui servait de thé.

— Il y a longtemps que vous avez reçu des lettres de Moscou ? demanda Karimov.

— Avant-hier.

— Ah, bon, dit Karimov en souriant. Je serais curieux de savoir combien de temps elles mettent.

— Regardez le cachet de la poste.

Karimov regarda l'enveloppe un bon moment et conclut, l'air soucieux :

— Huit jours.

Il resta songeur comme si la lenteur du courrier avait de l'importance pour lui.

— On dit que c'est à cause de la censure, dit Alexandra Vladimirovna. Elle est submergée sous les lettres.

Il la regarda de ses beaux yeux sombres.

— Alors, ils vont bien là-bas, à Moscou ? Pas d'ennuis ?

— Vous avez mauvaise mine, dit Alexandra Vladimirovna.

— Qu'est-ce que vous dites ? Jamais de la vie, tout au contraire ! s'empressa de répondre Karimov, comme s'il cherchait à repousser une accusation.

Ils discutèrent un peu des opérations militaires.

— Il est évident, même pour un enfant, qu'il y a eu un tournant dans la guerre, dit Karimov.

— Oui, oui, dit Alexandra Vladimirovna en souriant. Maintenant, en effet, c'est évident même pour un enfant ; mais l'été dernier, les esprits profonds trouvaient évident que les Allemands gagneraient la guerre.

— Ça doit être dur, toute seule ? demanda soudain Karimov. Je vois que vous allumez le poêle vous-même.

Alexandra Vladimirovna ne répondit pas tout de suite, comme si elle ne pouvait pas répondre facilement à la question de Karimov.

— Akhmet Ousmanovitch, finit-elle par dire, vous êtes venu me voir pour me demander si je peux allumer le poêle toute seule ?

Il resta un long moment à examiner ses mains posées sur la table.

— J'ai été convoqué il y a quelques jours chez qui vous savez et on m'y a interrogé sur ces discussions que nous avons eues.

— Pourquoi vous ne disiez rien ? Pourquoi parliez-vous de poêle ?

— Bien sûr, dit Karimov en cherchant à croiser le regard d'Alexandra Vladimirovna, je n'ai pas pu nier que nous avons parlé de la guerre et de politique. Il aurait été ridicule de prétendre que quatre personnes adultes passaient leur temps à parler de cinéma. Bien sûr, j'ai dit que nous parlions en véritables patriotes de l'Union soviétique. Que nous avons toujours été sûrs de la victoire du peuple soviétique sous la direction du parti et du camarade Staline. Je dois reconnaître d'ailleurs que les questions n'avaient rien d'hostile. Mais quelques jours ont passé depuis, et je suis de plus en plus inquiet, je ne dors plus la nuit. J'avais l'impression qu'il était arrivé quelque chose à Victor Pavlovitch. Et en plus il y a cette drôle d'histoire avec Madiarov : il est parti pour dix jours à Kouïbychev, à l'Institut pédagogique, et il n'est toujours pas revenu. Les étudiants attendent, le doyen a envoyé un télégramme, pas de réponse. Alors, la nuit, il vous vient parfois de drôles de pensées.

Alexandra Vladimirovna se taisait.

— Quand on y pense, dit-il doucement, il suffit de discuter autour d'une tasse de thé pour que commencent aussitôt les soupçons, les convocations *là-bas*.

Elle se taisait. Il la regarda d'un air interrogatif, l'invitant du regard à la discussion ; il avait dit tout ce qu'il avait à dire. Mais Alexandra Vladimirovna continuait à se taire et Karimov sentit qu'elle lui indiquait par là qu'il n'avait pas encore tout dit.

— Voilà l'histoire, conclut-il.

Alexandra Vladimirovna se taisait.

— Ah, oui, j'oubliais. Il m'a encore demandé, ce camarade, comme ça : « Vous n'auriez pas parlé de la liberté de la presse ? » Or, en effet, nous en avons parlé. Ah, oui, et puis il m'a encore demandé, sans aucun rapport, si je connaissais la sœur cadette de Lioudmila Nikolaïevna et son ex-mari, il s'appelle Krymov, c'est ça ?

Je ne les ai jamais vus, ni l'un ni l'autre ; Victor Pavlovitch ne m'a jamais parlé d'eux. C'est ce que j'ai répondu. Oui, il y a eu encore une question : « Est-ce que Victor Pavlovitch a discuté avec vous personnellement de la situation des Juifs ? » J'ai demandé : « Pourquoi justement avec moi ? » Il m'a été répondu : « Vous savez, vous êtes tatar, lui est juif... »

Quand, ayant déjà pris congé, mis son chapeau et son manteau, Karimov se tenait devant la porte et pianotait sur la boîte aux lettres d'où, naguère, Lioudmila Nikolaïevna avait sorti la lettre qui lui annonçait la blessure mortelle de son fils, Alexandra Vladimirovna dit :

— Étrange, quand même, qu'est-ce que Génia a à voir avec tout ça ?

Mais, bien évidemment, ni elle ni Karimov ne pouvaient dire pourquoi un tchékiste de Kazan s'intéressait à Génia, qui vivait à Kouïbychev, et à son ex-mari qui était au front.

Alexandra Vladimirovna inspirait confiance aux gens, aussi avait-elle souvent entendu ce genre de récits et de confidences ; elle s'était habituée au sentiment déplaisant que son interlocuteur ne disait jamais les choses jusqu'au bout. Elle n'avait pas envie de prévenir Strum, cela n'aurait servi qu'à l'inquiéter. Il était inutile de chercher à deviner lequel des interlocuteurs avait été trop bavard ou même avait fait un rapport ; ce genre d'hommes est difficile à repérer, il s'avère toujours en fin de compte que c'est celui qu'on soupçonnait le moins. Il arrivait qu'on ouvrît un dossier au M.G.B. pour les raisons les plus inattendues : une allusion dans une lettre, une plaisanterie, une parole imprudente prononcée dans la cuisine commune. Mais pourquoi donc Karimov avait-il été interrogé sur Génia et Nikolaï Grigorievitch ?

Et, de nouveau, elle fut longue à trouver le sommeil. Elle avait faim. Des odeurs de nourriture parvenaient de la cuisine, ils devaient être en train de faire frire des galettes de pommes de terre ; elle entendait le bruit des fourchettes contre les assiettes en métal, la voix tranquille de Semion Ivanovitch. Mon Dieu, qu'elle avait faim ! Quel infâme breuvage ils avaient eu aujourd'hui en guise de soupe à la cantine ! Alexandra Vladimirovna ne l'avait pas terminé et maintenant elle le regrettait. L'obsession de la nourriture coupait, embrouillait toutes les autres pensées.

Quand, le matin, elle passa l'entrée de l'usine, elle rencontra la secrétaire du directeur, une femme âgée au visage hommasse et méchant.

— Passez me voir pendant la pause du déjeuner, camarade Chapochnikov, dit la secrétaire.

Alexandra Vladimirovna s'étonna : il était peu vraisemblable que le directeur eût déjà satisfait sa demande de mutation.

Elle traversait la cour de l'usine quand soudain elle pensa et, aussitôt, le dit à haute voix :

— Il y en a assez de Kazan, je rentre chez moi, à Stalingrad.

31

Chalb, le chef de la *Feldgendarmerie,* fit appeler au Q.G. de la 6e armée l'officier Lehnard.

Lehnard arriva en retard. Un nouvel ordre de Paulus interdisait l'utilisation de l'essence pour les voitures particulières. La totalité du combustible était mise à la disposition du général Schmidt qui préférait voir mourir les gens dix fois plutôt que de signer un bon de cinq litres. Non seulement il n'y avait plus d'essence pour les briquets des soldats, mais il n'y en avait même plus pour les voitures des officiers.

Lehnard dut attendre jusqu'au soir pour partir avec la voiture de l'état-major qui emportait le courrier à la ville.

La petite voiture avançait sur l'asphalte verglacé. Des abris et des huttes de la première ligne s'élevaient de maigres fumées presque invisibles dans l'air immobile et glacé. Le long de la route marchaient des blessés, le crâne bandé de mouchoirs et de serviettes de toilette, des soldats que le commandement déplaçait de la ville vers les usines, et qui avaient eux aussi la tête bandée et les pieds enveloppés dans des chiffons.

Le chauffeur arrêta la voiture près du cadavre d'un cheval couché sur le bas-côté et se mit à trafiquer son moteur, pendant que Lehnard contemplait les hommes soucieux et mal rasés qui découpaient des quartiers de viande gelée à grands coups de sabre-baïonnette. Un soldat s'était introduit entre les côtes du cheval et ressemblait à un charpentier œuvrant parmi les chevrons d'un toit en construction. A deux pas de là, au milieu d'une maison en ruine, brûlait un feu au-dessus duquel un chaudron noir était suspendu à un trépied : tout autour, des soldats casqués ou en calots, enveloppés dans des couvertures ou des châles, fusil à l'épaule, grenades au ceinturon. De la pointe de sa baïonnette, le cuisinier renfonçait dans l'eau du chaudron les morceaux de viande de cheval qui remontaient. Assis sur le toit d'un abri, un soldat rongeait lentement un os de cheval qui ressemblait à un incroyable et gigantesque harmonica.

Brusquement, le soleil couchant illumina la route et la maison en ruine. Les orbites calcinées des maisons semblèrent se remplir de sang glacé ; la neige, salie par la fumée des combats et labourée par les obus, prit des reflets dorés, tandis qu'au ras de la route les tourbillons de neige devenaient tourbillons de bronze intense.

La lumière du soir révèle la nature profonde des choses en donnant à nos impressions visuelles les dimensions d'un tableau, celles de l'Histoire et du destin. Mille voix parlent par ces taches de boue et de suie qu'éclaire le soleil couchant : le cœur serré, nous comprenons le bonheur perdu, l'irréparable malheur, l'amertume de nos fautes et l'inaltérable envoûtement de l'espoir.

On aurait dit une scène de la vie au temps des cavernes. Les grenadiers, gloire de la nation, bâtisseurs de la grande Allemagne, étaient bannis du chemin de la victoire.

En voyant ces hommes enveloppés de chiffons, Lehnard eut l'intuition presque poétique que ce crépuscule finissant emportait le grand rêve.

La vie devait receler en elle une force étrangement grossière et obtuse pour que l'éblouissante énergie d'un Hitler, alliée à la puissance menaçante et ailée d'un peuple mû par une théorie d'avant-garde, aboutisse là, sur les rives silencieuses de la Volga prise dans les glaces, parmi ces ruines et cette neige sale, ces fenêtres ruisselantes d'un crépuscule sanglant, à l'humilité de ces êtres en contemplation devant un chaudron de viande de cheval...

32

Au quartier général de Paulus, installé dans les caves d'un grand magasin incendié, tout continuait à se dérouler selon l'ordre établi : les chefs occupaient leurs bureaux, les officiers de jour faisaient leurs rapports et les informaient sur les changements de situation et sur les actions de l'ennemi.

Les téléphones sonnaient, les machines à écrire crépitaient·et l'on entendait résonner, derrière la porte en contre-plaqué, le rire de basse du général Schenk, chef du deuxième bureau de l'état-major. Les bottes alertes des aides de camp crissaient sur les dalles de pierre ; dans le sillage du commandant des unités blindées, passé dans un éclair de monocle, il y avait toujours, dans l'air humide du couloir, ce mélange d'odeurs pourtant bien distinctes de tabac, de cirage et de parfum français. Les voix et le crépitement des machines se taisaient d'un seul coup quand les couloirs étroits des bureaux souterrains livraient passage au commandant de la 6e armée, serré dans son long manteau au col de fourrure, et des dizaines de paires d'yeux fixaient son visage pensif au nez aquilin. L'emploi du temps de Paulus demeurait le même, il consacrait toujours le même temps à fumer son cigare après le repas et à s'entretenir avec le général Schmidt. C'était avec la même insolence toute plébéienne, enfin, que le sous-officier radio passait devant le colonel Adams qui semblait l'ignorer, pour faire intrusion chez Paulus au mépris de l'ordre et de l'heure et lui apporter un télégramme de Hitler portant la mention « à remettre en main propre ».

Mais cette continuité n'était qu'apparente, car, en réalité, une quantité de changements avaient fait irruption dans la vie du Q.G. depuis l'encerclement.

Ces changements se manifestaient dans la couleur du café, dans les lignes de communication qui s'étendaient à l'ouest sur de nouveaux secteurs du front, dans les nouvelles instructions régissant les dépenses de munitions, dans l'effroyable spectacle des avions-cargos Junkers qui tombaient chaque jour en flammes en essayant de forcer le blocus aérien. Un nom nouveau surgit et éclipsa tous les autres dans l'esprit des militaires : celui de Manstein.

L'énumération de ces changements serait vaine, car ils étaient flagrants : ceux qui, jusque-là, étaient bien nourris avaient faim ; ceux qui avaient déjà faim et étaient mal nourris avaient maintenant des visages terreux. Intérieurement aussi, les membres de l'état-major allemand avaient changé : l'orgueil et l'arrogance mollirent, les vantards cessèrent de se vanter, les optimistes se mirent à critiquer jusqu'au Führer en personne et à douter du bien-fondé de sa politique.

Mais il y avait une autre sorte de changements qui commençaient à faire leur chemin dans les esprits et les sentiments de ces gens jusque-là ensorcelés et fascinés par l'État national : ces changements étaient enfouis au plus profond de la vie humaine, de sorte que les gens ne les comprenaient pas et ne les remarquaient même pas.

C'était une évolution aussi difficile à déceler que l'œuvre du temps. Les tourments de la faim, les nuits d'effroi, l'approche du malheur commençaient à libérer la liberté en l'homme, à humaniser les hommes, à faire triompher la vie sur la négation de la vie.

Les jours de décembre raccourcissaient, tandis que les nuits glaciales de dix-sept heures devenaient démesurées. L'encerclement se resserrait, le feu des canons et des mitrailleuses soviétiques se faisait plus cruellement sentir... Le froid glacial des steppes russes était impitoyable, intolérable même pour les Russes malgré les touloupes, les bottes de feutre et l'habitude.

Au-dessus des têtes respirait un abîme de froid noir et irréductible, un ciel de glace parsemé d'étoiles gelées comme d'un givre d'étain blanc.

Qui, de ces hommes périssant ou condamnés à périr, pouvait comprendre que c'étaient là les premières heures du retour à une vie humaine de dizaines de millions d'Allemands après dix ans d'inhumanité totale !

33

Lehnard se dirigea vers le Q.G. de la 6e armée, aperçut dans la pénombre du soir le visage terreux de la sentinelle debout contre le mur et sentit son cœur battre. Tout ce qu'il vit en avançant dans le couloir souterrain le remplit d'amour et de tristesse.

Il lisait les plaques sur les portes, annonçant en lettres gothiques le « 2e bureau », le « bureau des aides de camp », le « Général Koch », le « Major Traurig » ; il entendait le crépitement des machines à écrire, le son des voix et reconnaissait en tout cela, avec un sentiment à la fois filial et fraternel, son attachement à ce monde familier de frères d'armes, de camarades de parti, de compagnons de lutte S.S. et il les vit tous dans une lumière de crépuscule : la vie s'en allait.

Au moment où il s'approchait du bureau de Chalb, il ignorait quelle serait leur conversation et si l'Obersturmbannführer lui confierait ses inquiétudes.

Comme il arrive souvent entre gens ayant milité au sein d'un même parti en temps de paix, ils n'accordaient aucune importance, dans leurs relations, à leurs différences de grade militaire et demeuraient très simples entre eux. Lorsqu'ils se rencontraient, ils mêlaient les bavardages aux choses sérieuses.

Lehnard savait élucider en quelques mots une affaire complexe, et ses paroles voyageaient parfois longuement au gré des différents rapports pour parvenir jusque sur les bureaux des plus hauts fonctionnaires de Berlin.

Il pénétra dans le bureau de Chalb mais ne le reconnut pas. Il contempla son visage rond et toujours aussi bien rempli et ne comprit pas tout de suite que seule avait changé l'expression des yeux sombres et intelligents de Chalb.

Au mur, il y avait la carte du secteur de Stalingrad, sur laquelle on voyait l'implacable cercle d'un pourpre enflammé qui entourait la 6e armée.

— Nous sommes sur une île, dit Chalb ; notre île n'est pas entourée d'eau, mais de la haine de brutes.

Ils parlèrent du froid russe, des bottes de feutre russes, du lard russe et de la vodka russe, d'autant plus traître qu'elle ne vous réchauffait que pour mieux vous livrer au gel.

Chalb demanda quels étaient les changements dans les rapports entre les officiers et les soldats de première ligne.

— A vrai dire, répondit Lehnard, je ne vois pas de différence entre les idées d'un colonel et la philosophie des soldats. C'est, en gros, la même chanson : pas d'optimisme.

— C'est aussi la chanson de l'état-major, dit Chalb, et il ajouta en faisant.peser ses paroles de tout leur poids : Et le grand ténor, c'est le général en chef.

— On chante, mais personne ne déserte.

— Je dois fournir une information concernant un problème fondamental, dit Chalb. Hitler tient à défendre la 6e armée ; Paulus, Weichs et Zeitzler veulent sauver l'existence physique des soldats et des officiers et proposent la capitulation. J'ai ordre de prendre discrètement les renseignements les plus précis sur les probabilités d'insoumission de la part des troupes assiégées dans Stalingrad et de déterminer le moment où cette probabilité peut exister. Les Russes appellent cela « faire traîner », et il prononça l'expression russe avec un accent et un naturel parfaits.

Conscient de la gravité de la question, Lehnard commença par se taire. Puis il dit :

— Je voudrais d'abord vous raconter quelque chose.

Il raconta l'histoire de Bach, qui avait dans sa compagnie un soldat douteux.

— Il a d'abord été la risée des plus jeunes, mais, depuis l'encerclement, on a commencé à se rapprocher de lui et à l'écouter. Je me suis mis à réfléchir à la compagnie et à son chef. Au temps où tout allait bien, Bach était entièrement d'accord avec la politique du parti. Mais, à présent, je soupçonne qu'il se passe tout autre chose dans sa tête et qu'il commence à douter. Alors, je me demande pourquoi les soldats de sa compagnie s'intéressent à ce type qui leur paraissait jusque-là ridicule, qu'ils considéraient comme un clown un peu fou. Que fera ce type au moment crucial ? Vers quoi entraînera-t-il les soldats de la compagnie ? Que fera leur chef ? Il est difficile de répondre à tout cela, dit-il plus lentement. Mais il y a une question à laquelle je peux répondre : les soldats ne se rebelleront pas.

— C'est maintenant qu'apparaît pleinement la sagesse du parti, dit Chalb. Nous n'avons pas hésité à extirper du corps du peuple non seulement les parties contaminées, mais même certaines parties saines d'apparence mais qui risquaient de pourrir dans les moments difficiles. Nous avons purgé les villes, les armées, les campagnes et l'Église des esprits forts et des idéologues hostiles. La médisance, les injures et les lettres anonymes fleuriront, mais il n'y aura pas de rébellion, même si ce n'est pas simplement sur la Volga que l'ennemi nous encercle, mais jusque dans Berlin ! Nous pouvons tous en être reconnaissants à Hitler et bénir le ciel de nous avoir envoyé un tel homme au moment voulu.

Il écouta un instant le grondement sourd et lent au-dessus de leurs têtes ; impossible, dans cette cave profonde, de distinguer si c'étaient les armes allemandes ou l'explosion de bombes soviétiques.

Quand le fracas se fut apaisé, il poursuivit :

— Il est impensable que vous ne receviez qu'une simple ration d'officier. Je vous ai mis sur la liste des meilleurs amis et militants du parti : vous recevrez régulièrement des colis au Q.G. de votre division.

— Merci, dit Lehnard, mais je ne le souhaite pas : je mangerai comme les autres.

Chalb eut un geste d'étonnement et de regret.

— Que fait Manstein ? On dit qu'il a reçu de nouveaux armements.

— Je ne crois pas en Manstein, dit Chalb. A cet égard, je partage l'opinion de notre commandant.

Habitué depuis de longues années à ne dire que des choses très secrètes, il dit à mi-voix :

— J'ai la liste des amis et collaborateurs de la Sécurité qui trouveront une place dans l'avion au moment du dénouement. Vous en faites partie. Au cas où je ne serais pas là, c'est le colonel Osten qui aura mes instructions.

En réponse au regard interrogateur de Lehnard, il expliqua :

— J'aurai peut-être à me rendre en Allemagne. Il s'agit d'une affaire trop secrète pour pouvoir être confiée au papier ou au chiffre.

Il ajouta avec un clin d'œil :

— Je boirai un grand coup avant de m'envoler ; pas de joie, mais de peur, car les Soviets abattent beaucoup d'avions.

— Camarade Chalb, dit Lehnard, je ne prendrai pas l'avion. J'aurais trop honte d'abandonner ceux que j'aurais persuadés de se battre jusqu'au bout.

Chalb se redressa insensiblement.

— Je n'ai pas le droit de vous dissuader.

Pour dissiper le ton solennel qu'avait pris leur conversation, Lehnard demanda :

— Si cela vous est possible, aidez-moi à regagner mon régiment : je n'ai pas de voiture.

— Hélas, dit Chalb, je ne peux pas. Pour la première fois, je ne peux rien. C'est ce misérable Schmidt qui a toute l'essence et je ne peux pas en obtenir un gramme, vous comprenez ? C'est la première fois !

Il eut à nouveau cette expression désemparée qui l'avait rendu méconnaissable pour Lehnard au premier instant, et qui était pourtant bien à lui.

34

Dans la soirée, le temps se radoucit et la neige vint recouvrir toute la suie et la saleté de la guerre. A la nuit tombée, Bach fit sa ronde des fortifications de première ligne. La blancheur vaporeuse de cette neige de Noël scintillait dans les éclairs des coups de feu et prenait des reflets roses ou vert tendre au gré des fusées de signalisation.

Dans ces éclairs, les crêtes de pierres, les grottes, les vagues figées des briques, les centaines d'empreintes de lièvres fraîchement tracées là même où les gens devaient manger, se soulager, aller chercher des mines et des cartouches, traîner les blessés vers l'arrière, enfouir les corps des tués, tout semblait étrange et singulier. Et pourtant, tout semblait en même temps familier et ordinaire.

Bach s'approcha de l'endroit que les Russes, occupant les ruines d'une maison de trois étages, tenaient sous leur feu ; l'ennemi psalmodiait une complainte populaire en jouant de l'accordéon.

Par une brèche dans le mur, on pouvait voir la première ligne soviétique, avec ses usines et la Volga gelée.

Bach héla la sentinelle, mais n'entendit pas sa réponse, étouffée par la brusque explosion d'une bombe. La terre gelée vint tambouriner contre le mur de la maison : c'était un U2 qui volait en rase-mottes, moteur arrêté, et qui venait de lâcher une bombe de cent.

— Encore un de ces corbeaux boiteux russes, dit la sentinelle en montrant le sombre ciel d'hiver.

Bach s'accroupit, appuya son coude sur le rebord de ce mur qu'il connaissait si bien et regarda autour de lui. Une légère lueur rose vacillait tout en haut du mur, celle du tuyau de poêle chauffé à blanc par les Russes. On avait l'impression que, dans leur abri, les Russes mastiquaient interminablement en avalant leur café brûlant avec de grands coups de glotte.

A droite, à l'endroit où les tranchées russes étaient le plus près des tranchées allemandes, on entendait les petits coups discrets et mesurés du métal sur la terre gelée.

Sans sortir de terre, lentement mais imperturbables, les Russes faisaient avancer leur tranchée en direction des Allemands. Cette poussée à travers la terre gelée, dure comme la pierre, trahissait une passion à la fois puissante et obtuse. On aurait dit que la terre elle-même se mouvait.

L'après-midi, un sous-officier avait signalé à Bach qu'une grenade avait été lancée depuis la tranchée russe, brisant le tuyau du poêle de la compagnie et envoyant dans leur tranchée toutes sortes de saletés.

Peu de temps après, un Russe vêtu d'une pelisse blanche et coiffé d'une bonne chapka toute neuve avait bondi hors de la tranchée en jurant tout ce qu'il savait et en menaçant les Allemands du poing.

Les Allemands n'avaient pas tiré, pressentant que la provocation venait des soldats eux-mêmes.

— Eh ! poulet, cocos, russe glou-glou ? avait proposé le Russe.

Un Allemand en bleu et gris était alors sorti de la tranchée et avait crié à mi-voix, pour ne pas être entendu des officiers dans leur abri :

— Eh ! Russe, tire pas. Faut revoir mère. Prends fusil, donne chapka.

La réponse qui parvint de la tranchée russe fut brève et sans équivoque. Le mot, bien que russe, fut compris des Allemands et les mit en colère.

Une grenade passa par-dessus la tranchée et explosa dans le boyau de communication. Mais cela n'intéressait personne.

Quand l'incident lui fut rapporté par le sous-officier Eisenaug, Bach dit :

— Laissez-les crier, du moment que personne ne passe à l'ennemi.

Le sous-officier à l'haleine de betterave crue rapporta alors à Bach que le soldat Petenkoffer avait dû réussir à organiser le troc avec l'ennemi, car on avait trouvé dans son sac du sucre en morceaux et du pain russe. Un ami lui avait même confié un rasoir à échanger et il avait promis qu'il en obtiendrait un morceau de lard et deux cubes de kacha déshydratée, moyennant une commission de cent cinquante grammes de lard.

— Rien de plus simple, dit Bach, amenez-le-moi.

Mais il se trouva que, le matin même, Petenkoffer périt en brave en remplissant la mission que lui avait confiée le commandement.

— Alors, qu'est-ce que vous voulez que je fasse ? dit Bach. De toute façon, il y a longtemps que le peuple allemand et le peuple russe font du commerce ensemble.

Mais Eisenaug n'avait pas envie de plaisanter. Il était arrivé à Stalingrad deux mois plus tôt avec une blessure qui n'arrivait pas à se cicatriser depuis qu'il l'avait reçue en France, en mai 1940. Auparavant, il avait servi dans un bataillon de police en Allemagne du Sud. Constamment affamé, gelé, dévoré par les poux et la peur, il était totalement dépourvu d'humour.

Et c'était là, à l'endroit où se dessinait vaguement dans l'obscurité la dentelle de pierre des maisons de la ville, que Bach avait commencé à vivre sa vie de Stalingrad. Le ciel noir de septembre constellé d'énormes étoiles, les flots troubles de la Volga, les murs des maisons encore brûlants après l'incendie, puis les steppes de la Russie du Sud-Est et la frontière du désert asiatique.

Les maisons de l'ouest de la ville étaient noyées dans l'obscurité, seules émergeaient des ruines couvertes de neige : là était sa vie...

Pourquoi donc avait-il écrit cette lettre à sa mère, lorsqu'il était à l'hôpital ? Elle avait dû la montrer à Gubert. Pourquoi s'était-il confié à Lehnard ?

Pourquoi les gens ont-ils une mémoire ? On voudrait parfois pouvoir mourir, cesser de se souvenir. Comment avait-il pu prendre un moment de folie ivre pour la vérité profonde de sa vie et faire ce qu'il n'avait jamais fait durant de longues et pénibles années ?

Il n'avait pas tué d'enfants, il n'avait jamais arrêté personne. Mais il avait brisé la digue fragile qui séparait la pureté de son âme des ténèbres qui bouillonnaient tout autour de lui. Alors, le sang des camps et des ghettos avait déferlé sur lui, l'avait saisi, emporté, avait effacé ce qui le séparait des ténèbres auxquelles il appartenait désormais lui-même.

Comment tout cela était-il arrivé ? Était-ce la folie, le hasard, ou les lois de son âme ?

35

Il faisait bon dans l'abri de la compagnie. Les uns étaient assis, les autres couchés, leurs jambes croisées touchant le plafond trop bas ; d'autres dormaient, leur manteau rabattu sur le visage et découvrant leurs plantes de pieds jaunies.

— Vous vous rappelez, dit un soldat d'une maigreur désolante en tirant sur sa chemise pour en scruter la couture de ce regard féroce dont tous les soldats du monde scrutent les coutures de leurs sous-vêtements. Vous vous rappelez, en septembre, la chouette petite cave où on s'était installé ?

A quoi un autre soldat, couché sur le dos, répondit :

— Moi, je suis arrivé quand vous étiez déjà ici.

Plusieurs voix confirmèrent :

— Tu peux nous croire, c'était une chouette cave... Il y avait des lits, comme dans les bonnes maisons...

— Près de Moscou aussi, il y en avait qui perdaient courage. Et nous voilà rendus jusqu'à la Volga !

Un soldat fendit une planche avec sa baïonnette puis ouvrit la porte du poêle pour alimenter le feu. La flamme éclaira son grand visage mal rasé et projeta sur son teint terreux un reflet de cuivre rouge.

— Il n'y a vraiment pas de quoi se réjouir, dit-il. On est sortis de notre fosse de Moscou pour tomber dans celle-ci, qui est encore plus puante.

Du coin sombre où étaient entassés les sacs parvint une petite voix guillerette :

— Ça y est, j'ai compris : le meilleur plat de Noël, c'est la viande de cheval !

On se mit à parler mangeaille dans l'animation générale. On discuta du meilleur moyen pour éliminer l'odeur de sueur de la viande de cheval bouillie. Les uns disaient qu'il fallait enlever l'écume noire du bouillon. Les autres recommandaient de ne pas faire bouillir à feu vif, ou de prendre la viande dans l'arrière-train et de ne pas mettre la viande gelée dans l'eau froide, mais directement dans l'eau bouillante.

— C'est les éclaireurs qui ont la vie belle, dit un jeune soldat : ils piquent les provisions des Russes et ravitaillent leurs propres bonnes femmes russes dans les caves. Après ça, on s'étonne qu'ils aient les plus jeunes et les plus belles.

— C'est bien le truc auquel je pense le moins pour le moment, dit celui qui s'occupait du poêle. Je ne sais pas si c'est à cause de l'ambiance, ou de la nourriture. En revanche, je voudrais bien revoir mes enfants avant de mourir, ne serait-ce que pour une petite heure...

— Les officiers, eux, ils y pensent. J'ai rencontré le capitaine dans une cave habitée par des civils. Il y est comme chez lui, autant dire le chef de famille.

— Et toi, qu'est-ce que tu faisais dans cette cave ?

— Oh, moi, j'allais faire laver mon linge.

— Pendant un temps, j'ai été gardien de camp. J'ai vu les prisonniers de guerre fouiller dans les épluchures de pommes de terre, se battre autour de trois feuilles de chou pourries. Je me disais : « C'est vraiment pas des humains. » Mais maintenant, je m'aperçois que, nous, on est des porcs comme eux.

La porte s'ouvrit brutalement, livrant passage à un tourbillon de vapeur froide et à une grosse voix sonore :

— Debout ! Garde à vous !

C'étaient les mêmes mots depuis toujours, prononcés tranquillement, sans hâte.

Le « garde à vous » s'adressait à l'amertume, aux souffrances, au cafard, aux idées noires... Garde à vous !

Le visage de Bach apparut dans le brouillard, tandis qu'on entendait un crissement inhabituel et insolite de bottes ; les habitants de l'abri aperçurent alors le manteau bleu ciel du commandant de la division, ses yeux plissés de myope et sa main blanche de vieillard, ornée d'une alliance en or, qui essuyait un monocle avec une peau de chamois.

Une voix habituée à couvrir sans effort la place d'armes et à parvenir aussi bien aux colonels devant leur régiment qu'aux soldats des derniers rangs prononça :

— Bonjour. Repos !

Les soldats répondirent dans le désordre.

Le général s'assit sur une caisse, le reflet jaune du feu du poêle éclaira la croix de fer noire sur sa poitrine.

— Je vous souhaite une joyeuse veille de Noël, dit le vieil homme.

Les soldats qui l'accompagnaient approchèrent une caisse du poêle et en firent sauter le couvercle avec leurs baïonnettes pour en extraire de petits sapins de Noël grands comme la main emballés dans du papier cellophane. Chaque petit sapin était décoré d'un fil doré, de petites perles rondes ou allongées.

Le général observait les soldats **en train** de défaire les petits emballages ; il fit signe d'approcher au lieutenant, lui chuchota quelques mots et Bach annonça à haute voix :

— Le général vous fait dire que ce cadeau de Noël venu d'Allemagne est ici grâce à un pilote qui a été mortellement blessé au-dessus de Stalingrad. Quand on l'a sorti de sa cabine après l'atterrissage, il était mort.

36

Les hommes tenaient leurs minuscules sapins dans le creux de la main. Dans l'air chaud, les sapins s'étaient couverts d'une fine buée et remplissaient la cave d'une odeur de résine qui dominait celle de morgue et de forge caractéristique de la première ligne. Cette enivrante odeur de Noël semblait parvenir de la tête chenue du vieillard assis près du poêle.

Le cœur sensible de Bach ressentit toute la tristesse et toute la beauté de cet instant. Ces hommes qui défiaient l'artillerie lourde russe, endurcis, brutaux, rongés par la faim et la vermine, excédés par le manque de munitions, avaient tous compris, sans rien dire, que ce n'était pas de bandages, de pain ni de munitions qu'ils avaient besoin, mais précisément de ces branches de sapin enveloppées de ces guirlandes inutiles, de cette dérisoire consolation pour orphelins.

Les soldats entourèrent le vieil homme assis sur la caisse. C'était lui qui avait mené la division d'infanterie motorisée sur la Volga cet été. Toute sa vie, en toutes circonstances, il s'était conduit en acteur. Il jouait son rôle devant un régiment au garde-à-vous comme dans ses conversations avec le commandant de l'armée. Il se conduisait en acteur chez lui, devant sa femme, en se promenant au jardin, devant sa bru ou son petit-fils. Il jouait son rôle même la nuit, seul dans son lit, inspiré par la présence, sur le fauteuil, de son pantalon de général. Et, bien entendu, il jouait son rôle devant les soldats, quand il leur demandait des nouvelles de leurs mères, quand il fronçait les sourcils, quand il faisait des plaisanteries grossières sur leurs aventures amoureuses et quand il s'intéressait au contenu de leurs gamelles, goûtant la soupe avec un gravité exagérée, ou encore quand il baissait la tête avec une expression austère devant les tombes ouvertes des soldats, ou prononçait un discours vibrant de sentiment paternel devant une file de nouvelles recrues. Ce n'était pas, chez lui, une attitude extérieure : cela venait du plus profond de lui-même, de sa pensée même. Il en était parfaitement inconscient et cette façon d'être était aussi indissociable de lui-même que le sel dissous dans l'eau l'est de celle-ci. Cette théâtralité venait de pénétrer avec lui dans l'abri, dans sa façon d'ouvrir son manteau, de s'asseoir sur la caisse devant le poêle, dans ce regard à la fois triste et serein qu'il posa sur les soldats en leur souhaitant un joyeux Noël. Le vieil homme n'avait jamais été conscient de jouer un personnage ; et voici que, brusquement, cette théâtralité l'abandonnait, se dissociait de son être comme le sel solidifié se dissocie de l'eau gelée, laissant son âme à sa fadeur naturelle, le livrant à sa pitié de vieillard pour ces hommes affamés et exténués.

C'était maintenant un homme faible et sans ressort qui se trouvait parmi des malheureux ayant, eux aussi, perdu tout ressort.

Un des soldats entonna tout doucement :

O, Tannenbaum, o, Tannenbaum,
wie grün sind deine Blätter.

Deux ou trois voix le suivirent. L'odeur de résine donnait le vertige, les paroles de la chanson enfantine résonnaient comme les trompettes divines :

O, Tannenbaum, o, Tannenbaum...

Et, comme du fond des mers, des abysses glacés de l'oubli, surgirent des sentiments, des pensées dont on avait perdu la trace depuis longtemps...

On entendit l'explosion sourde des canons de gros calibre soviétiques tirant les uns après les autres. Les Russkoffs n'étaient pas contents : peut-être devinaient-ils que les assiégés fêtaient Noël. Personne ne prêta attention aux débris qui tombèrent du plafond ni au nuage d'étincelles rouges que cracha le poêle.

Une pluie de fer martela le sol et la terre cria : c'étaient les Russkoffs qui jouaient de leurs «Katioucha» bien-aimées. Aussitôt, les mitrailleuses se mirent à crépiter.

Le vieil homme était assis, la tête baissée, dans l'attitude d'un homme épuisé par une trop longue vie. Les feux de la rampe s'étaient éteints, les acteurs démaquillés apparaissaient à la lumière grise du jour dans laquelle ils se ressemblent tous : du général légendaire, champion des percées de blindés éclairs, au petit sous-officier insignifiant ou au soldat Schmidt, soupçonné d'avoir de mauvaises pensées contre l'État... Bach pensa que Lehnard n'aurait pas été sensible à la beauté de cet instant, car il était déjà trop tard pour que tout ce qu'il y avait en lui d'allemand et de voué à l'État pût se convertir en sentiment humain.

Il tourna la tête vers la porte et aperçut Lehnard.

37

Stumpfe, autrefois le meilleur soldat de la compagnie, que les nouvelles recrues regardaient avec une admiration intimidée, était méconnaissable. Son large visage aux yeux bleus s'était creusé. Son uniforme et son manteau n'étaient plus que de vieux vêtements fripés protégeant vaguement le corps du froid et du vent russes. Il avait cessé de dire des choses intelligentes, ses plaisanteries ne faisaient plus rire.

La faim le faisait souffrir plus que les autres, car ses besoins alimentaires étaient proportionnels à sa taille, gigantesque.

Tenaillé par cette faim constante, il partait en chasse dès le matin ; il fouillait dans les ruines, quémandait, ramassait les miettes, guettait près de la cuisine. Bach était habitué à son expression attentive et tendue. Stumpfe pensait en permanence à sa nourriture, qu'il cherchait à chaque instant, même au combat.

En s'approchant de la cave, Bach aperçut le grand dos et les larges épaules du soldat éternellement affamé. Il explorait un terrain vague qu'avaient occupé, avant l'encerclement, les cuisines et les dépôts d'approvisionnement du régiment. Il arrachait des feuilles de chou, ramassait des pommes de terre grosses comme des glands qui avaient échappé à la marmite. De derrière le mur surgit une vieille femme de haute taille, vêtue d'un manteau d'homme en loques avec une ceinture en ficelle et chaussée de godillots éculés.

Elle avançait à la rencontre du soldat, le regard fixé sur le sol : elle fouillait la neige avec un crochet en gros fil de fer tordu.

Ils se virent sans lever la tête, à la rencontre de leurs deux ombres sur la neige.

Le gigantesque Allemand, tenant à la main une feuille de chou trouée et dure comme du mica, leva ses yeux confiants sur la vieille et lui dit avec une lenteur cérémonieuse :

— Bonjour, madame.

La vieille releva tranquillement la guenille qui lui retombait sur le front, le regarda de ses yeux sombres, pleins de bonté et d'intelligence et lui répondit majestueusement :

— Bonjour, monsieur.

C'était la rencontre au sommet des représentants de deux grands peuples. Bach en fut le seul témoin ; quant au soldat et à la vieille, ils l'oublièrent aussitôt.

Le temps s'était radouci, il neigeait à gros flocons qui venaient se poser sur le rouge des briques en morceaux, sur les croix des tombes, sur les tourelles des chars au repos, dans les oreilles des morts qu'on n'avait pas encore eu le temps d'enterrer.

La neige remplissait l'espace d'un doux brouillard aux reflets bleus et gris, faisant taire le vent et le feu des armes, mêlant terre et ciel en un tout indistinct et gris, animé de molles ondulations.

La neige couvrait les épaules de Bach et tombait en flocons de silence sur la Volga immobile, sur la ville morte, sur les squelettes des chevaux. Il neigeait partout, sur la Terre, sur les étoiles : l'univers entier était rempli de neige. Tout disparaissait sous la neige : les corps des tués, les armes, les pansements pleins de pus, la pierraille et le fer tordu.

Cette neige, c'était le temps lui-même, doux et blanc, qui s'amoncelait sur la ville détruite, tandis que le présent devenait passé : mais l'avenir était absent de ce lent tournoiement floconneux.

38

Bach était couché sur le lit, derrière le rideau de cotonnade qui isolait ce tout petit coin de cave. Sur son épaule reposait la tête d'une femme endormie. La maigreur donnait à son visage quelque chose d'enfantin et de fané à la fois. Bach contemplait son cou et sa poitrine décharnée qu'on devinait sous la chemise grise et sale. Tout doucement, d'un geste lent, pour ne pas réveiller la jeune femme, il porta à ses lèvres sa tresse défaite. Ses cheveux étaient vivants, odorants et tièdes.

La jeune femme ouvrit les yeux.

C'était une femme qui avait le sens des réalités, tout en étant parfois insouciante : elle était à la fois câline, rusée, patiente, prudente, soumise et coléreuse. A certains moments, elle paraissait stupide, accablée et morose ; à d'autres, elle chantonnait en russe des airs de *Carmen* ou de *Faust*.

Il n'avait pas cherché à savoir ce qu'elle faisait avant la guerre. Il venait la voir quand il en avait envie ; quand il n'avait pas envie de coucher avec elle, il ne se souvenait même pas de son existence et ne se souciait pas de savoir si elle mangeait à sa faim ou si elle n'avait pas été abattue par un tireur d'élite russe. Un jour, il sortit de sa poche une galette qu'il avait eue par hasard et la lui donna ; elle parut très contente puis offrit la galette à sa vieille voisine. Il fut touché de ce geste, mais il oubliait presque toujours de lui apporter quelque chose à manger en venant la voir.

Elle portait un nom étrange, qui ne ressemblait pas aux noms européens : Zina.

Avant la guerre, Zina ne connaissait pas la vieille femme qui habitait à côté d'elle. C'était une vieille fort désagréable, flagorneuse et mauvaise, incroyablement hypocrite, possédée par la passion de la nourriture. En ce moment, elle pilait méthodiquement des grains de blé brûlés et sentant le pétrole dans un mortier en bois avec un pilon en bois.

Depuis l'encerclement, les soldats s'étaient mis à s'introduire dans les caves des civils (auparavant, ils ne les remarquaient même pas) et à y trouver mille occupations : on y faisait la lessive à la cendre, des plats confectionnés avec des déchets, toutes sortes de réparations, du raccommodage. Les vieilles étaient les principales organisatrices de toutes ces activités. Mais les soldats ne venaient pas voir que les vieilles.

Bach croyait que personne n'était au courant de ses visites. Mais un jour qu'il était assis sur le lit, tenant dans ses mains les mains de

Zina, il entendit parler allemand derrière le rideau ; une voix, qui lui parut familière, disait :

— Ne passe pas derrière ce rideau, c'est la Fraülein du lieutenant.

En ce moment, ils étaient couchés côte à côte en silence. Toute sa vie, ses amis, ses livres, son histoire d'amour avec Maria, son enfance, tout ce qui l'attachait à sa ville natale, à son école, à son université, le fracas de la campagne russe, tout cela ne signifiait plus rien... Tout cela n'avait été que le chemin vers ce lit fabriqué avec les planches d'une porte à moitié brûlée... Il fut saisi d'effroi à l'idée qu'il pourrait perdre cette femme qu'il avait trouvée, vers laquelle il était venu : tout ce qui s'était passé en Allemagne et en Europe avait préludé à cette rencontre... Il ne l'avait pas compris tout de suite : au début, il l'oubliait, elle lui plaisait précisément parce que rien de sérieux ne l'attachait à elle. Mais à présent, rien n'existait au monde en dehors d'elle : tout le reste était enfoui sous la neige... seuls existaient ce merveilleux visage, ces narines légèrement dilatées, ce regard étrange et cette bouleversante expression d'enfant perdu et fatigué. Au mois d'octobre, elle était venue le trouver à l'hôpital, à pied, et il avait refusé de quitter sa chambre pour la voir.

Elle voyait bien qu'il n'était pas ivre. Il se mit à genoux, lui baisa les mains, puis les pieds : il releva la tête, appuya son front et sa joue contre ses genoux, tout en parlant très vite, avec passion, mais elle ne le comprenait pas, et il savait qu'elle ne le comprenait pas : elle ne connaissait que l'épouvantable langue des soldats de Stalingrad.

Il savait que le mouvement qui l'avait porté vers cette femme allait maintenant l'arracher à elle et les séparer à jamais. A genoux, il tenait ses jambes serrées dans ses bras, la regardait dans les yeux tandis qu'elle écoutait ardemment ses paroles précipitées et tentait de comprendre, de deviner ce qu'il disait et ce qui lui arrivait.

Elle n'avait jamais vu d'Allemands avec une telle expression : elle croyait que seuls les Russes pouvaient avoir un regard aussi douloureux, aussi implorant, aussi tendre et aussi fou.

Il lui dit que c'était là, dans cette cave, à ses pieds, qu'il avait compris pour la première fois dans sa chair ce qu'était l'amour, qu'il ne connaissait jusque-là qu'en paroles. Elle lui était plus chère que tout son passé, que sa mère, que l'Allemagne et que son avenir avec Maria... Il l'aimait, et les murailles dressées entre les États, la fureur raciste, le rideau de feu de l'artillerie lourde ne signifiaient rien, étaient impuissants devant la force de l'amour... Il remerciait le sort de lui avoir permis de comprendre cela avant de mourir.

Elle ne comprenait pas ses paroles, car elle ne connaissait que quelques mots : « *Halt, komm, bring, schneller* » et n'avait entendu les Allemands dire que « tu couches, kaputt, sucre, pain, tire-toi, fous le camp ».

Mais elle devinait ce qui lui arrivait en voyant son désarroi. La frivole maîtresse de l'officier allemand, oubliant sa faim, considérait la faiblesse de son amant avec une tendre indulgence. Elle savait que le sort allait les séparer et prenait les choses avec calme. Mais maintenant, devant le désespoir de cet homme, elle sentait que sa liaison avec lui prenait une force et une profondeur qu'elle ne soupçonnait pas. Elle l'entendait dans sa voix, elle le sentait à ses baisers, à ses regards.

Tandis qu'elle caressait rêveusement les cheveux de Bach, surgissait dans sa petite tête rusée la crainte de voir cette force s'emparer d'elle aussi, la faire chanceler et la perdre... Son cœur battait à tout rompre, criant qu'il ne voulait pas entendre la voix rusée et prévoyante qui la menaçait.

39

Evguénia Nikolaïevna s'était fait de nouvelles relations : les gens des files d'attente de la prison. On lui demandait : « Alors ? Quelles nouvelles ? » Elle avait acquis une certaine expérience et ne se contentait plus d'écouter les conseils. Il lui arrivait de dire, elle aussi : « Ne vous inquiétez pas. Peut-être est-il à l'hôpital. A l'hôpital, on est bien ; ils rêvent tous, dans leurs cellules, de s'y retrouver. »

Elle avait réussi à savoir que Krymov était détenu à la prison de la Loubianka. Elle n'était pas encore parvenue à lui faire passer un colis, mais elle ne perdait pas espoir. Il arrivait, à Kouznetski Most, qu'on refuse vos colis une fois, deux fois, et brusquement, on vous disait : « Allez, donnez votre paquet. »

Elle s'était rendue à l'appartement de Krymov et la voisine lui avait raconté que deux mois auparavant, deux militaires étaient venus, en compagnie du gérant, qu'ils avaient ouvert la porte de l'appartement, emporté un tas de livres et de papiers, et étaient repartis en mettant les scellés. Génia avait les yeux fixés sur les sceaux de cire et leur petite queue en ficelle ; postée à côté d'elle, la voisine disait :

— Seulement, pour l'amour de Dieu, je ne vous ai rien raconté !

Elle raccompagna Génia à la porte et, prise d'une audace subite, elle murmura :

— Un homme si bien, qui s'était porté volontaire pour partir à la guerre.

De Moscou, elle n'écrivit pas à Novikov.

Quelle confusion dans son âme ! On y trouvait, pêle-mêle, de la pitié, de l'amour, du repentir, la joie des victoires militaires, de l'inquiétude pour Novikov, de la honte envers lui, la peur de le perdre, et la sensation déprimante d'être soumise à l'arbitraire...

Récemment, encore, elle vivait à Kouïbychev, elle s'apprêtait à rejoindre Novikov au front, et son lien avec lui semblait aussi inévitable, implacable que le destin. Génia était épouvantée de constater qu'elle s'était liée à lui pour toujours, qu'elle avait définitivement rompu avec Krymov. Par instants, tout, en Novikov, lui semblait étranger. Ses inquiétudes, ses espoirs, le cercle de ses relations, tout était différent d'elle. Il lui paraissait absurde de servir le thé à sa table, de recevoir ses amis, de bavarder avec les femmes des généraux et des colonels.

Elle se rappela que Novikov était parfaitement indifférent à *l'Évêque* de Tchekhov ou à son *Une banale histoire*. Ils l'intéressaient moins que les romans à thèse d'un Dreiser ou d'un Feuchtwanger. Elle comprenait, à présent, que sa rupture avec Novikov était consommée, qu'elle ne reviendrait jamais. Elle éprouvait pour lui de la tendresse, évoquait souvent son humble empressement à approuver tout ce qu'elle disait. Le chagrin, alors, l'envahissait : se pouvait-il que ses mains ne touchent plus ses épaules, qu'elle ne revoie plus son visage ?

Jamais encore, elle n'avait rencontré cet extraordinaire alliage de force, de simplicité grossière et d'humanité, de timidité. Elle était tellement attirée vers lui, lui si étranger à tout fanatisme, lui qui avait cette bonté particulière, simple et intelligente, cette bonté de paysan. Mais aussitôt, lui venait, lancinante, la pensée d'une chose sale, louche qui s'était infiltrée dans ses rapports avec ses proches. Comment pouvait-on être au courant des paroles que Krymov lui avait dites ?... Comme tout ce qui la liait à Krymov apparaissait désespérément sérieux ! Elle n'avait pas su tirer un trait sur sa vie avec lui.

Elle suivrait Krymov. Et qu'importe s'il refusait de lui pardonner : elle avait mérité d'éternels reproches. Mais il avait besoin d'elle, en prison il ne pensait qu'à elle.

Novikov trouverait en lui la force de surmonter leur séparation. Pourtant, elle n'aurait su dire ce qu'il lui faudrait pour avoir l'âme en paix. Savoir qu'il avait cessé de l'aimer, s'était calmé et avait pardonné ? Ou, au contraire, qu'il l'aimait toujours, était inconsolable et lui gardait rancune ? Et préférait-elle, elle-même, savoir que leur séparation était définitive, ou croire, au fond de son cœur, qu'ils recommenceraient, un jour, à vivre ensemble ?

Que de souffrances elle avait causées à ses proches ! N'avait-elle fait tout cela que par caprice, pour elle-même, et non pour le bien des autres ? Intellectuelle névrosée, va !

Au soir, tandis que Strum, Lioudmila et Nadia étaient à table, Génia demanda, en regardant sa sœur :

— Tu sais ce que je suis ?

— Toi ? s'étonna Lioudmila.

— Oui, oui, moi, reprit Génia et elle expliqua : Je suis un petit chien de sexe féminin.

— Une petite chienne, alors ? demanda gaiement Nadia.

— C'est cela même, répondit Génia.

Et soudain tous éclatèrent de rire, tout en comprenant que Génia n'avait pas le cœur à plaisanter.

— Vous savez, reprit Génia, Limonov, mon « flirt » de Kouïbychev, m'a expliqué ce qu'est l'amour, quand ce n'est pas le premier. Il disait que c'était l'avitaminose de l'âme. Un exemple : lorsqu'un mari vit un certain temps avec sa femme, il sent se développer en lui une sorte de fringale morale, comme une vache privée de sel ou un individu qui passe des années dans l'Arctique, sans voir de légumes. Si son épouse est une femme volontaire, autoritaire, forte, le mari se prend à rêver d'une âme douce, timide, soumise, timorée.

— Un imbécile, ton Limonov, répliqua Lioudmila Nikolaïevna.

— Et si cet individu a besoin de plusieurs vitamines : A, B, C, D ? demanda Nadia.

Plus tard, quand tous s'apprêtaient à se coucher, Victor Pavlovitch dit :

— Geneviève, il est de bon ton, chez nous, de railler les intellectuels pour leur dédoublement à la Hamlet, leurs doutes, leurs hésitations. Dans ma jeunesse, je méprisais, en moi, ces traits de caractère. Mais j'ai, aujourd'hui, un autre point de vue : les grandes découvertes, les grands livres, l'humanité les doit à tous ces indécis, à tous ces gens qui doutent. Leur œuvre n'est pas moindre que celle de tous ces imbéciles qui ne dévient jamais. Ils sont capables d'aller au feu quand il le faut, et ils essuient les balles, aussi bien que tous ces gens résolus et volontaires.

Evguénia Nikolaïevna répondit :

— Merci, Vitia ; c'est le chien de sexe féminin que vous avez en vue ?

— Précisément, acquiesça Victor Pavlovitch.

Il eut envie de faire plaisir à Génia :

— J'ai regardé, une fois encore, votre tableau, ma petite Génia, fit-il. Il me plaît parce qu'on y trouve du sentiment. Dans l'ensemble, vous savez, les artistes d'avant-garde ne visent qu'à innover, à se montrer audacieux, mais Dieu est absent de leurs œuvres.

— Du sentiment, tu parles ! intervint Lioudmila Nikolaïevna. Des hommes verts, des isbas bleues. Rien à voir avec la réalité.

— Tu sais, Mila, répondit Evguénia Nikolaïevna, Matisse a dit :

« Quand je mets de la couleur verte, cela ne veut pas dire que j'ai voulu dessiner de l'herbe, et quand je prends du bleu, ce n'est pas forcément pour peindre le ciel. » La couleur ne fait que traduire le sentiment profond de l'artiste au moment où il peint.

Strum aurait bien voulu ne dire à Génia que des choses agréables, mais il ne put se retenir et lança ironiquement :

— Eckermann a pourtant écrit : « Si Goethe, comme Dieu, avait créé le monde, il aurait fait l'herbe verte et le ciel bleu. » Ces paroles sont, pour moi, très significatives. Après tout, le matériau dont Dieu s'est servi pour sa Création ne m'est pas totalement étranger... De ce fait, il est vrai, je sais que les couleurs, les teintes n'existent pas : il n'y a que les atomes et le vide qui les sépare.

Dans l'ensemble, les discussions de ce genre étaient rares. On parlait, le plus souvent, de la guerre et du parquet...

C'était une période difficile. Génia s'apprêtait à repartir pour Kouïbychev : son congé tirait à sa fin.

Elle redoutait la séance d'explication avec son supérieur. N'était-elle pas partie d'elle-même à Moscou, n'avait-elle pas, de longues journées durant, frappé aux portes des prisons, envoyé des demandes au procureur et au ministère de l'Intérieur ?

Toute sa vie, elle avait craint les administrations, évité de leur demander quelque chose, et chaque fois qu'elle avait dû renouveler son passeport, l'angoisse l'avait empêchée de dormir. Ces derniers temps, pourtant, son destin semblait fait tout entier d'histoires d'enregistrement, de passeport, de rencontres avec la milice, le procureur, de suppliques et de convocations.

Un calme mortel régnait dans la maison de sa sœur.

Victor Pavlovitch n'allait plus au travail, il passait des heures dans sa chambre. Lioudmila Nikolaïevna rentrait furieuse, déprimée, du magasin réservé : les épouses de leurs amis ne la saluaient plus.

Evguénia Nikolaïevna sentait toute la nervosité de Strum. La sonnerie du téléphone le faisait sursauter, il se précipitait pour décrocher. Souvent, au déjeuner ou au dîner, il interrompait les conversations, en disant : « Chut, chut, il me semble qu'on a sonné. » Il se rendait dans l'entrée et revenait, avec un petit rire confus. Les deux sœurs comprenaient cette tension, cette attente permanente : il craignait d'être arrêté.

— C'est comme cela qu'on développe chez les gens la manie de la persécution, dit Lioudmila. En 37, les hôpitaux psychiatriques étaient pleins de malades de ce genre.

Evguénia Nikolaïevna, qui voyait toute l'angoisse de Strum, était d'autant plus touchée par sa gentillesse envers elle. Il lui dit un jour : « Rappelez-vous, Geneviève, que je me moque éperdument de ce qu'on peut penser de votre présence chez moi et de vos démarches en faveur d'un détenu. Vous comprenez ? Vous êtes ici chez vous ! »

Le soir, Evguénia Nikolaïevna aimait à bavarder avec Nadia.

— Tu es trop intelligente, dit-elle un jour à sa nièce. On ne dirait pas une enfant. Tu pourrais presque militer dans une association d'anciens prisonniers politiques.

— Futurs, pas anciens, répliqua Strum. J'imagine que tu parles aussi de politique, avec ton lieutenant.

— Et alors ? demanda Nadia.

— Vous feriez mieux de passer votre temps à vous embrasser, dit Evguénia Nikolaïevna.

— C'est exactement ce que j'essaie de lui faire comprendre, renchérit Strum. C'est tout de même moins dangereux.

Nadia, en effet, abordait volontiers des thèmes épineux. Tantôt elle posait des questions sur Boukharine, tantôt elle demandait si, effectivement, Lénine appréciait Trotski et ne pouvait plus voir Staline dans les derniers mois de sa vie, et s'il avait vraiment écrit un testament que Staline avait empêché de publier. Lorsqu'elle était en tête à tête avec Nadia, Evguénia Nikolaïevna s'abstenait d'évoquer le lieutenant Lomov.

Mais à travers les discours de Nadia sur la politique, la guerre, les poèmes de Mandelstam et d'Akhmatova, leurs rencontres et leurs discussions avec des camarades, Evguénia Nikolaïevna en sut bientôt plus sur Lomov et ses relations avec Nadia que Lioudmila elle-même.

Lomov, de toute évidence, était un gamin à l'esprit caustique, au caractère difficile ; il considérait avec ironie toutes les vérités admises, reconnues officiellement. Il semblait lui-même écrire des poèmes, et Nadia avait adopté son attitude railleuse et méprisante à l'égard de Demian Biedny et de Tvardovski, son indifférence pour Cholokhov et Nikolaï Ostrovski [1]. Apparemment, Nadia le citait mot pour mot, lorsqu'elle disait, en haussant les épaules : « Les révolutionnaires sont soit stupides, soit malhonnêtes. On n'a pas le droit de sacrifier toute une génération au nom d'un bonheur futur imaginaire... »

Un jour, Nadia dit à Evguénia Nikolaïevna :

— Tu sais, tantine, la vieille génération a toujours besoin de croire en quelque chose : pour Krymov, c'est Lénine et le communisme, pour papa la liberté, pour grand-mère le peuple et les travailleurs. Mais tout cela nous semble idiot, à nous, les jeunes. D'ailleurs, c'est bête de croire. Il faut vivre, sans croire à rien.

Evguénia Nikolaïevna demanda soudain :

— C'est la philosophie du lieutenant ?

---

1. « Classiques » de la littérature soviétique. (N.d.T.)

La réponse de Nadia la stupéfia :

— Dans trois semaines, il sera au front. Alors, question philosophie, c'est simple : aujourd'hui en vie, mort demain.

Quand Evguénia Nikolaïevna bavardait avec Nadia, elle revoyait Stalingrad. C'est ainsi que Vera parlait avec elle, c'est ainsi que Vera était tombée amoureuse. Mais que le sentiment simple et clair de Vera tranchait avec la confusion que traduisait Nadia ! Que la vie de Génia était donc différente, alors, de celle d'aujourd'hui ! Et que ses idées sur la guerre, à l'époque, se distinguaient de ce qu'elle pensait à présent, aux jours de la victoire ! Pourtant, la guerre suivait son cours, seul restait inchangé ce que disait Nadia : « Aujourd'hui en vie, mort demain. » La guerre se moquait bien de savoir si le lieutenant chantait, autrefois, sur des airs de guitare, s'il était volontaire pour travailler aux grands chantiers de construction, porté par sa foi en l'avènement du communisme, ou s'il récitait des poèmes d'Innokenti Annenski, sans croire un seul instant au bonheur imaginaire des générations futures.

Un jour, Nadia montra à Evguénia Nikolaïevna une chanson de camp recopiée à la main.

La chanson parlait de cales glaciales de navires, du mugissement de l'océan, du « roulis, tourmentant les zeks qui, tels des frères de sang, se tenaient embrassés », et de Magadan, « capitale de la Kolyma », surgissant du brouillard.

Au début de leur retour à Moscou, Strum se mettait en colère et interrompait Nadia, lorsqu'elle abordait des sujets de ce genre.

Mais depuis, bien des choses avaient changé en lui. Il avait du mal à se retenir et déclarait lui-même, en présence de sa fille, qu'il était insupportable de lire ces lettres serviles de félicitations adressées « au grand maître, meilleur ami des sportifs, père plein de sagesse, puissant coryphée, radieux génie » ; et modeste avec cela, sensible, bon, compatissant ! On avait l'impression que Staline à lui seul labourait, fabriquait le métal, nourrissait les enfants des crèches à la petite cuiller, tirait à la mitrailleuse, tandis que les ouvriers, les soldats, les étudiants et les savants priaient pour lui. Sans Staline, semblait-il, notre grand peuple eût péri tout entier, tas de brutes impuissantes.

Un jour, Strum compta que le nom de Staline était mentionné quatre-vingt-six fois dans la *Pravda* et, le lendemain, dix-huit fois rien que dans l'éditorial.

Il se plaignait des arrestations illégales, du manque de liberté, du droit de n'importe quel chefaillon, à peu près inculte mais membre du parti à commander des chercheurs, des écrivains, à les noter, à leur faire la leçon.

Un sentiment nouveau était né en lui. Sa terreur croissante devant la puissance destructrice de la colère de l'État, son impression grandissante de solitude, d'isolement et de faiblesse pitoyable, son sentiment d'être condamné, tout cela engendrait en lui, par instants, une sorte de désespérance, une indifférence gaillarde au danger, un mépris de la prudence.

Un matin, Strum entra en courant dans la chambre de Lioudmila, et, en voyant son visage excité, joyeux, elle se sentit toute désemparée, tant cette expression lui était inhabituelle.

— Liouda, Génia ! Nous avons remis le pied en Ukraine. La radio vient de l'annoncer !

Dans la journée, Evguénia Nikolaïevna rentra de Kouznetski Most et, en voyant sa mine, Strum lui demanda, comme Lioudmila l'avait fait pour lui le matin :

— Que se passe-t-il ?

— Ils ont pris mon colis, ils ont pris mon colis ! répéta Génia.

Lioudmila elle-même comprit ce que pouvait signifier pour Krymov ce colis de Génia.

— Une vraie résurrection ! dit-elle, et elle ajouta : Apparemment, tu l'aimes encore, je ne t'ai jamais vu des yeux pareils !

— Tu sais, je dois être folle, murmura Evguénia Nikolaïevna à l'intention de sa sœur. Mais je suis heureuse que Nikolaï ait ce colis, et aussi parce que j'ai compris, aujourd'hui, que Novikov n'avait pas pu commettre une bassesse. Pas pu, tu comprends ?

Lioudmila Nikolaïevna répliqua avec colère :

— Tu n'es pas folle, tu es pire que cela.

— Cher Vitia, je vous en prie, jouez-nous quelque chose, demanda Evguénia Nikolaïevna.

Pas une seule fois, de tout ce temps, il ne s'était mis au piano. Mais il ne se fit pas prier, apporta une partition, la montra à Génia en demandant : « Cela vous va ? » Lioudmila et Nadia qui n'aimaient pas la musique partirent à la cuisine et Strum se mit à jouer. Génia écoutait. Il joua longuement, puis, son morceau achevé, resta silencieux, sans regarder Génia, et rejoua autre chose. Elle avait l'impression, par instants, qu'il pleurait, mais elle ne pouvait voir son visage. Ouvrant la porte à la volée, Nadia s'écria :

— Écoutez la radio, c'est un ordre !

La musique cessa, remplacée par la voix métallique, grondante, du speaker, Lévitan, qui annonçait à cet instant : « La ville et un important nœud ferroviaire ont été pris d'assaut... » Puis il énuméra les généraux et les armées qui s'étaient particulièrement distingués au combat, à commencer par le général en chef Tolboukhine. Et soudain, Lévitan annonça avec jubilation : « Citons aussi les blindés commandés par le colonel Novikov. »

Génia laissa doucement échapper une exclamation, puis, quand la voix forte et mesurée du speaker déclara : « Gloire éternelle aux héros tombés pour la liberté et l'indépendance de notre patrie », elle se mit à pleurer.

40

Génia partie, la maison Strum devint parfaitement morose.

Victor Pavlovitch passait des heures à sa table de travail, il lui arrivait de rester sans sortir plusieurs jours durant. Il avait peur, maintenant ; il lui semblait qu'il rencontrerait dans la rue des gens particulièrement désagréables et mal intentionnés à son égard, il imaginait déjà leurs yeux impitoyables.

Le téléphone était devenu muet, et quand la sonnerie se faisait entendre — en moyenne une fois tous les deux ou trois jours —, Lioudmila Nikolaïevna disait :

— C'est pour Nadia.

Et en effet, c'était pour elle.

Strum ne perçut pas immédiatement tout le poids de ce qui lui arrivait. Les premiers jours, même, il était soulagé de rester à la maison, au calme, au milieu de ses livres préférés, loin de tous ces visages sombres et hostiles.

Mais, bientôt, le calme de la maison se mit à lui peser ; non seulement il l'attristait, mais il l'angoissait. Que se passait-il au laboratoire ? Comment le travail marchait-il ? Que faisait Markov ? L'idée qu'on avait besoin de lui au labo, et qu'il restait là, chez lui, suscitait en lui une agitation fiévreuse. Mais l'idée qu'il n'était pas indispensable lui était tout aussi insupportable.

Lioudmila Nikolaïevna rencontra dans la rue son amie d'évacuation, Stoïnikova, qui travaillait dans l'administration de l'Académie. Stoïnikova lui raconta en détail la réunion du Conseil scientifique ; elle l'avait sténographiée du début à la fin.

Un point était essentiel : Sokolov n'avait pas pris la parole. Il n'était pas intervenu, malgré les prières de Chichakov : « Piotr Lavrentievitch, nous désirons vous entendre. Vous avez travaillé avec Strum de nombreuses années durant. » Sokolov avait répondu qu'il avait eu un malaise cardiaque la nuit précédente et qu'il avait des difficultés pour parler.

Curieusement, cette nouvelle ne réjouit pas Strum.

Markov avait pris la parole, au nom du laboratoire. Il avait été plus modéré que les autres, n'avait pas lancé d'accusations politiques, avait surtout insisté sur le sale caractère de Strum. et avait même évoqué son talent.

— Il ne pouvait pas refuser de parler, il est au parti, on l'a obligé, dit Strum. On ne peut pas le lui reprocher.

Cependant, la plupart des interventions étaient terribles. Kovtchenko avait parlé de Strum comme d'un truand, d'un arriviste. Il avait dit : « Le dénommé Strum n'a pas daigné se présenter. Il passe toutes les bornes ! Nous allons donc être contraints d'adopter envers lui un tout autre langage. C'est visiblement ce qu'il cherche. »

Prassolov, l'homme aux cheveux blancs, qui avait comparé les travaux de Strum à ceux de Lebedev, avait déclaré : « Des personnes d'un genre bien particulier font autour des théorisations douteuses de Strum un bruit indécent. »

Gourevitch, docteur ès sciences physiques, avait eu des paroles très dures. Il avait reconnu qu'il s'était grossièrement trompé, qu'il avait surestimé les recherches de Strum ; il avait fait allusion à l'intolérance nationaliste de Strum et déclaré qu'une personne brouillonne en politique l'était forcément dans le domaine scientifique.

Svetchine avait parlé du « vénérable » Strum et rapporté les paroles de Victor Pavlovitch, selon lesquelles il n'y avait pas une physique américaine, allemande ou soviétique, qu'il y avait *la* physique.

— Je l'ai dit, en effet, fit remarquer Strum. Mais rapporter, en réunion, une conversation privée, c'est tout simplement de la délation.

Strum fut stupéfait d'apprendre que Pimenov, qui ne dépendait plus de l'Institut, avait, lui aussi, fait une déclaration que personne ne lui demandait. Il avait exprimé son regret d'avoir accordé trop d'importance aux travaux de Strum, d'en avoir ignoré les défauts. C'était fantastique ! Pimenov avait dit, autrefois, qu'il était à genoux devant les travaux de Strum, qu'il était heureux de contribuer à leur réalisation.

Chichakov avait été bref. La résolution avait été présentée par Ramskov, secrétaire du comité du parti de l'Institut. Elle était très dure, on exigeait de la direction qu'elle ampute le collectif, sain dans son ensemble, de ses membres en décomposition. Le plus vexant était que la résolution ne faisait pas mention des mérites scientifiques de Strum.

— N'empêche que Sokolov s'est conduit très convenablement. Alors, pourquoi Maria Ivanovna a-t-elle disparu ? Est-il effrayé à ce point ? demanda Lioudmila Nikolaïevna.

Strum ne répondit pas.

C'était étrange ! Il n'en voulait à personne, et pourtant il ignorait la notion chrétienne de pardon. Il n'était pas en colère contre Chichakov et Pimenov. Il ne gardait pas rancune à Svetchine, Gourevitch, Kovtchenko. Un seul être le mettait en fureur, faisait naître en lui une rage si lourde, si oppressante que Strum devenait fiévreux, étouffait, dès qu'il se mettait à penser à lui. On eût dit que toutes ces actions cruelles, injustes, entreprises contre lui, venaient de Sokolov. Comment Piotr Lavrentievitch avait-il pu interdire à Maria Ivanovna de fréquenter les Strum ? Quelle lâcheté, quelle cruauté, quelle bassesse, quelle ignominie !

Il ne pouvait admettre que sa fureur ne venait pas seulement de la culpabilité de Sokolov à l'égard de Strum, mais du sentiment profond de sa propre faute à l'égard de Sokolov.

Désormais, Lioudmila Nikolaïevna évoquait souvent les questions matérielles.

Surplus de surface habitable, attestation de salaire pour la Direction des logements, cartes de rationnement, démarches pour être rattachée à un nouveau magasin, tickets d'alimentation pour les trimestres à venir, passeports à renouveler et nécessité, pour ce faire, de présenter une attestation de travail, tout cela angoissait Lioudmila Nikolaïevna, elle y pensait jour et nuit. Où trouver l'argent pour vivre ?

Autrefois, Strum plastronnait et disait en riant : « Je m'occuperai de problèmes théoriques à la maison. Je vais me monter une ferme-laboratoire. »

Mais aujourd'hui, on n'avait plus envie de rire. L'argent qu'il touchait en tant que membre correspondant de l'Académie des sciences suffisait à peine à payer le loyer de l'appartement, la datcha, les diverses charges. La solitude lui pesait terriblement.

Et pourtant, il fallait vivre !

La fonction d'enseignant dans l'enseignement supérieur lui était fermée. Un individu politiquement douteux ne pouvait être mis en contact avec la jeunesse.

Que lui restait-il ?

Sa position de savant renommé lui ôtait toute possibilité de trouver un travail modeste. N'importe quel chef du personnel aurait une exclamation de stupéfaction et refuserait de nommer un docteur ès sciences rédacteur technique ou professeur de physique dans une école secondaire.

Quand il lui devenait trop pénible de penser à son travail perdu, au besoin, à la dépendance, aux humiliations subies, il se disait : « Vivement qu'on m'arrête ! »

Mais Lioudmila et Nadia resteraient. Il leur fallait bien vivre !

Cultiver des fraises à la datcha ! Tu parles ! On la leur prendrait, la location devait être renouvelée au mois de mai. La datcha n'appartenait pas à l'Académie, elle dépendait de son ancien service. Par négligence, il avait omis de payer la location. Il pensait, d'un coup, régler tous les mois en retard, plus six mois d'avance. Mais aujourd'hui, cette somme qui, un mois plus tôt, lui paraissait minime le plongeait dans l'horreur.

Où trouver l'argent ? Et Nadia qui avait besoin d'un manteau.

Emprunter ? Mais comment emprunter sans espoir de rendre ?

Vendre des choses ? Mais qui, en pleine guerre, voudrait acheter de la porcelaine, un piano ? Et puis, ce serait dommage : Lioudmila aimait tant sa collection. Même aujourd'hui, après la mort de Tolia, il lui arrivait de l'admirer.

L'idée lui venait souvent de se rendre au commissariat militaire, de renoncer à l'affectation spéciale que lui offrait l'Académie et de demander à être envoyé au front comme simple soldat.

Dans ces moments-là, son âme trouvait le repos.

Puis revenaient les pensées qui l'angoissaient, le tourmentaient. Comment vivraient Lioudmila et Nadia ? Trouver un poste dans une école ? Louer une des pièces ? Mais le gérant de l'immeuble s'en mêlerait et, avec lui, la milice. La nuit, ils perquisitionneraient, il y aurait des amendes, des procès-verbaux.

Qu'ils paraissaient soudain puissants, sages et menaçants, ces gérants d'immeubles, ces miliciens de quartier, ces inspecteurs du logement, ces secrétaires employées au service du personnel !

Pour l'homme qui avait perdu tout appui, la moindre gamine travaillant au ravitaillement semblait dotée d'un pouvoir immense, d'une force tranquille.

Un sentiment de peur, d'impuissance, d'indécision tenaillait Victor Pavlovitch tout au long de la journée. Un sentiment qui cependant variait, n'était pas uniforme. A chaque moment de la journée correspondaient une peur, une tristesse particulières. De bon matin, après la tiédeur du lit, quand la fenêtre se voilait encore d'une pénombre trouble et froide, il éprouvait, d'ordinaire, un sentiment d'impuissance enfantine, face à cette force immense qui s'était abattue sur lui. Il avait envie de se cacher sous ses couvertures, de se faire tout petit, de fermer les yeux et de ne plus bouger.

La première partie de la journée se passait dans le regret de son travail ; il avait très envie d'aller à l'Institut. Dans ces moments-là, il se sentait parfaitement inutile, stupide, nul.

Il lui semblait que l'État, dans sa colère, était capable de lui ôter, outre la paix et la liberté, le talent, la confiance en lui, de le transformer en un petit boutiquier obscur, borné, sinistre.

Il s'animait au moment du déjeuner, se sentait plus gai. Mais le repas terminé, il retrouvait son cafard, lancinant, stupide et vide.

Avec les ténèbres, venait la grande peur. Victor Pavlovitch craignait maintenant l'obscurité, comme un sauvage de l'âge de pierre que la nuit aurait surpris dans la forêt. Sa peur augmentait, se faisait plus dense... Strum réfléchissait, évoquait des souvenirs. Dans les ténèbres, par la fenêtre, le malheur le guettait, cruel, inexorable. Bientôt, une voiture se ferait entendre dans la rue, un coup de sonnette, des bruits de bottes... Impossible d'y échapper. L'indifférence alors le submergeait, mauvaise, joyeuse !

Strum dit à Lioudmila :

— Ils en avaient de la chance tous ces frondeurs nobles de l'ancien régime. L'un d'eux tombait-il en disgrâce ? Il quittait la capitale pour son domaine de Penza. Et c'étaient les chasses, les joies de la campagne, les voisins, le parc. On rédigeait ses Mémoires. Essayez donc, messieurs les voltairiens, cette nouvelle manière : deux semaines d'indemnités et, dans une enveloppe cachetée, des références tellement bonnes qu'on ne vous prendra même pas comme balayeur !

— Vitia, répondit Lioudmila Nikolaïevna. On s'en tirera ! Je ferai de la couture, je prendrai du travail à domicile, je peindrai des foulards. Je me ferai engager dans un laboratoire, comme laborantine. J'arriverai bien à te nourrir.

Il lui embrassait les mains et elle ne pouvait comprendre pourquoi son visage exprimait la culpabilité et la souffrance, pourquoi ses yeux se faisaient plaintifs, suppliants...

Victor Pavlovitch arpentait la pièce en fredonnant les paroles d'une vieille romance :

... Il est seul, oublié...

Apprenant que Strum songeait à s'engager pour partir au front, Nadia raconta :

— Je connais une fille comme cela, Tonia Kogan, dont le père est parti comme volontaire. Il est spécialiste de la Grèce antique ou de je ne sais quoi, et il s'est retrouvé dans un régiment de réserve à Penza. On l'a mis à nettoyer les cabinets, à balayer. Un jour, le capitaine est venu faire un tour, et lui, qui y voit mal, lui a envoyé des saletés en balayant. L'autre lui a aussitôt retourné un coup de poing sur l'oreille et lui a fait péter le tympan.

— Bon, conclut Strum. Je ne balaierai pas en direction du capitaine.

Désormais, Strum considérait Nadia comme une adulte. Jamais, semblait-il, il n'avait vu sa fille d'un si bon œil. Elle rentrait à présent aussitôt ses cours finis, et cela le touchait. Il se disait qu'elle ne voulait pas l'inquiéter. Quand elle discutait avec lui, il y avait dans ses yeux narquois une expression nouvelle : sérieuse et tendre.

Un soir, il s'habilla et partit en direction de l'Institut ; il avait envie de jeter un coup d'œil par la fenêtre de son laboratoire ; il voulait savoir s'il y avait de la lumière, si la deuxième équipe y travaillait, si Markov avait terminé les installations. Mais il n'alla pas jusqu'à l'Institut. Il eut peur, soudain, de rencontrer des gens connus, tourna dans une petite ruelle pour rentrer. La ruelle était sombre et déserte Et soudain, une impression de bonheur envahit Strum. La neige, le ciel nocturne, l'air frais et glacé, le bruit de ses pas, les arbres aux branches sombres, le rai de lumière filtrant à travers le rideau de camouflage d'une petite maison de bois, tout cela était si beau ! Il aspirait l'air de la nuit, marchait dans la ruelle paisible, et personne ne le regardait. Il était vivant et libre. Que pouvait-il rêver de mieux ? Victor Pavlovitch regagna sa maison et son bonheur disparut.

Les premiers jours, Strum avait attendu Maria Ivanovna avec une certaine impatience. Mais les jours passaient et Maria Ivanovna ne téléphonait pas. On lui avait vraiment tout pris : son travail, son honneur, sa tranquillité, sa foi en lui-même. Avait-on aussi décidé de le priver de son dernier refuge : l'amour ?

Parfois, il était au désespoir, se prenait la tête dans les mains : il lui semblait qu'il ne pourrait vivre sans la voir. Il marmonnait : « Allons, allons, allons. » Ou il se disait : « Personne n'a plus besoin de moi. »

Pourtant, une petite tache de lumière brillait, au fond de son désespoir : un sentiment de pureté qu'ils avaient su préserver, Maria Ivanovna et lui. Ils souffraient, mais ne tourmentaient pas les autres. Mais il comprenait aussi que toutes ses pensées — philosophiques, résignées, mauvaises — ne correspondaient guère à ce qui se produisait dans son âme. Sa rancune contre Maria Ivanovna, son ironie envers lui-même, son acceptation de la fatalité, son sens du devoir envers Lioudmila Nikolaïevna, la paix de sa conscience, tout cela n'était qu'un moyen de lutter contre le désespoir. Quand il se rappelait ses yeux, sa voix, une tristesse insoutenable l'envahissait. Ne la reverrait-il jamais plus ? Et quand la séparation lui semblait définitive, quand l'idée de la perdre lui devenait particulièrement insupportable, Victor Pavlovitch, honteux, disait à Lioudmila Nikolaïevna :

— Tu sais, je suis très inquiet pour Madiarov. Je me demande si tout va bien, si on a des nouvelles de lui. Tu devrais peut-être téléphoner à Maria Ivanovna ?

Le plus curieux, sans doute, était qu'il continuait à travailler. Il travaillait, mais son cafard, son agitation, son chagrin ne diminuaient pas.

Le travail ne l'aidait pas à vaincre la tristesse et la peur, il n'était pas, pour lui, un remède moral ; Victor Pavlovitch n'en attendait pas l'oubli, le réconfort, car le travail était plus qu'un remède.

Il travaillait parce qu'il ne pouvait s'en passer.

41

Lioudmila Nikolaïevna raconta à son mari qu'elle avait rencontré le gérant. Ce dernier priait Strum de passer à la Direction des logements.

Ils tentèrent de deviner ce qui motivait cette invite. Trop de mètres carrés ? Le passeport à renouveler ? Un contrôle du commissariat militaire ? Peut-être quelqu'un les avait-il informés que Génia vivait chez eux sans visa de séjour ?

— Tu aurais dû demander, dit Strum. Nous ne serions pas là à nous creuser la tête.

— J'aurais dû, bien sûr, reconnut Lioudmila Nikolaïevna. Mais j'ai été prise de court. Il m'a dit : que votre mari passe un matin, puisqu'il ne travaille plus.

— Oh ! Seigneur ! Ils sont déjà au courant de tout.

— Tu sais bien qu'ils sont tous là à épier : les concierges, les liftiers, les femmes de ménage des voisins. De quoi t'étonnes-tu ?

— C'est juste. Tu te souviens de ce jeune homme qui était venu, avant-guerre, avec sa carte du parti, te proposer de l'informer sur les fréquentations des voisins ?

— Si je m'en souviens ! répondit Lioudmila Nikolaïevna. J'ai poussé un tel hurlement qu'il a tout juste eu le temps de me dire, à la porte : « Et moi qui croyais que vous aviez une conscience politique ! »

Lioudmila Nikolaïevna avait maintes fois raconté cette histoire. D'ordinaire, en l'écoutant, il mettait son grain de sel, pour tenter d'abréger le récit. Mais cette fois, il demanda à sa femme de lui narrer les faits dans les moindres détails et ne fit rien pour la presser.

— Tu sais, dit-elle. Peut-être tout cela vient-il de ces deux nappes que j'ai vendues au marché ?

— Je ne pense pas. Pourquoi, alors, m'aurait-on convoqué plutôt que toi ?

Ses pensées étaient affreusement maussades. Il évoquait constamment ses conversations avec Chichakov et Kovtchenko : que n'avait-il pas dit, alors ! Il se rappelait ses discussions d'étudiant : quel bavard il faisait ! Et de parler avec Dmitri, avec Krymov, qu'il approuvait de temps à autre, il est vrai. N'empêche : de toute sa vie, il n'avait jamais été l'ennemi du parti et du pouvoir soviétique.

Mais, ensuite, lui revenaient certaines paroles particulièrement sévères qu'il avait eues autrefois, et une sueur glacée l'envahissait. Krymov, ce communiste pur et dur, ce fanatique — en voilà un qui ignorait le doute ! — avait été arrêté ! Et ces maudits symposiums avec Madiarov et Karimov !

Comme tout était étrange !

D'ordinaire, le soir, au crépuscule, la pensée le hantait qu'on allait l'arrêter, et ce sentiment de terreur ne cessait de s'amplifier, de croître, de peser. Mais, au moment même où l'issue fatale semblait inexorable, il se sentait soudain joyeux, léger. Allez donc y comprendre quelque chose !

Il avait l'impression qu'il allait perdre la raison quand il pensait à l'injustice dont on avait fait preuve à l'égard de ses travaux. Mais quand l'idée qu'il était bête et sans talent, que ses travaux n'étaient qu'une caricature, terne et primaire, de la réalité, cessait d'être une idée pour devenir une sensation bien vivante, il retrouvait la gaieté.

Il n'envisageait même plus de reconnaître ses fautes, il était pitoyable, ignare, ses regrets n'auraient rien changé. Repenti ou non, il n'était qu'une nullité face à l'État en colère.

Que Lioudmila avait changé, ces derniers temps ! Au téléphone, elle ne disait plus au gérant : « Envoyez-moi immédiatement un plombier ! » Elle ne menait plus d'enquêtes dans l'escalier : « Qui a encore renversé des épluchures à côté du vide-ordures ? » Elle s'habillait, si l'on peut dire, « nerveusement ». Tantôt, sans rime ni raison, elle mettait une veste de fourrure, très chère, pour aller acheter de l'huile, tantôt elle s'emmitouflait dans un vieux châle gris et enfilait le manteau qu'avant la guerre elle voulait offrir à la bonne femme de l'ascenseur.

Strum regardait Lioudmila, en se demandant à quoi ils ressembleraient, tous deux, dans dix ou quinze ans.

— Tu te souviens du récit de Tchekhov : *l'Évêque ?* La mère, en gardant sa vache, raconte aux autres femmes que son fils, autrefois, était évêque. Mais on ne la croit guère.

— Il y a longtemps que j'ai lu cela, j'étais encore gamine. Je ne me rappelle plus, répondit Lioudmila Nikolaïevna.

— Relis-le, reprit-il, agacé.

Toute sa vie, il en avait voulu à Lioudmila Nikolaïevna de son indifférence à l'égard de Tchekhov. Il la soupçonnait même de n'avoir jamais lu un grand nombre de ses récits.

C'était étrange, étrange ! Plus il était faible, impuissant, plus son esprit était proche de l'entropie, plus il était minable aux yeux du gérant, des filles du bureau de ravitaillement, des employés aux passeports ou au service du personnel, des garçons de laboratoire, des scientifiques, des amis, des parents, de Tchepyjine même, ou encore de sa femme... plus il était proche et aimé de Macha. Ils ne se voyaient plus, mais il le savait, le sentait. A chaque nouveau coup du sort, à chaque humiliation, il lui demandait, mentalement : « Tu me vois, Macha ? »

Et ainsi bavardait-il avec sa femme, tout en remuant des pensées secrètes qu'elle ignorait.

Le téléphone sonna. Les coups de téléphone, désormais, les inquiétaient tout autant qu'un télégramme nocturne, annonciateur d'un malheur.

— Ah ! Je sais ! On a promis de m'appeler pour ce travail à la coopérative, dit Lioudmila Nikolaïevna.

Elle décrocha, haussa les sourcils et répondit :

— Je vous le passe.

— C'est pour toi, fit-elle.

Strum demanda du regard : « Qui ? »

La main sur le combiné, elle répondit :

— Une voix inconnue. Aucune idée.

Strum prit l'écouteur.

— Je vous en prie, j'attendrai, dit-il et, apercevant les yeux interrogateurs de Lioudmila, il chercha à tâtons un crayon sur la petite table et griffonna quelques lettres bancales sur un bout de papier.

Sans avoir bien conscience de ce qu'elle faisait, Lioudmila Nikolaïevna se signa lentement, puis bénit Victor Pavlovitch. Ils ne disaient mot.

« ... Un communiqué de toutes les radios d'Union soviétique. »

La voix, extraordinairement semblable à celle qui, le 3 juillet 1941, s'était adressée au peuple, à l'armée, au monde entier (« Camarades, mes frères, mes amis... »), s'adressait aujourd'hui à un seul homme, pendu au téléphone :

— Bonjour, camarade Strum.

A cet instant, des idées confuses, des bribes de pensées, des sentiments tronqués lui vinrent en bloc, mélange de triomphe, de faiblesse, de crainte d'une mystification de voyou, de pages de manuscrits à l'écriture serrée, de questionnaires, avec, en plus, l'immeuble de la Loubianka...

Il perçut avec acuité l'accomplissement de son destin, impression nuancée de tristesse : il lui semblait avoir perdu une chose étrangement chère, touchante, bonne.

— Bonjour, Joseph Vissarionovitch, dit Strum, stupéfait de prononcer, au téléphone, ces mots incroyables. Bonjour, Joseph Vissarionovitch.

L'entretien dura deux ou trois minutes.

— Je crois savoir que vous travaillez dans une direction intéressante, dit Staline.

Sa voix, lente, rauque, qui marquait très fort certaines syllabes, paraissait contrefaite, tant elle ressemblait à l'autre, celle que Strum entendait à la radio. Quand Strum voulait s'amuser, c'est ainsi qu'il l'imitait, chez lui. C'est ainsi que la reproduisaient les gens qui avaient entendu Staline, lors d'un congrès, ou qui avaient été convoqués chez lui.

Serait-ce une mystification ?

— Je crois en ce que je fais, dit Strum.

Staline resta un instant silencieux, il semblait réfléchir aux paroles de Strum.

— Peut-être manquez-vous, du fait de la guerre, de documents étrangers ou d'appareils ? demanda Staline.

Strum répondit, avec une sincérité qui l'étonna lui-même :

— Je vous remercie beaucoup, Joseph Vissarionovitch, mes conditions de travail sont tout à fait normales, satisfaisantes.

Lioudmila Nikolaïevna, debout, comme si Staline pouvait la voir, écoutait la conversation.

Strum lui fit un signe : « Assieds-toi, comment n'as-tu pas honte... » De nouveau, Staline se tut, réfléchissant aux paroles de Strum, puis il reprit :

— Au revoir, camarade Strum, je vous souhaite de réussir dans vos travaux.

— Au revoir, camarade Staline.

Strum raccrocha.

Ils se retrouvèrent assis, face à face, comme quelques instants plus tôt, lorsqu'ils parlaient des nappes que Lioudmila Nikolaïevna avait vendues au marché de Tichinsk.

— Je vous souhaite de réussir dans vos travaux, dit soudain Strum, avec un fort accent géorgien.

Le fait que rien n'ait changé, ni le buffet, ni le piano, ni les chaises, ni même les deux assiettes sales qui restaient sur la table comme pendant leur conversation à propos du gérant, avait quelque chose d'insensé, à vous faire perdre la raison. Car, au fond, tout avait changé, la situation s'était retournée, un nouveau destin les attendait.

— Que t'a-t-il dit ?

— Rien de spécial. Il m'a demandé si le manque de documents étrangers ne me gênait pas trop dans mes recherches, répondit Strum, en s'efforçant d'avoir l'air calme et indifférent.

Par instants, il se sentait gêné de ce sentiment de bonheur qui l'avait envahi.

— Liouda, Liouda, fit-il. Tu imagines ! Je ne me suis pas repenti ! Je n'ai pas courbé la tête, je ne lui ai pas écrit de lettre. C'est lui qui m'a téléphoné, lui !

L'incroyable s'était produit. La portée de cet événement était incalculable. Était-ce bien le même Strum qui tournait comme un lion en cage, ne dormait pas des nuits entières, perdait ses moyens devant les questionnaires qu'on lui demandait de remplir, s'arrachait les cheveux en pensant à ce qu'on avait dit de lui au Conseil scientifique, évoquait ses péchés, se repentait mentalement et demandait pardon, s'attendait à être arrêté, pensait se retrouver dans la misère, tremblait à l'idée d'une discussion au bureau des passeports ou avec la fille du ravitaillement.

— Mon Dieu, mon Dieu, fit Lioudmila Nikolaïevna. Et dire que Tolia ne verra jamais cela.

Elle se rendit à la chambre de Tolia, ouvrit tout grand la porte. Strum décrocha le téléphone, mais raccrocha aussitôt.

— Et si c'était une blague ? dit-il soudain, en allant à la fenêtre. La rue était déserte. Une femme passa, vêtue d'une veste molletonnée.

Une fois encore, il s'approcha du téléphone, tapota le combiné de son doigt recourbé.

— Comment était ma voix ? demanda-t-il.

— Tu parlais très lentement. Tu sais, je n'arrive pas à comprendre pourquoi je me suis soudain levée.

— Staline !

— Peut-être qu'en effet c'était une blague ?

— Allons donc ! Qui pourrait s'y risquer ? Une blague comme cela, c'est dix ans à coup sûr.

Une heure plus tôt, il arpentait la pièce, en fredonnant une romance de Golenichtchev-Koutouzov :

« ... *il est seul, oublié...* »

Les coups de téléphone de Staline ! Une fois ou deux par an, des rumeurs couraient dans Moscou : Staline avait appelé le metteur en scène Dovjenko, Staline avait téléphoné à l'écrivain Ehrenbourg.

Point lui était besoin d'ordonner : donnez un prix à un tel, ou un appartement, construisez-lui un institut scientifique ! Il était trop grand pour parler de ces choses. Ses subordonnés s'en occupaient, essayant de deviner ses désirs à l'expression de ses yeux, aux intonations de sa voix. Il lui suffisait d'adresser à un homme un petit rire bienveillant pour que son destin s'en trouve changé : il quittait les ténèbres, l'anonymat, pour un déluge de gloire, d'honneurs, de puissance. Des dizaines de personne haut placées saluaient alors l'heureux élu : Staline lui avait souri, avait plaisanté avec lui, lui avait parlé au téléphone.

Les gens se répétaient les détails de ces conversations, chaque parole prononcée par Staline leur semblait étonnante. Plus les mots employés étaient banals, plus ils les stupéfiaient. Staline, à les en croire, ne pouvait user de mots courants.

On racontait qu'il avait appelé un sculpteur célèbre et lui avait dit, en riant :

— Bonjour, vieil ivrogne.

Il avait appelé une autre célébrité, un homme honnête, et lui avait parlé d'un de ses camarades qu'on avait arrêté. L'autre, désemparé, avait bafouillé une réponse et Staline lui avait dit :

— Vous défendez bien mal vos amis.

On racontait qu'il avait téléphoné à la rédaction d'un journal pour les jeunes, et que le rédacteur adjoint avait répondu :

— Boubekine à l'appareil.

Staline avait alors demandé :

— Et qui est Boubekine ?

Et Boubekine de répondre :

— N'avez qu'à le savoir ! Et il avait brutalement raccroché.

Staline l'avait alors rappelé :

— Camarade Boubekine, ici Staline. Soyez gentil de m'expliquer qui vous êtes.

On racontait que Boubekine avait ensuite passé deux semaines à l'hôpital, pour se remettre du choc nerveux.

Une seule de ses paroles pouvait anéantir des milliers, des dizaines de milliers de personnes. Un maréchal, un commissaire du peuple, un membre du Comité central, un secrétaire d'obkom, tous ces gens qui, hier encore, commandaient une armée, un groupe d'armées, régnaient sur des régions, des républiques, d'énormes usines, pouvaient, aujourd'hui, sur un simple mot de colère de Staline, n'être plus que grains de poussière dans un camp, où ils attendraient leur rata, dans un tintement de gamelles.

On rapportait que Staline et Beria s'étaient rendus, de nuit, chez un vieux bolchevik, géorgien, récemment libéré de la Loubianka, et y étaient restés jusqu'au matin. Toute la nuit, les habitants de l'appartement s'étaient abstenus d'aller aux toilettes et, le lendemain, ils ne s'étaient pas rendus à leur travail. On racontait que la porte leur avait été ouverte par une sage-femme, la responsable de l'appartement. Elle était arrivée en chemise de nuit, un carlin dans les bras, furieuse que les visiteurs nocturnes n'aient pas donné le nombre de coups de sonnette convenu. Par la suite, elle racontait : « J'ouvre et je vois un portrait. Et voilà que le portrait avance vers moi. » On disait que Staline avait fait un tour dans le couloir et longuement contemplé la feuille de papier accrochée près du téléphone, sur laquelle les locataires indiquaient, au moyen de bâtons, le nombre de leurs conversations, afin qu'on pût s'y retrouver au moment de payer.

Ces récits stupéfiaient et amusaient les gens par le côté banal des paroles prononcées et des situations. L'incroyable, c'était cela : Staline parcourant le couloir d'un appartement communautaire !

Car sur un mot de lui, de gigantesques chantiers surgissaient, des colonnes de bûcherons gagnaient la taïga, des masses humaines de centaines de millions de personnes creusaient des canaux, édifiaient des villes, traçaient des routes dans la nuit polaire et les glaces éternelles. Il était l'incarnation d'un grand État. Le soleil de la Constitution stalinienne... Le parti de Staline... Les plans quinquennaux de Staline... Les chantiers staliniens... La stratégie de Staline... L'aviation stalinienne... Un grand État s'était exprimé en lui, dans son caractère, ses façons.

Victor Pavlovitch ne cessait de répéter :

« Je vous souhaite de réussir dans vos travaux... vous travaillez dans une direction très intéressante... »

C'était clair : Staline savait qu'à l'étranger on suivait avec intérêt les physiciens, spécialistes du nucléaire.

Strum sentait que ce domaine suscitait une étrange tension. Il l'avait perçue entre les lignes des articles publiés par des physiciens anglais et américains, dans certaines réticences qui venaient entraver le cours logique de la pensée. Il avait noté que les noms des chercheurs fréquemment publiés avaient disparu des pages des revues de physique ; les gens qui travaillaient sur la fission du noyau lourd semblaient s'être évaporés, personne ne faisait allusion à leurs travaux. Et cette tension, ce silence s'accroissaient encore, dès lors qu'on en venait aux questions de désintégration du noyau d'uranium.

Tchepyjine, Sokolov, Markov avaient maintes fois entamé des discussions sur ce thème. Récemment encore, Tchepyjine évoquait ces gens à la vue courte, incapables de percevoir les perspectives pratiques liées à l'action des neutrons sur le noyau lourd. Mais Tchepyjine ne souhaitait pas, lui-même, travailler dans ce domaine...

Une tension nouvelle, silencieuse, était née, dans l'air plein de bruits de bottes, du feu de la guerre, de fumée, du grincement des chars ; la main la plus forte de ce monde avait pris le téléphone, et le spécialiste de physique théorique avait entendu la voix lente lui dire : « Je vous souhaite de réussir dans vos travaux. »

Une ombre nouvelle, imperceptible, muette, légère, s'était couchée sur la terre brûlée par la guerre, sur les têtes d'enfants et sur les têtes blanches. Les gens n'en avaient pas conscience, ils l'ignoraient, ne sentaient pas qu'était née cette force qui devait advenir.

Un long chemin séparait les tables de travail de quelques dizaines de physiciens, les feuilles de papiers couvertes de bêta, alpha, ksi, gamma, sigma, les bibliothèques et les laboratoires de cette force cosmique diabolique, qui serait bientôt le sceptre du pouvoir d'État.

On avait commencé à parcourir cette distance, et l'ombre muette s'épaississait, devenait ténèbres, et menaçait maintenant Moscou et New York.

Ce jour-là, Strum ne se réjouit guère du succès de ses travaux, qu'il avait crus à jamais abandonnés au fond du tiroir de son bureau. Ils allaient quitter leur prison pour le laboratoire, devenir conférences et rapports de professeurs. Il ne pensa pas au triomphe de la vérité scientifique, à sa victoire, au fait qu'il pourrait, à nouveau, faire avancer la science, avoir des élèves, retrouver une existence dans les pages des revues et des manuels, s'inquiéter de savoir si son idée correspondait à la vérité du compteur et du papier sensible.

Un autre sentiment le bouleversait : celui, orgueilleux, de son triomphe sur les gens qui le persécutaient. Récemment encore, il lui semblait qu'il ne leur gardait pas rancune. Il ne voulait plus, aujourd'hui, se venger, leur faire du mal, mais son cœur et son esprit étaient en liesse, quand il songeait à toutes les actions mauvaises, malhonnêtes, cruelles et lâches qu'ils avaient commises. Plus ils avaient été grossiers et vils avec lui, plus il lui était doux, à présent, d'y penser.

Nadia revint de l'école. Lioudmila Nikolaïevna lui cria :

— Nadia, Staline a téléphoné à papa !

En voyant l'émotion de sa fille qui se précipitait dans la pièce, son manteau à demi ôté, son écharpe traînant sur le plancher, Strum se représenta plus clairement encore le désarroi des gens qui, aujourd'hui ou demain, apprendraient la nouvelle.

Ils commencèrent à déjeuner. Strum repoussa brusquement sa cuiller en disant :

— En fait, je n'ai pas faim du tout.

Lioudmila Nikolaïevna déclara :

— C'est une défaite sanglante pour tous ceux qui te haïssaient et te tourmentaient. J'imagine ce qui va se passer à l'Institut et à l'Académie.

— Oui, oui, oui, fit-il.

— Et dans les magasins réservés, maman, toutes ces dames vont à nouveau te saluer et te sourire, fit remarquer Nadia.

— Exactement, approuva Lioudmila Nikolaïevna et elle eut un petit rire.

Strum avait toujours eu les lèches-bottes en horreur, mais aujourd'hui, il se représentait, non sans bonheur, le sourire obséquieux d'Alexeï Alexeïevitch Chichakov.

C'était étrange, incompréhensible ! Cette joie, ce sentiment de triomphe qu'il éprouvait maintenant, était mêlé d'une sorte de tristesse souterraine, de regret d'une chose chère, sacrée, qu'il avait, en ces heures, l'impression de perdre. Il se sentait coupable de quelque chose envers quelqu'un, mais de quoi et envers qui, il l'ignorait.

Il mangeait sa soupe préférée — bouillie de sarrasin et de pommes de terre — et évoquait ses pleurs d'enfant, en cette nuit de printemps où il marchait à Kiev, et où les étoiles clignotaient entre les fleurs de marronniers. Le monde alors lui semblait beau, l'avenir immense, plein de bonté et de radieuse lumière. Et voilà qu'au moment où s'accomplissait son destin, il avait l'impression de perdre cet amour pur, enfantin, presque religieux qu'il avait pour la magie de la science, de perdre ce sentiment qui lui était venu quelques semaines auparavant, quand, surmontant son immense peur, il avait refusé de se mentir à lui-même.

Seule une personne pouvait comprendre cela, mais cet être n'était pas aux côtés de Victor Pavlovitch.

C'était étrange. Son cœur était impatient, avide : vite, que tous connaissent la nouvelle ! A l'Institut, dans les amphis universitaires, au Comité central du parti, à l'Académie, à la Direction du logement, au service des datchas, dans les chaires et les sociétés scientifiques ! Strum se moquait bien que Sokolov apprît la nouvelle. Mais hors de sa raison, au fond de son cœur, il souhaitait que Maria Ivanovna n'en sût rien. Il le sentait : il valait mieux, pour son amour, qu'il fût malheureux et persécuté. Il en avait, en tout cas, l'impression.

Il raconta à sa femme et sa fille une histoire que toutes deux connaissaient déjà, avant-guerre : Staline, une nuit, prend le métro. Un peu éméché, il s'assied à côté d'une jeune femme et lui demande :

— Que puis-je pour vous ?

Elle répond :

— Je voudrais tellement visiter le Kremlin.

Staline réfléchit et dit enfin :

— Je crois que je pourrai vous arranger cela.

Nadia fit remarquer :

— Tu vois, papa, tu es si grand, aujourd'hui, que maman t'a laissé raconter ton histoire sans t'interrompre, alors qu'elle l'entendait pour la cent onzième fois.

Et pour la cent onzième fois, l'histoire de cette femme à l'âme simple les fit rire.

Lioudmila Nikolaïevna proposa :

— Vitia, et si on ouvrait une bouteille, pour l'occasion ?

Elle apporta une boîte de bonbons, prévue pour l'anniversaire de Nadia.

— Servez-vous, dit Lioudmila Nikolaïevna, mais je t'en prie, Nadia, ne te jette pas dessus comme un loup affamé.

— Au fond, papa, reprit Nadia, pourquoi rions-nous de cette femme du métro ? Pourquoi ne lui as-tu pas parlé d'oncle Mitia et de Nikolaï Grigorievitch ?

— Voyons, c'est impensable ! répondit-il.

— Je ne trouve pas. Grand-mère, elle, l'aurait tout de suite fait. Je suis certaine qu'elle en aurait parlé.

— Possible, fit Strum, possible.

— Suffit de dire des bêtises, coupa Lioudmila Nikolaïevna.

— La vie de ton frère : des bêtises ! Pas mal, fit remarquer Nadia.

— Vitia, reprit Lioudmila Nikolaïevna, il faut téléphoner à Chichakov.

— Tu ne mesures pas bien ce qui s'est passé. Il ne faut téléphoner à personne.

— Appelle Chichakov, s'entêta Lioudmila Nikolaïevna.

— C'est ça ! Staline me dit : « Je vous souhaite de réussir », et tout ce que je trouve à faire, c'est d'appeler un Chichakov !

Un sentiment étrange, nouveau, naquit, ce jour-là, en Victor Pavlovitch. Le culte dont Staline faisait l'objet l'avait toujours indigné. Les colonnes des journaux étaient, de la première à la dernière, emplies de son nom. Des portraits, des bustes, des statues, des oratorios, des poèmes, des hymnes...

On lui donnait le nom de père, de génie...

Strum s'indignait de voir que le nom de Staline éclipsait celui de Lénine, qu'on opposait son génie stratégique à la tournure d'esprit civile de Lénine. Dans une pièce d'Alexis Tolstoï, Lénine tendait complaisamment une allumette, pour que Staline pût allumer sa pipe. Un peintre montrait Staline gravissant solennellement les marches du Smolny, tandis que Lénine courait derrière, excité comme un coq. Si un tableau représentait Lénine et Staline au milieu du peuple, seuls les vieillards, les bonnes femmes et les enfants regardaient tendrement Lénine, tandis que vers Staline marchaient, en procession, des géants armés — ouvriers et matelots, enrubannés de bandes de mitrailleuses. Décrivant les grands moments de l'histoire des Soviets, les historiens s'arrangeaient toujours pour montrer Lénine demandant conseil à Staline : pour la révolte de Cronstadt, la défense de Tsaritsyne et l'invasion polonaise. La grève de Bakou, à laquelle Staline avait participé, le journal *Bdzola,* qu'il rédigeait à une époque, occupaient plus de place dans l'histoire du parti que tout le mouvement révolutionnaire russe.

— *Bdzola, Bdzola,* répéta Victor Pavlovitch, courroucé. Il y a eu Jeliabov, Plekhanov, Kropotkine, les décembristes, mais on ne parle plus que de *Bdzola*...

Pendant mille ans, la Russie avait été la proie d'une fantastique autocratie, du pouvoir absolu, elle avait connu les tsars et leurs favoris. Et pourtant, en mille ans d'histoire, jamais la Russie n'avait connu de règne semblable à celui de Staline.

Mais aujourd'hui, Strum n'éprouvait ni indignation ni horreur. Plus grandiose était le pouvoir de Staline, plus assourdissants les hymnes et les cuivres, plus grand le nuage d'encens fumant aux pieds de l'idole vivante, plus fort était le bonheur de Strum.

La nuit tombait et il n'avait pas peur.

Staline lui avait parlé ! Staline lui avait dit : « Je vous souhaite de réussir dans votre travail. »

Quand il fit tout à fait noir, il sortit.

En cette soirée obscure, il n'éprouvait aucun sentiment d'impuissance ni de fatalité. Il était tranquille. Il en était sûr : là-bas, en ces lieux où l'on rédigeait les ordres, on savait déjà. Il était étrange de penser à Krymov, à Dmitri, à Abartchouk, à Madiarov ou Tchetverikov... Leur destinée n'était pas la sienne. Il pensait à eux avec tristesse, mais de l'extérieur.

Strum se réjouissait de sa victoire : sa force morale, sa cervelle avaient triomphé. Il ne s'inquiétait pas de savoir pourquoi son bonheur d'aujourd'hui ressemblait si peu à celui qu'il avait éprouvé le jour de son procès, quand il avait eu l'impression que sa mère se tenait à ses côtés. Il lui importait peu, à présent, de savoir si Madiarov avait été arrêté et si Krymov témoignait contre lui. Pour la première fois de sa vie, il ne redoutait pas ses plaisanteries frondeuses et ses discours imprudents.

Tard dans la nuit, tandis que Lioudmila et Nadia étaient au lit, le téléphone sonna.

— Bonsoir, dit une petite voix, et une émotion plus grande encore, semblait-il, que celle que Strum avait connue dans la journée, l'envahit.

— Bonsoir, dit-il.

— Je ne peux pas vivre sans entendre votre voix. Dites-moi quelque chose, fit-elle.

— Macha, ma petite Macha, balbutia-t-il, et il se tut.

— Victor, mon chéri, reprit-elle, je ne pouvais mentir à Piotr Lavrentievitch. Je lui ai avoué que je vous aimais. Je lui ai fait le serment de ne jamais vous revoir.

Au matin, Lioudmila Nikolaïevna entra dans sa chambre, lui caressa les cheveux, lui embrassa le front.

— Dans mon sommeil, je t'ai entendu, cette nuit, téléphoner à quelqu'un.

— Tu as rêvé, dit-il en la regardant tranquillement dans les yeux.

— N'oublie pas que tu dois passer chez le gérant.

42

Le veston du juge d'instruction avait quelque chose d'étrange, pour des yeux habitués aux vareuses et aux tuniques. Le visage, par contre, était familier : des visages comme celui-ci, d'un blanc jaunâtre, il en avait vu beaucoup, parmi les majors employés dans les bureaux et les collaborateurs du service politique.

Il lui fut très facile de répondre aux premières questions, agréable même : il se dit que la suite serait aussi évidente que son nom, son prénom et son patronyme.

On percevait, dans les réponses du détenu, une volonté empressée de venir en aide au juge d'instruction. Ce dernier, après tout, ne savait rien de lui. Le bureau placé entre eux deux ne les séparait pas. Tous deux payaient leur cotisation au parti, tous deux avaient vu le film *Tchapaïev,* tous deux avaient suivi les écoles du C.C. et étaient envoyés, chaque année, au 1er mai, prononcer des discours dans les entreprises.

Il y avait beaucoup de questions préalables, et le détenu se sentait de plus en plus tranquille. Ils entreraient bientôt dans le vif du sujet, et il raconterait comment il avait aidé ses hommes à sortir de l'encerclement.

Il apparaîtrait, enfin, que la créature assise près du bureau, le menton hérissé de poils, la vareuse largement échancrée et les vêtements sans boutons, avait un nom, un prénom et un patronyme, qu'elle était née un jour d'automne, qu'elle avait la nationalité russe, qu'elle avait fait deux guerres mondiales plus une civile, n'avait jamais appartenu à une bande quelconque, jamais été traînée en justice, était membre du parti communiste (bolchevique) depuis vingt-cinq ans, avait été déléguée au congrès du Komintern et à celui des syndicats du Pacifique, qu'elle n'avait ni distinction ni grade honorifique...

La tension de Krymov venait de ce qu'il pensait à l'encerclement, à ces gens qui marchaient avec lui dans les marais de Biélorussie et les champs ukrainiens.

Qui, parmi ces gens, avait été arrêté ? Qui avait perdu, au cours d'un interrogatoire, volonté et conscience ? C'est alors que vint une question concernant des années lointaines, une période bien différente, et qui stupéfia Krymov :

— Dites-moi à quand remontent vos relations avec Fritz Hacken ?

Il resta longtemps silencieux, puis répondit :

— Si je ne m'abuse, c'était à la Fédération des Syndicats, dans le bureau de Tomski, au printemps 1927.

Le juge d'instruction acquiesça, comme s'il était au courant de ce fait lointain.

Il poussa un soupir, ouvrit un dossier portant la mention : « A conserver perpétuellement », en dénoua sans hâte les rubans blanchâtres, et se mit à feuilleter des pages écrites en tous sens. Krymov distingua vaguement des encres de couleurs différentes, des pages tapées à la machine, avec simple ou double interligne, de rares annotations, faites d'une écriture large, au stylo rouge ou bleu, ou au crayon.

Le juge d'instruction feuilletait lentement les pages, tel un brillant étudiant, parcourant un manuel en sachant à l'avance qu'il connaît son sujet de A jusqu'à Z.

De temps à autre, il jetait un coup d'œil à Krymov. Alors, on eût dit un peintre, comparant son dessin avec l'original : les traits, le caractère, les yeux, ce miroir de l'âme...

Que son regard était devenu mauvais ! Son visage familier — Krymov en avait vu tant, après 1937, dans les comités de parti, les bureaux de la milice, les bibliothèques et les maisons d'édition — avait soudain perdu sa banalité. Il parut à Krymov constitué de cubes, mais assemblés de telle façon qu'ils ne formaient pas un tout, une personne humaine. Un cube portait les yeux, un autre les mains aux gestes lents, un troisième la bouche qui posait les questions. Les cubes s'étaient mélangés, leurs proportions avaient changé : la bouche était démesurée, les yeux placés sous la bouche, au milieu du front plissé qui occupait la place du menton.

— C'est cela, c'est bien cela, dit le juge d'instruction, et son visage redevint humain. Il ferma le dossier, mais sans renouer les rubans.

« Des lacets de chaussures dénoués », pensa la créature au pantalon et au caleçon sans boutons.

— L'Internationale communiste, dit le juge d'instruction, d'une voix lente et solennelle, et il ajouta, reprenant son ton habituel : la Troisième Internationale.

Puis il resta un certain temps perdu dans ses réflexions.

— Oh ! plutôt délurée, cette Moussia Grinberg ! reprit-il, soudain vif, malicieux, dans le style : conversation entre hommes. Et Krymov se troubla, perdit pied et rougit violemment.

C'était vrai ! Mais c'était si loin ! La honte, pourtant, restait. A l'époque, semblait-il, il aimait déjà Génia. Autant qu'il s'en souvienne, il était passé, en sortant du travail, chez son vieil ami, pour rembourser ses dettes : il lui avait emprunté de l'argent pour un bon de séjour. La suite, il s'en souvenait comme si c'était hier. Konstantin n'était pas chez lui. Le pire, c'est qu'elle ne lui avait jamais plu, cette fille à la voix rendue rauque par l'usage permanent du tabac, cette fille qui jugeait de tout avec aplomb. Elle était deuxième secrétaire du parti à l'Institut de philosophie, jolie, il est vrai, comme on dit : une bonne femme qui se remarque. Eh oui ! Il avait sauté la femme de Kostia sur le divan et l'avait revue à deux reprises...

Une heure plus tôt, il était persuadé que le juge d'instruction, un vrai péquenot, ignorait tout de lui. Mais le temps passait, et le magistrat continuait de poser des questions sur les communistes étrangers, amis de Nikolaï Grigorievitch : il connaissait leurs petits noms, leurs sobriquets, les noms de leurs femmes, de leurs maîtresses. L'étendue de ses renseignements avait quelque chose d'angoissant. Même si Nikolaï Grigorievitch avait été un grand homme, dont chaque parole aurait eu une portée historique, il n'eût pas été nécessaire de réunir, dans ce dossier, tant de vieilleries et de vétilles.

Mais tout avait de l'importance.

Partout où il était passé, il avait laissé une empreinte, il traînait une suite derrière lui, qui connaissait toute sa vie.

Une remarque ironique sur un camarade, un trait d'esprit sur un livre, un toast plaisant à un anniversaire, un entretien de trois minutes au téléphone, un méchant billet, adressé à la présidence au cours d'une réunion, tout cela se retrouvait dans le dossier à rubans.

Ses paroles, ses actes y avaient été rassemblés, et, desséchés, composaient un volumineux herbier. Des doigts mauvais avaient patiemment réuni ronces, orties, chardons...

L'État, majestueux, s'intéressait à sa liaison avec Moussia Grinberg ! Des petits mots de rien, des détails venaient se mêler à sa foi ; son amour pour Evguénia Nikolaïevna ne comptait pas, seules importaient quelques rencontres de hasard, à tel point qu'il ne parvenait plus à démêler l'essentiel du détail. Une phrase irrévérencieuse sur les connaissances philosophiques de Staline semblait compter beaucoup plus que dix ans de nuits sans sommeil, passées à travailler pour le parti. Avait-il vraiment dit, en 1932, bavardant dans le bureau de Lozovski avec un camarade venu d'Allemagne, que le mouvement syndical soviétique était trop bureaucratique et bien peu prolétaire ? Toujours est-il qu'un camarade avait mouchardé.

Seigneur ! Tout cela n'était que mensonges ! Une toile d'araignée, craquante et gluante, emplissait sa bouche, ses narines.

— Comprenez-moi, camarade juge d'instruction.

— Citoyen juge d'instruction.

— Bien sûr, bien sûr, citoyen. Tout cela est de la blague, des idées préconçues. J'ai passé un quart de siècle au sein du parti. Soulevé les soldats en 17. Fait quatre séjours en Chine. J'ai travaillé jour et nuit. Des centaines de personnes me connaissent... Au début de la Seconde Guerre mondiale, je suis parti au front comme volontaire, et dans les moments les plus durs, des hommes ont cru en moi et m'ont suivi... Je...

Le juge d'instruction demanda :

— Vous êtes venu ici pour recevoir un diplôme d'honneur, ou quoi ? Vous remplissez une demande de gratification ?

En effet, il n'était pas venu toucher une récompense.

Le juge d'instruction hocha la tête :

— Et par-dessus le marché, ça se plaint de ne pas recevoir de colis de sa femme ! Ah ! il est beau, le mari !

Ces paroles, il les avait confiées à Bogoleïev, dans la cellule. Mon Dieu ! Katzenelenbogen lui avait dit, en plaisantant : « Le Grec disait : ''Tout passe'', nous affirmons, nous : ''Tous mouchardent.'' »

Une fois dans le dossier à rubans, sa vie tout entière perdait son volume, sa durée, ses proportions... Tout se fondait en un étrange vermicelle gris, gluant, et il en oubliait lui-même ce qui comptait le plus : quatre ans de travail clandestin incessant, dans la touffeur brûlante et épuisante de Shanghai, la percée de Stalingrad, sa foi révolutionnaire, ou quelques paroles irritées sur la pauvreté des journaux soviétiques, prononcées à la maison de vacances « Les pins », devant un spécialiste de littérature assez peu connu.

Le juge d'instruction demanda, d'un ton bienveillant, doux, tendre :

— Et maintenant, racontez-moi comment le fasciste Hacken vous a convaincu de vous livrer à l'espionnage et au sabotage.

— Vous ne parlez pas sérieusement ?

— Cessez de faire l'imbécile, Krymov. Vous voyez bien : nous connaissons le moindre de vos faits et gestes.

— Justement, justement...

— Ça va, Krymov. Vous ne tromperez pas les organes de sécurité.

— Bien sûr. Mais tout cela n'est que mensonge !

— Le problème, Krymov, c'est que nous avons les aveux de Hacken. En reconnaissant son forfait, il a parlé du lien criminel qui vous unissait.

— Vous pouvez bien me montrer dix lettres d'aveux de Hacken. Tout cela est faux ! Du délire ! Si, effectivement, Hacken a avoué, pourquoi m'a-t-on confié, à moi, un espion et un saboteur, les fonctions de commissaire d'armée, pourquoi m'a-t-on laissé mener des hommes au combat ? Où étiez-vous alors ? Pourquoi cette négligence ?

— Vous êtes ici pour nous donner des leçons, peut-être ? On vous a convoqué pour diriger le travail des organes de sécurité ?

— De quelles leçons parlez-vous ? Je ne veux rien diriger. C'est une question de bon sens. Je connais Hacken. Il n'a pas pu dire qu'il m'avait recruté. C'est impossible !

— Pourquoi serait-ce impossible ?

— C'est un communiste, un combattant de la révolution.

Le juge d'instruction demanda :

— Vous en avez toujours été convaincu ?

— Oui, répondit Krymov, toujours.

Le juge d'instruction eut un hochement de tête, fouilla dans le dossier, en répétant, comme s'il était désemparé :

— Dans ce cas, cela change tout... cela change tout...

Il tendit à Krymov une feuille de papier.

— Lisez, dit-il, en cachant de la main une partie de la feuille.

Krymov lut le texte et haussa les épaules.

— Assez sordide, fit-il, en se redressant.

— Pourquoi ?

— Un type qui n'a pas le courage de dire franchement que Hacken est un communiste honnête, et qui n'est pas assez salaud pour l'accuser de quoi que ce soit. Alors, il essaie de s'en tirer, en louvoyant.

Le juge d'instruction ôta sa main et montra à Krymov sa propre signature, ainsi que la date : février 1938.

Il y eut un silence. Puis le juge d'instruction demanda, sévère :

— Peut-être vous avait-on battu, pour vous forcer à écrire ce témoignage ?

— Non, on ne m'avait pas battu.

Le visage du juge d'instruction s'était, à nouveau, divisé en cubes, son regard était irrité et dédaigneux, sa bouche disait :

— Et voilà. Lorsque vous avez été encerclé, vous avez abandonné votre détachement deux jours durant. Un avion militaire vous a conduit à l'état-major allemand, où vous avez fourni des renseignements importants et reçu de nouvelles instructions.

— C'est du délire pur et simple, marmonna la créature à la vareuse largement ouverte.

Mais le juge d'instruction poursuivit. Krymov n'avait plus l'impression d'être un homme à principes, fort, les idées claires, prêt à mourir pour la révolution.

Il se sentait faible, indécis, trop bavard ; il avait colporté des rumeurs stupides, s'était permis d'ironiser sur l'amour que le peuple soviétique portait au camarade Staline. Il avait manqué de clairvoyance dans le choix de ses relations ; parmi ses amis, on comptait de nombreuses victimes de la répression. La confusion la plus totale régnait dans ses théories. Il avait vécu avec la femme de son ami. Il avait fourni un témoignage lâche, ambigu, sur Hacken.

Etait-ce bien lui qui se trouvait ici ? Etait-ce à lui que tout cela arrivait ? C'était un rêve, le songe d'une nuit d'été...

— Avant la guerre, vous avez transmis au centre trotskiste, installé à l'étranger, des renseignements sur l'état d'esprit des principaux dirigeants du mouvement révolutionnaire international.

Point n'était besoin d'être un idiot ou un salaud pour soupçonner de trahison cette créature sale et pitoyable. A la place du juge d'instruction, Krymov n'aurait eu aucune confiance en cette créature. Il connaissait ces nouveaux hommes du parti qui avaient pris le relais des membres liquidés, écartés ou rejetés en 1937. C'étaient des hommes d'une autre trempe. Ils lisaient d'autres livres, les lisaient autrement, ou plus exactement, les « travaillaient ». Ils aimaient et appréciaient les biens matériels ; le sens du sacrifice révolutionnaire leur était étranger, ou, en tout cas, n'était pas un trait essentiel de leur caractère. Ils ignoraient les langues étrangères, avaient la fibre russe, et parlaient leur langue incorrectement. Ils disaient : « une pourcentage », « une imper », prononçaient « Beurlin » et parlaient « d'éminences dirigeants ». On trouvait, parmi eux, des gens intelligents, mais leur grand moteur, dans le travail, n'était pas, semblait-il, l'idée ou la raison, mais plutôt le sens des affaires, la rouerie, un esprit rassis de petits-bourgeois.

Krymov comprenait que les anciens et les nouveaux cadres du parti ne formaient qu'une grande communauté, que l'essentiel était l'unité, la communauté d'idées et non les différences. Mais il ne pouvait se défendre d'un certain sentiment de supériorité, à l'égard de ces hommes nouveaux : la supériorité du bolchevik-léniniste.

Il ne s'apercevait même pas que le lien qui le rattachait, à présent, au juge d'instruction, ne tenait pas au fait qu'il se sentait prêt à le hausser jusqu'à lui, à reconnaître en lui un camarade de parti. Désormais, son désir d'union avec le juge d'instruction n'était plus motivé que par l'espoir pitoyable que ce dernier accepterait de rapprocher de lui Nikolaï Grigorievitch Krymov, d'admettre qu'il n'était pas entièrement mauvais, minable, impur.

A présent — et cela non plus, Krymov ne le remarquait pas — l'assurance du juge d'instruction était l'assurance d'un communiste.

— Si vous êtes vraiment capable de vous repentir sincèrement, si vous aimez encore un peu le parti, aidez-le, en passant aux aveux.

Alors, arrachant d'un coup la croûte de faiblesse qui rongeait son cerveau, Krymov s'écria :

— Vous n'arriverez à rien ! Je ne signerai pas de faux témoignage, vous m'entendez ? Même sous la torture, je ne signerai rien !

Le juge d'instruction répondit :

— Réfléchissez !

Il se mit à feuilleter des papiers, sans prêter attention à Krymov. Le temps passait. Il repoussa le dossier de Krymov, sortit une feuille blanche de son bureau. Il semblait avoir oublié la présence de Krymov ; il écrivait, sans hâte, plissant les yeux quand il réfléchissait. Puis il relut ses notes, réfléchit encore, prit une enveloppe dans son tiroir et écrivit une adresse. Peut-être cette lettre n'avait-elle rien à voir avec son travail. Il relut l'adresse, souligna de deux traits le nom de famille sur l'enveloppe. Puis il remplit son stylo et, longuement, essuya, sur la plume, quelques gouttes d'encre. Il entreprit de tailler des crayons au-dessus du cendrier. La mine de l'un d'eux ne cessait de casser, mais le juge d'instruction ne s'énervait pas, il recommençait patiemment à l'affûter. Puis il essaya sur son doigt la pointe du crayon.

La créature, elle, pensait. Elle avait de quoi réfléchir.

D'où venaient tous ces mouchards ? Il fallait se souvenir, découvrir, dans tout ce fatras, qui avait pu le dénoncer. Mais à quoi bon ! Moussia Grinberg... Le juge d'instruction était bien capable de remonter jusqu'à Génia... C'était étrange, il n'avait posé aucune question sur elle, il n'en avait pas dit un mot... Vassia aurait-il témoigné contre lui ? Que pouvait-il avouer ? Il était là, et pourtant le mystère restait entier. En quoi cela était-il nécessaire au parti ? Joseph, Koba, Sosso [1]. Pour quelles fautes avait-on anéanti tant d'hommes bons et forts ? Katzenelenbogen avait raison : les questions du juge d'instruction étaient moins redoutables que son silence, ce qu'il taisait. C'était clair : on avait dû, bien sûr, arrêter Génia. Quel avait été le point de départ ? Comment tout cela avait-il commencé ? Etait-ce bien lui qui se trouvait ici ? Quelle tristesse, que de saletés dans sa vie ! Que le camarade Staline lui pardonne ! Un mot de vous, Joseph Vissarionovitch ! Il était coupable, il s'était écarté du droit chemin, avait trop bavardé, douté, et le parti savait tout, voyait tout. Pourquoi, pourquoi avait-il parlé à cet écrivaillon ? D'ailleurs, quelle importance ? Mais que venait faire l'encerclement dans cette histoire ? C'était affreux : des calomnies, des mensonges, des provocations. Pourquoi, pourquoi, à l'époque, n'avait-il pas dit à Hacken: mon frère, mon ami, je ne doute pas un instant de ta probité. Et Hacken avait détourné ses yeux malheureux...

Le juge d'instruction demanda soudain :

— Alors, vous vous souvenez, maintenant ?

Krymov eut un geste d'impuissance et dit :

— Je ne vois pas de quoi je pourrais me souvenir.

Le téléphone sonna.

— J'écoute, fit le juge d'instruction, et après un rapide coup d'œil à Krymov, il ajouta :

« Oui, prépare, c'est pour bientôt.

Et Krymov eut l'impression qu'il parlait de lui.

Le juge d'instruction raccrocha, puis décrocha de nouveau. Un coup de téléphone étrange. On eût dit qu'il ne parlait pas en présence d'un homme, mais d'un animal à deux pattes. Le juge d'instruction, visiblement, bavardait avec sa femme.

Il discuta d'abord de problèmes domestiques :

— A l'économat ? Une oie ? C'est bien. Pourquoi ne t'a-t-on pas servie avec ce ticket ? La femme de Serioguine leur a téléphoné et,

---

1. Staline. *(N.d.T.)*

avec le même ticket, elle a eu droit à un gigot. On est invité, tous les deux. Au fait, j'ai pris du fromage blanc au buffet. Non, non, il n'est pas aigre. J'en ai pris huit cents grammes... Et le gaz ? Il marche, aujourd'hui ? N'oublie pas le costume.

Puis il passa à autre chose :

— Dis voir un peu, tu ne t'ennuies pas trop ? En rêve ? Dans quelle tenue ? En caleçon ? Dommage... Dis voir un peu, tu attends que je revienne et tu iras au cours... Le ménage ? C'est bien, mais attention, ne soulève rien de lourd. Cela t'est complètement interdit.

Cette conversation banale, bourgeoise, avait quelque chose d'extraordinaire : plus les paroles étaient quotidiennes, humaines, moins celui qui les prononçait ressemblait à un homme. Le singe qui copie les mimiques de l'homme a quelque chose d'effrayant... Mais Krymov non plus ne se sentait pas un homme : on ne tient pas des discours de ce genre devant un autre individu... « Je t'embrasse sur la bouche... tu ne veux pas... bon, d'accord, d'accord... »

Bien sûr, si, conformément à la théorie de Bogoleïev, Krymov n'était qu'un chat angora, une grenouille, un chardonneret ou simplement un scarabée sur une brindille, cette conversation, alors, n'avait rien d'étonnant.

Pour finir, le juge d'instruction demanda :

— Ça brûle ? Alors, cours, cours ! A plus tard !

Il sortit un livre et un bloc-notes, se mit à lire, inscrivant quelques mots, de temps à autre, avec un petit crayon. Peut-être se préparait-il pour le cercle d'études, peut-être devait-il faire un exposé...

Il fit remarquer, terriblement agacé :

— Pourquoi ne cessez-vous pas de taper des pieds ? Vous vous croyez à une parade de gymnastes ?

— J'ai les pieds engourdis, citoyen juge d'instruction.

Mais le juge d'instruction s'était replongé dans la lecture de son livre savant.

Dix minutes plus tard, il redemanda distraitement :

— Alors ? Tu te souviens, maintenant ?

— Citoyen juge d'instruction, j'ai besoin d'aller aux toilettes.

Le juge d'instruction soupira, il alla à la porte, appela doucement. Il avait l'expression d'un homme dont le chien demanderait à sortir en dehors des heures prévues. Un soldat entra, en tenue de combat. L'œil exercé de Krymov le détailla rapidement : tout était en ordre, le ceinturon bien ajusté, le col immaculé, le calot impeccablement posé. Mais ce jeune soldat ne faisait pas son métier de combattant.

Krymov se leva. Ses jambes étaient engourdies après les heures passées sur cette chaise, et, au début, il chancela. Dans les toilettes, il réfléchit précipitamment, tandis que la sentinelle l'observait. Sur le chemin de retour, ses pensées, là aussi, se bousculaient. Il avait matière à penser.

Quand Krymov revint des toilettes, le juge d'instruction avait disparu, remplacé par un jeune homme en uniforme, avec des pattes d'épaule bleues, bordées d'un liséré rouge de capitaine. Le capitaine lança un regard maussade au détenu, comme s'il avait passé sa vie à le haïr.

— Pourquoi restes-tu planté ? demanda-t-il. Allons, assieds-toi ! Plus droit, bon Dieu, qu'est-ce que c'est que cette façon de courber le dos ! Attends que je te flanque un coup dans les abattis, je te garantis que tu te redresseras !

« Les présentations sont faites », pensa Krymov et il eut peur, comme jamais il n'avait eu peur à la guerre.

« Cela va recommencer », se dit-il.

Le capitaine exhala un nuage de fumée, et sa voix poursuivit, dans cette fumée grise :

— Voici un papier, un stylo. Tu ne t'imagines pas que je vais écrire à ta place ?

Le capitaine avait plaisir à humilier Krymov. Peut-être, d'ailleurs, était-ce son travail ? Au front, on donne parfois l'ordre aux artilleurs de tirer pour angoisser l'ennemi. Alors, ils tirent, jour et nuit.

— Tiens-toi correctement. Tu n'es pas ici pour dormir.

Quelques instants plus tard, il l'apostropha de nouveau :

— Hé ! Tu entends ce que je te dis ? Ou tu ne te sens pas concerné ?

Il s'approcha de la fenêtre, releva le rideau de camouflage, éteignit la lumière, et le matin maussade regarda Krymov dans les yeux. C'était la première fois, depuis son arrivée à la Loubianka, qu'il revoyait la lumière du jour.

« Eh bien, on a passé la nuit », se dit Nikolaï Grigorievitch.

Avait-il connu, dans sa vie, pire matinée ? Était-ce bien lui qui, quelques semaines auparavant, se retrouvait couché, heureux et libre, dans un cratère de bombe, tandis qu'au-dessus de sa tête hurlait l'acier.

Le temps était bouleversé : il y avait une éternité qu'il était dans ce bureau, et il y avait si peu de temps qu'il avait quitté Stalingrad.

Qu'elle était grise, couleur de muraille, la lumière, de l'autre côté de cette fenêtre qui donnait sur la cour de la prison intérieure ! On eût dit de l'eau de vaisselle, pas de la lumière. Les objets en paraissaient encore plus administratifs, mornes, hostiles, qu'à la lumière électrique.

Non, ses bottes n'étaient pas devenues trop petites, ses pieds, simplement, étaient complètement engourdis.

Par quel moyen avait-on pu relier sa vie passée et son travail à l'encerclement de 1941 ? A qui appartenait la main qui avait pu lier l'inconciliable ? Et dans quel but ? A qui cela profitait-il ? Et pourquoi ?

Ces pensées étaient si brûlantes qu'il en oubliait, par instants, que son dos, ses reins étaient brisés, que la tige de ses bottes était déformée par ses jambes enflées.

Hacken, Fritz... Comment avait-il pu oublier qu'en 1938, déjà, il s'était retrouvé dans une pièce comme celle-ci ? A cette différence près : il avait en poche un laissez-passer. Il revoyait maintenant l'aspect le plus sordide de cette affaire : son désir de plaire à tout le monde, à l'employé du service des laissez-passer, aux portiers, au liftier en uniforme. Le juge d'instruction lui avait dit : « Camarade Krymov, je vous en prie, aidez-nous ! » Non, le plus sinistre n'était pas son désir de plaire. Le plus minable était cette volonté qu'il avait d'être sincère. Oh ! Il s'en souvenait, à présent ! Seule la sincérité comptait ! Et il avait été sincère, il avait évoqué les erreurs de Hacken dans son appréciation du mouvement spartakiste, son hostilité à Thälmann, son désir de toucher des honoraires pour son livre, son divorce d'avec Elsa lorsqu'elle s'était trouvée enceinte... Il avait, il est vrai, évoqué ses qualités... Le juge d'instruction avait noté une de ses phrases : « En me basant sur le fait que je le connais depuis de nombreuses années, je considère comme peu vraisemblable son éventuelle participation à des actes de sabotage contre le parti, mais je ne peux complètement exclure la possibilité d'un double jeu... »

De la délation, ni plus ni moins... Tous les documents contenus dans ce dossier qui le suivrait éternellement se composaient de récits de camarades qui avaient, eux aussi, voulu être sincères. Pourquoi ce désir de sincérité ? Le devoir de parti ? Mensonges ! La seule sincérité eût consisté à frapper du poing sur la table et à crier furieusement : « Hacken, ce frère, cet ami, ne peut être coupable ! » Et au lieu de cela, il avait remué, dans sa mémoire, un tas de sottises, coupé les cheveux en quatre, essayant d'entrer dans les bonnes grâces de cet homme, dont seule la signature pouvait rendre valable le bon lui permettant de quitter la grande maison grise. De cela aussi, il se souvenait : un sentiment de bonheur impatient s'était emparé de lui, quand le juge d'instruction lui avait dit : « Un instant, que je vous signe votre laissez-passer, camarade Krymov. » Il avait contribué à faire mettre Hacken sous les verrous. Où était-il allé, ensuite, cet amoureux de la vérité, une fois signé son laissez-passer ? N'était-ce point chez Moussia Grinberg, la femme de son ami ? Mais quoi ! Tout ce qu'il avait dit sur Hacken était la vérité. Et de la même façon, tout ce qu'on avait dit sur lui, dans ce dossier, était exact. Il avait effectivement raconté à Fedia Evseïev que Staline souffrait d'un complexe d'infériorité, dû à son manque de formation philosophique. Il y avait là une liste terrible de gens qu'il avait rencontrés

Nikolaï Ivanovitch, Grigori Evseïevitch, Lomov, Chatskine, Piatnitski, Lominadzé, Rioutine, le rouquin Chliapnikov, Lev Borissovitch chez qui il se rendait à « l'Académie », Lachevitch, Jan Gamarnik, Louppol, le vieux Riazanov qu'il voyait à l'Institut ; en Sibérie, il s'était arrêté deux fois chez Eïche, une vieille connaissance, puis, un temps, à Kiev, chez Skrypnik ; il y avait Stanislav Kossior à Kharkov, et Ruth Fischer [1], oh ! oh ! grâce à Dieu, le juge d'instruction avait oublié l'essentiel : car, à une époque, Lev Davidovitch [2] le tenait en estime...

Bref, il était complètement fichu. Pourquoi, au fait ? Et les autres n'étaient pas plus coupables que lui. Au moins avait-il, cette fois, refusé de signer. Attends, mon vieux Nikolaï, tu finiras bien par signer. Plutôt deux fois qu'une ! Les autres l'avaient bien fait ! On lui réservait, sans doute, une saloperie encore plus grande : le morceau de choix ! On allait le laisser sans dormir encore trois jours et trois nuits, et puis, on le battrait. Curieux, comme tout cela ne ressemblait guère au socialisme. Pourquoi son parti avait-il besoin de l'anéantir ? Après tout, c'étaient eux, pas Malenkov ni Jdanov ou Chtcherbakov, qui avaient fait la révolution ! Pourquoi la révolution était-elle aussi cruelle envers ceux qui s'étaient montrés sans pitié pour les ennemis de la révolution ? Mais ceci expliquait peut-être cela. Peut-être aussi la révolution n'était-elle pour rien dans l'histoire ? Qu'avait-il à voir avec elle, ce capitaine ? La révolution, lui ? Un Cent-Noir, un bandit !

Il était là, à piler de l'eau dans un mortier, et le temps passait.

Cette douleur lancinante dans son dos et ses jambes, l'épuisement, tout le minait. Il ne pensait qu'à une chose : s'étendre sur son châlit, dénuder et remuer ses doigts de pieds, relever ses jambes et se gratter les mollets.

— Interdiction de dormir ! cria le capitaine, comme s'il était au combat.

A croire que si Krymov fermait les yeux un instant, l'État soviétique s'écroulerait et que le front serait enfoncé.

Jamais, de toute sa vie, Krymov n'avait entendu autant d'injures.

Ses amis, ses chers collaborateurs, ses secrétaires, ceux à qui il avait parlé à cœur ouvert, avaient recueilli chacune de ses paroles et chacun de ses actes. Les souvenirs affluaient et il était horrifié : « Cela, je l'avais dit à Ivan, à Ivan et à personne d'autre », « Ça, c'était au cours d'une conversation avec Gricha. Dire qu'on se connaissait depuis 1920 ! », « Et ça, c'était un entretien avec Macha Helzer. Ah ! Macha, Macha ! »

---

1. Dirigeants du parti, condamnés pendant les procès de Moscou. *(N.d.T.)*
2. Trotski. *(N.d.T.)*

Il se rappela soudain que le juge d'instruction lui avait dit de ne pas compter recevoir un colis d'Evguénia Nikolaïevna... C'était la réponse à une conversation récente qu'il avait eue, en cellule, avec Bogoleïev. Les gens ne cessaient de compléter l'herbier de Krymov...

Dans l'après-midi, on lui apporta une gamelle de soupe. Sa main tremblait tellement qu'il lui fallut pencher la tête et aspirer la soupe au bord de la gamelle, tandis que la cuiller tressautait.

— Tu manges comme un cochon, constata le capitaine, avec tristesse.

Puis il y eut un autre événement : Krymov demanda à aller aux toilettes. Il ne pensait plus à rien, en longeant le couloir, mais, debout devant la cuvette, il se dit : « Heureusement qu'on m'a arraché mes boutons ; mes doigts tremblent tellement que j'aurais été incapable de déboutonner et reboutonner ma braguette. »

Le temps, de nouveau, passait, agissait. L'État aux pattes d'épaule de capitaine triomphait. Un brouillard épais, gris, emplissait sa tête, le même, sans doute, qui emplit le cerveau d'un singe. Le passé, l'avenir n'existaient plus, comme n'existait plus le dossier aux rubans dénoués. Seule une chose comptait : retirer ses bottes, se gratter et dormir.

Le juge d'instruction revint.

— Vous avez dormi ? demanda le capitaine.

— Les chefs ne dorment pas, ils prennent du repos, répondit, d'un ton docte, le juge d'instruction, reprenant une vieille blague de soldat.

— C'est juste, admit le capitaine. Par contre, leurs subordonnés piquent des roupillons.

Tel un ouvrier examinant sa machine et échangeant, d'un ton affairé, quelques mots avec son collègue de l'équipe précédente, le juge d'instruction jeta un regard à Krymov, à son bureau, et dit :

— Eh bien, c'est parfait, camarade capitaine.

Il regarda sa montre, sortit le dossier du tiroir, défit les rubans, feuilleta quelques papiers et, bouillonnant de vie et d'ardeur, déclara :

— Reprenons, Krymov.

Et ils se mirent à l'ouvrage.

Ce jour-là, le juge d'instruction s'intéressa à la guerre. Là encore, ses informations s'avérèrent solides : il connaissait les affectations de Krymov, le numéro des régiments et des armées, les noms des hommes qui avaient combattu avec Krymov ; il lui rappela les paroles qu'il avait dites au service politique, ses déclarations sur le général, incapable d'écrire une lettre correctement.

Tout le travail effectué au front par Krymov, ses discours prononcés sous le feu ennemi, la foi qu'il partageait avec les soldats aux jours noirs de la retraite, les privations, tout cela avait brusquement cessé d'exister.

Il n'était plus qu'un misérable bavard, qui, menant double jeu, avait contribué à corrompre ses camarades, les avait conduits au doute et au désespoir. Comment ne pas croire, alors, que les services secrets allemands l'avaient aidé à franchir la ligne du front, afin qu'il pût continuer ses actes de sabotage et son travail d'espion ?

Au début de l'interrogatoire, Krymov se sentit gagné par la forme et l'entrain du juge d'instruction, frais et dispos.

— Tout ce que vous voulez, dit-il, mais vous ne me ferez jamais avouer que je suis un espion !

Le juge d'instruction jeta un coup d'œil par la fenêtre : le soir tombait, il avait peine à distinguer les papiers sur le bureau.

Il alluma la lampe qui s'y trouvait, baissa le rideau bleu de camouflage.

Un hurlement de bête traquée retentit, de l'autre côté de la porte, et s'interrompit brusquement.

— Reprenons, Krymov, fit le juge d'instruction, en se rasseyant.

Il demanda à Krymov s'il savait pourquoi on ne l'avait jamais fait monter en grade et écouta patiemment sa réponse confuse.

— C'est un fait, Krymov : vous avez traîné vos guêtres au front, comme commissaire de bataillon, alors que vous auriez dû être membre d'un Conseil d'armée ou de groupe d'armées.

Il fit une pause, fixant Krymov sans ciller — c'était peut-être la première fois qu'il le regardait ainsi, en juge d'instruction — et dit solennellement :

— Trotski lui-même a dit de vos essais : « Du marbre ! » Si ce salaud avait pris le pouvoir, vous auriez eu un poste important. « Du marbre ! » Ce n'est pas rien.

« Nous y voilà, pensa Krymov. Il abat ses cartes. »

Bon, bon, il leur dirait tout : où cela s'était passé, à quel moment. Mais, au fond, on aurait pu poser les mêmes questions au camarade Staline. Le camarade Krymov n'avait jamais rien eu à voir avec les trotskistes ; il avait toujours voté contre leurs résolutions. Pas une seule fois, il ne s'était prononcé pour !

De toute façon, l'important était, pour lui, de pouvoir retirer ses bottes, de s'étendre et de se gratter en dormant.

Le juge d'instruction reprit, d'une voix douce et tendre :

— Pourquoi ne voulez-vous pas nous aider ? Comme s'il était si important que vous n'ayez pas commis de crimes avant-guerre et que, lors de l'encerclement, vous n'ayez pas renoué vos contacts ni pris part à des réunions clandestines ! Le problème n'est pas là. L'affaire est beaucoup plus sérieuse, plus profonde. Il s'agit de la nouvelle orientation du parti. Aidez le parti, à cette nouvelle étape de sa lutte. Pour cela, vous devez abandonner votre ancienne vision des choses. Et cela, seuls les bolcheviks en sont capables. C'est pour cette raison que je parle avec vous.

— Bon, bon, d'accord, dit lentement Krymov, d'une voix ensommeillée. Je puis admettre que je me suis fait, sans le vouloir, le porte-parole de théories hostiles au parti. Sans doute mon internationalisme était-il en contradiction avec la notion d'État socialiste souverain. Je veux bien reconnaître qu'après 1937 la nouvelle orientation du parti, ses nouveaux hommes me sont devenus étrangers. Tout cela, je suis prêt à l'admettre. Mais l'espionnage, les actes de sabotage...

— Pourquoi ce « mais » ? Vous voyez bien, vous prenez peu à peu conscience de votre hostilité à la cause du parti. La forme importe-t-elle tant que cela ? Pourquoi ce « mais », si vous reconnaissez l'essentiel ?

— Non, je n'avouerai jamais que je suis un espion.

— Donc, vous refusez d'aider le parti. On bavarde, et dès qu'on en arrive aux choses sérieuses, terminé, c'est ça ? Vous êtes une merde ! Une merde de chien !

Krymov bondit, saisit le juge d'instruction par sa cravate et frappa du poing sur le bureau. A l'intérieur du téléphone, il y eut un cliquetis et un tressaillement. Il se mit à crier d'une voix perçante, à glapir :

— Espèce d'enfant de pute, de salaud, où étais-tu pendant que je menais les gens au combat, en Ukraine et dans les forêts de Briansk ? Où étais-tu, tandis que je me battais, en plein hiver, du côté de Voronej ? Tu y es allé, toi, à Stalingrad ? Et c'est moi qui n'ai rien fait pour le parti ? C'est peut-être toi, gueule de flic, qui as défendu la patrie soviétique, ici, à la Loubianka ? Et moi, à Stalingrad, je ne luttais pas pour notre cause ? C'est peut-être toi qui as failli être pendu, à Shanghai ? A toi, ordure, qu'un gars de Koltchak a logé une balle dans l'épaule gauche ?

Alors, on le battit, mais pas de façon primitive (sur la gueule, comme à la section spéciale du front), d'une façon raffinée, scientifique ; on sentait des connaissances en physiologie et en anatomie. Deux jeunes types œuvraient, vêtus d'uniformes neufs, et il leur criait :

— Bande de fumiers, c'est le bataillon disciplinaire qu'il vous faudrait... Il faudrait vous envoyer au front... déserteurs...

Ils faisaient leur boulot, sans fureur, sans passion. Ils ne donnaient pas l'impression de taper très fort, mais leurs coups étaient horribles, un peu comme une vacherie prononcée tranquillement.

Du sang coula de la bouche de Krymov ; pourtant, il n'avait pas reçu un seul coup dans les dents. Ce sang ne venait pas de son nez, de ses mâchoires, d'une morsure à la langue, comme à Akhtouba... Il venait de plus loin, des poumons. Il ne savait déjà plus où il se trouvait, ne savait plus ce qui lui arrivait... Il revit, au-dessus de lui, le visage du juge d'instruction. Ce dernier désigna un portrait de Gorki, au-dessus du bureau, et demanda :

— Qu'a dit le grand écrivain prolétarien Maxime Gorki ?

Et d'un ton docte, façon instituteur, il répondit :

— Quand l'ennemi refuse de se rendre, il faut l'anéantir.

Puis il aperçut la petite lampe au plafond et un homme aux pattes d'épaule étroites.

— Eh bien, puisque la médecine nous y autorise, fit le juge d'instruction, fini le repos !

Krymov se retrouva bientôt, assis près du bureau, à écouter ce discours persuasif :

— On peut rester comme ça une semaine, un mois, un an... Alors, simplifions : admettons, vous n'êtes pas coupable, mais cela ne vous empêche pas de signer tout ce que je vous dirai. Suite de quoi, on cessera de vous battre. C'est clair ? Peut-être l'Osso vous condamnera-t-elle, mais on ne vous battra plus : c'est énorme ! Vous croyez que cela me fait plaisir, quand on vous bat ? On vous laissera même dormir. Vous pigez ?

Les heures passaient, l'entretien continuait. Rien ne pouvait plus, semblait-il, épater Krymov, le tirer de son hébétude somnolente.

Pourtant, en écoutant ce nouveau discours du juge d'instruction, il entrouvrit la bouche et releva la tête, étonné.

— Toutes ces affaires remontent à loin, on peut les oublier, dit le juge d'instruction, en désignant le dossier de Krymov. Seulement, comment oublier votre trahison, à la bataille de Stalingrad ? Il y a des témoins, des documents qui vous accusent ! Vous avez fait en sorte de saper la conscience politique des combattants de la maison « 6 bis », cernée par les Allemands. Vous avez poussé Grekov, ce patriote, à trahir, tenté de le faire passer à l'ennemi. Vous avez trompé la confiance de vos chefs, qui vous avaient envoyé dans cette maison en qualité de commissaire militaire. Or, à quel titre y êtes-vous allé ? En tant qu'agent de l'ennemi !

A l'aube, on se remit à battre Nikolaï Grigorievitch, et il eut l'impression d'être plongé dans une sorte de lait noir et tiède. De nouveau, l'homme aux pattes d'épaule étroites acquiesça, en essuyant l'aiguille de sa seringue, et le juge d'instruction répéta :

— Eh bien, puisque la médecine nous y autorise...

Ils étaient assis face à face. Krymov regardait le visage las de son interlocuteur et s'étonnait d'être aussi calme : était-ce bien lui qui avait saisi cet homme par sa cravate et avait voulu l'étrangler ? De nouveau, Nikolaï Grigorievitch se sentait proche de lui. Le bureau ne les séparait plus : deux camarades étaient assis, face à face, deux hommes tristes.

Krymov revit soudain l'homme qu'on avait mal fusillé, revenant de la steppe à la section spéciale, vêtu, par cette nuit d'automne, de son linge de corps ensanglanté.

« Telle est ma destinée, se dit-il. Moi non plus, je ne sais où aller. Il est trop tard. »

Puis il demanda à aller aux toilettes. Il vit ensuite revenir le capitaine de la veille, qui releva le rideau de camouflage, éteignit la lumière et alluma une cigarette.

Et de nouveau, Nikolaï Grigorievitch aperçut la lumière du jour, maussade, comme si elle ne venait pas du soleil ni du ciel, mais des briques grises de la prison intérieure.

43

Les lits étaient vides : ses voisins avaient peut-être été transférés, ou bien ils en bavaient à l'interrogatoire.

Il gisait, en morceaux, perdu, sa vie fichue, une douleur épouvantable dans le dos. On avait dû lui bousiller les reins.

En ces heures d'amertume où l'on brisait sa vie, il comprit la valeur de l'amour d'une femme. Une épouse ! La seule qui puisse chérir un homme piétiné par des bottes de fonte ! Il est là, couvert de crachats, et elle lui lave les pieds, démêle ses cheveux, regarde ses yeux délavés. Et plus on a détruit son âme, plus il lui est proche, plus il lui est cher. Elle court derrière le camion, elle fait la queue à Kouznetski Most, près de la barrière du camp, elle voudrait tant lui faire passer quelques bonbons, de l'oignon ; sur un réchaud à pétrole, elle lui fait cuire des galettes, elle donne des années de sa vie pour le voir une demi-heure...

Toutes les femmes avec lesquelles on couche ne peuvent être votre femme !

Son désespoir était si grand qu'il lui donnait envie de faire du mal à quelqu'un.

Il imagina un début de lettre : « En apprenant ce qui s'est passé, tu as dû te réjouir, non de ma défaite, mais d'avoir pu, à temps, t'éloigner de moi, et tu bénis cet instinct de rat qui t'a poussée à quitter le navire en perdition... je suis seul... »

Il revoyait, par flashes, le téléphone sur le bureau du juge d'instruction... la brute épaisse qui lui cognait les flancs, les côtes... le capitaine relevant le rideau et éteignant la lumière... il entendait le bruissement incessant des feuilles de son dossier, et il finit par s'endormir.

Soudain, une vrille chauffée au rouge pénétra son crâne, il lui sembla que son cerveau dégageait une puanteur de brûlé : Evguénia Nikolaïevna l'avait dénoncé !

Du marbre ! Du marbre ! Ces mots, prononcés à l'aube, à la Znamenka, dans le bureau du président du Conseil révolutionnaire de la guerre... L'homme à la barbiche pointue, au pince-nez étincelant, avait lu l'article de Krymov et lui parlait doucement, affectueusement. Il se rappelait, maintenant : durant la nuit, il avait dit à Génia que le Comité central l'avait rappelé du Komintern, pour lui confier la rédaction d'ouvrages aux Éditions politiques. Car il y eut un temps où il avait été un être humain. Il lui avait raconté que Trotski avait dit, en lisant son article « Révolution ou Réforme : la Chine et l'Inde » « Du marbre ! »

Il n'avait répété à personne ces paroles dites en tête à tête. Seule Génia était au courant. Le juge d'instruction les tenait donc d'elle. Elle l'avait dénoncé.

Il avait oublié les soixante-dix heures passées sans sommeil. Il ne pouvait plus dormir. Peut-être y avait-elle été obligée ? Et alors, quelle différence ? Camarades, Mikhaïl Sidorovitch, je suis mort ! On m'a tué. Pas d'un coup de pistolet, pas à coups de poing, pas par le manque de sommeil. C'est Génia qui m'a tué. Je reconnaîtrai ce que vous voudrez, j'avouerai tout. A une condition : prouvez-moi qu'elle m'a dénoncé.

Il se laissa glisser de son lit et se mit à frapper la porte à coups de poing, en criant à la sentinelle qui s'était aussitôt précipitée à l'œilleton :

— Conduis-moi au juge d'instruction, je signerai tout.

Le responsable de service s'approcha et dit :

— Cessez ce bazar. Vous rédigerez des aveux quand on vous le demandera.

Il ne pouvait rester seul. Il préférait encore quand on le battait et qu'il perdait conscience. Puisque la médecine nous y autorise...

Il clopina jusqu'à son châlit, et au moment où il lui semblait qu'il ne supportait plus ce tourment de l'âme, au moment où il semblait que son cerveau éclatait et que des milliers d'aiguilles s'enfonçaient dans son cœur, dans sa gorge, dans ses yeux, il comprit : Génia n'avait pas pu le trahir ! Il fut pris d'une quinte de toux, d'un tremblement nerveux :

— Pardonne-moi, pardonne-moi. Mon destin n'est pas de vivre heureux avec toi. Mais j'en suis responsable, pas toi.

Et un sentiment extraordinaire l'envahit. Il était sans doute le premier homme à l'éprouver dans cette maison, depuis que la botte de Dzerjinski en avait franchi le seuil.

Il s'éveilla. Katzenelenbogen était pesamment assis en face de lui, ses cheveux à la Beethoven tout embroussaillés.

Krymov lui sourit, et le front bas, charnu de son voisin se plissa : Krymov comprit que Katzenelenbogen interprétait son sourire comme un signe de folie.

— Je vois qu'ils y sont allés très fort, dit Katzenelenbogen, en désignant la vareuse tachée de sang de Krymov.

— Très fort, oui, répondit Krymov, dans un rictus. Et vous, ça va ?

— J'ai fait un tour à l'hôpital. Nos voisins ne sont plus là : l'Osso a encore refilé dix ans à Dreling, ça lui en fera trente en tout, et Bogoleïev a été transféré dans une autre cellule.

— Et... commença Krymov.

— Allez-y, videz votre sac.

— Je pense qu'après l'avènement du communisme, reprit Krymov, le M.G.B. recueillera en douce des renseignements sur les meilleurs côtés des hommes, la moindre bonne parole qu'ils prononceront. Les agents chercheront, dans les écoutes téléphoniques, les lettres, les conversations à cœur ouvert, tout ce qui a trait à la fidélité, l'honnêteté et la bonté. Ils en informeront la Loubianka et feront des dossiers. Des dossiers de bonnes choses ! Et en ces lieux, on travaillera à renforcer la foi en l'homme, et non à la détruire comme aujourd'hui. J'ai posé la première pierre... Je crois ! J'ai vaincu malgré les dénonciations, le mensonge, je crois, je crois !...

Katzenelenbogen l'avait écouté distraitement. Il dit :

— C'est vrai, tout se passera ainsi. Mais il faut ajouter qu'une fois ce merveilleux dossier constitué. on vous traînera ici, dans la grande maison, et on vous liquidera quand même.

Il scruta Krymov. Il ne parvenait pas à comprendre pourquoi le visage jaune terreux de Krymov, avec ses yeux cernés, bouffis, son menton strié de sang noir séché, avait ce sourire heureux et paisible.

44

Le colonel Adams, aide de camp de Paulus, contemplait une valise ouverte.

L'officier d'ordonnance Ritter, accroupi, triait le linge sur des journaux étalés par terre.

Adams et Ritter avaient passé une partie de la nuit à brûler des documents dans le bureau du Feldmarschall : ils avaient notamment brûlé la grande carte appartenant personnellement au général et qu'Adams considérait comme une relique sacrée de la guerre.

Paulus n'avait pas dormi de la nuit. Il avait refusé son café du matin et observait avec indifférence les allées et venues d'Adams. De temps à autre, il se levait et déambulait dans la chambre en enjambant les papiers entassés par terre qui attendaient d'être brûlés. Les cartes entoilées brûlaient difficilement : elles bouchaient la grille et obligeaient Ritter à tisonner le poêle.

Chaque fois que Ritter entrouvrait la porte du poêle, le Feldmarschall tendait les mains vers le feu. Adams voulut poser un manteau sur les épaules du Feldmarschall, mais celui-ci refusa d'un mouvement d'épaules agacé, de sorte qu'Adams remit le manteau où il était.

Peut-être le Feldmarschall se voyait-il prisonnier quelque part en Sibérie, se chauffant les mains au feu parmi les soldats ; devant lui, le désert, derrière lui, le désert.

Adams dit au Feldmarschall :

— J'ai demandé à Ritter de mettre dans votre valise une bonne quantité de sous-vêtements chauds : nous nous faisions une idée fausse du Jugement dernier, quand nous étions enfants, car il n'a rien à voir avec le feu ni les charbons ardents.

Le général Schmidt était passé à deux reprises dans la nuit. Les téléphones aux fils coupés se taisaient.

Du jour où ils furent encerclés, Paulus comprit que ses troupes ne pourraient pas continuer à se battre sur la Volga.

De toutes les conditions qui avaient déterminé sa victoire de l'été, conditions tactiques, psychologiques, météorologiques et techniques, aucune ne se représentait maintenant, tous les avantages avaient tourné. Il s'était adressé à Hitler pour lui communiquer que, selon lui, la 6e armée devait briser l'encerclement en accord avec Manstein en direction du sud-ouest, former un corridor par lequel elle évacuerait ses divisions, en se résignant à l'avance à devoir abandonner sur place une grande partie de l'armement lourd.

Le 24 décembre, lorsqu'Eremenko battit Manstein sur la petite rivière Mychovka, il fut évident pour tout le monde, jusqu'au moindre chef de bataillon, que la résistance était impossible dans Stalingrad. Mais il y avait un homme, un seul, pour lequel ce n'était pas évident. Il rebaptisa la 6e armée « avant-poste » du front qui s'étendait de la mer Blanche jusqu'au Térek. Il déclara que Stalingrad en était la place forte. Au Q.G. de la 6e armée, on disait que Stalingrad était transformé en camp de prisonniers en armes. Paulus envoya un second message, signifiant qu'il y avait une petite chance de briser l'encerclement. Il s'attendait à un éclat de fureur terrible, car jamais personne n'avait osé contredire par deux fois le commandant en chef. On lui avait raconté que Hitler avait un jour arraché la croix de chevalier de la poitrine du Feldmarschall Rundstedt et que Brauchitsch, qui assistait à la scène, en fit une attaque. Il ne s'agissait pas de plaisanter avec le Führer.

Le 31 janvier, Paulus reçut enfin une réponse à son message : on lui décernait le titre de Feldmarschall. A la tentative suivante qu'il fit pour essayer d'avoir gain de cause, il reçut la plus haute décoration du Reich : la croix de chevalier avec feuille de chêne.

Il finit par comprendre que Hitler s'était mis à le traiter comme un défunt, lui décernant *post mortem* le titre de Feldmarschall puis la croix avec feuille de chêne, et qu'il ne servait plus qu'à une chose : donner l'image tragique du chef de la défense héroïque de Stalingrad. La propagande officielle avait fait des centaines de milliers d'hommes qui se trouvaient sous son commandement des saints et des martyrs. Ils étaient vivants, occupés à faire bouillir leur viande de cheval, à faire la chasse aux derniers chiens de Stalingrad, à attraper des pies dans la steppe, à écraser leurs poux, à fumer des cigarettes faites de papier roulé dans du papier, et, pendant ce temps-là, la radio officielle diffusait une musique solennelle et funèbre en l'honneur de ces héros surhumains.

Ils étaient vivants, soufflant sur leurs doigts rougis, la morve au nez, roulant dans leurs têtes tous les moyens possibles de réussir à manger, chaparder, passer pour malade, se rendre à l'ennemi, se réchauffer dans une cave avec une femme russe ; pendant ce temps-là, des chœurs de voix enfantines résonnaient sur les ondes et clamaient : « Ils sont morts pour que vive l'Allemagne. » Ils ne pourraient renaître à la délicieuse vie d'ici-bas qu'à condition que l'État périsse.

Tout se passait comme Paulus l'avait prédit.

Il vivait avec le pénible sentiment d'avoir raison : la perte intégrale et irrémédiable de son armée en témoignait. Il puisait dans ce désastre, malgré lui, une étrange satisfaction mêlée de lassitude, une sorte de fierté, en somme.

Les sombres pensées que les jours de gloire avaient réussi à chasser de son esprit revinrent.

Keitel et Jodl qualifiaient Hitler de Führer divin. Goebbels, lui, proclamait que ce qui faisait la tragédie de Hitler, c'était que la guerre ne lui offrait aucun stratège à la mesure de son génie. Quant à Zeitzler, il racontait que Hitler lui avait demandé de rectifier la ligne du front dont les sinuosités choquaient son sens esthétique. Et que dire de ce refus insensé, neurasthénique, d'attaquer Moscou ? Et cette lâcheté soudaine qui lui avait fait donner l'ordre d'arrêter la marche sur Leningrad ? Son fanatisme stratégique de la défense dure reposait entièrement sur la terreur qu'il avait de perdre son prestige.

A présent, tout cela était irrévocablement clair.

Cette évidence était précisément ce qui lui faisait peur. Bien sûr, il aurait pu ne pas se soumettre à l'ordre reçu ! Le Führer l'aurait fait exécuter, mais ses hommes auraient été sauvés. Il lisait ce reproche dans bien des regards.

Oui, il aurait pu sauver son armée !

Mais il avait peur d'Hitler et craignait pour sa peau !

Récemment, au moment de prendre l'avion pour Berlin, Chalb, qui était le représentant le plus important de la S.D. auprès du quartier général, lui avait dit en termes confus que même le peuple allemand n'avait pas su se montrer digne de l'immense grandeur du Führer. Bien sûr, bien sûr...

Déclaration, démagogie encore et toujours.

Adams mit la radio. Il y eut des grésillements puis une musique : l'Allemagne chantait la mémoire de ses fils tombés à Stalingrad. Cette musique possédait une force étrange. Ce mythe créé par le Führer signifiait peut-être davantage pour le peuple et pour les combats à venir que la vie des épaves gelées et pouilleuses qu'étaient devenus ces hommes. Sans doute n'était-ce pas en compulsant les règlements, en établissant la chronologie des combats ni en examinant les cartes stratégiques que l'on pouvait comprendre la logique du Führer.

Ou peut-être encore l'auréole de martyr à laquelle Hitler avait condamné la 6e armée apporterait-elle à Paulus et à ses soldats une existence nouvelle, un moyen nouveau de participer à l'avenir de l'Allemagne.

Adams, cher et fidèle Adams : les grandes âmes sont toujours et immanquablement vouées au doute. Ceux qui dominent le monde ne peuvent être que des hommes bornés, inébranlablement convaincus de leur bon droit. Les natures supérieures, elles, ne dirigent pas les États et ne prennent pas de grandes décisions.

— Les voilà ! s'écria Adams. Il ordonna à Ritter de faire disparaître valise et uniforme.

Les chaussettes du Feldmarschall, jetées à la hâte dans la valise, étaient trouées aux talons ; ce qui chagrina et inquiéta Ritter ne fut pas l'idée que l'insensé et impatient Paulus porterait des chaussettes trouées, mais que ces trous seraient vus par les yeux hostiles des Russes.

Adams était debout, les mains posées sur le dossier d'une chaise et tournant le dos à la porte qui allait s'ouvrir d'un instant à l'autre ; il regardait Paulus d'un air calme, attentionné et affectueux, adoptant l'attitude qu'il pensait devoir être celle d'un aide de camp de Feldmarschall.

Paulus se renversa légèrement sur sa chaise, les lèvres serrées. Même en cet instant, le Führer lui demandait de jouer son rôle, et il s'apprêtait à le jouer.

La porte s'ouvrirait, et cette pièce installée dans un sous-sol obscur s'offrirait aux yeux de ceux qui vivaient à la surface de la terre. La souffrance et l'amertume avaient disparu, il ne restait que l'horreur de voir entrer, au lieu des représentants du commandement soviétique, prêts, eux aussi, à jouer cette scène solennelle, d'impudents soldats à la gâchette facile. Il y avait aussi la peur de l'inconnu : quand la scène serait jouée, commencerait la vie humaine. Laquelle, où, en Sibérie, dans une prison de Moscou, dans un baraquement de camp ?

45

Cette nuit-là, les habitants de la rive gauche de la Volga virent des fusées de toutes les couleurs embraser le ciel au-dessus de Stalingrad. L'armée allemande venait de capituler.

Aussitôt, en pleine nuit, les gens s'acheminèrent vers la ville. Ils avaient entendu dire que les derniers habitants de Stalingrad avaient souffert d'une famine terrible ; soldats, officiers et marins de la flottille de guerre de la Volga étaient chargés de baluchons de pain et de conserves. Certains avaient emporté de la vodka et leur accordéon.

Mais, curieusement, ces soldats qui étaient les premiers à entrer sans armes dans Stalingrad et à venir offrir leur pain aux défenseurs de la ville, à les serrer dans leurs bras et à les embrasser, étaient presque tristes et ne songeaient ni à se réjouir ni à chanter.

Au matin du 2 février 1942, il y avait du brouillard. La buée montait des armoises qui bordaient la Volga et des trous percés dans la glace du fleuve. Le soleil se levait au-dessus de la steppe aussi âpre sous la canicule du mois d'août que sous la bise d'hiver. Une neige fine tournoyait au-dessus de la plaine, dessinant, au gré du vent, des torsades ou de grandes roues laiteuses, puis, lasse de tout, allait se poser. Partout, le paysage portait la marque du vent d'est : collerettes de neige au pied des ronces qui grinçaient au vent, houle figée de la neige sur les pentes des ravins, mottes d'argile dénudées...

Du haut de Stalingrad, on pouvait voir les gens surgir du brouillard pour traverser la Volga, comme sculptés à même le gel et le vent.

Ils n'avaient aucune mission à accomplir à Stalingrad, aucun chef ne leur avait donné l'ordre de s'y rendre, la guerre était finie. Tous venaient d'eux-mêmes : fantassins, soldats du train, boulangers. chauffeurs, artilleurs, tailleurs, électriciens et mécaniciens des ateliers de réparation. Ils traversaient la Volga et escaladaient la berge en compagnie de vieillards enveloppés dans des châles, de femmes en pantalons de soldats, de gamins et de fillettes traînant des luges chargées de baluchons et d'oreillers.

Une atmosphère étrange régnait dans la ville. Les voitures klaxonnaient, les moteurs de tracteurs grondaient, les gens déambulaient en braillant au son de leurs accordéons, les danseurs tassaient la neige sous leurs bottes de feutre, les soldats beuglaient et s'esclaffaient. Et pourtant, la ville ne revivait pas, elle semblait toujours morte.

Quelques mois auparavant, la ville avait cessé de vivre sa vie habituelle, lorsque tout avait cessé de fonctionner, depuis les écoles et les usines jusqu'aux ateliers de couture, en passant par les troupes d'amateurs, la police, les crèches et les cinémas...

Puis une nouvelle ville était née des flammes, c'était le Stalingrad de la guerre, avec son propre tracé des rues et des places, son architecture souterraine, sa circulation, son commerce, le grondement de ses usines, ses artisans, ses cimetières, ses bamboches et ses concerts.

Chaque époque a une ville qui la représente au monde et qui abrite son âme, sa volonté.

Stalingrad fut cette ville pendant un certain temps de la Seconde Guerre mondiale. Il concentra toute la pensée et la passion du genre humain. Usines et fabriques, rotatives et linotypes, tout fonctionnait pour lui ; c'est pour parler de lui que les leaders des parlements montaient à la tribune. Mais du jour où les gens montèrent en foule des steppes et se répandirent dans les rues désertes de Stalingrad, quand les moteurs des premières voitures se remirent à tourner, la ville qui avait été le centre de la guerre mondiale cessa de vivre.

Ce jour-là, les journaux diffusèrent les détails de la capitulation allemande, et l'on apprit à travers toute l'Europe, l'Amérique ou l'Inde, comment le Feldmarschall était sorti de son abri souterrain, on apprit que les généraux allemands avaient subi leur premier interrogatoire au Q.G. de la 64e armée du général Choumilov, on apprit quels vêtements portait le général Schmidt, le chef d'état-major de Paulus.

La capitale de la guerre mondiale n'existait déjà plus. Hitler, Roosevelt et Churchill cherchaient déjà de nouveaux centres de tension pour la guerre mondiale. Martelant la table de son index, Staline demandait au chef de l'état-major général si tout était prêt pour le transfert des troupes de Stalingrad vers de nouveaux fronts. La capitale mondiale de la guerre, pourtant encore remplie de généraux et de spécialistes des combats de rues, d'armes, de cartes opératives, de voies de communications parfaitement au point, avait déjà cessé d'exister, ou du moins avait entamé une nouvelle existence, semblable à celle d'Athènes ou de Rome. Historiens, guides de musées, maîtres d'école et écoliers éternellement moroses en devenaient insensiblement les maîtres.

· Une nouvelle ville naissait, faite de labeur et de vie quotidienne, avec ses usines, ses écoles, ses maternités, sa police, son Opéra et sa prison.

Une neige fine avait saupoudré les sentiers par lesquels on transportait vers les positions de combat les obus et les miches de pain, les mitrailleuses et les gamelles de kacha, sentiers sinueux et capricieux qui menaient à leurs abris cachés les tireurs d'élite, les guetteurs et les observateurs.

La neige avait saupoudré les chemins le long desquels couraient les agents de liaison entre la compagnie et le bataillon, les chemins qui menaient vers les abattoirs et les châteaux d'eau...

La neige avait saupoudré les chemins par lesquels les habitants de la noble ville s'en allaient pour tâcher de dégoter un peu de tabac, boire un verre de vodka à l'anniversaire d'un camarade, prendre un bain dans un abri souterrain, faire un petit domino ou goûter la choucroute du voisin ; c'étaient aussi les chemins qui menaient vers la belle Mania ou la bonne Vera, vers les horlogers, les recycleurs de douilles en briquets, les tailleurs, les accordéonistes et les magasiniers.

A présent, des foules de gens frayaient des chemins nouveaux, allant et venant sans raser les murs des ruines ni faire de détours.

Les mille chemins du temps de la guerre, eux, étaient maintenant sous la première neige sans que la moindre trace fraîche ne vienne marquer le million de kilomètres de ces sentiers enneigés.

La première neige fut bientôt recouverte par la seconde et les sentiers s'estompèrent, se fondirent et disparurent...

Les habitants de l'ancienne capitale de la guerre éprouvaient un inexprimable sentiment de bonheur et de vide. Ceux qui avaient défendu Stalingrad se sentaient soudain étrangement abattus.

La ville s'était vidée et chacun percevait ce vide, depuis le commandant de l'armée, les commandants des divisions d'infanterie jusqu'au vieux volontaire Poliakov et au fantassin Glouchkov. C'était un sentiment absurde que cette tristesse devant la victoire et la fin de la mort.

Et pourtant, ce sentiment était bel et bien là. Sur le bureau du commandant, le téléphone gainé de cuir jaune était silencieux : de la neige s'était accumulée autour de la boîte de culasse de la mitrailleuse, les lunettes binoculaires et les embrasures étaient aveugles tandis que plans et cartes couverts de traces de doigts quittaient les sacoches pour passer dans les valises des chefs de sections, de compagnies ou de bataillons... Les gens allaient et venaient en foule parmi les maisons mortes, s'embrassant, poussant des « hourra »... Ils se regardaient les uns les autres et pensaient : « Quel courage, dans quel état ils sont ; et ils sont si simples, ces héros en veste d'hiver et en chapkas, exactement comme nous. Quand on pense à ce que nous avons réussi à faire, c'est terrible ! Nous avons porté à bout de bras la charge la plus lourde qui puisse exister sur terre, nous avons soutenu la vérité au-dessus du mensonge, essayez donc d'en faire autant ? On voit ça dans les contes, mais c'était la vraie vie. »

Ils appartenaient tous à la même terre, les uns venaient de Kouporosny Ovrag, les autres de Banny Ovrag, d'autres encore venaient des châteaux d'eau ou d'« Octobre Rouge », ou même du Mamaev Kourgan : ceux qui allaient vers eux étaient les habitants du centre, qui vivaient sur les rives de la Tsaritsa ou du côté des réservoirs d'essence... Ils étaient à la fois maîtres et hôtes, s'entre-félicitant dans le vent glacé. De temps à autre, l'un d'eux tirait en l'air ou faisait exploser une grenade. Ils faisaient connaissance en se donnant de grandes tapes sur les épaules, des baisers sur leurs lèvres froides, puis, pris de timidité, échangeaient de joyeux jurons... Tous avaient surgi de terre, les ajusteurs comme les tourneurs, les paysans, les charpentiers et les terrassiers, eux qui avaient ensemble chassé l'ennemi, labouré la pierre, le fer et la glaise.

Les habitants de la capitale mondiale de la guerre sentaient que leur ville se distinguait des autres villes parce qu'elle était reliée aux usines et aux champs du monde entier. Ils sentaient aussi et surtout que leur ville avait une âme.

Stalingrad avait une âme : cette âme, c'était la liberté.

La capitale de la guerre contre le fascisme était à présent réduite aux ruines glacées d'une ville de province d'avant-guerre à vocation industrielle et portuaire.

Dix ans plus tard s'élèverait en ces lieux une des plus gigantesques centrales hydro-électriques du monde, œuvre de milliers de détenus.

46

Tout arriva parce que, lorsqu'il se réveilla dans son abri, le sous-officier allemand ne savait pas que son armée avait capitulé. Il tira et blessa le sergent Zadniéprouk, ce qui provoqua la colère des Russes occupés à regarder les Allemands sortir des énormes bunkers et jeter leurs armes avec fracas sur un tas de plus en plus impressionnant.

Les prisonniers avançaient en s'efforçant de regarder droit devant eux, pour bien montrer que même leur regard était captif. Seul, le soldat Schmidt, le menton hérissé de poils gris, sourit à la lumière du jour et considéra les soldats russes, persuadé, semblait-il, qu'il allait sûrement reconnaître quelqu'un.

Arrivé la veille de Moscou, le colonel Filimonov, discrètement ivre, assistait, en compagnie de son interprète, à la reddition de la division du général Wegler.

Son manteau aux nouvelles pattes d'épaule dorées, galons rouges et liséré noir, faisait tache parmi les vestes sales et usées, les bonnets informes des commandants de compagnies et de bataillons de Stalingrad et les vêtements aussi informes, aussi usés et aussi sales des prisonniers allemands.

La veille, il avait raconté au mess qu'on avait retrouvé dans les stocks de l'intendance de Moscou du galon doré datant de l'ancienne armée russe et qu'il était de bon ton, parmi ses amis, de réussir à se procurer de cet excellent vieux galon.

Lorsqu'on entendit le coup de feu et le cri de Zadniéprouk qui venait d'être légèrement blessé, le colonel s'écria :

— Qui a tiré, qu'est-ce qui se passe ?

Plusieurs voix répondirent en même temps :

— C'est une espèce de crétin d'Allemand. Ça y est, on l'emmène déjà... Il prétend qu'il ne savait pas...

— C'est ça, il ne savait pas ! s'écria le colonel. Il trouve que notre sang n'a pas assez coulé, le salaud.

Il se retourna vers l'interprète, un grand Juif qui était également instructeur politique et lui ordonna :

— Trouvez-moi l'officier. Il le paiera de sa tête, le salaud.

Au même moment, le colonel remarqua le large sourire du soldat Schmidt et se mit à hurler :

— Ça te fait rire, salaud, qu'on en ait encore bousillé un ?

Schmidt ne comprit pas pourquoi son sourire, dans lequel il mettait tant de bonnes intentions, provoqua la colère de l'officier russe ; puis quand, sans aucun rapport apparent avec ces cris, il entendit brusquement la détonation d'un pistolet, il n'y comprit plus rien du tout, trébucha et tomba sous les pas des soldats qui marchaient derrière lui. On traîna son corps un peu à l'écart ; il était couché sur le flanc et tous les soldats, ceux qui l'avaient connu comme les autres, passèrent devant lui. Puis, quand les prisonniers se furent éloignés, des gamins, que le mort n'effarouchait pas, se faufilèrent dans les bunkers désertés pour aller fouiller sous les planches des châlits.

Pendant ce temps, le colonel Filimonov examinait l'appartement souterrain du chef de bataillon, admirant la solidité et le confort de l'installation. Un fantassin lui amena un jeune officier allemand au regard clair et serein, et l'interprète annonça :

— Camarade colonel, voici le lieutenant Lehnard que vous avez ordonné d'amener.

— Qui ça ? dit le colonel étonné.

Mais, comme le visage de l'officier allemand lui parut sympathique et comme il était contrarié d'avoir, pour la première fois de sa vie, pris part à un meurtre, Filimonov dit :

— Conduisez-le au point de rassemblement, mais attention, pas d'idioties, vous en êtes responsable : il doit arriver vivant.

Cette journée fatale tirait à sa fin, et le visage mort du soldat Schmidt ne souriait plus.

47

Le lieutenant-colonel Mikhaïlov, interprète en chef de la 7e section de la direction politique du groupe d'armées, devait accompagner le Feldmarschall captif au Q.G. de la 64e armée.

Paulus sortit de son abri sans un regard pour les officiers et les soldats soviétiques, tous fascinés par le manteau du Feldmarschall, avec ses bandes de cuir vert allant de l'épaule à la taille et son bonnet en fourrure de lapin gris. Il passa devant eux à grands pas, la tête haute et le regard fixé sur la jeep qui l'attendait au-delà des ruines.

Avant la guerre, Mikhaïlov avait eu plus d'une fois l'occasion d'assister à des réceptions diplomatiques ; il avait avec Paulus des rapports pleins d'assurance, il connaissait bien la différence qui existe entre un respect empreint de froideur et une fébrilité excessive.

Assis à côté de Paulus, Mikhaïlov déchiffrait les expressions de son visage et attendait que le Feldmarschall brise le silence. Il ne se comportait pas comme les autres généraux, à l'interrogatoire préliminaire desquels il avait participé jusque-là.

Le chef d'état-major de la 6e armée déclara d'une voix lente et paresseuse que la catastrophe avait été provoquée par les Roumains et les Italiens. Le général Sixt von Armin, dont les médailles cliquetaient doucement, ajouta :

— Il n'y a pas eu que Garibaldi et sa 8e armée, il y a eu aussi le froid russe, l'absence de ravitaillement et de munitions.

Schlemmer, commandant grisonnant d'un corps de blindés, décoré de la croix de fer et d'une médaille pour avoir été blessé à cinq reprises, interrompit cette conversation pour demander à garder sa valise. Cette intervention déclencha celle de tous les autres, qui se mirent à parler en même temps : le général Rinaldo au doux sourire, chef du service sanitaire, le sombre colonel Ludwig au visage défiguré par un coup de sabre, commandant d'une division blindée. Celui qui se faisait le plus de souci était le colonel Adams, aide de camp de Paulus : il avait perdu son nécessaire de toilette et faisait des gestes désespérés des bras tout en secouant la tête avec son bonnet de léopard, dont les oreilles remuaient comme celles d'un chien de race sortant de l'eau.

Tous avaient retrouvé leur côté humain, mais pas le meilleur.

Mikhaïlov ordonna de rouler plus lentement, à quoi le chauffeur, vêtu d'une superbe peau de mouton blanche, répondit doucement :

— A vos ordres, camarade colonel.

Il se voyait déjà rentré chez lui après la guerre et racontant à ses camarades chauffeurs qu'il avait conduit Paulus... Il s'appliquait à conduire la voiture de telle sorte que Paulus se dise : « C'est donc cela, un chauffeur soviétique : on voit tout de suite un professionnel de première classe. »

L'œil, habitué aux premières lignes, avait peine à croire à ce mélange d'Allemands et de Russes. De joyeuses équipes de fantassins fouillaient les abris, descendaient dans les bouches d'égout et ramenaient les Allemands au grand air.

Sur les terrains vagues et dans les rues, à grands coups de bousculades et de cris, les fantassins reformaient une nouvelle armée allemande et la rangeaient en colonnes de marche, mêlant des soldats appartenant aux armes les plus diverses.

Les Allemands avançaient en prenant garde de ne pas trébucher, jetant de temps en temps un coup d'œil sur les mains qui tenaient les armes derrière eux. Leur soumission ne venait pas que de la peur que leur inspirait la facilité avec laquelle les Russes étaient capables d'appuyer sur la détente. Le pouvoir appartenait aux vainqueurs, et les Allemands s'y soumettaient avec une sorte de passion affligée et hypnotique.

La voiture qui conduisait le Feldmarschall se dirigeait vers le sud, tandis que des colonnes de prisonniers remontaient en sens inverse. De puissants haut-parleurs vociféraient une chanson :

> *Je suis parti hier pour des pays lointains,*
> *Ma bien-aimée agitait son mouchoir...*

Deux hommes portaient un blessé qui s'agrippait à leur cou de ses bras blêmes et sales : les porteurs penchaient la tête l'un vers l'autre, entourant le visage mort au regard brûlant de leur camarade.

Quatre soldats sortaient d'un bunker en portant sur une couverture un blessé.

Des monceaux d'acier bleu-noir ponctuaient la neige, comme des meules de paille d'acier.

Au son d'une salve, on descendait dans sa tombe un soldat de l'Armée Rouge, tandis qu'à quelques pas de là gisaient en tas des

Allemands morts qu'on avait sortis d'un hôpital souterrain. Des soldats roumains plastronnaient avec leurs fières chapkas blanches et noires : ils s'esclaffaient, agitaient les bras et se moquaient des Allemands, vivants ou morts.

On amenait des prisonniers depuis la Tsaritsa, depuis la Maison des Spécialistes. Ils avançaient d'une démarche particulière, celle des humains et des animaux qui ont perdu la liberté. Les blessés légers et ceux qui avaient eu des membres gelés s'appuyaient sur des bâtons ou des morceaux de planches à demi brûlées. Ils marchaient sans fin, ils avaient tous le même visage au teint gris, les mêmes yeux et la même expression de souffrance et de tristesse.

Et quel étonnement de voir qu'il y avait parmi eux tant d'hommes de petite taille, tant de gros nez, de fronts bas, de petites bouches aux lèvres molles, de petites têtes d'oiseaux. Tant d'Aryens à la peau bistre, pleins de boutons et d'abcès, parsemés de taches de rousseur.

Ils étaient laids et faibles, tels qu'ils avaient été mis au monde par leurs mères et tels qu'elles les aimaient. On cherchait en vain les représentants de cette nation au menton lourd, à la bouche hautaine, têtes blondes, visages clairs et poitrails de granit.

Ils ressemblaient comme des frères à ces misérables foules de malheureux, nés, eux, de mères russes, que les Allemands chassaient à coups de baguette et de bâton vers les camps de l'ouest à l'automne 1941. De temps en temps, on entendait résonner un coup de pistolet au fond d'un bunker, et la foule qui se mouvait lentement vers la Volga gelée comprenait à la seconde, comme un seul homme, ce que signifiaient ces coups de pistolet.

Le lieutenant-colonel Mikhaïlov regardait à intervalles réguliers le Feldmarschall assis à côté de lui. Le chauffeur, lui, jetait des coups d'œil dans le rétroviseur. Mikhaïlov pouvait voir la longue joue creuse de Paulus ; quant au chauffeur, il voyait son front, ses yeux et ses lèvres serrées sur son mutisme.

Ils passaient devant des canons aux tubes dressés vers le ciel, devant des chars marqués d'une croix sur le côté, des camions aux bâches claquant dans le vent, des voitures de transport blindées et des canons automoteurs.

Le corps métallique de la 6e armée, ses muscles de fer étaient pris dans la terre gelée. Les hommes passaient lentement devant lui et semblaient, eux aussi, sur le point de s'immobiliser, de se figer et de se laisser prendre par le gel.

Mikhaïlov et le chauffeur, et même le soldat de l'escorte, attendaient le moment où Paulus se mettrait à parler, à appeler quelqu'un, à se retourner. Mais il se taisait et rien ne permettait de comprendre ce que scrutait son regard et ce qu'il pouvait bien ramener vers les profondeurs où se cache le cœur de l'homme.

Paulus craignait-il d'être vu par ses soldats, ou, au contraire, le souhaitait-il ? Il demanda brusquement à Mikhaïlov :

— *Sagen Sie bitte, was ist es, Machorka ?*

Mais cette question inattendue ne permit pas davantage à Mikhaïlov de comprendre les pensées de Paulus. En fait, le Feldmarschall s'inquiétait de savoir s'il aurait de la soupe chaque jour, s'il pourrait dormir au chaud et aurait de quoi fumer.

48

Des prisonniers allemands étaient en train de sortir des cadavres de Soviétiques d'une cave située sous une maison à deux étages qui avait abrité la Gestapo.

Quelques femmes, vieillards et gamins assistaient à l'opération, malgré le froid, et regardaient les Allemands coucher les cadavres sur la terre gelée.

La plupart des Allemands faisaient leur travail avec indifférence, en traînant les pieds, et respiraient sans broncher l'odeur des cadavres.

Un seul, un jeune homme en manteau d'officier, s'était noué un mouchoir sale autour de la bouche et du nez et balançait convulsivement la tête, comme un cheval piqué par des taons. Ses yeux exprimaient une souffrance proche de la folie.

Les prisonniers posaient les brancards à terre et demeuraient perplexes au-dessus de certains cadavres dont un bras ou une jambe s'était détaché, se demandant quelle extrémité appartenait à quel cadavre et faisant des essais pour voir. La plupart des morts étaient à demi nus ou en sous-vêtements, certains en pantalons de soldats. Il y en avait un qui était entièrement nu, la bouche grande ouverte sur son dernier cri, la peau du ventre plaquée sur la colonne vertébrale, des poils roux sur le sexe et des jambes d'une effrayante maigreur.

Il était impossible d'imaginer que ces cadavres aux bouches et aux yeux enfoncés avaient été des êtres vivants, avec des noms, des adresses, et qu'ils avaient pu dire : « Embrasse-moi, ma chérie, ma belle, et ne m'oublie pas », qu'ils avaient rêvé d'une chope de bière ou fumé des cigarettes.

L'officier au visage enveloppé d'un mouchoir semblait être le seul à ressentir cela.

Mais c'était justement lui qui agaçait les femmes debout près de l'entrée de la cave : elles ne le quittaient pas des yeux et n'avaient que des regards indifférents pour les autres prisonniers, dont deux portaient des manteaux marqués de traces plus claires à l'endroit où avaient été arrachés leurs écussons S.S.

— Ah ! tu détournes la tête, marmonnait une petite femme trapue avec un petit garçon à la main en suivant l'officier du regard.

L'Allemand sentit peser sur lui ce regard lent et aigu. Un sentiment de haine flottait dans l'air sans trouver de destination, comme l'énergie électrique qui se concentre dans un nuage orageux et tombe aveuglément sur un des arbres de la forêt pour le réduire en cendres.

Le jeune officier allemand avait pour coéquipier un petit soldat avec un linge de toilette autour du cou et les pieds enveloppés dans des sacs retenus par des fils de téléphone.

Les assistants silencieux les regardaient avec une telle haine que les Allemands rentraient avec soulagement dans l'obscurité de la cave dont ils ne se hâtaient pas de ressortir, préférant les ténèbres et la puanteur à l'air frais et à la lumière.

Ils étaient en train de retourner une fois de plus vers la cave avec leur brancard vide, quand ils entendirent des jurons russes qui leur étaient plus que familiers.

Ils continuèrent à se diriger vers la cave sans accélérer le pas, sentant instinctivement qu'il suffirait d'un geste brusque de leur part pour que la foule se jette sur eux.

L'Allemand en manteau d'officier poussa un cri et le garde dit sur un ton de reproche :

— Eh ! le môme, pourquoi tu jettes des pierres ? C'est toi qui sortiras les cadavres de la cave si le Boche s'allonge ?

En bas, dans la cave, les soldats échangeaient leurs inquiétudes :

— Pour le moment, il n'y a que le lieutenant qui prend.

— Tu as vu la bonne femme qui n'arrête pas de le regarder ?

Une voix dit dans l'obscurité :

— Mon lieutenant, si vous restiez un peu dans la cave. Ils commencent par vous et ils vont finir par nous.

L'officier répondit d'une voix endormie :

— Non, non : il ne faut pas se cacher, c'est le Jugement dernier. Puis il se tourna vers son coéquipier : Allez, on y va.

Cette fois-ci, les deux hommes sortirent de la cave d'un pas un peu plus rapide, car leur charge était plus légère. Ils portaient sur leur brancard le cadavre d'une adolescente. Son corps s'était recroquevillé, desséché, et seuls ses cheveux blonds en désordre avaient gardé la vie et la chaleur du blé ; ils entouraient son effrayant petit visage bistre d'oiseau torturé. La foule étouffa un cri d'horreur.

La voix perçante de la petite femme trapue s'éleva et trancha l'air glacé comme une lame d'acier.

— Mon enfant ! Mon enfant ! Mon enfant adoré !

Les gens furent frappés par ce cri d'une femme pleurant un enfant qui n'était pas le sien. La femme essayait de remettre en ordre les cheveux portant encore la trace d'une frisure récente de la jeune fille. Elle regardait avec avidité son visage, cette bouche tordue à jamais, ces traits horribles, dans lesquels elle voyait, comme seule une mère pouvait le voir, l'adorable visage plein de vie du bébé dans ses langes.

La femme se releva et s'avança vers l'Allemand. Tous les assistants remarquèrent que, tout en le regardant, elle cherchait des yeux une brique qui ne soit pas prise par la glace dans la masse des autres, et que sa main malade et déformée par un travail inhumain, par l'eau glacée et la lessive, puisse détacher.

La sentinelle comprit que ce qui allait arriver était inéluctable, mais fut incapable d'arrêter la femme, car elle était plus forte que lui et que son arme. Les Allemands ne pouvaient en détacher leurs yeux, et les enfants la fixaient avec avidité et impatience.

La femme, elle, ne voyait plus rien d'autre que le visage de l'Allemand au mouchoir. Sans comprendre ce qui lui arrivait, objet de cette force qui assujettissait tout à la ronde, elle sortit de sa poche un morceau de pain que lui avait donné la veille un soldat russe, le tendit à l'Allemand et dit :

— Tiens, prends, bouffe.

Par la suite, elle ne parvint pas à comprendre ce qui lui avait pris ni pourquoi elle avait fait cela. Ils furent légion, dans sa vie, les moments d'humiliation, d'impuissance et de colère qui la bouleversèrent et l'empêchèrent de dormir la nuit. Il y eut cette dispute avec la voisine, qui l'accusait de lui avoir volé une petite bouteille d'huile, puis le président du soviet d'arrondissement l'avait chassée de son bureau, refusant d'écouter ses réclamations de locataire ; il y eut tout le chagrin et toute l'humiliation que lui causa son fils lorsque, une fois marié, il se mit à manœuvrer pour qu'elle quitte la chambre qu'ils habitaient en commun et lorsque sa bru enceinte la traita de vieille pute... Une nuit, cafardant dans son lit et ruminant sa colère, elle se souvint de ce matin d'hiver et pensa :

« J'étais idiote et je le suis restée. »

49

Les commandants de brigade envoyaient des rapports alarmants à l'état-major du corps blindé de Novikov. Les services de renseignement avaient repéré de nouvelles unités d'artillerie et de blindés qui ne participaient pas aux combats. Visiblement, l'ennemi faisait monter ses réserves.

Ces renseignements inquiétaient Novikov : son avant-garde avançait sans garantir ses arrières, et si l'ennemi parvenait à contrôler les rares routes utilisables, les chars resteraient sans carburant, sans l'appui de l'infanterie.

Novikov discutait de la situation avec Guetmanov, il estimait qu'il fallait freiner, pour un bref laps de temps, la progression des chars afin de permettre aux arrières de se rapprocher. Guetmanov, lui, désirait ardemment que leur unité soit la première à pénétrer en Ukraine. Ils décidèrent que Novikov partirait vérifier la situation sur place pendant que Guetmanov se chargeait de resserrer les arrières.

Avant de partir dans les brigades, Novikov téléphona au commandant en second du groupe d'armées pour l'avertir de la situation. Il connaissait la réponse à l'avance, le commandant en second ne prendrait jamais la responsabilité d'arrêter le corps de blindés, ni d'ordonner la poursuite des mouvements.

De fait, le commandant en second dit qu'il prendrait des renseignements auprès du 2e bureau de l'état-major du groupe d'armées, et qu'il alerterait Eremenko.

Après cela, Novikov téléphona à son voisin, le commandant du corps d'armées d'infanterie Molokov. Molokov était un être grossier et irritable qui soupçonnait constamment ses voisins de donner à son sujet des informations défavorables au commandant du groupe d'armées. Ils s'injurièrent ; les jurons, il est vrai, ne visaient pas les personnes, mais l'écart grandissant entre les blindés et l'infanterie.

Novikov téléphona à son voisin de gauche, au commandant de la division d'artillerie.

Celui-ci dit que, sans ordre du Q.G., il n'avancerait pas. Novikov comprenait son point de vue. L'artilleur ne voulait pas rester cantonné dans un rôle d'auxiliaire, fournir un appui aux chars, il voulait avoir sa part.

Juste au moment où Novikov raccrochait, son chef d'état-major entra. Novikov ne l'avait encore jamais vu si inquiet et fébrile.

— Camarade colonel, dit-il, j'ai reçu un coup de fil du commandant de l'état-major de l'armée de l'air ; ils s'apprêtent à faire passer les avions qui assurent notre couverture sur l'aile gauche du front.

— Qu'est-ce que ça veut dire, ils sont tous devenus fous là-dedans ! s'écria Novikov.

— Il n'y a pas de mystère, dit Néoudobnov. Il y a des gens qui ne tiennent pas tellement à ce que nous soyons les premiers à pénétrer en Ukraine. Les amateurs de l'ordre de Souvorov ou de Khmelnitski ne manquent pas. Et sans couverture aérienne, nous serons bien obligés de nous arrêter.

— Je téléphone immédiatement au commandant.

Mais Novikov ne put joindre Eremenko, qui était dans l'armée de Tolboukhine. Son adjoint, auquel Novikov téléphona à nouveau, ne voulait toujours pas prendre de décision. Il s'étonna en constatant que Novikov n'était pas encore parti rejoindre ses unités.

— Je ne comprends pas, camarade général, dit Novikov, comment on peut, comme ça, sans coordination préalable, priver de couverture aérienne le corps d'armée qui a progressé le plus loin à l'ouest ?

— Le commandement est mieux placé que vous pour savoir comment il doit utiliser l'aviation, répondit l'adjoint d'Eremenko d'un ton irrité ; vous n'êtes pas les seuls à prendre part à l'offensive.

— Et qu'est-ce que je vais dire à mes hommes, quand ils vont se faire taper dessus ? Je vais les couvrir avec vos directives, peut-être ?

Mais l'adjoint ne se mit pas en colère et répondit sur un ton conciliant :

— Allez rejoindre vos brigades, et moi j'exposerai la situation au commandant du groupe d'armées.

A peine Novikov eut-il posé le combiné que Guetmanov entrait, il était déjà en manteau et bonnet d'astrakan. A la vue de Novikov, il écarta les bras en signe d'étonnement :

— Je te croyais déjà parti, dit-il avec un ton de reproche, et il ajouta gentiment : Tu vois, nos arrières sont à la traîne, et le chef du 4e bureau me dit qu'il ne fallait pas donner des camions pour transporter les prisonniers blessés, dépenser du carburant précieux. Il a raison, nous ne sommes pas le Komintern, après tout, mais une unité combattante.

— Que vient faire là le Komintern ? s'étonna Novikov.

— Allez-y, partez, camarade colonel, supplia Néoudobnov, chaque minute compte. Je ferai le maximum, ici, pour les pourparlers avec le Q.G. du groupe d'armées.

Après ce que lui avait raconté Darenski, Novikov observait constamment son chef d'état-major, surveillait ses mouvements, sa voix. « C'est avec cette main ? Comment est-ce possible ? » pensait-il quand Néoudobnov prenait une cuiller, piquait un cornichon avec une fourchette, décrochait le téléphone.

Mais maintenant, Novikov ne suivait pas la main de Néoudobnov.

Jamais il ne l'avait vu aussi alarmé, aussi prévenant, charmant même.

Néoudobnov et Guetmanov étaient prêts à vendre leur âme au diable pour être les premiers à franchir la frontière ukrainienne, pour que leurs brigades continuent leurs mouvements vers l'ouest sans le moindre retard.

Ils étaient prêts à jouer leur tête, mais il y avait une chose qu'ils ne voulaient pas risquer : c'était de porter la responsabilité d'un échec éventuel.

Novikov se sentait gagné malgré lui par cette fièvre, il aurait voulu, lui aussi, envoyer un radiogramme au Q.G. du groupe d'armées pour annoncer que les éléments avancés de son corps d'armée avaient franchi les premiers la frontière de l'Ukraine. Cet événement n'avait aucune signification sur le plan militaire, n'avait pas de conséquence particulière pour l'ennemi. Mais Novikov le voulait, le voulait pour la gloire, pour les félicitations d'Eremenko, pour l'ordre du jour de Staline qu'on transmettrait à la radio, pour le grade de général que cela lui assurerait, pour être jalousé par ses voisins. Jamais encore, de telles pensées, de tels désirs n'avaient commandé ses actes, mais c'était, peut-être, la cause de leur intensité actuelle.

Ce désir n'avait rien de répréhensible... Comme à Stalingrad, comme en 1941, le froid était sans pitié, la fatigue brisait les os du soldat, la mort guettait. Mais l'air que l'on respirait était devenu autre.

Et Novikov, qui ne le comprenait pas, s'étonnait d'être pour la première fois en accord avec Guetmanov et Néoudobnov ; il ne se fâchait pas contre eux, ne se vexait pas, il voulait tout naturellement la même chose qu'eux.

S'il accélérait la progression de ses chars, l'occupant, de fait, serait chassé des villages ukrainiens quelques heures plus tôt. Et il serait heureux en voyant les visages émus des vieillards et des enfants ; et il verserait des larmes quand une vieille paysanne l'embrasserait comme un fils.

Mais dans le même temps, de nouvelles passions mûrissaient, un nouvel axe se dessinait dans le sens moral de la guerre, et ce qui avait été essentiel en 1941 et au cours des combats de Stalingrad n'était plus que secondaire, même s'il continuait à exister. L'homme qui, le premier, avait compris le mystère de cette mutation de la guerre était celui qui prononça, le 3 juillet 1941 :

— Frères et sœurs, mes amis...

Bizarrement, alors qu'il partageait l'agitation de Guetmanov et de Néoudobnov, Novikov retardait son départ. Et c'est seulement dans la voiture qu'il comprit pourquoi : il attendait Génia.

Voilà plus de trois semaines qu'il n'avait pas reçu de lettres de Génia. Chaque fois qu'il revenait après une absence, il espérait trouver Génia en train de l'attendre sur les marches de l'isba. Elle était devenue partie prenante de sa vie. Elle était à ses côtés quand il discutait avec un commandant de brigade, quand il cherchait à joindre par téléphone le Q.G. du groupe d'armées, quand, en première ligne, les explosions allemandes faisaient trembler son char comme un jeune cheval. Il parlait de son enfance à Guetmanov et il lui semblait qu'il en parlait à Génia. Il se disait : « Je pue la vodka, Génia le sentirait immédiatement. » Parfois il se disait : « Ah ! si elle voyait ! » Il s'était demandé avec inquiétude ce qu'elle penserait de lui quand il avait envoyé un major en cour martiale.

Parfois, il était jaloux de son passé et il était de mauvaise humeur. Parfois, il la voyait en rêve, et il se réveillait pour ne plus se rendormir.

Tantôt il lui semblait que leur amour serait éternel, tantôt, au contraire, il lui semblait qu'il se retrouverait un jour de nouveau seul.

En montant dans la voiture, il se retourna pour regarder la route qui menait à la Volga. La route était déserte. Il se mit en colère : elle aurait dû être là depuis longtemps. Mais peut-être était-elle malade ? Et de nouveau, il se souvint du jour où, en 1939, il avait appris le mariage de Génia et avait voulu se tirer une balle dans la tête. Pourquoi l'aimait-il ? Il avait eu des femmes qui la valaient bien. Etait-ce un bonheur ou une sorte de maladie de penser ainsi tout le temps à quelqu'un ? Encore heureux qu'il n'ait pas eu d'aventures avec une demoiselle de l'état-major. Tout était net pour sa venue. Il y avait bien eu un petit accroc trois semaines auparavant. Et si en chemin Génia s'arrêtait justement dans cette isba du péché pour y passer la nuit ? La jeune maîtresse de maison ferait des confidences à Génia, le décrirait et dirait : « Il était bien, ce colonel. » Quelles bêtises vous passent par la tête !

50

Novikov revint le lendemain aux environs de midi. Après les cahots incessants sur les routes défoncées par les chenilles des chars, il avait mal aux reins, dans le dos, à la nuque.

Alors que la voiture approchait de son Q.G., Novikov essayait de reconnaître les personnes qui se tenaient devant la maison. Et il vit :

Evguénia Nikolaïevna était là, à côté de Guetmanov, et regardait la voiture qui s'approchait. Le feu le brûla, la folie s'empara de son cerveau, il suffoqua d'une joie qui devenait souffrance, se leva pour sauter de la voiture en marche.

Verchkov, assis derrière lui, dit :

— Notre commissaire prend le frais avec sa doctoresse ; faudrait prendre une photo et l'envoyer chez lui. C'est sa femme qui serait heureuse !

Novikov entra dans la maison, prit la lettre que lui tendait Guetmanov, la retourna dans les mains, reconnut l'écriture d'Evguénia Nikolaïevna, et fourra la lettre dans sa poche.

— Bon, alors, écoute, je vais t'exposer la situation.

— Et la lettre, tu ne la lis pas ? Tu ne l'aimes donc plus ?

— Ça va, j'aurai encore le temps.

Néoudobnov entra et Novikov commença :

— Le problème, c'est les hommes. Ils s'endorment dans les chars pendant les combats. Ils ne tiennent plus debout. Les commandants de brigade y compris. Karpov, ça va encore plus ou moins, mais Belov, il s'est endormi en me parlant : ça fait cinq jours qu'il n'arrête pas. Les conducteurs s'endorment en marche, ils ne mangent plus, de fatigue.

— Et que penses-tu de la situation ? demanda Guetmanov.

— L'Allemand n'est pas actif. On ne risque pas de contre-offensive dans notre secteur. Ils n'ont rien ici, fuittt, le vide.

Tout en parlant, il tâtait la lettre au fond de sa poche. Il la lâchait une seconde et la reprenait aussitôt, il lui semblait qu'elle pourrait s'échapper de sa poche.

— Bon, eh bien ! je crois que c'est clair, dit Guetmanov. A mon tour maintenant. Néoudobnov et moi, on est remonté jusqu'au ciel. J'en ai discuté avec Nikita Sergueïevitch en personne. Il a promis de ne pas retirer l'aviation de notre secteur.

— Ce n'est pas lui qui assure le commandement opérationnel, dit Novikov en décachetant l'enveloppe dans sa poche.

— Oui et non, fit Guetmanov. Néoudobnov vient de recevoir confirmation de l'état-major de l'armée de l'air : l'aviation reste ici.

— Les arrières passeront, dit précipitamment Néoudobnov, les routes ne sont pas trop mauvaises. A vous de décider, camarade lieutenant-colonel.

« Il m'a rétrogradé, pensa Novikov ; il doit être bien nerveux. »

Guetmanov déclara :

— Oui, mes amis les *pan*, comme on dit chez nous, en Ukraine, j'ai bien l'impression que nous serons les premiers à commencer la libération de notre mère l'Ukraine. Je l'ai dit à Nikita Sergueïevitch : nos soldats assiègent le commandement ; le rêve de nos petits gars, c'est que notre corps d'armée prenne le nom de « corps d'armée ukrainien ».

Irrité par ces paroles qui sonnaient faux, Novikov dit :

— Ils ne rêvent que d'une chose : dormir. Cela fait cinq jours. comprenez-vous, qu'ils ne dorment pas.

— Alors, c'est décidé ? On continue ? dit Guetmanov.

Novikov avait à moitié décacheté l'enveloppe, y avait passé deux doigts et palpé la lettre. Tout son corps frémissait du désir de voir l'écriture si familière.

— Je pense prendre la décision suivante, dit-il. Je vais donner dix heures de repos. Ils ont besoin de reprendre un peu de force.

— Oh ! oh ! dit Néoudobnov. On va rater tout et le reste pendant ces dix heures.

— Attends voir, dit Guetmanov dont le cou, les oreilles, les joues prirent une couleur brique.

— C'est tout vu, dit Novikov avec un petit rire.

Et soudain, Guetmanov explosa :

— Mais qu'ils aillent se faire foutre ! Tu parles, ils n'ont pas assez dormi ! Ils dormiront plus tard ! Les cochons ne les mangeront pas ! Et c'est à cause de ça que tu vas tout arrêter pendant dix heures ? Tu fais du sentiment et je suis contre ! D'abord tu retardes l'offensive de huit minutes ; maintenant, tu installes les gens à dormir, ça devient un système, ça ! Je vais faire mon rapport au Conseil du groupe d'armées. Ce n'est pas une crèche que tu diriges, ici !

— Une minute, dit Novikov. Ce n'est peut-être pas toi qui m'as embrassé parce que j'ai fait écraser la résistance ennemie par l'artillerie lourde avant de lancer mes chars ? Tu n'as qu'à mettre ça dans ton rapport.

— Moi ? Je t'ai embrassé pour ça ? dit Guetmanov, stupéfait. Mais tu délires complètement. Je vais te dire quelque chose. Je suis inquiet en tant que communiste de voir que tu es, toi, un homme de pure origine prolétarienne, sous l'influence d'éléments qui nous sont étrangers.

— Ah ! c'est comme ça, dit Novikov, en élevant la voix. Bon, d'accord, j'ai compris.

Il se leva, bien droit, et lança avec rage :

— C'est moi qui commande ici. Ma décision est prise et il en sera ainsi. Et vous, camarade Guetmanov, vous pouvez écrire sur moi des rapports, des romans ou des poèmes et les envoyer à qui ça vous chante, même à Staline.

Il passa dans la pièce voisine.

Novikov reposa la lettre qu'il venait de lire et il siffla, comme il sifflait, gamin, sous les fenêtres d'un copain pour l'appeler dehors...

Cela faisait peut-être trente ans qu'il n'avait pas sifflé ainsi et voilà que soudain...

Puis, il regarda avec intérêt par la fenêtre : non, il faisait jour, la nuit n'était pas tombée. Puis il cria, joyeusement, d'une voix hystérique : merci, merci, merci pour tout.

Puis il eut l'impression qu'il allait tomber et mourir, mais il ne tomba pas, fit quelques pas dans la pièce. Puis il regarda la lettre posée sur la table et il lui sembla que c'était la peau blanche d'où venait de sortir un serpent. Il se passa les mains sur les côtés et la poitrine mais il ne le trouva pas, il était déjà passé en lui et lui brûlait le cœur.

Il resta un moment devant la fenêtre, les chauffeurs riaient en suivant du regard Maroussia, la téléphoniste, qui allait aux cabinets. Le conducteur du char de l'état-major revenait du puits avec un seau d'eau, les moineaux s'occupaient à leurs affaires de moineaux dans la paille devant l'étable. Génia lui avait dit un jour que le moineau était son oiseau préféré... Il brûlait comme brûle une maison : les poutres tombaient, les plafonds s'effondraient, la vaisselle se fracassait, les armoires se renversaient, les livres, les oreillers voltigeaient dans les étincelles et la fumée... Pourquoi : « Je te serai toute ma vie reconnaissante pour tout ce que tu m'as apporté de noble et de pur, mais qu'y puis-je ? La vie passée est plus forte que moi, je ne peux la tuer, l'oublier... ne m'accuse pas, non parce que je ne suis pas coupable, mais parce que ni toi ni moi ne savons en quoi je suis coupable... Pardonne-moi, pardonne-moi, je nous pleure tous les deux. »

Elle pleure ! Il vit rouge. Sale punaise ! Garce ! Te frapper sur la bouche, dans l'œil, te casser ton nez de salope à coups de crosse...

Mais aussitôt, sur-le-champ, avec une brutalité insupportable, il se sentit tout faible, désemparé ; personne, aucune force au monde ne pouvait l'aider si ce n'est Génia, mais c'était elle, justement, qui l'avait perdu.

Et, regardant dans la direction d'où elle aurait dû venir le rejoindre, il suppliait :

— Génia, qu'as-tu fait de moi ? Génia, tu m'entends ? Génia, pourquoi ? Regarde-moi, regarde ce que tu as fait.

Il tendit les bras vers elle.

Puis il se dit : pourquoi tout cela, il avait attendu si longtemps, mais puisqu'elle s'était décidée, elle n'était plus une petite fille ; si elle s'était décidée après avoir hésité tant d'années, elle devait savoir, elle s'était quand même décidée.

Quelques secondes plus tard, il cherchait de nouveau le salut dans la haine. « Bien sûr, bien sûr, elle ne voulait pas de moi tant que j'étais un simple major et traînais dans des garnisons en Sibérie ; elle s'est décidée quand j'ai commencé à monter, femme de général, elles sont toutes pareilles. » Mais il comprenait que ses accusations ne tenaient pas debout, non, non, ce n'était pas cela, ce serait trop beau. Elle allait rejoindre un homme qui devait aller dans les camps, dans la Kolyma... Les femmes des décembristes, les vers de Nekrassov, la femme russe... Elle ne m'aime pas, elle l'aime, lui... non, elle ne l'aime pas, elle a pitié de lui, seulement pitié. Et moi, pourquoi elle n'a pas pitié de moi ? Mais je suis plus malheureux que tous ceux qui sont en prison à la Loubianka, qui sont dans tous les camps, que tous les mutilés sans bras ou sans jambes. Je suis prêt à y aller dans les camps, et alors, qui choisiras-tu ? L'autre ! Ils sont de même race, et moi je suis un étranger. Comme ça qu'elle m'appelait, « l'étranger ». Bien sûr, je peux devenir maréchal si je veux, mais je serai toujours un moujik, un mineur, pas un intellectuel, je ne comprends rien à sa peinture de merde... Il demanda à haute voix, avec haine :

— Alors, pourquoi ? Pourquoi ?

Il sortit son pistolet de sa poche, le soupesa.

— Je me tuerai, pas parce que je ne veux plus vivre, mais pour que tu crèves de remords, putain.

Puis il remit le pistolet à sa place.

— Dans une semaine, elle m'aura oublié.

C'est lui qui devait l'oublier, ne plus y penser, ne pas se retourner.

Il s'approcha de la table, relut la lettre. « Mon pauvre, mon mignon, mon gentil... ! » Le plus affreux, ce ne sont pas les paroles cruelles, mais les paroles douces, pleines de pitié humiliante. Elles étaient insupportables. On ne pouvait plus respirer.

Il revit ses seins, ses épaules, ses genoux. Elle doit y aller, là, rejoindre son pitoyable Krymov. « Qu'y puis-je ? » Elle est dans un wagon sans air, serrée ; on l'interroge : « Rejoindre mon mari », dit-elle. Et elle a les yeux doux et tristes d'un chien.

C'est par cette fenêtre qu'il guettait sa venue. Ses épaules se mirent à tressauter, il renifla, aboya, s'étrangla en ravalant les sanglots qui lui échappaient. Il se souvint qu'il avait ordonné de ramener de l'intendance des chocolats et du nougat et qu'il avait dit à Verchkov : « Si tu y touches, je te tue. »

Et de nouveau, il marmonnait :

— Regarde, ma gentille, ma Génia, regarde ce que tu as fait de moi, aie pitié de moi.

Il tira brusquement sa valise de dessous le lit, en sortit les lettres et les photos d'Evguénia Nikolaïevna, celles qu'il emportait partout avec lui depuis longtemps, et celle qu'elle lui avait envoyée dans sa dernière lettre, et la toute première, une photo d'identité, enveloppée dans de la cellophane, et se mit à les déchirer. A une bribe de phrase sur un bout de papier déchiré il reconnaissait les mots qu'il avait lus et relus si souvent, les mots qui lui faisaient perdre la tête. Il regardait disparaître le visage, périr les lèvres, les yeux, le cou sur les photos déchirées. Cela le soulageait, il lui semblait qu'il l'avait extirpée, piétinée tout entière, qu'il s'était libéré de la sorcière.

Il avait bien vécu sans elle. Il surmonterait cela ! Dans un an, il passerait devant elle sans s'arrêter. Il en avait besoin comme d'un emplâtre sur une jambe de bois. Et à peine avait-il pensé cela qu'il comprit la vanité de ses efforts. On ne peut rien arracher du cœur, le cœur n'est pas en papier et la vie n'y est pas écrite à l'encre, on ne peut pas le déchirer en morceaux.

Les lettres déchirées n'avaient pas disparu, et ses yeux le regardaient, comme avant, sur les photos déchirées.

Il ouvrit l'armoire, remplit un grand verre de vodka jusqu'au bord, le vida, alluma une cigarette, l'alluma une seconde fois bien qu'elle ne fût pas éteinte. Le malheur bruissait dans sa tête, lui brûlait les tripes.

Il répéta à haute voix sa question :

— Génia, ma petite, ma chérie, qu'as-tu fait, qu'as-tu fait ? Comment tu as pu faire cela ?

Puis il fourra les morceaux de papier dans sa valise, rangea la bouteille de vodka dans l'armoire en se disant : « Ça soulage un peu. »

Bientôt ses chars allaient atteindre le Donbass, il allait revoir son coron natal, il trouverait l'endroit où ses vieux ont été enterrés. Son père pourra être fier de son Petia, sa mère pourra plaindre son malheureux fils. Quand la guerre sera terminée, il ira vivre chez son frère et sa nièce lui demandera : « Pourquoi tu te tais, tonton Petia ? »

Il revit une scène de son enfance : leur chien, une bête à poils longs, était parti courir après une chienne en chaleur. Il était revenu couvert de morsures, il lui manquait des touffes de poils, une des oreilles était déchirée, un œil fermé ; il restait devant la maison, la queue basse, et le père lui dit gentiment :

— Alors, tu as tenu la chandelle ?

Oui, il a tenu la chandelle...

Verchkov entra dans la pièce :

— Vous vous reposez, camarade colonel ?

— Un petit peu.

Il regarda l'heure, se dit : « Arrêter les mouvements jusqu'à demain 7 heures. Transmettre en code. »

— Je vais retourner dans les brigades, dit-il à Verchkov.

La course folle de la voiture le soulagea un peu. Le chauffeur menait la jeep à 80 à l'heure sur une route impraticable ; la voiture sautait, dérapait, vacillait.

Il entra au P.C. de la brigade. Comme tout avait changé en quelques heures ! Comme Markov avait changé, c'était comme s'ils ne s'étaient pas revus depuis des années !

Oubliant le règlement, Markov dit en écartant les bras en signe d'incompréhension :

— Guetmanov vient de transmettre l'ordre d'Eremenko : votre décision est annulée, ordre de poursuivre l'offensive.

51

Trois semaines plus tard, le corps d'armée de Novikov fut retiré du front, mis en réserve pour recomplètement des effectifs et remise en état de service du matériel. Les hommes et le matériel avaient été éprouvés, après avoir parcouru en combattant quatre cents kilomètres.

En même temps, le colonel Novikov reçut l'ordre de se présenter à Moscou à l'état-major général et au chef du 1er bureau. Et on ne savait pas s'il reviendrait reprendre le commandement du corps d'armée.

Pendant son absence, ce fut le général Néoudobnov qui assura le commandement. Quelques jours auparavant, le commissaire de brigade Guetmanov fut informé que le Comité central du parti le retirait du service actif : il devait occuper le poste de secrétaire d'obkom dans une région nouvellement libérée du Donbass ; le Comité central accordait une grande importance à ce poste.

Le départ de Novikov souleva des discussions à l'état-major du groupe d'armées et à la Direction des forces blindées.

Les uns pensaient que cela ne voulait rien dire et qu'après son séjour à Moscou, Novikov reviendrait à son poste actuel.

Certains estimaient que c'était la conséquence de la décision erronée, prise par Novikov en pleine offensive, d'assurer dix heures de repos aux tankistes et aussi du retard dans le débouché de l'attaque. D'autres étaient d'avis qu'il ne s'était pas entendu avec son commissaire et son chef d'état-major qui avaient, l'un et l'autre, de grands mérites.

Le secrétaire du Conseil militaire, un homme bien informé, dit que certains reprochaient à Novikov des relations personnelles douteuses. Le secrétaire avait cru, d'abord, que les malheurs de Novikov venaient des désaccords survenus entre lui et son commissaire. Mais, selon toute apparence, il n'en était rien. Le secrétaire avait vu de ses propres yeux une lettre envoyée par Guetmanov vers les plus hau-

tes instances. Guetmanov protestait contre la révocation de Novikov ; il disait que Novikov était un chef militaire remarquable, aux
dons hors pair, qu'il était un homme irréprochable sur les plans politique et moral.

Mais le plus étrange était qu'après de longues nuits d'insomnie
Novikov s'endormit tranquillement le soir du jour où il reçut sa
convocation et ne se réveilla que le lendemain matin.

52

On eût dit qu'un train emportait Strum avec fracas ; il avait du
mal à penser et se remémorait, avec un sentiment d'étrangeté, le
calme de son foyer. Le temps était devenu très dense, il était plein
d'événements, de gens, de coups de téléphone. Le jour où Chichakov
était venu chez Strum, aimable, prévenant, soucieux de sa santé, avec
une foule d'explications plaisantes et amicales, visant à jeter dans
l'oubli tout ce qui s'était passé, semblait remonter à plus de dix ans.

Strum aurait cru que ces gens qui avaient tenté de le perdre
auraient honte et n'oseraient pas le regarder, mais dès le jour de son
retour à l'Institut, ils l'avaient joyeusement salué, le regardant droit
dans les yeux, amicaux et dévoués. Le plus étonnant était que ces
gens étaient parfaitement sincères, qu'ils ne souhaitaient maintenant
à Strum que de bonnes choses.

De nouveau, on lui faisait un tas de compliments sur son travail.
Malenkov le convoqua et, fixant sur lui ses yeux noirs et intelligents,
discuta avec lui pendant quarante minutes. Strum fut stupéfait de
s'apercevoir que Malenkov était au courant de ses travaux et qu'il
maniait, assez habilement, les termes techniques.

En guise d'adieu, Malenkov dit à Strum des mots qui l'étonnèrent : « Nous serions désolés de gêner en quoi que ce fût vos recherches en physique théorique. Nous comprenons fort bien qu'il ne peut
y avoir de pratique sans théorie. »

Il ne s'attendait pas à de telles paroles.

Comme il était étrange, le jour suivant, de voir le regard inquiet,
interrogateur d'Alexeï Alexeïevitch, et de se rappeler, parallèlement,
le sentiment d'humiliation qui l'avait envahi, lors de cette réunion
organisée par Chichakov chez lui, et où Strum n'avait pas été convié.

De nouveau, Markov se montrait gentil et cordial, Savostianov
faisait de bons mots et plaisantait. Gourevitch vint au laboratoire, il

serra Strum dans ses bras, en disant : « Comme je suis heureux, comme je suis heureux ! Vous êtes Veniamine le Bienheureux ! »

Et le train l'emportait toujours.

On demanda à Strum s'il jugeait nécessaire de créer, sur la base de son laboratoire, un établissement de recherches indépendant. Il se rendit dans l'Oural, à bord d'un avion spécial, accompagné par un ministre adjoint. On mit une voiture à sa disposition, et, désormais, Lioudmila Nikolaïevna l'utilisait pour se rendre au magasin réservé et en faisait profiter ces mêmes femmes qui, quelques semaines plus tôt, s'efforçaient de ne pas la voir.

Tout ce qui, autrefois, semblait complexe, embrouillé, se réalisait facilement, de soi-même.

Le jeune Landesman fut extrêmement touché : Kovtchenko lui téléphona chez lui. En une heure, Doubenkov remplit les formalités nécessaires pour qu'il soit embauché dans le labo de Strum.

Anna Nahumovna Weispapier rentra de Kazan et raconta à Strum qu'en quarante-huit heures, elle avait reçu sa convocation et son visa de séjour, et qu'à Moscou, Kovtchenko lui avait envoyé une voiture à la gare. Doubenkov avisa par écrit Anna Stepanovna qu'elle était réintégrée dans ses fonctions, et qu'avec l'accord du directeur adjoint, l'interruption momentanée de son travail lui serait intégralement payée.

On gavait littéralement les nouveaux collaborateurs. Ils racontaient, en riant, que leur travail se résumait à se faire transporter, du matin au soir, dans les cantines « réservées » et à manger. Bien entendu, leur travail était tout autre.

Les nouvelles installations du laboratoire ne semblaient plus à Strum aussi perfectionnées ; il se disait que, dans un an, elles sembleraient aussi comiques que la première locomotive.

Tous ces événements de la vie de Strum semblaient parfaitement naturels et, en même temps, absolument contre nature. En effet, si son travail était effectivement très important, alors pourquoi ne pas l'en complimenter ? Si Landesman était un chercheur de talent, pourquoi ne travaillerait-il pas à l'Institut ? Et si Anna Nahumovna était irremplaçable, pourquoi donc stagnerait-elle à Kazan ?

Mais d'un autre côté, Strum savait que, sans le coup de téléphone de Staline, personne, à l'Institut, ne louerait les remarquables travaux de Victor Pavlovitch, et Landesman, avec tout son talent, ne trouverait pas d'emploi.

Mais après tout, le coup de téléphone de Staline n'était pas un hasard, une lubie, un caprice. Staline, c'était l'État, et l'État ignore les caprices.

Strum avait l'impression que le travail organisationnel — l'accueil des nouveaux chercheurs, les plans, les commandes de matériel, les conseils — occuperait tout son temps. Mais les voitures roulaient vite, les réunions étaient brèves et personne n'arrivait en retard, ses désirs se réalisaient rapidement, et Strum passait les heures les plus précieuses de la matinée dans son laboratoire. Durant ces heures de travail, les plus importantes, il était parfaitement libre. Personne ne le dérangeait, il ne pensait qu'à ce qui l'intéressait. Sa science continuait de lui appartenir. Rien à voir avec ce qui s'était produit pour le peintre du *Portrait* de Gogol.

Personne ne se mêlait de ses centres d'intérêts scientifiques, ce qu'il craignait le plus au monde. « Effectivement, je suis libre », s'étonnait-il.

Victor Pavlovitch se rappela, un jour, les considérations de l'ingénieur Artelev, à Kazan, sur l'approvisionnement des usines de l'armée en matières premières, électricité, machines, et l'absence de bureaucratie.

« C'est clair, se dit Victor Pavlovitch, c'est dans l'absence même de bureaucratisme que ce dernier se manifeste le plus. Tout ce qui sert les grands intérêts de l'État se réalise à vitesse grand V ; le bureaucratisme porte en lui deux tendances contraires : il peut arrêter n'importe quel mouvement, ou l'accélérer de manière fantastique, comme s'il échappait brusquement à l'attraction terrestre. »

Mais les conversations de la petite chambre de Kazan lui revenaient rarement en mémoire, il y repensait avec indifférence et Madiarov ne lui semblait plus aussi remarquable et intelligent. Le destin de Madiarov ne l'obsédait plus, il ne revoyait plus aussi souvent, obstinément, la peur de Karimov devant Madiarov et inversement.

Tout ce qui s'était passé commençait, sans qu'il s'en rendît compte, à lui sembler normal, légitime. La nouvelle vie de Strum était devenue la norme. Et Strum, déjà, s'y habituait. Sa vie d'autrefois était l'exception et Strum, déjà, l'oubliait. Les considérations d'Artelev étaient-elles si justes ?

Autrefois, il s'énervait, s'irritait, dès qu'il franchissait le seuil du service du personnel, rien qu'à sentir sur lui le regard de Doubenkov. Mais Doubenkov était, en fait, un homme serviable et bienveillant.

Il téléphonait à Strum et disait :

— Ici Doubenkov. Je ne vous dérange pas, Victor Pavlovitch ?

Il avait toujours vu Kovtchenko comme un sinistre et perfide intrigant, capable d'anéantir tous ceux qui se dresseraient sur sa route, un démagogue, indifférent à la réalité profonde du travail, venu du monde mystérieux des instructions non écrites. En fait, Kovtchenko possédait des traits de caractère bien différents. Il passait chaque jour dans le labo de Strum, avait des manières très simples, plaisantait avec Anna Nahumovna ; c'était un vrai démocrate, qui serrait la main à tout le monde, bavardait avec les monteurs, les ajusteurs et qui, lui-même, dans sa jeunesse, avait travaillé comme tourneur.

Des années durant, Strum avait détesté Chichakov. Mais il était allé déjeuner chez lui, et Alexeï Alexeïevitch s'était montré très accueillant, fin gastronome, plein d'esprit, amateur d'anecdotes et de bon cognac et collectionneur de gravures. Et surtout : il savait apprécier la théorie de Strum.

« J'ai gagné », se disait Strum. Mais il comprenait bien que ce n'était pas le triomphe, que les gens avec lesquels il était en contact n'avaient pas changé d'attitude ni cessé de lui faire obstacle parce qu'il avait su les charmer par la puissance de son esprit, de son talent ou Dieu sait quoi.

Et pourtant, il se réjouissait : il avait gagné !

Presque chaque soir, à la radio, on donnait des informations de « dernière heure ». L'offensive des armées soviétiques ne cessait de s'amplifier. Et Victor Pavlovitch trouvait à présent si facile, si simple d'accorder sa vie à l'évolution normale de la guerre , à la victoire du peuple, de l'armée, de l'État.

Mais il comprenait aussi que tout n'était pas si simple, il se moquait de cette volonté qu'il avait de ne voir que des choses d'une simplicité enfantine : « Staline par-ci, Staline par-là, vive Staline ! »

Il lui semblait que les administrateurs et les hommes du parti ne parlaient, au sein de leurs familles, que de la pureté des cadres, signaient des papiers au crayon rouge, lisaient à voix haute à leurs femmes le *Précis de l'histoire du parti* et ne rêvaient, la nuit, que de règlements temporaires et d'instructions obligatoires.

Et voilà que Strum découvrait en eux un autre aspect : leur côté humain.

Ainsi, Ramskov, le secrétaire du comité du parti, était amateur de pêche à la ligne ; avant la guerre, il faisait du bateau, sur les fleuves de l'Oural, avec sa femme et ses fils.

— Eh ! Victor Pavlovitch, disait-il, que peut-on rêver de mieux dans la vie : on se lève à l'aube, tout est brillant de rosée, le sable est froid sur la rive, on lance ses lignes, et l'eau, encore sombre, engourdie, semble pleine de promesses... La guerre finie, je vous entraînerai dans la confrérie des pêcheurs...

Kovtchenko discuta un jour, avec Strum, des maladies infantiles, et Strum s'émerveilla de l'étendue de ses connaissances sur les moyens de guérir le rachitisme et les angines. Il apprit ainsi que Kassian Terentievitch, en plus de ses deux enfants, avait adopté un petit Espagnol. L'enfant était souvent malade et Kassian Terentievitch s'occupait personnellement de le soigner.

Svetchine lui-même, pourtant assez sec, parla à Strum de sa collection de cactus qu'il avait réussi à sauver durant l'hiver glacé de 1941.

« Eh ! mon Dieu, ce ne sont pas de si mauvaises gens, se disait Strum. Chaque individu a quelque chose d'humain. »

Bien sûr, au fond de son âme, Strum comprenait parfaitement que ces changements, en fait, ne changeaient rien. Il n'était ni stupide ni cynique, il savait réfléchir.

Durant cette période, il se souvint d'un récit de Krymov concernant un de ses vieux amis, Bagrianov, premier juge d'instruction des tribunaux militaires. Bagrianov avait été arrêté en 1937, mais en 1939, Beria, dans un brusque accès de libéralisme, l'avait relâché et autorisé à rentrer à Moscou.

Krymov racontait que Bagrianov était venu chez lui, directement de la gare, en pleine nuit, vêtu d'une chemise et d'un pantalon en lambeaux, avec, en poche, l'attestation du camp.

Durant cette première nuit, il avait prononcé des discours séditieux, compati au sort des détenus des camps, raconté son intention de devenir apiculteur et jardinier.

Mais, peu à peu, au fur et à mesure qu'il retrouvait sa vie d'antan, ses discours s'étaient modifiés.

Krymov racontait en riant les transformations progressives de l'idéologie de Bagrianov. On lui avait rendu son uniforme ; il avait conservé ses idées libérales, mais ne jouait plus à dénoncer le mal, façon Danton.

Puis, en échange de son attestation de libération, on lui rendit son visa de séjour à Moscou. Dès lors, on le vit adopter des positions hégéliennes : « Le réel est raisonnable. » On lui rendit son appartement et il tint un langage tout à fait nouveau, disant qu'on trouvait, dans les camps, un grand nombre de détenus jugés pour crimes contre l'État soviétique. On lui rendit ses décorations. Il fut réintégré dans le parti et on tint compte de ses années d'ancienneté.

A cette époque, Krymov connut ses premiers ennuis, au sein du parti. Bagrianov cessa de lui téléphoner. Un jour, Krymov le rencontra : vêtu d'une vareuse ornée de deux losanges, Bagrianov descendait de voiture, devant la porte du tribunal militaire. Huit mois s'étaient écoulés depuis la nuit où il était arrivé chez Krymov, la chemise déchirée, son attestation en poche, la bouche pleine de discours sur les détenus innocents et l'arbitraire qui sévissait.

— Et moi qui pensais, cette nuit-là, en l'écoutant, qu'il était définitivement perdu pour les services du parquet, disait Krymov avec un petit rire mauvais.

Ce n'était pas pour rien, bien sûr, que Victor Pavlovitch s'était souvenu de cette histoire, et il la raconta à Nadia et à Lioudmila Nikolaïevna.

Son jugement sur les gens qui avaient péri en 37 n'avait pas changé. Il était toujours horrifié par la cruauté de Staline.

La vie des gens ne se trouvait pas modifiée sous prétexte que Strum était devenu l'enfant chéri de la chance, après avoir été un paria. Les victimes de la collectivisation, les gens fusillés en 37 n'allaient pas ressusciter parce qu'on allait donner, ou refuser, à un dénommé Strum une médaille ou une décoration, parce que Malenkov l'inviterait ou qu'il ferait partie des convives de Chichakov.

Victor Pavlovitch le comprenait bien et ne l'oubliait pas. Et malgré tout, des changements se produisaient dans sa mémoire et sa compréhension des choses.

[...
....¹]

Il disait souvent à sa femme : « Que de minables, partout ! Que les gens ont donc peur de défendre leur droit à l'honnêteté, qu'ils cèdent facilement, qu'ils sont conciliants, que leurs actes sont pitoyables ! »

Il ne put s'empêcher, un jour, de blâmer Tchepyjine : « Sa passion pour la randonnée et l'alpinisme dissimule une peur inconsciente devant les difficultés de la vie, et son départ de l'Institut une peur consciente devant la grande question de notre vie. »

Quelque chose, c'était évident, avait changé en lui. Il le sentait, mais était incapable de dire quoi.

53

En revenant à son travail, Strum ne trouva pas Sokolov au laboratoire. Deux jours avant le retour de Strum à l'Institut, Piotr Lavrentievitch avait eu une pneumonie.

Strum apprit qu'à la veille de sa maladie, Sokolov s'était entendu avec Chichakov pour de nouvelles fonctions. Il devenait responsable de la réorganisation d'un autre laboratoire. Les affaires de Piotr Lavrentievitch suivaient une courbe ascendante.

Markov, pourtant au courant de tout, ignorait lui-même les véritables raisons qui avaient poussé Sokolov à demander à la direction la permission de quitter le laboratoire de Strum.

En apprenant ce départ, Victor Pavlovitch n'éprouva ni chagrin ni

---

1. Passage manquant dans l'édition originale. *(N.d.T.)*

regret : l'idée de rencontrer Sokolov, d'avoir à travailler avec lui lui était pénible.

De quoi Sokolov aurait-il eu l'air devant Victor Pavlovitch ? Bien sûr, il n'avait pas le droit de penser comme il le faisait à la femme de son ami. Il n'avait pas le droit de se languir d'elle, de la rencontrer en cachette.

Si on lui avait rapporté une histoire semblable, il se serait indigné. Tromper sa femme ! Tromper un ami ! Pourtant, il se languissait d'elle et rêvait de la rencontrer.

Lioudmila avait renoué avec Maria Ivanovna. Elles s'étaient longuement expliquées au téléphone, s'étaient revues, avaient pleuré, chacune s'accusant de mauvaises pensées, de suspicion, d'avoir manqué de confiance en l'amitié.

Dieu, que la vie était complexe, embrouillée ! Maria Ivanovna, si sincère et si pure, mentait à Lioudmila, lui jouait la comédie. Bien sûr, c'était pour lui qu'elle agissait ainsi...

Strum voyait rarement Maria Ivanovna. La plupart des nouvelles qu'il avait d'elle lui venaient de Lioudmila.

Il apprit qu'on se proposait de décerner le prix Staline à Sokolov pour des travaux publiés avant guerre. Que Sokolov avait reçu une lettre enthousiaste de jeunes physiciens anglais. Qu'aux prochaines élections à l'Académie, Sokolov pouvait être élu membre correspondant. Tout cela, Maria Ivanovna l'avait raconté à Lioudmila. Lors de ses brèves rencontres avec elle, il ne lui parlait plus de Piotr Lavrentievitch.

Ses activités professionnelles, ses réunions, ses voyages ne parvenaient pas à dissiper son cafard : il avait constamment envie de la voir.

A plusieurs reprises, Lioudmila Nikolaïevna lui avait dit : « Je ne comprends pas pourquoi Sokolov est à ce point monté contre toi. Et Macha a été incapable de m'en donner une explication satisfaisante. »

La raison en était simple, mais Maria Ivanovna ne pouvait, bien entendu, l'expliquer à Lioudmila. C'était déjà bien assez d'avoir confié à son époux les sentiments qu'elle éprouvait pour Strum.

Cet aveu avait définitivement mis un terme aux relations de Strum et de Sokolov. Elle avait promis à son mari de ne jamais revoir Strum. Qu'elle dise un seul mot à Lioudmila et il serait, pour longtemps, sans nouvelles d'elle, ignorerait ce qu'elle deviendrait, où elle serait. Déjà qu'ils se voyaient si peu ! Et leurs rencontres étaient si brèves ! Ils ne parlaient guère quand ils se retrouvaient ; ils se promenaient, main dans la main dans les rues, ou passaient un moment sur un banc dans un square, sans mot dire.

Au temps de ses chagrins, de ses malheurs, elle avait compris avec une extraordinaire intuition tout ce qu'il ressentait. Elle avait deviné ses pensées, ses actes, on eût dit qu'elle avait toujours su à l'avance ce qui lui arriverait. Plus il était mal, plus fort et douloureux était son désir de la voir. Il trouvait, dans cette immense compréhension qu'elle lui témoignait, son seul bonheur du moment. Il lui semblait aujourd'hui qu'avec cette femme à ses côtés il eût aisément supporté ses malheurs. Avec elle, il eût été heureux.

Qu'y avait-il eu ? Leurs conversations de Kazan, leurs promenades au Jardin des Plaisirs, à Moscou, quelques instants passés sur un banc, dans un square rue de Kalouga, et c'était tout. Mais tout cela appartenait au passé. Il y avait aussi le présent : à plusieurs reprises, ils s'étaient téléphoné et rencontrés dans la rue, et il n'avait pas parlé à Lioudmila de ces brefs rendez-vous.

Il comprenait que leur péché commun ne se mesurait pas aux instants passés, en cachette, sur un banc. La faute était plus grave : il l'aimait. Pourquoi avait-elle pris une si grande place dans sa vie ?

Chacune des paroles qu'il disait à sa femme était un demi-mensonge. Malgré lui, chacun de ses mouvements, chacun de ses regards dissimulait la vérité.

Avec une indifférence feinte, il demandait à Lioudmila Niko-laïevna : « Ta copine t'a téléphoné ? Comment va-t-elle ? Et la santé de Piotr Lavrentievitch ? »

Il se réjouissait des succès de Sokolov. Non qu'il eût, pour lui, de la sympathie, mais parce qu'il lui semblait que la réussite de Sokolov donnait à Maria Ivanovna le droit de ne pas éprouver de remords.

Il lui était insupportable d'apprendre, par Lioudmila, des nouvelles de Sokolov et de Maria Ivanovna. C'était humiliant pour sa femme, pour Maria Ivanovna et pour lui.

Demi-mensonges aussi les discussions qu'il avait avec Lioudmila sur Tolia, Nadia ou Alexandra Vladimirovna. Le mensonge était partout. Comment ? Pourquoi ? Les sentiments qu'il éprouvait envers Maria Ivanovna n'étaient-ils pas la vérité de son âme, de ses pensées, de ses désirs ? Comment cette vérité pouvait-elle engendrer tant de mensonges ? Il savait qu'en renonçant à cet amour, il délivre-rait du mensonge Lioudmila, Maria Ivanovna et lui-même.

Mais chaque fois qu'il se disait qu'il fallait renoncer, un sentiment perfide, embrouillant ses pensées, refusant la souffrance, l'en dissua-dait : « Ce mensonge, après tout, n'était pas si terrible, il ne faisait de mal à personne. La souffrance était pire que le mensonge. »

Il lui semblait, parfois, qu'il aurait la force et la cruauté de rompre avec Lioudmila, de briser la vie de Sokolov, et cette idée le stimulait, lui permettait de se tenir le discours inverse : « Le mensonge était pire que tout. Mieux valait se séparer de Lioudmila que la tromper et ɔbliger Maria Ivanovna à mentir. Le mensonge était plus terrible que la souffrance ! »

Il ne remarquait pas que sa pensée était devenue la servante docile de ses sentiments, que ses sentiments dominaient et qu'il n'y avait qu'un moyen d'échapper à ce cercle vicieux : trancher dans le vif, se sacrifier, au lieu de sacrifier les autres.

Plus il pensait à tout cela, moins il s'y retrouvait. Comment comprendre ? Comment démêler l'écheveau ? Son amour pour Maria Ivanovna était la vérité et le mensonge de sa vie ! Il y avait eu, au cours de l'été, cette aventure avec la belle Nina. Il ne s'était pas conduit en collégien amoureux, ne s'était pas contenté de se promener avec elle dans un square. Pourtant, c'était maintenant qu'il éprouvait le sentiment d'avoir trompé, fait le malheur de sa famille et d'être coupable envers Lioudmila.

Il gaspillait beaucoup d'énergie, de pensées, s'agitait beaucoup autour de cette histoire. Planck ne s'était sans doute pas dépensé plus, pour élaborer sa théorie des quanta.

Il avait cru, un temps, que cet amour était né de ses chagrins, de ses malheurs... Sans eux, jamais il n'eût éprouvé ce sentiment...

Mais il avait remonté la pente et son désir de voir Maria Ivanovna ne diminuait pas...

Elle n'était pas comme tout le monde : la richesse, la gloire, la force ne l'attiraient pas. Elle ne souhaitait partager avec lui que le malheur, la peine, les privations... Et cela l'angoissait : n'allait-elle pas, à présent, se détourner de lui ?

Il savait que Maria Ivanovna adorait Piotr Lavrentievitch, et cela le rendait fou.

Sans doute Génia avait-elle raison : ce deuxième amour, venu après de longues années de vie conjugale, devait être, en effet, la conséquence d'une avitaminose de l'âme. Les vaches, de la même façon, rêvent de lécher ce sel qu'elles cherchent des années durant et ne trouvent ni dans l'herbe, ni dans le foin, ni dans les feuilles des arbres. Cette faim de l'âme croissait petit à petit et devenait, finalement, incroyablement forte. C'était exactement cela. Dieu sait qu'il la connaissait, cette fringale de l'âme... Et Maria Ivanovna était décidément bien différente de Lioudmila.

Avait-il raison de penser ainsi ? Strum ne s'apercevait pas que la raison n'avait rien à voir avec ses pensées. Elles pouvaient être justes ou erronées, cela ne changeait rien à ses actes. La raison ne le guidait plus. Il souffrait de ne pas voir Maria Ivanovna, était heureux quand il savait qu'il la retrouverait. Heureux aussi, quand il se racontait qu'à l'avenir ils seraient toujours ensemble.

Pourquoi n'éprouvait-il aucun remords quand il pensait à Sokolov ? Pourquoi n'avait-il pas honte ?

Honte ? Et de quoi ? Après tout, ils n'avaient fait que se promener au Jardin des Plaisirs et passer un moment sur un banc.

Comme si c'était le problème, alors que, par ailleurs, il était prêt à rompre avec Lioudmila, à dire à son ami qu'il aimait sa femme et à la lui prendre !

Il revoyait tous les mauvais aspects de sa vie avec Lioudmila : l'attitude de sa femme à l'égard de sa mère, son refus d'offrir un asile à son cousin rentrant de camp. Il évoquait sa dureté, sa grossièreté, son entêtement et sa cruauté.

Et cela lui permettait de s'endurcir. Or, il en avait besoin, s'il voulait se montrer cruel. D'un autre côté, Lioudmila avait passé sa vie avec lui, partageant ses soucis, ses difficultés. Ses cheveux grisonnaient : elle avait enduré trop de peines. N'avait-elle que des défauts ? Des années durant, elle avait été sa fierté, il s'était réjoui de sa franchise, de sa droiture. Oui, oui, oui, il allait se montrer bien cruel.

Un matin qu'il se préparait à se rendre au travail, Victor Pavlovitch se rappela la récente visite d'Evguénia Nikolaïevna et se dit :

« Heureusement, tout de même, qu'elle est repartie à Kouïbychev. »

Il eut aussitôt honte de cette pensée, mais au même moment, Lioudmila Nikolaïevna déclara :

— Et Nikolaï qui vient s'ajouter à la liste de nos proches incarcérés. Encore heureux que Génia ne soit plus à Moscou !

Il voulut lui reprocher ces paroles, mais se ravisa à temps et ne dit rien : ses remarques auraient sonné trop faux.

— Tchepyjine t'a téléphoné, dit Lioudmila Nikolaïevna.

Il regarda sa montre.

— Ce soir, je rentrerai plus tôt et je l'appellerai. Au fait, il est probable que je reparte dans l'Oural.

— Pour longtemps ?

— Non, deux ou trois jours.

Il était pressé : une grande journée l'attendait.

Son travail était important, ses affaires aussi — des affaires d'État ! — mais ses pensées, comme si elles étaient inversement proportionnelles, étaient petites, pitoyables, mesquines.

En partant, Génia avait prié sa sœur de se rendre au Kouznetski Most et de faire passer deux cents roubles à Krymov.

— Lioudmila, dit-il, il faut transmettre cet argent que t'a laissé ta sœur. Tu n'as déjà que trop tardé.

Il ne dit pas cela parce qu'il s'inquiétait pour Krymov et Génia ; il craignait simplement que cette négligence de Lioudmila ne précipitât la venue de Génia à Moscou. Une fois dans la capitale, Génia se mettrait à écrire des lettres, à téléphoner, et l'appartement de Strum deviendrait un centre d'activités en faveur des détenus.

Strum comprenait que ces pensées étaient non seulement petites et mesquines, mais lâches par-dessus le marché. Honteux, il dit :

— Écris à Génia. Invite-la en notre nom à tous les deux. Peut-être a-t-elle besoin de venir à Moscou, et, sans invitation, cela n'est pas facile. Tu m'entends, Liouda ? Écris-lui tout de suite.

Cette déclaration faite, il se sentit mieux, mais, une fois de plus, il le savait, il n'avait dit tout cela que pour sa tranquillité personnelle... C'était curieux, tout de même. Quand il était reclus dans sa chambre, chassé de partout, craignant le gérant et les filles du bureau de ravitaillement, il avait la tête pleine de pensées sur la vie, la vérité, la liberté, Dieu... Personne n'avait besoin de lui, son téléphone restait muet des semaines entières et ses amis, ses relations évitaient de le saluer quand ils le voyaient dans la rue. Et aujourd'hui, alors que des dizaines de personnes l'attendaient, lui téléphonaient, lui écrivaient, alors qu'une ZIS-101 klaxonnait délicatement sous sa fenêtre, il ne pouvait se défaire d'un tas de pensées plus vides que des enveloppes de graines de tournesol, d'un sentiment pitoyable de dépit, de craintes ridicules. Là, il n'avait pas dit ce qu'il fallait, à un autre moment, il avait ri imprudemment ; il était obsédé par des problèmes quotidiens parfaitement microscopiques.

Après le coup de téléphone de Staline, il avait cru, un temps, que la peur était complètement sortie de sa vie. Mais il s'apercevait qu'elle était toujours là ; elle avait simplement changé : une peur de seigneur, sans rien de plébéien. Une peur qui circulait en voiture, qui téléphonait sur la ligne du Kremlin, mais toujours présente.

Ce qui semblait impossible — cette rivalité envieuse avec les théories et les réalisations scientifiques des autres — était devenu naturel. Il s'inquiétait : n'allait-on pas le dépasser, le doubler ?

Il n'avait guère envie de bavarder avec Tchepyjine : un entretien long, ardu, lui semblait au-dessus de ses forces. Ils s'étaient imaginé un peu trop légèrement que la science dépendait entièrement de l'État. Car il était vraisemblablement libre : personne ne considérait plus ses hypothèses comme des absurdités, venues tout droit du Talmud. Personne n'osait plus y toucher. L'État avait besoin de la physique théorique et Chichakov, Baldine l'avaient compris. Pour que Markov pût déployer tout son talent dans ses expériences et Kotchkourov dans sa pratique, il fallait bien des gourdes de théoriciens. Depuis le coup de téléphone de Staline, chacun l'avait soudain compris. Comment expliquer à Dmitri Petrovitch que ce coup de fil avait apporté à Strum la liberté dans son travail ? D'un autre côté, pourquoi était-il devenu si intolérant aux défauts de Lioudmila ? Et pourquoi était-il si indulgent à l'égard d'Alexeï Alexeïevitch ?

Markov lui était devenu très sympathique. Il s'intéressait vraiment de très près aux problèmes personnels de ses chefs, aux événements secrets ou à moitié secrets, à l'humiliation de ceux qui n'étaient pas invités au Praesidium, à ceux qui avaient l'honneur de figurer sur les listes spéciales et à ceux qui entendaient cette phrase fatale : « Vous n'êtes pas sur la liste. »

Il aurait même préféré passer une soirée tranquille, à bavarder avec Markov, plutôt que de discuter comme avec Madiarov à leurs assemblées de Kazan.

Markov avait le chic pour noter les côtés ridicules des gens, il savait railler les faiblesses humaines, sans méchanceté, mais de façon très caustique. Il avait un esprit raffiné et, par-dessus le marché, était un scientifique de premier ordre. Peut-être même le plus doué du pays en physique expérimentale.

Strum avait déjà mis son manteau, quand Lioudmila Nikolaïevna lui dit :

— Maria Ivanovna a appelé hier.

Il s'empressa de demander :

— Et alors ?

Son visage avait dû changer.

— Que t'arrive-t-il ? s'enquit Lioudmila Nikolaïevna.

— Rien, rien, fit-il, et il revint du couloir dans la pièce.

— En fait, je n'ai pas très bien compris. Une histoire déplaisante. Je crois que Kovtchenko leur a téléphoné. Bref, comme toujours, elle se tracasse pour toi, elle a peur que tu te fasses encore du tort.

— En quoi ? demanda-t-il d'un ton impatient. Je ne comprends pas.

— C'est ce que je te dis : je ne comprends pas non plus. Visiblement, elle ne tenait pas à s'étendre sur la question au téléphone.

— Bon, répète-moi tout ça, dit-il et, ouvrant son manteau, il s'assit sur une chaise, près de la porte.

Lioudmila le regarda en hochant la tête. Il lui sembla qu'elle le contemplait avec tristesse et reproche.

Et comme pour confirmer cette impression, elle dit :

— Tu vois, Vitia. Ce matin, tu n'avais pas le temps d'appeler Tchepyjine. Mais tu es toujours prêt à entendre parler de Macha... Tu es même revenu pour ça, alors que tu es en retard.

Il lui lança un regard hypocrite et dit :

— Oui, je suis en retard.

Il s'approcha de sa femme, lui baisa la main.

Elle lui caressa légèrement la tête, emmêlant ses cheveux.

— Tu vois comme cette Macha est devenue importante et intéressante, dit doucement Lioudmila. Et avec un sourire pitoyable, elle ajouta :

« Elle qui était incapable de distinguer Balzac de Flaubert !

Il la regarda : ses yeux étaient humides, il lui sembla que ses lèvres tremblaient.

Il eut un geste d'impuissance, se retourna à la porte pour la regarder de nouveau.

L'expression de son visage le stupéfia. En descendant l'escalier, il se dit que s'il devait se séparer de Lioudmila et ne plus la revoir, cette expression — sans défense, touchante, douloureuse, pleine de honte pour tous deux — ne le quitterait plus de toute sa vie. Il comprit qu'une chose très importante venait de se passer : sa femme lui avait laissé entendre qu'elle voyait son amour pour Maria Ivanovna, et il l'avait confirmé...

Il ne savait qu'une chose : s'il voyait Macha, il était heureux, s'il se disait qu'il ne la reverrait plus, il étouffait.

Quand la voiture de Strum arriva à proximité de l'Institut, la ZIS de Chichakov vint se placer à sa hauteur et les deux véhicules s'arrêtèrent ensemble devant l'entrée.

Ils traversèrent côte à côte le couloir, tout comme leurs ZIS avaient roulé côte à côte, Alexeï Alexeïevitch prit Strum par le bras et lui demanda :

— Alors, vous partez bientôt ?

Strum répondit :

— On dirait, oui.

— Bientôt, nous nous quitterons pour de bon. Vous serez votre propre maître, dit plaisamment Alexeï Alexeïevitch.

Strum pensa soudain : « Et quelle serait sa réaction, si je lui demandais s'il a déjà aimé la femme d'un autre ? »

— Victor Pavlovitch, dit Chichakov, vous serait-il possible de passer me voir, disons vers 2 heures ?

— Avec plaisir. A 2 heures, je suis libre.

Ce jour-là, il n'eut guère la tête à son travail.

Au labo, Markov, manches retroussées, sans veston, vint trouver Strum et lui dit vivement :

— Si vous permettez, Victor Pavlovitch, je reviendrai un peu plus tard. Il y a une discussion très intéressante. On taille une sacrée bavette.

— A 2 heures, je dois être chez Chichakov, répondit Strum. Venez ensuite. J'ai, moi aussi, quelque chose à vous raconter.

— A 2 heures chez Alexeï Alexeïevitch ? répéta Markov et, un instant, il eut l'air plongé dans ses pensées. Je crois savoir ce qu'il veut vous demander.

54

Chichakov dit, en voyant Strum :

— Je m'apprêtais à vous téléphoner, pour vous rappeler notre rendez-vous.

Strum regarda sa montre.

— Je ne crois pas être en retard.

Alexeï Alexeïevitch se dressait devant lui, énorme, moulé dans son costume gris des dimanches, ses cheveux argentés ornant sa tête massive. Mais Strum ne trouvait plus ses yeux froids et hautains. C'étaient des yeux de petit garçon, nourri de lectures de Dumas et de Mayne Reid.

— Je dois vous entretenir d'une affaire particulière, cher Victor Pavlovitch, dit en souriant Alexeï Alexeïevitch, et, prenant Strum par le bras, il le conduisit vers un fauteuil.

— Une affaire sérieuse et pas très agréable.

— Je resterai debout, pour me dégourdir les jambes, fit Strum, et il détailla d'un œil morne le cabinet de l'énorme académicien :

— Commençons par cette affaire désagréable.

— Eh bien ! voilà, dit Chichakov, à l'étranger, principalement en Angleterre, une campagne scélérate bat son plein. Nous portons, sur nos épaules, presque tout le poids de la guerre, et les savants anglais, au lieu d'exiger l'ouverture, sans délai, d'un nouveau front, lancent une campagne on ne peut plus étrange, ayant pour but de susciter une attitude hostile à l'égard de notre État.

Il regarda Strum droit dans les yeux. Victor Pavlovitch connaissait bien ce regard franc, honnête des gens qui s'apprêtent à commettre une mauvaise action.

— Je vois, je vois, je vois, fit Strum. Et en quoi consiste-t-elle exactement, cette campagne ?

— Une campagne de calomnies, répondit Chichakov. Ils ont publié une liste de savants et d'écrivains de chez nous, qu'on aurait soi-disant fusillés. On cite des chiffres fantastiques d'individus condamnés pour raisons politiques. Avec une violence incompréhensible, je dirais même douteuse, ils contestent les crimes — pourtant établis par l'instruction et le procès — des médecins Pletniov et Lévine, qui ont assassiné Maxime Gorki. Et tout cela est publié dans un journal proche des sphères gouvernementales.

— Je vois, je vois, je vois, répéta Strum. Quoi d'autre ?

— En gros, ceci : il est question du généticien Tchetverikov. Ils ont créé pour lui un comité de soutien.

— Mais, cher Alexeï Alexeïevitch, répondit Strum, Tchetverikov a effectivement été arrêté.

Chichakov haussa les épaules.

— Vous savez, Victor Pavlovitch, je ne suis pas au courant du travail des organes de sécurité. S'il a été arrêté, c'est sans doute parce qu'il avait commis quelque crime. Est-ce qu'on nous a arrêtés, vous et moi ?

A cet instant, entrèrent Baldine et Kovtchenko. Strum comprit que Chichakov les attendait. Il avait dû, au préalable, s'entendre avec eux. Alexeï Alexeïevitch poursuivit, sans même prendre la peine de raconter aux autres de quoi ils parlaient :

— Je vous en prie, camarades, je vous en prie, asseyez-vous. Et, s'adressant à Strum :

« Victor Pavlovitch, toutes ces horreurs ont maintenant contaminé l'Amérique et ont été publiées dans le *New York Times*, soulevant, bien entendu, l'indignation de l'intelligentsia soviétique.

— Il ne pouvait en être autrement, renchérit Kovtchenko, enveloppant Strum d'un regard tendre et appuyé.

Ses yeux bruns étaient si amicaux que Victor Pavlovitch ne formula pas la pensée qui lui était venue logiquement à l'esprit : « Comment les intellectuels soviétiques avaient-ils pu s'indigner, eux qui, de leur vie, n'avaient vu le *New York Times* ? »

Strum haussa les épaules, poussa un grognement. Autant de choses qui pouvaient laisser entendre qu'il partageait le point de vue de Chichakov et Kovtchenko.

— Naturellement, reprit Chichakov, des gens ont souhaité, dans notre milieu, apporter un démenti à toutes ces ignominies. Et nous avons élaboré un document.

« Tu parles que tu l'as élaboré, on l'a écrit sans te demander ton avis », se dit Strum.

Chichakov déclara :

— Un document en forme de lettre.

Et Baldine intervint doucement :

— Je l'ai lue. C'est très bien rédigé, exactement ce qu'il fallait. Cette lettre doit être signée par un petit nombre de savants, les plus grands de notre pays, ceux dont la réputation a fait le tour de l'Europe et du monde.

Dès les premières paroles de Chichakov, Strum avait compris où on voulait en venir. Il ignorait seulement ce qu'on attendait de lui : lui demanderait-on d'intervenir au Conseil scientifique, d'écrire un article, de voter... Maintenant, il savait : on avait besoin de sa signature au bas de cette lettre.

Il eut la nausée. De nouveau, comme avant la réunion où il devait se repentir, il eut l'impression d'être une créature méprisable.

On allait encore charger ses épaules d'un poids de millions de tonnes de granit... Le professeur Pletniov ! Strum revit soudain l'article de la *Pravda*, où une espèce d'hystérique accusait le vieux médecin d'avoir commis des actes ignobles.

Comme toujours, on avait cru à ce que disait le journal. De toute évidence, la lecture de Gogol, Tolstoï, Tchekhov et Korolenko avait inspiré aux hommes un respect sacré pour la parole imprimée. Mais un beau jour, Strum avait compris que le journal mentait, que le professeur Pletniov avait été calomnié.

Bientôt, Pletniov et le docteur Lévine, une célébrité de l'hôpital du Kremlin, furent arrêtés et avouèrent avoir assassiné Maxime Gorki.

Les trois hommes regardaient Strum. Leurs yeux étaient amicaux, tranquilles, affectueux. Strum était des leurs. Chichakov avait reconnu, fraternellement, l'importance de ses travaux. Kovtchenko le regardait avec respect. Et les yeux de Baldine disaient : « Oui, tout ce que tu faisais me semblait étranger. Mais je me trompais. Je n'avais pas compris. Le parti m'a fait rectifier mon erreur. »

Kovtchenko ouvrit un dossier rouge et tendit à Strum une lettre tapée à la machine.

— Victor Pavlovitch, fit-il, je dois vous dire que cette campagne anglo-américaine fait parfaitement le jeu des fascistes. Elle a visiblement été inspirée par ces ordures de la Cinquième Colonne.

Baldine l'interrompit :

— Pourquoi faire de la propagande à Victor Pavlovitch ? Il a, comme nous tous, un cœur de patriote. Il est russe. Soviétique !

— Bien entendu, renchérit Chichakov, vous avez parfaitement raison.

— Personne n'en doute, reprit Kovtchenko.

— Je vois, je vois, je vois, fit Strum.

Le plus étonnant était que ces gens, récemment encore pleins de mépris et de suspicion à son égard, étaient, à présent, naturellement confiants et amicaux ; et bien qu'il n'eût pas oublié leur cruauté, il acceptait, tout naturellement, leur amitié.

Leur gentillesse, leur confiance le paralysaient complètement, lui ôtaient toute force.

Si on l'avait insulté, piétiné, frappé, peut-être aurait-il réagi, résisté...

Staline lui avait parlé. Et les gens avec lesquels il se trouvait maintenant s'en souvenaient.

Mais Dieu ! qu'elle était épouvantable la lettre que ses camarades lui demandaient de signer ! Quelles horreurs elle racontait !

D'ailleurs, comment croire que le professeur Pletniov et le docteur Lévine avaient assassiné le grand écrivain ? Lors de ses séjours à Moscou, la mère de Strum fréquentait Lévine, et Lioudmila Nikolaïevna l'avait choisi comme médecin. C'était un homme intelligent, fin, doux. Quel monstre fallait-il être pour calomnier ainsi ces deux médecins !

Ces accusations avaient des relents de Moyen Age. Des médecins assassins ! Ils avaient tué un grand écrivain, le dernier des classiques russes. A qui pouvaient servir ces sanglants ragots ? Les procès de sorcières, les bûchers de l'Inquisition, l'exécution des hérétiques, la fumée, la puanteur, l'huile bouillante... comment concilier tout cela avec Lénine, la construction du socialisme, la grande guerre contre le fascisme ?

Il entreprit de lire la première page de la lettre.

Était-il assez à son aise, avait-il assez de lumière ? demandait Alexeï Alexeïevitch. Peut-être préférait-il prendre le fauteuil ? Non, non, merci, c'était parfait.

Il lisait lentement. Les lettres collaient à son cerveau, mais sans le pénétrer, comme du sable sur une pomme.

Il lut : « En prenant la défense de ces dégénérés, de ces perversions du genre humain que sont Pletniov et Lévine, déshonneur de la médecine, vous apportez de l'eau au moulin de l'idéologie inhumaine du fascisme. »

Et plus loin : « Le peuple soviétique combat seul à seul le fascisme allemand, qui a restauré les procès moyenâgeux contre les sorcières, les pogromes, les bûchers de l'Inquisition, les geôles et les tortures. »

Il y avait de quoi devenir fou.

Et encore : « Le sang versé par nos fils, à Stalingrad, a marqué un tournant dans la guerre contre l'hitlérisme, et vous, sans le vouloir, en prenant la défense de ces valets de la Cinquième Colonne... »

Oui, oui, oui... « Chez nous, comme nulle part ailleurs, les hommes de science sont entourés de l'affection du peuple et des soins de l'État. »

— Victor Pavlovitch, nous ne vous dérangeons pas, en discutant ?

— Non, non, voyons, répondit Strum et il se dit : « Quand je pense que certains ont la chance de pouvoir se défiler : ils sont à leur datcha, ou malades, ou encore... »

Kovtchenko déclara :

— J'ai entendu dire que Joseph Vissarionovitch était au courant de l'existence de cette lettre, et qu'il avait approuvé l'initiative de nos savants.

— En ce sens, la signature de Victor Pavlovitch... commença Baldine.

La tristesse, le dégoût, le pressentiment de sa docilité l'envahirent. Il sentait sur lui le souffle tendre du grand État et il n'avait pas la force de se jeter dans les ténèbres glacées... Il n'avait plus de force du tout. Ce n'était pas la peur qui le paralysait, c'était autre chose, un sentiment terrifiant de soumission.

Que l'homme était donc curieusement bâti ! Il avait trouvé la force de renoncer à la vie, et il était soudain incapable de rejeter quelques gâteries.

Allez donc repousser la main omnipotente qui vous caresse la tête, vous tapote l'épaule !

Quelles fadaises ! Pourquoi se calomniait-il ? De quelles gâteries parlait-il ? Il avait toujours été indifférent aux conditions de sa vie quotidienne, aux biens matériels. Ses idées, son travail, ce qu'il avait de plus cher au monde, s'étaient avérés nécessaires, précieux dans la lutte contre le fascisme. Et cela, c'était le bonheur !

D'ailleurs, pourquoi chercher ? Ils avaient avoué durant l'instruction. Avoué au procès. Pouvait-on encore croire à leur innocence, puisqu'ils avaient avoué le meurtre du grand écrivain ?

Refuser de signer la lettre ? Cela signifiait être complice des assassins de Gorki ! Non, c'était impossible. Douter de l'authenticité de leurs aveux ? On les leur aurait extorqués ? Allons donc ! On ne pourrait faire avouer à un homme brave et cultivé qu'il a travaillé comme homme de main et donc mérité la mort et le déshonneur que sous la torture. Et il serait insensé d'émettre la moindre hypothèse dans ce sens.

Mais qu'il était donc répugnant d'avoir à signer cette lettre infâme. Des réponses possibles se faisaient jour dans sa tête... « Camarades, je suis malade, j'ai des spasmes cardiaques. » « Sottises ! La maladie, ça ne prend pas, vous avez une mine splendide. » « Camarades, pourquoi avez-vous besoin de ma signature ? Je ne suis connu que d'un petit cercle de spécialistes et ma réputation ne dépasse guère les limites de notre pays. » « Sottises (quel plaisir de s'entendre dire que c'étaient des sottises !). Tout le monde vous connaît. Et comment ! Et puis, à quoi bon tergiverser ? Il est impensable de présenter cette lettre à Staline sans votre signature. Il pourrait fort bien demander pourquoi Strum n'a pas signé. »

« Camarades, je vous dirai franchement que certaines formules ne me semblent pas très heureuses. Elles donnent l'impression de jeter une ombre sur toute notre intelligentsia scientifique. »

« Je vous en prie, Victor Pavlovitch, faites-nous des propositions ; nous changerons bien volontiers tout ce qui vous paraît malheureux. »

« Comprenez-moi, camarades. Ici, par exemple, vous écrivez : l'écrivain-ennemi du peuple Babel, l'écrivain-ennemi du peuple Pilniak, l'académicien-ennemi du peuple Vavilov, l'artiste-ennemi du peuple Meyerhold... Je suis physicien, mathématicien, théoricien, certains me croient schizophrène, tant le domaine dont je m'occupe est abstrait. Franchement, je suis incompétent. Il vaut mieux laisser en paix les gens comme moi. Je ne comprends rien à ce genre d'affaires. »

« Allons donc, Victor Pavlovitch ! Vous comprenez parfaitement les problèmes politiques. Votre logique est exemplaire. Rappelez-vous : vous êtes, tant de fois, intervenu sur des questions politiques. »

« Mon Dieu ! Mais comprenez donc que j'ai une conscience ! J'ai mal, tout cela m'est pénible. Après tout, je n'y suis pas obligé. Pourquoi devrais-je signer cette lettre ? Je suis à bout. Laissez-moi la possibilité d'avoir la conscience nette. »

Le tout, accompagné d'un sentiment d'impuissance, de fascination ; la docilité du bétail bien nourri et bichonné, la peur de ruiner à nouveau sa vie, la peur d'avoir de nouveau peur...

C'était donc cela. Il fallait, encore une fois, s'opposer au groupe ? Retrouver la solitude ? Il était temps pour lui de considérer la vie avec sérieux. Il avait obtenu ce dont il n'osait rêver. En toute liberté, il faisait son travail, entouré de soins et de considération. Après tout, il n'avait rien demandé, ne s'était pas repenti. Il avait triomphé ! Que voulait-il de plus ? Staline lui avait téléphoné !

« Camarades, tout cela est tellement grave que j'aimerais réfléchir. Permettez-moi de remettre ma décision à demain. »

Mais aussitôt, il eut la vision d'une nuit sans sommeil, terrible, pleine de doutes, d'indécisions, de brusques résolutions suivies de peur, d'une succession d'hésitations et de décisions. Tout cela était plus épuisant que la plus effroyable crise de malaria. Et il voulait encore rallonger cette torture de plusieurs heures. Non, il n'en avait pas la force. Vite, vite, il fallait régler cela vite !

Il sortit son stylo.

Il vit alors l'air stupéfait de Chichakov : le rebelle était, aujourd'hui, l'homme le plus accommodant du monde.

Strum ne put travailler de toute la journée. Personne ne le dérangeait, le téléphone restait muet. Mais il ne pouvait travailler. Car ses travaux, aujourd'hui, lui semblaient vides, ennuyeux, sans intérêt.

Qui avait signé cette lettre ? Tchepyjine ? Ioffé avait signé, mais Krylov ? Et Mandelstam ? Il avait envie de trouver un paravent. D'un autre côté, il ne pouvait refuser. C'eût été un suicide. Pas du tout ! Il pouvait très bien refuser. Non, non, il avait bien fait. Mais personne ne le menaçait ! Si encore il avait signé sous l'effet de la peur, une peur animale ! Mais il n'avait pas peur. Il avait signé, mû par un sentiment obscur, écœurant, de soumission.

Strum fit venir Anna Stepanovna dans son bureau et la pria de développer, pour le lendemain, une pellicule : le film de contrôle des expériences effectuées avec les nouveaux appareils.

Elle nota le travail, mais ne partit pas.

Il lui jeta un regard interrogateur.

—Victor Pavlovitch, dit-elle, je pensais, autrefois, qu'on ne pouvait exprimer, avec des mots, ce que je veux maintenant vous dire.

Vous rendez-vous compte de ce que vous avez fait pour moi et pour tant d'autres ? Pour les gens, c'est plus important que les plus grandes découvertes. Rien que de savoir que vous existez, on se sent bien. Savez-vous ce que disent de vous les monteurs, les femmes de ménage, les gardiens ? Ils disent : c'est un homme droit. Bien souvent, j'ai eu envie d'aller vous voir, chez vous, mais j'avais peur. Comprenez-moi : durant toutes ces heures terribles, je pensais à vous, et tout me semblait plus facile. Je vous remercie d'exister. Vous êtes un homme !

Et elle quitta précipitamment le bureau, sans laisser à Strum le temps de lui répondre.

Il eut envie de courir dans la rue, en hurlant... Tout, plutôt que ce tourment, cette honte ! Mais ce n'était que le commencement.

A la fin de la journée, le téléphone sonna.

— Vous me reconnaissez ?

S'il reconnaissait cette voix ? Il la reconnaissait, semblait-il, de toute son ouïe, mais aussi de ses doigts glacés qui serraient l'écouteur. Une fois de plus, Maria Ivanovna venait à lui, aux heures terribles de sa vie.

— Je vous appelle d'une cabine. J'entends très mal, dit Maria Ivanovna. Piotr Lavrentievitch va mieux, alors je suis plus disponible. Si vous le pouvez, venez demain, à 8 heures, au petit square.

Et soudain, elle ajouta :

— Mon chéri, mon amour, la lumière de ma vie ! J'ai peur pour vous. On est venu nous voir à propos d'une lettre. Vous savez de quoi je veux parler ? Je suis sûre que c'est votre force qui a permis à Piotr Lavrentievitch de tenir bon. Et tout s'est très bien passé. Mais brusquement, je me suis imaginé quel tort vous vous étiez fait. Vous êtes si gauche. Là où un autre se ferait une simple bosse, vous vous mettez en sang.

Il raccrocha, se cacha le visage dans les mains.

Il saisissait toute l'horreur de sa situation : ce n'étaient pas ses ennemis qui le châtiaient, aujourd'hui. C'étaient ses proches, par la foi qu'ils avaient en lui.

De retour chez lui, sans même quitter son manteau, il appela Tchepyjine. Lioudmila Nikolaïevna se tenait devant lui, tandis qu'il composait le numéro, persuadé, à l'avance, que son ami, son maître qui l'aimait, lui porterait, lui aussi, un coup terrible. Il se hâtait, il n'avait même pas pris le temps de dire à Lioudmila qu'il avait signé la lettre. Mon Dieu, que les cheveux de Lioudmila blanchissaient vite ! Oui, oui, c'est ça, bravo, frappons les têtes chenues !

— Beaucoup de bonnes choses, j'ai entendu le bulletin d'informations à la radio, disait Tchepyjine. Chez moi, rien de neuf. Ah si ! Je me suis disputé, hier, avec certaines personnes haut placées. Avez-vous entendu parler d'une lettre ?

Strum passa sa langue sur ses lèvres sèches et dit :

— Oui, vaguement.

— Bon, bon, je comprends. Ce ne sont pas des choses à dire au téléphone. Nous en reparlerons quand nous vous verrons, après votre retour, dit Tchepyjine.

Ce n'était rien encore. Nadia allait rentrer. Seigneur, Seigneur, qu'avait-il fait ?...

55

Strum passa une nuit blanche. Son cœur lui faisait mal. D'où lui venait ce cafard terrible ? Quel poids, quel poids ! Un vainqueur ! Tu parles !

A l'époque où il avait peur des employées de la Direction des logements, il était plus fort et plus libre qu'aujourd'hui. Il n'osait plus, à présent, ne fût-ce que discuter, émettre une opinion. En devenant puissant, il avait perdu sa liberté intérieure. Comment pourrait-il regarder Tchepyjine en face ? Bien que, allez savoir ! Peut-être serait-il aussi tranquille que les gens de l'Institut qui, à son retour, l'avaient accueilli avec bonhomie et gaieté ?

Tous les souvenirs qui, cette nuit-là, lui venaient à l'esprit, le blessaient, le tourmentaient. Rien ne lui apportait la paix. Ses sourires, ses gestes, ses actes, tout lui paraissait étranger, hostile. Les yeux de Nadia avaient, ce soir-là, une expression apitoyée et dégoûtée.

Seule Lioudmila, qui l'agaçait, le contredisait toujours, écouta son récit et dit soudain : « Vitia, tu ne dois pas te tourmenter. Pour moi, tu es le plus honnête, le plus intelligent. Puisque tu as agi ainsi, c'est qu'il le fallait. »

D'où lui venait ce désir de tout sanctionner, justifier ? Pourquoi était-il devenu si indulgent à l'égard de choses que, récemment encore, il ne supportait pas ? Quel que fût le sujet qu'on abordait avec lui, il se montrait toujours optimiste.

Les victoires militaires avaient correspondu à un tournant dans sa vie personnelle. Il voyait la puissance de l'armée, la grandeur de l'État, un avenir lumineux. Pourquoi les idées de Madiarov lui semblaient-elles si banales, aujourd'hui ?

Quand on l'avait chassé de l'Institut, il avait refusé de se repentir,

et que son cœur, alors, était léger, radieux ! Quel bonheur représentaient ses proches, à ce moment-là : Lioudmila, Nadia, Tchepyjine,
Génia... Et cette rencontre avec Maria Ivanovna ? Que lui dirait-il ?
Il avait toujours eu une attitude si hautaine face à la soumission, à la
docilité de Piotr Lavrentievitch. Et aujourd'hui ? Il avait peur de
penser à sa mère, il avait péché contre elle. Il n'osait toucher à sa dernière lettre. Avec horreur et tristesse, il comprenait qu'il était impuissant à préserver son âme, à la protéger. Une force était née en lui, qui
le transformait en esclave.

Il avait commis une terrible lâcheté ! Lui, un être humain, il avait
jeté la pierre à de pauvres gens, ensanglantés, sans défense.

La douleur qui lui serrait le cœur, le tourment qu'il éprouvait lui
firent venir la sueur au front.

D'où tenait-il son assurance ? Qui lui donnait le droit de se vanter,
devant les autres, de sa pureté, de son courage, de s'ériger en juge, de
ne pardonner aux gens aucune faiblesse ?

Tous étaient faibles, les justes comme les pécheurs. La seule différence était qu'un misérable qui accomplissait une bonne action se
pavanait ensuite toute sa vie, tandis qu'un juste qui en faisait tous les
jours ne les remarquait pas, mais était obsédé, des années durant, par
un seul péché.

Il s'était enorgueilli de son courage, de sa droiture, avait raillé les
faibles, les timorés. Et voilà qu'il avait, lui, un homme, trompé ses
semblables. Il se méprisait, avait honte de lui-même. La maison qu'il
habitait, sa chaleur, sa lumière, tout s'était effrité, était devenu poussière, sable sec et mouvant.

Son amitié avec Tchepyjine, sa tendresse pour sa fille, son attachement à sa femme, son amour impossible pour Maria Ivanovna, ses
fautes humaines et son bonheur d'homme, son travail, sa belle
science, son affection pour sa mère et les pleurs qu'il versait sur elle,
tout cela avait quitté son cœur.

Dans quel but avait-il commis ce terrible péché ? Tout semblait si
misérable, comparé à ce qu'il avait perdu, comparé à la vérité, à la
pureté d'un petit homme. Rien n'existait à côté, ni l'empire qui
s'étendait du Pacifique à la mer Noire ni la science.

Il vit clairement qu'il n'était pas trop tard, qu'il avait encore la
force de relever la tête, de rester le fils de sa mère.

Il ne se chercherait pas de consolation, de justification. Que cet
acte lamentable, lâche, scélérat lui soit un reproche permanent ! Il y
penserait jour et nuit. Non, non, non ! Ce n'était pas l'exploit qu'il
fallait viser, pour ensuite s'enorgueillir et se pavaner.

A chaque jour, à chaque heure, année après année, il fallait lutter
pour le droit d'être un homme, le droit d'être bon et pur. Et ce combat ne devait s'accompagner d'aucune fierté, d'aucune prétention, il

ne devait être qu'humilité. Et si, au moment le plus terrible, survenait l'heure fatale, l'homme ne devait pas craindre la mort, il ne devait pas avoir peur s'il voulait rester un homme.

— Bon, on verra, dit-il. Peut-être aurai-je assez de force. De ta force, maman.

56

« Les veillées du hameau à la Loubianka... »

Après les interrogatoires, Krymov restait étendu sur sa couche, à gémir, penser, bavarder avec Katzenelenbogen.

Il ne trouvait plus si incroyables les aveux délirants de Boukharine, Rykov, Kamenev et Zinoviev, le procès des trostskistes et des centristes de droite ou de gauche, le destin de Boubnov, de Mouralov et Chliapnikov. La Russie se faisait écorcher vive car les temps nouveaux voulaient se glisser dans sa peau, et nul n'avait besoin des paquets de chair sanglante, des entrailles fumantes de la révolution prolétarienne ; ils étaient bons à jeter aux ordures. Les temps nouveaux n'avaient besoin que de la peau de la révolution et on écorchait les hommes, encore vivants. Ceux qui revêtaient la peau de la révolution parlaient sa langue, répétaient ses gestes, mais ils avaient un autre cerveau, d'autres poumons, un autre foie, d'autres yeux.

Staline ! Le grand Staline ! Il avait probablement une volonté de fer, mais il était le plus faible de tous. Un esclave du temps et des circonstances, serviteur humble et résigné du jour présent, ouvrant tout grand la porte aux temps nouveaux.

Oui, oui, oui... Et ceux qui ne saluaient pas la venue de cette ère nouvelle étaient jetés aux ordures.

Il savait maintenant comment on brisait un homme. La fouille, les boutons qu'on vous arrachait, les lunettes qu'on vous retirait, tout cela donnait à l'individu le sentiment de son impuissance. Dans le bureau du juge d'instruction, l'homme s'apercevait que sa participation à la révolution, à la guerre civile ne comptait pas, que ses connaissances, son travail n'étaient que sottises. Et il arrivait à cette seconde conclusion : la nullité de l'homme n'était pas seulement physique.

Ceux qui s'obstinaient à revendiquer le droit d'être des hommes étaient, peu à peu, ébranlés et détruits, brisés, cassés, grignotés et mis en pièces, jusqu'au moment où ils atteignaient un tel degré de friabilité, de mollesse, d'élasticité et de faiblesse, qu'ils ne pensaient plus à la justice, à la liberté, ni même à la paix, et ne désiraient qu'être débarrassés au plus vite de cette vie qu'ils haïssaient.

Les juges d'instruction réussissaient dans leur travail car ils savaient qu'il fallait considérer comme un tout l'homme physique et spirituel. L'âme et le corps sont des vases communicants et, en écrasant la résistance physique de l'homme, l'assaillant réussissait presque toujours à investir la brèche, il s'emparait de l'âme de l'individu et l'obligeait à une capitulation sans conditions.

Il n'avait pas la force de penser à tout cela ni celle de ne pas y penser.

Qui avait bien pu le trahir? Qui l'avait dénoncé? Calomnié? Il sentait que cette question ne l'intéressait plus.

Il s'était toujours flatté de savoir soumettre sa vie à la logique. Mais aujourd'hui, il en allait tout autrement. La logique voulait que les renseignements sur sa conversation avec Trotski leur eussent été fournis par Evguénia Nikolaïevna. Or, toute sa vie actuelle, sa lutte contre le juge d'instruction, sa faculté de respirer, de rester le camarade Krymov reposaient sur la certitude que Génia n'avait pu faire cela. Il s'étonnait même d'en avoir douté un instant. Il n'existait pas de force au monde capable de l'obliger à ne plus croire en elle. Sa foi demeurait, bien qu'il sût qu'elle seule était au courant de cette conversation, bien qu'il sût que les femmes trahissaient, qu'elles étaient faibles et que Génia l'avait quitté, abandonné en ces jours difficiles de sa vie.

Il raconta son interrogatoire à Katzenelenbogen, mais ne dit mot de cette affaire.

Katzenelenbogen ne faisait plus le pitre, le bouffon.

Krymov l'avait bien jugé. Il était intelligent. Mais tout ce qu'il disait était étrange et terrible. Parfois, il semblait à Krymov qu'il n'y avait rien d'injuste à ce que ce vieux tchékiste se trouvât enfermé dans une cellule de la Loubianka. Il ne pouvait en être autrement. Krymov avait l'impression, par moments, qu'il était fou.

Mais c'était un poète, le chantre des organes de sécurité.

La voix vibrante d'admiration, il raconta à Krymov comment Staline avait demandé à Ejov, lors d'une interruption de séance au dernier congrès du parti, pourquoi il avait toléré des abus dans la politique de répression. Désemparé, Ejov avait répondu qu'il n'avait fait que suivre à la lettre les directives de Staline. Le guide, alors, s'était tourné vers les délégués massés autour de lui et avait dit tristement : « Et ce sont les propos d'un membre du parti !... »

Il lui raconta les terreurs de Iagoda...

Il évoqua les grands tchékistes, amateurs de Voltaire, fins connaisseurs de Rabelais, admirateurs de Verlaine, qui travaillaient, autrefois, dans la grande maison qui ne connaissait pas le sommeil.

Il lui parla d'un bourreau qui avait, de longues années durant, travaillé à Moscou. Un vieux Letton, brave, paisible, qui, avant d'exécuter un condamné, lui demandait la permission d'offrir ses vêtements à l'orphelinat. Sans transition, il évoqua un autre exécuteur des hautes œuvres, qui buvait jour et nuit, s'ennuyait quand il n'avait rien à faire et qui, lorsqu'on l'envoya en retraite, entreprit de tuer les cochons dans les sovkhozes de la région de Moscou. Il rapportait toujours une bouteille de sang de porc, prétendant que son médecin le lui avait prescrit contre l'anémie.

Il lui raconta qu'en 37, on exécutait, chaque nuit, des centaines de condamnés « sans droit de correspondance » ; les cheminées du crematorium de Moscou fumaient toute la nuit et les membres des Jeunesses communistes, chargés des exécutions et du transport des cadavres, devenaient fous.

Il lui narra l'interrogatoire de Boukharine, l'entêtement de Kamenev. Une fois, ils bavardèrent toute la nuit.

Cette nuit-là, le tchékiste généralisa, exposa sa théorie.

Katzenelenbogen raconta à Krymov l'étonnant destin du nepman-ingénieur Frenkel. Au début de la N.E.P., Frenkel avait monté, à Odessa, une usine de moteurs. Au milieu des années 20, il fut arrêté et expédié aux Solovki. Du camp où il se trouvait, il proposa à Staline un projet génial. « Génial », tel fut le terme employé par le vieux tchékiste.

Le projet traitait en détail — arguments techniques et économiques à l'appui — de l'utilisation de l'immense masse des détenus pour construire des routes, des barrages, des centrales électriques, des réservoirs d'eau.

Le nepman-détenu devint général du M.G.B. Le « Patron » avait su apprécier son idée à sa juste valeur.

Le XXe siècle avait fait irruption dans le travail tout simple des pelles, des pioches, des haches et des scies, travail sanctifié par la simplicité des armées de détenus des anciens bagnes.

Le monde des camps avait commencé à intégrer le progrès, à intégrer les locomotives électriques, les escaliers roulants, les bulldozers, les scies électriques, les turbines, les haveuses, l'immense parc des tracteurs et des automobiles. Le monde des camps utilisait les avions de voyageurs et les avions-cargos, la radio, les machines automatiques, les techniques les plus modernes d'enrichissement des minerais. Le monde des camps faisait des projets, des plans, des graphiques, il engendrait des mines, des usines, de nouvelles mers, de gigantesques centrales électriques.

794

Il se développait à grande vitesse et les vieux bagnes, à côté, semblaient risibles, touchants comme des cubes d'enfants.

Et pourtant, poursuivait Katzenelenbogen, les camps ne parvenaient pas à rattraper la vie dont ils se nourrissaient. Tout comme autrefois, on n'utilisait guère les nombreux savants et spécialistes : ils n'étaient pas en contact avec la technique ou la médecine...

Dans le système du Goulag, on ne trouvait pas à employer les historiens de renommée internationale, les mathématiciens, les astronomes, les chercheurs en littérature, les géographes, les critiques d'art, les spécialistes de sanscrit ou des anciens dialectes celtes. Les camps n'étaient pas assez évolués pour utiliser ces gens selon leurs spécialités. Ils travaillaient comme manœuvres, comme factotums dans les bureaux ou à la section d'animation culturelle et d'éducation, traînaient dans les camps pour invalides, sans trouver à employer leurs connaissances, souvent immenses.

Krymov écoutait Katzenelenbogen : on eût dit un savant parlant de la grande œuvre de sa vie. Il ne se contentait pas de chanter les louanges du camp. Il faisait œuvre de chercheur, se livrait à des comparaisons, mettait en évidence défauts et contradictions, établissait des rapprochements, des parallèles.

Hors des barbelés, les défauts existaient aussi, mais sous une forme atténuée. On rencontrait, dans la vie, de nombreuses personnes qui ne faisaient pas ce qu'elles auraient pu faire, ni de la façon qu'elles souhaitaient, dans les universités, les rédactions, les instituts de recherche de l'Académie.

Dans les camps, racontait Katzenelenbogen, les « droit commun » dominaient les « politiques ». Débauchés, incultes, fainéants et cupides, enclins aux bagarres sanglantes et aux pillages, les droit commun y freinaient le développement d'une vie laborieuse et culturelle.

Mais il ajoutait aussitôt qu'en dehors des barbelés, le travail des savants et des grands promoteurs de la culture était souvent régenté par des individus peu instruits, bornés, limités.

Le camp était, en quelque sorte, le reflet hyperbolique, grossi, de la vie hors des barbelés. Mais la vie menée de part et d'autre, loin de s'opposer, répondait aux lois de la symétrie.

A ce point de son discours, il se mit à parler, non plus en chantre du système ni en penseur, mais en prophète.

Il suffirait de développer logiquement, audacieusement, le système des camps en supprimant tout ce qui freinait, tous les défauts, pour qu'il n'y ait plus de différence. Les camps finiraient, un jour, par se fondre avec la vie extérieure. Cette fusion, cette disparition de l'antagonisme : monde des camps/ monde extérieur signifierait l'épanouissement, le triomphe des grands principes. Le système des camps, malgré tous ses défauts, présentait un avantage de premier ordre : les camps étaient le seul endroit où le principe supérieur de la Raison s'opposait exactement au principe de la liberté individuelle. Ce principe de Raison permettrait aux camps d'atteindre un niveau suffisant pour disparaître, se fondre totalement avec la vie des campagnes et des villes.

Katzenelenbogen avait dirigé des bureaux d'études dans les camps, et il était persuadé que, prisonniers, les savants et les ingénieurs étaient capables de résoudre les problèmes les plus complexes. Ils étaient de taille à affronter les grandes questions de la pensée scientifique et technique, à l'échelle mondiale. Il suffisait, pour cela, de savoir diriger rationnellement les hommes, de leur offrir de bonnes conditions matérielles de vie. Et toutes les sornettes selon lesquelles il ne pouvait y avoir de science sans liberté étaient parfaitement ridicules.

— Quand les niveaux se rejoindront, dit-il — et nous ferons en sorte de mettre un signe d'égalité entre le monde des camps et le monde extérieur — , les répressions n'auront plus de raison d'être, nous cesserons de signer des ordres d'arrestation, nous raserons les prisons et autres lieux d'isolement. Les sections d'animation culturelle et d'éducation viendront à bout de toutes les anomalies. La montagne et Mahomet iront au-devant l'une de l'autre.

« La suppression des camps marquera le triomphe de l'humanisme. Ce qui ne veut pas dire que le principe de liberté individuelle, notion chaotique, primaire, digne des hommes des cavernes, renaîtra et l'emportera. Au contraire, il sera complètement dépassé.

Il fit une longue pause et ajouta que ce système lui-même serait peut-être aboli, à son tour, au bout de quelques siècles, qu'il céderait le pas à la démocratie et à la liberté individuelle.

— Rien n'est éternel, en ce monde, dit-il, mais je n'aimerais pas vivre à ce moment-là.

Krymov intervint :

— Vos idées sont absurdes. Cela n'a rien à voir avec le cœur, l'âme de la révolution. On dit que les psychiatres deviennent fous lorsqu'ils travaillent trop longtemps dans les hôpitaux psychiatriques. Pardonnez-moi, mais on ne vous a pas arrêté pour rien. Camarade Katzenelenbogen, vous élevez les organes de sécurité au rang de divinités. Il était temps, effectivement, de vous retirer du circuit.

Katzenelenbogen acquiesça volontiers :

— Oui, je crois en Dieu. Que voulez-vous, je suis un vieux bonhomme croyant, un obscurantiste. Les organes de sécurité sont rationnels et puissants, ils règnent sur l'homme du XXe siècle. Autrefois, les tremblements de terre, les éclairs, le tonnerre, les incendies de forêts avaient une force équivalente, et l'homme en faisait des divinités. Mais je vous ferai remarquer que je ne suis pas seul en prison : on vous a arrêté, vous aussi. Il était temps, également, de vous retirer du circuit. L'Histoire dira qui de nous deux avait raison.

— En attendant, le vieux Dreling retourne chez lui, au camp, lança Krymov, conscient que ses paroles feraient leur effet.

Aussitôt, Katzenelenbogen déclara :

— Ce maudit vieux vient perturber ma foi.

57

Krymov entendit ces paroles, prononcées à voix basse :

— On a annoncé, tout à l'heure, que nos armées ont achevé de liquider les quelques poches ennemies restées à Stalingrad. Paulus est prisonnier, me semble-t-il, mais je ne suis pas sûr d'avoir bien compris.

Krymov se mit à crier, à gesticuler, à se traîner sur le sol : il avait envie de se mêler à la foule des hommes en vestes matelassées et bottes de feutre... Leurs voix si chères couvraient la conversation qui se tenait, à voix basse, tout près de lui ; se frayant un passage parmi les tas de briques de Stalingrad, Grekov marchait en direction de Krymov.

Le médecin qui tenait Krymov par le bras avertit :

— Il faudrait faire une petite pause... recommencer le camphre. Le pouls est filant.

Krymov avala la boule salée qui lui serrait la gorge et dit :

— Mais non, continuez, puisque la médecine l'autorise... De toute façon, je ne signerai pas.

— Que si, tu signeras, répliqua le juge d'instruction, avec l'assurance débonnaire d'un contremaître. On en a fait signer de plus résistants que toi.

Le second interrogatoire prit fin au bout de trois jours, et Krymov retrouva sa cellule.

Le gardien de service déposa près de lui un colis.

— Signez-moi un reçu, citoyen détenu, dit-il.

Nikolaï Grigorievitch parcourut la liste, l'écriture lui en était familière. Oignons, ail, sucre, biscuits et là, en bas : « Ta Génia. »

Mon Dieu, mon Dieu, il pleurait...

58

Le 1er avril 1943, Stépan Fiodorovitch Spiridonov reçut un extrait de la décision prise par le collège du ministère des Centrales électriques d'U.R.S.S. : il devait démissionner de la centrale de Stalingrad et était muté dans l'Oural, comme directeur d'une petite centrale marchant à la tourbe. La punition n'était pas si terrible : il aurait pu passer en jugement. Chez lui, Spiridonov ne dit rien de cet ordre du ministère, décidant d'attendre la décision du bureau de l'obkom. Le 4 avril, ce dernier lui porta un blâme sévère pour avoir, en période difficile, abandonné la centrale. Ce n'était pas trop lourd, on aurait aussi bien pu l'exclure du parti. Mais Spiridonov trouva cette décision injuste : ses camarades de l'obkom savaient fort bien qu'il était resté à son poste jusqu'au dernier jour de la défense de Stalingrad, qu'il était parti sur la rive gauche le jour où avait commencé l'offensive soviétique, pour voir sa fille qui venait d'accoucher dans une péniche. A la réunion, il tenta de discuter, mais Priakhine fut inflexible.

— Vous pouvez contester la décision du bureau auprès de la Commission centrale de contrôle, mais je pense que le camarade Chkiriatov estimera que c'est une demi-mesure, trop douce.

— Je suis persuadé que la commission cassera cette décision, dit Spiridonov. Mais comme il avait entendu pas mal de choses sur Chkiriatov, il craignit de faire appel.

De plus, la sévérité de Priakhine lui semblait avoir d'autres causes que l'affaire de la centrale. Priakhine, bien sûr, savait bien que des liens familiaux unissaient Stépan Fiodorovitch, Evguénia Nikolaïevna Chapochnikov et Krymov : Priakhine voyait donc d'un mauvais œil quelqu'un qui savait que lui-même et le détenu Krymov se connaissaient depuis longtemps. Même s'il l'avait voulu, il n'aurait donc pas pu soutenir Spiridonov. S'il l'avait fait, les malveillants, nombreux à tourner autour des puissants, auraient aussitôt transmis à qui de droit que, par sympathie pour l'ennemi du peuple Krymov, Priakhine soutenait un parent de celui-ci, Spiridonov, un lâche. Mais Priakhine, apparemment, agissait ainsi non seulement parce qu'il ne pouvait pas, mais parce qu'il ne voulait pas soutenir Spiridonov. Il savait sûrement que la belle-mère de Krymov était ici, vivait dans le même appartement que Spiridonov. Il savait aussi sans doute qu'Evguénia Nikolaïevna correspondait avec sa mère, lui avait récemment envoyé la copie de sa lettre à Staline.

Après la réunion du bureau de l'obkom, Voronine, le chef de la section régionale du M.G.B., se trouva nez à nez au buffet avec Spiridonov, qui était venu acheter du fromage blanc et du saucisson ; il lui jeta un regard moqueur :

— Il a le sens de la vie pratique, ce Spiridonov ! Il vient de recevoir un blâme sévère, et il fait ses petites provisions !

— La famille, c'est la famille... Me voilà grand-père maintenant, dit Spiridonov avec un pauvre sourire coupable.

Voronine lui sourit également :

— Et moi qui croyais que tu préparais un colis.

A ces mots, Spiridonov se dit : « Heureusement qu'ils m'envoient dans l'Oural, je serais fichu ici. Que deviendraient Vera et le petit ? »

Dans la cabine du camion qui le menait à la centrale, il regardait par la vitre trouble la ville détruite qu'il allait bientôt quitter. Il songeait que ce trottoir, encombré de briques maintenant, sa femme l'empruntait avant la guerre pour aller à son travail, il pensait au réseau électrique, pensait que, quand on livrerait de Sverdlovsk les nouveaux câbles, il ne serait plus à la centrale, pensait que la malnutrition donnait à son petit-fils des boutons sur les bras et la poitrine. Il songeait : « Un blâme, bon, ça n'est pas si terrible ! » Il se disait qu'il n'aurait pas la médaille « Aux défenseurs de Stalingrad », et cela lui faisait plus de peine que de quitter cette ville à laquelle l'attachaient sa vie, son travail, le souvenir de Maroussia. Il en jura même de dépit, et le chauffeur lui demanda :

— Vous en voulez à qui, Stépan Fiodorovitch ? Vous avez oublié quelque chose à l'obkom ?

— Oui, oui, dit Stépan Fiodorovitch. Mais lui, par contre, il ne m'a pas oublié.

L'appartement des Spiridonov était humide et froid. Les fenêtres avaient été remplacées par du contre-plaqué et des planches, dans les pièces le plâtre était tombé en de nombreux endroits ; on apportait l'eau dans des seaux, et c'était au troisième, on chauffait les pièces par des poêles de fortune, faits en fer-blanc. Une des pièces était fermée, la cuisine, inutilisée, servait de réserve pour le bois et les pommes de terre. Stépan Fiodorovitch, Vera et le petit, Alexandra Vladimirovna, qui avait quitté Kazan pour les rejoindre, vivaient dans la grande pièce, l'ancienne salle à manger. Dans la petite pièce à côté de la cuisine, qui était avant la chambre de Vera, vivait le vieil Andreïev.

Stépan Fiodorovitch avait la possibilité de faire réparer les plafonds, replâtrer les murs, installer des poêles en brique : il y avait à la centrale et matériaux et artisans. Mais Stépan Fiodorovitch, homme attaché habituellement aux choses pratiques, tenace, n'avait pas eu envie, Dieu sait pourquoi, d'entreprendre ces travaux. Vera et Alexandra Vladimirovna, apparemment, préféraient vivre dans les ruines de la guerre : en effet, la vie d'avant-guerre était détruite, à quoi bon alors remettre en état l'appartement, rappeler ce qui avait disparu et ne reviendrait plus ?

Quelques jours après l'arrivée d'Alexandra Vladimirovna, la bru d'Andreïev, Natalia, arriva de Leninsk. Là-bas, elle s'était fâchée avec la sœur de la défunte Varvara Alexandrovna, lui avait laissé son fils pour un temps, et avait débarqué à la centrale chez son beau-père. Voyant arriver sa bru, Andreïev se mit en colère :

— Tu te fâches avec l'une, avec l'autre !... Et pourquoi as-tu laissé là-bas le petit Volodia ?

Il faut croire que la vie était très dure pour Natalia à Leninsk. En entrant dans la pièce d'Andreïev, elle embrassa du regard le plafond, les murs et dit : « C'est bien ! » bien qu'il n'y eût rien de bien ni dans le tuyau de cheminée difforme, ni dans les débris qui pendaient du plafond, ni dans le tas de plâtre dans un coin. La lumière entrait dans la pièce par un petit carreau qu'on avait ménagé dans la construction de planches qui bouchait la fenêtre. Cette lucarne bricolée ouvrait sur une vue sinistre : des ruines, rien d'autre, des panneaux de murs, peints selon les étages en rose ou en bleu, un toit de fer arraché.

A son arrivée à Stalingrad, Alexandra Vladimirovna tomba malade. Elle dut repousser son projet d'aller en ville regarder les ruines de sa maison. Les premiers jours, elle aidait Vera, essayant de lutter contre la maladie : elle allumait le poêle, lavait et faisait sécher les couches au-dessus du tuyau de poêle en fer-blanc, allait porter sur le palier des morceaux de plâtre, essayait même de monter l'eau. Mais son état empirait, elle avait des frissons dans la pièce chauffée, et dans la cuisine froide la sueur soudain lui venait au front. Elle ne voulait pas s'aliter et ne se plaignait pas, ne disait pas qu'elle se sentait mal. Mais un matin qu'elle était allée à la cuisine chercher du bois, elle perdit connaissance, tomba et se blessa cruellement à la tête. Stépan Fiodorovitch et Vera l'installèrent dans son lit. Quand elle eut repris ses esprits, elle appela Vera :

— Tu sais, la vie était plus dure pour moi à Kazan chez Lioudmila que chez vous. Ce n'est pas seulement pour vous que je suis venue ici, mais pour moi-même. Seulement, j'ai peur de te créer bien des tracas en restant alitée.

— Grand-mère, je suis contente que vous soyez là, dit Vera.

Mais ce fut réellement très dur pour elle. L'eau, le bois, le lait, tout était difficile à avoir. Dehors, il faisait doux, mais les pièces étaient froides et humides, il fallait chauffer beaucoup.

Le petit Mitia avait mal au ventre, il pleurait la nuit, le lait maternel ne lui suffisait pas. Vera s'affairait toute la journée dans la pièce et la cuisine, allait chercher du lait et du pain, faisait la lessive, la vaisselle, montait les seaux d'eau. Ses mains étaient rouges, son visage, abîmé par le vent, était couvert de taches. La fatigue, le travail incessant lui faisaient peser sur le cœur une lourdeur triste et monotone. Elle ne se coiffait pas, se lavait rarement, ne se regardait plus dans la glace, écrasée sous le poids de la vie. Elle avait sans cesse une envie lancinante de dormir. Quand venait le soir, elle avait des douleurs dans les bras, les jambes, les épaules, tant son corps aspirait au repos. Elle se couchait, et Mitia commençait à pleurer. Elle le prenait, le nourrissait, le changeait, marchait dans la pièce en le tenant dans ses bras. Une heure plus tard, il recommençait à pleurer, et elle se levait de nouveau. A l'aube, il se réveillait définitivement, et dans la pénombre elle commençait une nouvelle journée : la tête trouble et lourde par manque de sommeil, elle allait à la cuisine chercher du bois, mettait le poêle en marche, faisait chauffer de l'eau (pour le thé de son père et de grand-mère), se mettait à laver le linge. Mais, chose surprenante, elle ne s'énervait plus maintenant, elle était devenue douce et patiente.

Sa vie devint plus facile après l'arrivée de Natalia. Andreïev était parti aussitôt pour quelques jours dans sa cité au nord de Stalingrad. Ou bien il voulait revoir sa maison et son usine, ou bien il était fâché contre sa bru qui avait laissé son fils à Leninsk, ou bien il ne voulait pas qu'elle mange le pain des Spiridonov et il était parti, lui laissant sa carte de rationnement.

Le jour même de son arrivée, Natalia, sans même souffler, se mit à aider Vera. Elle travaillait avec facilité et générosité, tout entre ses mains semblait si léger : les lourds seaux, la lessiveuse remplie d'eau, le sac de charbon !

Maintenant Vera sortait promener Mitia pour un petit moment, elle s'asseyait sur une pierre, regardait scintiller l'eau printanière et la vapeur s'élever au-dessus de la steppe.

Elle scrutait le petit visage de son fils, couvert de boutons purulents, et la pitié lui serrait le cœur. Et, en même temps, elle plaignait terriblement Viktorov. « Mon Dieu, mon Dieu, pauvre Vania, qui a un fils tout chétif, malingre, pleurnichard ! »

Puis elle montait, jusqu'à son troisième étage, les marches encombrées d'ordures et de briques cassées, se mettait à la tâche, et sa tristesse se noyait dans l'agitation, l'eau trouble, savonneuse, l'humidité qui suintait des murs.

Sa grand-mère lui disait de s'approcher, lui caressait les cheveux, et les yeux d'Alexandra Vladimirovna, toujours calmes et clairs, avaient alors une expression d'une tristesse et d'une tendresse insoutenables.

Pas une fois Vera ne parla de Viktorov, ni à son père, ni à sa grand-mère, ni même à son petit Mitia.

Après l'arrivée de Natacha, tout changea dans l'appartement. Natalia gratta la moisissure des murs, blanchit les coins noircis, nettoya la crasse qui semblait s'être incrustée à jamais dans les lames du parquet. Elle entreprit le nettoyage en grand que Vera repoussait, attendant les chaleurs, elle enleva, étage par étage, les ordures amassées dans l'escalier. Elle passa une demi-journée à bricoler le tuyau du poêle semblable à un boa noir : ce tuyau s'était affaissé horriblement, il en coulait, aux jointures, un liquide poisseux qui faisait des flaques par terre. Natalia passa le tuyau à la chaux, le redressa, l'accrocha avec des fils de fer et suspendit sous les jointures des boîtes de conserve vides où s'écoulait le liquide.

Elle se lia dès le premier jour avec Alexandra Vladimirovna ; il semblait pourtant que cette fille bruyante, effrontée, qui aimait raconter des histoires un peu lestes, aurait dû déplaire à la vieille femme. Natalia se fit aussitôt de nombreuses relations : l'électricien, le mécanicien de la salle des turbines, les chauffeurs de camions.

Un jour, Alexandra Vladimirovna dit à Natalia qui revenait de faire la queue :

— Quelqu'un a demandé après vous, un militaire.

— Un Géorgien, je parie ? Fichez-le dehors, s'il revient. Il s'est mis dans la tête de m'épouser, ce gros nez.

— Comme ça, si vite ?

— Vous croyez qu'il leur faut longtemps ? Il veut que j'aille vivre en Géorgie après la guerre. C'est pour lui, on croirait, que j'ai lavé l'escalier.

Le soir, elle dit à Vera :

— Si on allait en ville ? Il y aura un film. Le chauffeur Michka nous y conduira en camion. Tu te mettras dans la cabine avec le petit, et moi à l'arrière.

Vera secoua la tête.

— Mais vas-y donc, dit Alexandra Vladimirovna, si je me sentais mieux, j'irais avec vous.

— Non, non, pas question.

Natalia dit :

— Il faut quand même bien vivre, on se croirait ici à une assemblée de veufs et de veuves.

Puis elle ajouta, sur un ton de reproche :

— Tu restes tout le temps à la maison, tu ne veux aller nulle part, mais tu t'occupes mal de ton père. J'ai fait une lessive hier, son linge et ses chaussettes sont pleins de trous.

Vera prit le bébé sur les bras, alla avec lui à la cuisine.

— Mitenka, pas vrai que ta maman n'est pas une veuve, dis ?...

Tous ces jours-ci, Stépan Fiodorovitch fut très attentionné à l'égard d'Alexandra Vladimirovna. Deux fois il ramena de la ville le médecin, il aidait Vera à lui mettre des ventouses, parfois lui glissait un bonbon dans la main, en disant :

— Ne le donnez pas à Vera, elle en a déjà eu un, c'est spécialement pour vous, il y en avait au buffet.

Alexandra Vladimirovna comprenait que Stépan Fiodorovitch était soucieux, avait des ennuis. Mais quand elle lui demandait s'il y avait des nouvelles de l'obkom, il secouait la tête et se mettait à parler d'autre chose. Mais le soir où il fut informé que son cas allait être examiné, Stépan Fiodorovitch, en rentrant, vint s'asseoir sur le lit près d'Alexandra Vladimirovna et dit :

— Dans quel pétrin je suis, Maroussia en serait devenue folle, si elle était encore là.

— Mais que vous reproche-t-on ?

— J'ai tort de bout en bout.

Natalia et Vera entrèrent dans la pièce, et la conversation fut interrompue.

Alexandra Vladimirovna, en regardant Natalia, songea qu'il y a un type de beauté puissant, obstiné, sur lequel les dures conditions de vie ne peuvent rien. Tout était beau chez Natalia : son cou, sa jeune poitrine, ses bras harmonieux, dénudés presque jusqu'aux épaules. « Un philosophe sans le savoir », pensa Alexandra Vladimirovna. Elle avait souvent remarqué que les femmes habituées à l'aisance se fanaient lorsque leurs conditions de vie se détérioraient, cessaient de faire attention à leur physique : tel était le cas de Vera. Elle admirait les saisonnières, les ouvrières dans les ateliers les plus durs, les régulatrices de trafic qui, vivant dans des baraquements, travaillant dans la poussière, la boue, se mettaient des rouleaux, se regardaient dans un miroir de poche, se poudraient leur nez pelé ; oiseaux obstinés qui, en pleine tempête, en dépit de tout, poussaient leur chant d'oiseau.

Stépan Fiodorovitch regardait aussi Natalia, puis soudain il attrapa Vera par le bras, l'attira contre lui et, comme s'il demandait pardon, l'embrassa.

Et Alexandra Vladimirovna dit, tout à fait, semblait-il, hors de propos :

— Doucement, Stépan, on est encore jeunes pour mourir ! Moi, à quoi je sers, si vieille, eh bien, quand même j'ai l'intention de guérir et de vivre encore !

Il lui jeta un regard rapide, sourit. Natalia, elle, remplit une bassine d'eau chaude, la posa par terre près du lit et, à genoux, dit :

— Alexandra Vladimirovna, je veux vous laver les pieds, il fait chaud maintenant dans la pièce.

— Vous avez perdu l'esprit ! Idiote ! Relevez-vous tout de suite ! lui jeta Alexandra Vladimirovna.

59

Dans la journée, Andreïev revint de la cité ouvrière de l'usine de tracteurs.

Il entra dans la pièce voir Alexandra Vladimirovna, et son visage maussade s'éclaira d'un sourire : elle avait quitté son lit pour la première fois ce jour-là et, toute pâle et maigre, elle était assise à la table, ses lunettes sur le nez, à lire un livre.

Il raconta qu'il avait mis longtemps à trouver l'emplacement de sa maison : ça n'était plus que tranchées, trous d'obus, bris de verre et fossés. Il y avait déjà beaucoup de gens à l'usine, il en arrivait d'heure en heure, il y avait même la police. Il n'avait rien pu apprendre sur les combattants des milices populaires. On les enterrait, ces combattants, on les enterrait, et on continuait à en trouver dans les caves, les tranchées. Et de la ferraille, des débris, partout...

Alexandra Vladimirovna posait des questions, voulait savoir s'il lui avait été difficile de se rendre là-bas, où il avait dormi, mangé, si les fours Martin avaient subi beaucoup de dégâts, quel était le ravitaillement des ouvriers, s'il avait vu le directeur.

Le matin, avant l'arrivée d'Andreïev, Alexandra Vladimirovna avait dit à Vera :

— Je me suis toujours moquée des pressentiments et des superstitions, mais aujourd'hui, j'ai le ferme pressentiment que Pavel Andreïevitch apportera des nouvelles de Sérioja.

Mais elle s'était trompée.

Ce que racontait Andreïev était important, que son auditeur fût heureux ou non. Les ouvriers avaient raconté à Andreïev: on n'a pas de ravitaillement, on ne nous donne pas de salaire, dans les caves et les abris il fait froid, humide. Le directeur n'est plus du tout le même : avant, quand les Allemands enfonçaient Stalingrad, il était copain avec tout le monde aux ateliers, maintenant il ne nous parle plus, on a construit une maison pour lui, on a fait venir de Saratov une voiture pour lui.

— A la centrale, là aussi c'est dur, mais il n'y a pas grand monde qui en veut à Stépan Fiodorovitch : on voit bien qu'il comprend les problèmes des gens.

— Tout ça n'est pas drôle, dit Alexandra Vladimirovna. Alors, qu'avez-vous décidé, Pavel Andreïevitch ?

— Je suis venu dire au revoir, je rentre à la maison, même s'il n'y a pas de maison. Je me suis trouvé une place dans un foyer, dans une cave.

— Vous avez raison, dit Alexandra Vladimirovna, votre vie est là-bas, quelle qu'elle soit.

— Tenez, j'ai trouvé ça dans la terre, dit-il, sortant de sa poche un dé à coudre rouillé.

— Bientôt, j'irai en ville, chez moi, rue Gogol, déterrer des bouts de verre, dit Alexandra Vladimirovna. J'ai envie d'aller chez moi.

— Est-ce que vous n'avez pas quitté le lit un peu tôt ? Vous êtes bien pâle.

— C'est votre récit qui m'a fait de la peine. On a envie que tout soit différent sur notre sainte terre.

Il eut une petite toux.

— Vous vous souvenez, Staline a dit il y a deux ans : frères et sœurs... Et maintenant qu'on a battu les Allemands, pour le directeur il y a une villa, on ne peut lui parler qu'officiellement, et les frères et sœurs vivent sous terre.

— Oui, oui, je ne vois là rien de bien, dit Alexandra Vladimirovna. Et aucune nouvelle de Sérioja, c'est comme s'il n'avait jamais existé.

Le soir, Stépan Fiodorovitch revint de la ville. En partant pour Stalingrad le matin, il n'avait dit à personne que le bureau de l'obkom examinerait son cas.

— Andreïev est rentré ? demanda-t-il d'un ton brusque de dirigeant. Rien de nouveau sur Sérioja ?

Vera remarqua aussitôt que son père avait bien bu. Cela se voyait à sa façon d'ouvrir la porte, à ses yeux malheureux qui brillaient d'un éclat joyeux, à la façon dont il mit sur la table des friandises rapportées de la ville, enleva son manteau, à sa manière de poser des questions.

Il s'approcha de Mitia qui dormait dans le panier à linge, se pencha au-dessus de lui.

— Ne va donc pas lui souffler dessus ! dit Vera.

— Ça ne fait rien, il n'a qu'à s'habituer ! dit Spiridonov tout joyeux.

— Mets-toi à table, tu as bu, je suis sûre, sans rien manger. Grand-mère a quitté le lit aujourd'hui pour la première fois.

— Alors ça, c'est vraiment chouette, dit Stépan Fiodorovitch, et il laissa tomber sa cuiller dans son assiette, éclaboussant de soupe son veston.

— Oh oh, mon petit Stépan, vous avez sérieusement picolé aujourd'hui, dit Alexandra Vladimirovna. Pour fêter quoi ?

Il repoussa son assiette.

— Mais mange donc, dit Vera.

— Eh bien voilà, mes amis, dit doucement Stépan Fiodorovitch. J'ai une nouvelle. Mon cas a été réglé : au niveau du parti, j'ai reçu un blâme sévère, et le ministère me mute dans la région de Sverdlovsk ; c'est une petite centrale rurale qui fonctionne à la tourbe, en un mot, de général à caporal. Je serai logé ; la prime d'installation équivaudra à deux mois de salaire. Demain je commence à passer la main. Nous recevrons des cartes de ravitaillement pour le voyage.

Alexandra Vladimirovna et Vera échangèrent un regard, puis Alexandra Vladimirovna dit :

— Rien à dire, c'est une raison sérieuse pour boire un coup.

— Vous aussi, maman, vous venez avec nous ; il y aura une chambre à part pour vous, la meilleure, dit Stépan Fiodorovitch.

— Mais on ne vous donnera qu'une seule pièce, c'est sûr, dit Alexandra Vladimirovna.

— De toute façon, maman, elle est pour vous.

C'était la première fois de sa vie que Stépan Fiodorovitch l'appelait « maman ». Et il avait les larmes aux yeux : l'ivresse, sans doute.

Natalia entra et Stépan Fiodorovitch, changeant de conversation, demanda :

— Alors, qu'est-ce que notre vieux raconte à propos des usines ?

Natacha dit :

— Pavel Andreïevitch vous a attendu, mais il s'est endormi.

Elle s'assit à la table, appuya ses joues sur ses poings, et dit :

— A ce qu'il raconte, les ouvriers font cuire des graines, c'est ça l'essentiel de leur nourriture.

Soudain, elle demanda :

— Stépan Fiodorovitch, c'est vrai, vous vous en allez ?

— Ah tiens ! Moi aussi j'ai entendu dire ça, dit-il d'un ton joyeux.

60

Alexandra Vladimirovna décida d'aller avec Stépan Fiodorovitch et Vera jusqu'à Kouïbychev : elle avait l'intention de s'installer quelque temps chez Evguénia Nikolaïevna.

La veille de son départ, Alexandra Vladimirovna demanda au nouveau directeur une voiture pour aller en ville voir les ruines de sa maison. En chemin, elle interrogeait le chauffeur :

— Et là, c'est quoi ? Et qu'est-ce qu'il y avait ici avant ?

— Quand ça, avant ? demandait le chauffeur, mécontent.

Dans les ruines, on voyait mises à nu trois strates de la vie : l'avant-guerre, la période des combats et la période actuelle, quand la vie cherchait à reprendre son cours pacifique. Dans la maison qui abritait autrefois une teinturerie et un petit atelier de retouches, les fenêtres avaient été murées à la brique, et pendant les combats des mitrailleurs d'une division allemande tiraient par des meurtrières percées dans la maçonnerie de brique. Maintenant, on délivrait par cette meurtrière du pain aux femmes qui faisaient la queue dans la rue.

Les P.C. et abris s'étaient multipliés au milieu des ruines, et s'y étaient installés des soldats, des états-majors, des opérateurs-radio ; on y avait rédigé des rapports, rechargé des pistolets-mitrailleurs et des bandes de mitrailleuses...

Et maintenant, on voyait en sortir par les cheminées une fumée de paix, du linge séchait devant, des enfants jouaient. La guerre laissait la place à la paix : une paix pauvre, miséreuse, presque aussi pénible que la guerre.

Des prisonniers de guerre travaillaient à dégager les décombres amoncelés dans la rue principale. Devant les magasins d'alimentation installés dans des caves, on voyait des gens faire la queue, des bidons à la main. Des prisonniers roumains fouillaient nonchalamment les gravats, dégageaient des cadavres. On ne voyait pas de militaires, on rencontrait seulement de temps en temps des marines de la flotte, et le chauffeur expliqua que la flottille de la Volga était restée à Stalingrad pour draguer les mines. Dans de nombreux endroits il y avait des planches neuves, des poutres, des sacs de ciment. On livrait des matériaux de construction. Parfois, au milieu des ruines, on regoudronnait les chaussées.

Sur une place déserte, une femme avançait, attelée à une charrette à deux roues chargée de ballots, deux enfants l'aidaient en tirant sur des cordes attachées aux brancards.

Tous cherchaient à rentrer chez eux, à Stalingrad, tandis qu'Alexandra Vladimirovna, qui y était revenue, en repartait. Elle demanda au chauffeur :

— Vous regrettez que Spiridonov quitte la centrale ?

— Qu'est-ce que ça change pour moi ? Spiridonov me faisait rouler et le nouveau fera pareil. C'est du même tabac. Il signe sa feuille de route, et moi je pars.

— Et ici, c'est quoi ? demanda-t-elle en montrant un large mur, noirci par le feu, où béaient les yeux immenses des fenêtres.

— Des bureaux ; on aurait mieux fait d'y installer des gens.

— Et avant, c'était quoi ?

— Avant, Paulus en personne était installé ici, et c'est ici qu'il a été pris.

— Et avant, c'était quoi ?

— Vous n'avez pas reconnu ? Le Grand Magasin.

Il semblait que la guerre avait chassé le Stalingrad d'avant. On imaginait bien des officiers allemands sortant de la cave, le Feldmarschall avançant le long de ce mur noirci, et des sentinelles au garde-à-vous. Mais il semblait incroyable qu'Alexandra Vladimirovna ait acheté ici un coupon pour un manteau, la montre qu'elle offrit à Maroussia pour son anniversaire, qu'elle soit venue ici avec Sérioja pour lui acheter des patins à glace au rayon sport.

Ceux qui viennent visiter Malakhov Kourgane à Sébastopol, Verdun, le champ de bataille de Borodino doivent, de même, trouver étrange de voir des enfants, des femmes à la lessive, un chariot chargé de foin, un vieux paysan, son râteau à la main. Là où maintenant pousse la vigne avançaient les colonnes de poilus, les camions couverts de bâches ; là où on voit une isba, un maigre troupeau, des pommiers, la cavalerie de Murat avançait, et d'ici Koutouzov, assis sur son fauteuil, d'un geste de sa main de vieillard lançait à la contre-attaque les fantassins russes. Sur le tertre, où dans la poussière des poules et des chèvres cherchent l'herbe entre les pierres, se tenait Nakhimov, et d'ici partaient les bombes éclairantes, ici les blessés criaient, les balles anglaises sifflaient.

Alexandra Vladimirovna trouvait elle aussi saugrenus ces files d'attente, ces cahutes, ces bonshommes déchargeant des planches, ces chemises séchant sur des cordes, ces draps rapiécés, ces bas qui s'entortillaient comme des vers, ces petites annonces accrochées à des façades mortes... Elle percevait à quel point la vie d'aujourd'hui semblait fade à Stépan Fiodorovitch, qui racontait les discussions au raïkom pour répartir les ouvriers, les planches, le ciment ; elle comprenait pourquoi la *Pravda de Stalingrad* l'ennuyait, avec ses articles sur le nettoyage des rues, le tri des décombres, l'installation de bains publics, de cantines ouvrières. Il s'animait en lui parlant des bombardements, des incendies, des visites à la centrale du commandant d'armée Choumilov, des tanks allemands qui descendaient des collines, des artilleurs soviétiques tirant de leurs canons sur ces tanks.

C'est dans ces rues que s'est décidé le sort de la guerre. L'issue de cette bataille allait définir la carte du monde de l'après-guerre, fixer la grandeur de Staline ou le pouvoir effrayant d'Adolf Hitler. Durant quatre-vingt-dix jours le seul mot de Stalingrad a fait vivre, respirer et rêver le Kremlin et Berchtesgaden.

C'est Stalingrad qui devait déterminer les philosophies de l'Histoire, les systèmes sociaux de l'avenir. L'ombre du sort du monde cacha aux yeux des hommes la ville qui avait connu naguère une vie normale, ordinaire.

La vieille femme, en s'approchant de sa maison, se trouvait sans s'en rendre compte au pouvoir des forces qui s'étaient manifestées à Stalingrad, où elle avait travaillé, élevé son petit-fils, écrit des lettres à ses filles, eu la grippe, s'était acheté des chaussures...

Elle demanda au chauffeur de s'arrêter, descendit de la voiture.

Elle avançait difficilement dans la rue déserte, parmi les décombres, elle scrutait les ruines, cherchant en vain à reconnaître les restes des maisons qui étaient voisines de la sienne.

Le mur de sa maison qui donnait sur la rue était encore debout ; par les fenêtres béantes, Alexandra Vladimirovna aperçut de son regard presbyte de vieillard les murs de son appartement, en reconnut la couleur bleu et vert passé. Mais les pièces n'avaient ni plancher ni plafond, il n'y avait pas d'escalier par lequel elle aurait pu monter. Le feu avait laissé ses traces sur les briques, souvent creusées par des éclats.

Elle perçut sa vie entière avec une force brutale qui pénétra tout son être : ses filles, son pauvre fils, ses pertes irrémédiables, sa tête chenue et sans abri. Elle regardait les ruines de la maison : une vieille femme malade, vêtue d'un manteau usé, chaussée de souliers éculés. Que lui réservait l'avenir ? A soixante-dix ans, elle n'en savait rien. « On a la vie devant soi », pensa-t-elle. Que réservait la vie à ceux qu'elle aimait ? Elle ne le savait pas. Le soleil printanier la regardait par les fenêtres vides de sa maison.

Ses proches avaient une vie peu harmonieuse, une vie embrouillée, confuse, pleine de doutes, de malheurs, d'erreurs. Qu'est-ce qui attendait Lioudmila ? A quoi mènerait la discorde de son ménage ? Et Sérioja ? Était-il vivant ? Comme la vie était difficile pour Victor Strum ! Qu'adviendrait-il de Stépan Fiodorovitch et de Vera ? Stépan saurait-il reconstruire sa vie, trouverait-il le calme ? Quelle voie allait suivre Nadia, si intelligente, bonne et mauvaise à la fois ? Et Vera ? Ploierait-elle sous le poids de la solitude, des besoins, des soucis quotidiens ? Que ferait Evguénia ? Irait-elle rejoindre Krymov en Sibérie, serait-elle elle-même internée, périrait-elle comme avait péri Dmitri ? Et Sérioja pourrait-il pardonner à l'État la mort dans les camps de son père et de sa mère innocents ?

Pourquoi leur vie était-elle si embrouillée, si confuse ?

Et ceux qui étaient morts, avaient été tués, exécutés, étaient toujours avec les vivants. Elle se rappelait leurs sourires, leurs plaisanteries, leur rire, leurs yeux tristes, égarés, leur désespoir et leur espérance.

Dmitri, en l'étreignant, lui disait : « Ça ne fait rien, maman, surtout ne t'en fais pas pour moi, ici aussi, au camp, il y a des gens bien. » Sofia Levintone, toute brune, la lèvre supérieure ombrée, jeune, fâchée et joyeuse, dit des vers. Ania Strum, intelligente et moqueuse, pâle et toujours triste. Tolia mangeait les nouilles au fromage râpé salement, goulûment, et cela la fâchait de le voir manger comme un goinfre, et il n'aidait jamais Lioudmila : « Même un verre d'eau, il n'ira pas le chercher... D'accord, d'accord, j'y vais, mais pourquoi pas Nadia ? » Et ma petite Maroussia ? Génia se moquait toujours de tes sermons d'institutrice, tu faisais la leçon, tu apprenais à Stépan à penser dans la ligne... Et tu t'es noyée dans la Volga avec le petit Slava Beriozkine, la vieille Varvara Alexandrovna. « Expliquez-moi, Mikhaïl Sidorovitch. » Seigneur, que pourrait-il bien expliquer ?

Tous, cherchant leur voie, souffrant de chagrins, de doutes, d'une secrète douleur, espéraient le bonheur. Les uns venaient la voir, d'autres lui écrivaient et elle était toujours pénétrée d'un sentiment étrange : une famille grande et unie, mais quelque part au fond du cœur l'impression de sa propre solitude.

Et la voilà, vieille femme maintenant, qui vit et espère toujours le bien, et garde la foi, et craint le mal, pleine d'angoisse pour la vie de ceux qui vivent, ne les distinguant pas de ceux qui sont morts, admirant le ciel printanier sans même savoir qu'elle l'admire ; elle est là debout et se demande pourquoi l'avenir de ceux qu'elle aime est si peu clair, pourquoi il y a tant d'erreurs dans leur vie, et elle ne s'aperçoit pas que ce trouble, ce brouillard, ce malheur et cette confusion apportent justement la réponse, la clarté, l'espoir et qu'elle sait, comprend de toute son âme le sens de la vie qui leur a été donnée en partage à elle et à ses proches ; et bien que ni elle ni aucun d'entre eux ne puissent dire ce qui les attend, et bien qu'ils sachent qu'aux époques terribles l'homme ne peut plus forger son bonheur, et que le destin du monde a reçu le droit de gracier et de châtier, d'élever aux honneurs ou d'enfoncer dans le besoin, de réduire en poussière de camps, néanmoins le destin du monde, la main de l'Histoire, le bras de la colère d'État, la gloire ou l'infamie des combats ne peuvent transformer ceux qui ont nom d'hommes : et quoi que la vie leur réserve — célébrité due à leur travail ou bien solitude, désespoir et besoin, camp et exécution —, ils vivront en hommes et mourront en hommes, et ceux qui ont péri ont su mourir en hommes : c'est là, pour l'éternité, leur amère victoire d'hommes sur toutes les forces grandioses et inhumaines qui furent et seront dans le monde.

Ce dernier jour tourna la tête pas seulement à Stépan Fiodorovitch, qui s'était mis à boire dès le matin. Alexandra Vladimirovna et Vera étaient excitées par l'énervement du départ. Des ouvriers vinrent à plusieurs reprises, demandant à voir Spiridonov. Celui-ci réglait ses dernières affaires, était allé au raïkom chercher son détachement, téléphonait à des amis, faisait viser son changement d'affectation au commissariat militaire, allait dans les ateliers, causant, plaisantant et, se trouvant un instant seul dans la salle des turbines, il appuya sa joue sur le volant froid immobile et, fatigué, ferma les yeux.

Vera emballait les affaires, faisait sécher les dernières couches au-dessus du poêle, préparait pour le voyage des biberons de lait bouilli, fourrait du pain dans un sac. Elle quittait aujourd'hui pour toujours Viktorov, sa mère, qui resteraient seuls, et personne ne se soucierait plus d'eux.

Elle se consolait à l'idée qu'elle était maintenant la plus mûre de la famille, la plus paisible, acceptant le mieux les difficultés de la vie.

Alexandra Vladimirovna, en regardant les yeux de sa petite-fille, irrités par le manque de sommeil, dit :

— C'est comme ça, la vie. Le plus pénible, c'est de quitter la maison où on a tant souffert.

Natacha entreprit de faire aux Spiridonov des pâtés pour le voyage. Elle partit au matin, chargée de bois et de provisions, pour une cité où habitait une femme de sa connaissance qui avait un poêle russe, elle préparait la farce, étendait la pâte. Son visage, échauffé par le travail aux fourneaux, avait rajeuni, embelli Elle se regardait en riant dans son miroir de poche, se poudrait le nez et les joues d'un nuage de farine, mais quand la femme sortit de la pièce, elle vit Natacha qui pleurait, ses larmes coulaient sur la pâte.

— Pourquoi tu pleures, Natacha ?

— Je m'étais attachée à eux. La vieille est bonne, et puis j'ai pitié de cette Vera et du petit orphelin.

La femme écouta avec attention l'explication, et dit :

— Tu mens, Natacha, c'est pas de plus voir la vieille qui te fait pleurer.

— Si, si, c'est vrai, dit Natacha.

Le nouveau directeur promit de laisser partir Andreïev, mais exigea qu'il travaille encore cinq jours à la centrale. Natacha déclara qu'elle resterait elle aussi cinq jours ici avec son beau-père, puis qu'elle irait rejoindre son fils à Leninsk.

— Et là-bas, je verrai bien.

— Qu'est-ce que tu verras de plus là-bas ? demanda son beau-père, mais elle ne répondit pas.

Et si elle pleurait, c'était sans doute parce qu'elle n'y verrait rien. Andreïev n'aimait pas que sa bru se soucie de lui : elle avait l'impression qu'il pensait toujours à ses disputes avec Varvara Alexandrovna, qu'il la condamnait, ne voulait pas lui pardonner.

Stépan Fiodorovitch rentra pour le déjeuner ; il raconta les adieux que lui avaient faits les ouvriers dans la salle des machines.

— Ici aussi c'était un vrai pèlerinage, dit Alexandra Vladimirovna. Il y a bien cinq-six personnes qui voulaient vous voir.

— Alors, tout est prêt ? Le camion sera là à 5 heures précises. Batrov a quand même donné une voiture, merci à lui.

Tout était réglé, les affaires emballées, et pourtant Spiridonov se sentait toujours nerveux, excité, grisé. Il se mit à déplacer les valises, à renouer les baluchons, comme s'il était impatient de partir. Puis

Andreïev rentra du bureau, et Stépan Fiodorovitch lui demanda :

— Alors, vous n'avez pas eu de télégramme de Moscou au sujet des câbles ?

— Non, rien du tout.

— Ah ! les cochons ! ils sabotent tout le boulot, on pourrait sinon remettre en route la première tranche pour les fêtes de Mai.

Andreïev dit à Alexandra Vladimirovna :

— Vous êtes vraiment mal en point, quelle idée d'entreprendre un voyage pareil !

— Ça ne fait rien, je suis increvable. D'ailleurs, que faire d'autre ? Rentrer chez moi, rue Gogol ? Et ici, les peintres sont déjà venus voir les travaux à faire pour le nouveau directeur.

— Il aurait pu attendre un jour, le mufle, dit Vera.

— Non, pourquoi ? dit Alexandra Vladimirovna. La vie suit son cours.

— Et le repas, il est prêt ? Qu'est-ce qu'on attend ?

— Natacha et ses pâtés.

— Si on attend les pâtés, on va rater le train, dit Stépan Fiodorovitch. Il ne voulait pas manger, mais il avait mis de côté de la vodka pour le repas d'adieu et il avait très envie d'en boire.

Il voulait passer dans son bureau, y rester ne serait-ce que quelques minutes, mais ce n'était pas possible : son successeur, Batrov, y tenait une réunion des chefs d'atelier. L'amertume qu'il en ressentait aiguisait encore son désir de boire ; il hochait la tête : « Nous allons être en retard. »

Il y avait quelque chose d'agréable dans cette attente de Natacha, dans cette crainte d'être en retard, mais il ne pouvait arriver à comprendre pourquoi. Il ne parvenait pas à se souvenir des soirs d'avant-guerre quand ils devaient, sa femme et lui, aller au théâtre, et qu'exactement de la même manière il regardait sa montre toutes les trente secondes en disant : « Nous allons être en retard. »

Il aurait voulu, ce jour-là, qu'on dise du bien de lui, et cette envie le rendait encore plus malheureux.

— Pourquoi me plaindre ? Je suis un déserteur et un lâche. J'aurais encore assez de culot pour demander la médaille de défenseur de Stalingrad !

— Mettons-nous à table, en effet, dit Alexandra Vladimirovna qui eut pitié de son gendre.

Vera apporta la casserole de soupe. Spiridonov sortit la bouteille de vodka. Alexandra Vladimirovna et Vera refusèrent de boire.

— Soit, on boira entre hommes, dit Spiridonov, ou bien, peut-être, on attend quand même Natacha ?

Et, juste à ce moment-là, elle entra et posa sur la table les pâtés qu'elle avait apportés dans un cabas.

Stépan Fiodorovitch emplit deux grands verres, pour Andreïev et pour lui, une moitié pour Natacha.

— L'été dernier, nous étions rue Gogol, chez Alexandra Vladimirovna, et nous mangions des pâtés, dit Andreïev.

— Ceux-là ne sont sûrement pas plus mauvais que ceux de l'an dernier, dit Alexandra Vladimirovna.

— Il y en avait du monde, ce jour-là ; et aujourd'hui il n'y a plus que vous, grand-mère, papa et moi, dit Vera.

— On a brisé les Allemands à Stalingrad, dit Andreïev.

— Une grande victoire. Elle a coûté cher aux hommes, dit Alexandra Vladimirovna. Reprenez de la soupe, on ne pourra rien manger de chaud pendant le voyage.

— Oui, la route sera dure, dit Andreïev. Et le départ aussi. Il n'y a pas de gare, ce sont des trains bourrés de militaires qui viennent du Caucase et qui passent ici en transit. Mais en revanche ils transportent du pain blanc.

— Ils avançaient sur nous comme un orage ; où est cet orage maintenant ? dit Stépan Fiodorovitch. La Russie soviétique a vaincu.

Il pensait aux chars allemands qu'il entendait naguère ici, et qu'on avait repoussés maintenant à des centaines de kilomètres.

Et de nouveau il parla de la blessure qui le torturait :

— Bon, d'accord, je suis un déserteur, mais qui me vote des blâmes ? Que les combattants de Stalingrad me jugent. Je suis prêt à reconnaître mes fautes devant eux.

— Et ce jour-là, Pavel Andreïevitch, vous étiez assis à côté de Mostovskoï, dit Vera à Andreïev.

Mais Stépan Fiodorovitch coupa la conversation, son malheur ne le laissait pas en paix.

— J'ai téléphoné au premier secrétaire de l'obkom pour lui dire au revoir ; malgré tout, je suis le seul directeur à être resté sur la rive droite pendant toute la bataille, eh bien, Barouline, son adjoint, ne me l'a pas passé. « Le camarade Priakhine est occupé, m'a-t-il dit, il ne pourra pas vous parler. » S'il est occupé, va pour occupé.

— Et à côté de Sérioja, poursuivait Vera comme si elle n'entendait pas son père, il y avait un lieutenant, un camarade de Tolia. Où est-il, maintenant, ce lieutenant ?

Comme elle avait envie que quelqu'un lui dise : « Où veux-tu qu'il soit, il doit être en train de se battre quelque part, sain et sauf ! »

Cela aurait adouci sa peine, si peu que ce soit.

— Moi, je lui dis, continua Spiridonov en poursuivant sa pensée, tu sais bien que je m'en vais aujourd'hui, et lui : dans ce cas, adressez-vous à lui, sous forme écrite. Bon, qu'il aille au diable, ça suffit ! Buvons encore un coup, c'est la dernière fois que nous sommes assis à cette table.

Il leva son verre en direction d'Andreïev.

— Ne m'en veuillez pas, Pavel Andreïevitch !

— Nous, les ouvriers, on est tous pour vous, dit Andreïev.

Spiridonov avala la vodka, resta quelques instants immobile, comme s'il sortait la tête de l'eau, et attaqua la soupe. On n'entendait plus, à table, que le bruit qu'il faisait en mangeant son pâté et en battant la mesure avec sa cuiller.

Le petit Mitia se mit à pleurer et Vera se leva de table pour le prendre dans ses bras.

— Mangez donc, dit Natacha à Alexandra Vladimirovna, comme s'il s'agissait d'une question de vie ou de mort.

— Sans faute, la rassura Alexandra Vladimirovna.

Stépan Fiodorovitch prononça avec une solennité d'ivrogne, pleine d'énergie joyeuse :

— Natacha, je vous le dis devant tout le monde. vous n'avez rien à faire ici. Partez à Leninsk, prenez votre fils, et venez nous rejoindre dans l'Oural. Nous serons ensemble, on est mieux ensemble.

Il aurait voulu saisir son regard, mais elle baissait la tête et il ne pouvait voir que son front, ses beaux sourcils bruns.

— Et vous aussi, Pavel Andreïevitch, venez avec nous. On est mieux ensemble.

— Où voulez-vous que j'aille ? Je ne recommencerai pas une nouvelle vie.

Stépan Fiodorovitch se tourna vers Vera ; elle se tenait près de la table avec Mitia dans les bras et elle pleurait.

Et pour la première fois au cours de cette journée, il vit les murs qu'il allait quitter ; et tout s'effaça, perdit son importance : la douleur qui le tenaillait, le licenciement, la perte du travail qu'il aimait, la perte du respect des gens, la honte et la rancune qui lui faisaient perdre la raison, qui le privaient de la joie de la victoire.

Et la vieille femme qui était assise à côté de lui, la mère de Maroussia, de sa femme qu'il aimait et qu'il avait perdue à jamais, l'embrassa sur le front et lui dit :

— Ce n'est rien, ce n'est rien, mon Stépan, c'est la vie.

Toute la nuit, il avait fait chaud dans l'isba. On avait fait marcher le poêle le soir.

La locataire et son mari, un militaire blessé arrivé la veille en permission, avaient parlé toute la nuit. Ils parlaient à voix basse pour ne pas réveiller la vieille logeuse et leur fille qui dormait sur un coffre.

La vieille n'arrivait pas à trouver le sommeil. Elle était en colère contre sa locataire ; pourquoi ces messes basses ? Cela la gênait : elle écoutait involontairement et tendait l'oreille pour relier entre eux les quelques mots qui parvenaient jusqu'à elle.

S'ils avaient parlé à haute voix, elle les aurait écoutés un petit peu, puis se serait endormie. Elle avait même envie de taper dans le mur : « Pourquoi baissez-vous la voix, vous pensez peut-être que c'est intéressant, ce que vous racontez ? »

La vieille saisissait quelques phrases, puis le murmure redevenait indistinct.

Le militaire dit :

— Je viens de l'hôpital, je n'ai même pas pu vous apporter des bonbons. C'est une autre paire de manches au front !

— Eh bien, moi, répondit la femme, je t'ai régalé avec des pommes de terre à l'huile.

Puis la vieille n'entendit plus rien, il lui sembla que la femme pleurait.

Puis la vieille l'entendit dire :

— C'est mon amour qui t'a sauvé.

« Briseur de cœurs », pensa la vieille.

La vieille s'assoupit et dut se mettre à ronfler car les deux voix se firent plus fortes.

Elle se réveilla et entendit :

— Pivovarov m'a écrit à l'hôpital ; à peine j'étais lieutenant-colonel qu'on m'a proposé pour un nouvel avancement, colonel cette fois. C'est le commandant de l'armée qui l'a fait. C'est qu'il m'a mis à commander une division. Et j'ai obtenu l'Ordre de Lénine. Et tout ça pour le combat que j'ai passé à chanter comme un idiot, enterré sous les décombres, sans liaison avec mes bataillons. J'ai l'impression d'avoir trompé tout le monde. Tu ne peux pas t'imaginer comme je me sens mal à l'aise.

Puis ils durent remarquer que la logeuse ne ronflait plus et se remirent à parler à voix basse.

La vieille vivait seule, son mari était mort avant la guerre et sa fille l'avait quittée pour aller travailler à Sverdlovsk. La vieille n'avait pas de proches au front et elle ne parvenait pas à comprendre pourquoi la venue du militaire la dérangeait tellement.

Elle n'aimait pas sa locataire. C'était, pensait-elle, une femme qui ne savait pas vivre, sans indépendance. La locataire se levait tard, sa fillette était mal tenue, portait des vêtements déchirés, mangeait n'importe quoi. La locataire restait le plus souvent assise à table sans rien dire et regardait par la fenêtre. Mais, parfois, ça la prenait, elle se mettait à travailler et alors il s'avérait qu'elle savait tout faire : elle cousait, lavait les planchers, faisait une très bonne soupe, et même, bien qu'elle fût de la ville, elle savait traire. Visiblement, elle avait quelque chose qui ne tournait pas rond. Et sa fille aussi ; c'était une petite maigrichonne. Elle aimait beaucoup jouer avec des scarabées, des sauterelles, des cafards et elle jouait bizarrement, pas comme les autres enfants : elle les embrassait, leur racontait des histoires, puis elle les relâchait et après elle pleurait, les appelait par leur nom, les suppliait de revenir. La vieille lui avait apporté à l'automne un hérisson qu'elle avait trouvé dans la forêt, la fillette ne le quittait pas un seul instant, elle le suivait partout. Quand le hérisson poussait un grognement, elle fondait de joie. Quand le hérisson se réfugiait sous la commode, elle s'asseyait devant et disait à sa mère : « Fais pas de bruit, il dort. » Et quand le hérisson était reparti, elle était restée deux jours sans vouloir manger.

La vieille vivait dans la crainte que sa locataire se pende et qu'elle se retrouve avec la petite fille sur les bras ; elle n'avait pas envie d'avoir de nouveaux soucis à la fin de ses jours.

« Je ne dois rien à personne », se disait-elle. Et, chaque matin, elle se levait en se demandant si elle n'allait pas trouver sa locataire suspendue à un crochet dans le plafond. Que faire de la fille, dans ce cas ?

Elle était persuadée que le mari de sa locataire l'avait abandonnée et qu'il s'était trouvé une nouvelle femme au front, plus jeune que la première, et que c'était pour cela que sa locataire était si triste. Elle recevait rarement des lettres, et quand elle en recevait elle n'en devenait pas plus joyeuse. On ne pouvait rien tirer d'elle, elle se taisait tout le temps. Les voisines aussi avaient remarqué que la vieille avait une drôle de locataire.

La vieille n'avait pas été heureuse avec son mari. C'était un ivrogne et il avait le vin mauvais. Et il ne battait pas comme tout le monde, il voulait toujours l'atteindre avec un bâton ou le pique-feu. Il battait aussi sa fille. A jeun, ce n'était guère mieux, il trouvait toujours quelque chose à redire, il fourrait son nez dans les casseroles, pire qu'une bonne femme. Il était près de ses sous. Il lui faisait tout le temps la leçon : et elle ne savait pas faire la cuisine, et elle ne savait pas traire, et elle ne savait pas faire le lit. Et un juron tous les deux mots. Il l'avait habituée, elle aussi. Elle jurait pour un oui, pour un non, maintenant. Elle n'avait pas versé une larme à sa mort. Même vieux, il l'embêtait. Rien à faire, il était ivre. Il aurait pu au moins se sentir gêné en présence de sa fille. Rien que d'y penser, elle avait honte. Et qu'est-ce qu'il ronflait, surtout quand il était ivre ! Et sa vache, quelle caboytarde celle-là, elle veut toujours se sauver du troupeau. On ne peut pas la rattraper quand on est vieux.

La vieille écoutait les chuchotements derrière la cloison, ou bien elle se souvenait de sa vie passée avec son mari. Elle éprouvait, en même temps que de la rancune, de la pitié à son égard. Il travaillait dur et gagnait peu. Sans la vache, ils n'auraient pas survécu. Et s'il était mort, c'était à cause de la poussière qu'il avait avalée en travaillant à la mine. Elle n'était pas morte, elle, elle était encore en vie. Et un jour, il lui avait rapporté un collier de verre d'Ekaterinbourg, c'était sa fille maintenant qui le portait...

Tôt le matin, la petite fille n'était pas encore réveillée, ils allèrent au village. Il pouvait y obtenir du pain blanc avec ses cartes de rationnement.

Ils se tenaient par la main et marchaient en silence ; il fallait parcourir quinze cents mètres à travers la forêt puis descendre vers le lac et longer sa rive.

La neige n'avait pas encore fondu et prenait une couleur bleue. Entre ses gros cristaux rugueux naissait le bleu de l'eau du lac. Sur le côté ensoleillé de la colline, la neige fondait et l'eau courait dans le fossé le long de la route. L'éclat de la neige, de l'eau, des flaques, encore prises dans la glace, aveuglait. La lumière était si intense qu'il fallait se frayer un chemin à travers elle, comme à travers des fourrés. Elle dérangeait, gênait, et, quand ils brisaient la pellicule de glace en marchant sur les flaques, il leur semblait que c'était la lumière qui crissait sous leurs pas, qui se fendait en éclats-rayons aigus et piquants. La lumière coulait dans le fossé, et quand des pierres barraient le passage, la lumière se gonflait, écumait, clapotait et bruissait. Le soleil printanier s'était rapproché tout près de la terre. L'air était frais et tiède à la fois.

Il lui semblait que sa gorge, brûlée par le gel et la vodka, endurcie par le tabac et les gaz des explosions, par la poussière et les jurons, était lavée, rincée par la lumière et le bleu du ciel. Ils pénétrèrent dans la forêt, à l'ombre des premiers pins. La neige, ici, n'avait pas commencé à fondre. Dans les pins, les écureuils étaient au travail, et en bas la croûte gelée de la neige était jonchée d'écailles et de pommes de pin rongées.

Le silence dans la forêt venait de ce que la lumière, arrêtée par les ramures, ne faisait plus de bruit mais enveloppait précautionneusement la terre.

Ils marchaient toujours en silence, ils étaient réunis et c'était pour cette raison que tout était si beau autour et que le printemps était arrivé.

Ils s'arrêtèrent d'un même mouvement. Deux gros bouvreuils étaient perchés sur une branche de sapin. Leurs poitrines rouges ressemblaient à des fleurs sur une neige ensorcelée. Étrange, étonnant était le silence en cette heure.

Il contenait le souvenir des feuillages de l'an passé, des pluies d'automne, des nids construits et abandonnés, de l'enfance, du travail ingrat des fourmis, de la perfidie des renards, de la guerre de tous contre tous, du bien et du mal nés en un seul cœur et morts avec ce cœur, des orages et des tonnerres qui avaient fait frémir les troncs des pins et les cœurs des lièvres. La vie écoulée — joie des rendez-vous amoureux, bavardage incertain des oiseaux en avril, rencontres avec des voisins d'abord étranges, puis devenus familiers — dormait sous la neige, dans la froide pénombre.

Dormaient les forts et les faibles, les audacieux et les craintifs, les heureux et les malheureux. C'était le dernier adieu, dans la maison vide et abandonnée, à tout ce qui était mort et parti pour toujours.

Mais on sentait le printemps avec plus d'acuité dans la forêt que dans la plaine éclairée par le soleil.

Dans ce silence de la forêt, la tristesse était plus forte que dans le silence de l'automne. On entendait dans son mutisme les morts qu'on pleure et la joie furieuse de vivre...

Il fait nuit encore, et il fait froid, mais encore un instant et les portes et les volets s'ouvriront, la maison déserte revivra, s'emplira de pleurs et de rires d'enfants, résonnera des pas pressés de la femme aimée, du pas assuré du maître de maison.

Ils restaient immobiles, tenant leur cabas à la main, et ils se taisaient.

1960.

Carte du front russe de décembre 1941 à novembre 1942

Carte de la bataille de Stalingrad

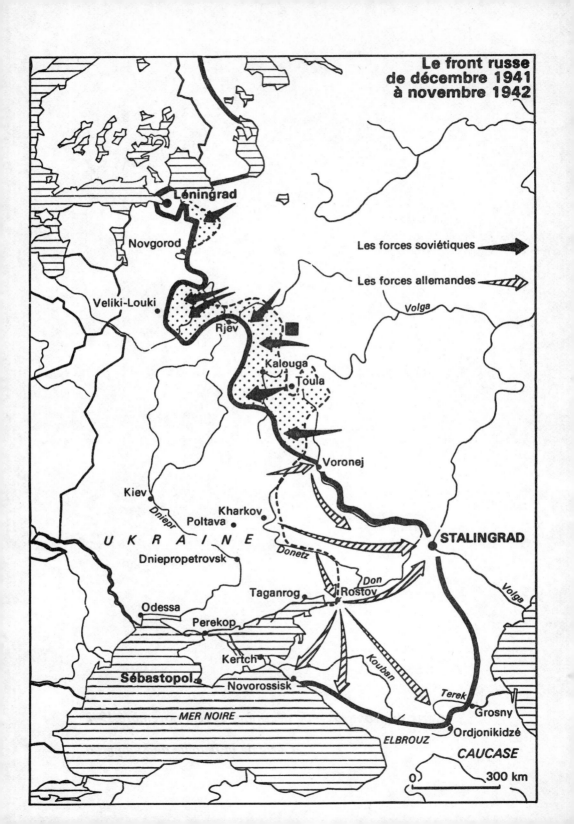

**Le front russe
de décembre 1941
à novembre 1942**

Les forces soviétiques →

Les forces allemandes ⇒

Léningrad

Novgorod

Veliki-Louki

Rjev

Volga

Kalouga

Toula

Voronej

Kiev

Dniepr

Kharkov

Poltava

U K R A I N E

Donetz

STALINGRAD

Dniepropetrovsk

Taganrog

Don

Rostov

Volga

Odessa

Perekop

Kouban

Kertch

Sébastopol

Novorossisk

Terek

Grosny

Ordjonikidzé

MER NOIRE

ELBROUZ

CAUCASE

0   300 km

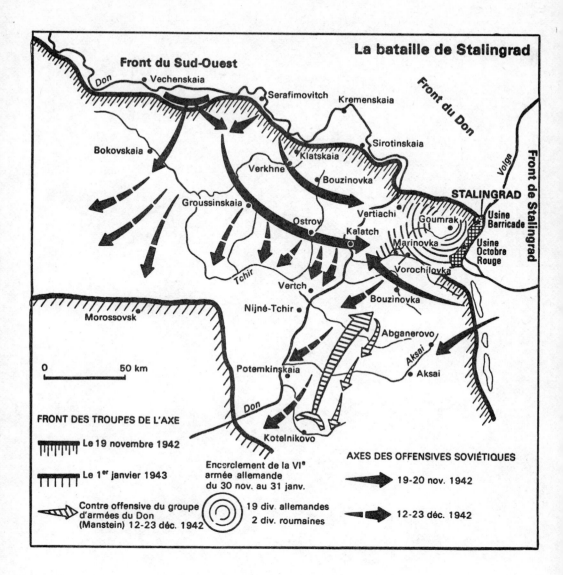

La bataille de Stalingrad

Cet ouvrage a été achevé d'imprimer en juin 1984
sur presse Cameron
par Nuovo Istituto Italiano d'Arti Grafiche - Bergamo
pour le compte de France Loisirs

Nº d'Édition : 9374. Nº d'Impression : 1391.
Dépôt légal : juin 1984
Imprimé en Italie